CATÉCHISME DE L'ÉGLISE CATHOLIQUE

CECC

Le logo de couverture est dessiné d'après une pierre tombale chrétienne des catacombes de Domitilla, datée du troisième siècle. Cette image bucolique d'origine païenne est utilisée par les chrétiens pour symboliser le repos et le bonheur que l'âme du défunt trouve dans la vie éternelle.

Cette image suggère aussi quelques aspects qui caractérisent ce Catéchisme : le Christ Bon Pasteur qui guide et protège ses fidèles (la brebis) par son autorité (le bâton), les attire par la symphonie mélodieuse de la vérité (la flûte) et les fait reposer à l'ombre de « l'arbre de la vie », sa Croix rédemptrice qui ouvre le paradis.

Publié par le **Service des Éditions,
Conférence des Évêques catholiques du Canada,**
90 avenue Parent, Ottawa (Ontario), K1N 7B1

ISBN : 0-88997-280-X
Dépôt légal : Bibliothèque nationale du Canada, Ottawa.

Liste des sigles

AA	Apostolicam actuositatem
AG	Ad gentes
Ben	De Benedictionibus
CA	Centesimus annus
Catech. R.	Catechismus Romanus
CCEO	Corpus Canonum Ecclesiarum Orientalium
CD	Christus Dominus
CDF	Congrégation pour la doctrine de la foi
CIC	Codex Iuris Canonici
CL	Christifideles laici
COD	Conciliorum œcumenicorum decreta
CT	Catechesi tradendae
DCG	Directorium Catecheticum Generale
DeV	Dominum et Vivificantem
DH	Dignitatis humanae
DM	Dives in misericordia
DS	Denzinger-Schönmetzer, Enchiridion Symbolorum, definitionum et declarationum de rebus fidei et morum
DV	Dei Verbum
EN	Evangelii nuntiandi
FC	Familiaris consortio
GE	Gravissimum educationis
GS	Gaudium et spes
HV	Humanae vitae
IGLH	Introductio generalis LH
IGMR	Institutio generalis MR
IM	Inter mirifica
LE	Laborem exercens
LG	Lumen gentium
LH	Liturgie des heures
MC	Marialis cultus
MD	Mulieris dignitatem
MF	Mysterium fidei
MM	Mater et magistra
MR	Missel Romain

NA	Nostra aetate
OBA	Ordo baptismi adultorum
OBP	Ordo baptismi parvulorum
OCf	Ordo confirmationis
OcM	Ordo celebrandi Matrimonium
OCV	Ordo consecrationis virginum
OE	Orientalium ecclesiarum
OEx	Ordo exsequiarum
off. lect.	office des lectures
OICA	Ordo initiationis christianae adultorum
OP	Ordo poenitentiae
OT	Optatam totius
PC	Perfectae caritatis
PO	Presbyterorum ordinis
PP	Populorum progressio
PT	Pacem in terris
RH	Redemptor hominis
RM	Redemptoris Mater
RP	Reconciliatio et poenitentia
SC	Sacrosanctum concilium
SPF	Credo du Peuple de Dieu : profession de foi solennelle
SRS	Sollicitudo rei socialis
UR	Unitatis redintegratio

Les titres des oeuvres d'écrivains ecclésiastiques se trouvent dans l'index des citations. Les lettres qui figurent en gras dans ces titres constituent l'abréviation utilisée dans les notes pour ces mêmes oeuvres.

Ex. p. 630 pour S. Ambroise : ep est l'abréviation de **ep**istulae.

Constitution Apostolique
« Fidei depositum »

pour la publication
du *Catéchisme de l'Église catholique*
rédigé à la suite
du deuxième Concile œcuménique
du Vatican

JEAN-PAUL, ÉVÊQUE
Serviteur des Serviteurs de Dieu
en perpétuelle mémoire

Introduction

Garder le dépôt de la foi, telle est la mission que le Seigneur a confiée à son Église et qu'elle accomplit en tout temps. Le deuxième Concile œcuménique du Vatican, ouvert voici trente ans par mon prédécesseur Jean XXIII, d'heureuse mémoire, avait pour intention et pour désir de mettre en lumière la mission apostolique et pastorale de l'Église, et d'amener tous les hommes, par le resplendissement de la vérité de l'Évangile, à rechercher et à recevoir l'amour du Christ qui est au-dessus de tout (cf. Ep. 3, 19).

À ces assises, le pape Jean XXIII avait assigné comme tâche principale de mieux garder et de mieux expliquer le dépôt précieux de la doctrine chrétienne, afin de le rendre plus accessible aux fidèles du Christ et à tous les hommes de bonne volonté. Pour cela, le Concile ne devait pas d'emblée condamner les erreurs de l'époque, mais il devait s'attacher à montrer sereinement la force et la beauté de la doctrine de la foi. « Les lumières de ce Concile – disait-il – seront pour l'Église [...] une source d'enrichissement spirituel. Après avoir puisé en lui de nouvelles énergies, elle regardera sans crainte vers l'avenir. [...] Nous devons nous mettre joyeusement, sans crainte, au travail qu'exige notre époque, en poursuivant la route sur laquelle l'Église marche depuis près de vingt siècles[1]. »

---

1. Jean XXIII, Discours d'ouverture du Concile, 11 octobre 1962.

Avec l'aide de Dieu, les Pères conciliaires ont pu élaborer, au long de quatre années de travail, un ensemble considérable d'exposés doctrinaux et de directives pastorales offerts à toute l'Église. Pasteurs et fidèles y trouvent des orientations pour ce « renouveau de pensée, d'activité, de mœurs, de force morale, de joie et d'espérance qui a été le but même du Concile [1] ».

Depuis sa conclusion, le Concile n'a cessé d'inspirer la vie ecclésiale. En 1985, je pouvais déclarer : « Pour moi – qui ai eu la grâce spéciale d'y participer et de collaborer activement à son déroulement – , Vatican II a toujours été, et est d'une manière particulière en ces années de mon pontificat, le point constant de référence de toute mon action pastorale, dans l'effort conscient de traduire ses directives par une application concrète et fidèle, au niveau de chaque Église et de toute l'Église. Il faut sans cesse revenir à cette source [2]. »

Dans cet esprit, j'ai convoqué, le 25 janvier 1985, une assemblée extraordinaire du Synode des évêques, à l'occasion du vingtième anniversaire de la clôture du Concile. Le but de cette assemblée était de célébrer les grâces et les fruits spirituels du Concile Vatican II, d'en approfondir l'enseignement pour mieux y adhérer et d'en promouvoir la connaissance et l'application.

En cette circonstance, les Pères du Synode ont émis le voeu « que soit rédigé un catéchisme ou compendium de toute la doctrine catholique tant sur la foi que sur la morale, qui serait comme un texte de référence pour les catéchismes ou compendiums qui sont composés dans les divers pays. La présentation de la doctrine doit être biblique et liturgique, exposant une doctrine sûre et en même temps adaptée à la vie actuelle des chrétiens [3] ». Dès la clôture du Synode, j'ai fait mien ce désir, estimant qu'il « répond tout à fait à un vrai besoin de l'Église universelle et des Églises particulières [4] ».

Comment ne pas rendre grâce de tout coeur au Seigneur, en ce jour où nous pouvons offrir à l'Église tout entière, sous le nom de Catéchisme de l'Église catholique, ce texte de référence pour une catéchèse renouvelée aux sources vives de la foi !

Après le renouvellement de la liturgie et la nouvelle codification du Droit canonique de l'Église latine et des canons des Églises orientales catholiques, ce Catéchisme apportera une contribution très importante à l'oeuvre de renouveau de toute la vie ecclésiale, voulue et mise en application par le deuxième Concile du Vatican.

Itinéraire et esprit de la préparation du texte

Le Catéchisme de l'Église catholique est le fruit d'une très large collaboration; il a été mûri durant six années de travail intense dans un esprit d'ouverture attentif et avec une ardeur chaleureuse.

---

1. Paul VI, Discours de clôture du Concile, 7 décembre 1965. - 2. Jean-Paul II, Allocution du 25 janvier 1985 : *L'Osservatore Romano*, 27 janvier 1985. - 3. Rapport final, 7 décembre 1985, II, B, a, n° 4. - 4. Discours de clôture, 7 décembre 1985, n° 6.

En 1986, j'ai confié à une commission de douze cardinaux et évêques, présidée par M. le Cardinal Joseph Ratzinger, la tâche de préparer un projet pour le catéchisme demandé par les Pères du Synode. Un comité de rédaction de sept évêques résidentiels, experts en théologie et en catéchèse, a assisté la commission dans son travail.

La commission, chargée de donner les directives et de veiller au déroulement des travaux, a suivi attentivement toutes les étapes de la rédaction des neuf versions successives. Le comité de rédaction, pour sa part, a assumé la responsabilité d'écrire le texte, d'y introduire les modifications demandées par la commission et d'examiner les remarques de nombreux théologiens, d'exégètes, de catéchètes et surtout des évêques du monde entier en vue d'améliorer le texte. Le comité a été un lieu d'échanges fructueux et enrichissants en vue d'assurer l'unité et l'homogénéité du texte.

Le projet a fait l'objet d'une vaste consultation de tous les évêques catholiques, de leurs Conférences épiscopales ou de leurs Synodes, des instituts de théologie et de catéchèse. Dans son ensemble, le projet a reçu un accueil largement favorable de la part de l'Épiscopat. On est en droit de dire que ce Catéchisme est le fruit d'une collaboration de tout l'Épiscopat de l'Église catholique qui a généreusement accueilli mon invitation à prendre sa part de responsabilité dans une initiative qui touche de près à la vie ecclésiale. Cette réponse suscite en moi un profond sentiment de joie, car le concours de tant de voix exprime véritablement ce qu'on peut appeler la « symphonie » de la foi. La réalisation de ce Catéchisme reflète ainsi la nature collégiale de l'Épiscopat; elle atteste la catholicité de l'Église.

Distribution de la matière

Un catéchisme doit présenter fidèlement et organiquement l'enseignement de l'Écriture sainte, de la Tradition vivante dans l'Église et du Magistère authentique, de même que l'héritage spirituel des Pères, des saints et des saintes de l'Église, pour permettre de mieux connaître le mystère chrétien et de raviver la foi du peuple de Dieu. Il doit tenir compte des explicitations de la doctrine que le Saint-Esprit a suggérées à l'Église au cours des temps. Il faut aussi qu'il aide à éclairer de la lumière de la foi les situations nouvelles et les problèmes qui ne s'étaient pas encore posés dans le passé.

Le Catéchisme comportera donc du neuf et de l'ancien (cf. Mt 13, 52), la foi étant toujours la même et source de lumières toujours nouvelles.

Pour répondre à cette double exigence, le Catéchisme de l'Église catholique d'une part reprend l'ordre « ancien », traditionnel et déjà suivi par le Catéchisme de saint Pie V, en articulant le contenu en quatre parties : le Credo; la sainte liturgie, avec les sacrements au premier plan; l'agir chrétien, exposé à partir des commandements; et enfin la prière chrétienne. Mais, en même temps, le contenu est souvent exprimé d'une façon « nouvelle », afin de répondre aux interrogations de notre époque.

Les quatre parties sont liées les unes aux autres : le mystère chrétien est l'objet de la foi (première partie); il est célébré et communiqué dans les actions liturgiques (deuxième partie); il est présent pour éclairer et soutenir les enfants de Dieu dans leur agir (troisième partie); il fonde notre prière dont le sommet est le « Notre Père » et il constitue l'objet de notre demande, de notre louange et de notre intercession (quatrième partie).

La liturgie est elle-même prière : la confession de la foi trouve sa juste place dans la célébration du culte. La grâce, fruit des sacrements, est la condition irremplaçable de l'agir chrétien, de même que la participation à la liturgie de l'Église requiert la foi. Si la foi ne se déploie pas en oeuvres, elle reste morte (cf. Jc 2, 14-26) et elle ne peut porter des fruits de vie éternelle.

À la lecture du Catéchisme de l'Église catholique, on peut saisir l'admirable unité du mystère de Dieu, de son dessein de salut, ainsi que la place centrale de Jésus-Christ, le Fils unique de Dieu, envoyé par le Père, fait homme dans le sein de la Très Sainte Vierge Marie par l'Esprit Saint, pour être notre Sauveur. Mort et ressuscité, Il est toujours présent dans son Église, particulièrement dans les sacrements; Il est la source de la foi, le modèle de l'agir chrétien et le Maître de notre prière.

Valeur doctrinale du texte

Le Catéchisme de l'Église catholique, que j'ai approuvé le 25 juin dernier et dont aujourd'hui j'ordonne la publication en vertu de l'autorité apostolique, est un exposé de la foi de l'Église et de la doctrine catholique, attestées ou éclairées par l'Écriture sainte, la Tradition apostolique et le Magistère ecclésiastique. Je le reconnais comme un instrument valable et autorisé au service de la communion ecclésiale et comme une norme sûre pour l'enseignement de la foi. Puisse-t-il servir au renouveau auquel l'Esprit Saint appelle sans cesse l'Église de Dieu, Corps du Christ, en pèlerinage vers la lumière sans ombre du Royaume !

L'approbation et la publication du Catéchisme de l'Église catholique constituent un service que le successeur de Pierre veut rendre à la Sainte Église catholique, à toutes les Églises particulières en paix et en communion avec le Siège apostolique de Rome : celui de soutenir et de confirmer la foi de tous les disciples du Seigneur Jésus (cf. Lc 22, 32), ainsi que de renforcer les liens de l'unité dans la même foi apostolique.

Je demande donc aux pasteurs de l'Église et aux fidèles de recevoir ce Catéchisme dans un esprit de communion et de l'utiliser assidûment en accomplissant leur mission d'annoncer la foi et d'appeler à la vie évangélique. Ce

Catéchisme leur est donné afin de servir de texte de référence sûr et authentique pour l'enseignement de la doctrine catholique, et tout particulièrement pour la composition des catéchismes locaux. Il est aussi offert à tous les fidèles qui désirent mieux connaître les richesses inépuisables du salut (cf. Jn 8, 32). Il veut apporter un soutien aux efforts œcuméniques animés par le saint désir de l'unité de tous les chrétiens, en montrant avec exactitude le contenu et la cohérence harmonieuse de la foi catholique. Le Catéchisme de l'Église catholique est enfin offert à tout homme qui nous demande raison de l'espérance qui est en nous (cf. 1 P 3, 15) et qui voudrait connaître ce que croit l'Église catholique.

Ce Catéchisme n'est pas destiné à remplacer les catéchismes locaux dûment approuvés par les autorités ecclésiastiques, les évêques diocésains et les Conférences épiscopales, surtout lorsqu'ils ont reçu l'approbation du Siège apostolique. Il est destiné à encourager et à aider la rédaction de nouveaux catéchismes locaux qui tiennent compte des diverses situations et cultures, mais qui gardent avec soin l'unité de la foi et la fidélité à la doctrine catholique.

Conclusion

Au terme de ce document qui présente le Catéchisme de l'Église catholique, je prie la Très Sainte Vierge Marie, Mère du Verbe incarné et Mère de l'Église, de soutenir par sa puissante intercession le travail catéchétique de l'Église entière à tous les niveaux, en ce temps où l'Église est appelée à un nouvel effort d'évangélisation. Puisse la lumière de la vraie foi délivrer l'humanité de l'ignorance et de l'esclavage du péché pour la conduire à la seule liberté digne de ce nom (cf. Jn 8, 32) : celle de la vie en Jésus-Christ sous la conduite de l'Esprit Saint, ici-bas et dans le Royaume des cieux, dans la plénitude du bonheur de la vision de Dieu face à face (cf. 1 Co 13, 12; 2 Co 5, 6-8) !

Donné le 11 octobre 1992, trentième anniversaire de l'ouverture du deuxième Concile du Vatican, en la quatorzième année de mon pontificat.

Joannes Paulus II

Prologue

« Père, (...) la vie éternelle, c'est qu'ils Te connaissent, Toi, le seul véritable Dieu, et Ton envoyé, Jésus-Christ » (Jn 17, 3). « Dieu notre Sauveur (...) veut que tous les hommes soient sauvés et parviennent à la connaissance de la vérité » (1 Tm 2, 3-4). « Il n'y a sous le ciel d'autre nom donné aux hommes, par lequel il nous faille être sauvés » (Ac 4, 12) que le nom de JÉSUS.

I. La vie de l'homme – connaître et aimer Dieu

1   Dieu, infiniment Parfait et Bienheureux en Lui-même, dans un dessein de pure bonté, a librement créé l'homme pour le faire participer à sa vie bienheureuse. C'est pourquoi, de tout temps et en tout lieu, Il se fait proche de l'homme. Il l'appelle, l'aide à Le chercher, à Le connaître et à L'aimer de toutes ses forces. Il convoque tous les hommes que le péché a dispersés dans l'unité de sa famille, l'Église. Pour ce faire, Il a envoyé son Fils comme Rédempteur et Sauveur lorsque les temps furent accomplis. En Lui et par Lui, Il appelle les hommes à devenir, dans l'Esprit Saint, ses enfants d'adoption, et donc les héritiers de sa vie bienheureuse.

2   Pour que cet appel retentisse par toute la terre, le Christ a envoyé les apôtres qu'Il avait choisis en leur donnant mandat d'annoncer l'Évangile : « Allez, de toutes les nations faites des disciples, les baptisant au nom du Père et du Fils et du Saint-Esprit, et leur apprenant à observer tout ce que je vous ai prescrit. Et moi, je suis avec vous pour toujours, jusqu'à la fin du monde » (Mt 28, 19-20). Forts de cette mission, les apôtres « s'en allèrent prêcher en tout lieu, le Seigneur agissant avec eux et confirmant la Parole par les signes qui l'accompagnaient » (Mc 16, 20).

3   Ceux qui à l'aide de Dieu ont accueilli l'appel du Christ et y ont librement répondu ont été à leur tour pressés par l'amour du Christ d'annoncer partout dans le monde la Bonne Nouvelle. Ce trésor reçu des apôtres a été gardé fidèlement par leurs successeurs. Tous les fidèles du Christ sont appelés à le transmettre de génération en génération, en annonçant la foi, en la vivant dans le partage fraternel et en la célébrant dans la liturgie et la prière[1].

II. Transmettre la foi – la catéchèse

4   Très tôt on a appelé *catéchèse* l'ensemble des efforts entrepris dans l'Église pour faire des disciples, pour aider les hommes à croire que Jésus est le Fils de Dieu

---

1. Cf. Ac 2, 42.

afin que, par la foi, ils aient la vie en son nom, pour les éduquer et les instruire dans cette vie et construire ainsi le Corps du Christ[1].

5   « La catéchèse est une *éducation de la foi* des enfants, des jeunes et des adultes, qui comprend spécialement un enseignement de la doctrine chrétienne, donné en général de façon organique et systématique, en vue d'initier à la plénitude de la vie chrétienne[2]. »

6   Sans se confondre avec eux, la catéchèse s'articule sur un certain nombre d'éléments de la mission pastorale de l'Église, qui ont un aspect catéchétique, qui préparent la catéchèse ou qui en découlent : première annonce de l'Évangile ou prédication missionnaire pour susciter la foi; recherche des raisons de croire; expérience de vie chrétienne; célébration des sacrements; intégration dans la communauté ecclésiale; témoignage apostolique et missionnaire[3].

7   « La catéchèse est liée intimement à toute la vie de l'Église. Non seulement l'extension géographique et l'augmentation numérique mais aussi, et davantage encore, la croissance intérieure de l'Église, sa correspondance avec le dessein de Dieu, dépendent essentiellement d'elle[4]. »

8   Les périodes de renouveau de l'Église sont aussi des temps forts de la catéchèse. Ainsi voit-on à la grande époque des Pères de l'Église de saints évêques y consacrer une part importante de leur ministère. Tels sont S. Cyrille de Jérusalem et S. Jean Chrysostome, S. Ambroise et S. Augustin, et bien d'autres Pères dont les oeuvres catéchétiques demeurent des modèles.

9   Le ministère de la catéchèse puise des énergies toujours nouvelles dans les Conciles. Le Concile de Trente constitue à cet égard un exemple à souligner : il a donné à la catéchèse une priorité dans ses constitutions et ses décrets; il est à l'origine du Catéchisme Romain qui porte aussi son nom et constitue une oeuvre de premier ordre comme abrégé de la doctrine chrétienne; il a suscité dans l'Église une organisation remarquable de la catéchèse; il a entraîné, grâce à de saints évêques et théologiens tels S. Pierre Canisius, S. Charles Borromée, S. Toribio de Mogrovejo ou S. Robert Bellarmin, la publication de nombreux catéchismes.

10   Il n'est pas étonnant, dès lors, que, dans le mouvement à la suite du deuxième Concile du Vatican, considéré par le Pape Paul VI (comme le grand catéchisme des temps modernes), la catéchèse de l'Église ait de nouveau attiré l'attention. Le « Directoire général de la Catéchèse » de 1971, les sessions du Synode des évêques consacrées à l'évangélisation (1974) et à la catéchèse (1977), les exhortations apostoliques qui leur correspondent, « Evangelii nuntiandi » (1975) et « Catechesi tradendae » (1979), en témoignent. La session extraordinaire du Synode des évêques de 1985 demanda « que soit rédigé un catéchisme ou compendium de toute la doctrine catholique tant sur la foi que sur la morale[5] ». Le Saint-Père, Jean Paul II, a fait sien ce voeu émis par le Synode des évêques en reconnaissant que « ce désir répond tout à fait à un vrai besoin de l'Église universelle et des Églises particulières[6] ». Il mit tout en oeuvre pour la réalisation de ce voeu des pères du Synode.

---

1. Cf. CT 1; 2. - 2. CT 18. - 3. Cf. CT 18. - 4. CT 13. - 5. Rapport final II B a 4. - 6. Discours 7 décembre 1985.

III. Le but et les destinataires de ce Catéchisme

11   Ce Catéchisme a pour but de présenter un exposé organique et synthétique des contenus essentiels et fondamentaux de la doctrine catholique tant sur la foi que sur la morale, à la lumière du Concile Vatican II et de l'ensemble de la Tradition de l'Église. Ses sources principales sont l'Écriture Sainte, les saints Pères, la liturgie et le Magistère de l'Église. Il est destiné à servir « comme un point de référence pour les catéchismes ou compendia qui sont composés dans les divers pays [1] ».

12   Ce Catéchisme est destiné principalement aux responsables de la catéchèse : en premier lieu aux évêques, en tant que docteurs de la foi et pasteurs de l'Église. Il leur est offert comme instrument dans l'accomplissement de leur charge d'enseigner le Peuple de Dieu. À travers les évêques, il s'adresse aux rédacteurs de catéchismes, aux prêtres et aux catéchistes. Il sera aussi d'utile lecture pour tous les autres fidèles chrétiens.

IV. La structure de ce Catéchisme

13   Le plan de ce Catéchisme s'inspire de la grande tradition des catéchismes qui articulent la catéchèse autour de quatre « piliers » : la profession de la foi baptismale *(le Symbole)*, les sacrements de la foi, la vie de la foi *(les Commandements)*, la prière du croyant *(le Notre Père)*.

Première partie: *La profession de la foi*

14   Ceux qui par la foi et le Baptême appartiennent au Christ doivent confesser leur foi baptismale devant les hommes [2]. Pour cela, le Catéchisme expose d'abord en quoi consiste la Révélation par laquelle Dieu s'adresse et se donne à l'homme, et la foi, par laquelle l'homme répond à Dieu *(première section)*. Le symbole de la foi résume les dons que Dieu fait à l'homme comme Auteur de tout bien, comme Rédempteur, comme Sanctificateur et les articule autour des « trois chapitres » de notre Baptême – la foi en un seul Dieu : le Père Tout-Puissant, le Créateur; et Jésus-Christ, son Fils, notre Seigneur et Sauveur; et l'Esprit Saint, dans la Sainte Église *(deuxième section)*.

Deuxième partie: *Les sacrements de la foi*

15   La deuxième partie du Catéchisme expose comment le salut de Dieu, réalisé une fois pour toutes par le Christ Jésus et par l'Esprit Saint, est rendu présent dans

1. Synode des Évêques 1985, rapport final II B a 4. - 2. Cf. Mt 10, 32; Rm 10, 9.

les actions sacrées de la liturgie de l'Église *(première section)*, particulièrement dans les sept sacrements *(deuxième section)*.

Troisième partie: *La vie de la foi*

16   La troisième partie du Catéchisme présente la fin ultime de l'homme, créé à l'image de Dieu : la béatitude, et les chemins pour y parvenir : par un agir droit et libre, avec l'aide de la loi et de la grâce de Dieu *(première section)*; par un agir qui réalise le double commandement de la charité, déployé dans les dix Commandements de Dieu *(deuxième section)*.

Quatrième partie: *La prière dans la vie de la foi*

17   La dernière partie du Catéchisme traite du sens et de l'importance de la prière dans la vie des croyants *(première section)*. Elle s'achève sur un bref commentaire des sept demandes de la prière du Seigneur *(deuxième section)*. En elles, en effet, nous trouvons la somme des biens que nous devons espérer et que notre Père céleste veut nous accorder.

V. Indications pratiques pour l'usage de ce Catéchisme

18   Ce Catéchisme est conçu comme un *exposé organique* de toute la foi catholique. Il faut donc le lire comme une unité. De nombreux renvois en marge du texte (numéros en italique se référant à d'autres paragraphes traitant du même sujet) et l'index thématique à la fin du volume permettent de voir chaque thème dans son lien avec l'ensemble de la foi.

19   Souvent, les textes de l'Écriture Sainte ne sont pas cités littéralement mais avec la seule indication de leur référence (par « **cf.** ») en note. Pour une intelligence approfondie de tels passages il convient de se reporter aux textes eux-mêmes. Ces références bibliques sont un instrument de travail pour la catéchèse.

> **20**   L'emploi des **petits caractères** pour certains passages indique qu'il s'agit de remarques de type historique, apologétique ou d'exposés doctrinaux complémentaires.

> **21**   **Les citations,** en petits caractères, de sources patristiques, liturgiques, magistérielles ou hagiographiques sont destinées à enrichir l'exposé doctrinal. Souvent ces textes ont été choisis en vue d'un usage directement catéchétique.

> **22**   *À la fin de chaque unité thématique, une série de textes brefs résument en des formules ramassées l'essentiel de l'enseignement. Ces « EN BREF » ont pour but de donner des suggestions à la catéchèse locale pour des formules synthétiques et mémorisables.*

VI. Les adaptations nécessaires

23   L'accent de ce Catéchisme porte sur l'exposé doctrinal. En effet, il veut aider à approfondir la connaissance de la foi. Par là même il est orienté vers la maturation de cette foi, son enracinement dans la vie et son rayonnement dans le témoignage[1].

24   Par sa finalité même, ce Catéchisme ne se propose pas de réaliser les adaptations de l'exposé et des méthodes catéchétiques exigées par les différences de cultures, d'âges, de maturité spirituelle, de situations sociales et ecclésiales de ceux à qui s'adresse la catéchèse. Ces adaptations indispensables relèvent des catéchismes appropriés, et plus encore de ceux qui instruisent les fidèles:

> Celui qui enseigne doit « se faire tout à tous » (1 Co 9, 22), pour gagner tout le monde à Jésus-Christ. (...) Surtout qu'il ne s'imagine pas qu'une seule sorte d'âmes lui soit confiée, et que par conséquent il lui est loisible d'enseigner et de former également tous les fidèles à la vraie piété, avec une seule et même méthode et toujours la même ! Qu'il sache bien que les uns sont en Jésus-Christ comme des enfants nouvellement nés, d'autres comme des adolescents, quelques-uns enfin, comme en possession de toutes leurs forces. (...) Ceux qui sont appelés au ministère de la prédication doivent, en transmettant l'enseignement des mystères, de la foi et des règles des mœurs, proportionner leurs paroles à l'esprit et à l'intelligence de leurs auditeurs[2].

Par-dessus tout – la Charité

25   Pour conclure cette présentation, il est opportun de rappeler ce principe pastoral qu'énonce le Catéchisme Romain :

> Toute la finalité de la doctrine et de l'enseignement doit être placée dans l'amour qui ne finit pas. Car on peut bien exposer ce qu'il faut croire, espérer ou faire; mais surtout on doit toujours faire apparaître l'Amour de Notre Seigneur afin que chacun comprenne que tout acte de vertu parfaitement chrétien n'a pas d'autre origine que l'Amour et pas d'autre terme que l'Amour[3].

---

1. Cf. CT 20-22; 25. - 2. Catech. R. préface 11. - 3. Catech. R. préface 10.

Première Partie
La profession de la foi

Fragment d'une fresque de la catacombe de Priscilla, Rome, début du IIIe siècle. La plus ancienne image de la Sainte Vierge.

Cette image, parmi les plus anciennes de l'art chrétien, thématise ce qui est le coeur de la foi chrétienne : le mystère de l'Incarnation du Fils de Dieu né de la Vierge Marie.

À gauche, une figure d'homme qui indique une étoile, située au-dessus de la Vierge avec l'enfant : un prophète, probablement Balaam, qui annonce qu'« un astre issu de Jacob devient chef » (Nb 24, 17). C'est toute l'attente de l'Ancienne Alliance et l'appel d'une humanité déchue vers un sauveur et rédempteur (cf. § 27, 528).

Cette annonce est réalisée dans la naissance de Jésus, Fils de Dieu fait homme, conçu du Saint-Esprit, né de la Vierge Marie (cf. § 27, 53, 422, 488). Marie Le met au monde, elle Le donne aux hommes. Par là elle est la figure la plus pure de l'Église (cf. § 967).

Première Section

« Je crois » - « Nous croyons »

26   Lorsque nous professons notre foi, nous commençons par dire : « Je crois »
ou « Nous croyons ». Avant d'exposer la foi de l'Église telle qu'elle est confessée
dans le Credo, célébrée dans la liturgie, vécue dans la pratique des Commandements et dans la prière, demandons-nous donc ce que signifie « croire ». La foi
est la réponse de l'homme à Dieu qui se révèle et se donne à lui, en apportant en
même temps une lumière surabondante à l'homme en quête du sens ultime de sa
vie. Nous considérons dès lors d'abord cette quête de l'homme *(chapitre premier)*,
ensuite la Révélation divine, par laquelle Dieu vient au devant de l'homme
(chapitre deuxième), enfin la réponse de la foi *(chapitre troisième)*.

Chapitre Premier

L'homme est « capable » de Dieu

I. Le désir de Dieu

27   Le désir de Dieu est inscrit dans le coeur de l'homme, car l'homme est créé
par Dieu et pour Dieu; Dieu ne cesse d'attirer l'homme vers Lui, et ce n'est qu'en   *355, 1701*
Dieu que l'homme trouvera la vérité et le bonheur qu'il ne cesse de chercher :   *1718*

> L'aspect le plus sublime de la dignité humaine se trouve dans cette vocation de
> l'homme à communier avec Dieu. Cette invitation que Dieu adresse à l'homme de
> dialoguer avec Lui commence avec l'existence humaine. Car si l'homme existe, c'est
> que Dieu l'a créé par Amour et, par Amour, ne cesse de lui donner l'être; et
> l'homme ne vit pleinement selon la vérité que s'il reconnaît librement cet Amour et
> s'abandonne à son Créateur[1].

28   De multiples manières, dans leur histoire, et jusqu'à aujourd'hui, les
hommes ont donné expression à leur quête de Dieu par leurs croyances et leurs   *843, 2566*
comportements religieux (prières, sacrifices, cultes, méditations, etc.). Malgré les   *2095-2109*
ambiguïtés qu'elles peuvent comporter, ces formes d'expression sont si universelles
que l'on peut appeler l'homme *un être religieux* :

---

1. GS 19, § 1.

> Dieu a fait habiter sur toute la face de la terre tout le genre humain, issu d'un seul; il a fixé aux peuples les temps qui leur étaient départis et les limites de leur habitat, afin que les hommes cherchent la divinité pour l'atteindre, si possible, comme à tâtons, et la trouver; aussi bien n'est-elle pas loin de chacun de nous. C'est en elle en effet que nous avons la vie, le mouvement et l'être (Ac 17, 26-28).

2123-2128

29   Mais ce « rapport intime et vital qui unit l'homme à Dieu[1] » peut être oublié, méconnu et même rejeté explicitement par l'homme. De telles attitudes peuvent avoir des origines très diverses[2] : la révolte contre le mal dans le monde, l'ignorance ou l'indifférence religieuses, les soucis du monde et des richesses[3], le mauvais exemple des croyants, les courants de pensée hostiles à la religion, et finalement cette attitude de l'homme pécheur qui, de peur, se cache devant Dieu[4] et fuit devant son appel[5].

398

30   « Joie pour les coeurs qui cherchent Dieu » (Ps 105, 3). Si l'homme peut oublier ou refuser Dieu, Dieu, Lui, ne cesse d'appeler tout homme à Le chercher pour qu'il vive et trouve le bonheur. Mais cette quête exige de l'homme tout l'effort de son intelligence, la rectitude de sa volonté, « un coeur droit », et aussi le témoignage des autres qui lui apprennent à chercher Dieu.

2567, 845

368

> Tu es grand, Seigneur, et louable hautement : grand est ton pouvoir et ta sagesse n'a point de mesure. Et l'homme, petite partie de ta création, prétend Te louer, précisément l'homme qui, revêtu de sa condition mortelle, porte en lui le témoignage de son péché et le témoignage que Tu résistes aux superbes. Malgré tout, l'homme, petite partie de ta création, veut Te louer. Toi-même Tu l'y incites, en faisant qu'il trouve ses délices dans ta louange, parce que Tu nous a faits pour Toi et notre coeur est sans repos tant qu'il ne se repose en Toi[6].

II. Les voies d'accès à la connaissance de Dieu

31   Créé à l'image de Dieu, appelé à connaître et à aimer Dieu, l'homme qui cherche Dieu découvre certaines « voies » pour accéder à la connaissance de Dieu. On les appelle aussi « preuves de l'existence de Dieu », non pas dans le sens des preuves que cherchent les sciences naturelles, mais dans le sens d'« arguments convergents et convaincants » qui permettent d'atteindre à de vraies certitudes.

Ces « voies » pour approcher Dieu ont pour point de départ la création : le monde matériel et la personne humaine.

54, 337

32   Le *monde* : à partir du mouvement et du devenir, de la contingence, de l'ordre et de la beauté du monde, on peut connaître Dieu comme origine et fin de l'univers.

1. GS 19, § 1. - 2. Cf. GS 19-21. - 3. Cf. Mt 13, 22. - 4. Cf. Gn 3, 8-10. - 5. Cf. Jon 1, 3. - 6. S. Augustin, conf. 1, 1, 1.

S. Paul affirme au sujet des païens : « Ce qu'on peut connaître de Dieu est pour eux manifeste : Dieu en effet le leur a manifesté. Ce qu'il y a d'invisible depuis la création du monde se laisse voir à l'intelligence à travers ses œuvres, son éternelle puissance et sa divinité » (Rm 1, 19-20)[1].

Et S. Augustin : « Interroge la beauté de la terre, interroge la beauté de la mer, interroge la beauté de l'air qui se dilate et se diffuse, interroge la beauté du ciel (...) interroge toutes ces réalités. Toutes te répondent : Vois, nous sommes belles. Leur beauté est une profession *(confessio)*. Ces beautés sujettes au changement, qui les a faites sinon le Beau *(Pulcher)*, non sujet au changement[2] ? »

33   L'*homme* : avec son ouverture à la vérité et à la beauté, son sens du bien moral, sa liberté et la voix de sa conscience, son aspiration à l'infini et au bonheur, l'homme s'interroge sur l'existence de Dieu. À travers tout cela il perçoit des signes de son âme spirituelle. « Germe d'éternité qu'il porte en lui-même, irréductible à la seule matière[3] », son âme ne peut avoir son origine qu'en Dieu seul.

2500, 1730
1776
1703
366

34   Le monde et l'homme attestent qu'ils n'ont en eux-mêmes ni leur principe premier ni leur fin ultime, mais participent à l'Être en soi, sans origine et sans fin. Ainsi, par ces diverses « voies », l'homme peut accéder à la connaissance de l'existence d'une réalité qui est la cause première et la fin ultime de tout, « et que tous appellent Dieu[4] ».

199

35   Les facultés de l'homme le rendent capable de connaître l'existence d'un Dieu personnel. Mais pour que l'homme puisse entrer dans son intimité, Dieu a voulu se révéler à lui et lui donner la grâce de pouvoir accueillir cette révélation dans la foi. Néanmoins, les preuves de l'existence de Dieu peuvent disposer à la foi et aider à voir que la foi ne s'oppose pas à la raison humaine.

50

159

III. La connaissance de Dieu selon l'Église

36   « La Sainte Église, notre mère, tient et enseigne que Dieu, principe et fin de toutes choses, peut être connu avec certitude par la lumière naturelle de la raison humaine à partir des choses créées[5]. » Sans cette capacité, l'homme ne pourrait accueillir la révélation de Dieu. L'homme a cette capacité parce qu'il est créé « à l'image de Dieu[6] ».

355

37   Dans les conditions historiques dans lesquelles il se trouve, l'homme éprouve cependant bien des difficultés pour connaître Dieu avec la seule lumière de sa raison :

1960

---

1. Cf. Ac 14, 15. 17; 17, 27-28; Sg 13, 1-9. - 2. Serm. 241, 2. - 3. GS 18, § 1; cf. 14, § 2. - 4. S. Thomas d'A., s. th. 1, 2, 3. - 5. Cc. Vatican II : DS 3004; cf. 3026; DV 6. - 6. Cf. Gn 1, 26.

> Bien que la raison humaine, en effet, à parler simplement, puisse vraiment par ses forces et sa lumière naturelles arriver à une connaissance vraie et certaine d'un Dieu personnel, protégeant et gouvernant le monde par sa Providence, ainsi que d'une loi naturelle mise par le Créateur dans nos âmes, il y a cependant bien des obstacles empêchant cette même raison d'user efficacement et avec fruit de son pouvoir naturel, car les vérités qui concernent Dieu et les hommes dépassent absolument l'ordre des choses sensibles, et lorsqu'elles doivent se traduire en action et informer la vie, elles demandent qu'on se donne et qu'on se renonce. L'esprit humain, pour acquérir de semblables vérités, souffre difficulté de la part des sens et de l'imagination, ainsi que des mauvais désirs nés du péché originel. De là vient qu'en de telles matières les hommes se persuadent facilement de la fausseté ou du moins de l'incertitude des choses dont ils ne voudraient pas qu'elles soient vraies [1].

38   C'est pourquoi l'homme a besoin d'être éclairé par la révélation de Dieu, non seulement sur ce qui dépasse son entendement, mais aussi sur « les vérités

2036   religieuses et morales qui, de soi, ne sont pas inaccessibles à la raison, afin qu'elles puissent être, dans l'état actuel du genre humain, connues de tous sans difficulté, avec une ferme certitude et sans mélange d'erreur [2] ».

IV. Comment parler de Dieu ?

39   En défendant la capacité de la raison humaine de connaître Dieu, l'Église

851   exprime sa confiance en la possibilité de parler de Dieu à tous les hommes et avec tous les hommes. Cette conviction est le point de départ de son dialogue avec les autres religions, avec la philosophie et les sciences, et aussi avec les incroyants et les athées.

40   Puisque notre connaissance de Dieu est limitée, notre langage sur Dieu l'est également. Nous ne pouvons nommer Dieu qu'à partir des créatures, et selon notre mode humain limité de connaître et de penser.

41   Les créatures portent toutes une certaine ressemblance de Dieu tout spécialement l'homme créé à l'image et à la ressemblance de Dieu. Les multiples perfections des créatures (leur vérité, leur bonté, leur beauté) reflètent donc la perfec-

213, 299   tion infinie de Dieu. Dès lors, nous pouvons nommer Dieu à partir des perfections de ses créatures, « car la grandeur et la beauté des créatures font, par analogie, contempler leur Auteur » (Sg 13, 5).

42   Dieu transcende toute créature. Il faut donc sans cesse purifier notre lan-

212, 300   gage de ce qu'il a de limité, d'imagé, d'imparfait pour ne pas confondre le Dieu

370   « ineffable, incompréhensible, invisible, insaisissable [3] » avec nos représentations humaines. Nos paroles humaines restent toujours en deçà du mystère de Dieu.

---

1. Pie XII, enc. Humani Generis : DS 3875. - 2. *Ibid.*, DS 3876; cf. Cc.Vatican I : DS 3005; DV 6; S. Thomas d'A., s. th. 1, 1, 1. - 3. Liturgie de S. Jean Chrysostome, Anaphore.

43   En parlant ainsi de Dieu, notre langage s'exprime, certes, de façon humaine, mais il atteint réellement Dieu lui-même, sans pourtant pouvoir l'exprimer dans son infinie simplicité. En effet, il faut se rappeler qu'« entre le Créateur et la créature on ne peut marquer tellement de ressemblance que la dissemblance entre eux ne soit pas plus grande encore[1] » et que « nous ne pouvons saisir de Dieu ce qu'Il est, mais seulement ce qu'Il n'est pas, et comment les autres êtres se situent par rapport à Lui »[2].

206

EN BREF

44   *L'homme est par nature et par vocation un être religieux. Venant de Dieu, allant vers Dieu, l'homme ne vit une vie pleinement humaine que s'il vit librement son lien avec Dieu.*

45   *L'homme est fait pour vivre en communion avec Dieu en qui il trouve son bonheur : « Quand tout entier je serai en Toi, il n'y aura plus jamais de chagrin et d'épreuve; tout entière pleine de Toi, ma vie sera accomplie[3]. »*

46   *Quand il écoute le message des créatures et la voix de sa conscience, l'homme peut atteindre la certitude de l'existence de Dieu, cause et fin de tout.*

47   *L'Église enseigne que le Dieu unique et véritable, notre Créateur et Seigneur, peut être connu avec certitude par ses oeuvres grâce à la lumière naturelle de la raison humaine[4].*

48   *Nous pouvons réellement nommer Dieu en partant des multiples perfections des créatures, similitudes du Dieu infiniment parfait, même si notre langage limité n'en épuise pas le mystère.*

49   *« La créature sans le Créateur s'évanouit[5]. » Voilà pourquoi les croyants se savent pressés par l'amour du Christ d'apporter la lumière du Dieu vivant à ceux qui l'ignorent ou le refusent.*

CHAPITRE DEUXIÈME
Dieu à la rencontre de l'homme

50   Par la raison naturelle, l'homme peut connaître Dieu avec certitude à partir de ses oeuvres. Mais il existe un autre ordre de connaissance que l'homme ne peut nullement atteindre par ses propres forces, celui de la Révélation divine[6]. Par une décision tout à fait libre, Dieu se révèle et se donne à l'homme. Il le fait en révélant

36

---

1. Cc. Latran IV : DS 806. - 2. S. Thomas d'A., s. gent. 1, 30. - 3. S. Augustin, conf. 10, 28, 39. - 4. Cf. Cc. Vatican I : DS 3026. - 5. GS 36. - 6. Cf. Cc. Vatican I : DS 3015.

1066 son mystère, son dessein bienveillant qu'Il a formé de toute éternité dans le Christ en faveur de tous les hommes. Il révèle pleinement son dessein en envoyant son Fils bien-aimé, notre Seigneur Jésus-Christ, et l'Esprit Saint.

ARTICLE 1
La Révélation de Dieu

I. Dieu révèle son « dessein bienveillant »

51 « Il a plu à Dieu dans sa sagesse et sa bonté de se révéler en personne et de *2823* faire connaître le mystère de sa volonté grâce auquel les hommes, par le Christ, le Verbe fait chair, accèdent dans l'Esprit Saint auprès du Père et sont rendus partici-
1996 pants de la nature divine [1]. »

52 Dieu qui « habite une lumière inaccessible » (1 Tm 6, 16) veut communiquer sa propre vie divine aux hommes librement créés par Lui, pour en faire, dans son Fils unique, des fils adoptifs [2]. En se révélant Lui-même, Dieu veut rendre les hommes capables de Lui répondre, de Le connaître et de L'aimer bien au-delà de tout ce dont ils seraient capables d'eux-mêmes.

53 Le dessein divin de la Révélation se réalise à la fois « par des actions et par *1953* des paroles, intimement liées entre elles et s'éclairant mutuellement [3]. » Il comporte
1950 une « pédagogie divine » particulière : Dieu se communique graduellement à l'homme, Il le prépare par étapes à accueillir la Révélation surnaturelle qu'Il fait de Lui-même et qui va culminer dans la Personne et la mission du Verbe incarné, Jésus-Christ.

> S. Irénée de Lyon parle à maintes reprises de cette pédagogie divine sous l'image de l'accoutumance mutuelle entre Dieu et l'homme : « Le Verbe de Dieu a habité dans l'homme et s'est fait Fils de l'homme pour accoutumer l'homme à saisir Dieu et accoutumer Dieu à habiter dans l'homme, selon le bon plaisir du Père [4]. »

II. Les étapes de la Révélation

Dès l'origine, Dieu se fait connaître

54 « Dieu, qui a créé et conserve toutes choses par le Verbe, donne aux *32* hommes dans les choses créées un témoignage incessant sur Lui-même; voulant de

---

1. DV 2. - 2. Cf. Ep 1, 4-5. - 3. DV 2. - 4. Haer. 3, 20, 2; cf. par exemple haer. 3, 17, 1; 4, 12, 4; 4, 21, 3.

plus ouvrir la voie d'un salut supérieur, Il se manifesta aussi Lui-même, dès l'origine, à nos premiers parents [1]. » Il les a invités à une communion intime avec Lui-même en les revêtant d'une grâce et d'une justice resplendissantes.

374

55 Cette Révélation n'a pas été interrompue par le péché de nos premiers parents. Dieu, en effet, « après leur chute leur promit une rédemption, leur rendit courage en les faisant espérer le salut; sans arrêt, Il montra sa sollicitude pour le genre humain, afin de donner la vie éternelle à tous ceux qui par la constance dans le bien cherchent le salut [2]. »

397, 410

> Comme il avait perdu ton amitié en se détournant de Toi, tu ne l'as pas abandonné au pouvoir de la mort. (...) Tu as multiplié les alliances avec eux [3].

761

L'alliance avec Noé

56 Une fois l'unité du genre humain morcelée par le péché, Dieu cherche tout d'abord à sauver l'humanité en passant par chacune de ses parties. L'alliance avec Noé d'après le déluge [4] exprime le principe de l'Économie divine envers les « nations », c'est-à-dire envers les hommes regroupés « d'après leurs pays, chacun selon sa langue, et selon leurs clans » (Gn 10, 5) [5].

401
1219

57 Cet ordre à la fois cosmique, social et religieux de la pluralité des nations [6], confié par la providence divine à la garde des anges [7], est destiné à limiter l'orgueil d'une humanité déchue qui, unanime dans sa perversité [8], voudrait faire par elle-même son unité à la manière de Babel [9]. Mais, à cause du péché [10], le polythéisme ainsi que l'idolâtrie de la nation et de son chef menacent sans cesse d'une perversion païenne cette économie provisoire.

58 L'alliance avec Noé est en vigueur tant que dure le temps des nations [11], jusqu'à la proclamation universelle de l'Évangile. La Bible vénère quelques grandes figures des « nations », tels qu'« Abel le juste », le roi-prêtre Melchisédech [12], figure du Christ [13] ou les justes « Noé, Danel et Job » (Ez 14, 14). Ainsi, l'Écriture exprime quelle hauteur de sainteté peuvent atteindre ceux qui vivent selon l'alliance de Noé dans l'attente que le Christ « rassemble dans l'unité tous les enfants de Dieu dispersés » (Jn 11, 52).

674

2569

Dieu élit Abraham

59 Pour rassembler l'humanité dispersée, Dieu élit Abram en l'appelant « hors de son pays, de sa parenté et de sa maison » (Gn 12, 1), pour faire de lui Abraham,

145, 2570

---

1. DV 3. - 2. DV 3. - 3. MR, prière eucharistique IV, 118. - 4. Cf. Gn 9, 9. - 5. Cf. Gn 10, 20-31. - 6. Cf. Ac 17, 26-27. - 7. Cf. Dt 4, 19; 32, 8. - 8. Cf. Sg 10, 5. - 9. Cf. Gn 11, 4-6. - 10. Cf. Rm 1, 18-25. - 11. Cf. Lc 21, 24. - 12. Cf. Gn 14, 18. - 13. Cf. He 7, 3.

c'est-à-dire « le père d'une multitude de nations » (Gn 17, 5) : « En toi seront bénies toutes les nations de la terre » (Gn 12, 3 LXX)[1].

760

762, 781

60   Le peuple issu d'Abraham sera le dépositaire de la promesse faite aux patriarches, le peuple de l'élection[2], appelé à préparer le rassemblement, un jour, de tous les enfants de Dieu dans l'unité de l'Église[3]; il sera la racine sur laquelle seront greffés les païens devenus croyants[4].

61   Les patriarches et les prophètes et d'autres personnages de l'Ancien Testament ont été et seront toujours vénérés comme saints dans toutes les traditions liturgiques de l'Église.

Dieu forme son peuple Israël

2060, 2574

1961

62   Après les patriarches, Dieu forma Israël comme son peuple en le sauvant de l'esclavage de l'Égypte. Il conclut avec lui l'Alliance du Sinaï et lui donna, par Moïse, sa loi, pour qu'il Le reconnaisse et Le serve comme le seul Dieu vivant et vrai, Père provident et juste juge, et qu'il attende le Sauveur promis[5].

204, 2801,

839

63   Israël est le Peuple sacerdotal de Dieu[6], celui qui « porte le nom du Seigneur » (Dt 28, 10). C'est le peuple de ceux « à qui Dieu a parlé en premier[7] », le peuple des « frères aînés » dans la foi d'Abraham.

711

1965

489

64   Par les prophètes, Dieu forme son peuple dans l'espérance du salut, dans l'attente d'une Alliance nouvelle et éternelle destinée à tous les hommes[8] et qui sera inscrite dans les coeurs[9]. Les prophètes annoncent une rédemption radicale du Peuple de Dieu, la purification de toutes ses infidélités[10], un salut qui incluera toutes les nations[11]. Ce seront surtout les pauvres et les humbles du Seigneur[12] qui porteront cette espérance. Les femmes saintes comme Sara, Rébecca, Rachel, Miryam, Débora, Anne, Judith et Esther, ont conservé vivante l'espérance du salut d'Israël. La figure la plus pure en est Marie[13].

III. Le Christ Jésus
« Médiateur et Plénitude de toute la Révélation[14] »

Dieu a tout dit en son Verbe

65   « Après avoir, à bien des reprises et de bien des manières, parlé par les prophètes, Dieu en ces jours qui sont les derniers, nous a parlé par son Fils »

---

1. Cf. Ga 3, 8. - 2. Cf. Rm 11, 28. - 3. Cf. Jn 11, 52; 10,16. - 4. Cf. Rm 11, 17-18. 24. - 5. Cf. DV 3. - 6. Cf. Ex 19, 6. - 7. MR, Vendredi Saint 13 : oraison universelle VI. - 8. Cf. Is 2, 2-4. - 9. Cf. Jr 31, 31-34; He 10, 16. - 10. Cf. Ez 36. - 11. Cf. Is 49, 5-6; 53, 11. - 12. Cf. So 2, 3. - 13. Cf. Lc 1, 38. - 14. DV 2.

(He 1, 1-2). Le Christ, le Fils de Dieu fait homme, est la Parole unique, parfaite et *102*
indépassable du Père. En Lui Il dit tout, et il n'y aura pas d'autre parole que celle-
là. S. Jean de la Croix, après tant d'autres, l'exprime de façon lumineuse, en commentant He 1, 1-2 :

> Dès lors qu'Il nous a donné son Fils, qui est sa Parole, Dieu n'a pas d'autre parole
> à nous donner. Il nous a tout dit à la fois et d'un seul coup en cette seule Parole
> (...); car ce qu'Il disait par parties aux prophètes, Il l'a dit tout entier dans son Fils,
> en nous donnant ce tout qu'est son Fils. Voilà pourquoi celui qui voudrait main- *516*
> tenant l'interroger, ou désirerait une vision ou une révélation, non seulement ferait
> une folie, mais ferait injure à Dieu, en ne jetant pas les yeux uniquement sur le
> Christ, sans chercher autre chose ou quelque nouveauté[1]. » *2717*

Il n'y aura plus d'autre Révélation

66 « L'Économie chrétienne, étant l'Alliance Nouvelle et définitive, ne passera
donc jamais et aucune nouvelle révélation publique n'est dès lors à attendre avant
la manifestation glorieuse de notre Seigneur Jésus-Christ[2]. » Cependant, même si la
Révélation est achevée, elle n'est pas complètement explicitée; il restera à la foi
chrétienne d'en saisir graduellement toute la portée au cours des siècles. *94*

67 Au fil des siècles il y a eu des révélations dites « privées », dont certaines ont été reconnues
par l'autorité de l'Église. Elles n'appartiennent cependant pas au dépôt de la foi. Leur rôle n'est pas *84*
d'« améliorer » ou de « compléter » la Révélation définitive du Christ, mais d'aider à en vivre plus
pleinement à une certaine époque de l'histoire. Guidé par le Magistère de l'Église, le sens des
fidèles sait discerner et accueillir ce qui dans ces révélations constitue un appel authentique du *93*
Christ ou de ses saints à l'Église.

La foi chrétienne ne peut pas accepter des « révélations » qui prétendent dépasser ou corriger la Révélation dont le Christ est l'achèvement. C'est le cas de certaines religions non chrétiennes
et aussi de certaines sectes récentes qui se fondent sur de telles « révélations ».

EN BREF

68 *Par amour, Dieu s'est révélé et s'est donné à l'homme. Il apporte
ainsi une réponse définitive et surabondante aux questions que l'homme se
pose sur le sens et le but de sa vie.*

69 *Dieu s'est révélé à l'homme en lui communiquant graduellement son
propre mystère par des actions et par des paroles.*

70 *Au-delà du témoignage que Dieu donne de Lui-même dans les
choses créées, Il s'est manifesté Lui-même à nos premiers parents. Il leur a
parlé et, après la chute, leur a promis le salut[3] et leur a offert son alliance.*

71 *Dieu conclut avec Noé une alliance éternelle entre Lui et tous les
êtres vivants[4]. Elle durera tant que dure le monde.*

---

1. Carm. 2, 22. - 2. DV 4. - 3. Cf. Gn 3, 15. - 4. Cf. Gn 9, 16.

72   *Dieu a élu Abraham et a conclu une alliance avec lui et sa descendance. Il en a formé son peuple auquel il a révélé sa loi par Moïse. Il l'a préparé par les prophètes à accueillir le salut destiné à toute l'humanité.*

73   *Dieu s'est révélé pleinement en envoyant son propre Fils en qui Il a établi son Alliance pour toujours. Celui-ci est la Parole définitive du Père, de sorte qu'il n'y aura plus d'autre Révélation après Lui.*

ARTICLE 2
La transmission de la Révélation divine

74   Dieu « veut que tous les hommes soient sauvés et parviennent à la connais-
851   sance de la vérité » (1 Tm 2, 4), c'est-à-dire du Christ Jésus [1]. Il faut donc que le Christ soit annoncé à tous les peuples et à tous les hommes et qu'ainsi la Révélation parvienne jusqu'aux extrémités du monde :

> Cette Révélation donnée pour le salut de toutes les nations, Dieu, avec la même bienveillance, prit des dispositions pour qu'elle demeurât toujours en son intégrité et qu'elle fût transmise à toutes les générations [2].

I. La Tradition apostolique

75   « Le Christ Seigneur en qui s'achève toute la Révélation du Dieu très haut, ayant accompli Lui-même et proclamé de sa propre bouche l'Évangile d'abord promis par les prophètes, ordonna à ses apôtres de le prêcher à tous comme la
171   source de toute vérité salutaire et de toute règle morale en leur communiquant les dons divins [3]. »

La prédication apostolique...

76   La transmission de l'Évangile, selon l'ordre du Seigneur, s'est faite de deux manières :

Oralement « par les apôtres, qui, dans la prédication orale, dans les exemples et les institutions transmirent, soit ce qu'ils avaient appris de la bouche du Christ en vivant avec Lui et en Le voyant agir, soit ce qu'ils tenaient des suggestions du Saint-Esprit »;

---

1. Cf. Jn 14, 6. - 2. DV 7. - 3. DV 7.

Par écrit « par ces apôtres et par des hommes de leur entourage, qui, sous l'inspiration du même Esprit Saint, consignèrent par écrit le message de salut [1] ».

... continuée dans la succession apostolique

77 « Pour que l'Évangile fût toujours gardé intact et vivant dans l'Église, les apôtres laissèrent comme successeurs les évêques, auxquels ils "transmirent leur propre charge d'enseignement" [2]. » En effet, « la prédication apostolique, qui se trouve spécialement exprimée dans les livres inspirés, devait être conservée par une succession ininterrompue jusqu'à la consommation des temps [3] ».

861

78 Cette transmission vivante, accomplie dans l'Esprit Saint, est appelée la Tradition en tant que distincte de la Sainte Écriture, quoique étroitement liée à elle. Par elle, « l'Église perpétue dans sa doctrine, sa vie et son culte et elle transmet à chaque génération tout ce qu'elle est elle-même, tout ce qu'elle croit [4] ». « L'enseignement des saints Pères atteste la présence vivifiante de cette Tradition, dont les richesses passent dans la pratique et la vie de l'Église qui croit et qui prie [5]. »

174

1124, 2651

79 Ainsi, la communication que le Père a faite de Lui-même par son Verbe dans l'Esprit Saint, demeure présente et agissante dans l'Église : « Dieu qui parla jadis ne cesse de converser avec l'Épouse de son Fils bien-aimé, et l'Esprit Saint, par qui la voix vivante de l'Évangile retentit dans l'Église et par elle dans le monde, introduit les croyants dans la vérité tout entière et fait que la parole du Christ habite en eux avec abondance [6]. »

II. Le rapport entre la Tradition et l'Écriture Sainte

Une source commune...

80 « Elles sont reliées et communiquent étroitement entre elles. Car toutes deux jaillissent d'une source divine identique, ne forment pour ainsi dire qu'un tout et tendent à une même fin [7]. » L'une et l'autre rendent présent et fécond dans l'Église le mystère du Christ qui a promis de demeurer avec les siens « pour toujours, jusqu'à la fin du monde » (Mt 28, 20).

... deux modes distincts de transmission

81 « *La Sainte Écriture* est la parole de Dieu en tant que, sous l'inspiration de l'Esprit divin, elle est consignée par écrit. »

---

1. DV 7. - 2. DV 7. - 3. DV 8. - 4. DV 8. - 5. DV 8. - 6. DV 8. - 7. DV 9.

113   « Quant à *la Sainte Tradition,* elle porte la parole de Dieu, confiée par le Christ Seigneur et par l'Esprit Saint aux apôtres, et la transmet intégralement à leurs successeurs, pour que, illuminés par l'Esprit de vérité, en la prêchant, ils la gardent, l'exposent et la répandent avec fidélité. »

82   Il en résulte que l'Église à laquelle est confiée la transmission et l'interprétation de la Révélation, « ne tire pas de la seule Écriture Sainte sa certitude sur tous les points de la Révélation. C'est pourquoi l'une et l'autre doivent être reçues et vénérées avec égal sentiment d'amour et de respect[1]. »

Tradition apostolique et traditions ecclésiales

83   La Tradition dont nous parlons ici vient des apôtres et transmet ce que ceux-ci ont reçu de l'enseignement et de l'exemple de Jésus et ce qu'ils ont appris par l'Esprit Saint. En effet, la première génération de chrétiens n'avait pas encore un Nouveau Testament écrit, et le Nouveau Testament lui-même atteste le processus de la Tradition vivante.

1202, 2041,   Il faut en distinguer les « traditions » théologiques, disciplinaires, liturgiques ou dévotion-
2684 nelles nées au cours du temps dans les Églises locales. Elles constituent des formes particulières sous lesquelles la grande Tradition reçoit des expressions adaptées aux divers lieux et aux diverses époques. C'est à sa lumière que celles-ci peuvent être maintenues, modifiées ou aussi abandonnées sous la conduite du Magistère de l'Église.

III. L'interprétation de l'héritage de la foi

L'héritage de la foi confié à la totalité de l'Église

84   « L'héritage sacré[2] » de la foi *(depositum fidei),* contenu dans la Sainte
857, 871 Tradition et dans l'Écriture Sainte a été confié par les apôtres à l'ensemble de l'Église. « En s'attachant à lui le peuple saint tout entier uni à ses pasteurs reste assidûment fidèle à l'enseignement des apôtres et à la communion fraternelle, à la
2033 fraction du pain et aux prières, si bien que, dans le maintien, la pratique et la confession de la foi transmise, s'établit, entre pasteurs et fidèles, une singulière unité d'esprit[3]. »

Le Magistère de l'Église

85   « La charge d'interpréter de façon authentique la Parole de Dieu, écrite ou
888-892 transmise, a été confiée au seul Magistère vivant de l'Église dont l'autorité s'exerce
2032-2040 au nom de Jésus-Christ[4] », c'est-à-dire aux évêques en communion avec le successeur de Pierre, l'évêque de Rome.

---

1. DV 9. - 2. Cf. 1 Tm 6, 20; 2 Tm 1, 12-14. - 3. DV 10. - 4. DV 10.

86   « Pourtant, ce Magistère n'est pas au-dessus de la parole de Dieu, mais il la sert, n'enseignant que ce qui fut transmis, puisque par mandat de Dieu, avec l'assistance de l'Esprit Saint, il écoute cette Parole avec amour, la garde saintement et *688* l'expose aussi avec fidélité, et puise en cet unique dépôt de la foi tout ce qu'il propose à croire comme étant révélé par Dieu[1]. »

87   Les fidèles, se souvenant de la parole du Christ à ses apôtres : « Qui vous écoute, m'écoute » (Lc 10, 16)[2], reçoivent avec docilité les enseignements et direc- *1548* tives que leurs pasteurs leur donnent sous différentes formes. *2037*

Les dogmes de la foi

88   Le Magistère de l'Église engage pleinement l'autorité reçue du Christ quand il définit des dogmes, c'est-à-dire quand il propose, sous une forme obligeant le peuple chrétien à une adhésion irrévocable de foi, des vérités contenues dans la Révélation divine ou des vérités ayant avec celles-là un lien nécessaire.

89   Il existe un lien organique entre notre vie spirituelle et les dogmes. Les dogmes sont des lumières sur le chemin de notre foi, ils l'éclairent et le rendent *2625* sûr. Inversement, si notre vie est droite, notre intelligence et notre coeur seront ouverts pour accueillir la lumière des dogmes de la foi[3].

90   Les liens mutuels et la cohérence des dogmes peuvent être trouvés dans l'ensemble de la Révélation du mystère du Christ[4]. « La diversité de leurs rapports *114, 158* avec les fondements de la foi chrétienne marque donc un ordre ou une "hiérar- *234* chie" des vérités de la doctrine catholique[5]. »

Le sens surnaturel de la foi

91   Tous les fidèles ont part à la compréhension et à la transmission de la vérité révélée. Ils ont reçu l'onction de l'Esprit Saint qui les instruit[6] et les conduit vers la *737* vérité tout entière[7].

92   « L'ensemble des fidèles (...) ne peut se tromper dans la foi et manifeste cette qualité par le moyen du sens surnaturel de la foi qui est celui du peuple tout *785* entier, lorsque, "des évêques jusqu'au dernier des fidèles laïcs", il apporte aux vérités concernant la foi et les moeurs un consentement universel[8]. »

93   « Grâce en effet à ce sens de la foi qui est éveillé et soutenu par l'Esprit de vérité, et sous la conduite du Magistère sacré, (...) le Peuple de Dieu s'attache *889*

---

1. DV 10. - 2. Cf. LG 20. - 3. Cf. Jn 8, 31-32. - 4. Cf. Cc. Vatican I : DS 3016 : nexus mysteriorum; LG 25. - 5. UR 11. - 6. Cf. 1 Jn 2, 20.27. - 7. Cf. Jn 16, 13. - 8. LG 12.

indéfectiblement à la foi transmise aux saints une fois pour toutes, il y pénètre plus profondément en l'interprétant comme il faut et dans sa vie la met plus parfaitement en oeuvre [1]. »

La croissance dans l'intelligence de la foi

94   Grâce à l'assistance du Saint-Esprit, l'intelligence des réalités comme des paroles de l'héritage de la foi peut croître dans la vie de l'Église :

— « par la contemplation et l'étude des croyants qui les méditent en leur coeur [2] »; c'est en particulier « la recherche théologique qui approfondit la connaissance de la vérité révélée [3] »;

— « par l'intelligence intérieure que les croyants éprouvent des choses spirituelles [4] »; « les divines paroles et celui qui les lit grandissent ensemble [5] »;

— « par la prédication de ceux qui, avec la succession épiscopale, reçurent un charisme certain de la vérité [6]. »

95   « Il est donc clair que la Sainte Tradition, la Sainte Écriture et le Magistère de l'Église, par une très sage disposition de Dieu, sont tellement reliés et solidaires entre eux qu'aucune de ces réalités ne subsiste sans les autres, et que toutes ensemble, chacune à sa façon, sous l'action du seul Esprit Saint, contribuent efficacement au salut des âmes [7]. »

EN BREF

96   *Ce que le Christ a confié aux apôtres, ceux-ci l'ont transmis par leur prédication et par écrit, sous l'inspiration de l'Esprit Saint, à toutes les générations, jusqu'au retour glorieux du Christ.*

97   *« La Sainte Tradition et la Sainte Écriture constituent un unique dépôt sacré de la parole de Dieu [8] » en lequel, comme dans un miroir, l'Église pérégrinante contemple Dieu, source de toutes ses richesses.*

98   *« Dans sa doctrine, sa vie et son culte, l'Église perpétue et transmet à chaque génération tout ce qu'elle est elle-même, tout ce qu'elle croit [9]. »*

99   *Grâce à son sens surnaturel de la foi, le Peuple de Dieu tout entier ne cesse d'accueillir le don de la Révélation divine, de le pénétrer plus profondément et d'en vivre plus pleinement.*

100   *La charge d'interpréter authentiquement la Parole de Dieu a été confiée au seul Magistère de l'Église, au Pape et aux évêques en communion avec lui.*

---

1. LG 12. - 2. DV 8. - 3. GS 62, § 7; cf. 44, § 2; DV 23; 24; UR 4. - 4. DV 8. - 5. S. Grégoire le Grand, hom. Ez. 1, 7, 8. - 6. DV 8. - 7. DV 10, § 3. - 8. DV 10. - 9. DV 8.

ARTICLE 3
La Sainte Écriture

I. Le Christ – Parole unique de l'Écriture Sainte

101 Dans la condescendance de sa bonté, Dieu, pour se révéler aux hommes, leur parle en paroles humaines : « En effet, les paroles de Dieu, exprimées en langues humaines, ont pris la ressemblance du langage humain, de même que le Verbe du Père éternel, ayant assumé l'infirmité de notre chair, est devenu semblable aux hommes[1]. »

102 À travers toutes les paroles de l'Écriture Sainte, Dieu ne dit qu'une seule Parole, son Verbe unique en qui Il se dit tout entier[2] :   *65, 2763*

> Rappelez-vous que c'est une même Parole de Dieu qui s'étend dans toutes les   *426-429*
> Écritures, que c'est un même Verbe qui résonne dans la bouche de tous les
> écrivains sacrés, lui qui, étant au commencement Dieu auprès de Dieu, n'y a pas
> besoin de syllabes parce qu'il n'y est pas soumis au temps[3].

103 Pour cette raison, l'Église a toujours vénéré les divines Écritures comme elle vénère aussi le Corps du Seigneur. Elle ne cesse de présenter aux fidèles le Pain de   *1100, 1184* vie pris sur la Table de la Parole de Dieu et du Corps du Christ[4].   *1378*

104 Dans l'Écriture Sainte, l'Église trouve sans cesse sa nourriture et sa force[5], car en elle, elle n'accueille pas seulement une parole humaine, mais ce qu'elle est réellement : la Parole de Dieu[6]. « Dans les Saints Livres, en effet, le Père qui est aux Cieux vient avec tendresse au-devant de ses fils et entre en conversation avec eux[7]. »

II. Inspiration et vérité de la Sainte Écriture

105 *Dieu est l'Auteur de l'Écriture Sainte.* « La vérité divinement révélée, que contiennent et présentent les livres de la Sainte Écriture, y a été consignée sous l'inspiration de l'Esprit Saint. »

« Notre Sainte Mère l'Église, de par sa foi apostolique, juge sacrés et canoniques tous les livres tant de l'Ancien que du Nouveau Testament, avec toutes leurs parties, puisque, rédigés sous l'inspiration de l'Esprit Saint ils ont Dieu pour auteur et qu'ils ont été transmis comme tels à l'Église elle-même[8]. »

---

1. DV 13. - 2. Cf. He 1, 1-3. - 3. S. Augustin, Psal. 103, 4, 1. - 4. Cf. DV 21. - 5. Cf. DV 24. - 6. Cf. 1 Th 2, 13. - 7. DV 21. - 8. DV 11.

106   Dieu a inspiré les auteurs humains des livres sacrés. « En vue de composer ces livres sacrés, Dieu a choisi des hommes auxquels il eut recours dans le plein usage de leurs facultés et de leurs moyens, pour que, Lui-même agissant en eux et par eux, ils missent par écrit, en vrais auteurs, tout ce qui était conforme à son désir, et cela seulement[1]. »

702

107   Les livres inspirés enseignent la vérité. « Dès lors, puisque toutes les assertions des auteurs inspirés ou hagiographes doivent être tenues pour assertions de l'Esprit Saint, il faut déclarer que les livres de l'Écriture enseignent fermement, fidèlement et sans erreur la vérité que Dieu a voulu voir consignée pour notre salut dans les Lettres sacrées[2]. »

108   Cependant, la foi chrétienne n'est pas une « religion du Livre ». Le christianisme est la religion de la « Parole » de Dieu, « non d'un verbe écrit et muet, mais du Verbe incarné et vivant[3] ». Pour qu'elles ne restent pas lettre morte, il faut que le Christ, Parole éternelle du Dieu vivant, par l'Esprit Saint nous « ouvre l'esprit à l'intelligence des Écritures » (Lc 24, 45).

III. L'Esprit Saint, interprète de l'Écriture

109   Dans l'Écriture Sainte, Dieu parle à l'homme à la manière des hommes. Afin de bien interpréter l'Écriture, il faut donc être attentif à ce que les auteurs humains ont vraiment entendu affirmer et à ce que Dieu a bien voulu nous manifester par leurs paroles[4].

110   Il faut tenir compte, pour découvrir *l'intention des auteurs sacrés*, des conditions de leur temps et de leur culture, des « genres littéraires » en usage à l'époque, des manières de sentir, de parler et de raconter courantes en ce temps-là. « Car c'est de façon bien différente que la vérité se propose et s'exprime en des textes diversement historiques, en des textes, ou prophétiques, ou poétiques, ou même en d'autres genres d'expression[5]. »

111   Mais comme l'Écriture Sainte est inspirée, il existe un autre principe de l'interprétation juste, non moins important que le précédent, et sans lequel l'Écriture demeurerait lettre morte : « La Sainte Écriture doit être lue et interprétée à la lumière du même Esprit qui la fit rédiger[6]. »

Le Concile Vatican II indique *trois critères* pour une interprétation de l'Écriture conforme à l'Esprit qui l'a inspirée[7] :

112   1. *Porter d'abord une grande attention « au contenu et à l'unité de toute l'Écriture ».* Car, aussi différents que soient les livres qui la composent, l'Écriture

128

---

1. DV 11. - 2. DV 11. - 3. S. Bernard, hom. miss. 4, 11. - 4. Cf. DV 12, § 1. - 5. DV 12, § 2. - 6. DV 12, § 3. - 7. Cf. DV 12, § 3.

est une en raison de l'unité du dessein de Dieu, dont le Christ Jésus est le centre et le cœur, ouvert depuis sa Pâque[1].

368

> Le coeur[2] du Christ désigne la Sainte Écriture qui fait connaître le coeur du Christ. Ce coeur était fermé avant la passion car l'Écriture était obscure. Mais l'Écriture a été ouverte après la passion, car ceux qui désormais en ont l'intelligence considèrent et discernent de quelle manière les prophéties doivent être interprétées[3].

113   2. *Lire ensuite l'Écriture dans « la Tradition vivante de toute l'Église »*. Selon un adage des Pères, la Sainte Écriture se lit bien plus dans le coeur de l'Église que dans les moyens matériels de son expression. En effet, l'Église porte dans sa Tradition la mémoire vivante de la Parole de Dieu, et c'est l'Esprit Saint qui lui donne l'interprétation spirituelle de l'Écriture (« ... selon le sens spirituel dont l'Esprit gratifie l'Église[4] »).

81

114   3. *Être attentif « à l'analogie de la foi*[5] ». Par « analogie de la foi » nous entendons la cohésion des vérités de la foi entre elles et dans le projet total de la Révélation.

90

Les sens de l'Écriture

115   Selon une ancienne tradition, on peut distinguer deux *sens* de l'Écriture : le sens littéral et le sens spirituel, ce dernier étant subdivisé en sens allégorique, moral et anagogique. La concordance profonde des quatre sens assure toute sa richesse à la lecture vivante de l'Écriture dans l'Église :

116   Le *sens littéral*. C'est le sens signifié par les paroles de l'Écriture et découvert par l'exégèse qui suit les règles de la juste interprétation. « Tous les sens de la Sainte Écriture trouvent leur appui dans le sens littéral[6]. »

110

117   Le *sens spirituel*. Grâce à l'unité du dessein de Dieu, non seulement le texte de l'Écriture, mais aussi les réalités et les événements dont il parle peuvent être des signes.
1. Le sens *allégorique*. Nous pouvons acquérir une compréhension plus profonde des événements en reconnaissant leur signification dans le Christ; ainsi, la traversée de la mer Rouge est un signe de la victoire du Christ, et par-là du Baptême[7];
2. Le sens *moral*. Les événements rapportés dans l'Écriture doivent nous conduire à un agir juste. Ils ont été écrits « pour notre instruction » (1 Co 10, 11)[8];
3. Le sens *anagogique*. Il est également possible de voir des réalités et des événements dans leur signification éternelle, nous conduisant (en grec : anagoge) vers notre Patrie. Ainsi, l'Église sur terre est signe de la Jérusalem céleste[9].

1101

> **118**   Un distique médiéval résume la signification des quatre sens :
> Le sens littéral enseigne les événements, l'allégorie ce qu'il faut croire,
> le sens moral ce qu'il faut faire, l'anagogie vers quoi il faut tendre.

---

1. Cf. Lc 24, 25-27. 44-46. - 2. Cf. Ps 22, 15. - 3. S. Thomas d'A., Psal. 21, 11. - 4. Origène, hom. in Lev. 5, 5. - 5. Cf. Rm 12, 6. - 6. S. Thomas d'A., s. th. 1, 1, 10, ad 1. - 7. Cf. 1 Co 10, 2. - 8. Cf. He 3 - 4, 11. - 9. Cf. Ap 21, 1 - 22, 5.

119   « Il appartient aux exégètes de s'efforcer, suivant ces règles, de pénétrer et d'exposer plus profondément le sens de la Sainte Écriture, afin que, par leurs

94   études en quelque sorte préparatoires, mûrisse le jugement de l'Église. Car tout ce qui concerne la manière d'interpréter l'Écriture est finalement soumis au jugement de l'Église, qui exerce le ministère et le mandat divinement reçus, de garder la parole de Dieu et de l'interpréter[1] » :

113   Je ne croirais pas à l'Évangile, si l'autorité de l'Église catholique ne m'y poussait[2].

IV. Le Canon des Écritures

120   C'est la Tradition apostolique qui a fait discerner à l'Église quels écrits

1117   devaient être comptés dans la liste des Livres Saints[3]. Cette liste intégrale est appelée « Canon » des Écritures. Elle comporte pour l'Ancien Testament 46 écrits (45, si l'on compte Jr et Lm ensemble) et 27 pour le Nouveau[4] :

            Genèse, Exode, Lévitique, Nombres, Deutéronome, Josué, Juges, Ruth, les deux livres de Samuel, les deux livres des Rois, les deux livres des Chroniques, Esdras et Néhémie, Tobie, Judith, Esther, les deux livres des Maccabées, Job, les Psaumes, les Proverbes, l'Ecclésiaste, le Cantique des Cantiques, la Sagesse, l'Ecclésiastique, Isaïe, Jérémie, les Lamentations, Baruch, Ézéchiel, Daniel, Osée, Joël, Amos, Abdias, Jonas, Michée, Nahum, Habaquq, Sophonie, Agée, Zacharie, Malachie pour l'Ancien Testament;

            les Évangiles de Matthieu, de Marc, de Luc et de Jean, les Actes des Apôtres, les Épîtres de S. Paul aux Romains, la première et la deuxième aux Corinthiens, aux Galates, aux Ephésiens, aux Philippiens, aux Colossiens, la première et la deuxième aux Thessaloniciens, la première et la deuxième à Timothée, à Tite, à Philémon, l'Épître aux Hébreux, l'Épître de Jacques, la première et la deuxième de Pierre, les trois Épîtres de Jean, l'Épître de Jude et l'Apocalypse pour le Nouveau Testament.

L'Ancien Testament

121   L'Ancien Testament est une partie inamissible de l'Écriture Sainte. Ses livres

1093   sont divinement inspirés et conservent une valeur permanente[5] car l'Ancienne Alliance n'a jamais été révoquée.

122   En effet, « l'Économie de l'Ancien Testament avait pour principale raison

702, 763   d'être de préparer l'avènement du Christ Sauveur du monde ». « Bien qu'ils con-tiennent de l'imparfait et du provisoire », les livres de l'Ancien Testament témoignent

708   de toute la divine pédagogie de l'amour salvifique de Dieu : « En eux se trouvent de sublimes enseignements sur Dieu, une bienfaisante sagesse sur la vie

---

1. DV 12, 3. - 2. S. Augustin, fund. 5, 6. - 3. Cf. DV 8, 3. - 4. Cf. DS 179; 1334-1336; 1501-1504. - 5. Cf. DV 14.

humaine, d'admirables trésors de prière; en eux enfin se tient caché le mystère de notre salut[1]. » *2568*

123 Les chrétiens vénèrent l'Ancien Testament comme vraie Parole de Dieu. L'Église a toujours vigoureusement repoussé l'idée de rejeter l'Ancien Testament sous prétexte que le Nouveau l'aurait rendu caduc (Marcionisme).

Le Nouveau Testament

124 « La Parole de Dieu, qui est une force divine pour le salut de tout croyant, se présente dans les écrits du Nouveau Testament et sa puissance s'y manifeste de façon singulière[2]. » Ces écrits nous livrent la vérité définitive de la Révélation divine. Leur objet central est Jésus-Christ, le Fils de Dieu incarné, ses actes, ses enseignements, sa passion et sa glorification ainsi que les débuts de son Église sous l'action de l'Esprit Saint[3].

125 Les *Évangiles* sont le coeur de toutes les Écritures « en tant qu'ils constituent le témoignage par excellence sur la vie et sur l'enseignement du Verbe incarné, notre Sauveur[4] ». *515*

126 Dans la formation des Évangiles on peut distinguer trois étapes :

1. *La vie et l'enseignement de Jésus.* L'Église tient fermement que les quatre Évangiles, « dont elle affirme sans hésiter l'historicité, transmettent fidèlement ce que Jésus le Fils de Dieu, durant sa vie parmi les hommes, a réellement fait et enseigné pour leur salut éternel, jusqu'au jour où Il fut enlevé au ciel ».

2. *La tradition orale.* « Ce que le Seigneur avait dit et fait, les apôtres après son Ascension le transmirent à leurs auditeurs avec cette intelligence plus profonde des choses dont eux-mêmes, instruits par les événements glorieux du Christ et éclairés par l'Esprit de vérité, jouissaient. » *76*

3. *Les Évangiles écrits.* « Les auteurs sacrés composèrent donc les quatre Évangiles, choisissant certains des nombreux éléments soit oralement soit déjà par écrit, rédigeant un résumé des autres, ou les expliquant en fonction de la situation des Églises, gardant enfin la forme d'une prédication, de manière à nous livrer toujours sur Jésus des choses vraies et sincères[5]. » *76*

127 L'Évangile quadriforme occupe dans l'Église une place unique, dont témoignent la vénération que la liturgie lui accorde et l'attrait incomparable qu'il a exercé de tout temps sur les saints : *1154*

> Il n'y a aucune doctrine qui soit meilleure, plus précieuse et plus splendide que le texte de l'Évangile. Voyez et retenez ce que notre Seigneur et Maître, le Christ, a enseigné par ses paroles et réalisé par ses actes[6].

> C'est par-dessus tout l'*Évangile* qui m'entretient pendant mes oraisons; en lui je trouve tout ce qui est nécessaire à ma pauvre âme. J'y découvre toujours de nouvelles lumières, des sens cachés et mystérieux[7]. *2705*

---

1. DV 15. - 2. DV 17. - 3. Cf. DV 20. - 4. DV 18. - 5. DV 19. - 6. Ste Césarie la Jeune, Rich. - 7. Ste Thérèse de l'Enfant-Jésus, ms. autob. A 83v.

L'unité de l'Ancien et du Nouveau Testament

128   L'Église, déjà aux temps apostoliques[1], et puis constamment dans sa Tradition, a éclairé l'unité du plan divin dans les deux Testaments grâce à la *typo-*

1094   *logie*. Celle-ci discerne dans les oeuvres de Dieu sous l'Ancienne Alliance des pré-
489   figurations de ce que Dieu a accompli dans la plénitude des temps, en la personne de son Fils incarné.

129   Les chrétiens lisent donc l'Ancien Testament à la lumière du Christ mort et
651   ressuscité. Cette lecture typologique manifeste le contenu inépuisable de l'Ancien Testament. Elle ne doit pas faire oublier qu'il garde sa valeur propre de Révélation
2055   réaffirmée par notre Seigneur lui-même [2]. Par ailleurs, le Nouveau Testament demande d'être lu aussi à la lumière de l'Ancien. La catéchèse chrétienne primitive y aura constamment recours [3]. Selon un vieil adage, le Nouveau Testament est caché dans l'Ancien, alors que l'Ancien est dévoilé dans le Nouveau : « Le Nouveau
1968   se cache dans l'Ancien et dans le Nouveau l'Ancien se dévoile [4]. »

130   La typologie signifie le dynamisme vers l'accomplissement du plan divin quand « Dieu sera tout en tous » (1 Co 15, 28). Aussi la vocation des patriarches et l'Exode de l'Egypte, par exemple, ne perdent pas leur valeur propre dans le plan de Dieu, du fait qu'ils en sont en même temps des étapes intermédiaires.

V. La Sainte Écriture dans la vie de l'Église

131   « La force et la puissance que recèle la Parole de Dieu sont si grandes qu'elles constituent, pour l'Église, son point d'appui et sa vigueur et, pour les enfants de l'Église, la force de leur foi, la nourriture de leur âme, la source pure et permanente de leur vie spirituelle [5]. » Il faut « que l'accès à la Sainte Écriture soit largement ouvert aux chrétiens [6] ».

132   « Que l'étude de la Sainte Écriture soit donc pour la sacrée théologie comme
94   son âme. Que le ministère de la Parole, qui comprend la prédication pastorale, la catéchèse, et toute l'instruction chrétienne, où l'homélie liturgique doit avoir une place de choix, trouve, lui aussi, dans cette même Parole de l'Écriture, une saine nourriture et une saine vigueur [7]. »

133   L'Église « exhorte instamment et spécialement tous les chrétiens (...) à
2653   acquérir, par la lecture fréquente des divines Écritures, "la science éminente de
1792   Jésus-Christ" (Ph 3, 8). "En effet, ignorer les Écritures, c'est ignorer le Christ" (S. Jérôme) [8]. »

---

1. Cf. 1 Co 10, 6. 11; He 10, 1; 1 P 3, 21. - 2. Cf. Mc 12, 29-31. - 3. Cf. 1 Co 5, 6-8; 10, 1-11.
- 4. S. Augustin, Hept. 2, 73; Cf. DV 16. - 5. DV 21. - 6. DV 22. - 7. DV 24. - 8. DV 25.

EN BREF

134   *« Toute l'Écriture divine n'est qu'un seul livre, et ce seul livre c'est le Christ, car toute l'Écriture divine parle du Christ, et toute l'Écriture divine s'accomplit dans le Christ[1]. »*

135   *« Les Saintes Écritures contiennent la Parole de Dieu et, puisqu'elles sont inspirées, elles sont vraiment cette Parole[2]. »*

136   *Dieu est l'Auteur de l'Écriture Sainte en inspirant ses auteurs humains; Il agit en eux et par eux. Il donne ainsi l'assurance que leurs écrits enseignent sans erreur la vérité salutaire[3].*

137   *L'interprétation des Écritures inspirées doit être avant tout attentive à ce que Dieu veut révéler par les auteurs sacrés pour notre salut. « Ce qui vient de l'Esprit, n'est pleinement entendu que par l'action de l'Esprit[4]. »*

138   *L'Église reçoit et vénère comme inspirés les 46 livres de l'Ancien et les 27 livres du Nouveau Testament.*

139   *Les quatre Évangiles tiennent une place centrale puisque le Christ Jésus en est le centre.*

140   *L'unité des deux Testaments découle de l'unité du dessein de Dieu et de sa Révélation. L'Ancien Testament prépare le Nouveau, alors que celui-ci accomplit l'Ancien; les deux s'éclairent mutuellement; les deux sont vraie Parole de Dieu.*

141   *« L'Église a toujours vénéré les divines Écritures, comme elle l'a fait pour le Corps même du Seigneur[5] »: ces deux nourissent et régissent toute la vie chrétienne. « Ta Parole est la lumière de mes pas, la lampe de ma route » (Ps 119, 105)[6].*

CHAPITRE TROISIÈME

La réponse de l'homme à Dieu

142   *Par sa Révélation*, « provenant de l'immensité de sa charité, Dieu, qui est invisible, s'adresse aux hommes comme à ses amis et converse avec eux pour les inviter à entrer en communion avec lui et les recevoir en cette communion[7] ». La réponse adéquate à cette invitation est la foi.

1102

---

1. Hugues de Saint-Victor, Noé 2, 8. - 2. DV 24. - 3. Cf. DV 11. - 4. Origène, hom. in Ex. 4, 5. - 5. DV 21. - 6. Cf. Is 50, 4. - 7. DV 2.

143   *Par la foi* l'homme soumet complètement son intelligence et sa volonté à Dieu. De tout son être l'homme donne son assentiment à Dieu Révélateur[1].

2087   L'Écriture Sainte appelle « obéissance de la foi » cette réponse de l'homme au Dieu qui révèle[2].

ARTICLE 1

Je crois

1814-1816

I. L'obéissance de la foi

144   Obéir *(ob-audire)* dans la foi, c'est se soumettre librement à la parole écoutée, parce que sa vérité est garantie par Dieu, la Vérité même. Abraham est le modèle de cette obéissance que nous propose l'Écriture Sainte. La Vierge Marie en est la réalisation la plus parfaite.

Abraham – « le père de tous les croyants »

145   L'Épître aux Hébreux, dans le grand éloge de la foi des ancêtres, insiste par-

59, 2570   ticulièrement sur la foi d'Abraham : « Par la foi, Abraham *obéit* à l'appel de partir vers un pays qu'il devait recevoir en héritage, et il partit ne sachant où il allait » (He 11, 8)[3]. Par la foi, il a vécu en étranger et en pèlerin dans la Terre promise[4].

489   Par la foi, Sara reçut de concevoir le fils de la promesse. Par la foi enfin, Abraham offrit son fils unique en sacrifice[5].

146   Abraham réalise ainsi la définition de la foi donnée par l'Épître aux

1819   Hébreux : « La foi est la garantie des biens que l'on espère, la preuve des réalités qu'on ne voit pas » (He 11, 1). « Abraham eut foi en Dieu, et ce lui fut compté comme justice » (Rm 4, 3)[6]. Grâce à cette « foi puissante » (Rm 4, 20), Abraham est devenu « le père de tous ceux qui croiraient » (Rm 4, 11. 18)[7].

147   De cette foi, l'Ancien Testament est riche en témoignages. L'Épître aux

839   Hébreux proclame l'éloge de la foi exemplaire des Anciens « qui leur a valu un bon témoignage » (He 11, 2. 39). Pourtant, « Dieu prévoyait pour nous un sort meilleur » : la grâce de croire en son Fils Jésus, « le chef de notre foi, qui la mène à la perfection » (He 11, 40; 12, 2).

---

1. Cf. DV 5. - 2. Cf. Rm 1, 5; 16, 26. - 3. Cf. Gn 12, 1-4. - 4. Cf. Gn 23, 4. - 5. Cf. He 11, 17. - 6. Cf. Gn 15, 6. - 7. Cf. Gn 15, 5.

Marie – « Bienheureuse celle qui a cru »

148   La Vierge Marie réalise de la façon la plus parfaite l'obéissance de la foi. *494, 2617*
Dans la foi, Marie accueillit l'annonce et la promesse apportées par l'ange Gabriel,
croyant que « rien n'est impossible à Dieu » (Lc 1, 37)[1], et donnant son assentiment :
« Je suis la servante du Seigneur, qu'il m'advienne selon ta parole » (Lc 1, 38).
Elisabeth la salua : « Bienheureuse celle qui a cru en l'accomplissement de ce qui *506*
lui a été dit de la part du Seigneur » (Lc 1, 45). C'est pour cette foi que toutes les
générations la proclameront bienheureuse[2].

149   Pendant toute sa vie, et jusqu'à sa dernière épreuve[3], lorsque Jésus, son fils,
mourut sur la Croix, sa foi n'a pas vacillé. Marie n'a pas cessé de croire « en l'ac- *969*
complissement » de la parole de Dieu. Aussi bien, l'Église vénère-t-elle en Marie la
réalisation la plus pure de la foi. *507, 829*

II. « Je sais en qui j'ai mis ma foi » (2 Tm 1, 12)

Croire en Dieu seul

150   La foi est d'abord une *adhésion personnelle* de l'homme *à Dieu*; elle est en
même temps, et inséparablement, *l'assentiment libre à toute la vérité que Dieu a*
révélée. En tant qu'adhésion personnelle à Dieu et assentiment à la vérité qu'Il a
révélée, la foi chrétienne diffère de la foi en une personne humaine. Il est juste et
bon de se confier totalement en Dieu et de croire absolument ce qu'Il dit. Il serait *222*
vain et faux de mettre une telle foi en une créature[4].

Croire en Jésus-Christ, le Fils de Dieu

151   Pour le chrétien, croire en Dieu, c'est inséparablement croire en Celui qu'Il
a envoyé, « son Fils bien-aimé » en qui Il a mis toute sa complaisance (Mc 1, 11);
Dieu nous a dit de L'écouter[5]. Le Seigneur Lui-même dit à ses disciples : « Croyez
en Dieu, croyez aussi en moi » (Jn 14, 1). Nous pouvons croire en Jésus-Christ
parce qu'Il est Lui-même Dieu, le Verbe fait chair : « Nul n'a jamais vu Dieu; le Fils *424*
unique, qui est dans le sein du Père, Lui, L'a fait connaître » (Jn 1, 18). Parce qu'il
« a vu le Père » (Jn 6, 46), Il est seul à Le connaître et à pouvoir Le révéler[6].

Croire en l'Esprit Saint

152   On ne peut croire en Jésus-Christ sans avoir part à son Esprit. C'est l'Esprit
Saint qui révèle aux hommes qui est Jésus. Car « nul ne peut dire : "Jésus est *243, 683*

---

1. Cf. Gn 18, 14. - 2. Cf. Lc 1, 48. - 3. Cf. Lc 2, 35. - 4. Cf. Jr 17, 5-6; Ps 40, 5; 146, 3-4. - 5. Cf. Mc 9, 7.
- 6. Cf. Mt 11, 27.

Seigneur", que sous l'action de l'Esprit Saint » (1 Co 12, 3). « L'Esprit sonde tout, jusqu'aux profondeurs de Dieu (...) Nul ne connaît ce qui concerne Dieu, sinon l'Esprit de Dieu » (1 Co 2, 10-11). Dieu seul connaît Dieu tout entier. Nous croyons en l'Esprit Saint parce qu'il est Dieu.

232   *L'Église ne cesse de confesser sa foi en un seul Dieu, Père, Fils et Esprit Saint.*

III. Les caractéristiques de la foi

La foi est une grâce

552
1814
1996
2606
153   Lorsque S. Pierre confesse que Jésus est le Christ, le Fils du Dieu vivant, Jésus lui déclare que cette révélation ne lui est pas venue « de la chair et du sang, mais de son Père qui est dans les cieux » (Mt 16, 17)[1]. La foi est un don de Dieu, une vertu surnaturelle infuse par Lui. « Pour prêter cette foi, l'homme a besoin de la grâce prévenante et aidante de Dieu, ainsi que des secours intérieurs du Saint-Esprit. Celui-ci touche le coeur et le tourne vers Dieu, ouvre les yeux de l'esprit et donne "à tous la douceur de consentir et de croire à la vérité[2]." »

La foi est un acte humain

1749
2126
154   Croire n'est possible que par la grâce et les secours intérieurs du Saint-Esprit. Il n'en est pas moins vrai que croire est un acte authentiquement humain. Il n'est contraire ni à la liberté ni à l'intelligence de l'homme de faire confiance à Dieu et d'adhérer aux vérités par Lui révélées. Déjà dans les relations humaines il n'est pas contraire à notre propre dignité de croire ce que d'autres personnes nous disent sur elles-mêmes et sur leurs intentions, et de faire confiance à leurs promesses (comme, par exemple, lorsqu'un homme et une femme se marient), pour entrer ainsi en communion mutuelle. Dès lors, il est encore moins contraire à notre dignité de « présenter par la foi la soumission plénière de notre intelligence et de notre volonté au Dieu qui révèle[3] » et d'entrer ainsi en communion intime avec Lui.

2008
155   Dans la foi, l'intelligence et la volonté humaines coopèrent avec la grâce divine : « Croire est un acte de l'intelligence adhérant à la vérité divine sous le commandement de la volonté mue par Dieu au moyen de la grâce[4]. »

La foi et l'intelligence

156   Le *motif* de croire n'est pas le fait que les vérités révélées apparaissent comme vraies et intelligibles à la lumière de notre raison naturelle. Nous croyons

---

1. Cf. Ga 1, 15; Mt 11, 25. - 2. DV 5. - 3. Cc. Vatican I : DS 3008. - 4. S. Thomas d'A., s. th. 2-2, 2, 9; cf. Cc. Vatican I : DS 3010.

« à cause de l'autorité de Dieu même qui révèle et qui ne peut ni se tromper ni nous tromper ». « Néanmoins, pour que l'hommage de notre foi fût conforme à la raison, Dieu a voulu que les secours intérieurs du Saint-Esprit soient accompagnés des preuves extérieures de sa Révélation[1]. » C'est ainsi que les miracles du Christ et des saints[2], les prophéties, la propagation et la sainteté de l'Église, sa fécondité et sa stabilité « sont des signes certains de la Révélation, adaptés à l'intelligence de tous », des « motifs de crédibilité » qui montrent que l'assentiment de la foi n'est « nullement un mouvement aveugle de l'esprit[3] ». *1063*
2465

548

812

157   La foi est *certaine*, plus certaine que toute connaissance humaine, parce qu'elle se fonde sur la Parole même de Dieu, qui ne peut pas mentir. Certes, les vérités révélées peuvent paraître obscures à la raison et à l'expérience humaines, mais « la certitude que donne la lumière divine est plus grande que celle que donne la lumière de la raison naturelle[4] ». « Dix mille difficultés ne font pas un seul doute[5]. »

2088

158   « La foi *cherche à comprendre*[6] »: il est inhérent à la foi que le croyant désire mieux connaître Celui en qui il a mis sa foi, et mieux comprendre ce qu'Il a révélé; une connaissance plus pénétrante appellera à son tour une foi plus grande, de plus en plus embrasée d'amour. La grâce de la foi ouvre « les yeux du coeur » (Ep 1, 18) pour une intelligence vive des contenus de la Révélation, c'est-à-dire de l'ensemble du dessein de Dieu et des mystères de la foi, de leur lien entre eux et avec le Christ, centre du mystère révélé. Or, pour « rendre toujours plus profonde l'intelligence de la Révélation, l'Esprit Saint ne cesse, par ses dons, de rendre la foi plus parfaite[7] ». Ainsi, selon l'adage de S. Augustin[8], « je crois pour comprendre et je comprends pour mieux croire ».

2705

1827

90

2518

159   *Foi et science.* « Bien que la foi soit au-dessus de la raison, il ne peut jamais y avoir de vrai désaccord entre elles. Puisque le même Dieu qui révèle les mystères et communique la foi a fait descendre dans l'esprit humain la lumière de la raison, Dieu ne pourrait se nier Lui-même ni le vrai contredire jamais le vrai[9]. » « C'est pourquoi la recherche méthodique, dans tous les domaines du savoir, si elle est menée d'une manière vraiment scientifique et si elle suit les normes de la morale, ne sera jamais réellement opposée à la foi : les réalités profanes et celles de la foi trouvent leur origine dans le même Dieu. Bien plus, celui qui s'efforce, avec persévérance et humilité, de pénétrer les secrets des choses, celui-là, même s'il n'en a pas conscience, est comme conduit par la main de Dieu, qui soutient tous les êtres et les fait ce qu'ils sont[10]. »

283

2293

La liberté de la foi

160   Pour être humaine, « la réponse de la foi donnée par l'homme à Dieu doit être volontaire; en conséquence, personne ne doit être contraint à embrasser la foi

1738, 2106

---

1. *Ibid.*, DS 3009. - 2. Cf. Mc 16, 20; He 2, 4. - 3. Cc. Vatican I : DS 3008-3010. - 4. S. Thomas d'A., s. th. 2-2, 171, 5, obj. 3. - 5. Newman, apol. - 6. S. Anselme, prosl. prooem. - 7. DV 5. - 8. Serm. 43, 7, 9. - 9. Cc. Vatican I : DS 3017. - 10. GS 36, § 2.

malgré soi. Par sa nature même, en effet, l'acte de foi a un caractère volontaire[1]. »
« Dieu, certes, appelle l'homme à Le servir en esprit et vérité; si cet appel oblige
l'homme en conscience, il ne le contraint pas. (...) Cela est apparu au plus haut
point dans le Christ Jésus[2]. » En effet, le Christ a invité à la foi et à la conversion, Il
n'y a nullement contraint. « Il a rendu témoignage à la vérité, mais Il n'a pas voulu
l'imposer par la force à ses contradicteurs. Son royaume (...) s'étend grâce à

616   l'amour par lequel le Christ, élevé sur la Croix, attire à Lui tous les hommes[3]. »

La nécessité de la foi

161   Croire en Jésus-Christ et en Celui qui L'a envoyé pour notre salut est néces-
432, 1257 saire pour obtenir ce salut[4]. « Parce que "sans la foi (...) il est impossible de plaire à
846   Dieu" (He 11, 6) et d'arriver à partager la condition de ses fils, personne jamais ne
se trouve justifié sans elle et personne à moins qu'il n'ait "persévéré en elle jusqu'à
la fin" (Mt 10, 22; 24, 13), n'obtiendra la vie éternelle[5]. »

La persévérance dans la foi

162   La foi est un don gratuit que Dieu fait à l'homme. Nous pouvons perdre ce
2089   don inestimable; S. Paul en avertit Timothée : « Combats le bon combat, possédant
foi et bonne conscience; pour s'en être affranchis, certains ont fait naufrage dans la
foi » (1 Tm 1, 18-19). Pour vivre, croître et persévérer jusqu'à la fin dans la foi nous
1037, 2016, devons la nourrir par la Parole de Dieu; nous devons implorer le Seigneur de
2573, 2849 l'augmenter[6]; elle doit « agir par la charité » (Ga 5, 6)[7], être portée par l'espérance[8]
et être enracinée dans la foi de l'Église.

La foi - commencement de la vie éternelle

163   La foi nous fait goûter comme à l'avance la joie et la lumière de la vision
béatifique, but de notre cheminement ici-bas. Nous verrons alors Dieu « face à
1088   face » (1 Co 13, 12), « tel qu'Il est » (1 Jn 3, 2). La foi est donc déjà le commencement de la vie éternelle :

> Tandis que dès maintenant nous contemplons les bénédictions de la foi, comme un
> reflet dans un miroir, c'est comme si nous possédions déjà les choses merveilleuses
> dont notre foi nous assure qu'un jour nous en jouirons[9].

164   Maintenant, cependant, « nous cheminons dans la foi, non dans la claire
vision » (2 Co 5, 7), et nous connaissons Dieu « comme dans un miroir, d'une
manière confuse, (...), imparfaite » (1 Co 13, 12). Lumineuse de par Celui en qui

---

1. DH 10; cf. CIC, can. 748, § 2. - 2. DH 11. - 3. DH 11. - 4. Cf. Mc 16, 16; Jn 3, 36; 6, 40 e.a. - 5. Cc.
Vatican I : DS 3012; cf. Cc. Trente : DS 1532. - 6. Cf. Mc 9, 24; Lc 17, 5; 22, 32. - 7. Cf. Jc 2, 14-26.
- 8. Cf. Rm 15, 13. - 9. S. Basile, Spir. 15, 36; cf. S. Thomas d'A., s. th. 2-2, 4, 1.

elle croit, la foi est vécue souvent dans l'obscurité. Elle peut être mise à l'épreuve. *2846*
Le monde en lequel nous vivons semble souvent bien loin de ce que la foi nous
assure; les expériences du mal et de la souffrance, des injustices et de la mort *309, 1502*
paraissent contredire la Bonne Nouvelle; elles peuvent ébranler la foi et devenir *1006*
pour elle une tentation.

165   C'est alors que nous devons nous tourner vers les *témoins de la foi* :
Abraham, qui crut, « espérant contre toute espérance » (Rm 4, 18); la Vierge Marie
qui, dans « le pèlerinage de la foi[1] », est allée jusque dans la « nuit de la foi[2] » en
communiant à la souffrance de son Fils et à la nuit de son tombeau; et tant d'autres *2719*
témoins de la foi : « Enveloppés d'une si grande nuée de témoins, nous devons
rejeter tout fardeau et le péché qui nous assiège et courir avec constance l'épreuve
qui nous est proposée, fixant nos yeux sur le chef de notre foi, qui la mène à la
perfection, Jésus » (He 12, 1-2).

ARTICLE 2
Nous croyons

166   La foi est un acte personnel : la réponse libre de l'homme à l'initiative de
Dieu qui se révèle. Mais la foi n'est pas un acte isolé. Nul ne peut croire seul, *875*
comme nul ne peut vivre seul. Nul ne s'est donné la foi à lui-même comme nul ne
s'est donné la vie à lui-même. Le croyant a reçu la foi d'autrui, il doit la transmettre
à autrui. Notre amour pour Jésus et pour les hommes nous pousse à parler à autrui
de notre foi. Chaque croyant est ainsi comme un maillon dans la grande chaîne
des croyants. Je ne peux croire sans être porté par la foi des autres et, par ma foi,
je contribue à porter la foi des autres.

167   « Je crois[3] » : c'est la foi de l'Église professée personnellement par chaque
croyant, principalement lors du baptême. « Nous croyons[4] » : c'est la foi de l'Église *1124*
confessée par les évêques assemblés en Concile ou, plus généralement, par
l'assemblée liturgique des croyants. « Je crois » : c'est aussi l'Église, notre Mère, qui *2040*
répond à Dieu par sa foi et qui nous apprend à dire : « Je crois », « Nous croyons ».

I. « Regarde, Seigneur, la foi de ton Église »

168   C'est d'abord l'Église qui croit, et ainsi porte, nourrit et soutient ma foi. C'est
d'abord l'Église qui, partout, confesse le Seigneur (« C'est Toi que par tout

---

1. LG 58. - 2. Jean Paul II, RM 18. - 3. Symbole des Apôtres. - 4. Symbole de Nicée-Constantinople,
dans l'original grec.

l'univers la Sainte Église proclame son Seigneur », chantons-nous dans le « Te Deum »), et avec elle et en elle, nous sommes entraînés et amenés à confesser, nous aussi : « Je crois », « Nous croyons ». C'est par l'Église que nous recevons la foi et la vie nouvelle dans le Christ par le Baptême. Dans le « Rituale Romanum », le ministre du baptême demande au catéchumène : « Que demandes-tu à l'Église de Dieu ? Et la réponse : - La foi. - Que te donne la foi ? - La vie éternelle[1]. »

1253

169   Le salut vient de Dieu seul; mais parce que nous recevons la vie de la foi à travers l'Église, celle-ci est notre mère : « Nous croyons l'Église comme la mère de notre nouvelle naissance, et non pas en l'Église comme si elle était l'auteur de notre salut[2]. » Parce qu'elle est notre mère, elle est aussi l'éducatrice de notre foi.

750
2030

II. Le langage de la foi

170   Nous ne croyons pas en des formules, mais dans les réalités qu'elles expriment et que la foi nous permet de « toucher ». « L'acte (de foi) du croyant ne s'arrête pas à l'énoncé, mais à la réalité (énoncée)[3]. » Cependant, ces réalités, nous les approchons à l'aide des formulations de la foi. Celles-ci permettent d'exprimer et de transmettre la foi, de la célébrer en communauté, de l'assimiler et d'en vivre de plus en plus.

186

171   L'Église, qui est « la colonne et le soutien de la vérité » (1 Tm 3, 15), garde fidèlement « la foi transmise aux saints une fois pour toutes » (Jude 3). C'est elle qui garde la mémoire des Paroles du Christ, c'est elle qui transmet de génération en génération la confession de foi des apôtres. Comme une mère apprend à ses enfants à parler, et par là même à comprendre et à communiquer, l'Église, notre Mère, nous apprend le langage de la foi pour nous introduire dans l'intelligence et la vie de la foi.

78, 857, 84

185

III. Une seule foi

172   Depuis des siècles, à travers tant de langues, cultures, peuples et nations, l'Église ne cesse de confesser sa foi unique, reçue d'un seul Seigneur, transmise par un seul Baptême, enracinée dans la conviction que tous les hommes n'ont qu'un seul Dieu et Père[4]. S. Irénée de Lyon, témoin de cette foi, déclare :

813

173   « En effet, l'Église, bien que dispersée dans le monde entier jusqu'aux extrémités de la terre, ayant reçu des apôtres et de leurs disciples la foi (...) garde [cette prédication et cette foi] avec soin, comme n'habitant qu'une seule maison,

830

---

1. OBA. - 2. Faustus de Riez, Spir. 1, 2. - 3. S. Thomas d'A., s. th. 2-2, 1, 2, ad 2. - 4. Cf. Ep 4, 4-6.

elle y croit d'une manière identique, comme n'ayant qu'une seule âme et qu'un seul coeur, et elle les prêche, les enseigne et les transmet d'une voix unanime, comme ne possédant qu'une seule bouche[1]. »

174   « Car, si les langues diffèrent à travers le monde, le contenu de la Tradition est un et identique. Et ni les Églises établies en Germanie n'ont d'autre foi ou d'autre Tradition, ni celles qui sont chez les Ibères, ni celles qui sont chez les Celtes, ni celles de l'Orient, de l'Égypte, de la Libye, ni celles qui sont établies au centre du monde.[2] » « Le message de l'Église est donc véridique et solide, puisque c'est chez elle qu'un seul chemin de salut apparaît à travers le monde entier. »

78

175   « Cette foi que nous avons reçue de l'Église, nous la gardons avec soin, car sans cesse, sous l'action de l'Esprit de Dieu, tel un dépôt de grand prix renfermé dans un vase excellent, elle rajeunit et fait rajeunir le vase même qui la contient[3]. »

EN BREF

176   *La foi est une adhésion personnelle de l'homme tout entier à Dieu qui se révèle. Elle comporte une adhésion de l'intelligence et de la volonté à la Révélation que Dieu a faite de Lui-même par ses actions et ses paroles.*

177   *« Croire » a donc une double référence : à la personne et à la vérité; à la vérité par confiance en la personne qui l'atteste.*

178   *Nous ne devons croire en nul autre que Dieu, le Père, le Fils et le Saint-Esprit.*

179   *La foi est un don surnaturel de Dieu. Pour croire, l'homme a besoin des secours intérieurs du Saint-Esprit.*

180   *« Croire » est un acte humain, conscient et libre, qui correspond à la dignité de la personne humaine.*

181   *« Croire » est un acte ecclésial. La foi de l'Église précède, engendre, porte et nourrit notre foi. L'Église est la mère de tous les croyants. « Nul ne peut avoir Dieu pour Père qui n'a pas l'Église pour mère[4]. »*

182   *« Nous croyons tout ce qui est contenu dans la parole de Dieu, écrite ou transmise, et que l'Église propose à croire comme divinement révélé[5]. »*

183   *La foi est nécessaire au salut. Le Seigneur lui-même l'affirme : « Celui qui croira et sera baptisé, sera sauvé; celui qui ne croira pas, sera condamné » (Mc 16, 16).*

184   *« La foi est un avant-goût de la connaissance qui nous rendra bienheureux dans la vie future[6]. »*

---

1. Haer. 1, 10, 1-2. - 2. *Ibid.* - 3. *Ibid.*, 3, 24, 1. - 4. S. Cyprien, unit. eccl. - 5. SPF 20. - 6. S. Thomas d'A., comp. 1, 2.

Le Credo

Symbole des Apôtres

Je crois en Dieu,
le Père Tout-Puissant,
Créateur du ciel et de la terre.

Et en Jésus-Christ, son Fils unique
notre Seigneur,

qui a été conçu du Saint-Esprit,
est né de la Vierge Marie,

a souffert sous Ponce Pilate,
a été crucifié, est mort
et a été enseveli,
est descendu aux enfers.
Le troisième jour est ressuscité des morts,

est monté aux cieux,
est assis à la droite de Dieu le Père
Tout-Puissant,
d'où il viendra juger les vivants et les morts.

Je crois en l'Esprit Saint,

à la sainte Église catholique,
à la communion des saints,

à la rémission des péchés,
à la résurrection de la chair,
à la vie éternelle.
Amen.

Credo de Nicée-Constantinople

Je crois en un seul Dieu,
le Père Tout-Puissant,
Créateur du ciel et de la terre
de l'univers visible et invisible.
Je crois en un seul Seigneur, Jésus-Christ
le Fils unique de Dieu,
né du Père avant tous les siècles :
Il est Dieu, né de Dieu,
Lumière, né de la Lumière,
vrai Dieu, né du vrai Dieu,
engendré, non pas créé,
de même nature que le Père,
et par Lui tout a été fait.
Pour nous les hommes, et pour notre salut,
Il descendit du ciel;
par l'Esprit Saint,
Il a pris chair de la Vierge Marie,
et S'est fait homme.
Crucifié pour nous sous Ponce Pilate,
Il souffrit sa passion et fut mis au tombeau.

Il ressuscita le troisième jour,
conformément aux Écritures,
et Il monta au ciel;
Il est assis à la droite du Père.

Il reviendra dans la gloire,
pour juger les vivants et les morts;
et son règne n'aura pas de fin.
Je crois en l'Esprit Saint,
qui est Seigneur et qui donne la vie;
Il procède du Père et du Fils;
avec le Père et le Fils,
Il reçoit même adoration et même gloire;
Il a parlé par les prophètes.
Je crois en l'Église,
une, sainte, catholique et apostolique.
Je reconnais un seul baptême
pour le pardon des péchés.
J'attends la résurrection des morts,
et la vie du monde à venir.
Amen.

DEUXIÈME SECTION

La profession de la foi chrétienne
Les symboles de la foi

185 Qui dit « Je crois », dit « J'adhère à ce que *nous* croyons ». La communion dans la foi a besoin d'un langage commun de la foi, normatif pour tous et unissant dans la même confession de foi. *171, 949*

186 Dès l'origine, l'Église apostolique a exprimé et transmis sa propre foi en des formules brèves et normatives pour tous [1]. Mais très tôt déjà, l'Église a aussi voulu recueillir l'essentiel de sa foi en des résumés organiques et articulés, destinés surtout aux candidats au Baptême :

> Cette synthèse de la foi n'a pas été faite selon les opinions humaines; mais de toute l'Écriture a été recueilli ce qu'il y a de plus important, pour donner au complet l'unique enseignement de la foi. Et comme la semence de sénevé contient dans une toute petite graine un grand nombre de branches, de même ce résumé de la foi renferme-t-il en quelques paroles toute la connaissance de la vraie piété contenue dans l'Ancien et le Nouveau Testament [2].

187 On appelle ces synthèses de la foi « professions de foi » puisqu'elles résument la foi que professent les chrétiens. On les appelle « Credo » en raison de ce qui en est normalement la première parole : « Je crois. » On les appelle également « symboles de la foi ».

188 Le mot grec *symbolon* signifiait la moitié d'un objet brisé (par exemple un sceau) que l'on présentait comme un signe de reconnaissance. Les parties brisées étaient mises ensemble pour vérifier l'identité du porteur. Le symbole de la foi est donc un signe de reconnaissance et de communion entre les croyants. *Symbolon* désigne ensuite un recueil, une collection ou un sommaire. Le Symbole de la foi est le recueil des principales vérités de la foi. D'où le fait qu'il sert de point de référence premier et fondamental de la catéchèse.

189 La première « profession de foi » se fait lors du Baptême. Le « symbole de la foi » est d'abord le symbole *baptismal*. Puisque le Baptême est donné « au nom du Père et du Fils et du Saint-Esprit » (Mt 28, 19), les vérités de foi professées lors du Baptême sont articulées selon leur référence aux trois Personnes de la Sainte Trinité. *1237, 232*

190 Le Symbole est donc divisé en trois parties : « D'abord il est question de la première Personne divine et de l'oeuvre admirable de la création; ensuite, de la

---

1. Cf. Rm 10, 9; 1 Co 15, 3-5; etc. - 2. S. Cyrille de Jérusalem, catech. ill. 5, 12.

seconde Personne divine et du mystère de la Rédemption des hommes; enfin de la troisième Personne divine, source et principe de notre sanctification [1]. » Ce sont là « les trois chapitres de notre sceau (baptismal) [2] ».

191   « Ces trois parties sont distinctes quoique liées entre elles. D'après une comparaison souvent employée par les Pères, nous les appelons *articles*. De même, en effet, que dans nos membres, il y a certaines articulations qui les distinguent et les séparent, de même, dans cette profession de foi, on a donné avec justesse et raison le nom d'articles aux vérités que nous devons croire en particulier et d'une manière distincte [3]. » Selon une antique tradition, attestée déjà par S. Ambroise, on a aussi coutume de compter *douze* articles du Credo, symbolisant par le nombre des apôtres l'ensemble de la foi apostolique [4].

192   Nombreux ont été, tout au long des siècles, en réponse aux besoins des différentes époques, les professions ou symboles de la foi : les symboles des différentes Églises apostoliques et anciennes [5], le Symbole « Quicumque », dit de S. Athanase [6], les professions de foi de certains Conciles (Tolède [7]; Latran [8]; Lyon [9]; Trente [10] ou de certains Papes, tels la « Fides Damasi » [11] ou le « Credo du Peuple de Dieu » [SPF] de Paul VI (1968).

193   Aucun des symboles des différentes étapes de la vie de l'Église ne peut être considéré comme dépassé et inutile. Ils nous aident à atteindre et à approfondir aujourd'hui la foi de toujours à travers les divers résumés qui en ont été faits.

Parmi tous les symboles de la foi, deux tiennent une place toute particulière dans la vie de l'Église :

194   Le *Symbole des apôtres*, appelé ainsi parce qu'il est considéré à juste titre comme le résumé fidèle de la foi des apôtres. Il est l'ancien symbole baptismal de l'Église de Rome. Sa grande autorité lui vient de ce fait : « Il est le symbole que garde l'Église romaine, celle où a siégé Pierre, le premier des apôtres, et où il a apporté la sentence commune [12]. »

242, 245, 465

195   Le *Symbole dit de Nicée-Constantinople* tient sa grande autorité de ce qu'il est issu des deux premiers Conciles œcuméniques (325 et 381). Il demeure commun, aujourd'hui encore, à toutes les grandes Églises de l'Orient et de l'Occident.

196   Notre exposé de la foi suivra le Symbole des apôtres qui constitue, pour ainsi dire, « le plus ancien catéchisme romain ». L'exposé sera cependant complété par des références constantes au Symbole de Nicée-Constantinople, souvent plus explicite et plus détaillé.

---

1. Catech. R. 1, 1, 3. - 2. S. Irénée, dem. 100. - 3. Catech. R. 1, 1, 4. - 4. Cf. symb. 8. - 5. Cf. DS 1-64. - 6. Cf. DS 75-76. - 7. DS 525-541. - 8. DS 800-802. - 9. DS 851-861. - 10. DS 1862-1870. - 11. Cf. DS 71-72. - 12. S. Ambroise, symb. 7.

197   Comme au jour de notre Baptême, lorsque toute notre vie a été confiée « à la règle de doctrine » (Rm 6, 17), accueillons le symbole de notre foi qui donne la vie. Réciter avec foi le Credo, c'est entrer en communion avec Dieu le Père, le Fils et le Saint-Esprit, c'est entrer aussi en communion avec l'Église tout entière qui nous transmet la foi et au sein de laquelle nous croyons : *1064*

> Ce Symbole est le sceau spirituel, il est la méditation de notre coeur et la garde toujours présente, il est, à coup sûr, le trésor de notre âme [1]. *1274*

Chapitre premier
Je crois en Dieu le Père

198   Notre profession de foi commence par *Dieu*, car Dieu est « le Premier et le Dernier » (Is 44, 6), le Commencement et la Fin de tout. Le Credo commence par Dieu *le Père*, parce que le Père est la Première Personne Divine de la Très Sainte Trinité; notre Symbole commence par la création du ciel et de la terre, parce que la création est le commencement et le fondement de toutes les oeuvres de Dieu.

Article 1
« Je crois en Dieu le Père Tout-Puissant Créateur du ciel et de la terre »

Paragraphe 1. *Je crois en Dieu*

199   « Je crois en Dieu » : cette première affirmation de la profession de foi est aussi la plus fondamentale. Tout le Symbole parle de Dieu, et s'il parle aussi de l'homme et du monde, il le fait par rapport à Dieu. Les articles du Credo dépendent tous du premier, tout comme les commandements explicitent le premier. Les autres articles nous font mieux connaître Dieu tel qu'Il s'est révélé progressivement *2083* aux hommes. « Les fidèles font d'abord profession de croire en Dieu [2]. »

---

1. S. Ambroise, symb. 1. - 2. Catech. R. 1, 2, 2.

I. « Je crois en un seul Dieu »

200   C'est avec ces paroles que commence le Symbole de Nicée-Constantinople. La confession de l'Unicité de Dieu, qui a sa racine dans la Révélation Divine de *2085* l'Ancienne Alliance, est inséparable de celle de l'existence de Dieu et tout aussi fondamentale. Dieu est Unique : il n'y a qu'un seul Dieu : « La foi chrétienne confesse qu'il y a un seul Dieu, par nature, par substance et par essence [1]. »

201   À Israël, son élu, Dieu S'est révélé comme l'Unique : « Écoute, Israël ! Le *2083* Seigneur notre Dieu est le Seigneur Un. Tu aimeras le Seigneur ton Dieu de tout ton coeur, de tout ton être, de toute ta force » (Dt 6, 4-5). Par les prophètes, Dieu appelle Israël et toutes les nations à se tourner vers Lui, l'Unique : « Tournez-vous vers Moi et vous serez sauvés, tous les confins de la terre, car Je suis Dieu, il n'y en a pas d'autre (...). Oui, devant Moi tout genou fléchira, par Moi jurera toute langue en disant : en Dieu seul sont la justice et la force » (Is 45, 22-24) [2].

202   Jésus Lui-même confirme que Dieu est « l'unique Seigneur » et qu'il faut L'aimer « de tout son coeur, de toute son âme, de tout son esprit et de toutes ses *446* forces [3] ». Il laisse en même temps entendre qu'Il est Lui-même « le Seigneur [4] ». Confesser que « Jésus est Seigneur » est le propre de la foi chrétienne. Cela n'est *152* pas contraire à la foi en Dieu l'Unique. Croire en l'Esprit Saint « qui est Seigneur et qui donne la Vie » n'introduit aucune division dans le Dieu unique :

42 Nous croyons fermement et nous affirmons simplement, qu'il y a un seul vrai Dieu, immense et immuable, incompréhensible, Tout-Puissant et ineffable, Père et Fils et Saint-Esprit : Trois Personnes, mais une Essence, une Substance ou Nature absolument simple [5].

II. Dieu révèle son nom

203   À son peuple Israël Dieu s'est révélé en lui faisant connaître son nom. Le *2143* nom exprime l'essence, l'identité de la personne et le sens de sa vie. Dieu a un nom. Il n'est pas une force anonyme. Livrer son nom, c'est se faire connaître aux autres; c'est en quelque sorte se livrer soi-même en se rendant accessible, capable d'être connu plus intimement et d'être appelé, personnellement.

204   Dieu s'est révélé progressivement et sous divers noms à son peuple, mais *63* c'est la révélation du nom divin faite à Moïse dans la théophanie du buisson ardent, au seuil de l'Exode et de l'alliance du Sinaï, qui s'est avérée être la révélation fondamentale pour l'Ancienne et la Nouvelle Alliance.

Le Dieu vivant

205   Dieu appelle Moïse du milieu d'un buisson qui brûle sans se consumer. *2575* Dieu dit à Moïse : « Je suis le Dieu de tes pères, le Dieu d'Abraham, le Dieu d'Isaac

---

1. *Ibid.* - 2. Cf. Ph 2, 10-11. - 3. Cf. Mc 12, 29-30. - 4. Cf. Mc 12, 35-37. - 5. Cc. Latran IV : DS 800.

et le Dieu de Jacob » (Ex 3, 6). Dieu est le Dieu des pères, Celui qui avait appelé et guidé les patriarches dans leurs pérégrinations. Il est le Dieu fidèle et compatissant qui se souvient d'eux et de ses promesses; Il vient pour libérer leurs descendants de l'esclavage. Il est le Dieu qui, par-delà l'espace et le temps, le peut et le veut et qui mettra Sa Toute Puissance en oeuvre pour ce dessein.

268

« Je Suis Celui qui Suis »

> Moïse dit à Dieu : « Voici, je vais trouver les Israélites et je leur dis : "Le Dieu de vos pères m'a envoyé vers vous" Mais s'ils me disent : "Quel est son nom ?", que leur dirai-je ? » Dieu dit à Moïse : « Je Suis Celui qui Suis. » Et il dit : « Voici ce que tu diras aux Israélites : "Je suis" m'a envoyé vers vous. (...) C'est mon nom pour toujours, c'est ainsi que l'on m'invoquera de génération en génération » (Ex 3, 13-15).

206 En révélant son nom mystérieux de YHWH, « Je Suis Celui qui Est » ou « Je Suis Celui qui Suis » ou aussi « Je Suis qui Je Suis », Dieu dit Qui Il est et de quel nom on doit L'appeler. Ce nom Divin est mystérieux comme Dieu est mystère. Il est tout à la fois un nom révélé et comme le refus d'un nom, et par là même il exprime le mieux Dieu comme ce qu'Il est, infiniment au-dessus de tout ce que nous pouvons comprendre ou dire : Il est le « Dieu caché » (Is 45, 15), son nom est ineffable [1], et Il est le Dieu qui se fait proche des hommes.

43

207 En révélant son nom, Dieu révèle en même temps sa fidélité qui est de toujours et pour toujours, valable pour le passé (« Je suis le Dieu de tes pères », Ex 3, 6), comme pour l'avenir : (« Je serai avec toi », Ex 3,12). Dieu qui révèle son nom comme « Je suis » se révèle comme le Dieu qui est toujours là, présent auprès de son peuple pour le sauver.

208 Devant la présence attirante et mystérieuse de Dieu, l'homme découvre sa petitesse. Devant le buisson ardent, Moïse ôte ses sandales et se voile le visage [2] face à la Sainteté Divine. Devant la Gloire du Dieu trois fois saint, Isaïe s'écrie : « Malheur à moi, je suis perdu ! Car je suis un homme aux lèvres impures » (Is 6, 5). Devant les signes divins que Jésus accomplit, Pierre s'écrie : « Éloigne-toi de moi, Seigneur, car je suis un pécheur » (Lc 5, 8). Mais parce que Dieu est saint, Il peut pardonner à l'homme qui se découvre pécheur devant Lui : « Je ne donnerai pas cours à l'ardeur de ma colère (...) car je suis Dieu et non pas homme, au milieu de toi je suis le Saint » (Os 11, 9). L'apôtre Jean dira de même : « Devant Lui nous apaiserons notre coeur, si notre coeur venait à nous condamner, car Dieu est plus grand que notre coeur, et Il connaît tout » (1 Jn 3, 19-20).

724
448
388

209 Par respect pour sa sainteté, le peuple d'Israël ne prononce pas le nom de Dieu. Dans la lecture de l'Écriture Sainte le nom révélé est remplacé par le titre divin « Seigneur » *(Adonaï,* en grec *Kyrios).* C'est sous ce titre que sera acclamée la Divinité de Jésus : « Jésus est Seigneur. »

446

---

1. Cf. Jg 13, 18. - 2. Cf. Ex 3, 5-6.

« Dieu de tendresse et de pitié »

210   Après le péché d'Israël, qui s'est détourné de Dieu pour adorer le veau d'or[1],
2116, 2577   Dieu écoute l'intercession de Moïse et accepte de marcher au milieu d'un peuple
infidèle, manifestant ainsi son amour[2]. À Moïse qui demande de voir sa Gloire,
Dieu répond : « Je ferai passer devant toi toute ma bonté [beauté] et Je prononcerai
devant toi le nom de YHWH » (Ex 33, 18-19). Et le Seigneur passe devant Moïse et
proclame : « YHWH, YHWH, Dieu de tendresse et de pitié, lent à la colère, riche
en grâce et en fidélité » (Ex 34, 5-6). Moïse confesse alors le Seigneur comme un
Dieu qui pardonne[3].

211   Le nom divin « Je suis » ou « Il est » exprime la fidélité de Dieu qui, malgré
l'infidélité du péché des hommes et du châtiment qu'il mérite, « garde sa grâce à
des milliers » (Ex 34, 7). Dieu révèle qu'Il est « riche en miséricorde » (Ep 2, 4) en
604   allant jusqu'à donner son propre Fils. En donnant sa vie pour nous libérer du
péché, Jésus révélera qu'Il porte Lui-même le nom divin : « quand vous aurez élevé
le Fils de l'homme, alors vous saurez que "Je suis" » (Jn 8, 28).

Dieu seul EST

212   Au cours des siècles, la foi d'Israël a pu déployer et approfondir les richesses contenues dans la révélation du nom divin. Dieu est unique, hormis Lui pas de
42   dieux[4]. Il transcende le monde et l'histoire. C'est Lui qui a fait le ciel et la terre :
« Eux périssent, Toi tu restes; tous, comme un vêtement ils s'usent (...) mais Toi, le
469, 2086   même, sans fin sont tes années (Ps 102, 27-28). En Lui "n'existe aucun changement, ni l'ombre d'une variation " (Jc 1, 17). Il est « Celui qui est », depuis toujours
et pour toujours, et c'est ainsi qu'Il demeure toujours fidèle à Lui-même et à ses
promesses.

213   La révélation du nom ineffable « Je suis Celui qui suis » contient donc la
vérité que Dieu seul EST. C'est en ce sens que déjà la traduction des Septante et à
sa suite la Tradition de l'Église, ont compris le nom divin : Dieu est la plénitude de
41   l'Être et de toute perfection, sans origine et sans fin. Alors que toutes les créatures
ont reçu de Lui tout leur être et leur avoir, Lui seul est son être même et Il est de
Lui-même tout ce qu'Il est.

III. Dieu, « Celui qui Est », est Vérité et Amour

214   Dieu, « Celui qui Est », s'est révélé à Israël comme Celui qui est « riche en
grâce et en fidélité » (Ex 34, 6). Ces deux termes expriment de façon condensée les

---

1. Cf. Ex 32. - 2. Cf. Ex 33, 12-17. - 3. Cf. Ex 34, 9. - 4. Cf. Is 44, 6.

richesses du nom divin. Dans toutes ses oeuvres Dieu montre sa bienveillance, sa bonté, sa grâce, son amour; mais aussi sa fiabilité, sa constance, sa fidélité, sa vérité. « Je rends grâce à ton nom pour ton amour et ta vérité » (Ps 138, 2)[1]. Il est la Vérité, car « Dieu est Lumière, en Lui point de ténèbres » (1 Jn 1, 5); Il est « Amour », comme l'apôtre Jean l'enseigne (1 Jn 4, 8).

1062

Dieu est Vérité

215   « Vérité, le principe de ta parole ! Pour l'éternité, tes justes jugements » (Ps 119, 160). « Oui, Seigneur Dieu, c'est Toi qui es Dieu, tes paroles sont vérité » (2 S 7, 28); c'est pourquoi les promesses de Dieu se réalisent toujours[2]. Dieu est la Vérité même, ses paroles ne peuvent tromper. C'est pourquoi on peut se livrer en toute confiance à la vérité et à la fidélité de sa parole en toutes choses. Le commencement du péché et de la chute de l'homme fut un mensonge du tentateur qui induit à douter de la parole de Dieu, de sa bienveillance et de sa fidélité.

2465

1063, 156

397

216   La vérité de Dieu est sa sagesse qui commande tout l'ordre de la création et du gouvernement du monde[3]. Dieu qui, seul, a créé le ciel et la terre[4], peut seul donner la connaissance véritable de toute chose créée dans sa relation à Lui[5].

295

32

217   Dieu est vrai aussi quand Il se révèle : l'enseignement qui vient de Dieu est « une doctrine de vérité » (Ml 2, 6). Quand Il enverra son Fils dans le monde ce sera « pour rendre témoignage à la Vérité » (Jn 18, 37) : « Nous savons que le Fils de Dieu est venu et qu'Il nous a donné l'intelligence afin que nous connaissions le Véritable » (1 Jn 5, 20)[6].

851

2466

Dieu est Amour

218   Au cours de son histoire, Israël a pu découvrir que Dieu n'avait qu'une raison de s'être révélé à lui et de l'avoir choisi parmi tous les peuples pour être à lui : son amour gratuit[7]. Et Israël de comprendre, grâce à ses prophètes, que c'est encore par amour que Dieu n'a cessé de le sauver[8] et de lui pardonner son infidélité et ses péchés[9].

295

219   L'amour de Dieu pour Israël est comparé à l'amour d'un père pour son fils (Os 11, 1). Cet amour est plus fort que l'amour d'une mère pour ses enfants[10]. Dieu aime son Peuple plus qu'un époux sa bien-aimée[11]; cet amour sera vainqueur même des pires infidélités[12]; il ira jusqu'au don le plus précieux : « Dieu a tant aimé le monde qu'Il a donné son Fils unique » (Jn 3, 16).

239

796

458

---

1. Cf. Ps 85, 11. - 2 Cf. Dt 7, 9. - 3. Cf. Sg 13, 1-9. - 4. Cf. Ps 115, 15. - 5. Cf. Sg 7, 17-21. - 6. Cf. Jn 17, 3. - 7. Cf. Dt 4, 37; 7, 8; 10, 15. - 8. Cf. Is 43, 1-7. - 9. Cf Os 2. - 10. Cf. Is 49, 14-15. - 11. Cf. Is 62, 4-5. - 12. Cf. Ez 16; Os 11.

220 L'amour de Dieu est « éternel » (Is 54, 8) : « Car les montagnes peuvent s'en aller et les collines s'ébranler, mais mon amour pour Toi ne s'en ira pas » (Is 54, 10). « D'un amour éternel, je T'ai aimé; c'est pourquoi je T'ai conservé ma faveur » (Jr 31, 3).

733
851

221 S. Jean ira encore plus loin lorsqu'il atteste : « Dieu est Amour » (1 Jn 4, 8. 16) : l'Être même de Dieu est Amour. En envoyant dans la plénitude des temps son Fils unique et l'Esprit d'Amour, Dieu révèle son secret le plus intime [1] : Il est Lui-même éternellement échange d'amour : Père, Fils et Esprit Saint, et Il nous a des-

257

tinés à y avoir part.

IV. La portée de la foi en Dieu Unique

222 Croire en Dieu, l'Unique, et L'aimer de tout son être a des conséquences immenses pour toute notre vie :

400

223 *C'est connaître la grandeur et la majesté de Dieu* : « Oui, Dieu est si grand qu'Il dépasse notre science » (Jb 36, 26). C'est pour cela que Dieu doit être « premier servi [2] ».

2637

224 *C'est vivre en action de grâce* : si Dieu est l'Unique, tout ce que nous sommes et tout ce que nous possédons vient de Lui : « Qu'as-tu que tu n'aies reçu ? » (1 Co 4, 7). « Comment rendrai-je au Seigneur tout le bien qu'Il m'a fait ? » (Ps 116, 12).

356, 360,
1700, 1934

225 *C'est connaître l'unité et la vraie dignité de tous les hommes* : tous, ils sont faits « à l'image et à la ressemblance de Dieu » (Gn 1, 26).

339, 2402,
2415

226 *C'est bien user des choses créées* : la foi en Dieu l'Unique nous amène à user de tout ce qui n'est pas Lui dans la mesure où cela nous rapproche de Lui, et à nous en détacher dans la mesure où cela nous détourne de Lui [3] :

> Mon Seigneur et mon Dieu, prends-moi tout ce qui m'éloigne de Toi. Mon Seigneur et mon Dieu, donne-moi tout ce qui me rapproche de Toi. Mon Seigneur et mon Dieu, détache-moi de moi-même pour me donner tout à Toi [4].

313, 2090

227 *C'est faire confiance à Dieu en toute circonstance*, même dans l'adversité. Une prière de Ste Thérèse de Jésus l'exprime admirablement :

> Que rien ne te trouble / Que rien ne t'effraie
> Tout passe / Dieu ne change pas

2830

> La patience obtient tout / Celui qui a Dieu

1723

> Ne manque de rien / Dieu seul suffit [5].

---

1. Cf. 1 Co 2, 7-16; Ep 3, 9-12. - 2. Ste Jeanne d'Arc, dictum. - 3. Cf. Mt 5, 29-30; 16, 24; 19, 23-24. - 4. S. Nicolas de Flüe, prière. - 5. Poes. 30.

EN BREF

228 *« Écoute, Israël, le Seigneur notre Dieu est l'Unique Seigneur... »* (Dt 6, 4; Mc 12, 29.) « Il faut nécessairement que l'Être suprême soit unique, c'est-à-dire sans égal. (...) Si Dieu n'est pas unique, Il n'est pas Dieu[1]. »

229 *La foi en Dieu nous amène à nous tourner vers Lui seul comme vers notre première origine et notre fin ultime, et ne rien Lui préférer ou Lui substituer.*

230 *Dieu, en se révélant, demeure mystère ineffable : « Si tu Le comprenais, ce ne serait pas Dieu[2]. »*

231 *Le Dieu de notre foi s'est révélé comme Celui qui est; Il s'est fait connaître comme « riche en grâce et en fidélité » (Ex 34, 6). Son Être même est Vérité et Amour.*

PARAGRAPHE 2 . *Le Père*

I. « Au nom du Père et du Fils et du Saint-Esprit »

232 Les chrétiens sont baptisés « au nom du Père et du Fils et du Saint-Esprit » (Mt 28, 19). Auparavant ils répondent « Je crois » à la triple interrogation qui leur demande de confesser leur foi au Père, au Fils et à l'Esprit : « La foi de tous les chrétiens repose sur la Trinité[3]. » *189, 1223*

233 Les chrétiens sont baptisés « au nom » du Père et du Fils et du Saint-Esprit et non pas « aux noms » de ceux-ci[4] car il n'y a qu'un seul Dieu, le Père Tout-Puissant et son Fils unique et l'Esprit Saint : la Très Sainte Trinité.

234 Le mystère de la Très Sainte Trinité est le mystère central de la foi et de la vie chrétienne. Il est le mystère de Dieu en Lui-même. Il est donc la source de tous les autres mystères de la foi, lumière qui les illumine. Il est l'enseignement le plus fondamental et essentiel dans la « hiérarchie des vérités de foi[5] ». « Toute l'histoire du salut n'est autre que l'histoire de la voie et des moyens par lesquels le Dieu vrai et unique, Père, Fils et Saint-Esprit, se révèle, se réconcilie et s'unit les hommes qui se détournent du péché[6]. » *2157* *90* *1449*

235 Dans ce paragraphe, il sera exposé brièvement de quelle manière est révélé le mystère de la Bienheureuse Trinité (I), comment l'Église a formulé la doctrine de la foi sur ce mystère (II), et enfin, comment, par les missions divines du Fils et de

---

1. Tertullien, Marc. 1, 3. - 2. S. Augustin, serm. 52, 6, 16. - 3. S. Césaire d'Arles, symb. - 4. Cf. Profession de foi du Pape Vigile en 552 : DS 415. - 5. DCG 43. - 6. DCG 47.

l'Esprit Saint, Dieu le Père réalise son « dessein bienveillant » de création, de rédemption et de sanctification (III).

236   Les Pères de l'Église distinguent entre la *Theologia* et l'*Oikonomia*, désignant par le premier terme le mystère de la vie intime du Dieu-Trinité, par le second toutes les oeuvres de Dieu par lesquelles Il se révèle et communique sa vie. C'est par l'*Oikonomia* que nous est révélée la *Theologia*; mais inversement, c'est la *Theologia* qui éclaire toute l'*Oikonomia*. Les oeuvres de Dieu révèlent qui Il est en Lui-même; et inversement, le mystère de son Être intime illumine l'intelligence de toutes ses oeuvres. Il en est ainsi, analogiquement, entre les personnes humaines. La personne se montre dans son agir, et mieux nous connaissons une personne, mieux nous comprenons son agir.

237   La Trinité est un mystère de foi au sens strict, un des « mystères cachés en Dieu, qui ne peuvent être connus s'ils ne sont révélés d'en haut[1] ». Dieu certes a laissé des traces de son être trinitaire dans son oeuvre de création et dans sa Révélation au cours de l'Ancien Testament. Mais l'intimité de son Être comme Trinité Sainte constitue un mystère inaccessible à la seule raison et même à la foi d'Israël avant l'Incarnation du Fils de Dieu et la mission du Saint-Esprit.

II. La révélation de Dieu comme Trinité

Le Père révélé par le Fils

238   L'invocation de Dieu comme « Père » est connue dans beaucoup de religions. La divinité est souvent considérée comme « père des dieux et des hommes ». En Israël, Dieu est appelé Père en tant que Créateur du monde[2]. Dieu est Père plus encore en raison de l'alliance et du don de la Loi à Israël son « fils premier-né » (Ex 4, 22). Il est aussi appelé Père du roi d'Israël[3]. Il est tout spécialement « le Père des pauvres », de l'orphelin et de la veuve qui sont sous sa protection aimante[4].

239   En désignant Dieu du nom de « Père », le langage de la foi indique principalement deux aspects : que Dieu est origine première de tout et autorité transcendante et qu'Il est en même temps bonté et sollicitude aimante pour tous ses enfants. Cette tendresse parentale de Dieu peut aussi être exprimée par l'image de la maternité[5] qui indique davantage l'immanence de Dieu, l'intimité entre Dieu et sa créature. Le langage de la foi puise ainsi dans l'expérience humaine des parents qui sont d'une certaine façon les premiers représentants de Dieu pour l'homme. Mais cette expérience dit aussi que les parents humains sont faillibles et qu'ils peuvent défigurer le visage de la paternité et de la maternité. Il convient alors de rappeler que Dieu transcende la distinction humaine des sexes. Il n'est ni homme, ni femme, Il est Dieu. Il transcende aussi paternité et maternité[6] humaines, tout en en étant l'origine et la mesure[7] : personne n'est père comme l'est Dieu.

----

1. SPF 16. - 2. Cf. Dt 32, 6; Ml 2, 10. - 3. Cf. 2 S 7, 14. - 4. Cf. Ps 68, 6. - 5. Cf. Is 66, 13; Ps 131, 2. - 6. Cf. Ps 27, 10. - 7. Cf. Ep 3, 14; Is 49, 15.

Jésus a révélé que Dieu est « Père » dans un sens inouï : Il ne l'est pas seulement en tant que Créateur, Il est éternellement Père en relation à son Fils unique, qui réciproquement n'est Fils qu'en relation à son Père : « Nul ne connaît le Fils si ce n'est le Père, comme nul ne connaît le Père si ce n'est le Fils et celui à qui le Fils veut bien Le révéler » (Mt 11, 27). *2780*
441-445

241 C'est pourquoi les apôtres confessent Jésus comme « le Verbe qui était au commencement auprès de Dieu et qui est Dieu » (Jn 1, 1), comme « l'image du Dieu invisible » (Col 1, 15), comme « le resplendissement de sa gloire et l'effigie de sa substance » (He 1, 3).

242 À leur suite, suivant la tradition apostolique, l'Église a confessé en 325 au premier Concile œcuménique de Nicée que le Fils est « consubstantiel » au Père, *465* c'est-à-dire un seul Dieu avec Lui. Le deuxième Concile œcuménique, réuni à Constantinople en 381, a gardé cette expression dans sa formulation du Credo de Nicée et a confessé « le Fils unique de Dieu, engendré du Père avant tous les siècles, lumière de lumière, vrai Dieu du vrai Dieu, engendré non pas créé, consubstantiel au Père[1] ».

Le Père et le Fils révélés par l'Esprit

243 Avant sa Pâque, Jésus annonce l'envoi d'un « autre Paraclet » (Défenseur), l'Esprit Saint. À l'oeuvre depuis la création[2], ayant jadis « parlé par les prophètes[3] », *683* Il sera maintenant auprès des disciples et en eux[4], pour les enseigner[5] et les con- *2780* duire « vers la vérité tout entière » (Jn 16, 13). L'Esprit Saint est ainsi révélé comme *687* une autre personne divine par rapport à Jésus et au Père.

244 L'origine éternelle de l'Esprit se révèle dans sa mission temporelle. L'Esprit Saint est envoyé aux apôtres et à l'Église aussi bien par le Père au nom du Fils, que par le Fils en personne, une fois retourné auprès du Père[6]. L'envoi de la personne de l'Esprit après la glorification de Jésus[7] révèle en plénitude le mystère de *732* la Sainte Trinité.

245 La foi apostolique concernant l'Esprit a été confessée par le deuxième Concile œcuménique en 381 à Constantinople : « Nous croyons dans l'Esprit Saint, *152* qui est Seigneur et qui donne la vie; Il procède du Père[8]. » L'Église reconnaît par là le Père comme « la source et l'origine de toute la divinité[9] ». L'origine éternelle de l'Esprit Saint n'est cependant pas sans lien avec celle du Fils : « L'Esprit Saint qui est la Troisième Personne de la Trinité, est Dieu, un et égal au Père et au Fils, de même substance et aussi de même nature. (...) Cependant, on ne dit pas qu'il est seulement l'Esprit du Père, mais à la fois l'Esprit du Père et du

---

1. DS 150. - 2. Cf. Gn 1, 2. - 3. Symbole de Nicée-Constantinople. - 4. Cf. Jn 14, 17. - 5. Cf. Jn 14, 26. - - 6. Cf. Jn 14, 26; 15, 26; 16, 14. - 7. Cf. Jn 7, 39. - 8. DS 150. - 9. Cc. Tolède VI en 638 : DS 490.

685 Fils [1]. » Le Credo du Concile de Constantinople de l'Église confesse : « Avec le Père et le Fils Il reçoit même adoration et même gloire [2]. »

246 La tradition latine du Credo confesse que l'Esprit « procède du Père *et du Fils (filioque)* ». Le Concile de Florence, en 1438, explicite : « Le Saint-Esprit tient son essence et son être à la fois du Père et du Fils et Il procède éternellement de l'Un comme de l'Autre comme d'un seul Principe et par une seule spiration... Et parce que tout ce qui est au Père, le Père Lui-même l'a donné à son Fils unique en L'engendrant, à l'exception de son être de Père, cette procession même du Saint-Esprit à partir du Fils, Il la tient éternellement de son Père qui L'a engendré éternellement [3]. »

247 L'affirmation du *filioque* ne figurait pas dans le symbole confessé en 381 à Constantinople. Mais en suivant une ancienne tradition latine et alexandrine, le Pape S. Léon l'avait déjà confessée dogmatiquement en 447 [4] avant même que Rome ne connût et ne reçût, en 451, au Concile de Chalcédoine, le symbole de 381. L'usage de cette formule dans le Credo a été peu à peu admis dans la liturgie latine (entre le VIIIe et le XIe siècle). L'introduction du *filioque* dans le Symbole de Nicée-Constantinople par la liturgie latine constitue cependant, aujourd'hui encore, un différend avec les Églises orthodoxes.

248 La tradition orientale exprime d'abord le caractère d'origine première du Père par rapport à l'Esprit. En confessant l'Esprit comme « issu du Père » (Jn 15, 26), elle affirme que celui-ci est *issu* du Père *par* le Fils [5]. La tradition occidentale exprime d'abord la communion consubstantielle entre le Père et le Fils en disant que l'Esprit procède du Père et du Fils (*filioque*). Elle le dit « de manière légitime et raisonnable [6] », car l'ordre éternel des personnes divines dans leur communion consubstantielle implique que le Père soit l'origine première de l'Esprit en tant que « principe sans principe [7] », mais aussi qu'en tant que Père du Fils unique, Il soit avec Lui « l'unique principe d'où procède l'Esprit Saint [8] ». Cette légitime complémentarité, si elle n'est pas durcie, n'affecte pas l'identité de la foi dans la réalité du même mystère confessé.

III. La Sainte Trinité dans la doctrine de la foi

La formation du dogme trinitaire

683
189
249 La vérité révélée de la Sainte Trinité a été dès les origines à la racine de la foi vivante de l'Église, principalement au moyen du Baptême. Elle trouve son expression dans la règle de la foi baptismale, formulée dans la prédication, la catéchèse et la prière de l'Église. De telles formulations se trouvent déjà dans les écrits apostoliques, comme en témoigne cette salutation, reprise dans la liturgie eucharistique : « La grâce du Seigneur Jésus-Christ, l'amour de Dieu et la communion du Saint-Esprit soient avec vous tous » (2 Co 13, 13) [9].

---

1. Cc. Tolède XI en 675 : DS 527. - 2. DS 150. - 3. DS 1300-1301. - 4. Cf. DS 284. - 5. Cf. AG 2.
- 6. Cc. Florence en 1439 : DS 1302. - 7. DS 1331. - 8. Cc. Lyon II en 1274 : DS 850. - 9. Cf. 1 Co 12, 4-6; Ep 4, 4-6.

250   Au cours des premiers siècles, l'Église a cherché à formuler plus explicitement sa foi trinitaire tant pour approfondir sa propre intelligence de la foi que pour la défendre contre des erreurs qui la déformaient. Ce fut l'oeuvre des Conciles anciens, aidés par le travail théologique des Pères de l'Église et soutenus par le sens de la foi du peuple chrétien. *94*

251   Pour la formulation du dogme de la Trinité, l'Église a dû développer une terminologie propre à l'aide de notions d'origine philosophique : « substance », « personne » ou « hypostase », « relation », etc. Ce faisant, elle n'a pas soumis la foi à une sagesse humaine mais a donné un sens nouveau, inouï, à ces termes appelés à signifier désormais aussi un mystère ineffable, « infiniment au-delà de tout ce que nous pouvons concevoir à la mesure humaine [1] ». *170*

252   L'Église utilise le terme « substance » (rendu aussi parfois par « essence » ou par « nature ») pour désigner l'être divin dans son unité, le terme « personne » ou « hypostase » pour désigner le Père, le Fils et le Saint-Esprit dans leur distinction réelle entre eux, le terme « relation » pour désigner le fait que leur distinction réside dans la référence des uns aux autres.

Le dogme de la Sainte Trinité

253   *La Trinité est Une.* Nous ne confessons pas trois dieux, mais un seul Dieu en trois personnes : la « Trinité consubstantielle [2] ». Les personnes divines ne se partagent pas l'unique divinité mais chacune d'elles est Dieu tout entier : « Le Père est cela même qu'est le Fils, le Fils cela même qu'est le Père, le Père et le Fils cela même qu'est le Saint-Esprit, c'est-à-dire un seul Dieu par nature [3]. » « Chacune des trois personnes est cette réalité, c'est-à-dire la substance, l'essence ou la nature divine [4]. » *2789* *590*

254   *Les personnes divines sont réellement distinctes entre elles.* « Dieu est unique mais non pas solitaire [5]. » « Père », « Fils », « Esprit Saint » ne sont pas simplement des noms désignant des modalités de l'être divin, car ils sont réellement distincts entre eux : « Celui qui est le Fils n'est pas le Père, et celui qui est le Père n'est pas le Fils, ni le Saint-Esprit n'est celui qui est le Père ou le Fils [6]. » Ils sont distincts entre eux par leurs relations d'origine : « C'est le Père qui engendre, le Fils qui est engendré, le Saint-Esprit qui procède [7]. » *L'Unité divine est Trine.* *468, 689*

255   *Les personnes divines sont relatives les unes aux autres.* Parce qu'elle ne divise pas l'unité divine, la distinction réelle des personnes entre elles réside uniquement dans les relations qui les réfèrent les unes aux autres : « Dans les noms relatifs des personnes, le Père est référé au Fils, le Fils au Père, le Saint-Esprit aux deux; quand on parle de ces trois personnes en considérant les relations, on croit *240*

---

1. SPF 2. - 2. Cc. Constantinople II en 553 : DS 421. - 3. Cc. Tolède XI en 675 : DS 530. - 4. Cc. Latran IV en 1215 : DS 804. - 5. Fides Damasi : DS 71. - 6. Cc. Tolède XI en 675 : DS 530. - 7. Cc. Latran IV en 1215 : DS 804.

cependant en une seule nature ou substance [1]. » En effet, « tout est un [en eux] là où l'on ne rencontre pas l'opposition de relation [2] ». « À cause de cette unité, le Père est tout entier dans le Fils, tout entier dans le Saint-Esprit; le Fils est tout entier dans le Père, tout entier dans le Saint-Esprit; le Saint-Esprit tout entier dans le Père, tout entier dans le Fils [3]. »

256   Aux Catéchumènes de Constantinople, S. Grégoire de Nazianze, que l'on appelle aussi « le Théologien », confie ce résumé de la foi trinitaire :

236, 684

84

> Avant toutes choses, gardez-moi ce bon dépôt, pour lequel je vis et je combats, avec lequel je veux mourir, qui me fait supporter tous les maux et mépriser tous les plaisirs : je veux dire la profession de foi en le Père et le Fils et le Saint-Esprit. Je vous la confie aujourd'hui. C'est par elle que je vais tout à l'heure vous plonger dans l'eau et vous en élever. Je vous la donne pour compagne et patronne de toute votre vie. Je vous donne une seule Divinité et Puissance, existant Une dans les Trois, et contenant les Trois d'une manière distincte. Divinité sans disparité de substance ou de nature, sans degré supérieur qui élève ou degré inférieur qui abaisse. (...) C'est de trois infinis l'infinie connaturalité. Dieu tout entier chacun considéré en soi-même (...), Dieu les Trois considérés ensemble (...). Je n'ai pas commencé de penser à l'Unité que la Trinité me baigne dans sa splendeur. Je n'ai pas commencé de penser à la Trinité que l'unité me ressaisit [4]...

IV. Les oeuvres divines et les missions trinitaires

257   « Ô Trinité lumière bienheureuse, Ô primordiale Unité [5] ! » Dieu est éternelle béatitude, vie immortelle, lumière sans déclin. Dieu est Amour : Père, Fils et Esprit Saint. Librement, Dieu veut communiquer la gloire de sa vie bienheureuse. Tel est le « dessein bienveillant » (Ep 1, 9) qu'Il a conçu dès avant la création du monde en son Fils bien-aimé, « nous prédestinant à l'adoption filiale en celui-ci » (Ep 1, 4-5), c'est-à-dire « à reproduire l'image de son Fils » (Rm 8, 29) grâce à « l'Esprit d'adoption filiale » (Rm 8, 15). Ce dessein est une « grâce donnée avant tous les siècles » (2 Tm 1, 9-10), issue immédiatement de l'amour trinitaire. Il se déploie dans l'oeuvre de la création, dans toute l'histoire du salut après la chute, dans les missions du Fils et de l'Esprit, que prolonge la mission de l'Église [6].

221

758

292

850

258   Toute l'économie divine est l'oeuvre commune des trois personnes divines. Car de même qu'elle n'a qu'une seule et même nature, la Trinité n'a qu'une seule et même opération [7]. « Le Père, le Fils et le Saint-Esprit ne sont pas trois principes des créatures mais un seul principe [8]. » Cependant, chaque personne divine opère l'oeuvre commune selon sa propriété personnelle. Ainsi l'Église confesse, à la suite du Nouveau Testament [9], « un Dieu et Père de qui sont toutes choses, un Seigneur

686

---

1. Cc. Tolède XI en 675 : DS 528. - 2. Cc. Florence en 1442 : DS 1330. - 3. Cc. Florence en 1442 : DS 1331. - 4. Or. 40, 41. - 5. LH, hymne de vêpres. - 6. Cf. AG 2-9. - 7. Cf. Cc. Constantinople II en 553 : DS 421. - 8. Cc. Florence en 1442 : DS 1331. - 9. Cf. 1 Co 8, 6.

Jésus-Christ pour qui sont toutes choses, un Esprit Saint en qui sont toutes choses[1] ». Ce sont surtout les missions divines de l'Incarnation du Fils et du don du Saint-Esprit qui manifestent les propriétés des personnes divines.

259   Oeuvre à la fois commune et personnelle, toute l'économie divine fait connaître et la propriété des personnes divines et leur unique nature. Aussi, toute la vie chrétienne est-elle communion avec chacune des personnes divines, sans aucunement les séparer. Celui qui rend gloire au Père le fait par le Fils dans l'Esprit Saint; celui qui suit le Christ, le fait parce que le Père l'attire[2] et que l'Esprit le meut[3]. *236*

260   La fin ultime de toute l'économie divine, c'est l'entrée des créatures dans l'unité parfaite de la Bienheureuse Trinité[4]. Mais dès maintenant nous sommes appelés à être habités par la Très Sainte Trinité : « Si quelqu'un m'aime, dit le Seigneur, il gardera ma parole, et mon Père l'aimera et nous viendrons à Lui, et nous ferons chez Lui notre demeure » (Jn 14, 23) : *1050, 1721* *1997*

> Ô mon Dieu, Trinité que j'adore, aidez-moi à m'oublier entièrement pour m'établir en Vous, immobile et paisible comme si déjà mon âme était dans l'éternité; que rien ne puisse troubler ma paix ni me faire sortir de Vous, ô mon Immuable, mais que chaque minute m'emporte plus loin dans la profondeur de votre mystère ! Pacifiez mon âme. Faites-en votre ciel, votre demeure aimée et le lieu de votre repos. Que je ne Vous y laisse jamais seul, mais que je sois là, tout entière, tout éveillée en ma foi, tout adorante, tout livrée à votre action créatrice[5]. *2565*

EN BREF

261   *Le mystère de la Très Sainte Trinité est le mystère central de la foi et de la vie chrétienne. Dieu seul peut nous en donner la connaissance en se révélant comme Père, Fils et Saint-Esprit.*

262   *L'Incarnation du Fils de Dieu révèle que Dieu est le Père éternel, et que le Fils est consubstantiel au Père, c'est-à-dire qu'Il est en Lui et avec Lui le même Dieu unique.*

263   *La mission du Saint-Esprit, envoyé par le Père au nom du Fils[6] et par le Fils « d'auprès du Père » (Jn 15, 26) révèle qu'Il est avec eux le même Dieu unique. « Avec le Père et le Fils Il reçoit même adoration et même gloire. »*

264   *« Le Saint-Esprit procède du Père en tant que source première et, par le don éternel de celui-ci au Fils, du Père et du Fils en communion[7]. »*

265   *Par la grâce du Baptême « au nom du Père et du Fils et du Saint-Esprit », nous sommes appelés à partager la vie de la Bienheureuse Trinité, ici-bas dans l'obscurité de la foi, et au-delà de la mort, dans la lumière éternelle[8].*

---

1. Cc. Constantinople II : DS 421. - 2. Cf. Jn 6, 44. - 3. Cf. Rm 8, 14. - 4. Cf. Jn 17, 21-23. - 5. Prière de la Bienheureuse Élisabeth de la Trinité. - 6. Cf. Jn 14, 26. - 7. S. Augustin, Trin. 15, 26, 47. - 8. Cf. SPF 9.

266 *« La foi catholique consiste en ceci : vénérer un seul Dieu dans la Trinité, et la Trinité dans l'Unité, sans confondre les personnes, sans diviser la substance : car autre est la personne du Père, autre celle du Fils, autre celle de l'Esprit Saint; mais du Père, du Fils et de l'Esprit Saint une est la divinité, égale la gloire, coéternelle la majesté [1]. »*

267 *Inséparables dans ce qu'elles sont, les personnes divines sont aussi inséparables dans ce qu'elles font. Mais dans l'unique opération divine chacune manifeste ce qui lui est propre dans la Trinité, surtout dans les missions divines de l'Incarnation du Fils et du don du Saint-Esprit.*

PARAGRAPHE 3. *Le Tout-Puissant*

268 De tous les attributs divins, seule la Toute Puissance de Dieu est nommée dans le Symbole : la confesser est d'une grande portée pour notre vie. Nous croyons qu'elle est *universelle*, car Dieu qui a tout créé [2], régit tout et peut tout; *aimante*, car Dieu est notre Père [3]; *mystérieuse*, car seule la foi peut la discerner lorsqu'« elle se déploie dans la faiblesse » (2 Co 12, 9) [4].

222

« Tout ce qu'Il veut, Il le fait » (Ps 115, 3)

269 Les Saintes Écritures confessent à maintes reprises la puissance *universelle* de Dieu. Il est appelé « le Puissant de Jacob » (Gn 49, 24; Is 1, 24 e.a.), « le Seigneur des armées », « le Fort, le Vaillant » (Ps 24, 8-10). Si Dieu est Tout-Puissant « au ciel et sur la terre » (Ps 135, 6), c'est qu'Il les a faits. Rien ne Lui est donc impossible [5] et Il dispose à son gré de son oeuvre [6]; Il est le Seigneur de l'univers dont Il a établi l'ordre qui Lui demeure entièrement soumis et disponible; Il est le Maître de l'histoire : Il gouverne les coeurs et les événements selon son gré [7] : « Ta grande puissance est toujours à ton service, et qui peut résister à la force de ton bras ? » (Sg 11, 21)

303

« Tu as pitié de tous, parce que Tu peux tout » (Sg 11, 23)

270 Dieu est le *Père* Tout-Puissant. Sa paternité et sa puissance s'éclairent mutuellement. En effet, Il montre sa Toute Puissance paternelle par la manière dont Il prend soin de nos besoins [8]; par l'adoption filiale qu'Il nous donne (« Je serai pour vous un père, et vous serez pour moi des fils et des filles, dit le Seigneur Tout-Puissant », 2 Co 6, 18); enfin par Sa miséricorde infinie, puisqu'Il montre sa puissance au plus haut point en pardonnant librement les péchés.

2777

1441

---

1. Symbolum « Quicumque ». - 2. Cf. Gn 1, 1; Jn 1, 3. - 3. Cf. Mt 6, 9. - 4. Cf. 1 Co 1, 18. - 5. Cf. Jr 32, 17; Lc 1, 37. - 6. Cf. Jr 27, 5. - 7. Cf. Est 4, 17b; Pr 21, 1; Tb 13, 2. - 8. Cf. Mt 6, 32.

271   La Toute Puissance divine n'est nullement arbitraire : « En Dieu la puissance et l'essence, la volonté et l'intelligence, la sagesse et la justice sont une seule et même chose, de sorte que rien ne peut être dans la puissance divine qui ne puisse être dans la juste volonté de Dieu ou dans sa sage intelligence[1]. »

Le mystère de l'apparente impuissance de Dieu

272   La foi en Dieu le Père Tout-Puissant peut être mise à l'épreuve par l'expérience du mal et de la souffrance. Parfois Dieu peut sembler absent et incapable d'empêcher le mal. Or, Dieu le Père a révélé Sa Toute Puissance de la façon la plus *mystérieuse* dans l'abaissement volontaire et dans la Résurrection de son Fils, par lesquelles Il a vaincu le mal. Ainsi, le Christ crucifié est « puissance de Dieu et sagesse de Dieu. Car ce qui est folie de Dieu est plus sage que les hommes et ce qui est faiblesse de Dieu est plus fort que les hommes » (1 Co 1, 24-25). C'est dans la Résurrection et dans l'exaltation du Christ que le Père a « déployé la vigueur de sa force » et manifesté « quelle extraordinaire grandeur revêt sa puissance pour nous les croyants » (Ep 1, 19-22). *309 412 609 648*

273   Seule la foi peut adhérer aux voies mystérieuses de la Toute Puissance de Dieu. Cette foi se glorifie de ses faiblesses afin d'attirer sur elle la puissance du Christ[2]. De cette foi, la Vierge Marie est le suprême modèle, elle qui a cru que « rien n'est impossible à Dieu » (Lc 1, 37) et qui a pu magnifier le Seigneur : « Le Puissant fit pour moi des merveilles, saint est son nom » (Lc 1, 49). *148*

274   « Rien n'est donc plus propre à affermir notre foi et notre espérance que la conviction profondément gravée dans nos âmes que rien n'est impossible à Dieu. Car tout ce que [le Credo] nous proposera ensuite à croire, les choses les plus grandes, les plus incompréhensibles, aussi bien que les plus élevées au-dessus des lois ordinaires de la nature, dès que notre raison aura seulement l'idée de la Toute Puissance divine, elle les admettra facilement et sans hésitation aucune[3]. » *1814, 1817*

EN BREF

275   *Avec Job, le juste, nous confessons : « Je sais que Tu es Tout-Puissant : ce que Tu conçois, Tu peux le réaliser » (Jb 42, 2).*

276   *Fidèle au témoignage de l'Écriture, l'Église adresse souvent sa prière au « Dieu Tout-Puissant et éternel » (« omnipotens sempiterne Deus... ») croyant fermement que « rien n'est impossible à Dieu » (Gn 18, 14; Lc 1, 37; Mt 19, 26).*

277   *Dieu manifeste sa Toute Puissance en nous convertissant de nos péchés et en nous rétablissant dans son amitié par la grâce : « Dieu, qui donnes la preuve suprême de ta puissance, lorsque tu patientes et prends pitié[4]... »*

---

1. S. Thomas d'A., s. th. 1, 25, 5, ad 1. - 2. Cf. 2 Co 12, 9; Ph 4, 13. - 3. Catech. R. 1, 2, 13. - 4. MR, collecte du 26e dimanche.

278   *À moins de croire que l'amour de Dieu est Tout-Puissant, comment croire que le Père a pu nous créer, le Fils nous racheter, l'Esprit Saint nous sanctifier ?*

PARAGRAPHE 4. *Le Créateur*

279   « Au commencement, Dieu créa le ciel et la terre » (Gn 1, 1). Ces paroles solennelles sont au seuil de l'Écriture Sainte. Le Symbole de la foi reprend ces paroles en confessant Dieu le Père Tout-Puissant comme « le Créateur du ciel et de la terre », « de l'univers visible et invisible ». Nous parlerons donc d'abord du Créateur, ensuite de sa création, enfin de la chute du péché dont Jésus-Christ, le Fils de Dieu, est venu nous relever.

288

280   La création est le *fondement* de « tous les desseins salvifiques de Dieu », « le commencement de l'histoire du salut [1] » qui culmine dans le Christ. Inversement, le mystère du Christ est la lumière décisive sur le mystère de la création; il révèle la fin en vue de laquelle, « au commencement, Dieu créa le ciel et la terre » (Gn 1, 1) :

1043   dès le commencement, Dieu avait en vue la gloire de la nouvelle création dans le Christ [2].

1095

281   C'est pour cela que les lectures de la Nuit Pascale, célébration de la création nouvelle dans le Christ, commencent par le récit de la création; celui-ci, dans la liturgie byzantine, constitue toujours la première lecture des vigiles des grandes fêtes du Seigneur. Selon le témoignage des anciens, l'instruction des catéchumènes pour le Baptême suit le même chemin [3].

I. La catéchèse sur la création

282   La catéchèse sur la création revêt une importance capitale. Elle concerne les fondements mêmes de la vie humaine et chrétienne : car elle explicite la réponse de la foi chrétienne à la question élémentaire que les hommes de tous les temps se sont posée : « D'où venons-nous ? » « Où allons-nous ? » « Quelle est notre origine ? » « Quelle est notre fin ? » « D'où vient et où va tout ce qui existe ? » Les deux ques-tions, celle de l'origine et celle de la fin, sont inséparables. Elles sont décisives

1730   pour le sens et l'orientation de notre vie et de notre agir.

283   La question des origines du monde et de l'homme fait l'objet de nombreuses recherches

159   scientifiques qui ont magnifiquement enrichi nos connaissances sur l'âge et les dimensions du cos-mos, le devenir des formes vivantes, l'apparition de l'homme. Ces découvertes nous invitent à

341   admirer d'autant plus la grandeur du Créateur, à Lui rendre grâce pour toutes ses oeuvres et pour l'intelligence et la sagesse qu'Il donne aux savants et aux chercheurs. Avec Salomon, ceux-ci peu-vent dire : « C'est Lui qui m'a donné la science vraie de ce qui est, qui m'a fait connaître la structure du monde et les propriétés des éléments (...) car c'est l'ouvrière de toutes choses qui m'a instruit, la Sagesse » (Sg 7, 17-21).

---

1. DCG 51. - 2. Cf. Rm 8, 18-23. - 3. Cf. Ethérie, pereg. 46; S. Augustin, catech. 3, 5.

284   Le grand intérêt réservé à ces recherches est fortement stimulé par une question d'un autre ordre, qui dépasse le domaine propre des sciences naturelles. Il ne s'agit pas seulement de savoir quand et comment a surgi matériellement le cosmos, ni quand l'homme est apparu, mais plutôt de découvrir quel est le sens d'une telle origine : si elle est gouvernée par le hasard, un destin aveugle, une nécessité anonyme, ou bien par un Être transcendant, intelligent et bon, appelé Dieu. Et si le monde provient de la sagesse et de la bonté de Dieu, pourquoi le mal ? D'où vient-il ? Qui en est responsable ? Et y en a-t-il une libération ?

285   Depuis ses débuts, la foi chrétienne a été confrontée à des réponses différentes de la sienne sur la question des origines. Ainsi, on trouve dans les religions et les cultures anciennes de nombreux mythes concernant les origines. Certains philosophes ont dit que tout est Dieu, que le monde est Dieu, ou que le devenir du monde est le devenir de Dieu (panthéisme); d'autres ont dit que le monde est une émanation nécessaire de Dieu, s'écoulant de cette source et retournant vers elle; *295* d'autres encore ont affirmé l'existence de deux principes éternels, le Bien et le Mal, la Lumière et les Ténèbres, en lutte permanente (dualisme, manichéisme); selon certaines de ces conceptions, le monde (au moins le monde matériel) serait mauvais, produit d'une déchéance, et donc à rejeter ou à dépasser (gnose); d'autres admettent que le monde ait été fait par Dieu, mais à la manière d'un horloger qui l'aurait, une fois fait, abandonné à lui-même (déisme); d'autres enfin n'acceptent aucune origine transcendante du monde, mais y voient le pur jeu d'une matière qui aurait toujours existé (matérialisme). Toutes ces tentatives témoignent de la permanence et de l'universalité de la question des origines. Cette quête est propre à l'homme.   *28*

286   L'intelligence humaine a la capacité, certes, de trouver déjà une réponse à la question des origines. En effet, l'existence de Dieu le Créateur peut être connue *32* avec certitude par ses oeuvres grâce à la lumière de la raison humaine[1], même si cette connaissance est souvent obscurcie et défigurée par l'erreur. C'est pour- *37* quoi la foi vient confirmer et éclairer la raison dans la juste intelligence de cette vérité : « Par la foi, nous comprenons que les mondes ont été formés par une parole de Dieu, de sorte que ce que l'on voit provient de ce qui n'est pas apparent » (He 11, 3).

287   La vérité de la création est si importante pour toute la vie humaine que Dieu, dans sa tendresse, a voulu révéler à son Peuple tout ce qu'il est salutaire de *107* connaître à ce sujet. Au-delà de la connaissance naturelle que tout homme peut avoir du Créateur[2], Dieu a progressivement révélé à Israël le mystère de la création. Lui qui a choisi les patriarches, qui a fait sortir Israël d'Égypte, et qui, en élisant Israël, l'a créé et formé[3], Il se révèle comme celui à qui appartiennent tous les peuples de la terre, et la terre entière, comme celui qui, seul, « a fait le ciel et la terre » (Ps 115, 15; 124, 8; 134, 3).

288   Ainsi, la révélation de la création est inséparable de la révélation et de la réalisation de l'alliance de Dieu, l'Unique, avec son Peuple. La création est révélée *280,* comme le premier pas vers cette alliance, comme le premier et universel *2569* témoignage de l'amour Tout-Puissant de Dieu[4]. Aussi, la vérité de la création s'exprime-t-elle avec une vigueur croissante dans le message des prophètes[5], dans

---

1. Cf. DS 3026. - 2. Cf. Ac 17, 24-29; Rm 1, 19-20. - 3. Cf. Is 43, 1. - 4. Cf. Gn 15, 5; Jr 33, 19-26.
- 5. Cf. Is 44, 24.

la prière des psaumes[1] et de la liturgie, dans la réflexion de la sagesse[2] du Peuple élu.

289   Parmi toutes les paroles de l'Écriture Sainte sur la création, les trois premiers chapitres de la Genèse tiennent une place unique. Du point de vue littéraire ces textes peuvent avoir diverses sources. Les auteurs inspirés les ont placés au commencement de l'Écriture de sorte qu'ils expriment, dans leur langage solennel, les vérités de la création, de son origine et de sa fin en Dieu, de son ordre et de sa bonté, de la vocation de l'homme, enfin du drame du péché et de l'espérance du salut. Lus à la lumière du Christ, dans l'unité de l'Écriture Sainte et dans la Tradition vivante de l'Église, ces paroles demeurent la source principale pour la catéchèse des mystères du « commencement » : création, chute, promesse du salut.

II. La création – oeuvre de la Sainte Trinité

290   « Au commencement, Dieu créa le ciel et la terre » : trois choses sont affirmées dans ces premières paroles de l'Écriture : le Dieu éternel a posé un commencement à tout ce qui existe en dehors de lui. Lui seul est créateur (le verbe « créer » - en hébreu *bara* - a toujours pour sujet Dieu). La totalité de ce qui existe (exprimé par la formule « le ciel et la terre ») dépend de Celui qui lui donne d'être.

291   « Au commencement était le Verbe (...) et le Verbe était Dieu. (...) Tout a été fait par lui et sans lui rien n'a été fait » (Jn 1, 1-3). Le Nouveau Testament révèle que Dieu a tout créé par le Verbe Éternel, son Fils bien-aimé. C'est en Lui « qu'ont été créées toutes choses, dans les cieux et sur la terre (...) tout a été créé par Lui et pour Lui. Il est avant toute chose et tout subsiste en Lui » (Col 1, 16-17). La foi de l'Église affirme de même l'action créatrice de l'Esprit Saint : Il est le « donateur de vie[3] », « l'Esprit Créateur » (« Veni, Creator Spiritus »), la « Source de tout bien[4] ».

292   Insinuée dans l'Ancien Testament[5], révélée dans la Nouvelle Alliance, l'action créatrice du Fils et de l'Esprit, inséparablement une avec celle du Père, est clairement affirmée par la règle de foi de l'Église : « Il n'existe qu'un seul Dieu (...) : Il est le Père, Il est Dieu, Il est le Créateur, Il est l'Auteur, Il est l'Ordonnateur. Il a fait toutes choses *par Lui-même*, c'est-à-dire par son Verbe et par sa Sagesse[6] », « par le Fils et l'Esprit » qui sont comme « ses mains[7] ». La création est l'oeuvre commune de la Sainte Trinité.

III. « Le monde a été créé pour la Gloire de Dieu »

293   C'est une vérité fondamentale que l'Écriture et la Tradition ne cessent d'enseigner et de célébrer : « Le monde a été créé pour la Gloire de Dieu[8]. » Dieu

---

1. Cf. Ps 104. - 2. Cf. Pr 8, 22-31. - 3. Symbole de Nicée-Constantinople. - 4. Liturgie byzantine, Tropaire des vêpres de Pentecôte. - 5. Cf. Ps 33, 6; 104, 30; Gn 1, 2-3. - 6. S. Irénée, haer. 2, 30, 9. - 7. *Ibid.*, 4, 20, 1. - 8. Cc. Vatican I : DS 3025.

a créé toutes choses, explique S. Bonaventure, « non pour accroître la Gloire, mais pour manifester et communiquer cette Gloire [1] ». Car Dieu n'a pas d'autre raison pour créer que son amour et sa bonté : « C'est la clé de l'amour qui a ouvert sa main pour produire les créatures [2]. » Et le premier Concile du Vatican explique :

1361

> Dans sa bonté et par sa force toute-puissante, non pour augmenter sa béatitude, ni pour acquérir sa perfection, mais pour la manifester par les biens qu'il accorde à ses créatures, ce seul vrai Dieu a, dans le plus libre dessein, tout ensemble, dès le commencement du temps, créé de rien l'une et l'autre créature, la spirituelle et la corporelle [3].

759

294   La Gloire de Dieu c'est que se réalise cette manifestation et cette communication de sa bonté en vue desquelles le monde a été créé. Faire de nous « des fils adoptifs par Jésus-Christ : tel fut le dessein bienveillant de sa volonté *à la louange de gloire* de sa grâce » (Ep 1, 5-6) : « Car la Gloire de Dieu, c'est l'homme vivant, et la vie de l'homme, c'est la vision de Dieu : si déjà la révélation de Dieu par la création procura la vie à tous les êtres qui vivent sur la terre, combien plus la manifestation du Père par le Verbe procure-t-elle la vie à ceux qui voient Dieu [4]. » La fin ultime de la création, c'est que Dieu, « qui est le Créateur de tous les êtres, devienne enfin "tout en tous" (1 Co 15, 28), en procurant à la fois sa gloire et notre béatitude [5] ».

2809

1722

1992

IV. Le mystère de la création

Dieu crée par sagesse et par amour

295   Nous croyons que Dieu a créé le monde selon sa sagesse [6]. Il n'est pas le produit d'une nécessité quelconque, d'un destin aveugle ou du hasard. Nous croyons qu'il procède de la volonté libre de Dieu qui a voulu faire participer les créatures à son être, sa sagesse et sa bonté : « Car c'est Toi qui créas toutes choses; Tu as voulu qu'elles soient, et elles furent créées » (Ap 4, 11). « Que tes oeuvres sont nombreuses, Seigneur ! Toutes avec sagesse Tu les fis » (Ps 104, 24). « Le Seigneur est bonté envers tous, ses tendresses vont à toutes ses oeuvres » (Ps 145, 9).

216, 1951

Dieu crée « de rien »

296   Nous croyons que Dieu n'a besoin de rien de préexistant ni d'aucune aide pour créer [7]. La création n'est pas non plus une émanation nécessaire de la substance divine [8]. Dieu crée librement « de rien [9] » :

285

---

1. Sent. 2, 1, 2, 2, 1. - 2. S. Thomas d'A., sent. 2, prol. - 3. DS 3002. - 4. S. Irénée, haer. 4, 20, 7. - 5. AG 2. - 6. Cf. Sg 9, 9. - 7. Cf. Cc. Vatican I : DS 3022. - 8. Cf. Cc. Vatican I : DS 3023-3024. - 9. DS 800; 3025.

> Quoi d'extraordinaire si Dieu avait tiré le monde d'une matière préexistante ? Un artisan humain, quand on lui donne un matériau, en fait tout ce qu'il veut. Tandis que la puissance de Dieu se montre précisément quand Il part du néant pour faire tout ce qu'Il veut [1].

297 La foi en la création « de rien » est attestée dans l'Écriture comme une vérité

338 pleine de promesse et d'espérance. Ainsi la mère des sept fils les encourage au martyre :

> Je ne sais comment vous êtes apparus dans mes entrailles; ce n'est pas moi qui vous ai gratifiés de l'esprit et de la vie; ce n'est pas moi qui ai organisé les éléments qui composent chacun de vous. Aussi bien le Créateur du monde, qui a formé le genre humain et qui est à l'origine de toute chose, vous rendra-t-Il, dans sa miséricorde, et l'esprit et la vie, parce que vous vous méprisez maintenant vous-mêmes pour l'amour de ses lois (...). Mon enfant, regarde le ciel et la terre et vois tout ce qui est en eux, et sache que Dieu les a faits de rien et que la race des hommes est faite de la même manière (2 M 7, 22-23. 28).

298 Puisque Dieu peut créer à partir de rien, Il peut aussi, par l'Esprit Saint,

1375 donner la vie de l'âme à des pécheurs en créant en eux un coeur pur [2], et la vie du

992 corps aux défunts par la Résurrection, Lui « qui donne la vie aux morts et appelle le néant à l'existence » (Rm 4, 17). Et puisque, par sa Parole, Il a pu faire resplendir la lumière des ténèbres [3], Il peut aussi donner la lumière de la foi à ceux qui l'ignorent [4].

Dieu crée un monde ordonné et bon

339 **299** Si Dieu crée avec sagesse, la création est ordonnée : « Tu as tout disposé avec mesure, nombre et poids » (Sg 11, 20). Créée dans et par le Verbe éternel, « image du Dieu invisible » (Col 1, 15), elle est destinée, adressée à l'homme, image de Dieu [5], lui-même appelé à une relation personnelle avec Dieu. Notre intelli-

41, 1147 gence, participant à la lumière de l'Intellect divin, peut entendre ce que Dieu nous dit par sa création [6], certes non sans grand effort et dans un esprit d'humilité et de respect devant le Créateur et son oeuvre [7]. Issue de la bonté divine, la création participe à cette bonté (« Et Dieu vit que cela était bon (...) très bon » : Gn 1, 4. 10. 12. 18. 21. 31). Car la création est voulue par Dieu comme un don adressé à l'homme,

358 comme un héritage qui lui est destiné et confié. L'Église a dû, à maintes reprises,

2415 défendre la bonté de la création, y compris du monde matériel [8].

Dieu transcende la création et lui est présent

300 Dieu est infiniment plus grand que toutes ses oeuvres [9] : « Sa majesté est plus

42, 223 haute que les cieux » (Ps 8, 2), « à sa grandeur point de mesure » (Ps 145, 3). Mais

---

1. S. Théophile d'Antioche, Autol. 2, 4. - 2. Cf. Ps 51, 12. - 3. Cf. Gn 1, 3. - 4. Cf. 2 Co 4, 6. - 5. Cf. Gn 1, 26. - 6. Cf. Ps 19, 2-5. - 7. Cf. Jb 42, 3. - 8. Cf. DS 286; 455-463; 800; 1333; 3002. - 9. Cf. Si 43, 28.

parce qu'Il est le Créateur souverain et libre, cause première de tout ce qui existe, Il est présent au plus intime de ses créatures : « En Lui nous avons la vie, le mouvement et l'être » (Ac 17, 28). Selon les paroles de S. Augustin, Il est « plus haut que le plus haut de moi, plus intime que le plus intime [1] ».

Dieu maintient et porte la création

301 Avec la création, Dieu n'abandonne pas sa créature à elle-même. Il ne lui donne pas seulement d'être et d'exister, Il la maintient à chaque instant dans l'être, lui donne d'agir et la porte à son terme. Reconnaître cette dépendance complète par rapport au Créateur est une source de sagesse et de liberté, de joie et de confiance : *1951, 396*

> Oui, Tu aimes tout ce qui existe, et Tu n'as de dégoût pour rien de ce que Tu as fait; car si Tu avais haï quelque chose, Tu ne l'aurais pas formé. Et comment une chose aurait-elle subsisté, si Tu ne l'avais voulue ? Ou comment ce que Tu n'aurais pas appelé aurait-il été conservé ? Mais Tu épargnes tout, parce que tout est à Toi, Maître ami de la vie (Sg 11, 24-26).

V. Dieu réalise son dessein : la divine providence

302 La création a sa bonté et sa perfection propres, mais n'est pas sortie tout achevée des mains du Créateur. Elle est créée dans un état de cheminement *(« in statu viae »)* vers une perfection ultime encore à atteindre, à laquelle Dieu l'a destinée. Nous appelons divine providence les dispositions par lesquelles Dieu conduit sa création vers cette perfection :

> Dieu garde et gouverne par sa providence tout ce qu'Il a créé, « atteignant avec force d'une extrémité à l'autre et disposant tout avec douceur » (Sg 8, 1). Car toutes choses sont à nu et à découvert devant ses yeux » (He 4, 13), même celles que l'action libre des créatures produira [2].

303 Le témoignage de l'Écriture est unanime : la sollicitude de la divine providence est *concrète* et *immédiate,* elle prend soin de tout, des moindres petites choses jusqu'aux grands événements du monde et de l'histoire. Avec force, les livres saints affirment la souveraineté absolue de Dieu dans le cours des événements : « Notre Dieu, au ciel et sur la terre, tout ce qui lui plaît, Il le fait » (Ps 115, 3); et du Christ il est dit : « S'Il ouvre, nul ne fermera, et s'Il ferme, nul n'ouvrira » (Ap 3, 7); « Il y a beaucoup de pensées dans le coeur de l'homme, seul le dessein de Dieu se réalisera » (Pr 19, 21). *269*

304 Ainsi voit-on l'Esprit Saint, auteur principal de l'Écriture Sainte, attribuer souvent des actions à Dieu, sans mentionner des causes secondes. Ce n'est pas là « une façon de parler »

---

1. S. Augustin, Conf. 3, 6, 11. - 2. Cc. Vatican I : DS 3003.

2568 primitive, mais une manière profonde de rappeler la primauté de Dieu et sa Seigneurie absolue sur l'histoire et le monde [1] et d'éduquer ainsi à la confiance en Lui. La prière des Psaumes est la grande école de cette confiance [2].

305 Jésus demande un abandon filial à la providence du Père céleste qui prend
2115 soin des moindres besoins de ses enfants : « Ne vous inquiétez donc pas en disant : qu'allons-nous manger ? qu'allons-nous boire ? (...) Votre Père céleste sait que vous avez besoin de tout cela. Cherchez d'abord son Royaume et sa justice, et tout cela vous sera donné par surcroît » (Mt 6, 31-33) [3].

La providence et les causes secondes

306 Dieu est le Maître souverain de son dessein. Mais pour sa réalisation, Il se
1884 sert aussi du concours des créatures. Ce n'est pas là un signe de faiblesse, mais de la grandeur et de la bonté du Dieu Tout-Puissant. Car Dieu ne donne pas seule-
1951 ment à ses créatures d'exister, mais aussi la dignité d'agir elles-mêmes, d'être causes et principes les unes des autres et de coopérer ainsi à l'accomplissement de son dessein.

307 Aux hommes, Dieu accorde même de pouvoir participer librement à sa
106, 373 providence en leur confiant la responsabilité de « soumettre » la terre et de la
1954 dominer [4]. Dieu donne ainsi aux hommes d'être causes intelligentes et libres afin
2427 de compléter l'oeuvre de la création, en parfaire l'harmonie pour leur bien et celui de leur prochains. Coopérateurs souvent inconscients de la volonté divine, les hommes peuvent entrer délibérément dans le plan divin, par leurs actions, par
2738 leurs prières, mais aussi par leurs souffrances [5]. Ils deviennent alors pleinement
618,1505 « collaborateurs de Dieu » (1 Co 3, 9; 1 Th 3, 2) et de son Royaume [6].

308 C'est une vérité inséparable de la foi en Dieu le Créateur : Dieu agit en tout agir de ses créatures. Il est la cause première qui opère dans et par les causes secondes : « Car c'est Dieu qui opère en nous à la fois le vouloir et l'opération même, au profit de ses bienveillants desseins » (Ph 2, 13) [7]. Loin de diminuer la dignité de la créature, cette vérité la rehausse. Tirée du néant par la puissance, la sagesse et la
970 bonté de Dieu, elle ne peut rien si elle est coupée de son origine, car « la créature sans le Créateur s'évanouit [8] »; encore moins peut-elle atteindre sa fin ultime sans l'aide de la grâce [9].

La providence et le scandale du mal

309 Si Dieu le Père Tout-Puissant, Créateur du monde ordonné et bon, prend
164, 385 soin de toutes ses créatures, pourquoi le mal existe-t-il ? À cette question aussi

---

1. Cf. Is 10, 5-15; 45, 5-7; Dt 32, 39; Si 11, 14. - 2. Cf. Ps 22; 32; 35; 103; 138; e.a. - 3. Cf. 10, 29-31. - 4. Cf. Gn 1, 26-28. - 5. Cf. Col 1, 24. - 6. Cf. Col 4, 11. - 7. Cf. 1 Co 12, 6. - 8. GS 36, § 3. - 9. Cf. Mt 19, 26; Jn 15, 5 ; Ph 4, 13.

pressante qu'inévitable, aussi douloureuse que mystérieuse, aucune réponse rapide ne suffira. C'est l'ensemble de la foi chrétienne qui constitue la réponse à cette question : la bonté de la création, le drame du péché, l'amour patient de Dieu qui vient au-devant de l'homme par ses alliances, par l'Incarnation rédemptrice de son Fils, par le don de l'Esprit, par le rassemblement de l'Église, par la force des sacrements, par l'appel à une vie bienheureuse à laquelle les créatures libres sont invitées d'avance à consentir, mais à laquelle elles peuvent aussi d'avance, par un mystère terrible, se dérober. *Il n'y a pas un trait du message chrétien qui ne soit pour une part une réponse à la question du mal.*

2805

310 Pourquoi Dieu n'a-t-Il pas créé un monde aussi parfait qu'aucun mal ne puisse y exister ? Selon sa puissance infinie, Dieu pourrait toujours créer quelque chose de meilleur[1]. Cependant dans sa sagesse et sa bonté infinies, Dieu a voulu librement créer un monde « en état de cheminement » vers sa perfection ultime. Ce devenir comporte, dans le dessein de Dieu, avec l'apparition de certains êtres, la disparition d'autres, avec le plus parfait aussi le moins parfait, avec les constructions de la nature aussi les destructions. Avec le bien physique existe donc aussi *le mal physique*, aussi longtemps que la création n'a pas atteint sa perfection[2].

412

1042, 1050

342

311 Les anges et les hommes, créatures intelligentes et libres, doivent cheminer vers leur destinée ultime par choix libre et amour de préférence. Ils peuvent donc se dévoyer. En fait, ils ont péché. C'est ainsi que *le mal moral* est entré dans le monde, sans commune mesure plus grave que le mal physique. Dieu n'est en aucune façon, ni directement ni indirectement, la cause du mal moral[3]. Il le permet cependant, respectant la liberté de sa créature, et, mystérieusement, Il sait en tirer le bien :

396

1849

> Car le Dieu Tout-Puissant (...), puisqu'Il est souverainement bon, ne laisserait jamais un mal quelconque exister dans ses oeuvres s'il n'était assez puissant et bon pour faire sortir le bien du mal lui-même[4].

312 Ainsi, avec le temps, on peut découvrir que Dieu, dans sa providence toute-puissante, peut tirer un bien des conséquences d'un mal, même moral, causé par ses créatures : « Ce n'est pas vous, dit Joseph à ses frères, qui m'avez envoyé ici, c'est Dieu; (...) le mal que vous aviez dessein de me faire, le dessein de Dieu l'a tourné en bien afin de (...) sauver la vie d'un peuple nombreux » (Gn 45, 8; 50, 20)[5]. Du mal moral le plus grand qui ait jamais été commis, le rejet et le meurtre du Fils de Dieu, causé par les péchés de tous les hommes, Dieu, par la surabondance de sa grâce[6], a tiré le plus grand des biens : la glorification du Christ et notre Rédemption. Le mal n'en devient pas pour autant un bien.

598-600

1994

313 « Tout concourt au bien de ceux qui aiment Dieu » (Rm 8, 28). Le témoignage des saints ne cesse de confirmer cette vérité :

227

---

1. Cf. S. Thomas d'A., s.th. 1, 25, 6. - 2. Cf. S. Thomas d'A., s. gent. 3, 71. - 3. Cf. S. Augustin, lib. 1, 1, 1; S. Thomas d'A., s. th. 1-2, 79, 1. - 4. S. Augustin, enchir. 11, 3. - 5. Cf. Tb 2, 12-18 vulg. - 6. Cf. Rm 5, 20.

Ainsi, Ste Catherine de Sienne dit à « ceux qui se scandalisent et se révoltent de ce qui leur arrive » : « Tout procède de l'amour, tout est ordonné au salut de l'homme, Dieu ne fait rien que dans ce but[1]. »

Et S. Thomas More, peu avant son martyre, console sa fille : « Rien ne peut arriver que Dieu ne l'ait voulu. Or, tout ce qu'Il veut, si mauvais que cela puisse nous paraître, est cependant ce qu'il y a de meilleur pour nous[2]. »

Et Lady Julian of Norwich : « J'appris donc, par la grâce de Dieu, qu'il fallait m'en tenir fermement à la foi, et croire avec non moins de fermeté que toutes choses seront bonnes... Et tu verras que toutes choses seront bonnes. » (« *Thou shalt see thyself that all MANNER of thing shall be well.*[3]»)

314   Nous croyons fermement que Dieu est le Maître du monde et de l'histoire. Mais les chemins de sa providence nous sont souvent inconnus. Ce n'est qu'au *1040* terme, lorsque prendra fin notre connaissance partielle, lorsque nous verrons Dieu « face à face » (1 Co 13, 12), que les voies nous seront pleinement connues, par lesquelles, même à travers les drames du mal et du péché, Dieu aura conduit sa *2550* création jusqu'au repos de ce *Sabbat*[4] définitif, en vue duquel Il a créé le ciel et la terre.

EN BREF

315   *Dans la création du monde et de l'homme, Dieu a posé le premier et universel témoignage de son amour tout-puissant et de sa sagesse, la première annonce de son « dessein bienveillant » qui trouve sa fin dans la nouvelle création dans le Christ.*

316   *Bien que l'oeuvre de la création soit particulièrement attribuée au Père, c'est également vérité de foi que le Père, le Fils et l'Esprit Saint sont l'unique et indivisible principe de la création.*

317   *Dieu seul a créé l'univers librement, directement, sans aucune aide.*

318   *Aucune créature n'a le pouvoir infini qui est nécessaire pour « créer » au sens propre du mot, c'est-à-dire de produire et de donner l'être à ce qui ne l'avait aucunement (appeler à l'existence « de rien »[5]).*

319   *Dieu a créé le monde pour manifester et pour communiquer sa gloire. Que ses créatures aient part à sa vérité, à sa bonté et à sa beauté, voilà la gloire pour laquelle Dieu les a créées.*

320   *Dieu qui a créé l'univers le maintient dans l'existence par son Verbe, « ce Fils qui soutient l'univers par sa parole puissante » (He 1, 3) et par son Esprit Créateur qui donne la vie.*

321   *La divine Providence, ce sont les dispositions par lesquelles Dieu conduit avec sagesse et amour toutes les créatures jusqu'à leur fin ultime.*

---

1. Dial. 4, 138. - 2. Lettre. - 3. Rev. 32. - 4. Cf. Gn 2, 2. - 5. Cf. DS 3624.

322 *Le Christ nous invite à l'abandon filial à la providence de notre Père céleste [1], et l'apôtre S. Pierre reprend : « De toute votre inquiétude, déchargez-vous sur Lui, car Il prend soin de vous » (1 P 5, 7) [2].*

323 *La providence divine agit aussi par l'agir des créatures. Aux êtres humains, Dieu donne de coopérer librement à ses desseins.*

324 *La permission divine du mal physique et du mal moral est un mystère que Dieu éclaire par son Fils, Jésus-Christ, mort et ressuscité pour vaincre le mal. La foi nous donne la certitude que Dieu ne permettrait pas le mal s'Il ne faisait pas sortir le bien du mal même, par des voies que nous ne connaîtrons pleinement que dans la vie éternelle.*

PARAGRAPHE 5. *Le ciel et la terre*

325 Le Symbole des apôtres professe que Dieu est « le Créateur du ciel et de la terre », et le Symbole de Nicée-Constantinople explicite : « ... de l'univers visible et invisible ».

326 Dans l'Écriture Sainte, l'expression « ciel et terre » signifie : tout ce qui existe, la création tout entière. Elle indique aussi le lien, à l'intérieur de la création, *290* qui à la fois unit et distingue ciel et terre : « La terre », c'est le monde des hommes [3]. « Le ciel » ou « les cieux » peut désigner le firmament [4], mais aussi le « lieu » propre *1023, 2794* de Dieu : « notre Père aux cieux » (Mt 5, 16) [5] et, par conséquent, aussi le « ciel » qui est la gloire eschatologique. Enfin, le mot « ciel » indique le « lieu » des créatures spirituelles - les anges - qui entourent Dieu.

327 La profession de foi du quatrième Concile du Latran affirme que Dieu « a tout ensemble, dès le commencement du temps, créé de rien l'une et l'autre créa- *296* ture, la spirituelle et la corporelle, c'est-à-dire les anges et le monde terrestre; puis la créature humaine qui tient des deux, composée qu'elle est d'esprit et de corps [6]».

I. Les anges

L'existence des anges - une vérité de foi

328 L'existence des êtres spirituels, non corporels, que l'Écriture Sainte nomme habituellement anges, est une vérité de foi. Le témoignage de l'Écriture est aussi *150* net que l'unanimité de la Tradition.

---

1. Cf. Mt 6, 26-34. - 2. Cf. Ps 55, 23. - 3. Cf. Ps 115, 16. - 4. Cf. Ps 9, 2. - 5. Cf. Ps 115, 16. - 6. DS 800; Cf. DS 3002 et SPF 8.

Qui sont-ils ?

329   S. Augustin dit à leur sujet : « "Ange" désigne la fonction non pas la nature. Tu demandes comment s'appelle cette nature ? - Esprit. Tu demandes la fonction ? - Ange; d'après ce qu'il est, c'est un esprit, d'après ce qu'il fait, c'est un ange [1]. » De tout leur être, les anges sont *serviteurs* et messagers de Dieu. Parce qu'ils contemplent « constamment la face de mon Père qui est aux cieux » (Mt 18, 10), ils sont « les ouvriers de sa parole, attentifs au son de sa parole » (Ps 103, 20).

330   En tant que créatures purement *spirituelles,* ils ont intelligence et volonté : ils sont des créatures personnelles [2] et immortelles [3]. Ils dépassent en perfection toutes les créatures visibles. L'éclat de leur gloire en témoigne [4].

Le Christ « avec tous ses anges »

331   Le Christ est le centre du monde angélique. Ce sont ses anges à Lui : « Quand le Fils de l'homme viendra dans sa gloire avec tous ses anges... » (Mt 25, 31). Ils sont à Lui parce que créés *par* et *pour* Lui : « Car c'est en Lui qu'ont été *291* créées toutes choses, dans les cieux et sur la terre, les visibles et les invisibles : trônes, seigneuries, principautés, puissances; tout a été créé par Lui et pour Lui » (Col 1, 16). Ils sont à Lui plus encore parce qu'Il les a faits messagers de son dessein de salut : « Est-ce que tous ne sont pas des esprits chargés d'un ministère, envoyés en service pour ceux qui doivent hériter le salut ? » (He 1, 14).

332   Ils sont là, dès la création [5] et tout au long de l'histoire du salut, annonçant de loin ou de près ce salut et servant le dessein divin de sa réalisation : ils ferment le paradis terrestre [6], protègent Lot [7], sauvent Agar et son enfant [8], arrêtent la main d'Abraham [9], la loi est communiquée par leur ministère [10], ils conduisent le Peuple de Dieu [11], ils annoncent naissances [12] et vocations [13], ils assistent les prophètes [14], pour ne citer que quelques exemples. Enfin, c'est l'Ange Gabriel qui annonce la naissance du Précurseur et celle de Jésus lui-même [15].

333   De l'Incarnation à l'Ascension, la vie du Verbe incarné est entourée de l'adoration et du service des anges. Lorsque Dieu « introduit le Premier-né dans le monde, il dit : "Que tous les anges de Dieu L'adorent" » (He 1, 6). Leur chant de *559* louange à la naissance du Christ n'a cessé de résonner dans la louange de l'Église : « Gloire à Dieu... » (Lc 2, 14.) Ils protègent l'enfance de Jésus [16], Le servent au désert [17], Le réconfortent dans l'agonie [18], alors qu'Il aurait pu être sauvé par eux de la main des ennemis [19] comme jadis Israël [20]. Ce sont encore les anges qui « évangé-

---

1. S. Augustin, Enarratio in Psalmos 103, 1, 15. - 2. Cf. Pie XII : DS 3891. - 3. Cf. Lc 20, 36. - 4. Cf. Dn 10, 9-12. - 5. Cf. Jb 38, 7, où les anges sont appelés « fils de Dieu ». - 6. Cf. Gn 3, 24. - 7. Cf. Gn 19. - 8. Cf. Gn 21, 17. - 9. Cf. Gn 22, 11. - 10. Cf. Ac 7, 53. - 11. Cf. Ex 23, 20-23. - 12. Cf. Jg 13. - 13. Cf. Jg 6, 11-24; Is 6, 6. - 14. Cf. 1 R 19, 5. - 15. Cf. Lc 1, 11.26. - 16. Cf. Mt 1, 20; 2, 13.19. - 17. Cf. Mc 1, 12; Mt 4, 11. - 18. Cf. Lc 22, 43. - 19. Cf. Mt 26, 53. - 20. Cf. 2 M 10, 29-30; 11, 8.

lisent » (Lc 2, 10) en annonçant la Bonne Nouvelle de l'Incarnation [1], et de la Résurrection [2] du Christ. Ils seront là au retour du Christ qu'ils annoncent [3], au service de son jugement [4].

Les anges dans la vie de l'Église

334   D'ici là, toute la vie de l'Église bénéficie de l'aide mystérieuse et puissante des anges [5].

335   Dans sa liturgie, l'Église se joint aux anges pour adorer le Dieu trois fois saint [6]; elle invoque leur assistance (ainsi dans le « Supplices te rogamus... » du *1138* Canon romain ou le *In Paradisum deducant te angeli...* de la liturgie des défunts, ou encore dans l'« Hymne chérubinique » de la liturgie byzantine, elle fête plus particulièrement la mémoire de certains anges (S. Michel, S. Gabriel, S. Raphaël, les anges gardiens).

336   De l'enfance [7] au trépas [8], la vie humaine est entourée de leur garde [9] et de leur intercession [10]. « Chaque fidèle a à ses côtés un ange comme protecteur et pas- *1020* teur pour le conduire à la vie [11]. » Dès ici-bas, la vie chrétienne participe, dans la foi, à la société bienheureuse des anges et des hommes, unis en Dieu.

II. Le monde visible

337   C'est Dieu Lui-même qui a créé le monde visible dans toute sa richesse, sa diversité et son ordre. L'Écriture présente l'oeuvre du Créateur symboliquement *290* comme une suite de six jours de « travail » divin qui s'achèvent sur le « repos » du septième jour (Gn 1, 1-2, 4). Le texte sacré enseigne, au sujet de la création, des vérités révélées par Dieu pour notre salut [12] qui permettent de « reconnaître la nature profonde de la création, sa valeur et sa finalité qui est la Gloire de Dieu [13] » : *293*

338   *Il n'existe rien qui ne doive son existence à Dieu créateur.* Le monde a commencé quand il a été tiré du néant par la parole de Dieu; tous les êtres existants, *297* toute la nature, toute l'histoire humaine s'enracinent en cet événement primordial : c'est la genèse même par laquelle le monde est constitué, et le temps commencé [14].

339   *Chaque créature possède sa bonté et sa perfection propres.* Pour chacune des oeuvres des « six jours » il est dit : « Et Dieu vit que cela était bon. » « C'est en *2501*

---

1. Cf. Lc 2, 8-14. - 2. Cf. Mc 16, 5-7. - 3. Cf. Ac 1, 10-11. - 4. Cf. Mt 13, 41; 24, 31; Lc 12, 8-9. - 5. Cf. Ac 5, 18-20; 8, 26-29; 10, 3-8; 12, 6-11; 27, 23-25. - 6. MR, « Sanctus ». - 7. Cf. Mt 18, 10. - 8. Cf. Lc 16, 22. - 9. Cf. Ps 34, 8; 91, 10-13. - 10. Cf. Jb 33, 23-24; Za 1, 12; Tb 12, 12. - 11. S. Basile, Eun. 3, 1. - 12. Cf. DV 11. - 13. LG 36. - 14. Cf. S. Augustin, Gen. Man. 1, 2, 4.

299 vertu de la création même que toutes les choses sont établies selon leur consistance, leur vérité, leur excellence propre avec leur ordonnance et leurs lois spécifiques[1]. » Les différentes créatures, voulues en leur être propre, reflètent, chacune à
sa façon, un rayon de la sagesse et de la bonté infinies de Dieu. C'est pour cela
226 que l'homme doit respecter la bonté propre de chaque créature pour éviter un
usage désordonné des choses, qui méprise le Créateur et entraîne des conséquences néfastes pour les hommes et pour leur environnement.

340 L'*interdépendance des créatures* est voulue par Dieu. Le soleil et la lune, le
1937 cèdre et la petite fleur, l'aigle et le moineau : le spectacle de leurs innombrables
diversités et inégalités signifie qu'aucune des créatures ne se suffit à elle-même.
Elles n'existent qu'en dépendance les unes des autres, pour se compléter mutuellement, au service les unes des autres.

341 La *beauté de l'univers* : L'ordre et l'harmonie du monde créé résultent de la
diversité des êtres et des relations qui existent entre eux. L'homme les découvre
283 progressivement comme lois de la nature. Ils font l'admiration des savants. La
2500 beauté de la création reflète l'infinie beauté du Créateur. Elle doit inspirer le
respect et la soumission de l'intelligence de l'homme et de sa volonté.

342 La *hiérarchie des créatures* est exprimée par l'ordre des « six jours », qui va
310 du moins parfait au plus parfait. Dieu aime toutes ses créatures[2], et Il prend soin
de chacune, même des passereaux. Néanmoins, Jésus dit : « Vous valez mieux
qu'une multitude de passereaux » (Lc 12, 6-7), ou encore : « Un homme vaut plus
qu'une brebis » (Mt 12, 12).

343 *L'homme est le sommet* de l'oeuvre de la création. Le récit inspiré l'exprime
355 en distinguant nettement la création de l'homme de celle des autres créatures[3].

344 Il existe une *solidarité entre toutes les créatures* du fait qu'elles ont toutes le
293, 1939, même Créateur, et que toutes sont ordonnées à sa gloire :
2416

> Loué sois-tu, Seigneur, dans toutes tes créatures,
> spécialement messire le frère Soleil,
> par qui tu nous donnes le jour la lumière;
> il est beau, rayonnant d'une grande splendeur,
> et de toi, le Très-Haut, il nous offre le symbole...

1218
> Loué sois-tu, mon Seigneur, pour soeur Eau,
> qui est très utile et très humble,
> précieuse et chaste...

> Loué sois-tu, mon Seigneur, pour soeur notre mère la Terre
> qui nous porte et nous nourrit,

---

1. GS 36, § 2. - 2. Cf. Ps 145, 9. - 3. Cf. Gn 1, 26.

qui produit la diversité des fruits
avec les fleurs diaprées et les herbes...

Louez et bénissez mon Seigneur,
rendez-lui grâce et servez-le
en toute humilité[1].

345   Le *Sabbat - fin de l'oeuvre des « six jours »*. Le texte sacré dit que « Dieu conclut au septième jour l'ouvrage qu'Il avait fait » et qu'ainsi « le ciel et la terre furent   *2168*
achevés », et que Dieu, au septième jour, « chôma » et qu'Il sanctifia et bénit ce jour
(Gn 2, 1-3). Ces paroles inspirées sont riches en enseignements salutaires :

346   Dans la création Dieu a posé un fondement et des lois qui demeurent stables[2], sur lesquels
le croyant pourra s'appuyer avec confiance, et qui lui seront le signe et le gage de la fidélité   *2169*
inébranlable de l'alliance de Dieu[3]. De son côté, l'homme devra rester fidèle à ce fondement et
respecter les lois que le Créateur y a inscrites.

347   La création est faite en vue du Sabbat et donc du culte et de l'adoration de Dieu. Le culte
est inscrit dans l'ordre de la création[4]. « Ne rien préférer au culte de Dieu », dit la règle de S. Benoît,   *1145-1152*
indiquant ainsi le juste ordre des préoccupations humaines.

348   Le Sabbat est au coeur de la loi d'Israël. Garder les commandements, c'est correspondre à la
sagesse et à la volonté de Dieu exprimées dans son oeuvre de création.   *2172*

349   Le *huitième jour*. Mais pour nous, un jour nouveau s'est levé : le jour de la
Résurrection du Christ. Le septième jour achève la première création. Le huitième   *2174*
jour commence la nouvelle création. Ainsi, l'oeuvre de la création culmine en   *1046*
l'oeuvre plus grande de la rédemption. La première création trouve son sens et son
sommet dans la nouvelle création dans le Christ, dont la splendeur dépasse celle
de la première[5].

EN BREF

350   *Les anges sont des créatures spirituelles qui glorifient Dieu sans cesse
et qui servent ses desseins salvifiques envers les autres créatures : « Les anges
concourent à tout ce qui est bon pour nous[6]. »*

351   *Les anges entourent le Christ, leur Seigneur. Ils le servent particulièrement dans l'accomplissement de sa mission salvifique envers les
hommes.*

352   *L'Église vénère les anges qui l'aident dans son pèlerinage terrestre et
qui protègent tout être humain.*

353   *Dieu a voulu la diversité de ses créatures et leur bonté propre, leur interdépendance et leur ordre. Il a destiné toutes les créatures matérielles au bien du*

---

1. S. François d'Assise, cant. - 2. Cf. He 4, 3-4. - 3. Cf. Jr 31, 35-37; 33, 19-26. - 4. Cf. Gn 1, 14. - 5. Cf.
MR, Vigile Pascale 24 : prière après la première lecture. - 6. S. Thomas d'A., s. th. 1, 114, 3, ad 3.

genre humain. L'homme, et toute la création à travers lui, est destiné à la Gloire de Dieu.

354   *Respecter les lois inscrites dans la création et les rapports qui dérivent de la nature des choses, est un principe de sagesse et un fondement de la morale.*

PARAGRAPHE 6. *L'homme*

1700, 343

355   « Dieu créa l'homme à son image, à l'image de Dieu Il le créa, homme et femme Il les créa » (Gn 1, 27). L'homme tient une place unique dans la création : il est « à l'image de Dieu » (I); dans sa propre nature il unit le monde spirituel et le monde matériel (II); il est créé « homme et femme » (III); Dieu l'a établi dans son amitié (IV).

I. « À l'image de Dieu »

1703, 2258

225

356   De toutes les créatures visibles, seul l'homme est « capable de connaître et d'aimer son Créateur [1] »; il est « la seule créature sur terre que Dieu a voulue pour elle-même [2] »; lui seul est appelé à partager, par la connaissance et l'amour, la vie de Dieu. Il a été créé à cette fin et c'est là la raison fondamentale de sa dignité :

295

> Quelle raison T'a fait constituer l'homme en si grande dignité ? L'amour inestimable par lequel Tu as regardé en Toi-même ta créature, et Tu T'es épris d'elle; car c'est par amour que Tu l'as créée, c'est par amour que Tu lui as donné un être capable de goûter ton Bien éternel [3].

1935

1877

357   Parce qu'il est à l'image de Dieu, l'individu humain a la dignité de *personne* : il n'est pas seulement quelque chose, mais quelqu'un. Il est capable de se connaître, de se posséder et de librement se donner et entrer en communion avec d'autres personnes, et il est appelé, par grâce, à une alliance avec son Créateur, à Lui offrir une réponse de foi et d'amour que nul autre ne peut donner à sa place.

299, 901

358   Dieu a tout créé pour l'homme [4], mais l'homme a été créé pour servir et aimer Dieu et pour Lui offrir toute la création :

> Quel est donc l'être qui va venir à l'existence entouré d'une telle considération ? C'est l'homme, grande et admirable figure vivante, plus précieux aux yeux de Dieu que la création toute entière : c'est l'homme, c'est pour lui qu'existent le ciel et la terre et la mer et la totalité de la création, et c'est à son salut que Dieu a attaché tant d'importance qu'Il n'a même pas épargné son Fils unique pour lui. Car Dieu n'a pas eu de cesse de tout mettre en oeuvre pour faire monter l'homme jusqu'à Lui et le faire asseoir à sa droite [5].

---

1. GS 12, § 3. - 2. GS 24, § 3. - 3. Ste Catherine de Sienne, dial. 4, 13. - 4. Cf. GS 12, § 1; 24, § 3; 39, § 1. - 5. S. Jean Chrysostome, serm. in Gen. 2, 1.

359 « En réalité, c'est seulement dans le mystère du Verbe incarné que s'éclaire véritablement le mystère de l'homme [1] » :

1701

> S. Paul nous apprend que deux hommes sont à l'origine du genre humain : Adam et le Christ... Le premier Adam, dit-il, a été créé comme un être humain qui a reçu la vie; le dernier est un être spirituel qui donne la vie. Le premier a été créé par le dernier, de qui il a reçu l'âme qui le fait vivre... Le second Adam a établi son image dans le premier Adam alors qu'il le modelait. De là vient qu'il en a endossé le rôle et reçu le nom, afin de ne pas laisser perdre ce qu'il avait fait à son image. Premier Adam, dernier Adam : le premier a commencé, le dernier ne finira pas. Car le dernier est véritablement le premier, comme il l'a dit lui-même : « Je suis le Premier et le Dernier [2]. »

388, 411

360 Grâce à la communauté d'origine *le genre humain forme une unité*. Car Dieu « a fait sortir d'une souche unique toute la descendance des hommes » (Ac 17, 26) [3] :

225, 404, 775, 831, 842

> Merveilleuse vision qui nous fait contempler le genre humain dans l'unité de son origine en Dieu (...); dans l'unité de sa nature, composée pareillement chez tous d'un corps matériel et d'une âme spirituelle; dans l'unité de sa fin immédiate et de sa mission dans le monde; dans l'unité de son habitation : la terre, des biens de laquelle tous les hommes, par droit de nature, peuvent user pour soutenir et développer la vie; unité de sa fin surnaturelle : Dieu même, à qui tous doivent tendre; dans l'unité des moyens pour atteindre cette fin; (...) dans l'unité de son rachat opéré pour tous par le Christ [4].

361 « Cette loi de solidarité humaine et de charité [5] », sans exclure la riche variété des personnes, des cultures et des peuples, nous assure que tous les hommes sont vraiment frères.

1939

II. « Un de corps et d'âme »

362 La personne humaine, créée à l'image de Dieu, est un être à la fois corporel et spirituel. Le récit biblique exprime cette réalité avec un langage symbolique, lorsqu'il affirme que « Dieu modela l'homme avec la glaise du sol; Il insuffla dans ses narines une haleine de vie et l'homme devint un être vivant » (Gn 2, 7). L'homme tout entier est donc *voulu* par Dieu.

1146, 2332

363 Souvent, le terme *âme* désigne dans l'Écriture Sainte la *vie* humaine [6] ou toute la *personne* humaine [7]. Mais il désigne aussi ce qu'il y a de plus intime en l'homme [8] et de plus grande valeur en lui [9], ce par quoi il est plus particulièrement image de Dieu : « âme » signifie le *principe spirituel* en l'homme.

1703

---

1. GS 22, § 1. - 2. S. Pierre Chrysologue, serm. 117. - 3. Cf. Tb 8, 6. - 4. Pie XII, enc. « Summi pontificatus »; cf. NA 1. - 5. *Ibid.* - 6. Cf. Mt 16, 25-26; Jn 15, 13. - 7. Cf. Ac 2, 41. - 8. Cf. Mt 26, 38; Jn 12, 27. - 9. Cf. Mt 10, 28; 2 M 6, 30.

364   Le *corps* de l'homme participe à la dignité de l'« image de Dieu » : il est
corps humain précisément parce qu'il est animé par l'âme spirituelle, et c'est la
personne humaine tout entière qui est destinée à devenir, dans le Corps du Christ,
le Temple de l'Esprit[1] :

> Corps et âme, mais vraiment un, l'homme, dans sa condition corporelle, rassemble
> en lui-même les éléments du monde matériel qui trouvent ainsi, en lui, leur som-
> met, et peuvent librement louer leur Créateur. Il est donc interdit à l'homme de
> dédaigner la vie corporelle. Mais au contraire il doit estimer et respecter son corps
> qui a été créé par Dieu et doit ressusciter au dernier jour[2].

365   L'unité de l'âme et du corps est si profonde que l'on doit considérer l'âme
comme la « forme » du corps[3]; c'est-à-dire, c'est grâce à l'âme spirituelle que le
corps constitué de matière est un corps humain et vivant; l'esprit et la matière,
dans l'homme, ne sont pas deux natures unies, mais leur union forme une unique
nature.

366   L'Église enseigne que chaque âme spirituelle est immédiatement créée par
Dieu[4] - elle n'est pas « produite » par les parents - ; elle nous apprend aussi qu'elle
est immortelle[5] : elle ne périt pas lors de sa séparation du corps dans la mort, et
s'unira de nouveau au corps lors de la résurrection finale.

367   Parfois il se trouve que l'âme soit distinguée de l'esprit. Ainsi S. Paul prie
pour que notre « être tout entier, l'esprit, l'âme et le corps » soit gardé sans
reproche à l'Avènement du Seigneur (1 Th 5, 23). L'Église enseigne que cette distinction n'introduit pas une dualité dans l'âme[6]. « Esprit » signifie que l'homme est
ordonné dès sa création à sa fin surnaturelle[7], et que son âme est capable d'être
surélevée gratuitement à la communion avec Dieu[8].

368   La tradition spirituelle de l'Église insiste aussi sur le *coeur,* au sens biblique
de « fond de l'être » (Jr 31, 33) où la personne se décide ou non pour Dieu[9].

III. « Homme et femme Il les créa »

Égalité et différence voulues par Dieu

369   L'homme et la femme sont *créés,* c'est-à-dire ils sont *voulus par Dieu* : dans
une parfaite égalité en tant que personnes humaines, d'une part, et d'autre part
dans leur être respectif d'homme et de femme. « Être homme », « être femme » est

Margin references:
1004
2289
1005
997
2083
478, 582,
1431, 1764,
2517, 2562,
2843
2331-2336

1. Cf. 1 Co 6, 19-20; 15, 44-45. - 2. GS 14, § 1. - 3. Cf. Cc. Vienne en 1312; DS 902. - 4. Cf. Pie XII, Enc.
« Humani generis », 1950 : DS 3896; SPF 8. - 5. Cf. Cc. Latran V en 1513 : DS 1440. - 6. Cc. Constantinople IV en 870 : DS 657. - 7. Cc. Vatican I : DS 3005; cf. GS 22, § 5. - 8. Cf. Pie XII, Enc. « Humani
generis », 1950 : DS 3891. - 9. Cf. Dt 6, 5; 29, 3; Is 29, 13; Ez 36, 26; Mt 6, 21; Lc 8, 15; Rm 5, 5.

une réalité bonne et voulue par Dieu : l'homme et la femme ont une dignité inamissible qui leur vient immédiatement de Dieu leur créateur [1]. L'homme et la femme sont, avec une même dignité, « à l'image de Dieu ». Dans leur « être-homme » et leur « être-femme », ils reflètent la sagesse et la bonté du Créateur.

370 Dieu n'est aucunement à l'image de l'homme. Il n'est ni homme ni femme. Dieu est pur esprit en lequel il n'y a pas place pour la différence des sexes. Mais les « perfections » de l'homme et de la femme reflètent quelque chose de l'infinie perfection de Dieu : celles d'une mère [2] et celles d'un père et époux [3]. *42, 239*

« L'un pour l'autre » - « une unité à deux »

371 Créés *ensemble,* l'homme et la femme sont voulus par Dieu l'un *pour* l'autre. La Parole de Dieu nous le fait entendre par divers traits du texte sacré. « Il n'est pas bon que l'homme soit seul. Il faut que Je lui fasse une aide qui lui soit assortie » (Gn 2, 18). Aucun des animaux ne peut être ce « vis-à-vis » de l'homme (Gn 2, 19-20). La femme que Dieu « façonne » de la côte tirée de l'homme et qu'Il amène à l'homme, provoque de la part de l'homme un cri d'admiration, une exclamation d'amour et de communion : « C'est l'os de mes os et la chair de ma chair » (Gn 2, 23). L'homme découvre la femme comme un autre « moi », de la même humanité. *1605*

372 L'homme et la femme sont faits « l'un pour l'autre » : non pas que Dieu ne les aurait faits qu'« à moitié » et « incomplets »; Il les a créés pour une communion de personnes, en laquelle chacun peut être « aide » pour l'autre parce qu'ils sont à la fois égaux en tant que personnes (« os de mes os... ») et complémentaires en tant que masculin et féminin. Dans le mariage, Dieu les unit de manière que, en formant « une seule chair » (Gn 2, 24), ils puissent transmettre la vie humaine : « Soyez féconds, multipliez, emplissez la terre » (Gn 1, 28). En transmettant à leurs descendants la vie humaine, l'homme et la femme comme époux et parents, coopèrent d'une façon unique à l'oeuvre du Créateur [4]. *1652, 2366*

373 Dans le dessein de Dieu, l'homme et la femme ont la vocation de « soumettre » la terre (Gn 1, 28) comme « intendants » de Dieu. Cette souveraineté ne doit pas être une domination arbitraire et destructrice. À l'image du Créateur « qui aime tout ce qui existe » (Sg 11, 24), l'homme et la femme sont appelés à participer à la Providence divine envers les autres créatures. De là, leur responsabilité pour le monde que Dieu leur a confié. *307* *2415*

IV. L'homme au Paradis

374 Le premier homme n'a pas seulement été créé bon, mais a été constitué dans une amitié avec son Créateur et une harmonie avec lui-même et avec la création *54*

---

1. Cf. Gn 2, 7.22. - 2. Cf. Is 49, 14-15; 66, 13 ; Ps 131, 2-3. - 3 .Cf. Os 11, 1-4 ; Jr 3, 4-19. - 4. Cf. GS 50, § 1.

autour de lui seulement dépassées par la gloire de la nouvelle création dans le Christ.

375   L'Église, en interprétant de manière authentique le symbolisme du langage biblique à la lumière du Nouveau Testament et de la Tradition, enseigne que nos premiers parents Adam et Ève ont été constitués dans un état « de sainteté et de justice originelle[1] ». Cette grâce de la sainteté originelle était une « participation à la vie divine[2] ».

1997

376   Par le rayonnement de cette grâce toutes les dimensions de la vie de l'homme étaient confortées. Tant qu'il demeurait dans l'intimité divine, l'homme ne devait ni mourir[3], ni souffrir[4]. L'harmonie intérieure de la personne humaine, l'harmonie entre l'homme et la femme[5], enfin l'harmonie entre le premier couple et toute la création constituait l'état appelé « justice originelle ».

1008, 1502

377   La « maîtrise » du monde que Dieu avait accordée à l'homme dès le début, se réalisait avant tout chez l'homme lui-même comme *maîtrise de soi*. L'homme était intact et ordonné dans tout son être, parce que libre de la triple concupiscence[6] qui le soumet aux plaisirs des sens, à la convoitise des biens terrestres et à l'affirmation de soi contre les impératifs de la raison.

2514

378   Le signe de la familiarité avec Dieu, c'est que Dieu le place dans le jardin[7]. Il y vit « pour cultiver le sol et le garder » (Gn 2, 15) : le travail n'est pas une peine [8], mais la collaboration de l'homme et de la femme avec Dieu dans le perfectionnement de la création visible.

2415, 2427

379   C'est toute cette harmonie de la justice originelle, prévue pour l'homme par le dessein de Dieu, qui sera perdue par le péché de nos premiers parents.

EN BREF

380   *« Dieu, Tu as fait l'homme à ton image et Tu lui as confié l'univers, afin qu'en Te servant, Toi, son Créateur, il règne sur la création[9]. »*

381   *L'homme est prédestiné à reproduire l'image du Fils de Dieu fait homme – « image du Dieu invisible » (Col 1, 15) – afin que le Christ soit le premier-né d'une multitude de frères et de sœurs[10].*

382   *L'homme est « un de corps et d'âme[11] ». La doctrine de la foi affirme que l'âme spirituelle et immortelle est créée immédiatement par Dieu.*

383   *« Dieu n'a pas créé l'homme solitaire : dès l'origine, "Il les créa homme et femme" (Gn 1, 27); leur société réalise la première forme de communion entre personnes[12]. »*

---

1. Cc. Trente : DS 1511. - 2. LG 2. - 3. Cf. Gn 2, 17; 3, 19. - 4. Cf. Gn 3, 16. - 5. Cf. Gn 2, 25. - 6. Cf. 1 Jn 2, 16. - 7. Cf. Gn 2, 8. - 8. Cf. Gn 3, 17-19. - 9. MR, prière eucharistique IV, 118. - 10. Cf. Ep 1, 3-6; Rm 8, 29. - 11. GS 14, § 1. - 12. GS 12, § 4.

384 *La révélation nous fait connaître l'état de sainteté et de justice ori-*
ginelles de l'homme et de la femme avant le péché : de leur amitié avec Dieu
découlait la félicité de leur existence au paradis.

PARAGRAPHE 7. *La chute*

385 Dieu est infiniment bon et toutes ses oeuvres sont bonnes. Cependant, personne n'échappe à l'expérience de la souffrance, des maux dans la nature - qui
apparaissent comme liés aux limites propres des créatures -, et surtout à la question du mal moral. D'où vient le mal ? « Je cherchais d'où vient le mal et je ne trou- *309*
vais pas de solution » dit S. Augustin [1], et sa propre quête douloureuse ne trouvera
d'issue que dans sa conversion au Dieu vivant. Car « le mystère de l'iniquité » (2 Th
2, 7) ne s'éclaire qu'à la lumière du « mystère de la piété » (1 Tm 3, 16). La révélation de l'amour divin dans le Christ a manifesté à la fois l'étendue du mal et la *457*
surabondance de la grâce [2]. Nous devons donc considérer la question de l'origine *1848*
du mal en fixant le regard de notre foi sur Celui qui, seul, en est le Vainqueur [3]. *539*

I. Là où le péché a abondé, la grâce a surabondé

La réalité du péché

386 Le péché est présent dans l'histoire de l'homme : il serait vain de tenter de
l'ignorer ou de donner à cette obscure réalité d'autres noms. Pour essayer de comprendre ce qu'est le péché, il faut d'abord reconnaître le *lien profond de l'homme* *1847*
avec Dieu, car en dehors de ce rapport, le mal du péché n'est pas démasqué dans
sa véritable identité de refus et d'opposition face à Dieu, tout en continuant à
peser sur la vie de l'homme et sur l'histoire.

387 La réalité du péché, et plus particulièrement du péché des origines, ne
s'éclaire qu'à la lumière de la Révélation divine. Sans la connaissance qu'elle nous
donne de Dieu on ne peut clairement reconnaître le péché, et on est tenté de *1848*
l'expliquer uniquement comme un défaut de croissance, comme une faiblesse psychologique, une erreur, la conséquence nécessaire d'une structure sociale
inadéquate, etc. C'est seulement dans la connaissance du dessein de Dieu sur
l'homme que l'on comprend que le péché est un abus de la liberté que Dieu *1739*
donne aux personnes créées pour qu'elles puissent L'aimer et s'aimer mutuellement.

Le péché originel - une vérité essentielle de la foi

388 Avec la progression de la Révélation est éclairée aussi la réalité du péché.
Bien que le Peuple de Dieu de l'Ancien Testament ait abordé la douleur de la *431*

---

1. Conf. 7, 7, 11. - 2. Cf. Rm 5, 20. - 3. Cf. Lc 11, 21-22 ; Jn 16, 11 ; 1 Jn 3, 8.

208 condition humaine à la lumière de l'histoire de la chute narrée dans la Genèse, il
ne pouvait pas atteindre la signification ultime de cette histoire, qui se manifeste
seulement à la lumière de la Mort et de la Résurrection de Jésus-Christ[1]. Il faut con-
359 naître le Christ comme source de la grâce pour reconnaître Adam comme source
du péché. C'est l'Esprit-Paraclet, envoyé par le Christ ressuscité, qui est venu « con-
729 fondre le monde en matière de péché » (Jn 16, 8) en révélant Celui qui en est le
Rédempteur.

389 La doctrine du péché originel est pour ainsi dire le « revers » de la Bonne
422 Nouvelle que Jésus est le Sauveur de tous les hommes, que tous ont besoin du
salut et que le salut est offert à tous grâce au Christ. L'Église qui a le sens du Christ[2]
sait bien qu'on ne peut pas toucher à la révélation du péché originel sans porter
atteinte au mystère du Christ.

Pour lire le récit de la chute

390 Le récit de la chute (Gn 3) utilise un langage imagé, mais il affirme un
289 événement primordial, un fait qui a eu lieu *au commencement de l'histoire de
l'homme*[3]. La Révélation nous donne la certitude de foi que toute l'histoire humaine
est marquée par la faute originelle librement commise par nos premiers parents[4].

II. La chute des anges

391 Derrière le choix désobéissant de nos premiers parents il y a une voix
2538 séductrice, opposée à Dieu[5] qui, par envie, les fait tomber dans la mort[6]. L'Écriture
et la Tradition de l'Église voient en cet être un ange déchu, appelé Satan ou diable[7].
L'Église enseigne qu'il a été d'abord un ange bon, fait par Dieu. « Le diable et les
autres démons ont certes été créés par Dieu naturellement bons, mais c'est eux qui
se sont rendus mauvais[8]. »

392 L'Écriture parle d'un *péché* de ces anges[9]. Cette « chute » consiste dans le
1850 choix libre de ces esprits créés, qui ont radicalement et irrévocablement *refusé*
Dieu et son Règne. Nous trouvons un reflet de cette rébellion dans les paroles du
tentateur à nos premiers parents : « Vous deviendrez comme Dieu » (Gn 3, 5). Le
2482 diable est « pécheur dès l'origine » (1 Jn 3, 8), « père du mensonge » (Jn 8, 44).

393 C'est le caractère *irrévocable* du choix des anges, et non un défaut de l'infinie
1033-1037 miséricorde divine, qui fait que leur péché ne peut être pardonné. « Il n'y a pas de

---

1. Cf. Rm 5, 12-21. - 2. Cf. 1 Co 2, 16. - 3. Cf. GS 13, § 1. - 4. Cf. Cc. Trente : DS 1513; Pie XII : DS
3897; Paul VI, discours 11 juillet 1966. - 5. Cf. Gn 3, 1-5. - 6. Cf. Sg 2, 24. - 7. Cf. Jn 8, 44; Ap 12, 9.
- 8. Cc. Latran IV en 1215 : DS 800. - 9. Cf. 2 P 2, 4.

repentir pour eux après la chute, comme il n'y a pas de repentir pour les hommes après la mort [1]. »

1022

394 L'Écriture atteste l'influence néfaste de celui que Jésus appelle « l'homicide dès l'origine » (Jn 8, 44), et a même tenté de détourner Jésus de la mission reçue du Père [2]. « C'est pour détruire les oeuvres du diable que le Fils de Dieu est apparu » (1 Jn 3, 8). La plus grave en conséquences de ces oeuvres a été la séduction mensongère qui a induit l'homme à désobéir à Dieu.

538-540
550
2846-2849

395 La puissance de Satan n'est cependant pas infinie. Il n'est qu'une créature, puissante du fait qu'il est pur esprit, mais toujours une créature : il ne peut empêcher l'édification du Règne de Dieu. Quoique Satan agisse dans le monde par haine contre Dieu et son Royaume en Jésus-Christ, et que son action cause de graves dommages - de nature spirituelle et indirectement même de nature physique - pour chaque homme et pour la société, cette action est permise par la divine providence qui avec force et douceur dirige l'histoire de l'homme et du monde. La permission divine de l'activité diabolique est un grand mystère, mais « nous savons que Dieu fait tout concourir au bien de ceux qui L'aiment » (Rm 8, 28).

309
1673
412
2850-2854

III. Le péché originel

L'épreuve de la liberté

396 Dieu a créé l'homme à son image et l'a constitué dans son amitié. Créature spirituelle, l'homme ne peut vivre cette amitié que sur le mode de la libre soumission à Dieu. C'est ce qu'exprime la défense faite à l'homme de manger de l'arbre de la connaissance du bien et du mal, « car du jour où tu en mangeras, tu mourras » (Gn 2, 17). « L'arbre de la connaissance du bien et du mal » (Gn 2, 17) évoque symboliquement la limite infranchissable que l'homme, en tant que créature, doit librement reconnaître et respecter avec confiance. L'homme dépend du Créateur; il est soumis aux lois de la création et aux normes morales qui règlent l'usage de la liberté.

1730, 311

301

Le premier péché de l'homme

397 L'homme, tenté par le diable, a laissé mourir dans son coeur la confiance envers son Créateur [3] et, en abusant de sa liberté, a *désobéi* au commandement de Dieu. C'est en cela qu'a consisté le premier péché de l'homme [4]. Tout péché, par la suite, sera une désobéissance à Dieu et un manque de confiance en sa bonté.

1707, 2541
1850
215

---

1. S. Jean Damascène, f. o. 2, 4. - 2. Cf. Mt 4, 1-11. - 3. Cf. Gn 3, 1-11. - 4. Cf. Rm 5, 19.

398   Dans ce péché, l'homme s'est *préféré* lui-même à Dieu, et par là même, il a *2084* méprisé Dieu : il a fait choix de soi-même contre Dieu, contre les exigences de son état de créature et dès lors contre son propre bien. Créé dans un état de sainteté, l'homme était destiné à être pleinement « divinisé » par Dieu dans la gloire. Par la *2113* séduction du diable, il a voulu « être comme Dieu [1] », mais « sans Dieu, et avant Dieu, et non pas selon Dieu [2] ».

399   L'Écriture montre les conséquences dramatiques de cette première désobéissance. Adam et Ève perdent immédiatement la grâce de la sainteté originelle [3]. Ils ont peur de ce Dieu [4] dont ils ont conçu une fausse image, celle d'un Dieu jaloux de ses prérogatives [5].

400   L'harmonie dans laquelle ils étaient, établie grâce à la justice originelle, est détruite; la maîtrise des facultés spirituelles de l'âme sur le corps est brisée [6]; l'union *1607* de l'homme et de la femme est soumise à des tensions [7]; leurs rapports seront mar- *2514* qués par la convoitise et la domination [8]. L'harmonie avec la création est rompue : la création visible est devenue pour l'homme étrangère et hostile [9]. À cause de l'homme, la création est soumise « à la servitude de la corruption » (Rm 8, 20). Enfin, la conséquence explicitement annoncée pour le cas de la désobéissance [10] se réalisera : l'homme « retournera à la poussière de laquelle il est formé » *602, 1008* (Gn 3, 19). *La mort fait son entrée dans l'histoire de l'humanité* [11].

401   Depuis ce premier péché, une véritable « invasion » du péché inonde le *1865, 2259* monde : le fratricide commis par Caïn sur Abel [12]; la corruption universelle à la suite du péché [13]; de même, dans l'histoire d'Israël, le péché se manifeste fréquemment, surtout comme une infidélité au Dieu de l'alliance et comme transgression de la Loi de Moïse; après la Rédemption du Christ aussi, parmi les chrétiens, le péché se manifeste de nombreuses manières [14]. L'Écriture et la Tradition de l'Église ne cessent *1739* de rappeler la présence et *l'universalité du péché dans l'histoire* de l'homme :

> Ce que la révélation divine nous découvre, notre propre expérience le confirme. Car l'homme, s'il regarde au-dedans de son coeur, se découvre également enclin au mal, submergé de multiples maux qui ne peuvent provenir de son Créateur, qui est bon. Refusant souvent de reconnaître Dieu comme son principe, l'homme a, par le fait même, brisé l'ordre qui l'orientait à sa fin dernière, et, en même temps, il a rompu toute harmonie, soit par rapport à lui-même, soit par rapport aux autres hommes et à toute la création [15].

Conséquences du péché d'Adam pour l'humanité

402   Tous les hommes sont impliqués dans le péché d'Adam. S. Paul l'affirme : « Par la désobéissance d'un seul homme, la multitude (c'est-à-dire tous les

---

1. Cf. Gn 3, 5. - 2. S. Maxime le Confesseur, ambig. - 3. Cf. Rm 3, 23. - 4. Cf. Gn 3, 9-10. - 5. Cf. Gn 3, 5. - 6. Cf. Gn 3, 7. - 7. Cf. Gn 3, 11-13. - 8. Cf. Gn 3, 16. - 9. Cf. Gn 3, 17.19. - 10. Cf. Gn 2, 17. - 11. Cf. Rm 5, 12. - 12. Cf. Gn 4, 3-15. - 13. Cf. Gn 6, 5.12; Rm 1, 18-32. - 14. Cf. 1 Co 1-6; Ap 2-3. - 15. GS 13, § 1.

hommes) a été constituée pécheresse » (Rm 5, 19) : « De même que par un seul homme le péché est entré dans le monde et par le péché la mort, et qu'ainsi la mort est passée en tous les hommes, du fait que tous ont péché... » (Rm 5, 12). À l'universalité du péché et de la mort l'apôtre oppose l'universalité du salut dans le Christ : « Comme la faute d'un seul a entraîné sur tous les hommes une condamnation, de même l'oeuvre de justice d'un seul (celle du Christ) procure à tous une justification qui donne la vie » (Rm 5, 18).

430, 605

403   À la suite de S. Paul, l'Église a toujours enseigné que l'immense misère qui opprime les hommes et leur inclination au mal, et à la mort ne sont pas compréhensibles sans leur lien avec le péché d'Adam et le fait qu'il nous a transmis un péché dont nous naissons tous affectés et qui est « mort de l'âme [1] ». En raison de cette certitude de foi, l'Église donne le Baptême pour la rémission des péchés même aux petits enfants qui n'ont pas commis de péché personnel [2].

2606

1250

404   Comment le péché d'Adam est-il devenu le péché de tous ses descendants ? Tout le genre humain est en Adam « comme l'unique corps d'un homme unique [3] ». Par cette « unité du genre humain » tous les hommes sont impliqués dans le péché d'Adam, comme tous sont impliqués dans la justice du Christ. Cependant, la transmission du péché originel est un mystère que nous ne pouvons comprendre pleinement. Mais nous savons par la Révélation qu'Adam avait reçu la sainteté et la justice originelles non pour lui seul, mais pour toute la nature humaine : en cédant au tentateur, Adam et Ève commettent un *péché personnel*, mais ce péché affecte la *nature humaine* qu'ils vont transmettre *dans un état déchu* [4]. C'est un péché qui sera transmis par propagation à toute l'humanité, c'est-à-dire par la transmission d'une nature humaine privée de la sainteté et de la justice originelles. C'est pourquoi le péché originel est appelé « péché » de façon analogique : c'est un péché « contracté » et non pas « commis », un état et non pas un acte.

360

50

405   Quoique propre à chacun [5], le péché originel n'a, en aucun descendant d'Adam, un caractère de faute personnelle. C'est la privation de la sainteté et de la justice originelles, mais la nature humaine n'est pas totalement corrompue : elle est blessée dans ses propres forces naturelles, soumise à l'ignorance, à la souffrance et à l'empire de la mort, et inclinée au péché (cette inclination au mal est appelée « concupiscence »). Le Baptême, en donnant la vie de la grâce du Christ, efface le péché originel et retourne l'homme vers Dieu, mais les conséquences pour la nature, affaiblie et inclinée au mal, persistent dans l'homme et l'appellent au combat spirituel.

2515

1264

406   La doctrine de l'Église sur la transmission du péché originel s'est précisée surtout au Ve siècle, en particulier sous l'impulsion de la réflexion de S. Augustin contre le pélagianisme, et

---

1. Cf. Cc. Trente : DS 1512. - 2. Cf. Cc. Trente : DS 1514. - 3. S. Thomas d'A., mal. 4, 1. - 4. Cf. Cc. Trente : DS 1511-1512. - 5. Cf. Cc. Trente : DS 1513.

au XVIe siècle, en opposition à la Réforme protestante. Pélage tenait que l'homme pouvait, par la force naturelle de sa volonté libre, sans l'aide nécessaire de la grâce de Dieu, mener une vie moralement bonne; il réduisait ainsi l'influence de la faute d'Adam à celle d'un mauvais exemple. Les premiers réformateurs protestants, au contraire, enseignaient que l'homme était radicalement perverti et sa liberté annulée par le péché des origines; ils identifiaient le péché hérité par chaque homme avec la tendance au mal (*concupiscentia*), qui serait insurmontable. L'Église s'est spécialement prononcée sur le sens du donné révélé concernant le péché originel au deuxième Concile d'Orange en 529[1] et au Concile de Trente en 1546[2].

Un dur combat...

407   La doctrine sur le péché originel - liée à celle de la Rédemption par le Christ - donne un regard de discernement lucide sur la situation de l'homme et de son agir dans le monde. Par le péché des premiers parents, le diable a acquis une certaine domination sur l'homme, bien que ce dernier demeure libre. Le péché originel entraîne « la servitude sous le pouvoir de celui qui possédait l'empire de la mort, c'est-à-dire du diable[3] ». Ignorer que l'homme a une nature blessée, inclinée au mal, donne lieu à de graves erreurs dans le domaine de l'éducation, de la politique, de l'action sociale[4] et des moeurs.

2015
2852

1888

408   Les conséquences du péché originel et de tous les péchés personnels des hommes confèrent au monde dans son ensemble une condition pécheresse, qui peut être désignée par l'expression de Saint Jean : « le péché du monde » (Jn 1, 29). Par cette expression on signifie aussi l'influence négative qu'exercent sur les personnes les situations communautaires et les structures sociales qui sont le fruit des péchés des hommes[5].

1865

409   Cette situation dramatique du monde qui « tout entier gît au pouvoir du mauvais » (1 Jn 5, 19)[6] fait de la vie de l'homme un combat :

2516

> Un dur combat contre les puissances des ténèbres passe à travers toute l'histoire des hommes; commencé dès les origines, il durera, le Seigneur nous l'a dit, jusqu'au dernier jour. Engagé dans cette bataille, l'homme doit sans cesse combattre pour s'attacher au bien; et non sans grands efforts, avec la grâce de Dieu, il parvient à réaliser son unité intérieure[7].

IV. « Tu ne l'as pas abandonné au pouvoir de la mort »

410   Après sa chute, l'homme n'a pas été abandonné par Dieu. Au contraire, Dieu l'appelle[8] et lui annonce de façon mystérieuse la victoire sur le mal et le relèvement de sa chute[9]. Ce passage de la Genèse a été appelé « Protévangile »,

55, 705,
1609, 2568

---

1. Cf. DS 371-372. - 2. Cf. DS 1510-1516. - 3. Cc. Trente : DS 1511; cf. He 2, 14. - 4. Cf. CA 25. - 5. Cf. RP 16. - 6. Cf. 1 P 5, 8. - 7. GS 37, § 2. - 8. Cf. Gn 3, 9. - 9. Cf. Gn 3, 15.

étant la première annonce du Messie rédempteur, celle d'un combat entre le ser-
pent et la Femme et de la victoire finale d'un descendant de celle-ci.					*675*

411 La tradition chrétienne voit dans ce passage une annonce du « nouvel Adam[1] »
qui, par son « obéissance jusqu'à la mort de la Croix » (Ph 2, 8) répare en surabon-					*359, 615*
dance la désobéissance d'Adam[2]. Par ailleurs, de nombreux Pères et docteurs de
l'Église reconnaissent dans la femme annoncée dans le « protévangile » la mère du
Christ, Marie, comme « nouvelle Ève ». Elle a été celle qui, la première et d'une
manière unique, a bénéficié de la victoire sur le péché remportée par le Christ :
elle a été préservée de toute souillure du péché originel[3] et durant toute sa vie ter-					*491*
restre, par une grâce spéciale de Dieu, elle n'a commis aucune sorte de péché[4].

412 Mais *pourquoi Dieu n'a-t-Il pas empêché le premier homme de pécher ?*
S. Léon le Grand répond : « La grâce ineffable du Christ nous a donné des biens					*310, 395*
meilleurs que ceux que l'envie du démon nous avait ôtés[5]. » Et S. Thomas
d'Aquin : « Rien ne s'oppose à ce que la nature humaine ait été destinée à une fin
plus haute après le péché. Dieu permet, en effet, que les maux se fassent pour en					*272*
tirer un plus grand bien. D'où le mot de S. Paul : "Là où le péché a abondé, la
grâce a surabondé" (Rm 5, 20). Et le chant de l'"Exultet" : "Ô heureuse faute qui a					*1994*
mérité un tel et un si grand Rédempteur"[6]. »

EN BREF

413 *« Dieu n'a pas fait la mort, Il ne se réjouit pas de la perte des vivants
(...). C'est par l'envie du diable que la mort est entrée dans le monde » (Sg 1,
13; 2, 24).*

414 *Satan ou le diable et les autres démons sont des anges déchus pour
avoir librement refusé de servir Dieu et son dessein. Leur choix contre Dieu
est définitif. Ils tentent d'associer l'homme à leur révolte contre Dieu.*

415 *« Établi par Dieu dans un état de sainteté, l'homme séduit par le
Malin, dès le début de l'histoire, a abusé de sa liberté, en se dressant contre
Dieu et en désirant parvenir à sa fin hors de Dieu[7]. »*

416 *Par son péché, Adam, en tant que premier homme, a perdu la sainteté et la justice originelles qu'il avait reçues de Dieu non seulement pour
lui, mais pour tous les humains.*

417 *À leur descendance, Adam et Ève ont transmis la nature humaine
blessée par leur premier péché, donc privée de la sainteté et la justice originelles. Cette privation est appelée « péché originel ».*

---

1. Cf. 1 Co 15, 21-22. 45. - 2. Cf. Rm 5, 19-20. - 3. Cf. Pie IX : DS 2803. - 4. Cf. Cc. Trente : DS 1573.
- 5. Serm. 73, 4. - 6. S. s. th. 3, 1, 3, ad 3. - 7. GS 13, § 1.

418   *En conséquence du péché originel, la nature humaine est affaiblie dans ses forces, soumise à l'ignorance, à la souffrance et à la domination de la mort, et inclinée au péché (inclination appelée « concupiscence »).*

419   *«Nous tenons donc, avec le Concile de Trente, que le péché originel est transmis avec la nature humaine, "non par imitation, mais par propagation", et qu'il est ainsi "propre à chacun"[1] ».*

420   *La victoire sur le péché remportée par le Christ nous a donné des biens meilleurs que ceux que le péché nous avait ôtés : « Là où le péché a abondé, la grâce a surabondé » (Rm 5, 20).*

421   *« Pour la foi des chrétiens, ce monde a été fondé et demeure conservé par l'amour du créateur; il est tombé, certes, sous l'esclavage du péché, mais le Christ, par la Croix et la Résurrection, a brisé le pouvoir du Malin et l'a libéré [2]... »*

CHAPITRE DEUXIÈME

Je crois en Jésus-Christ, le Fils unique de Dieu

La Bonne Nouvelle : Dieu a envoyé son Fils

422   « Mais quand vint la plénitude du temps, Dieu envoya son Fils, né d'une femme, né sujet de la loi, afin de racheter les sujets de la loi, afin de nous conférer l'adoption filiale » (Ga 4, 4-5). Voici « la Bonne Nouvelle touchant Jésus-Christ, Fils de Dieu » (Mc 1, 1) : Dieu a visité son peuple[3]. Il a accompli les promesses faites à Abraham et à sa descendance[4]. Il l'a fait au-delà de toute attente : Il a envoyé son « Fils bien-aimé » (Mc 1, 11).

389

2763

423   Nous croyons et confessons que Jésus de Nazareth, né juif d'une fille d'Israël, à Bethléem, au temps du roi Hérode le Grand et de l'empereur César Auguste I, de son métier charpentier, mort crucifié à Jérusalem, sous le procureur Ponce Pilate, pendant le règne de l'empereur Tibère, est le Fils éternel de Dieu fait homme, qu'Il est « sorti de Dieu » (Jn 13, 3), « descendu du ciel » (Jn 3, 13; 6, 33), « venu dans la chair » (1 Jn 4, 2), car « le Verbe s'est fait chair et Il a habité parmi

---

1. SPF 16. - 2. GS 2, § 2. - 3. Cf. Lc 1, 68. - 4. Cf. Lc 1, 55.

nous, et nous avons vu sa gloire, gloire qu'Il tient de son Père comme Fils unique, plein de grâce et de vérité (...). Oui, de sa plénitude nous avons tout reçu et grâce pour grâce » (Jn 1, 14. 16).

424 Mûs par la grâce de l'Esprit Saint et attirés par le Père nous croyons et confessons au sujet de Jésus : « Tu es le Christ, le Fils du Dieu Vivant » (Mt 16, 16). *683*
C'est sur le roc de cette foi, confessée par S. Pierre, que le Christ a bâti son Église[1]. *552*

« Annoncer l'insondable richesse du Christ » (Ep 3, 8)

425 La transmission de la foi chrétienne, c'est d'abord l'annonce de Jésus-Christ, pour conduire à la foi en Lui. Dès le commencement, les premiers disciples ont brûlé du désir d'annoncer le Christ : « Nous ne pouvons pas, quant à nous, ne pas publier ce que nous avons vu et entendu » (Ac 4, 20). Et ils invitent les hommes de *850, 858*
tous les temps à entrer dans la joie de leur communion avec le Christ :

> Ce que nous avons entendu, ce que nous avons vu de nos yeux, ce que nous avons contemplé, ce que nos mains ont touché du Verbe de vie; - car la vie s'est manifestée : nous l'avons vue, nous en rendons témoignage et nous vous annonçons cette Vie éternelle, qui était auprès du Père et qui nous est apparue; - ce que nous avons vu et entendu, nous vous l'annonçons, afin que vous aussi vous soyez en communion avec nous. Quant à notre communion, elle est avec le Père et avec son Fils Jésus-Christ. Tout ceci, nous vous l'écrivons pour que notre joie soit complète (1 Jn 1, 1-4).

Au coeur de la catéchèse : le Christ

426 « Au coeur de la catéchèse nous trouvons essentiellement une Personne, celle de Jésus de Nazareth, Fils unique du Père (...), qui a souffert et qui est mort *1698*
pour nous et qui maintenant, ressuscité, vit avec nous pour toujours (...). Catéchiser (...), c'est dévoiler dans la Personne du Christ tout le dessein éternel de Dieu. C'est chercher à comprendre la signification des gestes et des paroles du *513*
Christ, des signes réalisés par Lui[2]. » Le but de la catéchèse : « Mettre en communion avec Jésus-Christ : Lui seul peut conduire à l'amour du Père dans l'Esprit et nous faire participer à la vie de la Trinité Sainte[3]. » *260*

427 « Dans la catéchèse, c'est le Christ, Verbe incarné et Fils de Dieu, qui est enseigné - tout le reste l'est en référence à Lui; et seul le Christ enseigne, tout autre *2145*
le fait dans la mesure où il est son porte-parole, permettant au Christ d'enseigner par sa bouche (...). Tout catéchiste devrait pouvoir s'appliquer à lui-même la mys- *876*
térieuse parole de Jésus : "Ma doctrine n'est pas de moi, mais de Celui qui m'a envoyé" (Jn 7, 16)[4]. »

---

1. Cf. Mt 16, 18; S. Léon le Grand, serm. 4, 3; 51, 1; 62, 2; 83, 3. - 2. CT 5. - 3. *Ibid.* - 4. *Ibid.*, 6.

428   Celui qui est appelé à « enseigner le Christ », doit donc d'abord chercher « ce gain suréminent qu'est la connaissance du Christ »; il faut « accepter de tout perdre (...) afin de gagner le Christ et d'être trouvé en Lui », et de « Le connaître, Lui, avec la puissance de sa résurrection et la communion à ses souffrances, Lui devenir conforme dans la mort, afin de parvenir si possible à ressusciter d'entre les morts » (Ph 3, 8-11).

429   C'est de cette connaissance amoureuse du Christ que jaillit le désir de
851   L'annoncer, d'« évangéliser », et de conduire d'autres au « oui » de la foi en Jésus-Christ. Mais en même temps se fait sentir le besoin de toujours mieux connaître cette foi. À cette fin, en suivant l'ordre du Symbole de la foi, seront d'abord présentés les principaux titres de Jésus : le Christ, le Fils de Dieu, le Seigneur *(article 2)*. Le Symbole confesse ensuite les principaux mystères de la vie du Christ : ceux de son Incarnation *(article 3)*, ceux de sa Pâque *(articles 4 et 5)*, enfin ceux de sa glorification *(articles 6 et 7)*.

ARTICLE 2
« Et en Jésus-Christ, son Fils unique, notre Seigneur »

I. Jésus

430   *Jésus* veut dire en hébreu : « Dieu sauve ». Lors de l'Annonciation, l'Ange
210   Gabriel lui donne comme nom propre le nom de Jésus qui exprime à la fois son identité et sa mission [1]. Puisque « Dieu seul peut remettre les péchés » (Mc 2, 7),
402   c'est Lui qui, en Jésus, son Fils éternel fait homme « sauvera son peuple de ses péchés » (Mt 1, 21). En Jésus, Dieu récapitule ainsi toute son histoire de salut en faveur des hommes.

431   Dans l'histoire du salut, Dieu ne s'est pas contenté de délivrer Israël de « la maison de servitude » (Dt 5, 6) en le faisant sortir d'Égypte. Il le sauve encore de
1850, 1441   son péché. Parce que le péché est toujours une offense faite à Dieu [2], Lui seul peut
388   l'absoudre [3]. C'est pourquoi Israël, en prenant de plus en plus conscience de l'universalité du péché, ne pourra plus chercher le salut que dans l'invocation du nom du Dieu Rédempteur [4].

432   Le nom de Jésus signifie que le nom même de Dieu est présent en la per-
589, 2666   sonne de son Fils [5] fait homme pour la rédemption universelle et définitive des

---

1. Cf. Lc 1, 31. - 2. Cf. Ps 51, 6. - 3. Cf. Ps 51, 12. - 4. Cf. Ps 79, 9. - 5. Cf. Ac 5, 41; 3 Jn 7.

péchés. Il est le nom divin qui seul apporte le salut[1] et Il peut désormais être invoqué de tous car Il s'est uni à tous les hommes par l'Incarnation[2] de telle sorte qu'« il n'y a pas sous le ciel d'autre nom donné aux hommes par lequel nous puissions être sauvés » (Ac 4, 12)[3].

389

161

433   Le nom du Dieu Sauveur était invoqué une seule fois par an par le grand prêtre pour l'expiation des péchés d'Israël, quand il avait aspergé le propitiatoire du Saint des Saints avec le sang du sacrifice[4]. Le propitiatoire était le lieu de la présence de Dieu[5]. Quand S. Paul dit de Jésus que « Dieu L'a destiné à être propitiatoire par son propre sang » (Rm 3, 25), il signifie que dans l'humanité de celui-ci, « c'était Dieu qui dans le Christ se réconciliait le monde » (2 Co 5, 19).

615

434   La Résurrection de Jésus glorifie le nom du Dieu Sauveur[6] car désormais, c'est le nom de Jésus qui manifeste en plénitude la puissance suprême du « nom au-dessus de tout nom » (Ph 2, 9-10). Les esprits mauvais craignent son nom[7] et c'est en son nom que les disciples de Jésus font des miracles[8], car tout ce qu'ils demandent au Père en son nom, celui-ci le leur accorde (Jn 15, 16).

2812

2614

435   Le nom de Jésus est au coeur de la prière chrétienne. Toutes les oraisons liturgiques se concluent par la formule « par notre Seigneur Jésus-Christ ». Le « Je vous salue, Marie » culmine dans « et Jésus, le fruit de tes entrailles, est béni ». La prière du coeur orientale appelée « prière à Jésus » dit : « Jésus-Christ, Fils de Dieu, Seigneur prend pitié de moi pécheur. » De nombreux chrétiens meurent en ayant, comme Ste Jeanne d'Arc, le seul mot de « Jésus » aux lèvres.

2667-2668
2676

II. Christ

436   *Christ* vient de la traduction grecque du terme hébreu « Messie » qui veut dire « oint ». Il ne devient le nom propre de Jésus que parce que celui-ci accomplit parfaitement la mission divine qu'il signifie. En effet en Israël étaient oints au nom de Dieu ceux qui Lui étaient consacrés pour une mission venant de Lui. C'était le cas des rois[9] (1 R 1, 39), des prêtres[10] et, en de rares cas, des prophètes[11]. Ce devait être par excellence le cas du Messie que Dieu enverrait pour instaurer définitivement son Royaume[12]. Il fallait que le Messie soit oint par l'Esprit du Seigneur[13] à la fois comme roi et prêtre[14] mais aussi comme prophète[15]. Jésus a accompli l'espérance messianique d'Israël dans sa triple fonction de prêtre, de prophète et de roi.

690, 695

711-716, 783

437   L'Ange a annoncé aux bergers la naissance de Jésus comme celle du Messie promis à Israël : « Aujourd'hui, dans la ville de David vous est né un Sauveur qui

525, 486

---

1. Cf. Jn 3, 5; Ac 2, 21. - 2. Cf. Rm 10, 6-13. - 3. Cf. Ac 9, 14; Jc 2, 7. - 4. Cf. Lv 16, 15-16; Si 50, 20; He 9, 7. - 5. Cf. Ex 25, 22; Lv 16, 2; Nb 7, 89; He 9, 5. - 6. Cf. Jn 12, 28. - 7. Cf. Ac 16, 16-18; 19, 13-16. - 8. Cf. Mc 16, 17. - 9. Cf. 1 S 9, 16; 10, 1; 16, 1. 12-13 1 R, 1, 39. - 10. Cf. Ex 29, 7; Lv 8, 12. - 11. Cf. 1 R 19, 16. - 12. Cf. Ps 2, 2; Ac 4, 26-27. - 13. Cf. Is 11, 2. - 14. Cf. Za 4, 14; 6, 13. - 15. Cf. Is 61, 1; Lc 4, 16-21.

est le Christ Seigneur » (Lc 2, 11). Dès l'origine Il est « celui que le Père a consacré et envoyé dans le monde » (Jn 10, 36), conçu comme « saint » (Lc 1, 35) dans le sein virginal de Marie. Joseph a été appelé par Dieu à « prendre chez lui Marie son épouse » enceinte de « ce qui a été engendré en elle par l'Esprit Saint » (Mt 1, 20) afin que Jésus « que l'on appelle Christ » naisse de l'épouse de Joseph dans la descendance messianique de David (Mt 1,16)[1].

727

438   La consécration messianique de Jésus manifeste sa mission divine. « C'est d'ailleurs ce qu'indique son nom lui-même, car dans le nom de Christ est sous-entendu Celui qui a oint, Celui qui a été oint et l'onction même dont Il a été oint : Celui qui a oint, c'est le Père, Celui qui a été oint, c'est le Fils, et Il l'a été dans l'Esprit qui est l'onction[2]. » Sa consécration messianique éternelle s'est révélée dans le temps de sa vie terrestre lors de son baptême par Jean quand « Dieu L'a oint de l'Esprit Saint et de puissance » (Ac 10, 38) « pour qu'Il fût manifesté à Israël » (Jn 1, 31) comme son Messie. Ses oeuvres et ses paroles le feront connaître comme « le saint de Dieu » (Mc 1, 24; Jn 6, 69; Ac 3, 14).

528-529, 547

439   De nombreux juifs et même certains païens qui partageaient leur espérance ont reconnu en Jésus les traits fondamentaux du « fils de David » messianique promis par Dieu à Israël[3]. Jésus a accepté le titre de Messie auquel Il avait droit[4], mais non sans réserve parce que celui-ci était compris par une partie de ses contemporains selon une conception trop humaine[5], essentiellement politique[6].

552

440   Jésus a accueilli la profession de foi de Pierre qui Le reconnaissait comme le Messie en annonçant la passion prochaine du Fils de l'Homme[7]. Il a dévoilé le contenu authentique de sa royauté messianique à la fois dans l'identité transcendante du Fils de l'Homme « qui est descendu du ciel » (Jn 3, 13)[8] et dans sa mission rédemptrice comme Serviteur souffrant : « Le Fils de l'Homme n'est pas venu pour être servi mais pour servir et donner sa vie en rançon pour la multitude » (Mt 20, 28)[9]. C'est pourquoi le vrai sens de sa royauté n'est manifesté que du haut de la Croix[10]. C'est seulement après sa Résurrection que sa royauté messianique pourra être proclamée par Pierre devant le Peuple de Dieu : « Que toute la maison d'Israël le sache avec certitude : Dieu L'a fait Seigneur et Christ, ce Jésus que vous, vous avez crucifié » (Ac 2, 36).

550
445

III. Fils unique de Dieu

441   *Fils de Dieu*, dans l'Ancien Testament, est un titre donné aux anges[11], au peuple de l'Élection[12], aux enfants d'Israël[13] et à leurs rois[14]. Il signifie alors une

---

1. Cf. Rm 1, 3; 2 Tm 2, 8; Ap 22, 16. - 2. S. Irénée, haer. 3, 18, 3. - 3. Cf. Mt 2, 2; 9, 27; 12, 23; 15, 22; 20, 30, 21, 9. 15. - 4. Cf. Jn 4, 25-26; 11, 27. - 5. Cf. Mt 22, 41-46. - 6. Cf. Jn 6, 15; Lc 24, 21. - 7. Cf. Mt 16, 16-23. - 8. Cf. Jn 6, 62; Dn 7, 13. - 9. Cf. Is 53, 10-12. - 10. Cf. Jn 19, 19-22; Lc 23, 39-43. - 11. Cf. Dt (LXX) 32, 8; Jb 1, 6. - 12. Cf. Ex 4, 22; Os 11, 1; Jr 3, 19; Si 36, 11; Sg 18, 13. - 13. Dt 14, 1; Os 2, 1. - 14. Cf. 2, S 7, 14; Ps 82, 6.

filiation adoptive qui établit entre Dieu et sa créature des relations d'une intimité particulière. Quand le Roi-Messie promis est dit « fils de Dieu [1] », cela n'implique pas nécessairement, selon le sens littéral de ces textes, qu'il soit plus qu'humain. Ceux qui ont désigné ainsi Jésus en tant que Messie d'Israël [2] n'ont peut-être pas voulu dire davantage [3].

442   Il n'en va pas de même pour Pierre quand il confesse Jésus comme « le Christ, le Fils du Dieu vivant » (Mt 16, 16) car celui-ci lui répond avec solennité : « Cette *révélation* ne t'est pas venue de la chair et du sang mais *de mon Père* qui est dans les cieux » (Mt 16, 17). Parallèlement Paul dira à propos de sa conversion sur le chemin de Damas : « Quand Celui qui dès le sein maternel m'a mis à part et appelé par sa grâce daigna révéler en moi son Fils pour que je L'annonce parmi les païens... » (Ga 1, 15-16). « Aussitôt il se mit à prêcher Jésus dans les synagogues, proclamant qu'Il est le Fils de Dieu » (Ac 9, 20). Ce sera dès le début [4] le centre de la foi apostolique [5] professée d'abord par Pierre comme fondement de l'Église [6]. *424*

552

443   Si Pierre a pu reconnaître le caractère transcendant de la filiation divine de Jésus Messie, c'est que celui-ci l'a nettement laissé entendre. Devant le Sanhédrin, à la demande de ses accusateurs : « Tu es donc le Fils de Dieu », Jésus a répondu : « Vous le dites bien, je le suis » (Lc 22, 70) [7]. Bien avant déjà, Il s'est désigné comme « le Fils » qui connaît le Père [8], qui est distinct des « serviteurs » que Dieu a auparavant envoyés à son peuple [9], supérieur aux anges eux-mêmes [10]. Il a distingué sa filiation de celle de ses disciples en ne disant jamais « notre Père [11] » sauf pour leur ordonner : « *Vous* donc priez ainsi : Notre Père » (Mt 6, 9); et Il a souligné cette distinction : « Mon Père et votre Père » (Jn 20, 17). *2786*

444   Les Évangiles rapportent en deux moments solennels, le Baptême et la transfiguration du Christ, la voix du Père qui Le désigne comme son « Fils bien-aimé [12] ». Jésus se désigne Lui-même comme « le Fils Unique de Dieu » (Jn 3, 16) et affirme par ce titre sa préexistence éternelle [13]. Il demande la foi « au nom du Fils unique de Dieu » (Jn 3, 18). Cette confession chrétienne apparaît déjà dans l'exclamation du centurion face à Jésus en Croix : « Vraiment cet homme était Fils de Dieu » (Mc 15, 39). Dans le mystère Pascal seulement le croyant peut donner sa portée ultime au titre de « Fils de Dieu ». *536, 554*

445   C'est après sa Résurrection que sa filiation divine apparaît dans la puissance de son humanité glorifiée : « Selon l'Esprit qui sanctifie, par sa Résurrection d'entre les morts, Il a été établi comme Fils de Dieu dans sa puissance » (Rm 1, 4) [14]. Les apôtres pourront confesser : « Nous avons vu sa gloire, gloire qu'Il tient de son Père comme Fils unique, plein de grâce et de vérité » (Jn 1, 14). *653*

---

1. Cf. 1 Ch 17, 13; Ps 2, 7. - 2. Cf. Mt 27, 54. - 3. Cf. Lc 23, 47. - 4. Cf. 1 Th 1, 10. - 5. Cf. Jn 20, 31. - 6. Cf. Mt 16, 18. - 7. Cf. Mt 26, 64; Mc 14, 61. - 8. Cf. Mt 11, 27; 21, 37-38. - 9. Cf. Mt 21, 34-36. - 10. Cf. Mt 24, 36. - 11. Cf. Mt 5, 48; 6, 8; 7, 21; Lc 11, 13. - 12. Cf. Mt 3, 17; 17, 5. - 13. Cf. Jn 10, 36. - 14. Cf. Ac 13, 33.

IV. Seigneur

446   Dans la traduction grecque des livres de l'Ancien Testament, le nom ineffable sous lequel Dieu s'est révélé à Moïse [1], YHWH, est rendu par *Kyrios* (« Seigneur »). *Seigneur* devient dès lors le nom le plus habituel pour désigner la divinité même du Dieu d'Israël. Le Nouveau Testament utilise ce sens fort du titre de « Seigneur » à la fois pour le Père, mais aussi, et c'est là la nouveauté, pour Jésus reconnu ainsi comme Dieu Lui-même [2].

209

447   Jésus Lui-même s'attribue de façon voilée ce titre lorsqu'Il discute avec les Pharisiens sur le sens du psaume 110 [3], mais aussi de manière explicite en s'adressant à ses apôtres [4]. Tout au long de sa vie publique ses gestes de domination sur la nature, sur les maladies, sur les démons, sur la mort et le péché, démontraient sa souveraineté divine.

548

448   Très souvent, dans les Évangiles, des personnes s'adressent à Jésus en l'appelant « Seigneur ». Ce titre témoigne du respect et de la confiance de ceux qui s'approchent de Jésus et attendent de Lui secours et guérison [5]. Sous la motion de l'Esprit Saint, il exprime la reconnaissance du mystère divin de Jésus [6]. Dans la rencontre avec Jésus ressuscité, il devient adoration : « Mon Seigneur et mon Dieu ! » (Jn 20, 28). Il prend alors une connotation d'amour et d'affection qui va rester le propre de la tradition chrétienne : « C'est le Seigneur ! » (Jn 21, 7).

208, 683

641

449   En attribuant à Jésus le titre divin de Seigneur, les premières confessions de foi de l'Église affirment, dès l'origine [7], que le pouvoir, l'honneur et la gloire dus à Dieu le Père le sont aussi à Jésus [8] parce qu'Il est de « condition divine » (Ph 2, 6) et que le Père a manifesté cette souveraineté de Jésus en Le ressuscitant des morts et en L'exaltant dans sa gloire [9].

461

653

450   Dès le commencement de l'histoire chrétienne, l'affirmation de la seigneurie de Jésus sur le monde et sur l'histoire [10] signifie aussi la reconnaissance que l'homme ne doit soumettre sa liberté personnelle, de façon absolue, à aucun pouvoir terrestre, mais seulement à Dieu le Père et au Seigneur Jésus-Christ : César n'est pas « le Seigneur [11] ». « L'Église croit (...) que la clé, le centre et la fin de toute histoire humaine se trouve en son Seigneur et Maître [12]. »

668-672

2242

451   La prière chrétienne est marquée par le titre « Seigneur », que ce soit l'invitation à la prière « le Seigneur soit avec vous », ou la conclusion de la prière « par Jésus-Christ notre Seigneur » ou encore le cri plein de confiance et d'espérance : « *Maran atha* » (« Le Seigneur vient ! ») ou « *Marana tha* »

2664-2665

2817

---

1. Cf. Ex 3, 14. - 2. Cf. 1 Co 2, 8. - 3. Cf. Mt 22, 41-46; cf. aussi Ac 2, 34-36; He 1, 13. - 4. Cf. Jn 13, 13. - 5. Cf. Mt 8, 2; 14, 30; 15, 22; e.a. - 6. Cf. Lc 1, 43; 2, 11. - 7. Cf. Ac 2, 34-36. - 8. Cf. Rm 9, 5; Tt 2, 13; Ap 5, 13. - 9. Cf. Rm 10, 9 ; 1 Co 12, 3; Ph 2, 9-11. - 10. Cf. Ap 11, 15. - 11. Cf. Mc 12, 17; Ac 5, 29. - 12. GS 10, § 2; cf. 45, § 2.

(« Viens, Seigneur ! ») (1 Co 16, 22); « Amen, viens, Seigneur Jésus ! » (Ap 22, 20).

EN BREF

452   *Le nom de Jésus signifie « Dieu qui sauve ». L'enfant né de la Vierge Marie est appelé « Jésus » « car c'est Lui qui sauvera son peuple de ses péchés » (Mt 1, 21) : « Il n'y a pas sous le ciel d'autre nom donné aux hommes par lequel il nous faille être sauvés » (Ac 4, 12).*

453   *Le nom de Christ signifie « oint », « Messie ». Jésus est le Christ car « Dieu L'a oint de l'Esprit Saint et de puissance » (Ac 10, 38). Il était « celui qui doit venir » (Lc 7, 19), l'objet de « l'espérance d'Israël » (Ac 28, 20).*

454   *Le nom de Fils de Dieu signifie la relation unique et éternelle de Jésus-Christ à Dieu son Père : Il est le Fils unique du Père[1] et Dieu Lui-même[2]. Croire que Jésus-Christ est le Fils de Dieu est nécessaire pour être chrétien[3].*

455   *Le nom de Seigneur signifie la souveraineté divine. Confesser ou invoquer Jésus comme Seigneur, c'est croire en sa divinité. « Nul ne peut dire "Jésus est Seigneur" s'il n'est avec l'Esprit Saint » (1 Co 12, 3).*

ARTICLE 3

« Jésus-Christ a été conçu du Saint-Esprit, il est né de la Vierge Marie »

PARAGRAPHE 1. *Le Fils de Dieu s'est fait homme*

I. Pourquoi le Verbe s'est-Il fait chair ?

456   Avec le Credo de Nicée-Constantinople, nous répondons en confessant : « *Pour nous les hommes et pour notre salut* Il descendit du ciel; par l'Esprit Saint, Il a pris chair de la Vierge Marie et s'est fait homme. »

457   Le Verbe s'est fait chair *pour nous sauver en nous réconciliant avec Dieu* : « C'est Dieu qui nous a aimés et qui a envoyé son Fils en victime de propitiation pour nos péchés » (1 Jn 4, 10). « Le Père a envoyé son Fils, le Sauveur du monde » (1 Jn 4, 14). « Celui-là a paru pour ôter les péchés » (1 Jn 3, 5) :

607

---

1. Cf. Jn 1, 14. 18; 3, 16. 18. - 2. Cf. Jn 1, 1. - 3. Cf. Ac 8, 37; 1 Jn 2, 23.

385   Malade, notre nature demandait à être guérie; déchue, à être relevée; morte, à être ressuscitée. Nous avions perdu la possession du bien, il fallait nous la rendre. Enfermés dans les ténèbres, il fallait nous porter la lumière; captifs, nous attendions un sauveur; prisonniers, un secours; esclaves, un libérateur. Ces raisons-là étaient-elles sans importance? Ne méritaient-elles pas d'émouvoir Dieu au point de Le faire descendre jusqu'à notre nature humaine pour la visiter, puisque l'humanité se trouvait dans un état si misérable et si malheureux [1] ?

458   Le Verbe s'est fait chair *pour que nous connaissions ainsi l'amour de Dieu* :
219   « En ceci s'est manifesté l'amour de Dieu pour nous : Dieu a envoyé son Fils unique dans le monde afin que nous vivions par Lui » (1 Jn 4, 9). « Car Dieu a tant aimé le monde qu'Il a donné son Fils unique afin que quiconque croit en Lui ne se perde pas, mais ait la vie éternelle » (Jn 3, 16).

459   Le Verbe s'est fait chair *pour être notre modèle de sainteté* : « Prenez sur
520, 823   vous mon joug et apprenez de moi... » (Mt 11, 29.) « Je suis la voie, la vérité et la
2012   vie; nul ne vient au Père sans passer par moi » (Jn 14, 6). Et le Père, sur la montagne de la Transfiguration, ordonne : « Écoutez-le » (Mc 9, 7) [2]. Il est en effet le
1717, 1965   modèle des béatitudes et la norme de la Loi nouvelle : « Aimez-vous les uns les autres comme je vous ai aimés » (Jn 15, 12). Cet amour implique l'offrande effective de soi-même à sa suite [3].

460   Le Verbe s'est fait chair *pour nous rendre « participants de la nature divine »*
1265, 1391   (2 P 1, 4) : « Car telle est la raison pour laquelle le Verbe s'est fait homme, et le Fils de Dieu, Fils de l'homme : c'est pour que l'homme, en entrant en communion avec le Verbe et en recevant ainsi la filiation divine, devienne fils de Dieu [4]. » « Car le Fils
1988   de Dieu s'est fait homme pour nous faire Dieu [5]. » « Le Fils unique de Dieu, voulant que nous participions à sa divinité, assuma notre nature, afin que Lui, fait homme, fît les hommes dieux [6]. »

II. L'Incarnation

461   Reprenant l'expression de S. Jean (« Le Verbe s'est fait chair » : Jn 1, 14),
653, 661   l'Église appelle « Incarnation » le fait que le Fils de Dieu ait assumé une nature
449   humaine pour accomplir en elle notre salut. Dans une hymne attestée par S. Paul, l'Église chante le mystère de l'Incarnation :

> Ayez entre vous les mêmes sentiments qui furent dans le Christ Jésus : Lui, de condition divine, ne retint pas jalousement le rang qui L'égalait à Dieu. Mais Il s'anéantit Lui-même prenant condition d'esclave et devenant semblable aux hommes. S'étant comporté comme un homme, il s'humilia plus encore, obéissant jusqu'à la mort, et la mort sur la Croix ! » (Ph 2, 5-8) [7].

---

1. S. Grégoire de Nysse, or. catech. 15. - 2. Cf. Dt 6, 4-5. - 3. Cf. Mc 8, 34. - 4. S. Irénée, haer. 3, 19, 1. - 5. S. Athanase, inc. 54, 3. - 6. S. Thomas d'A., opusc. 57 in festo Corp. Chr. 1. - 7. Cf. LH, cantique des Vêpres du samedi.

462 L'épître aux Hébreux parle du même mystère :

> C'est pourquoi, en entrant dans le monde, le Christ dit : Tu n'as voulu ni sacrifice ni oblation; mais tu m'as façonné un corps. Tu n'as agréé ni holocauste ni sacrifices pour les péchés. Alors j'ai dit : Voici, je viens (...) pour faire ta volonté (He 10, 5-7, citant Ps 40, 7-9 LXX).

463 La foi en l'Incarnation véritable du Fils de Dieu est le signe distinctif de la foi chrétienne : « À ceci reconnaissez l'esprit de Dieu : Tout esprit qui confesse *90* Jésus-Christ venu dans la chair est de Dieu » (1 Jn 4, 2). Telle est la joyeuse conviction de l'Église dès son commencement, lorsqu'elle chante « le grand mystère de la piété » : « Il a été manifesté dans la chair » (1 Tm 3, 16).

III. Vrai Dieu et vrai homme

464 L'événement unique et tout à fait singulier de l'Incarnation du Fils de Dieu ne signifie pas que Jésus-Christ soit en partie Dieu et en partie homme, ni le résultat du mélange confus entre le divin et l'humain. Il s'est fait vraiment homme en restant vraiment Dieu. Jésus-Christ est vrai Dieu et vrai homme. Cette vérité de foi *88* l'Église a dû la défendre et la clarifier au cours des premiers siècles face à des hérésies qui la falsifiaient.

465 Les premières hérésies ont moins nié la divinité du Christ que son humanité vraie (docétisme gnostique). Dès les temps apostoliques la foi chrétienne a insisté sur la vraie incarnation du Fils de Dieu, « venu dans la chair [1] ». Mais dès le troisième siècle, l'Église a dû affirmer contre Paul de Samosate, dans un Concile réuni à Antioche, que Jésus-Christ est Fils de Dieu par nature et non par adoption. Le premier Concile œcuménique de Nicée, en 325, confessa dans son Credo que le Fils de Dieu est « engendré, non pas créé, de la même substance *(homousios)* que *242* le Père » et condamna Arius qui affirmait que « le Fils de Dieu est sorti du néant [2] » et « d'une autre substance que le Père [3] ».

466 L'hérésie nestorienne voyait dans le Christ une personne humaine conjointe à la personne divine du Fils de Dieu. Face à elle S. Cyrille d'Alexandrie et le troisième Concile œcuménique réuni à Ephèse en 431 ont confessé que « le Verbe, en s'unissant dans sa personne une chair animée par une âme rationnelle, est devenu homme [4] ». L'humanité du Christ n'a d'autre sujet que la personne divine du Fils de Dieu qui l'a assumée et faite sienne dès sa conception. Pour cela le Concile d'Ephèse a proclamé en 431 que Marie est devenue en toute vérité Mère de Dieu *495* par la conception humaine du Fils de Dieu dans son sein : « Mère de Dieu, non parce que le Verbe de Dieu a tiré d'elle sa nature divine, mais parce que

---

1. Cf. 1 Jn 4, 2-3; 2 Jn 7. - 2. DS 130. - 3. DS 126. - 4. DS 250.

c'est d'elle qu'Il tient le corps sacré doté d'une âme rationnelle, uni auquel en sa personne le Verbe est dit naître selon la chair [1]. »

467 Les monophysites affirmaient que la nature humaine avait cessé d'exister comme telle dans le Christ en étant assumée par sa personne divine de Fils de Dieu. Confronté à cette hérésie, le quatrième Concile œcuménique, à Chalcédoine, a confessé en 451 :

> À la suite des saints Pères, nous enseignons unanimement à confesser un seul et même Fils, notre Seigneur Jésus-Christ, le même parfait en divinité et parfait en humanité, le même vraiment Dieu et vraiment homme, composé d'une âme rationnelle et d'un corps, consubstantiel au Père selon la divinité, consubstantiel à nous selon l'humanité, « semblable à nous en tout, à l'exception du péché » (He 4, 15); engendré du Père avant tout les siècles selon la divinité, et en ces derniers jours, pour nous et pour notre salut, né de la Vierge Marie, Mère de Dieu, selon l'humanité.
>
> Un seul et même Christ, Seigneur, Fils unique, que nous devons reconnaître en deux natures, sans confusion, sans changement, sans division, sans séparation. La différence des natures n'est nullement supprimée par leur union, mais plutôt les propriétés de chacune sont sauvegardées et réunies en une seule personne et une seule hypostase [2].

468 Après le Concile de Chalcédoine, certains firent de la nature humaine du Christ une sorte de sujet personnel. Le cinquième Concile œcuménique, à Constantinople en 553, a confessé contre eux : « Il n'y a qu'une seule hypostase [ou personne], qui est notre Seigneur Jésus-Christ, *un de la Trinité* [3]. » Tout dans l'humanité du Christ doit donc être attribué à sa personne divine comme à son sujet propre [4], non seulement les miracles mais aussi les souffrances [5] et même la mort : « Celui qui a été crucifié dans la chair, notre Seigneur Jésus-Christ, est vrai Dieu, Seigneur de la gloire et Un de la Sainte Trinité [6]. »

254

616

469 L'Église confesse ainsi que Jésus est inséparablement vrai Dieu et vrai homme. Il est vraiment le Fils de Dieu qui s'est fait homme, notre frère, et cela sans cesser d'être Dieu, notre Seigneur :

212

> « Il resta ce qu'Il était, Il assuma ce qu'Il n'était pas », chante la liturgie romaine [7]. Et la liturgie de S. Jean Chrysostome proclame et chante : « Ô Fils unique et Verbe de Dieu, étant immortel, tu as daigné pour notre salut t'incarner de la sainte Mère de Dieu et toujours Vierge Marie, qui sans changement es devenu homme, et qui as été crucifié, Ô Christ Dieu, qui, par ta mort as écrasé la mort, qui es Un de la Sainte Trinité, glorifié avec le Père et le Saint-Esprit, sauve-nous [8] ! »

IV. Comment le Fils de Dieu est-Il homme ?

470 Parce que dans l'union mystérieuse de l'Incarnation « la nature humaine a été assumée, non absorbée [9] », l'Église a été amenée au cours des siècles à confesser

---

1. DS 251. - 2. DS 301-302. - 3. DS 424. - 4. Cf. déjà Cc. Ephèse : DS 255. - 5. Cf. DS 424. - 6. DS 432. - 7. LH, antienne des laudes du premier janvier; cf. S. Léon le Grand, serm. 21, 2-3. - 8. Tropaire « O monoghenis ». - 9. GS 22, § 2.

la pleine réalité de l'âme humaine, avec ses opérations d'intelligence et de volonté, et du corps humain du Christ. Mais parallèlement, elle a eu à rappeler à chaque fois que la nature humaine du Christ appartient en propre à la personne divine du Fils de Dieu qui l'a assumée. Tout ce qu'Il est et ce qu'Il fait en elle relève « d'Un de la Trinité ». Le Fils de Dieu communique donc à son humanité son propre mode d'exister personnel dans la Trinité. Ainsi, dans son âme comme dans son corps, le Christ exprime humainement les moeurs divines de la Trinité[1] :

516

626

> Le Fils de Dieu a travaillé avec des mains d'homme, Il a pensé avec une intelligence d'homme, Il a agi avec une volonté d'homme, Il a aimé avec un coeur d'homme. Né de la Vierge Marie, il est vraiment devenu l'un de nous, en tout semblable à nous, hormis le péché[2].

2599

L'âme et la connaissance humaine du Christ

471   Apollinaire de Laodicée affirmait que dans le Christ le Verbe avait remplacé l'âme ou l'esprit. Contre cette erreur l'Église a confessé que le Fils éternel a assumé aussi une âme raisonnable humaine[3].

363

472   Cette âme humaine que le Fils de Dieu a assumée est douée d'une vraie connaissance humaine. En tant que telle celle-ci ne pouvait pas être de soi illimitée : elle était exercée dans les conditions historiques de son existence dans l'espace et le temps. C'est pourquoi le Fils de Dieu a pu accepter en se faisant homme de « croître en sagesse, en taille et en grâce » (Lc 2, 52) et même d'avoir à s'enquérir[4]. Cela correspondait à la réalité de son abaissement volontaire dans « la condition d'esclave » (Ph 2,7).

473   Mais en même temps, cette connaissance vraiment humaine du Fils de Dieu exprimait la vie divine de sa personne[5]. « La nature humaine du Fils de Dieu, *non par elle-même mais par son union au Verbe*, connaissait et manifestait en elle tout ce qui convient à Dieu[6]. » C'est en premier lieu le cas de la connaissance intime et immédiate que le Fils de Dieu fait homme a de son Père[7]. Le Fils montrait aussi dans sa connaissance humaine la pénétration divine qu'Il avait des pensées secrètes du coeur des hommes[8].

240

474   De par son union à la Sagesse divine en la personne du Verbe incarné, la connaissance humaine du Christ jouissait en plénitude de la science des desseins éternels qu'Il était venu révéler[9]. Ce qu'Il reconnaît ignorer dans ce domaine[10], Il déclare ailleurs n'avoir pas mission de le révéler[11].

---

1. Cf. Jn 14, 9-10. - 2. GS 22, § 2. - 3. Cf. DS 149. - 4. Cf. Mc 6, 38; Mc 8, 27; Jn 11, 34; etc. - 5. Cf. S. Grégoire le Grand ep. 10, 39 : DS 475. - 6. S. Maxime le Confesseur, qu. dub. 66. - 7. Cf. Mc 14, 36; Mt 11, 27; Jn 1, 18; 8, 55; etc. - 8. Cf. Mc 2, 8; Jn 2, 25; 6, 61; etc. - 9. Cf. Mc 8, 31; 9, 31; 10, 33-34; 14, 18-20. 26-30. - 10. Cf. Mc 13, 32. - 11. Cf. Ac 1, 7.

La volonté humaine du Christ

475   De manière parallèle, l'Église a confessé au sixième Concile œcuménique [1] que le Christ possède deux volontés et deux opérations naturelles, divines et humaines, non pas opposées, mais coopérantes, de sorte que le Verbe fait chair a voulu humainement dans l'obéissance à son Père tout ce qu'Il a décidé divinement avec le Père et le Saint-Esprit pour notre salut [2]. La volonté humaine du Christ « suit sa volonté divine, sans être en résistance ni en opposition vis-à-vis d'elle, mais bien plutôt en étant subordonnée à cette volonté toute-puissante [3] ».

2008
2824

Le vrai corps du Christ

476   Puisque le Verbe s'est fait chair en assumant une vraie humanité, le corps du Christ était délimité [4]. À cause de cela, le visage humain de Jésus peut être « dépeint » (Ga 3, 2). Au sixième Concile œcuménique [5], l'Église a reconnu comme légitime qu'il soit représenté sur des images saintes.

1159-1162
2129-2132

477   En même temps l'Église a toujours reconnu que, dans le corps de Jésus, « Dieu qui est par nature invisible est devenu visible à nos yeux [6] ». En effet, les particularités individuelles du corps du Christ expriment la personne divine du Fils de Dieu. Celui-ci a fait siens les traits de son corps humain au point que, dépeints sur une image sainte, ils peuvent être vénérés car le croyant qui vénère son image, « vénère en elle la personne qui y est dépeinte [7] ».

Le Coeur du Verbe incarné

478   Jésus nous a tous et chacun connus et aimés durant sa vie, son agonie et sa passion et Il s'est livré pour chacun de nous : « Le Fils de Dieu m'a aimé et s'est livré pour moi » (Ga 2, 20). Il nous a tous aimés d'un coeur humain. Pour cette raison, le Coeur sacré de Jésus, transpercé par nos péchés et pour notre salut [8], « est considéré comme le signe et le symbole éminents... de cet amour que le divin Rédempteur porte sans cesse au père éternel et à tous les hommes sans exception [9] ».

487
368
2669

766

EN BREF

479   *Au temps établi par Dieu, le Fils unique du Père, la Parole éternelle, c'est-à-dire le Verbe et l'Image substantielle du Père, s'est incarné : sans perdre la nature divine Il a assumé la nature humaine.*

480   *Jésus-Christ est vrai Dieu et vrai homme, dans l'unité de sa Personne divine; pour cette raison Il est l'unique Médiateur entre Dieu et les hommes.*

---

1. Cc. Constantinople III en 681. - 2. Cf. DS 556-559. - 3. DS 556. - 4. Cf. Cc. Latran en 649 : DS 504. - 5. Cc. Nicée II en 787 : DS 600-603. - 6. Préface de Noël. - 7. Cc. Nicée II : DS 601. - 8. Cf. Jn 19, 34. - 9. Pie XII, Enc. « Haurietis aquas » : DS 3924; cf. DS 3812.

481 *Jésus-Christ possède deux natures, la divine et l'humaine, non confondues, mais unies dans l'unique Personne du Fils de Dieu.*

482 *Le Christ, étant vrai Dieu et vrai homme, a une intelligence et une volonté humaines, parfaitement accordées et soumises à son intelligence et à sa volonté divines, qu'Il a en commun avec le Père et le Saint-Esprit.*

483 *L'Incarnation est donc le mystère de l'admirable union de la nature divine et de la nature humaine dans l'unique Personne du Verbe.*

PARAGRAPHE 2. « ... *Conçu du Saint-Esprit, né de la Vierge Marie* »

I. Conçu du Saint-Esprit...

484 L'Annonciation à Marie inaugure la « plénitude des temps » (Ga 4, 4), c'est-à-dire l'accomplissement des promesses et des préparations. Marie est invitée à concevoir Celui en qui habitera « corporellement la plénitude de la divinité » (Col 2, 9). *461* La réponse divine à sa question : « Comment cela se fera-t-il, puisque je ne connais point d'homme ? » (Lc 1, 34) est donnée par la puissance de l'Esprit: « L'Esprit Saint viendra sur toi » (Lc 1, 35). *721*

485 La mission de l'Esprit Saint est toujours conjointe et ordonnée à celle du Fils[1]. L'Esprit Saint est envoyé pour sanctifier le sein de la Vierge Marie et la féconder divinement, Lui qui est « le Seigneur qui donne la Vie », en faisant qu'elle *689, 723* conçoive le Fils éternel du Père dans une humanité tirée de la sienne.

486 Le Fils unique du Père en étant conçu comme homme dans le sein de la Vierge Marie est « Christ », c'est-à-dire oint par l'Esprit Saint[2], dès le début de son *437* existence humaine, même si sa manifestation n'a lieu que progressivement : aux bergers[3], aux mages[4], à Jean-Baptiste[5], aux disciples[6]. Toute la vie de Jésus-Christ manifestera donc « comment Dieu l'a oint d'Esprit et de puissance » (Ac 10, 38).

II. ... né de la Vierge Marie

487 Ce que la foi catholique croit au sujet de Marie se fonde sur ce qu'elle croit au sujet du Christ, mais ce qu'elle enseigne sur Marie éclaire à son tour sa foi au *963* Christ.

---

1. Cf. Jn 16, 14-15. - 2. Cf. Mt 1, 20; Lc 1, 35. - 3. Cf. Lc 2, 8-20. - 4. Cf. Mt 2, 1-12. - 5. Cf. Jn 1, 31-34. - 6. Cf. Jn 2, 11.

La prédestination de Marie

488 « Dieu a envoyé son Fils » (Ga 4, 4), mais pour Lui « façonner un corps [1] » Il a voulu la libre coopération d'une créature. Pour cela, de toute éternité, Dieu a choisi, pour être la Mère de son Fils, une fille d'Israël, une jeune juive de Nazareth en Galilée, « une vierge fiancée à un homme du nom de Joseph, de la maison de David, et le nom de la vierge était Marie » (Lc 1, 26-27) :

> Le Père des miséricordes a voulu que l'Incarnation fût précédée par une accepta-
> tion de la part de cette Mère prédestinée, en sorte que, une femme ayant contribué
> à l'oeuvre de mort, de même une femme contribuât aussi à la vie [2].

722
410
145

64

489 Tout au long de l'Ancienne Alliance, la mission de Marie a été *préparée* par celle de saintes femmes. Tout au commencement, il y a Ève : malgré sa désobéis-sance, elle reçoit la promesse d'une descendance qui sera victorieuse du Malin [3] et celle d'être la mère de tous les vivants [4]. En vertu de cette promesse, Sara conçoit un fils malgré son grand âge [5]. Contre toute attente humaine, Dieu choisit ce qui était tenu pour impuissant et faible [6] pour montrer sa fidélité à sa promesse : Anne, la mère de Samuel [7], Débora, Ruth, Judith et Esther, et beaucoup d'autres femmes. Marie « occupe la première place parmi ces humbles et ces pauvres du Seigneur qui espèrent et reçoivent le salut de Lui avec confiance. Avec elle, la fille de Sion par excellence, après la longue attente de la promesse, s'accomplissent les temps et s'instaure l'économie nouvelle [8] ».

L'Immaculée Conception

2676, 2853

2001

490 Pour être la Mère du Sauveur, Marie « fut pourvue par Dieu de dons à la mesure d'une si grande tâche [9] ». L'Ange Gabriel, au moment de l'Annonciation la salue comme « pleine de grâce [10] ». En effet, pour pouvoir donner l'assentiment libre de sa foi à l'annonce de sa vocation, il fallait qu'elle fût toute portée par la grâce de Dieu.

411

491 Au long des siècles l'Église a pris conscience que Marie, « comblée de grâce » par Dieu (Lc 1, 28), avait été rachetée dès sa conception. C'est ce que confesse le dogme de l'Immaculée Conception, proclamé en 1854 par le Pape Pie IX :

> La bienheureuse Vierge Marie a été, au premier instant de sa conception, par une
> grâce et une faveur singulière du Dieu Tout-Puissant, en vue des mérites de Jésus-
> Christ Sauveur du genre humain, préservée intacte de toute souillure du péché
> originel [11].

---

1. Cf. He 10, 5. - 2. LG 56; cf. 61. - 3. Cf. Gn 3, 15. - 4. Cf. Gn 3, 20. - 5. Cf. Gn 18, 10-14; 21, 1-2.
- 6. Cf. 1 Co 1, 27. - 7. Cf. 1 S 1. - 8. LG 55. - 9. LG 56. - 10. Lc 1, 28. - 11. DS 2803.

492   Cette « sainteté éclatante absolument unique » dont elle est « enrichie dès le premier instant de sa conception [1] » lui vient tout entière du Christ : elle est « rachetée de façon éminente en considération des mérites de son Fils [2] ». Plus que toute autre personne créée, le Père l'a « bénie par toutes sortes de bénédictions spirituelles, aux cieux, dans le Christ » (Ep 1, 3). Il l'a « élue en Lui, dès avant la fondation du monde, pour être sainte et immaculée en sa présence, dans l'amour [3] ».

2011
1077

493   Les Pères de la tradition orientale appellent la Mère de Dieu « la Toute Sainte » (*Panaghia*), ils la célèbrent comme « indemne de toute tache de péché, ayant été pétrie par l'Esprit Saint, et formée comme une nouvelle créature [4] ». Par la grâce de Dieu, Marie est restée pure de tout péché personnel tout au long de sa vie.

« Qu'il me soit fait selon ta parole... »

494   À l'annonce qu'elle enfantera « le Fils du Très Haut » sans connaître d'homme, par la vertu de l'Esprit Saint [5], Marie a répondu par « l'obéissance de la foi » (Rm 1, 5), certaine que « rien n'est impossible à Dieu » : « Je suis la servante du Seigneur; qu'il m'advienne selon ta parole » (Lc 1, 37-38). Ainsi, donnant à la parole de Dieu son consentement, Marie devint Mère de Jésus et, épousant à plein coeur, sans que nul péché la retienne, la volonté divine de salut, se livra elle-même intégralement à la personne et à l'oeuvre de son Fils, pour servir, dans sa dépendance et avec Lui, par la grâce de Dieu, au mystère de la Rédemption [6] :

2617, 148

968

> Comme dit S. Irénée, « par son obéissance elle est devenue, pour elle-même et pour tout le genre humain, cause de salut ». Aussi, avec lui, bon nombre d'anciens Pères disent : « Le noeud dû à la désobéissance d'Ève, s'est dénoué par l'obéissance de Marie; ce que la vierge Ève avait noué par son incrédulité, la Vierge Marie l'a dénoué par sa foi »; comparant Marie avec Ève, ils appellent Marie « la Mère des vivants » et déclarent souvent : « Par Ève la mort, par Marie la vie [7]. »

726

La maternité divine de Marie

495   Appelée dans les Évangiles « la Mère de Jésus » (Jn 2, 1; 19, 25) [8], Marie est acclamée, sous l'impulsion de l'Esprit, dès avant la naissance de son fils, comme « la Mère de mon Seigneur » (Lc 1, 43). En effet, Celui qu'elle a conçu comme homme du Saint-Esprit et qui est devenu vraiment son Fils selon la chair, n'est

---

1. LG 56. - 2. LG 53. - 3. Cf. Ep 1, 4. - 4. LG 56. - 5. Cf. Lc 1, 28-37. - 6. Cf. LG 56. - 7. LG 56. - 8. Cf. Mt 13, 55.

autre que le Fils éternel du Père, la deuxième Personne de la Sainte Trinité.
466, 2677 L'Église confesse que Marie est vraiment *Mère de Dieu (Theotokos)* [1].

La virginité de Marie

496 Dès les premières formulations de la foi [2], l'Église a confessé que Jésus a été
conçu par la seule puissance du Saint-Esprit dans le sein de la Vierge Marie, affir-
mant aussi l'aspect corporel de cet événement : Jésus a été conçu « de l'Esprit Saint
sans semence virile [3] ». Les Pères voient dans la conception virginale le signe que
c'est vraiment le Fils de Dieu qui est venu dans une humanité comme la nôtre :

> Ainsi, S. Ignace d'Antioche (début IIe siècle) : « Vous êtes fermement convaincus au
> sujet de notre Seigneur qui est véritablement de la race de David selon la chair [4],
> Fils de Dieu selon la volonté et la puissance de Dieu [5], véritablement né d'une
> vierge, (...) Il a été véritablement cloué pour nous dans sa chair sous Ponce Pilate
> (...) Il a véritablement souffert, comme il est aussi véritablement ressuscité [6]. »

497 Les récits évangéliques [7] comprennent la conception virginale comme une
oeuvre divine qui dépasse toute compréhension et toute possibilité humaines [8] :
« Ce qui a été engendré en elle vient de l'Esprit Saint », dit l'Ange à Joseph au sujet
de Marie, sa fiancée (Mt 1, 20). L'Église y voit l'accomplissement de la promesse
divine donnée par le prophète Isaïe: « Voici que la Vierge concevra et enfantera un
fils » (Is 7, 14), d'après la traduction grecque de Mt 1, 23.

498 On a été parfois troublé par le silence de l'Évangile de S. Marc et des Épîtres du Nouveau
Testament sur la conception virginale de Marie. On a aussi pu se demander s'il ne s'agissait pas ici
de légendes ou de constructions théologiques sans prétentions historiques. À quoi il faut répondre :
La foi en la conception virginale de Jésus a rencontré vive opposition, moqueries ou incompréhen-
sion de la part des non-croyants, juifs et païens [9]: elle n'était pas motivée par la mythologie païenne
90   ou par quelque adaptation aux idées du temps. Le sens de cet événement n'est accessible qu'à la foi
qui le voit dans ce « lien qui relie les mystères entre eux [10] », dans l'ensemble des mystères du Christ,
de son Incarnation à sa Pâque. S. Ignace d'Antioche témoigne déjà de ce lien : « Le prince de ce
monde a ignoré la virginité de Marie et son enfantement, de même que la mort du Seigneur: trois
2717   mystères retentissants qui furent accomplis dans le silence de Dieu » (Eph. 19, 1) [11].

Marie – « toujours vierge »

499 L'approfondissement de sa foi en la maternité virginale a conduit l'Église à
confesser la virginité réelle et perpétuelle de Marie [12] même dans l'enfantement du

---

1. Cf. DS 251. - 2. Cf. DS 10-64. - 3. Cc. Latran en 649 : DS 503. - 4. Cf. Rm 1, 3. - 5. Cf. Jn 1, 13.
- 6. Smyrn. 1-2. - 7. Cf. Mt 1, 18-25; Lc 1, 26-38. - 8. Cf. Lc 1, 34. - 9. Cf. S. Justin, dial. 99, 7; Origène,
Cels. 1, 32. 69; e.a. - 10. DS 3016. - 11. Cf. 1 Co 2, 8. - 12. Cf. DS 427.

Fils de Dieu fait homme[1]. En effet la naissance du Christ « n'a pas diminué, mais consacré l'intégrité virginale » de sa mère[2]. La liturgie de l'Église célèbre Marie comme la *Aeiparthenos,* « toujours vierge »[3].

500 À cela on objecte parfois que l'Écriture mentionne des frères et sœurs de Jésus[4]. L'Église a toujours compris ces passages comme ne désignant pas d'autres enfants de la Vierge Marie : en effet Jacques et Joseph, « frères de Jésus » (Mt 13, 55), sont les fils d'une Marie disciple du Christ[5] qui est désignée de manière significative comme « l'autre Marie » (Mt 28, 1). Il s'agit de proches parents de Jésus, selon une expression connue de l'Ancien Testament[6].

501 Jésus est le Fils unique de Marie. Mais la maternité spirituelle de Marie[7] s'étend à tous les hommes qu'Il est venu sauver : « Elle engendra son Fils, dont *969* Dieu a fait "l'aîné d'une multitude de frères" (Rm 8, 29), c'est-à-dire de croyants, à la naissance et à l'éducation desquels elle apporte la coopération de son amour *970* maternel[8]. »

La maternité virginale de Marie dans le dessein de Dieu

502 Le regard de la foi peut découvrir, en lien avec l'ensemble de la Révélation, les raisons mystérieuses pour lesquelles Dieu, dans son dessein salvifique, a voulu *90* que son Fils naisse d'une vierge. Ces raisons touchent aussi bien la personne et la mission rédemptrice du Christ que l'accueil de cette mission par Marie pour tous les hommes :

503 La virginité de Marie manifeste l'initiative absolue de Dieu dans l'Incarnation. Jésus n'a que Dieu comme Père[9]. « La nature humaine qu'il a prise ne l'a jamais éloigné du Père (...); naturelle- *422* ment Fils de son Père par sa divinité, naturellement fils de sa mère par son humanité, mais propre- ment Fils de Dieu dans ses deux natures[10]. »

504 Jésus est conçu du Saint-Esprit dans le sein de la Vierge Marie parce qu'Il est *le Nouvel Adam*[11] qui inaugure la création nouvelle : « Le premier homme, issu du sol, est terrestre; le second *359* homme, Lui, vient du ciel » (1 Co 15, 47). L'humanité du Christ est, dès sa conception, remplie de l'Esprit Saint car Dieu « Lui donne l'Esprit sans mesure » (Jn 3, 34). C'est de « sa plénitude » à Lui, tête de l'humanité rachetée[12], que « nous avons reçu grâce sur grâce » (Jn 1, 16)

505 Jésus, le Nouvel Adam, inaugure par sa conception virginale *la nouvelle naissance* des enfants d'adoption dans l'Esprit Saint par la foi. « Comment cela se fera-t-il ? » (Lc 1, 34.)[13] La partici- *1265* pation à la vie divine ne vient pas « du sang, ni du vouloir de chair, ni du vouloir d'homme, mais de Dieu » (Jn 1, 13). L'accueil de cette vie est virginal car celle-ci est entièrement donnée par l'Esprit à l'homme. Le sens sponsal de la vocation humaine par rapport à Dieu[14] est accompli parfaitement dans la maternité virginale de Marie.

506 Marie est vierge parce que sa virginité est *le signe de sa foi* « que nul doute n'altère[15] » et de sa donation sans partage à la volonté de Dieu[16]. C'est sa foi qui lui donne de devenir la mère *148, 1814*

---

1. Cf. DS 291; 294; 442; 503; 571; 1880. - 2. LG 57. - 3. Cf. LG 52. - 4. Cf. Mc 3, 31-35; 6, 3; 1 Co 9, 5; Ga 1, 19. - 5. Cf. Mt 27, 56. - 6. Cf. Gn 13, 8; 14, 16; 29, 15; etc. - 7. Cf. Jn 19, 26-27; Ap 12, 17. - 8. LG 63. - 9. Cf. Lc 2, 48-49. - 10. Cc. Frioul en 796 : DS 619. - 11. Cf. 1 Co 15, 45. - 12. Cf. Col 1, 18. - 13. Cf. Jn 3, 9. - 14. Cf. 2 Co 11, 2. - 15. LG 63. - 16. Cf. 1 Co 7, 34-35.

du Sauveur : « Bienheureuse Marie, plus encore parce qu'elle a reçu la foi du Christ que parce qu'elle a conçu la chair du Christ[1]. »

507 Marie est à la fois vierge et mère car elle est la figure et la plus parfaite réalisation de l'Église[2]: « L'Église devient à son tour une Mère, grâce à la parole de Dieu qu'elle reçoit dans la foi: par la prédication en effet, et par le Baptême elle engendre, à une vie nouvelle et immortelle, des fils conçus du Saint-Esprit et nés de Dieu. Elle est aussi vierge, ayant donné à son Époux sa foi, qu'elle garde intègre et pure[3]. »

EN BREF

508 *Dans la descendance d'Ève, Dieu a choisi la Vierge Marie pour être la Mère de son Fils. « Pleine de grâce », elle est « le fruit le plus excellent de la Rédemption[4] » : dès le premier instant de sa conception, elle est totalement préservée de la tache du péché originel et elle est restée pure de tout péché personnel tout au long de sa vie.*

509 *Marie est vraiment « Mère de Dieu » puisqu'elle est la mère du Fils éternel de Dieu fait homme, qui est Dieu lui-même.*

510 *Marie « est restée vierge en concevant son Fils, vierge en l'enfantant, vierge en le portant, vierge en le nourrissant de son sein, vierge toujours[5] » : de tout son être elle est « la servante du Seigneur » (Lc 1, 38).*

511 *La Vierge Marie a « coopéré au salut des hommes avec sa foi et son obéissance libres[6] ». Elle a prononcé son oui « au nom de toute la nature humaine[7] » : Par son obéissance, elle est devenue la nouvelle Ève, mère des vivants.*

PARAGRAPHE 3. *Les mystères de la Vie du Christ*

512 Le Symbole de la foi ne parle, concernant la vie du Christ, que des mystères de l'Incarnation (conception et naissance) et de la Pâque (passion, crucifixion, mort, sépulture, descente aux enfers, résurrection, ascension). Il ne dit rien, explicitement, des mystères de la vie cachée et publique de Jésus, mais les articles de la foi concernant l'Incarnation et la Pâque de Jésus éclairent *toute* la vie terrestre du Christ. « Tout ce que Jésus a fait et enseigné, depuis le commencement jusqu'au jour où (...) Il fut enlevé au ciel » (Ac 1, 1-2) est à voir à la lumière des mystères de Noël et de Pâques.

1. S. Augustin, virg. 3. - 2. Cf. LG 63. - 3. LG 64. - 4. SC 103. - 5. S. Augustin, serm. 186, 1. - 6. LG 56. - 7. S. Thomas d'A., s. th. 3, 30, 1.

513 La catéchèse, selon les circonstances, déploiera toute la richesse des mystères de Jésus. Ici il suffit d'indiquer quelques éléments communs à tous les mystères de la vie du Christ *(I)*, pour esquisser ensuite les principaux mystères de la vie cachée *(II)* et publique *(III)* de Jésus.

426, 561

I. Toute la vie du Christ est mystère

514 Beaucoup de choses qui intéressent la curiosité humaine au sujet de Jésus ne figurent pas dans les Évangiles. Presque rien n'est dit sur sa vie à Nazareth, et même une grande part de sa vie publique n'est pas relatée[1]. Ce qui a été écrit dans les Évangiles, l'a été « pour que vous croyiez que Jésus est le Christ, le Fils de Dieu, et qu'en croyant vous ayez la vie en son nom » (Jn 20, 31).

515 Les Évangiles sont écrits par des hommes qui ont été parmi les premiers à avoir la foi[2] et qui veulent la faire partager à d'autres. Ayant connu dans la foi qui est Jésus, ils ont pu voir et faire voir les traces de son mystère dans toute sa vie terrestre. Des langes de sa nativité[3] jusqu'au vinaigre de sa passion[4] et au suaire de sa Résurrection[5], tout dans la vie de Jésus est signe de son mystère. À travers ses gestes, ses miracles, ses paroles, il a été révélé qu'« en Lui habite corporellement toute la plénitude de la divinité » (Col 2, 9). Son humanité apparaît ainsi comme le « sacrement », c'est-à-dire le signe et l'instrument de sa divinité et du salut qu'Il apporte : ce qu'il y avait de visible dans sa vie terrestre conduisit au mystère invisible de sa filiation divine et de sa mission rédemptrice.

126

609, 774

477

Les traits communs des mystères de Jésus

516 Toute la vie du Christ est *Révélation* du Père : ses paroles et ses actes, ses silences et ses souffrances, sa manière d'être et de parler. Jésus peut dire : « Qui me voit, voit le Père » (Jn 14, 9), et le Père : « Celui-ci est mon Fils bien-aimé; écoutez-le » (Lc 9, 35). Notre Seigneur s'étant fait homme pour accomplir la volonté du Père[6], les moindres traits de ses mystères nous manifestent « l'amour de Dieu pour nous » (1 Jn 4, 9).

65

2708

517 Toute la vie du Christ est mystère de *Rédemption*. La Rédemption nous vient avant tout par le sang de la Croix[7], mais ce mystère est à l'œuvre dans toute la vie du Christ : dans son Incarnation déjà, par laquelle, en se faisant pauvre, Il nous enrichit par sa pauvreté[8]; dans sa vie cachée qui, par sa soumission[9], répare notre insoumission; dans sa parole qui purifie ses auditeurs[10]; dans ses guérisons et ses exorcismes, par lesquels « Il a pris nos infirmités et s'est chargé de nos maladies » (Mt 8, 17)[11]; dans sa Résurrection, par laquelle Il nous justifie[12].

606, 1115

---

1. Cf. Jn 20, 30. - 2. Cf. Mc 1, 1; Jn 21, 24. - 3. Cf. Lc 2, 7. - 4. Cf. Mt 27, 48. - 5. Cf. Jn 20, 7. - 6. Cf. He 10, 5-7. - 7. Cf. Ep 1, 7; Col 1, 13-14; 1 P 1, 18-19. - 8. Cf. 2 Co 8, 9. - 9. Cf. Lc 2, 51. - 10. Cf. Jn 15, 3. - 11. Cf. Is 53, 4. - 12. Cf. Rm 4, 25.

518 Toute la vie du Christ est mystère de *Récapitulation*. Tout ce que Jésus a fait, dit et souffert, avait pour but de rétablir l'homme déchu dans sa vocation première :

668, 2748

> Lorsqu'Il s'est incarné et s'est fait homme, Il a récapitulé en Lui-même la longue histoire des hommes et nous a procuré le salut en raccourci, de sorte que ce que nous avions perdu en Adam, c'est-à-dire d'être à l'image et à la ressemblance de Dieu, nous le recouvrions dans le Christ Jésus[1]. C'est d'ailleurs pourquoi le Christ est passé par tous les âges de la vie, rendant par là à tous les hommes la communion avec Dieu[2].

Notre communion aux mystères de Jésus

519 Toute la richesse du Christ « est destinée à tout homme et constitue le bien de chacun[3] ». Le Christ n'a pas vécu sa vie pour Lui-même, mais *pour nous*, de son Incarnation « pour nous les hommes et pour notre salut » jusqu'à sa mort « pour nos péchés » (1 Co 15, 3) et à sa Résurrection « pour notre justification » (Rm 4, 25). Maintenant encore, Il est « notre avocat auprès au Père » (1 Jn 2, 1), « étant toujours vivant pour intercéder en notre faveur » (He 7, 25). Avec tout ce qu'Il a vécu et souffert pour nous une fois pour toutes, Il reste présent pour toujours « devant la face de Dieu en notre faveur » (He 9, 24).

793, 602

1085

520 En toute sa vie, Jésus se montre comme notre modèle[4] : Il est « l'homme parfait[5] » qui nous invite à devenir ses disciples et à Le suivre : par son abaissement, Il nous a donné un exemple à imiter[6], par sa prière, Il attire à la prière[7], par sa pauvreté, Il appelle à accepter librement le dénuement et les persécutions[8].

459, 359

2607

521 Tout ce que le Christ a vécu, Il fait que nous puissions *le vivre en Lui* et qu'Il *le vive en nous*. « Par son Incarnation, le Fils de Dieu s'est en quelque sorte uni Lui-même à tout homme[9]. » Nous sommes appelés à ne faire plus qu'un avec Lui ; ce qu'Il a vécu dans sa chair pour nous et comme notre modèle, Il nous y fait communier comme les membres de son Corps :

2715

1391

> Nous devons continuer et accomplir en nous les états et mystères de Jésus, et le prier souvent qu'Il les consomme et accomplisse en nous et en toute son Église (...). Car le Fils de Dieu a dessein de mettre une participation, et de faire comme une extension et continuation de ses mystères en nous et en toute son Église, par les grâces qu'Il veut nous communiquer, et par les effets qu'Il veut opérer en nous par ces mystères. Et par ce moyen il veut les accomplir en nous[10].

II. Les mystères de l'enfance et de la vie cachée de Jésus

Les préparations

522 La venue du Fils de Dieu sur la terre est un événement si immense que Dieu a voulu le préparer pendant des siècles. Rites et sacrifices, figures et symboles de la

711, 762

1. S. Irénée, haer. 3, 18, 1. - 2. *Ibid*. 3, 18, 7 ; cf. 2, 22, 4. - 3. RH 11. - 4. Cf. Rm 15, 5 ; Ph 2, 5. - 5. GS 38. - 6. Cf. Jn 13, 15. - 7. Cf. Lc 11, 1. - 8. Cf. Mt 5, 11-12. - 9. GS 22, § 2. - 10. S. Jean Eudes, regn.

« Première alliance » (He 9, 15), Il fait tout converger vers le Christ; Il l'annonce par la bouche des prophètes qui se succèdent en Israël. Il éveille par ailleurs dans le coeur des païens l'obscure attente de cette venue.

523 *Saint Jean le Baptiste* est le précurseur [1] immédiat du Seigneur, envoyé pour Lui préparer le chemin [2]. « Prophète du Très-Haut » (Lc 1, 76), il dépasse tous les prophètes [3], il en est le dernier [4], il inaugure l'Évangile [5]; il salue la venue du Christ dès le sein de sa mère [6] et il trouve sa joie à être « l'ami de l'époux » (Jn 3, 29) qu'il désigne comme « l'Agneau de Dieu qui ôte le péché du monde » (Jn 1, 29). Précédant Jésus « avec l'esprit et la puissance d'Élie » (Lc 1, 17), il lui rend témoignage par sa prédication, son Baptême de conversion et finalement son martyre [7]. *712-720*

524 En célébrant chaque année la *liturgie de l'Avent*, l'Église actualise cette attente du Messie : en communiant à la longue préparation de la première venue du Sauveur, les fidèles renouvellent l'ardent désir de son second Avènement [8]. Par la célébration de la nativité et du martyre du Précurseur, l'Église s'unit à son désir : « Il faut que Lui grandisse et que moi je décroisse » (Jn 3, 30). *1171*

Le mystère de Noël

525 Jésus est né dans l'humilité d'une étable, dans une famille pauvre [9]; de simples bergers sont les premiers témoins de l'événement. C'est dans cette pauvreté que se manifeste la gloire du ciel [10]. L'Église ne se lasse pas de chanter la gloire de cette nuit : *437* *2443*

> La Vierge aujourd'hui met au monde l'Éternel
> Et la terre offre une grotte à l'Inaccessible.
> Les anges et les pasteurs le louent
> Et les mages avec l'étoile s'avancent,
> Car Tu es né pour nous,
> Petit Enfant, Dieu éternel [11] !

526 « Devenir enfant » par rapport à Dieu est la condition pour entrer dans le Royaume [12]; pour cela il faut s'abaisser [13], devenir petit; plus encore : il faut « naître d'en haut » (Jn 3, 7), « naître de Dieu » (Jn 1, 13) pour « devenir enfants de Dieu » (Jn 1, 12). Le mystère de Noël s'accomplit en nous lorsque le Christ « prend forme » en nous (Ga 4, 19). Noël est le mystère de cet « admirable échange » :

> Ô admirable échange ! Le créateur du genre humain, assumant un corps et une âme, a daigné naître d'une vierge et, devenu homme sans l'intervention de l'homme, Il nous a fait don de sa divinité [14]. *460*

---

1. Cf. Ac 13, 24. - 2. Cf. Mt 3, 3. - 3. Cf. Lc 7, 26. - 4. Cf. Mt 11, 13. - 5. Cf. Ac 1, 22; Lc 16, 16. - 6. Cf. Lc 1, 41. - 7. Cf. Mc 6, 17-29. - 8. Cf. Ap 22, 17. - 9. Cf. Lc 2, 6-7. - 10. Cf. Lc 2, 8-20. - 11. Kontakion de Romanos le Mélode. - 12. Cf. Mt 18, 3-4. - 13. Cf. Mt 23, 12. - 14. LH, antienne de l'octave de Noël.

Les mystères de l'enfance de Jésus

527   La *circoncision* de Jésus, le huitième jour après sa naissance[1], est signe de son insertion dans la descendance d'Abraham, dans le peuple de l'alliance, de sa
580 soumission à la loi[2], et de sa députation au culte d'Israël auquel Il participera pen-
1214 dant toute sa vie. Ce signe préfigure la « circoncision du Christ » qu'est le Baptême (Col 2, 11-13).

528   L'*Épiphanie* est la manifestation de Jésus comme Messie d'Israël, Fils de
439 Dieu et Sauveur du monde. Avec le Baptême de Jésus au Jourdain et les noces de Cana[3], elle célèbre l'adoration de Jésus par des « mages » venus d'Orient (Mt 2, 1). Dans ces « mages », représentants des religions païennes environnantes, l'Évangile voit les prémices des nations qui accueillent la Bonne Nouvelle du salut par l'Incarnation. La venue des mages à Jérusalem pour « rendre hommage au roi des Juifs » (Mt 2, 2) montre qu'ils cherchent en Israël, à la lumière messianique de l'étoile de David[4], celui qui sera le roi des nations[5]. Leur venue signifie que les païens ne peuvent découvrir Jésus et L'adorer comme Fils de Dieu et Sauveur du monde qu'en se tournant vers les juifs[6] et en recevant d'eux leur promesse mes-
711-716, 122 sianique telle qu'elle est contenue dans l'Ancien Testament[7]. L'Épiphanie manifeste que « la plénitude des païens entre dans la famille des patriarches[8] » et acquiert la *Israelitica dignita*s[9].

529   La *présentation de Jésus au Temple*[10] Le montre comme le Premier-Né appar-
583 tenant au Seigneur[11]. Avec Siméon et Anne c'est toute l'attente d'Israël qui vient à la *rencontre* de son Sauveur (la tradition byzantine appelle ainsi cet événement).
439 Jésus est reconnu comme le Messie tant attendu, « lumière des nations » et « gloire d'Israël », mais aussi « signe de contradiction ». Le glaive de douleur prédit à Marie
614 annonce cette autre oblation, parfaite et unique, de la Croix qui donnera le salut que Dieu a « préparé à la face de tous les peuples ».

530   La *fuite en Égypte* et le massacre des innocents[12] manifestent l'opposition des ténèbres à la lumière : « Il est venu chez Lui et les siens ne L'ont pas reçu » (Jn
574 1, 11). Toute la vie du Christ sera sous le signe de la persécution. Les siens la partagent avec Lui[13]. Sa montée d'Égypte[14] rappelle l'Exode[15] et présente Jésus comme le libérateur définitif.

Les mystères de la vie cachée de Jésus

531   Pendant la plus grande partie de sa vie, Jésus a partagé la condition de l'immense majorité des hommes : une vie quotidienne sans apparente grandeur, vie

---

1. Cf. Lc 2, 21. - 2. Cf. Ga 4, 4. - 3. Cf. LH, antienne du Magnificat des secondes vêpres de l'Épiphanie. - 4. Cf. Nb 24, 17; Ap 22, 16. - 5. Cf. Nb 24, 17-19. - 6. Cf. Jn 4, 22. - 7. Cf. Mt 2, 4-6. - 8. S. Léon le Grand, serm. 23. - 9. MR, Vigile Pascale 26 : prière après la troisième lecture. - 10. Cf. Lc 2, 22-39. - 11. Cf. Ex 13, 12-13. - 12. Cf. Mt 2, 13-18. - 13. Cf. Jn 15, 20. - 14. Cf. Mt 2, 15. - 15. Cf. Os 11, 1.

de travail manuel, vie religieuse juive soumise à la Loi de Dieu [1], vie dans la communauté. De toute cette période il nous est révélé que Jésus était « soumis » à ses
parents et qu'« Il croissait en sagesse, en taille et en grâce devant Dieu et devant les
hommes » (Lc 2, 51-52).

2427

532 La soumission de Jésus à sa mère et à son père légal accomplit parfaitement
le quatrième commandement. Elle est l'image temporelle de son obéissance filiale
à son Père céleste. La soumission de tous les jours de Jésus à Joseph et à Marie
annonçait et anticipait la soumission du Jeudi Saint : « Non pas ma volonté... » (Lc
22, 42.) L'obéissance du Christ dans le quotidien de la vie cachée inaugurait déjà
l'oeuvre de rétablissement de ce que la désobéissance d'Adam avait détruit [2].

2214-2220

612

533 La vie cachée de Nazareth permet à tout homme de communier à Jésus par
les voies les plus quotidiennes de la vie :

> Nazareth est l'école où l'on commence à comprendre la vie de Jésus : l'école de
> l'Évangile (...). Une leçon de *silence* d'abord. Que naisse en nous l'estime du
> silence, cette admirable et indispensable condition de l'esprit (...). Une leçon de *vie
> familiale*. Que Nazareth nous enseigne ce qu'est la famille, sa communion
> d'amour, son austère et simple beauté, son caractère sacré et inviolable (...).Une
> leçon de *travail*. Nazareth, ô maison du « Fils du Charpentier », c'est ici que nous
> voudrions comprendre et célébrer la loi sévère et rédemptrice du labeur humain
> (...); comme nous voudrions enfin saluer ici tous les travailleurs du monde entier et
> leur montrer leur grand modèle, leur frère divin [3].

2717

2204

2427

534 Le *recouvrement de Jésus au Temple* [4] est le seul événement qui rompt le
silence des Évangiles sur les années cachées de Jésus. Jésus y laisse entrevoir le
mystère de sa consécration totale à une mission découlant de sa filiation divine :
« Ne saviez-vous pas que je me dois aux affaires de mon Père ? » Marie et Joseph
« ne comprirent pas » cette parole, mais ils l'accueillirent dans la foi, et Marie « gar-
dait fidèlement tous ces souvenirs en son coeur », tout au long des années où Jésus
restait enfoui dans le silence d'une vie ordinaire.

583, 2599

964

III. Les mystères de la vie publique de Jésus

Le Baptême de Jésus

535 Le commencement [5] de la vie publique de Jésus est son Baptême par Jean
dans le Jourdain [6]. Jean proclamait « un baptême de repentir pour la rémission des
péchés » (Lc 3, 3). Une foule de pécheurs, publicains et soldats [7], Pharisiens et
Sadducéens [8] et prostituées [9] vient se faire baptiser par lui. « Alors paraît Jésus. » Le

719-720

---

1. Cf. Ga 4, 4. - 2. Cf. Rm 5, 19. - 3. Paul VI, discours 5 janvier 1964 à Nazareth. - 4. Cf. Lc 2, 41-52.
- 5. Cf. Lc 3, 23. - 6. Cf. Ac 1, 22. - 7. Cf. Lc 3, 10-14. - 8. Cf. Mt 3, 7. - 9. Cf. Mt 21, 32.

701
438

Baptiste hésite, Jésus insiste : Il reçoit le Baptême. Alors l'Esprit Saint, sous forme de colombe, vient sur Jésus, et la voix du ciel proclame : « Celui-ci est mon Fils bien-aimé » (Mt 3, 13-17). C'est la manifestation (« Épiphanie ») de Jésus comme Messie d'Israël et Fils de Dieu.

606
1224
444
727
739

536   Le Baptême de Jésus, c'est, de sa part, l'acceptation et l'inauguration de sa mission de Serviteur souffrant. Il se laisse compter parmi les pécheurs[1]; Il est déjà « l'Agneau de Dieu qui ôte le péché du monde » (Jn 1, 29); déjà, Il anticipe le « baptême » de sa mort sanglante[2]. Il vient déjà « accomplir toute justice » (Mt 3, 15), c'est-à-dire qu'Il se soumet tout entier à la volonté de son Père : Il consent par amour à ce baptême de mort pour la rémission de nos péchés[3]. À cette acceptation répond la voix du Père qui met toute sa complaisance en son Fils[4]. L'Esprit, que Jésus possède en plénitude dès sa conception, vient « reposer » sur Lui (Jn 1, 32-33)[5]. Il en sera la source pour toute l'humanité. À son Baptême, « les cieux s'ouvrirent » (Mt 3, 16) que le péché d'Adam avait fermés; et les eaux sont sanctifiées par la descente de Jésus et de l'Esprit, prélude de la création nouvelle.

1262

537   Par le Baptême, le chrétien est sacramentellement assimilé à Jésus qui anticipe en son Baptême sa mort et sa résurrection; il doit entrer dans ce mystère d'abaissement humble et de repentance, descendre dans l'eau avec Jésus, pour remonter avec Lui, renaître de l'eau et de l'Esprit pour devenir, dans le Fils, fils bien-aimé du Père et « vivre dans une vie nouvelle » (Rm 6, 4) :

628

> Ensevelissons-nous avec le Christ par le Baptême, pour ressusciter avec Lui; descendons avec Lui, pour être élevés avec Lui; remontons avec Lui, pour être glorifiés en Lui[6].

> Tout ce qui s'est passé dans le Christ nous fait connaître qu'après le bain d'eau, l'Esprit Saint vole sur nous du haut du ciel et qu'adoptés par la Voix du Père, nous devenons fils de Dieu[7].

La tentation de Jésus

394
518

538   Les Évangiles parlent d'un temps de solitude de Jésus au désert immédiatement après son Baptême par Jean : « Poussé par l'Esprit » au désert, Jésus y demeure quarante jours sans manger; Il vit avec les bêtes sauvages et les anges Le servent[8]. À la fin de ce temps, Satan Le tente par trois fois cherchant à mettre en cause son attitude filiale envers Dieu. Jésus repousse ces attaques qui récapitulent les tentations d'Adam au Paradis et d'Israël au désert, et le diable s'éloigne de Lui « pour revenir au temps marqué » (Lc 4, 13).

397

539   Les Évangélistes indiquent le sens salvifique de cet événement mystérieux. Jésus est le nouvel Adam, resté fidèle là où le premier a succombé à la tentation.

1. Cf. Is 53, 12. - 2. Cf. Mc 10, 38; Lc 12, 50. - 3. Cf. Mt 26, 39. - 4. Cf. Lc 3, 22; Is 42, 1. - 5. Cf. Is 11, 2. - 6. S. Grégoire de Naz., or. 40, 9. - 7. S. Hilaire, Mat. 2. - 8. Cf. Mc 1, 12-13.

Jésus accomplit parfaitement la vocation d'Israël : contrairement à ceux qui provoquèrent jadis Dieu pendant quarante ans au désert [1], le Christ se révèle comme le Serviteur de Dieu totalement obéissant à la volonté divine. En cela, Jésus est vainqueur du diable : Il a « ligoté l'homme fort » pour lui reprendre son butin (Mc 3, 27). La victoire de Jésus sur le tentateur au désert anticipe la victoire de la passion, obéissance suprême de son amour filial du Père.

385

609

540   La tentation de Jésus manifeste la manière qu'a le Fils de Dieu d'être Messie, à l'opposé de celle que Lui propose Satan et que les hommes [2] désirent Lui attribuer. C'est pourquoi le Christ a vaincu le Tentateur *pour nous* : « Car nous n'avons pas un grand prêtre impuissant à compatir à nos faiblesses, Lui qui a été éprouvé en tout, d'une manière semblable, à l'exception du péché » (He 4, 15). L'Église s'unit chaque année par les quarante jours du *Grand Carême* au mystère de Jésus au désert.

2119

519, 2849

1438

« Le Royaume de Dieu est tout proche »

541   « Après que Jean eut été livré, Jésus se rendit en Galilée. Il y proclamait en ces termes la Bonne Nouvelle venue de Dieu : "Les temps sont accomplis et le Royaume de Dieu est tout proche : repentez-vous et croyez à la Bonne Nouvelle" » (Mc 1, 15). « Pour accomplir la volonté du Père, le Christ inaugura le Royaume des cieux sur la terre [3]. » Or, la volonté du Père, c'est d'« élever les hommes à la communion de la vie divine [4] ». Il le fait en rassemblant les hommes autour de son Fils, Jésus-Christ. Ce rassemblement est l'Église, qui est sur terre « le germe et le commencement du Royaume de Dieu [5] ».

2816

763

669, 768, 865

542   Le Christ est au coeur de ce rassemblement des hommes dans la « famille de Dieu ». Il les convoque autour de Lui par sa parole, par ses signes qui manifestent le règne de Dieu, par l'envoi de ses disciples. Il réalisera la venue de son Royaume surtout par le grand mystère de sa Pâque : sa mort sur la Croix et sa Résurrection. « Et moi, élevé de terre, j'attirerai tous les hommes à moi » (Jn 12, 32). À cette union avec le Christ tous les hommes sont appelés [6].

2233

789

L'annonce du Royaume de Dieu

543   *Tous les hommes* sont appelés à entrer dans le Royaume. Annoncé d'abord aux enfants d'Israël [7], ce Royaume messianique est destiné à accueillir les hommes de toutes les nations [8]. Pour y accéder, il faut accueillir la parole de Jésus :

764

> La parole du Seigneur est en effet comparée à une semence qu'on sème dans un champ : ceux qui l'écoutent avec foi et sont agrégés au petit troupeau du Christ ont accueilli son royaume lui-même; puis, par sa propre vertu, la semence croît jusqu'au temps de la moisson [9].

---

1. Cf. Ps 95, 10. - 2. Cf. Mt 16, 21-23. - 3. LG 3. - 4. LG 2. - 5. LG 5. - 6. Cf. LG 3. - 7. Cf. Mt 10, 5-7. - 8. Cf. Mt 8, 11; 28, 19. - 9. LG 5.

544   Le Royaume appartient *aux pauvres et aux petits*, c'est-à-dire à ceux qui l'ont accueilli avec un coeur humble. Jésus est envoyé pour « porter la Bonne Nouvelle aux pauvres » (Lc 4, 18) [1]. Il les déclare bienheureux car « le Royaume des cieux est à eux » (Mt 5, 3); c'est aux « petits » que le Père a daigné révéler ce qui reste caché aux sages et aux habiles [2]. Jésus partage la vie des pauvres, de la crèche à la Croix; Il connaît la faim [3], la soif [4] et le dénuement [5]. Plus encore : Il s'identifie aux pauvres de toutes sortes et fait de l'amour actif envers eux la condition de l'entrée dans son Royaume [6].

709
2443, 2546

545   Jésus invite *les pécheurs* à la table du Royaume : « Je ne suis pas venu appeler les justes, mais les pécheurs » (Mc 2, 17) [7]. Il les invite à la conversion sans laquelle on ne peut entrer dans le Royaume, mais Il leur montre en parole et en acte la miséricorde sans bornes de son Père pour eux [8] et l'immense « joie dans le ciel pour un seul pécheur qui se repent » (Lc 15, 7). La preuve suprême de cet amour sera le sacrifice de sa propre vie « en rémission des péchés » (Mt 26, 28).

1443, 588,
1846
1439

546   Jésus appelle à entrer dans le Royaume à travers les *paraboles,* trait typique de son enseignement [9]. Par elles, Il invite au festin du Royaume [10], mais Il demande aussi un choix radical : pour acquérir le Royaume, il faut tout donner [11]; les paroles ne suffisent pas, il faut des actes [12]. Les paraboles sont comme des miroirs pour l'homme : accueille-t-il la parole comme un sol dur ou comme une bonne terre [13] ? Que fait-il des talents reçus [14] ? Jésus et la présence du Royaume en ce monde sont secrètement au coeur des paraboles. Il faut entrer dans le Royaume, c'est-à-dire devenir disciple du Christ pour « connaître les mystères du Royaume des cieux » (Mt 13, 11). Pour ceux qui restent « dehors » (Mc 4, 11), tout demeure énigmatique [15].

2613

542

Les signes du Royaume de Dieu

547   Jésus accompagne ses paroles par de nombreux « miracles, prodiges et signes » (Ac 2, 22) qui manifestent que le Royaume est présent en Lui. Ils attestent que Jésus est le Messie annoncé [16].

670
439

548   Les signes accomplis par Jésus témoignent que le Père L'a envoyé [17]. Ils invitent à croire en Lui [18]. À ceux qui s'adressent à Lui avec foi, Il accorde ce qu'ils demandent [19]. Alors les miracles fortifient la foi en Celui qui fait les oeuvres de son Père : ils témoignent qu'Il est le Fils de Dieu [20]. Mais ils peuvent aussi être « occasion de chute » (Mt 11, 6). Ils ne veulent pas satisfaire la curiosité et les désirs magiques. Malgré ses miracles si évidents, Jésus est rejeté par certains [21]; on L'accuse même d'agir par les démons [22].

156
2616
574
447

---

1. Cf. 7, 22. - 2. Cf. Mt 11, 25. - 3. Cf. Mc 2, 23-26; Mt 21, 18. - 4. Cf. Jn 4, 6-7; 19, 28. - 5. Cf. Lc 9, 58. - 6. Cf. Mt 25, 31-46. - 7. Cf. 1 Tm 1, 15. - 8. Cf. Lc 15, 11-32. - 9. Cf. Mc 4, 33-34. - 10. Cf. Mt 22, 1-14. - 11. Cf. Mt 13, 44-45. - 12. Cf. Mt 21, 28-32. - 13. Cf. Mt 13, 3-9. - 14. Cf. Mt 25, 14-30. - 15. Cf. Mt 13, 10-15. - 16. Cf. Lc 7, 18-23. - 17. Cf. Jn 5, 36; 10, 25. - 18. Cf. Jn 10, 38. - 19. Cf. Mc 5, 25-34; 10, 52; etc. - 20. Cf. Jn 10, 31-38. - 21. Cf. Jn 11, 47-48. - 22. Cf. Mc 3, 22.

549   En libérant certains hommes des maux terrestres de la faim [1], de l'injustice [2], de la maladie et de la mort [3], Jésus a posé des signes messianiques; Il n'est cependant pas venu pour abolir tous les maux ici-bas [4], mais pour libérer les hommes de l'esclavage le plus grave, celui du péché [5], qui les entrave dans leur vocation de fils de Dieu et cause tous leurs asservissements humains.

1503

440

550   La venue du Royaume de Dieu est la défaite du royaume de Satan [6] : « Si c'est par l'Esprit de Dieu que j'expulse les démons, c'est qu'alors le Royaume de Dieu est arrivé pour vous » (Mt 12, 28). Les *exorcismes* de Jésus libèrent des hommes de l'emprise des démons [7]. Ils anticipent la grande victoire de Jésus sur « le prince de ce monde » (Jn 12, 31). C'est par la Croix du Christ que le Royaume de Dieu sera définitivement établi : « Dieu a régné du haut du bois [8]. »

394

1673

440, 2816

« Les clefs du Royaume »

551   Dès le début de sa vie publique, Jésus choisit des hommes au nombre de douze pour être avec Lui et pour participer à sa mission [9]. Il leur donne part à son autorité « et Il les envoya proclamer le Royaume de Dieu et guérir » (Lc 9, 2). Ils restent pour toujours associés au Royaume du Christ car Celui-ci dirige par eux l'Église :

858

765

> Je dispose pour vous du Royaume, comme mon Père en a disposé pour moi; vous mangerez et boirez à la table en mon Royaume, et vous siégerez sur des trônes, pour juger les douze tribus d'Israël (Lc 22, 29-30).

552   Dans le collège des Douze, Simon Pierre tient la première place [10]. Jésus lui a confié une mission unique. Grâce à une révélation venant du Père, Pierre avait confessé : « Tu es le Christ, le Fils du Dieu vivant. » Notre Seigneur lui avait alors déclaré : « Tu es Pierre, et sur cette pierre je bâtirai mon Église, et les Portes de l'Hadès ne tiendront pas contre elle » (Mt 16, 18). Le Christ, « Pierre vivante » (1 P 2, 4), assure à son Église bâtie sur Pierre la victoire sur les puissances de mort. Pierre, en raison de la foi confessée par lui, demeurera le roc inébranlable de l'Église. Il aura mission de garder cette foi de toute défaillance et d'y affermir ses frères [11].

880, 153,

442

424

553   Jésus a confié à Pierre une autorité spécifique : « Je te donnerai les clefs du Royaume des cieux : quoi que tu lies sur la terre, ce sera tenu dans les cieux pour lié, et quoi que tu délies sur la terre, ce sera tenu dans les cieux pour délié » (Mt 16, 19). Le « pouvoir des clefs » désigne l'autorité pour gouverner la maison de Dieu, qui est l'Église. Jésus, « le Bon Pasteur » (Jn 10, 11) a confirmé cette charge après

381

---

1. Cf. Jn 6, 5-15. - 2. Cf. Lc 19, 8. - 3. Cf. Mt 11, 5. - 4. Cf. Lc 12, 13. 14 ; Jn 18, 36. - 5. Cf. Jn 8, 34-36. - 6. Cf. Mt 12, 26. - 7. Cf. Lc 8, 26-39. - 8. Hymne « Vexilla Regis ». - 9. Cf. Mc 3, 13-19. - 10. Cf. Mc 3, 16; 9, 2; Lc 24, 34; 1 Co 15, 5. - 11. Cf. Lc 22, 32.

1445

sa Résurrection : « Pais mes brebis » (Jn 21, 15-17). Le pouvoir de « lier et délier »
signifie l'autorité pour absoudre les péchés, prononcer des jugements doctrinaux et
prendre des décisions disciplinaires dans l'Église. Jésus a confié cette autorité à

641, 881

l'Église par le ministère des apôtres [1] et particulièrement de Pierre, le seul à qui Il a
confié explicitement les clefs du Royaume.

Un avant-goût du Royaume : la Transfiguration

554   À partir du jour où Pierre a confessé que Jésus est le Christ, le Fils du Dieu
vivant, le Maître « commença de montrer à ses disciples qu'il Lui fallait s'en aller à
Jérusalem, y souffrir (...) être mis à mort et, le troisième jour, ressusciter » (Mt 16,
21) : Pierre refuse cette annonce [2], les autres ne la comprennent pas davantage [3].
C'est dans ce contexte que se situe l'épisode mystérieux de la Transfiguration de

697, 2600

Jésus [4], sur une haute montagne, devant trois témoins choisis par Lui : Pierre,
Jacques et Jean. Le visage et les vêtements de Jésus deviennent fulgurants de
lumière, Moïse et Élie apparaissent, Lui «parlant de son départ qu'Il allait accomplir
à Jérusalem » (Lc 9, 31). Une nuée les couvre et une voix du ciel dit : « Celui-ci est

444

mon Fils, mon Élu; écoutez-Le » (Lc 9, 35).

555   Pour un instant, Jésus montre sa gloire divine, confirmant ainsi la confession
de Pierre. Il montre aussi que, pour « entrer dans sa gloire » (Lc 24, 26), il doit pas-

2576, 2583

ser par la Croix à Jérusalem. Moïse et Élie avaient vu la Gloire de Dieu sur la
Montagne; la Loi et les Prophètes avaient annoncé les souffrances du Messie [5]. La
passion de Jésus est bien la volonté du Père : le Fils agit en Serviteur de Dieu [6]. La

257

nuée indique la présence de l'Esprit Saint : « Toute la Trinité apparut : le Père dans
la voix, le Fils dans l'homme, l'Esprit dans la nuée lumineuse [7] » :

> Tu t'es transfiguré sur la montagne, et, autant qu'ils en étaient capables, tes disci-
> ples ont contemplé ta Gloire, Christ Dieu afin que lorsqu'ils Te verraient crucifié, ils
> comprennent que ta passion était volontaire et qu'ils annoncent au monde que Tu
> es vraiment le rayonnement du Père [8].

556   Au seuil de la vie publique : le Baptême; au seuil de la Pâque : la
Transfiguration. Par le Baptême de Jésus « fut manifesté le mystère de notre première régénération » : notre Baptême; la Transfiguration « est le sacrement de la
seconde régénération » : notre propre résurrection [9]. Dès maintenant nous par-

1003

ticipons à la Résurrection du Seigneur par l'Esprit Saint qui agit dans les sacrements
du Corps du Christ. La Transfiguration nous donne un avant-goût de la glorieuse
venue du Christ « qui transfigurera notre corps de misère pour le conformer à son
corps de gloire » (Ph 3, 21). Mais elle nous rappelle aussi qu'« il nous faut passer
par bien des tribulations pour entrer dans le Royaume de Dieu » (Ac 14, 22) :

---

1. Cf. Mt 18, 18. - 2. Cf. Mt 16, 22-23. - 3. Cf. Mt 17, 23; Lc 9, 45. - 4. Cf. Mt 17, 1-8 par., 2 P 1, 16-18.
- 5. Cf. Lc 24, 27. - 6. Cf. Is 42, 1. - 7. S. Thomas d'A., s. th. 3, 45, 4, ad 2. - 8. Liturgie byzantine,
Kontakion de la fête de la Transfiguration. - 9. S. Thomas d'A., s. th. 3, 45, 4, ad 2.

Cela Pierre ne l'avait pas encore compris quand il désirait vivre avec le Christ sur la montagne[1]. Il t'a réservé cela, Pierre, pour après la mort. Mais maintenant il dit lui-même : Descends pour peiner sur la terre, pour servir sur la terre, pour être méprisé, crucifié sur la terre. La Vie descend pour se faire tuer; le Pain descend pour avoir faim; la Voie descend, pour se fatiguer en chemin; la Source descend, pour avoir soif; et tu refuses de peiner[2] ?

La montée de Jésus à Jérusalem

557 « Or, comme approchait le temps où Il devait être emporté de ce monde, Jésus prit résolument le chemin de Jérusalem » (Lc 9, 51)[3]. Par cette décision, Il signifiait qu'Il montait à Jérusalem prêt à y mourir. À trois reprises Il avait annoncé sa passion et sa Résurrection[4]. En se dirigeant vers Jérusalem, Il dit : « Il ne convient pas qu'un prophète périsse hors de Jérusalem » (Lc 13, 33).

558 Jésus rappelle le martyre des prophètes qui avaient été mis à mort à Jérusalem[5]. Néanmoins, Il persiste à appeler Jérusalem à se rassembler autour de Lui : « Combien de fois j'ai voulu rassembler tes enfants à la manière dont une poule rassemble ses poussins sous ses ailes (...) et vous n'avez pas voulu » (Mt 23, 37b). Quand Jérusalem est en vue, Il pleure sur elle et exprime encore une fois le désir de son coeur : « Ah ! Si en ce jour tu avais compris, toi aussi, le message de paix ! Mais, hélas, il est demeuré caché à tes yeux » (Lc 19, 41-42).

L'entrée messianique de Jésus à Jérusalem

559 Comment Jérusalem va-t-elle accueillir son Messie? Alors qu'Il s'était toujours dérobé aux tentatives populaires de le faire roi[6], Jésus choisit le temps et prépare les détails de son entrée messianique dans la ville de « David, son père » (Lc 1, 32)[7]. Il est acclamé comme le fils de David, celui qui apporte le salut (*Hosanna* veut dire « sauve donc ! », « donne le salut ! »). Or le « Roi de Gloire » (Ps 24, 7-10) entre dans sa Ville « monté sur un ânon » (Za 9, 9) : Il ne conquiert pas la Fille de Sion, figure de son Église, par la ruse ou par la violence, mais par l'humilité qui témoigne de la Vérité[8]. C'est pourquoi les sujets de son Royaume, ce jour-là, sont les enfants[9] et les « pauvres de Dieu », qui L'acclament comme les anges l'annonçaient aux bergers[10]. Leur acclamation, « Béni soit celui qui vient au nom du Seigneur » (Ps 118, 26), est reprise par l'Église dans le « Sanctus » de la liturgie eucharistique pour ouvrir le mémorial de la Pâque du Seigneur.

333
1352

560 *L'entrée de Jésus à Jérusalem* manifeste la Venue du Royaume que le Roi-Messie va accomplir par la Pâque de sa Mort et de sa Résurrection. C'est par sa

550, 2816

1. Cf. Lc 9, 33. - 2. S. Augustin, serm. 78, 6. - 3. Cf. Jn 13, 1. - 4. Cf. Mc 8, 31-33; 9, 31-32; 10, 32-34. - 5. Cf. Mt 23, 37a. - 6. Cf. Jn 6, 15. - 7. Cf. Mt 21, 1-11. - 8. Cf. Jn 18, 37. - 9. Cf. Mt 21, 15-16, Ps 8, 3. - 10. Cf. Lc 19, 38; 2, 14.

célébration, le dimanche des Rameaux, que la liturgie de l'Église ouvre la grande
1169 Semaine Sainte.

EN BREF

561 *« Toute la vie du Christ fut un continuel enseignement : ses silences,
ses miracles, ses gestes, sa prière, son amour de l'homme, sa prédilection
pour les petits et les pauvres, l'acceptation du sacrifice total sur la Croix
pour la rédemption du monde, sa Résurrection sont l'actuation de sa parole
et l'accomplissement de la Révélation [1]. »*

562 *Les disciples du Christ doivent se conformer à Lui jusqu'à ce qu'Il soit
formé en eux [2]. « C'est pourquoi nous sommes assumés dans les mystères de
sa vie, configurés à Lui, associés à sa mort et à sa Résurrection, en attendant de l'être à son Règne [3]. »*

563 *Berger ou Mage, on ne peut atteindre Dieu ici-bas qu'en s'agenouil-
lant devant la crèche de Bethléem et en l'adorant caché dans la faiblesse
d'un enfant.*

564 *Par sa soumission à Marie et Joseph, ainsi que par son humble travail pendant de longues années à Nazareth, Jésus nous donne l'exemple de
la sainteté dans la vie quotidienne de la famille et du travail.*

565 *Dès le début de sa vie publique, à son Baptême, Jésus est le « Serviteur », entièrement consacré à l'oeuvre rédemptrice qui s'accomplira par le
« baptême » de sa passion.*

566 *La tentation au désert montre Jésus, Messie humble qui triomphe de
Satan par sa totale adhésion au dessein de salut voulu par le Père.*

567 *Le Royaume des cieux a été inauguré sur la terre par le Christ. « Il
brille aux yeux des hommes dans la parole, les oeuvres et la présence du
Christ [4]. » L'Église est le germe et le commencement de ce Royaume. Ses clefs
sont confiées à Pierre.*

568 *La Transfiguration du Christ a pour but de fortifier la foi des apôtres
en vue de la passion : la montée sur la « haute montagne » prépare la montée au Calvaire. Le Christ, Tête de l'Église, manifeste ce que son Corps contient et rayonne dans les sacrements : « l'espérance de la Gloire » (Col 1, 27) [5].*

569 *Jésus est monté volontairement à Jérusalem tout en sachant qu'Il y
mourrait de mort violente à cause de la contradiction des pécheurs [6].*

570 *L'entrée de Jésus à Jérusalem manifeste la venue du Royaume que le
Roi-Messie, accueilli dans sa ville par les enfants et les humbles de coeur, va
accomplir par la Pâque de sa Mort et de sa Résurrection.*

---

1. CT 9. - 2. Cf. Ga 4, 19. - 3. LG 7. - 4. LG 5. - 5. Cf. S. Léon le Grand, serm. 51, 3. - 6. Cf. He 12, 3.

ARTICLE 4

« Jésus-Christ a souffert sous Ponce Pilate, Il a été crucifié, Il est mort, Il a été enseveli »

571   Le mystère Pascal de la Croix et de la Résurrection du Christ est au centre de la Bonne Nouvelle que les apôtres, et l'Église à leur suite, doivent annoncer au monde. Le dessein sauveur de Dieu s'est accompli « une fois pour toutes » (He 9, 26) par la mort rédemptrice de son Fils Jésus-Christ.   *1067*

572   L'Église reste fidèle à « l'interprétation de toutes les Écritures » donnée par Jésus Lui-même avant comme après sa Pâque : « Ne fallait-il pas que le Messie endurât ces souffrances pour entrer dans sa gloire ? » (Lc 24, 26-27. 44-45.) Les souffrances de Jésus ont pris leur forme historique concrète du fait qu'Il a été « rejeté par les anciens, les grands prêtres et les scribes » (Mc 8, 31) qui L'ont « livré aux païens pour être bafoué, flagellé et mis en Croix » (Mt 20, 19).   *599*

573   La foi peut donc essayer de scruter les circonstances de la mort de Jésus, transmises fidèlement par les Évangiles[1] et éclairées par d'autres sources historiques, pour mieux comprendre le sens de la Rédemption.   *158*

PARAGRAPHE 1. *Jésus et Israël*

574   Dès les débuts du ministère public de Jésus, des Pharisiens et des partisans d'Hérode, avec des prêtres et des scribes, se sont mis d'accord pour le perdre[2]. Par certains de ses actes (expulsions de démons[3]; pardon des péchés[4]; guérisons le jour du sabbat[5]; interprétation originale des préceptes de pureté de la Loi[6]; familiarité avec les publicains et les pécheurs publics[7]), Jésus a semblé à certains, mal intentionnés, suspect de possession[8]. On L'accuse de blasphème[9] et de faux prophétisme[10], crimes religieux que la Loi châtiait par la peine de mort sous forme de lapidation[11].   *530*   *591*

575   Bien des actes et des paroles de Jésus ont donc été un « signe de contradiction » (Lc 2, 34) pour les autorités religieuses de Jérusalem, celles que l'Évangile de S. Jean appelle souvent « les Juifs[12] », plus encore que pour le commun du Peuple de Dieu[13]. Certes, ses rapports avec les Pharisiens ne furent pas uniquement polémiques. Ce sont des Pharisiens qui Le préviennent du danger qu'Il court[14]. Jésus loue certains d'entre eux comme le scribe de Mc 12, 34 et Il mange

---

1. Cf. DV 19. - 2. Cf. Mc 3, 6. - 3. Cf. Mt 12, 24. - 4. Cf. Mc 2, 7. - 5. Cf. Mc 3, 1-6. - 6. Cf. Mc 7, 14-23. - 7. Cf. Mc 2, 14-17. - 8. Cf. Mc 3, 22.; Jn 8, 48; 10, 20. - 9. Cf. Mc 2, 7; Jn 5, 18; 10, 33. - 10. Cf. Jn 7, 12; 7, 52. - 11. Cf. Jn 8, 59; 10, 31. - 12. Cf. Jn 1, 19; 2, 18; 5, 10; 7, 13; 9, 22; 18, 12; 19, 38; 20, 19. - 13. Cf. Jn 7, 48-49. - 14. Cf. Lc 13, 31.

993

à plusieures reprises chez des Pharisiens. Jésus confirme des doctrines partagées par cette élite religieuse du Peuple de Dieu : la résurrection des morts, les formes de piété (aumône, jeûne et prière) et l'habitude de s'adresser à Dieu comme Père, le caractère central du commandement de l'amour de Dieu et du prochain.

576   Aux yeux de beaucoup en Israël, Jésus semble agir contre les institutions essentielles du Peuple élu :

- la soumission à la Loi dans l'intégralité de ses préceptes écrits et, pour les Pharisiens, dans l'interprétation de la tradition orale;

- le caractère central du Temple de Jérusalem comme lieu saint où Dieu habite d'une manière privilégiée;

- la foi dans le Dieu unique dont aucun homme ne peut partager la gloire.

I. Jésus et la Loi

1965

577   Jésus a fait une mise en garde solennelle au début du Sermon sur la Montagne où Il a présenté la Loi donnée par Dieu au Sinaï lors de la Première alliance à la lumière de la grâce de la Nouvelle Alliance :

1967

> N'allez pas croire que je sois venu abolir la Loi ou les Prophètes : je ne suis pas venu abolir mais accomplir. Car je vous le dis en vérité, avant que ne passent le ciel et la terre, pas un *i*, pas un point sur l'*i* ne passera de la Loi, que tout ne soit réalisé. Celui donc qui violera l'un de ces moindres préceptes, sera tenu pour moindre dans le Royaume des cieux; au contraire, celui qui les exécutera et les enseignera, celui-là sera tenu pour grand dans le Royaume des cieux (Mt 5, 17-19).

1953

578   Jésus, le Messie d'Israël, le plus grand donc dans le Royaume des cieux, se devait d'accomplir la Loi en l'exécutant dans son intégralité jusque dans ses moindres préceptes selon ses propres paroles. Il est même le seul à avoir pu le faire parfaitement. Les Juifs, de leur propre aveu, n'ont jamais pu accomplir la Loi dans son intégralité sans en violer le moindre précepte. C'est pourquoi à chaque fête annuelle de l'Expiation, les enfants d'Israël demandent à Dieu pardon pour leurs transgressions de la Loi. En effet, la Loi constitue un tout et, comme le rappelle S. Jacques, « aurait-on observé la Loi tout entière, si l'on commet un écart sur un seul point, c'est du tout que l'on devient justiciable » (Jc 2, 10).

579   Ce principe de l'intégralité de l'observance de la Loi, non seulement dans sa lettre mais dans son esprit, était cher aux Pharisiens. En le dégageant pour Israël, ils ont conduit beaucoup de Juifs du temps de Jésus à un zèle religieux extrême. Celui-ci, s'il ne voulait pas se résoudre en une casuistique « hypocrite », ne pouvait que préparer le Peuple à cette intervention de Dieu inouïe que sera l'exécution parfaite de la Loi par le seul Juste à la place de tous les pécheurs.

---

1. Cf. Lc 7, 36; 14, 1. - 2. Cf. Mt 22, 23-34; Lc 20, 39. - 3. Cf. Mt 6, 2-18. - 4. Cf. Mc 12, 28-34. - 5. Cf. Jn 8, 46. - 6. Cf. Jn 7, 19; Ac 13, 38-41; 15, 10. - 7. Cf. Ga 3, 10; 5, 3. - 8. Cf. Rm 10, 2. - 9. Cf. Mt 15, 3-7; Lc 11, 39-54. - 10. Cf. Is 53, 11; He 9, 15.

580 L'accomplissement parfait de la Loi ne pouvait être l'oeuvre que du divin Législateur né sujet de la Loi en la personne du Fils [1]. En Jésus, la Loi n'apparaît plus gravée sur des tables de pierre mais « au fond du coeur » (Jr 31, 33) du Serviteur qui, parce qu'Il « apporte fidèlement le droit » (Is 42, 3) est devenu « l'alliance du peuple » (Is 42, 6). Jésus accomplit la Loi jusqu'à prendre sur Lui « la malédiction de la Loi » (Ga 3, 13) encourue par ceux qui ne « pratiquent pas tous les préceptes de la Loi » (Ga 3, 10) car « la mort du Christ a eu lieu pour racheter les transgressions de la Première alliance » (He 9, 15).   *527*

581 Jésus est apparu aux yeux des Juifs et de leurs chefs spirituels comme un « rabbi [2] ». Il a souvent argumenté dans le cadre de l'interprétation rabbinique de la Loi [3]. Mais en même temps, Jésus ne pouvait que heurter les docteurs de la Loi car Il ne se contentait pas de proposer son interprétation parmi les leurs, « Il enseignait comme quelqu'un qui a autorité et non pas comme les scribes » (Mt 7, 28-29). En Lui, c'est la même Parole de Dieu qui avait retenti au Sinaï pour donner à Moïse la Loi écrite et qui se fait entendre de nouveau sur la Montagne des béatitudes [4]. Elle n'abolit pas la Loi mais l'accomplit en fournissant de manière divine son interprétation ultime : « Vous avez appris qu'il a été dit aux ancêtres (...) moi je vous dis » (Mt 5, 33-34). Avec cette même autorité divine, il désavoue certaines « traditions humaines » (Mc 7, 8) des Pharisiens qui « annulent la Parole de Dieu » (Mc 7, 13).   *2054*

582 Allant plus loin, Jésus accomplit la Loi sur la pureté des aliments, si importante dans la vie quotidienne juive, en dévoilant son sens « pédagogique [5] » par une interprétation divine : « Rien de ce qui pénètre du dehors dans l'homme ne peut le souiller (...) - ainsi il déclarait purs tous les aliments. Ce qui sort de l'homme, voilà ce qui souille l'homme. Car c'est du dedans, du coeur des hommes que sortent les desseins pervers » (Mc 7, 18-21). En délivrant avec autorité divine l'interprétation définitive de la Loi, Jésus s'est trouvé affronté à certains docteurs de la Loi qui ne recevaient pas son interprétation de la Loi garantie pourtant par les signes divins qui l'accompagnaient [6]. Ceci vaut particulièrement pour la question du sabbat : Jésus rappelle, souvent avec des arguments rabbiniques [7], que le repos du sabbat n'est pas troublé par le service de Dieu [8] ou du prochain [9] qu'accomplissent ses guérisons.   *368*   *548*   *2173*

II. Jésus et le Temple

583 Jésus, comme les prophètes avant Lui, a professé pour le Temple de Jérusalem le plus profond respect. Il y a été présenté par Joseph et Marie quarante jours après sa naissance [10]. À l'âge de douze ans, Il décide de rester dans le Temple pour rappeler à ses parents qu'Il se doit aux affaires de son Père [11]. Il y est monté chaque année au moins pour la Pâque pendant sa vie cachée [12]; son ministère public lui-même a été rythmé par ses pèlerinages à Jérusalem pour les grandes fêtes juives [13].   *529*   *534*

---

1. Cf. Ga 4, 4. - 2. Cf. Jn 11, 28; 3, 2; Mt 22, 23-24. 34-36. - 3. Cf. Mt 12, 5; 9, 12; Mc 2, 23-27; Lc 6, 6-9; Jn 7, 22-23. - 4. Cf. Mt 5, 1. - 5. Cf. Ga 3, 24. - 6. Cf. Jn 5, 36; 10, 25. 37-38; 12, 37. - 7. Cf. Mc 2, 25-27; Jn 7, 22-24. - 8. Cf. Mt 12, 5; Nb 28, 9. - 9. Cf. Lc 13, 15-16; 14, 3-4. - 10. Cf. Lc 2, 22-39. - 11. Cf. Lc 2, 46-49. - 12. Cf. Lc 2, 41. - 13. Cf. Jn 2, 13-14; 5, 1. 14; 7, 1. 10. 14; 8, 2; 10, 22-23.

584   Jésus est monté au Temple comme au lieu privilégié de la rencontre de
2599   Dieu. Le Temple est pour Lui la demeure de son Père, une maison de prière, et Il
s'indigne de ce que son parvis extérieur soit devenu un lieu de trafic[1]. S'Il chasse
les marchands du Temple, c'est par amour jaloux pour son Père : « Ne faites pas de
la maison de mon Père une maison de commerce. Ses disciples se rappelèrent qu'il
est écrit : "Le zèle pour ta maison me dévorera" (Ps 69, 10) » (Jn 2, 16-17). Après sa
Résurrection, les apôtres ont gardé un respect religieux pour le Temple[2].

585   Au seuil de sa passion, Jésus a cependant annoncé la ruine de ce splendide
édifice dont il ne restera plus pierre sur pierre[3]. Il y a ici annonce d'un signe des
derniers temps qui vont s'ouvrir avec sa propre Pâque[4]. Mais cette prophétie a pu
être rapportée de manière déformée par de faux témoins lors de son interrogatoire
chez le grand prêtre[5] et Lui être renvoyée comme injure lorsqu'Il était cloué sur la
Croix[6].

586   Loin d'avoir été hostile au Temple[7] où Il a donné l'essentiel de son
enseignement[8], Jésus a voulu payer l'impôt du Temple en s'associant Pierre[9] qu'Il
venait de poser comme fondement pour son Église à venir[10]. Plus encore, Il s'est
797   identifié au Temple en se présentant comme la demeure définitive de Dieu parmi
les hommes[11]. C'est pourquoi sa mise à mort corporelle[12] annonce la destruction
du Temple qui manifestera l'entrée dans un nouvel âge de l'histoire du salut :
« L'heure vient où ce n'est ni sur cette montagne ni à Jérusalem que vous adorerez
1179   le Père » (Jn 4, 21)[13].

III. Jésus et la foi d'Israël au Dieu Unique et Sauveur

587   Si la Loi et le Temple de Jérusalem ont pu être occasion de « contradiction[14] » de la part de Jésus pour les autorités religieuses d'Israël, c'est son rôle dans
la rédemption des péchés, oeuvre divine par excellence, qui a été pour elles la
véritable pierre d'achoppement[15].

588   Jésus a scandalisé les Pharisiens en mangeant avec les publicains et les
pécheurs[16] aussi familièrement qu'avec eux-mêmes[17]. Contre ceux d'entre eux
« qui se flattaient d'être des justes et n'avaient que mépris pour les autres »
545   (Lc 18, 9)[18], Jésus a affirmé : « Je ne suis pas venu appeler les justes, mais les
pécheurs au repentir » (Lc 5, 32). Il est allé plus loin en proclamant face aux

---

1. Cf. Mt 21, 13. - 2. Cf. Ac 2, 46; 3, 1; 5, 20. 21; etc. - 3. Cf. Mt 24, 1-2. - 4. Cf. Mt 24, 3; Lc 13, 35.
- 5. Cf. Mc 14, 57-58. - 6. Cf. Mt 27, 39-40. - 7. Cf. Mt 8, 4; 23, 21; Lc 17, 14; Jn 4, 22. - 8. Cf. Jn 18, 20.
- 9. Cf. Mt 17, 24-27. - 10. Cf. Mt 16, 18. - 11. Cf. Jn 2, 21; Mt 12, 6. - 12. Cf. Jn 2, 18-22. - 13. Cf. Jn 4,
23-24; Mt 27, 51; He 9, 11; Ap 21, 22. - 14. Cf. Lc 2, 34. - 15. Cf. Lc 20, 17-18; Ps 118, 22. - 16. Cf. Lc 5,
30. - 17. Cf. Lc 7, 36; 11, 37; 14, 1. - 18. Cf. Jn 7, 49; 9, 34.

Pharisiens que, le péché étant universel[1], ceux qui prétendent ne pas avoir besoin de salut s'aveuglent sur eux-mêmes[2].

589   Jésus a surtout scandalisé parce qu'Il a identifié sa conduite miséricordieuse envers les pécheurs avec l'attitude de Dieu Lui-même à leur égard[3]. Il est allé jusqu'à laisser entendre qu'en partageant la table des pécheurs[4], Il les admettait au banquet messianique[5]. Mais c'est tout particulièrement en pardonnant les péchés que Jésus a mis les autorités religieuses d'Israël devant un dilemme. Ne diraient-elles pas avec justesse dans leur effroi : « Dieu seul peut pardonner les péchés » (Mc 2, 7) ? En pardonnant les péchés, ou bien Jésus blasphème car c'est un homme qui se fait l'égal de Dieu[6], ou bien Il dit vrai et sa personne rend présent et révèle le nom de Dieu[7].

431, 1441

432

590   Seule l'identité divine de la personne de Jésus peut justifier une exigence aussi absolue que celle-ci : « Celui qui n'est pas avec moi est contre moi » (Mt 12, 30); de même quand Il dit qu'il y a en Lui « plus que Jonas, (...) plus que Salomon » (Mt 12, 41-42), « plus que le Temple » (Mt 12, 6); quand Il rappelle à son sujet que David a appelé le Messie son Seigneur[8], quand Il affirme : « Avant qu'Abraham fut, Je Suis » (Jn 8, 58); et même : « Le Père et moi nous sommes un » (Jn 10, 30).

253

591   Jésus a demandé aux autorités religieuses de Jérusalem de croire en Lui à cause des oeuvres de son Père qu'Il accomplit[9]. Mais un tel acte de foi devait passer par une mystérieuse mort à soi-même pour une nouvelle « naissance d'en haut » (Jn 3, 7) dans l'attirance de la grâce divine[10]. Une telle exigence de conversion face à un accomplissement si surprenant des promesses[11] permet de comprendre la tragique méprise du Sanhédrin estimant que Jésus méritait la mort comme blasphémateur[12]. Ses membres agissaient ainsi à la fois par « ignorance »[13] et par « l'endurcissement » (Mc 3, 5; Rm 11, 25) de « l'incrédulité » (Rm 11, 20).

526

574

EN BREF

592   *Jésus n'a pas aboli la Loi du Sinaï; mais Il l'a accomplie[14] avec une telle perfection[15] qu'Il en révèle le sens ultime[16] et qu'Il rachète les transgressions contre elle[17].*

593   *Jésus a vénéré le Temple en y montant aux fêtes juives de pèlerinage et Il a aimé d'un amour jaloux cette demeure de Dieu parmi les hommes. Le Temple préfigure son mystère. S'Il annonce sa destruction, c'est comme manifestation de sa propre mise à mort et de l'entrée dans un nouvel âge de l'histoire du salut, où son Corps sera le Temple définitif :*

---

1. Cf. Jn 8, 33-36. - 2. Cf. Jn 9, 40-41. - 3. Cf. Mt 9, 13; Os 6, 6. - 4. Cf. Lc 15, 1-2 - 5. Cf. Lc 15, 23-32. - 6. Cf. Jn 5, 18; 10, 33. - 7. Cf. Jn 17, 6. 26. - 8. Cf. Mt 12, 36. 37. - 9. Cf. Jn 10, 36-38. - 10. Cf. Jn 6, 44. - 11. Cf. Is 53, 1. - 12. Cf. Mc 3, 6; Mt 26, 64-66. - 13. Cf. Lc 23, 34; Ac 3, 17-18. - 14. Cf. Mt 5, 17-19. - 15. Cf. Jn 8, 46. - 16. Cf. Mt 5, 33. - 17. Cf. He 9, 15.

594   *Jésus a posé des actes, tel le pardon des péchés, qui L'ont manifesté comme étant le Dieu Sauveur Lui-même[1]. Certains Juifs, qui, ne reconnaissant pas le Dieu fait homme[2], voyaient en Lui « un homme qui se fait Dieu » (Jn 10, 33), L'ont jugé comme un blasphémateur.*

PARAGRAPHE 2. *Jésus est mort crucifié*

I. Le procès de Jésus

Divisions des autorités juives à l'égard de Jésus

595   Parmi les autorités religieuses de Jérusalem, non seulement il s'est trouvé le Pharisien Nicodème[3] ou le notable Joseph d'Arimathie pour être en secret disciples de Jésus[4], mais il s'est produit pendant longtemps des dissensions au sujet de Celui-ci[5] au point qu'à la veille même de sa passion, S. Jean peut dire d'eux qu'« un bon nombre crut en Lui », quoique d'une manière très imparfaite (Jn 12, 42). Cela n'a rien d'étonnant si l'on tient compte qu'au lendemain de la Pentecôte « une multitude de prêtres obéissait à la foi » (Ac 6, 7) et que « certains du parti des Pharisiens étaient devenus croyants » (Ac 15, 5) au point que S. Jacques peut dire à S. Paul que « plusieurs milliers de Juifs ont embrassé la foi et ce sont tous d'ardents partisans de la Loi » (Ac 21, 20).

596   Les autorités religieuses de Jérusalem n'ont pas été unanimes dans la conduite à tenir vis-à-vis de Jésus[6]. Les Pharisiens ont menacé d'excommunication ceux qui Le suivraient[7]. À ceux qui craignaient que « tous croient en Jésus et que les Romains viennent détruire notre Lieu Saint et notre nation » (Jn 11, 48), le grand prêtre Caïphe proposa en prophétisant : « Il est de votre intérêt qu'un
1753   seul homme meure pour le peuple et que la nation ne périsse pas tout entière » (Jn 11, 49-50). Le Sanhédrin, ayant déclaré Jésus « passible de mort » (Mt 26, 66) en tant que blasphémateur, mais ayant perdu le droit de mise à mort[8], livre Jésus aux Romains en l'accusant de révolte politique[9] ce qui mettra celui-ci en parallèle avec Barrabas accusé de « sédition » (Lc 23, 19). Ce sont aussi des menaces politiques que les grands prêtres exercent sur Pilate pour qu'il condamne Jésus à mort[10].

Les Juifs ne sont pas collectivement responsables de la mort de Jésus

597   En tenant compte de la complexité historique du procès de Jésus manifestée dans les récits évangéliques, et quel que puisse être le péché personnel des acteurs du procès (Judas, le Sanhédrin, Pilate) que seul Dieu connaît, on ne peut en attribuer la responsabilité à l'ensemble des Juifs de Jérusalem, malgré les cris d'une foule manipulée[11] et les reproches globaux contenus dans les appels à la conversion

---

1. Cf. Jn 5, 16-18. - 2. Cf. Jn 1, 14. - 3. Cf. Jn 7, 50. - 4. Cf. Jn 19, 38-39. - 5. Cf. Jn 9, 16-17; 10, 19-21. - 6. Cf. Jn 9, 16; 10, 19. - 7. Cf. Jn 9, 22. - 8. Cf. Jn 18, 31. - 9. Cf. Lc 23, 2. - 10. Cf. Jn 19, 12. 15. 21. - 11. Cf. Mc 15, 11.

après la Pentecôte [1]. Jésus Lui-même en pardonnant sur la Croix [2] et Pierre à sa suite ont fait droit à « l'ignorance » (Ac 3, 17) des Juifs de Jérusalem et même de leurs chefs. Encore moins peut-on, à partir du cri du peuple : « Que son sang soit sur nous et sur nos enfants » (Mt 27, 25) qui signifie une formule de ratification [3], étendre la responsabilité aux autres Juifs dans l'espace et dans le temps :

1735

> Aussi bien l'Église a-t-elle déclaré au Concile Vatican II : « Ce qui a été commis durant la passion ne peut être imputé ni indistinctement à tous les Juifs vivant alors, ni aux Juifs de notre temps. (...) Les Juifs ne doivent pas être présentés comme réprouvés par Dieu, ni maudits comme si cela découlait de la Sainte Écriture [4]. »

839

Tous les pécheurs furent les auteurs de la passion du Christ

598 L'Église, dans le Magistère de sa foi et dans le témoignage de ses saints, n'a jamais oublié que « les pécheurs eux-mêmes furent les auteurs et comme les instruments de toutes les peines qu'endura le divin Rédempteur [5] ». Tenant compte du fait que nos péchés atteignent le Christ Lui-même [6], l'Église n'hésite pas à imputer aux chrétiens la responsabilité la plus grave dans le supplice de Jésus, responsabilité dont ils ont trop souvent accablé uniquement les Juifs :

> Nous devons regarder comme coupables de cette horrible faute, ceux qui continuent à retomber dans leurs péchés. Puisque ce sont nos crimes qui ont fait subir à Notre-Seigneur Jésus-Christ le supplice de la Croix, à coup sûr ceux qui se plongent dans les désordres et dans le mal « crucifient de nouveau dans leur coeur, autant qu'Il est en eux, le Fils de Dieu par leurs péchés et Le couvrent de confusion » (He 6, 6). Et il faut le reconnaître, notre crime à nous dans ce cas est plus grand que celui des Juifs. Car eux, au témoignage de l'apôtre, « s'ils avaient connu le Roi de gloire, ils ne l'auraient jamais crucifié » (1 Co 2, 8). Nous, au contraire, nous faisons profession de Le connaître. Et lorsque nous Le renions par nos actes, nous portons en quelque sorte sur Lui nos mains meurtrières [7].

1851

> Et les démons, ce ne sont pas eux qui L'ont crucifié; c'est toi qui avec eux L'as crucifié et Le crucifies encore, en te délectant dans les vices et les péchés [8].

II. La mort rédemptrice du Christ dans le dessein divin de salut

« Jésus livré selon le dessein bien arrêté de Dieu »

599 La mort violente de Jésus n'a pas été le fruit du hasard dans un concours malheureux de circonstances. Elle appartient au mystère du dessein de Dieu comme S. Pierre l'explique aux Juifs de Jérusalem dès son premier discours de

517

---

1. Cf. Ac 2, 23. 36; 3, 13-14; 4, 10; 5, 30; 7, 52; 10, 39; 13, 27-28; 1 Th 2, 14-15. - 2. Cf. Lc 23, 34. - 3. Cf. Ac 5, 28; 18, 6. - 4. NA 4. - 5. Catech. R. 1, 5, 11; cf. He 12, 3. - 6. Cf. Mt 25, 45; Ac 9, 4-5. - 7. Catech. R. 1, 5, 11. - 8. S. François d'Assise, admon. 5, 3.

Pentecôte : « Il avait été livré selon le dessein bien arrêté et la prescience de Dieu » (Ac 2, 23). Ce langage biblique ne signifie pas que ceux qui ont « livré Jésus » (Ac 3, 13) n'ont été que les exécutants passifs d'un scénario écrit d'avance par Dieu.

600   À Dieu tous les moments du temps sont présents dans leur actualité. Il établit donc son dessein éternel de « prédestination » en y incluant la réponse libre de chaque homme à sa grâce : « Oui, vraiment, ils se sont rassemblés dans cette ville contre ton saint serviteur Jésus, que tu as oint, Hérode et Ponce Pilate avec les nations païennes et les peuples d'Israël[1], de telle sorte qu'ils ont accompli tout ce *312* que, dans ta puissance et ta sagesse, tu avais prédestiné » (Ac 4, 27-28). Dieu a permis les actes issus de leur aveuglement[2] en vue d'accomplir son dessein de salut[3].

« Mort pour nos péchés selon les Écritures »

601   Ce dessein divin de salut par la mise à mort du « Serviteur, le Juste » (Is 53, 11)[4] avait été annoncé par avance dans l'Écriture comme un mystère de rédemption universelle, c'est-à-dire de rachat qui libère les hommes de l'esclavage du péché[5]. S. Paul professe, dans une confession de foi qu'il dit avoir « reçue » (1 Co *652* 15, 3) que « le Christ est mort pour nos péchés *selon les Écritures*[6] ». La mort rédemptrice de Jésus accomplit en particulier la prophétie du Serviteur souffrant[7]. *713* Jésus Lui-même a présenté le sens de sa vie et de sa mort à la lumière du Serviteur souffrant[8]. Après sa Résurrection, Il a donné cette interprétation des Écritures aux disciples d'Emmaüs[9], puis aux apôtres eux-mêmes[10].

« Dieu L'a fait péché pour nous »

602   S. Pierre peut en conséquence formuler ainsi la foi apostolique dans le dessein divin de salut : « Vous avez été affranchis de la vaine conduite héritée de vos pères par un sang précieux, comme d'un agneau sans reproche et sans tache, le Christ, discerné avant la fondation du monde et manifesté dans les derniers temps à cause de vous » (1 P 1, 18-20). Les péchés des hommes, consécutifs au péché *400* originel, sont sanctionnés par la mort[11]. En envoyant son propre Fils dans la condition d'esclave[12], celle d'une humanité déchue et vouée à la mort à cause du *519* péché[13], « Dieu L'a fait péché pour nous, Lui qui n'avait pas connu le péché, afin qu'en Lui nous devenions justice pour Dieu » (2 Co 5, 21).

603   Jésus n'a pas connu la réprobation comme s'Il avait Lui-même péché[14]. Mais *2572* dans l'amour rédempteur qui L'unissait toujours au Père[15], Il nous a assumés

---

1. Cf. Ps 2, 1-2. - 2. Cf. Mt 26, 54; Jn 18, 36; 19, 11. - 3. Cf. Ac 3, 17-18. - 4. Cf. Ac 3, 14. - 5. Cf. Is 53, 11-12; Jn 8, 34-36. - 6. *Ibid.*; cf. aussi Ac 3, 18; 7, 52 ; 13, 29; 26, 22-23. - 7. Cf. Is 53, 7-8 et Ac 8, 32-35. - 8. Cf. Mt 20, 28. - 9. Cf. Lc 24, 25-27. - 10. Cf. Lc 24, 44-45. - 11. Cf. Rm 5, 12; 1 Co 15, 56. - 12. Cf. Ph 2, 7. - 13. Cf. Rm 8, 3. - 14. Cf. Jn 8, 46. - 15. Cf. Jn 8, 29.

dans l'égarement de notre péché par rapport à Dieu au point de pouvoir dire en notre nom sur la Croix : « Mon Dieu, mon Dieu, pourquoi m'as-tu abandonné ? » (Mc 15, 34; Ps 22, 1.) L'ayant rendu ainsi solidaire de nous pécheurs, « Dieu n'a pas épargné son propre Fils mais L'a livré pour nous tous » (Rm 8, 32) pour que nous soyons « réconciliés avec Lui par la mort de son Fils » (Rm 5, 10).

Dieu a l'initiative de l'amour rédempteur universel

604 En livrant son Fils pour nos péchés, Dieu manifeste que son dessein sur nous est un dessein d'amour bienveillant qui précède tout mérite de notre part : « En ceci consiste l'amour : ce n'est pas nous qui avons aimé Dieu, mais c'est Lui qui nous a aimés et qui a envoyé son Fils en victime de propitiation pour nos péchés » (1 Jn 4, 10)[1]. « La preuve que Dieu nous aime, c'est que le Christ, alors que nous étions encore pécheurs, est mort pour nous » (Rm 5, 8). *211, 2009* *1825*

605 Cet amour est sans exclusion, Jésus l'a rappelé en conclusion de la parabole de la brebis perdue : « Ainsi on ne veut pas, chez votre Père qui est aux cieux, qu'un seul de ses petits ne se perde » (Mt 18, 14). Il affirme « donner sa vie en rançon *pour la multitude* » (Mt 20, 28); ce dernier terme n'est pas restrictif : il oppose l'ensemble de l'humanité à l'unique personne du Rédempteur qui se livre pour la sauver[2]. L'Église, à la suite des apôtres[3], enseigne que le Christ est mort pour tous les hommes sans exception. « Il n'y a, il n'y a eu et il n'y aura aucun homme pour qui le Christ n'ait pas souffert[4]. » *402* *634, 2793*

III. Le Christ s'est offert Lui-même à son Père pour nos péchés

Toute la vie du Christ est offrande au Père

606 Le Fils de Dieu, « descendu du ciel non pour faire sa volonté mais celle de son Père qui L'a envoyé » (Jn 6, 38), « dit en entrant dans le monde : (...) Voici je viens (...) pour faire ô Dieu ta volonté. (...) C'est en vertu de cette volonté que nous sommes sanctifiés par l'oblation du corps de Jésus-Christ, une fois pour toutes » (He 10, 5-10). Dès le premier instant de son Incarnation, le Fils épouse le dessein de salut divin dans sa mission rédemptrice : « Ma nourriture est de faire la volonté de Celui qui M'a envoyé et de mener son oeuvre à bonne fin » (Jn 4, 34). Le sacrifice de Jésus « pour les péchés du monde entier » (1 Jn 2, 2) est l'expression de sa communion d'amour au Père : « Le Père m'aime parce que Je donne ma vie » (Jn 10, 17). « Il faut que le monde sache que J'aime le Père et que Je fais comme le Père M'a commandé » (Jn 14, 31). *517* *536*

---

1. Cf. 4, 19. - 2. Cf. Rm 5, 18 - 19. - 3. Cf. 2 Co 5, 15; 1 Jn 2, 2. - 4. Cc. Quiercy en 853 : DS 624.

607   Ce désir d'épouser le dessein d'amour rédempteur de son Père anime toute
457   la vie de Jésus[1] car sa passion rédemptrice est la raison d'être de son Incarnation :
« Père, sauve-moi de cette heure ! Mais c'est pour cela que je suis venu à cette
heure » (Jn 12, 27). « La coupe que M'a donnée le Père ne la boirai-Je pas ? » (Jn 18,
11). Et encore sur la Croix avant que « tout soit accompli » (Jn 19, 30), il dit : « J'ai
soif » (Jn 19, 28).

« L'Agneau qui enlève le péché du monde »

608   Après avoir accepté de Lui donner le Baptême à la suite des pécheurs[2],
523   Jean-Baptiste a vu et montré en Jésus l'« Agneau de Dieu, qui enlève les péchés du
monde » (Jn 1, 29)[3]. Il manifeste ainsi que Jésus est à la fois le Serviteur souffrant
qui, silencieux, se laisse mener à l'abattoir (Is 53, 7)[4] et porte le péché des multitudes[5], et l'agneau Pascal symbole de la rédemption d'Israël lors de la première
517   Pâque (Ex 12, 3-14)[6]. Toute la vie du Christ exprime sa mission : « servir et donner
sa vie en rançon pour la multitude » (Mc 10, 45).

Jésus épouse librement l'amour rédempteur du Père

609   En épousant dans son coeur humain l'amour du Père pour les hommes,
478   Jésus « les a aimés jusqu'à la fin » (Jn 13, 1) « car il n'y a pas de plus grand amour
que de donner sa vie pour ceux qu'on aime » (Jn 15, 13). Ainsi, dans la souffrance
515   et dans la mort, son humanité est devenue l'instrument libre et parfait de son
272, 539   amour divin qui veut le salut des hommes[7]. En effet, Il a librement accepté sa passion et sa mort par amour de son Père et des hommes que Celui-ci veut sauver :
« Personne ne M'enlève la vie, mais Je la donne de Moi-même » (Jn 10, 18). D'où la
souveraine liberté du Fils de Dieu quand Il va Lui-même vers la mort[8].

À la Cène Jésus a anticipé l'offrande libre de sa vie

610   Jésus a exprimé suprêmement l'offrande libre de Lui-même dans le repas
766   pris avec les douze apôtres[9], dans « la nuit où Il fut livré » (1 Co 11, 23). La veille
1337   de sa passion, alors qu'Il était encore libre, Jésus a fait de cette dernière Cène avec
ses apôtres le mémorial de son offrande volontaire au Père[10] pour le salut des
hommes : « Ceci est mon corps *donné* pour vous » (Lc 22, 19). « Ceci est mon sang,
le sang de l'alliance, qui *va être répandu* pour une multitude en rémission des
péchés » (Mt 26, 28).

611   L'Eucharistie qu'Il institue à ce moment sera le « mémorial » (1 Co 11, 25) de
1364   son sacrifice. Jésus inclut les apôtres dans sa propre offrande et leur demande de

---

1. Cf. Lc 12, 50; 22, 15; Mt 16, 21-23. - 2. Cf. Lc 3, 21; Mt 3, 14-15. - 3. Cf. Jn 1, 36. - 4. Cf. Jr 11, 19.
- 5. Cf. Is 53, 12. - 6. Cf. Jn 19, 36; 1 Co 5, 7. - 7. Cf. He 2, 10. 17-18; 4, 15; 5, 7-9. - 8. Cf. Jn 18, 4-6;
Mt 26, 53. - 9. Cf. Mt 26, 20. - 10. Cf. 1 Co 5, 7.

la perpétuer [1]. Par là, Jésus institue ses apôtres prêtres de l'Alliance Nouvelle :   *1341, 1566*
« Pour eux Je me consacre afin qu'ils soient eux aussi consacrés dans la vérité »
(Jn 17, 19) [2].

L'agonie à Gethsémani

612   La coupe de la Nouvelle Alliance, que Jésus a anticipée à la Cène en
s'offrant Lui-même [3], Il l'accepte ensuite des mains du Père dans son agonie à
Gethsémani [4] en se faisant « obéissant jusqu'à la mort » (Ph 2, 8; cf. He 5, 7-8).   *532, 2600*
Jésus prie : « Mon Père, s'il est possible que cette coupe passe loin de moi... » (Mt
26, 39.) Il exprime ainsi l'horreur que représente la mort pour sa nature humaine.
En effet celle-ci, comme la nôtre, est destinée à la vie éternelle; en plus, à la différence de la nôtre, elle est parfaitement exempte du péché [5] qui cause la mort [6],
mais surtout elle est assumée par la personne divine du « Prince de la Vie » (Ac 3,
15), du « Vivant » (Ap 1, 17) [7]. En acceptant dans sa volonté humaine que la volonté
du Père soit faite [8], Il accepte sa mort en tant que rédemptrice pour « porter Lui-   *1009*
même nos fautes dans son corps sur le bois » (1 P 2, 24).

La mort du Christ est le sacrifice unique et définitif

613   La mort du Christ est à la fois le *sacrifice Pascal* qui accomplit la rédemption définitive des hommes [9] par « l'Agneau qui porte le péché du monde » (Jn 1,   *1366*
19) [10] et le *sacrifice de la Nouvelle Alliance* [11] qui remet l'homme en communion   *2009*
avec Dieu [12] en le réconciliant avec Lui par « le sang répandu pour la multitude en
rémission des péchés » (Mt 26, 28) [13].

614   Ce sacrifice du Christ est unique, il achève et dépasse tous les sacrifices [14]. Il
est d'abord un don de Dieu le Père Lui-même : c'est le Père qui livre son Fils pour   *529, 1330*
nous réconcilier avec Lui [15]. Il est en même temps offrande du Fils de Dieu fait   *2100*
homme qui, librement et par amour [16], offre sa vie [17] à son Père par l'Esprit Saint [18],
pour réparer notre désobéissance.

Jésus substitue son obéissance à notre désobéissance

615   « Comme par la désobéissance d'un seul la multitude a été constituée
pécheresse, ainsi par l'obéissance d'un seul la multitude sera constituée juste » (Rm   *1850*
5, 19). Par son obéissance jusqu'à la mort, Jésus a accompli la substitution du
Serviteur souffrant qui « offre sa vie en *sacrifice expiatoire* », « alors qu'Il portait le   *433*

---

1. Cf. Lc 22, 19. - 2. Cf. Cc. Trente : DS 1752; 1764. - 3. Cf. Lc 22, 20. - 4. Cf. Mt 26, 42. - 5. Cf. He 4,
15. - 6. Cf. Rm 5, 12. - 7. Cf. Jn 1, 4; 5, 26. - 8. Cf. Mt 26, 42. - 9. Cf. 1 Co 5, 7; Jn 8, 34-36. - 10. Cf. 1 P
1, 19. - 11. Cf. 1 Co 11, 25. - 12. Cf. Ex 24, 8. - 13. Cf. Lv 16, 15-16. - 14. Cf. He 10, 10. - 15. Cf. 1 Jn 4,
10. - 16. Cf. Jn 15, 13. - 17. Cf. Jn 10, 17-18. - 18. Cf. He 9, 14.

411 péché des multitudes » « qu'Il justifie en s'accablant Lui-même de leurs fautes » (Is 53, 10-12). Jésus a réparé pour nos fautes et satisfait au Père pour nos péchés [1].

Sur la Croix, Jésus consomme son sacrifice

478

468

519

616   C'est « l'amour jusqu'à la fin » (Jn 13, 1) qui confère sa valeur de rédemption et de réparation, d'expiation et de satisfaction au sacrifice du Christ. Il nous a tous connus et aimés dans l'offrande de sa vie [2]. « L'amour du Christ nous presse, à la pensée que, si un seul est mort pour tous, alors tous sont morts » (2 Co 5, 14). Aucun homme, fût-il le plus saint, n'était en mesure de prendre sur lui les péchés de tous les hommes et de s'offrir en sacrifice pour tous. L'existence dans le Christ de la Personne divine du Fils, qui dépasse et, en même temps, embrasse toutes les personnes humaines, et qui Le constitue Tête de toute l'humanité, rend possible son sacrifice rédempteur *pour tous*.

1992

1235

617   « Par sa sainte passion, sur le bois de la Croix, Il nous a mérité la justification » enseigne le Concile de Trente [3] : soulignant le caractère unique du sacrifice du Christ comme « principe de salut éternel » (He 5, 9). Et l'Église vénère la Croix en chantant : « Salut, Ô Croix, notre unique espérance ! [4] »

Notre participation au sacrifice du Christ

1368, 1460

307, 2100

964

618   La Croix est l'unique sacrifice du Christ « seul médiateur entre Dieu et les hommes » (1 Tm 2, 5). Mais, parce que, dans sa Personne divine incarnée, « Il s'est en quelque sorte uni Lui-même à tout homme [5] », Il « offre à tous les hommes, d'une façon que Dieu connaît, la possibilité d'être associés au mystère Pascal [6] ». Il appelle ses disciples à « prendre leur Croix et à Le suivre » (Mt 16, 24) car « Il a souffert pour nous, Il nous a tracé le chemin afin que nous suivions ses pas » (1 P 2, 21). Il veut en effet associer à son sacrifice rédempteur ceux-là même qui en sont les premiers bénéficiaires [7]. Cela s'accomplit suprêmement en la personne de sa Mère, associée plus intimement que tout autre au mystère de sa souffrance rédemptrice [8] :

> En dehors de la Croix il n'y a pas d'autre échelle par où monter au ciel [9].

EN BREF

619   *« Le Christ est mort pour nos péchés selon les Écritures » (1 Co 15, 3).*

620   *Notre salut découle de l'initiative d'amour de Dieu envers nous car « c'est Lui qui nous a aimés et qui a envoyé son Fils en victime de propitiation*

---

1. Cf. Cc. Trente : DS 1529. - 2. Cf. Ga 2, 20; Ep 5, 2. 25. - 3. DS 1529. - 4. Hymne « Vexilla Regis ». - 5. GS 22, § 2. - 6. GS 22, § 5. - 7. Cf. Mc 10, 39; Jn 21, 18-19; Col 1, 24. - 8. Cf. Lc 2, 35. - 9. Ste Rose de Lima, vita.

pour nos péchés » (1 Jn 4, 10). « C'est Dieu qui dans le Christ se réconciliait le monde » (2 Co 5, 19).

621 *Jésus s'est offert librement pour notre salut. Ce don, Il le signifie et le réalise à l'avance pendant la dernière cène : « Ceci est mon corps, qui va être donné pour vous » (Lc 22, 19).*

622 *En ceci consiste la rédemption du Christ : Il « est venu donner sa vie en rançon pour la multitude » (Mt 20, 28), c'est-à-dire « aimer les siens jusqu'à la fin » (Jn 13, 1) pour qu'ils soient « affranchis de la vaine conduite héritée de leurs pères » (1 P 1, 18).*

623 *Par son obéissance aimante au Père, « jusqu'à la mort de la Croix » (Ph 2, 8), Jésus accomplit la mission expiatrice[1] du Serviteur souffrant qui « justifie les multitudes en s'accablant Lui-même de leurs fautes » (Is 53, 11)[2].*

PARAGRAPHE 3. *Jésus-Christ a été enseveli*

624 « Par la grâce de Dieu, au bénéfice de tout homme, Il a goûté la mort » (He 2, 9). Dans son dessein de salut, Dieu a disposé que son Fils non seulement « mourrait pour nos péchés » (1 Co 15, 3) mais aussi qu'Il « goûterait la mort », c'est-à-dire connaîtrait l'état de mort, l'état de séparation entre son âme et son corps, durant le temps compris entre le moment où Il a expiré sur la Croix et le moment où Il est ressuscité. Cet état du Christ mort est le mystère du sépulcre et de la descente aux enfers. C'est le mystère du Samedi Saint où le Christ déposé au tombeau[3] manifeste le grand repos sabbatique de Dieu[4] après l'accomplissement[5] du salut des hommes qui met en paix l'univers entier[6].

1005, 362

349

Le Christ au sépulcre dans son corps

625 Le séjour du Christ au tombeau constitue le lien réel entre l'état passible du Christ avant Pâques et son actuel état glorieux de Ressuscité. C'est la même personne du « Vivant » qui peut dire : « J'ai été mort et me voici vivant pour les siècles des siècles » (Ap 1, 18) :

> Dieu (le Fils) n'a pas empêché la mort de séparer l'âme du corps, selon l'ordre nécessaire à la nature, mais Il les a de nouveau réunis l'un à l'autre par la Résurrection, afin d'être *Lui-même dans sa personne le point de rencontre de la mort et de la vie* en arrêtant en Lui la décomposition de la nature produite par la mort et en devenant Lui-même principe de réunion pour les parties séparées[7].

---

1. Cf. Is 53, 10. - 2. Cf. Rm 5, 19. - 3. Cf. Jn 19, 42. - 4. Cf. He 4, 4-9. - 5. Cf. Jn 19, 30. - 6. Cf. Col 1, 18-20. - 7. S. Grégoire de Nysse, or. catech. 16.

626   Puisque le « Prince de la vie » qu'on a mis à mort (Ac 3, 15) est bien le même que le « Vivant qui est ressuscité » (Lc 24, 5-6), il faut que la personne divine du Fils de Dieu ait continué à assumer son âme et son corps séparés entre eux par la mort :

470, 650

> Du fait qu'à la mort du Christ l'âme a été séparée de la chair, la personne unique ne s'est pas trouvée divisée en deux personnes; car le corps et l'âme du Christ ont existé au même titre dès le début dans la personne du Verbe; et dans la mort, quoique séparés l'un de l'autre, ils sont restés chacun avec la même et unique personne du Verbe[1].

« Tu ne laisseras pas ton saint voir la corruption »

627   La mort du Christ a été une vraie mort en tant qu'elle a mis fin à son existence humaine terrestre. Mais à cause de l'union que son corps a gardée avec la personne du Fils, Il n'est pas devenu une dépouille mortelle comme les autres car « la vertu divine a préservé le corps du Christ de la corruption[2] ». Du Christ on peut dire à la fois : « Il a été retranché de la terre des vivants » (Is 53, 8); et : « Ma chair reposera dans l'espérance que tu n'abandonneras pas mon âme aux enfers et ne laisseras pas ton saint voir la corruption » (Ac 2, 26-27)[3]. La Résurrection de Jésus « le troisième jour » (1 Co 15, 4; Lc 24, 46)[4] en était la preuve car la corruption était censée se manifester à partir du quatrième jour[5].

1009
1683

« Ensevelis avec le Christ... »

628   Le Baptême, dont le signe originel et plénier est l'immersion, signifie efficacement la descente au tombeau du chrétien qui meurt au péché avec le Christ en vue d'une vie nouvelle : « Nous avons été ensevelis avec le Christ par le Baptême dans la mort, afin que, comme le Christ est ressuscité des morts par la Gloire du Père, nous vivions nous aussi dans une vie nouvelle » (Rm 6, 4)[6].

537
1215

EN BREF

629   *Au bénéfice de tout homme Jésus a goûté la mort[7]. C'est vraiment le Fils de Dieu fait homme qui est mort et qui a été enseveli.*

630   *Pendant le séjour du Christ au tombeau sa Personne divine a continué à assumer tant son âme que son corps séparés pourtant entre eux par la mort. C'est pourquoi le corps du Christ mort « n'a pas vu la corruption » (Ac 13, 37).*

---

1. S. Jean Damascène, f. o. 3, 27. - 2. S. Thomas d'A., s. th. 3, 51, 3. - 3. Cf. Ps 16, 9-10. - 4. Cf. Mt 12, 40; Jon 2, 1; Os 6, 2. - 5. Cf. Jn 11, 39. - 6. Cf. Col 2, 12; Ep 5, 26. - 7. Cf. He 2, 9.

ARTICLE 5

« *Jésus-Christ est descendu aux enfers, est ressuscité des morts le troisième jour* »

631 « Jésus est descendu dans les régions inférieures de la terre. Celui qui est descendu est le même que celui qui est aussi monté » (Ep 4, 9-10). Le Symbole des apôtres confesse en un même article de foi la descente du Christ aux enfers et sa Résurrection des morts le troisième jour, parce que dans sa Pâque c'est du fond de la mort qu'Il a fait jaillir la vie :

> Le Christ, ton Fils
> qui, remonté des Enfers,
> répandit sur le genre humain sa sereine clarté
> et vit et règne pour les siècles des siècles. Amen [1].

PARAGRAPHE 1. *Le Christ est descendu aux enfers*

632 Les fréquentes affirmations du Nouveau Testament selon lesquelles Jésus « est ressuscité d'entre les morts » (Ac 3, 15; Rm 8, 11; 1 Co 15, 20) présupposent, préalablement à la résurrection, que celui-ci soit demeuré dans le séjour des morts [2]. C'est le sens premier que la prédication apostolique a donné à la descente de Jésus aux enfers : Jésus a connu la mort comme tous les hommes et les a rejoints par son âme au séjour des morts. Mais Il y est descendu en Sauveur, proclamant la bonne nouvelle aux esprits qui y étaient détenus [3].

633 Le séjour des morts où le Christ mort est descendu, l'Écriture l'appelle les enfers, le Shéol ou l'Hadès [4] parce que ceux qui s'y trouvent sont privés de la vision de Dieu [5]. Tel est en effet, en attendant le Rédempteur, le cas de tous les morts, méchants ou justes [6] ce qui ne veut pas dire que leur sort soit identique comme le montre Jésus dans la parabole du pauvre Lazare reçu dans « le sein d'Abraham » [7]. « Ce sont précisément ces âmes saintes, qui attendaient leur Libérateur dans le sein d'Abraham, que Jésus-Christ délivra lorsqu'Il descendit aux enfers [8]. » Jésus n'est pas descendu aux enfers pour y délivrer les damnés [9] ni pour détruire l'enfer de la damnation [10] mais pour libérer les justes qui L'avaient précédé [11].

1033

634 « La Bonne Nouvelle a été également annoncée aux morts... » (1 P 4, 6.) La descente aux enfers est l'accomplissement, jusqu'à la plénitude, de l'annonce

---

1. MR, Vigile Pascale 18 : Exsultet. - 2. Cf. He 13, 20. - 3. Cf. 1 P 3, 18-19. - 4. Cf. Ph 2, 10; Ac 2, 24; Ap 1, 18; Ep 4, 9. - 5. Cf. Ps 6, 6; 88, 11-13. - 6. Cf. Ps 89, 49; 1 S 28, 19; Ez 32, 17-32. - 7. Cf. Lc 16, 22-26. - 8. Catech. R. 1, 6, 3. - 9. Cf. Cc. Rome de 745 : DS 587. - 10. Cf. DS 1011, 1077. - 11. Cf. Cc. Tolède IV en 625 : DS 485; Mt 27, 52-53.

évangélique du salut. Elle est la phase ultime de la mission messianique de Jésus, phase condensée dans le temps mais immensément vaste dans sa signification réelle d'extension de l'oeuvre rédemptrice à tous les hommes de tous les temps et de tous les lieux, car tous ceux qui sont sauvés ont été rendus participants de la Rédemption.

605

635   Le Christ est donc descendu dans la profondeur de la mort[1] afin que « les morts entendent la voix du Fils de Dieu et que ceux qui l'auront entendue vivent » (Jn 5, 25). Jésus, « le Prince de la vie » (Ac 3, 15), a « réduit à l'impuissance, par sa mort, celui qui a la puissance de la mort, c'est-à-dire le diable, et a affranchi tous ceux qui, leur vie entière, étaient tenus en esclavage par la crainte de la mort » (He 2, 14-15). Désormais le Christ ressuscité « détient la clef de la mort et de l'Hadès » (Ap 1, 18) et « au nom de Jésus tout genou fléchit au ciel, sur terre et aux enfers » (Ph 2, 10).

> Un grand silence règne aujourd'hui sur la terre, un grand silence et une grande solitude. Un grand silence parce que le Roi dort. La terre a tremblé et s'est calmée parce que Dieu s'est endormi dans la chair et qu'Il est allé réveiller ceux qui dormaient depuis des siècles (...). Il va chercher Adam, notre premier Père, la brebis perdue. Il veut aller visiter tous ceux qui sont assis dans les ténèbres et à l'ombre de la mort. Il va pour délivrer de leurs douleurs Adam dans les liens et Ève, captive avec lui, Lui qui est en même temps leur Dieu et leur Fils (...) « Je suis ton Dieu, et à cause de toi Je suis devenu ton Fils. Lève-toi, toi qui dormais, car Je ne t'ai pas créé pour que tu séjournes ici enchaîné dans l'enfer. Relève-toi d'entre les morts, Je suis la Vie des morts[2]. »

EN BREF

636   *Dans l'expression « Jésus est descendu aux enfers », le symbole confesse que Jésus est mort réellement, et que, par sa mort pour nous, Il a vaincu la mort et le diable « qui a la puissance de la mort » (He 2, 14).*

637   *Le Christ mort, dans son âme unie à sa personne divine, est descendu au séjour des morts. Il a ouvert aux justes qui L'avaient précédé les portes du ciel.*

PARAGRAPHE 2. *Le troisième jour*
Il est ressuscité des morts

638   « Nous vous annonçons la Bonne Nouvelle : la promesse faite à nos pères, Dieu l'a accomplie en notre faveur à nous, leurs enfants : Il a ressuscité Jésus » (Ac 13, 32-33). La Résurrection de Jésus est la vérité culminante de notre foi dans le Christ, crue et vécue comme vérité centrale par la première communauté

90

---

1. Cf. Mt 12, 40; Rm 10, 7; Ep 4, 9. - 2. Ancienne homélie pour le Samedi Saint.

chrétienne, transmise comme fondamentale par la Tradition, établie par les documents du Nouveau Testament, prêchée comme partie essentielle du mystère Pascal en même temps que la Croix :

651
991

> Le Christ est ressuscité des morts.
> Par sa mort Il a vaincu la mort,
> Aux morts Il a donné la vie[1].

I. L'événement historique et transcendant

639 Le mystère de la résurrection du Christ est un événement réel qui a eu des manifestations historiquement constatées comme l'atteste le Nouveau Testament. Déjà S. Paul peut écrire aux Corinthiens vers l'an 56 : « Je vous ai donc transmis ce que j'avais moi-même reçu, à savoir que le Christ est mort pour nos péchés selon les Écritures, qu'Il a été mis au tombeau, qu'Il est ressuscité le troisième jour selon les Écritures, qu'Il est apparu à Céphas, puis aux Douze » (1 Co 15, 3-4). L'apôtre parle ici de la *vivante tradition de la Résurrection* qu'il avait apprise après sa conversion aux portes de Damas[2].

Le tombeau vide

640 « Pourquoi chercher le Vivant parmi les morts ? Il n'est pas ici, mais Il est ressuscité » (Lc 24, 5-6). Dans le cadre des événements de Pâques, le premier élément que l'on rencontre est le sépulcre vide. Il n'est pas en soi une preuve directe. L'absence du corps du Christ dans le tombeau pourrait s'expliquer autrement[3]. Malgré cela, le sépulcre vide a constitué pour tous un signe essentiel. Sa découverte par les disciples a été le premier pas vers la reconnaissance du fait même de la Résurrection. C'est le cas des saintes femmes d'abord[4], puis de Pierre[5]. « Le disciple que Jésus aimait » (Jn 20, 2) affirme qu'en entrant dans le tombeau vide et en découvrant « les linges gisant » (Jn 20, 6) « il vit et il crut » (Jn 20, 8). Cela suppose qu'il ait constaté dans l'état du sépulcre vide[6] que l'absence du corps de Jésus n'a pas pu être une oeuvre humaine et que Jésus n'était pas simplement revenu à une vie terrestre comme cela avait été le cas de Lazare[7].

999

Les apparitions du Ressuscité

641 Marie de Magdala et les saintes femmes, qui venaient achever d'embaumer le corps de Jésus[8] enseveli à la hâte à cause de l'arrivée du Sabbat le soir du Vendredi Saint[9], ont été les premières à rencontrer le Ressuscité[10]. Ainsi les

---

1. Liturgie byzantine, Tropaire de Pâques. - 2. Cf. Ac 9, 3-18. - 3. Cf. Jn 20, 13; Mt 28, 11-15. - 4. Cf. Lc 24, 3. 22-23. - 5. Cf. Lc 24, 12. - 6. Cf. Jn 20, 5-7. - 7. Cf. Jn 11, 44. - 8. Cf. Mc 16, 1; Lc 24, 1. - 9. Cf. Jn 19, 31. 42. - 10. Cf. Mt 28, 9-10; Jn 20, 11-18.

femmes furent les premières messagères de la Résurrection du Christ pour les apôtres eux-mêmes (Lc 24, 9-10). C'est à eux que Jésus apparaît ensuite, d'abord

553   à Pierre, puis aux Douze [1]. Pierre, appelé à confirmer la foi de ses frères [2], voit donc le Ressuscité avant eux et c'est sur son témoignage que la communauté

448   s'écrie : « C'est bien vrai ! Le Seigneur est ressuscité et Il est apparu à Simon » (Lc 24, 34. 36).

642   Tout ce qui est arrivé dans ces journées Pascales engage chacun des apôtres - et Pierre tout particulièrement - dans la construction de l'ère nouvelle qui a débuté au matin de Pâques. Comme témoins du Ressuscité ils demeurent les

659, 881 pierres de fondation de son Église. La foi de la première communauté des croyants est fondée sur le témoignage d'hommes concrets, connus des chrétiens et, pour la

860   plupart, vivant encore parmi eux. Ces « témoins de la Résurrection du Christ [3] » sont avant tout Pierre et les Douze, mais pas seulement eux : Paul parle clairement de plus de cinq cents personnes auxquelles Jésus est apparu en une seule fois, en plus de Jacques et de tous les apôtres [4].

643   Devant ces témoignages il est impossible d'interpréter la Résurrection du Christ en dehors de l'ordre physique, et de ne pas la reconnaître comme un fait historique. Il résulte des faits que la foi des disciples a été soumise à l'épreuve radicale de la passion et de la mort en Croix de leur maître annoncée par Celui-ci à l'avance [5]. La secousse provoquée par la passion fut si grande que les disciples (tout au moins certains d'entre eux) ne crurent pas aussitôt à la nouvelle de la Résurrection. Loin de nous montrer une communauté saisie par une exaltation mystique, les Évangiles nous présentent les disciples abattus (« le visage sombre » : Lc 24, 17) et effrayés [6]. C'est pourquoi ils n'ont pas cru les saintes femmes de retour du tombeau et « leurs propos leur ont sem- blé du radotage » (Lc 24, 11) [7]. Quand Jésus se manifeste aux onze au soir de Pâques, « Il leur reproche leur incrédulité et leur obstination à ne pas ajouter foi à ceux qui L'avaient vu ressuscité » (Mc 16, 14).

644   Même mis devant la réalité de Jésus ressuscité, les disciples doutent encore [8], tellement la chose leur paraît impossible : ils croient voir un esprit [9]. « Dans leur joie ils ne croient pas encore et demeurent saisis d'étonnement » (Lc 24, 41). Thomas connaîtra la même épreuve du doute [10] et, lors de la dernière apparition en Galilée rapportée par Matthieu, « certains cependant doutèrent » (Mt 28, 17). C'est pourquoi l'hypothèse selon laquelle la Résurrection aurait été un « produit » de la foi (ou de la crédulité) des apôtres est sans consistance. Bien au contraire, leur foi dans la Résurrection est née - sous l'action de la grâce divine - de l'expérience directe de la réalité de Jésus ressuscité.

L'état de l'humanité ressuscitée du Christ

645   Jésus ressuscité établit avec ses disciples des rapports directs, à travers le toucher [11] et le partage du repas [12]. Il les invite par là à reconnaître qu'Il n'est pas un

999   esprit [13] mais surtout à constater que le corps ressuscité avec lequel Il se présente à

---

1. Cf. 1 Co 15, 5. - 2. Cf. Lc 22, 31-32. - 3. Cf. Ac 1, 22. - 4. Cf. 1 Co 15, 4-8. - 5. Cf. Lc 22, 31-32.
- 6. Cf. Jn 20, 19. - 7. Cf. Mc 16, 11. 13. - 8. Cf. Lc 24, 38. - 9. Cf. Lc 24, 39. - 10. Cf. Jn 20, 24-27.
- 11. Cf. Lc 24, 39; Jn 20, 27. - 12. Cf. Lc 24, 30. 41-43; Jn 21, 9. 13-15. - 13. Cf. Lc 24, 39.

eux est le même qui a été martyrisé et crucifié puisqu'Il porte encore les traces de sa passion[1]. Ce corps authentique et réel possède pourtant en même temps les propriétés nouvelles d'un corps glorieux : Il n'est plus situé dans l'espace et le temps, mais peut se rendre présent à sa guise où et quand Il veut[2] car son humanité ne peut plus être retenue sur terre et n'appartient plus qu'au domaine divin du Père[3]. Pour cette raison aussi Jésus ressuscité est souverainement libre d'apparaître comme Il veut : sous l'apparence d'un jardinier[4] ou « sous d'autres traits » (Mc 16, 12) que ceux qui étaient familiers aux disciples, afin précisément de susciter leur foi[5].

646 La Résurrection du Christ ne fut pas un retour à la vie terrestre, comme ce fut le cas pour les résurrections qu'Il avait accomplies avant Pâques : la fille de Jaïre, le jeune homme de Naïm, Lazare. Ces faits étaient des événements miraculeux, mais les personnes miraculées retrouvaient, par le pouvoir de Jésus, une vie terrestre « ordinaire ». À un certain moment, ils mourront de nouveau. La Résurrection du Christ est essentiellement différente. Dans son corps ressuscité, Il passe de l'état de mort à une autre vie au-delà du temps et de l'espace. Le corps de Jésus est, dans la Résurrection, rempli de la puissance du Saint-Esprit; Il participe à la vie divine dans l'état de sa gloire, si bien que S. Paul peut dire du Christ qu'Il est « l'homme céleste[6] ».

934
549

La Résurrection comme événement transcendant

647 « Ô nuit, chante l'"Exsultet" de Pâques, toi seule as pu connaître le moment où le Christ est sorti vivant du séjour des morts. » En effet, personne n'a été le témoin oculaire de l'événement même de la Résurrection et aucun évangéliste ne le décrit. Personne n'a pu dire comment elle s'était faite physiquement. Moins encore son essence la plus intime, le passage à une autre vie, fut perceptible aux sens. Événement historique constatable par le signe du tombeau vide et par la réalité des rencontres des apôtres avec le Christ ressuscité, la Résurrection n'en demeure pas moins, en ce qu'elle transcende et dépasse l'histoire, au coeur du mystère de la foi. C'est pourquoi le Christ ressuscité ne se manifeste pas au monde[7] mais à ses disciples, « à ceux qui étaient montés avec Lui de Galilée à Jérusalem, ceux-là mêmes qui sont maintenant ses témoins auprès du peuple » (Ac 13, 31).

1000

II. La Résurrection – oeuvre de la Sainte Trinité

648 La Résurrection du Christ est objet de foi en tant qu'elle est une intervention transcendante de Dieu Lui-même dans la création et dans l'histoire. En elle, les

258

---

1. Cf. Lc 24, 40; Jn 20, 20. 27. - 2. Cf. Mt 28, 9. 16-17; Lc 24, 15. 36; Jn 20, 14. 19. 26; 21, 4. - 3. Cf. Jn 20, 17. - 4. Cf. Jn 20, 14-15. - 5. Cf. Jn 20, 14. 16; 21, 4. 7. - 6. Cf. 1 Co 15, 35-50. - 7. Cf. Jn 14, 22.

989 trois Personnes divines à la fois agissent ensemble et manifestent leur originalité propre. Elle s'est faite par la puissance du Père qui « a ressuscité »[1] le Christ, son
663 Fils, et a de cette façon introduit de manière parfaite son humanité - avec son
445 corps dans la Trinité. Jésus est définitivement révélé « Fils de Dieu avec puissance selon l'Esprit, par sa Résurrection d'entre les morts » (Rm 1, 3-4). S. Paul insiste sur
272 la manifestation de la puissance de Dieu[2] par l'oeuvre de l'Esprit qui a vivifié l'humanité morte de Jésus et l'a appelée à l'état glorieux de Seigneur.

649   Quant au Fils, Il opère sa propre Résurrection en vertu de sa puissance divine. Jésus annonce que le Fils de l'Homme devra beaucoup souffrir, mourir, et ensuite ressusciter (au sens actif du mot[3]). Ailleurs, Il affirme explicitement : « Je donne ma vie pour la reprendre. (...) J'ai pouvoir de la donner et pouvoir de la reprendre » (Jn 10, 17-18). « Nous croyons (...) que Jésus est mort, puis est ressuscité » (1 Th 4, 14).

650   Les Pères contemplent la Résurrection à partir de la personne divine du
626 Christ qui est restée unie à son âme et à son corps séparés entre eux par la mort : « Par l'unité de la nature divine qui demeure présente dans chacune des deux parties de l'homme, celles-ci s'unissent à nouveau. Ainsi la mort se produit par la
1005 séparation du composé humain, et la Résurrection par l'union des deux parties séparées[4]. »

III. Sens et portée salvifique de la Résurrection

651   « Si le Christ n'est pas ressuscité, alors notre prédication est vaine et vaine aussi notre foi » (1 Co 15, 14). La Résurrection constitue avant tout la confirmation de tout ce que le Christ Lui-même a fait et enseigné. Toutes les vérités, même les
129 plus inaccessibles à l'esprit humain, trouvent leur justification si en ressuscitant le
274 Christ a donné la preuve définitive qu'Il avait promise, de son autorité divine.

652   La Résurrection du Christ est *accomplissement des promesses* de l'Ancien
994 Testament[5] et de Jésus Lui-même durant sa vie terrestre[6]. L'expression « selon les
601 Écritures[7] » indique que la Résurrection du Christ accomplit ces prédictions.

653   La vérité de la *divinité* de Jésus est confirmée par sa Résurrection. Il avait
445 dit : « Quand vous aurez élevé le Fils de l'Homme, alors vous saurez que Je Suis » (Jn 8, 28). La Résurrection du Crucifié démontra qu'Il était vraiment « Je Suis », le Fils de Dieu et Dieu Lui-même. S. Paul a pu déclarer aux Juifs : « La promesse faite à nos pères, Dieu l'a accomplie en notre faveur (...); Il a ressuscité Jésus, ainsi

---

1. Cf. Ac 2, 24. - 2. Cf. Rm 6, 4; 2 Co 13, 4; Ph 3, 10; Ep 1, 19-22; He 7, 16. - 3. Cf. Mc 8, 31; 9, 9-31; 10, 34. - 4. S. Grégoire de Nysse, res. 1; cf. aussi DS 325; 359; 369; 539. - 5. Cf. Lc 24, 26-27. 44-48. - 6. Cf. Mt 28, 6; Mc 16, 7; Lc 24, 6-7. - 7. Cf. 1 Co 15, 3-4 et le Symbole de Nicée-Constantinople.

qu'il était écrit au psaume premier : Tu es mon Fils, moi-même aujourd'hui Je T'ai engendré » (Ac 13, 32-33)[1]. La Résurrection du Christ est étroitement liée au mystère de l'Incarnation du Fils de Dieu. Elle en est l'accomplissement selon le dessein éternel de Dieu.

461, 422

654 Il y a un double aspect dans le mystère Pascal : par sa mort il nous libère du péché, par sa Résurrection il nous ouvre l'accès à une nouvelle vie. Celle-ci est d'abord *la justification* qui nous remet dans la grâce de Dieu[2] « afin que, comme le Christ est ressuscité des morts, nous vivions nous aussi dans une vie nouvelle » (Rm 6, 4). Elle consiste en la victoire sur la mort du péché et dans la nouvelle participation à la grâce[3]. Elle accomplit *l'adoption filiale* car les hommes deviennent frères du Christ, comme Jésus Lui-même appelle ses disciples après sa Résurrection : « Allez annoncer à mes frères » (Mt 28, 10; Jn 20, 17). Frères non par nature, mais par don de la grâce, parce que cette filiation adoptive procure une participation réelle à la vie du Fils unique, qui s'est pleinement révélée dans sa Résurrection.

1987

1996

655 Enfin, la Résurrection du Christ - et le Christ ressuscité lui-même - est principe et source de *notre résurrection future* : « Le Christ est ressuscité des morts, prémices de ceux qui se sont endormis (...), de même que tous meurent en Adam, tous aussi revivront dans le Christ » (1 Co 15, 20-22). Dans l'attente de cet accomplissement, le Christ ressuscité vit dans le coeur de ses fidèles. En Lui les chrétiens « goûtent aux forces du monde à venir » (He 6, 5) et leur vie est entraînée par le Christ au sein de la vie divine[4] « afin qu'ils ne vivent plus pour eux-mêmes mais pour Celui qui est mort et ressucité pour eux » (2 Co 5, 15).

989

1002

En bref

656 *La foi en la Résurrection a pour objet un événement à la fois historiquement attesté par les disciples qui ont réellement rencontré le Ressuscité et mystérieusement transcendant en tant qu'entrée de l'humanité du Christ dans la Gloire de Dieu.*

657 *Le tombeau vide et les linges gisant signifient par eux-mêmes que le corps du Christ a échappé aux liens de la mort et de la corruption par la puissance de Dieu. Ils préparent les disciples à la rencontre du Ressuscité.*

658 *Le Christ, « premier-né d'entre les morts » (Col 1, 18), est le principe de notre propre résurrection, dès maintenant par la justification de notre âme[5], plus tard par la vivification de notre corps[6].*

---

1. Cf. Ps 2, 7. - 2. Cf. Rm 4, 25. - 3. Cf. Ep 2, 4-5; 1 P 1, 3. - 4. Cf. Col 3, 1-3. - 5. Cf. Rm 6, 4. - 6. Cf. Rm 8, 11.

ARTICLE 6

« *Jésus est monté aux cieux, Il siège à la droite de Dieu, le Père Tout-Puissant* »

659   « Or le Seigneur Jésus, après leur avoir parlé, fut enlevé au ciel et Il s'assit à la droite de Dieu » (Mc 16, 19). Le Corps du Christ a été glorifié dès l'instant de sa
645 Résurrection comme le prouvent les propriétés nouvelles et surnaturelles dont jouit désormais son Corps en permanence [1]. Mais pendant les quarante jours où Il va manger et boire familièrement avec ses disciples [2] et les instruire sur le Royaume [3], sa gloire reste encore voilée sous les traits d'une humanité ordinaire [4]. La dernière
66 apparition de Jésus se termine par l'entrée irréversible de son humanité dans la
697 gloire divine symbolisée par la nuée [5] et par le ciel [6] où Il siège désormais à la droite de Dieu [7]. Ce n'est que de manière tout à fait exceptionnelle et unique qu'Il se montrera à Paul « comme à l'avorton » (1 Co 15, 8) en une dernière apparition
642 qui le constitue apôtre [8].

660   Le caractère voilé de la gloire du Ressuscité pendant ce temps transparaît dans sa parole mystérieuse à Marie-Madeleine : « Je ne suis pas encore monté vers le Père. Mais va vers mes frères et dis-leur : Je monte vers mon Père et votre Père, vers mon Dieu et votre Dieu » (Jn 20, 17). Ceci indique une différence de manifestation entre la gloire du Christ ressuscité et celle du Christ exalté à la droite du Père. L'événement à la fois historique et transcendant de l'Ascension marque la transition de l'une à l'autre.

661   Cette dernière étape demeure étroitement unie à la première, c'est-à-dire à
461 la descente du ciel réalisée dans l'Incarnation. Seul celui qui est « sorti du Père » peut « retourner au Père » : le Christ [9]. « Personne n'est jamais monté aux cieux sinon le Fils de l'Homme qui est descendu des cieux » (Jn 3, 13) [10]. Laissée à ses forces naturelles, l'humanité n'a pas accès à la « Maison du Père » (Jn 14, 2), à la vie et à la félicité de Dieu. Le Christ seul a pu ouvrir cet accès à l'homme, « de sorte
792 que nous, ses membres, nous ayons l'espérance de Le rejoindre là où Lui, notre Tête et notre Principe, nous a précédés [11] ».

662   « Moi, une fois élevé de terre, J'attirerai tous les hommes à moi » (Jn 12, 32). L'élévation sur la Croix signifie et annonce l'élévation de l'Ascension au ciel. Elle
1545 en est le début. Jésus-Christ, l'unique Prêtre de l'Alliance nouvelle et éternelle, n'est pas « entré dans un sanctuaire fait de mains d'hommes (...) mais dans le ciel,

---

1. Cf Lc 24, 31; Jn 20, 19.26. - 2. Cf. Ac 10, 41. - 3. Cf. Ac 1, 3. - 4. Cf. Mc 16, 12; Lc 24, 15; Jn 20, 14-15; 21, 4. - 5. Cf. Ac 1, 9; cf. aussi Lc 9, 34-35; Ex 13, 22. - 6. Cf. Lc 24, 51. - 7. Cf. Mc 16, 19; Ac 2, 33; 7, 56; cf. aussi Ps 110, 1. - 8. Cf. 1 Co 9, 1; Ga 1, 16. - 9. Cf. Jn 16, 28. - 10. Cf. Ep 4, 8-10. - 11. MR, Préface de l'Ascension.

afin de paraître maintenant à la face de Dieu en notre faveur » (He 9, 24). Au ciel le Christ exerce en permanence son sacerdoce, « étant toujours vivant pour inter-céder en faveur de ceux qui par Lui s'avancent vers Dieu » (He 7, 25). Comme « grand prêtre des biens à venir » (He 9, 11), Il est le centre et l'acteur principal de la liturgie qui honore le Père dans les cieux[1].

1137

663 Le Christ, désormais, *siège à la droite du Père* : « Par droite du Père nous entendons la gloire et l'honneur de la divinité, où celui qui existait comme Fils de Dieu avant tous les siècles comme Dieu et consubstantiel au Père, s'est assis cor-porellement après qu'Il s'est incarné et que sa chair a été glorifiée[2]. »

648

664 La session à la droite du Père signifie l'inauguration du règne du Messie, accomplissement de la vision du prophète Daniel concernant le Fils de l'homme : « À Lui fut conféré empire, honneur et royaume, et tous les peuples, nations et langues Le servirent. Son empire est un empire à jamais, qui ne passera point et son royaume ne sera point détruit » (Dn 7, 14). À partir de ce moment, les apôtres sont devenus les témoins du « Règne qui n'aura pas de fin[3] ».

541

En bref

665 *L'ascension du Christ marque l'entrée définitive de l'humanité de Jésus dans le domaine céleste de Dieu d'où Il reviendra[4], mais qui entre-temps Le cache aux yeux des hommes[5].*

666 *Jésus-Christ, Tête de l'Église, nous précède dans le Royaume glorieux du Père pour que nous, membres de son Corps, vivions dans l'espérance d'être un jour éternellement avec Lui.*

667 *Jésus-Christ, étant entré une fois pour toutes dans le sanctuaire du ciel, intercède sans cesse pour nous comme le médiateur qui nous assure en permanence l'effusion de l'Esprit Saint.*

ARTICLE 7
« D'où Il viendra juger les vivants et les morts »

I. Il reviendra dans la gloire

Le Christ règne déjà par l'Église...

668 « Le Christ est mort et revenu à la vie pour être le Seigneur des morts et des vivants » (Rm 14, 9). L'Ascension du Christ au Ciel signifie sa participation, dans

---

1. Cf. Ap 4, 6-11. - 2. S. Jean Damascène, f. o. 4, 2. - 3. Symbole de Nicée-Constantinople. - 4. Cf. Ac 1, 11. - 5. Cf. Col 3, 3.

450 son humanité, à la puissance et à l'autorité de Dieu Lui-même. Jésus-Christ est Seigneur : Il possède tout pouvoir dans les cieux et sur la terre. Il est « au-dessus de toute autorité, pouvoir, puissance et souveraineté », car le Père « a tout mis sous ses pieds » (Ep 1, 20-22). Le Christ est le Seigneur du cosmos[1] et de l'histoire. En Lui, l'histoire de l'homme et même toute la création trouvent leur « récapitulation » *518* (Ep 1, 10), leur achèvement transcendant.

669 Comme Seigneur, le Christ est aussi la Tête de l'Église qui est son Corps[2].
792, 1088 Élevé au ciel et glorifié, ayant ainsi accompli pleinement sa mission, Il demeure sur la terre dans son Église. La Rédemption est la source de l'autorité que le Christ, en *541* vertu de l'Esprit Saint, exerce sur l'Église[3]. « Le règne du Christ est déjà mystérieusement présent dans l'Église », « germe et commencement de ce Royaume sur la terre[4] ».

670 Depuis l'Ascension, le dessein de Dieu est entré dans son accomplissement. Nous sommes déjà à « la dernière heure » (1 Jn 2, 18)[5]. « Ainsi donc déjà les *1042* derniers temps sont arrivés pour nous. Le renouvellement du monde est irrévocablement acquis et, en toute réalité, anticipé dès maintenant : en effet, déjà sur la *825* terre l'Église est parée d'une sainteté imparfaite mais véritable[6]. » Le Royaume du *547* Christ manifeste déjà sa présence par les signes miraculeux[7] qui accompagnent son annonce par l'Église[8].

... en attendant que tout Lui soit soumis

671 Déjà présent dans son Église, le Règne du Christ n'est cependant pas encore achevé « avec puissance et grande gloire » (Lc 21, 27)[9] par l'avènement du Roi sur la terre. Ce Règne est encore attaqué par les puissances mauvaises[10] même si elles ont été déjà vaincues à la base par la Pâque du Christ. Jusqu'à ce que tout Lui ait *1043* été soumis[11], « jusqu'à l'heure où seront réalisés les nouveaux cieux et la nouvelle *769, 773* terre où la justice habite, l'Église en pèlerinage porte dans ses sacrements et ses institutions, qui relèvent de ce temps, la figure du siècle qui passe; elle vit elle-même parmi les créatures qui gémissent présentement encore dans les douleurs de l'enfantement et attendent la manifestation des fils de Dieu[12] ». Pour cette raison les *1043, 2046* chrétiens prient, surtout dans l'Eucharistie[13], pour hâter le retour du Christ[14] en Lui *2817* disant : « Viens, Seigneur » (1 Co 16, 22; Ap 22, 17. 20).

672 Le Christ a affirmé avant son Ascension que ce n'était pas encore l'heure de l'établissement glorieux du Royaume messianique attendu par Israël[15] qui devait apporter à tous les hommes, selon les prophètes[16], l'ordre définitif de la justice, de

---

1. Cf. Ep 4, 10; 1 Co 15, 24. 27-28. - 2. Cf. Ep 1, 22. - 3. Cf. Ep 4, 11-13. - 4. LG 3; 5. - 5. Cf. 1 P 4, 7. - 6. LG 48. - 7. Cf. Mc 16, 17-18. - 8. Cf. Mc 16, 20. - 9. Cf. Mt 25, 31. - 10. Cf. 2 Th 2, 7. - 11. Cf. 1 Co 15, 28. - 12. LG 48. - 13. Cf. 1 Co 11, 26. - 14. Cf. 2 P 3, 11-12. - 15. Cf. Ac 1, 6-7. - 16. Cf. Is 11, 1-9.

l'amour et de la paix. Le temps présent est, selon le Seigneur, le temps de l'Esprit et du témoignage [1], mais c'est aussi un temps encore marqué par la « détresse » (1 Co 7, 26) et l'épreuve du mal [2] qui n'épargne pas l'Église [3] et inaugure les combats des derniers jours [4]. C'est un temps d'attente et de veille [5].

732

2612

L'avènement glorieux du Christ, espérance d'Israël

673 Depuis l'Ascension, l'avènement du Christ dans la gloire est imminent [6] même s'il ne nous « appartient pas de connaître les temps et les moments que le Père a fixés de sa seule autorité » (Ac 1, 7) [7]. Cet avènement eschatologique peut s'accomplir à tout moment [8] même s'il est « retenu », lui et l'épreuve finale qui le précédera [9].

1040, 1048

674 La venue du Messie glorieux est suspendue à tout moment de l'histoire [10] à sa reconnaissance par « tout Israël » (Rm 11, 26; Mt 23, 39) dont « une partie s'est endurcie » (Rm 11, 25) dans « l'incrédulité » (Rm 11, 20) envers Jésus. S. Pierre le dit aux juifs de Jérusalem après la Pentecôte : « Repentez-vous et convertissez-vous, afin que vos péchés soient effacés et qu'ainsi le Seigneur fasse venir le temps de répit. Il enverra alors le Christ qui vous est destiné, Jésus, celui que le Ciel doit garder jusqu'au temps de la restauration universelle dont Dieu a parlé dans la bouche de ses saints prophètes » (Ac 3, 19-21). Et S. Paul lui fait écho : « Si leur mise à l'écart fut une réconciliation pour le monde, que sera leur assomption, sinon la vie sortant des morts ? » (Rm 11, 15). L'entrée de « la plénitude des juifs » (Rm 11, 12) dans le salut messianique, à la suite de « la plénitude des païens » (Rm 11, 25) [11], donnera au Peuple de Dieu de « réaliser la plénitude du Christ » (Ep 4, 13) dans laquelle « Dieu sera tout en tous » (1 Co 15, 28).

840

58

L'Épreuve ultime de l'Église

675 Avant l'avènement du Christ, l'Église doit passer par une épreuve finale qui ébranlera la foi de nombreux croyants [12]. La persécution qui accompagne son pèlerinage sur la terre [13] dévoilera le « mystère d'iniquité » sous la forme d'une imposture religieuse apportant aux hommes une solution apparente à leurs problèmes au prix de l'apostasie de la vérité. L'imposture religieuse suprême est celle de l'Anti-Christ, c'est-à-dire celle d'un pseudo-messianisme où l'homme se glorifie lui-même à la place de Dieu et de son Messie venu dans la chair [14].

769

676 Cette imposture antichristique se dessine déjà dans le monde chaque fois que l'on prétend accomplir dans l'histoire l'espérance messianique qui ne peut s'achever qu'au-delà

---

1. Cf. Ac 1, 8. - 2. Cf. Ep 5, 16. - 3. Cf. 1 P 4,17. - 4. Cf. 1 Jn 2, 18; 4, 3; 1 Tm 4, 1. - 5. Cf. Mt 25, 1-13; Mc 13, 33-37. - 6. Cf. Ap 22, 20. - 7. Cf. Mc 13, 32. - 8. Cf. Mt 24, 44; 1 Th 5, 2. - 9. Cf. 2 Th 2, 3-12. - 10. Cf. Rm 11, 31. - 11. Cf. Lc 21, 24. - 12. Cf. Lc 18, 8; Mt 24, 12. - 13. Cf. Lc 21, 12; Jn 15, 19-20. - 14. Cf. 2 Th 2, 4-12; 1 Th 5, 2-3; 2 Jn 7; 1 Jn 2, 18. 22.

d'elle à travers le jugement eschatologique : même sous sa forme mitigée, l'Église a rejeté cette falsification du Royaume à venir sous le nom de millénarisme [1], surtout sous la forme politique d'un messianisme sécularisé, « intrinsèquement perverse [2] ».

2425

677   L'Église n'entrera dans la gloire du Royaume qu'à travers cette ultime Pâque où elle suivra son Seigneur dans sa mort et sa Résurrection [3]. Le Royaume ne s'accomplira donc pas par un triomphe historique de l'Église [4] selon un progrès ascendant mais par une victoire de Dieu sur le déchaînement ultime du mal [5] qui fera descendre du Ciel son Épouse [6]. Le triomphe de Dieu sur la révolte du mal prendra la forme du Jugement dernier [7] après l'ultime ébranlement cosmique de ce monde qui passe [8].

1340

2853

1038-1041 ## II. Pour juger les vivants et les morts

678   À la suite des prophètes [9] et de Jean-Baptiste [10], Jésus a annoncé dans sa prédication le Jugement du dernier Jour. Alors seront mis en lumière la conduite de chacun [11] et le secret des coeurs [12]. Alors sera condamnée l'incrédulité coupable qui a tenu pour rien la grâce offerte par Dieu [13]. L'attitude par rapport au prochain révélera l'accueil ou le refus de la grâce et de l'amour divin [14]. Jésus dira au dernier jour : « Tout ce que vous avez fait à l'un de ces plus petits de mes frères, c'est à moi que vous l'avez fait » (Mt 25, 40).

1470

679   Le Christ est Seigneur de la vie éternelle. Le plein droit de juger définitivement les oeuvres et les coeurs des hommes appartient à Lui en tant que Rédempteur du monde. Il a « acquis » ce droit par sa Croix. Aussi le Père a-t-il remis « le jugement tout entier au Fils » (Jn 5, 22) [15]. Or, le Fils n'est pas venu pour juger, mais pour sauver [16] et pour donner la vie qui est en Lui [17]. C'est par le refus de la grâce en cette vie que chacun se juge déjà lui-même [18], reçoit selon ses oeuvres [19] et peut même se damner pour l'éternité en refusant l'Esprit d'amour [20].

1021

EN BREF

680   *Le Christ Seigneur règne déjà par l'Église, mais toutes choses de ce monde ne lui sont pas encore soumises. Le triomphe du Royaume du Christ ne se fera pas sans un dernier assaut des puissances du mal.*

---

1. Cf. DS 3839. - 2. Cf. Pie XI, enc. « Divini Redemptoris » condamnant le « faux mysticisme » de cette « contrefaçon de la rédemption des humbles »; GS 20-21. - 3. Cf. Ap 19, 1 -9. - 4. Cf. Ap 13, 8. - 5. Cf. Ap 20, 7-10. - 6. Cf. Ap 21, 2-4. - 7. Cf.Ap 20, 12. - 8. Cf. 2 P 3, 12-13. - 9. Cf. Dn 7, 10; Jl 3-4; Ml 3, 19. - 10. Cf. Mt 3, 7-12. - 11. Cf. Mc 12, 38-40. - 12. Cf. Lc 12, 1-3 ; Jn 3, 20-21; Rm 2, 16; 1 Co 4, 5. - 13. Cf. Mt 11, 20-24; 12, 41-42. - 14. Cf. Mt 5, 22; 7, 1-5. - 15. Cf. Jn 5, 27; Mt 25, 31; Ac 10, 42; 17, 31; 2 Tm 4, 1. - 16. Cf. Jn 3, 17. - 17. Cf. Jn 5, 26. - 18. Cf. Jn 3, 18; 12, 48. - 19. Cf. 1 Co 3, 12-15. - 20. Cf. Mt 12, 32; He 6, 4-6; 10, 26-31.

681 *Au Jour du Jugement, lors de la fin du monde, le Christ viendra dans la gloire pour accomplir le triomphe définitif du bien sur le mal qui, comme le grain et l'ivraie, auront grandi ensemble au cours de l'histoire.*

682 *En venant à la fin des temps juger les vivants et les morts, le Christ glorieux révélera la disposition secrète des coeurs et rendra à chaque homme selon ses oeuvres et selon son accueil ou son refus de la grâce.*

CHAPITRE TROISIÈME
Je crois en l'Esprit Saint

683 « Nul ne peut appeler Jésus Seigneur sinon dans l'Esprit Saint » (1 Co 12, 3). « Dieu a envoyé dans nos coeurs l'Esprit de son Fils qui crie : *Abba*, Père ! » (Ga 4, 6.) Cette connaissance de foi n'est possible que dans l'Esprit Saint. Pour être en contact avec le Christ, il faut d'abord avoir été touché par l'Esprit Saint. C'est Lui qui vient au-devant de nous, et suscite en nous la foi. De par notre Baptême premier sacrement de la foi, la Vie, qui a sa source dans le Père et nous est offerte dans le Fils, nous est communiquée intimement et personnellement par l'Esprit Saint dans l'Église :

> Le Baptême nous accorde la grâce de la nouvelle naissance en Dieu le Père par le moyen de son Fils dans l'Esprit Saint. Car ceux qui portent l'Esprit de Dieu sont conduits au Verbe, c'est-à-dire au Fils; mais le Fils les présente au Père, et le Père leur procure l'incorruptibilité. Donc, sans l'Esprit, il n'est pas possible de voir le Fils de Dieu, et, sans le Fils, personne ne peut approcher du Père, car la connaissance du Père, c'est le Fils, et la connaissance du Fils de Dieu se fait par l'Esprit Saint [1].

684 L'Esprit Saint, par sa grâce, est premier dans l'éveil de notre foi et dans la vie nouvelle qui est de « connaître le Père et celui qu'Il a envoyé, Jésus-Christ » (Jn 17, 3). Cependant Il est dernier dans la révélation des Personnes de la Trinité Sainte. S. Grégoire de Nazianze, « le Théologien », explique cette progression par la pédagogie de la « condescendance » divine :

> L'Ancien Testament proclamait manifestement le Père, le Fils plus obscurément. Le Nouveau a manifesté le Fils, a fait entrevoir la divinité de l'Esprit. Maintenant l'Esprit a droit de cité parmi nous et nous accorde une vision plus claire de Lui-même. En effet il n'était pas prudent, quand on ne confessait pas

424, 2670

152

249

236

---

1. S. Irénée, dem. 7.

encore la divinité du Père, de proclamer ouvertement le Fils et, quand la divinité du Fils n'était pas encore admise, d'ajouter l'Esprit Saint comme un fardeau supplémentaire, pour employer une expression un peu hardie... C'est par des avances et des progressions « de gloire en gloire » que la lumière de la Trinité éclatera en plus brillantes clartés [1].

685   Croire en l'Esprit Saint c'est donc professer que l'Esprit Saint est l'une des Personnes de la Trinité Sainte, consubstantielle au Père et au Fils, « adoré et glorifié avec le Père et le Fils [2] ». C'est pourquoi il a été question du mystère divin de *236* l'Esprit Saint dans la « théologie » trinitaire. Ici il ne s'agira donc de l'Esprit Saint que dans « l'économie » divine.

686   L'Esprit Saint est à l'oeuvre avec le Père et le Fils du commencement à la *258* consommation du dessein de notre salut. Mais c'est dans les « derniers temps », inaugurés avec l'Incarnation rédemptrice du Fils, qu'Il est révélé et donné, reconnu et accueilli comme Personne. Alors ce dessein divin, achevé dans le Christ, « Premier-Né » et Tête de la nouvelle création, pourra prendre corps dans l'humanité par l'Esprit répandu : l'Église, la communion des saints, la rémission des péchés, la résurrection de la chair, la vie éternelle.

ARTICLE 8
« Je crois en l'Esprit Saint »

687   « Nul ne connaît ce qui concerne Dieu, sinon l'Esprit de Dieu » (1 Co 2, 11). *243* Or, son Esprit qui Le révèle nous fait connaître le Christ, son Verbe, sa Parole vivante, mais ne se dit pas Lui-même. Celui qui « a parlé par les prophètes » nous fait entendre la Parole du Père. Mais Lui, nous ne L'entendons pas. Nous ne Le connaissons que dans le mouvement où Il nous révèle le Verbe et nous dispose à L'accueillir dans la foi. L'Esprit de Vérité qui nous « dévoile » le Christ « ne parle pas de Lui-même » (Jn 16, 13). Un tel effacement, proprement divin, explique pourquoi « le monde ne peut pas Le recevoir, parce qu'il ne Le voit pas ni ne Le connaît », tandis que ceux qui croient au Christ Le connaissent parce qu'Il demeure avec eux (Jn 14, 17).

688   L'Église, communion vivante dans la foi des apôtres qu'elle transmet, est le lieu de notre connaissance de l'Esprit Saint :
- dans les Écritures qu'Il a inspirées;
- dans la Tradition, dont les Pères de l'Église sont les témoins toujours actuels;

---

1. S. Grégoire de Naz., or. theol. 5, 26. - 2. Symbole de Nicée-Constantinople.

- dans le Magistère de l'Église qu'Il assiste;
- dans la liturgie sacramentelle, à travers ses paroles et ses symboles, où l'Esprit Saint nous met en communion avec le Christ;
- dans la prière dans laquelle Il intercède pour nous;
- dans les charismes et les ministères par lesquels l'Église est édifiée;
- dans les signes de vie apostolique et missionnaire;
- dans le témoignage des saints où Il manifeste sa sainteté et continue l'oeuvre du salut.

I. La mission conjointe du Fils et de l'Esprit

689   Celui que le Père a envoyé dans nos coeurs, l'Esprit de son Fils[1], est réelle-ment Dieu. Consubstantiel au Père et au Fils, Il en est inséparable, tant dans la Vie intime de la Trinité que dans son don d'amour pour le monde. Mais en adorant la Trinité Sainte, vivifiante, consubstantielle et indivisible, la foi de l'Église professe aussi la distinction des Personnes. Quand le Père envoie son Verbe, Il envoie tou-jours son Souffle : mission conjointe où le Fils et l'Esprit Saint sont distincts mais inséparables. Certes, c'est le Christ qui paraît, Lui, l'Image visible du Dieu invisible, mais c'est l'Esprit Saint qui Le révèle. *245* *254* *485*

690   Jésus est Christ, « oint », parce que l'Esprit en est l'onction et tout ce qui advient à partir de l'Incarnation découle de cette plénitude[2]. Quand enfin le Christ est glorifié[3], Il peut à son tour, d'auprès du Père, envoyer l'Esprit à ceux qui croient en Lui : Il leur communique sa Gloire[4], c'est-à-dire l'Esprit Saint qui Le glo-rifie[5]. La mission conjointe se déploiera dès lors dans les enfants adoptés par le Père dans le Corps de son Fils : la mission de l'Esprit d'adoption sera de les unir au Christ et de les faire vivre en Lui. *436* *788*

> La notion de l'onction suggère (...) qu'il n'y a aucune distance entre le Fils et l'Esprit. En effet de même qu'entre la surface du corps et l'onction de l'huile ni la raison ni la sensation ne connaissent aucun intermédiaire, ainsi est immédiat le contact du Fils avec l'Esprit, si bien que pour celui qui va prendre contact avec le Fils par la foi, il est nécessaire de rencontrer d'abord l'huile par le contact. En effet il n'y a aucune partie qui soit nue de l'Esprit Saint. C'est pourquoi la confession de la Seigneurie du Fils se fait dans l'Esprit Saint pour ceux qui la reçoivent, l'Esprit venant de toutes parts au-devant de ceux qui s'approchent par la foi[6]. *448*

II. Le nom, les appellations et les symboles de l'Esprit Saint

Le nom propre de l'Esprit Saint

691   « Saint-Esprit », tel est le nom propre de Celui que nous adorons et glorifions avec le Père et le Fils. L'Église l'a reçu du Seigneur et le professe dans le Baptême de ses nouveaux enfants[7].

---

1. Cf. Ga 4, 6. - 2. Cf. Jn 3, 34. - 3. Cf. Jn 7, 39. - 4. Cf. Jn 17, 22. - 5. Cf. Jn 16, 14. - 6. S. Grégoire de Nysse, Spir. 31. - 7. Cf. Mt 28, 19.

Le terme « Esprit » traduit le terme hébreu *Ruah* qui, dans son sens premier, signifie souffle, air, vent. Jésus utilise justement l'image sensible du vent pour suggérer à Nicodème la nouveauté transcendante de Celui qui est personnellement le Souffle de Dieu, l'Esprit divin (Jn 3, 5-8). D'autre part, Esprit et Saint sont des attributs divins communs aux Trois Personnes divines. Mais en joignant les deux termes, l'Écriture, la liturgie et le langage théologique désignent la Personne ineffable de l'Esprit Saint, sans équivoque possible avec les autres emplois des termes « esprit » et « saint ».

Les appellations de l'Esprit Saint

692   Jésus, lorsqu'Il annonce et promet la venue de l'Esprit Saint, Le nomme le « Paraclet », littéralement : « Celui qui est appelé auprès », *ad-vocatus* (Jn 14, 16. 26; 15, 26; 16, 7). « Paraclet » est traduit habituellement par « Consolateur », Jésus étant le premier consolateur[1]. Le Seigneur Lui-même appelle l'Esprit Saint « l'Esprit de Vérité » (Jn 16, 13).

1433

693   Outre son nom propre, qui est le plus employé dans les Actes des apôtres et les Épîtres, on trouve chez S. Paul les appellations : l'Esprit de la promesse (Ga 3, 14; Ep 1, 13), l'Esprit d'adoption (Rm 8, 15; Ga 4, 6), l'Esprit du Christ (Rm 8, 11), l'Esprit du Seigneur (2 Co 3, 17), l'Esprit de Dieu (Rm 8, 9. 14; 15, 19; 1 Co 6, 11; 7, 40), et chez S. Pierre, l'Esprit de gloire (1 P 4, 14).

Les symboles de l'Esprit Saint

694   *L'eau*. Le symbolisme de l'eau est significatif de l'action de l'Esprit Saint dans le Baptême, puisque, après l'invocation de l'Esprit Saint, elle devient le signe sacramentel efficace de la nouvelle naissance : de même que la gestation de notre première naissance s'est opérée dans l'eau, de même l'eau baptismale signifie réellement que notre naissance à la vie divine nous est donnée dans l'Esprit Saint. Mais « baptisés dans un seul Esprit », nous sommes aussi « abreuvés d'un seul Esprit » (1 Co 12, 13) : l'Esprit est donc aussi personnellement l'Eau vive qui jaillit du Christ crucifié[2] comme de sa source et qui en nous jaillit en Vie éternelle[3].

1218

2652

695   *L'onction*. Le symbolisme de l'onction d'huile est aussi significatif de l'Esprit Saint, jusqu'à en devenir le synonyme[4]. Dans l'initiation chrétienne, elle est le signe sacramentel de la Confirmation, appelée justement dans les Églises d'Orient « Chrismation ». Mais pour en saisir toute la force, il faut revenir à l'onction première accomplie par l'Esprit Saint : celle de Jésus. Christ (« Messie » à partir de l'hébreu) signifie « oint » de l'Esprit de Dieu. Il y a eu des « oints » du Seigneur dans l'Ancienne Alliance[5], le roi David éminemment[6]. Mais Jésus est l'oint de Dieu d'une manière unique : l'humanité que le Fils assume est totalement « ointe de l'Esprit Saint ». Jésus est constitué « Christ » par l'Esprit Saint[7]. La Vierge Marie conçoit le Christ de l'Esprit Saint qui par l'ange l'annonce comme Christ lors de sa naissance[8] et pousse Siméon à venir au Temple voir le Christ du Seigneur[9]; c'est Lui qui emplit le Christ[10] et dont la

1293

436

---

1. Cf. 1 Jn 2, 1. - 2. Cf. Jn 19, 34; 1 Jn 5, 8. - 3. Cf. Jn 4, 10-14; 7, 38; Ex 17, 1-6; Is 55, 1; Za 14, 8; 1 Co 10, 4; Ap 21, 6; 22, 17. - 4. Cf. 1 Jn 2, 20.27; 2 Co 1, 21. - 5. Cf. Ex 30, 22-32. - 6. Cf. 1 S 16, 13. - 7. Cf. Lc 4, 18-19; Is 61, 1. - 8. Cf. Lc 2, 11. - 9. Cf. Lc 2, 26-27. - 10. Cf. Lc 4, 1.

puissance sort du Christ dans ses actes de guérison et de salut [1]. C'est Lui enfin qui ressuscite Jésus   *1504*
d'entre les morts [2]. Alors, constitué pleinement « Christ » dans son humanité victorieuse de la mort [3],
Jésus répand à profusion l'Esprit Saint jusqu'à ce que « les saints » constituent, dans leur union à
l'humanité du Fils de Dieu, « cet Homme parfait (...) qui réalise la plénitude du Christ » (Ep 4, 13) :
« le Christ total », selon l'expression de S. Augustin.   *794*

696   *Le feu.* Alors que l'eau signifiait la naissance et la fécondité de la Vie donnée dans l'Esprit
Saint, le feu symbolise l'énergie transformante des actes de l'Esprit Saint. Le prophète Élie, qui « se   *1127*
leva comme un feu et dont la parole brûlait comme une torche » (Si 48, 1), par sa prière attire le feu
du ciel sur le sacrifice du mont Carmel [4], figure du feu de l'Esprit Saint qui transforme ce qu'il   *2586*
touche. Jean-Baptiste, « qui marche devant le Seigneur avec "l'esprit" et la puissance d'Élie » (Lc 1,
17) annonce le Christ comme celui qui « baptisera dans l'Esprit Saint et le feu » (Lc 3, 16), cet Esprit   *718*
dont Jésus dira : « Je suis venu jeter un feu sur la terre et combien je voudrais qu'il fût déjà allumé »
(Lc 12, 49). C'est sous la forme de langues « qu'on eût dites de feu » que l'Esprit Saint se pose sur les
disciples au matin de la Pentecôte et les remplit de Lui (Ac 2, 3-4). La tradition spirituelle retiendra
ce symbolisme du feu comme l'un des plus expressifs de l'action de l'Esprit Saint : [5] « N'éteignez pas
l'Esprit » (1 Th 5, 19).

697   *La nuée* et *la lumière.* Ces deux symboles sont inséparables dans les manifestations de
l'Esprit Saint. Dès les théophanies de l'Ancien Testament, la Nuée, tantôt obscure, tantôt lumineuse,
révèle le Dieu vivant et sauveur, en voilant la transcendance de sa gloire : avec Moïse sur la montagne du Sinaï [6], à la Tente de Réunion [7] et durant la marche au désert [8]; avec Salomon lors de la
dédicace du Temple [9]. Or ces figures sont accomplies par le Christ dans l'Esprit Saint. C'est Celui-ci
qui vient sur la Vierge Marie et la prend « sous son ombre » pour qu'elle conçoive et enfante Jésus   *484*
(Lc 1, 35). Sur la montagne de la Transfiguration, c'est Lui qui « survient dans la nuée qui prend sous *554*
son ombre » Jésus, Moïse et Élie, Pierre, Jacques et Jean, et « de la nuée sort une voix qui dit :
"Celui-ci est mon Fils, mon Élu, écoutez-Le" » (Lc 9, 34-35). C'est enfin la même Nuée qui « dérobe
Jésus aux yeux » des disciples le jour de l'Ascension (Ac 1, 9) et qui Le révélera Fils de l'Homme
dans sa gloire au Jour de son Avènement [10].   *659*

698   *Le sceau* est un symbole proche de celui de l'onction. C'est en effet le Christ que « Dieu a
marqué de son sceau » (Jn 6, 27) et c'est en Lui que le Père nous marque aussi de son sceau (2 Co   *1295-1296*
1, 22; Ep 1, 13; 4, 30). Parce qu'elle indique l'effet indélébile de l'onction de l'Esprit Saint dans les
sacrements du Baptême, de la Confirmation et de l'Ordre, l'image du sceau (sphragis) a été utilisée   *1121*
dans certaines traditions théologiques pour exprimer le « caractère » ineffaçable imprimé par ces trois
sacrements qui ne peuvent être réitérés.

699   *La main* . C'est en imposant les mains que Jésus guérit les malades [11] et bénit les petits
enfants [12]. En son nom, les apôtres feront de même [13]. Mieux encore, c'est par l'imposition des mains   *292*
des apôtres que l'Esprit Saint est donné [14]. L'Épître aux Hébreux met l'imposition des mains au nom-   *1288*
bre des « articles fondamentaux » de son enseignement [15]. Ce signe de l'effusion toute-puissante de   *1300, 1573,*
l'Esprit Saint, l'Église l'a gardé dans ses épiclèses sacramentelles.   *1668*

700   *Le doigt.* « C'est par le doigt de Dieu que [Jésus] expulse les démons » (Lc 11, 20). Si la
Loi de Dieu a été écrite sur des tables de pierre « par le doigt de Dieu » (Ex 31, 18), « la lettre du   *2056*

---

1. Cf. Lc 6, 19; 8, 46. - 2. Cf. Rm 1, 4; 8, 11. - 3. Cf. Ac 2, 36. - 4. Cf. 1 R 18, 38-39. - 5. Cf. S. Jean de la
Croix, llama. - 6. Cf. Ex 24, 15-18. - 7. Cf. Ex 33, 9-10. - 8. Cf. Ex 40, 36-38; 1 CO 10, 1-2. - 9. Cf. 1 R
8, 10-12. - 10. Cf. Lc 21, 27. - 11. Cf. Mc 6, 5; 8, 23. - 12. Cf. Mc 10, 16. - 13. Cf. Mc 16, 18; Ac 5, 12;
14, 3. - 14. Cf. Ac 8, 17-19; 13, 3; 19, 6. - 15. Cf. He 6, 2.

Christ », remise aux soins des apôtres, « est écrite avec l'Esprit du Dieu vivant, non sur des tables de pierre, mais sur des tables de chair, sur les coeurs » (2 Co 3, 3). L'hymne « Veni, Creator Spiritus » invoque l'Esprit Saint comme *le doigt de la droite du Père ».*

701 *La colombe.* À la fin du déluge (dont le symbolisme concerne le Baptême), la colombe
1219 lâchée par Noé revient, un rameau tout frais d'olivier dans le bec, signe que la terre est de nouveau habitable[1]. Quand le Christ remonte de l'eau de son Baptême, l'Esprit Saint, sous forme d'une
535 colombe, descend sur Lui et y demeure[2]. L'Esprit descend et repose dans le coeur purifié des baptisés. Dans certaines églises, la sainte Réserve eucharistique est conservée dans un réceptacle métallique en forme de colombe (le *columbarium*) suspendu au-dessus de l'autel. Le symbole de la colombe pour suggérer l'Esprit Saint est traditionnel dans l'iconographie chrétienne.

III. L'Esprit et la Parole de Dieu dans le temps des promesses

702 Du commencement jusqu'à « la Plénitude du temps » (Ga 4, 4), la mission conjointe du Verbe et de l'Esprit du Père demeure *cachée,* mais elle est à l'oeuvre.
122 L'Esprit de Dieu y prépare le temps du Messie, et l'un et l'autre, sans être encore pleinement révélés, y sont déjà promis afin d'être attendus et accueillis lors de leur manifestation. C'est pourquoi lorsque l'Église lit l'Ancien Testament[3], elle y scrute[4]
107 ce que l'Esprit, « qui a parlé par les prophètes », veut nous dire du Christ.

243   Par « prophètes », la foi de l'Église entend ici tous ceux que l'Esprit Saint a inspirés dans la rédaction des livres saints, tant de l'Ancien que du Nouveau Testament. La tradition juive distingue la Loi (les cinq premiers livres ou Pentateuque), les Prophètes (nos livres dits historiques et prophétiques) et les Écrits (surtout sapientiels, en particulier les Psaumes)[5].

Dans la création

703 La Parole de Dieu et son Souffle sont à l'origine de l'être et de la vie de
292 toute créature[6] :

            Au Saint-Esprit il convient de régner, de sanctifier et d'animer la création, car Il est
            Dieu consubstantiel au Père et au Fils (...). À Lui revient le pouvoir sur la vie, car
291   étant Dieu Il garde la création dans le Père par le Fils[7].

704 « Quant à l'homme, c'est de ses propres mains [c'est-à-dire le Fils et l'Esprit Saint] que Dieu le façonna (...) et Il dessina sur la chair façonnée sa propre forme,
356 de façon que même ce qui serait visible portât la forme divine[8]. »

L'Esprit de la promesse

705 Défiguré par le péché et par la mort, l'homme demeure « à l'image de
410 Dieu », à l'image du Fils, mais il est « privé de la Gloire de Dieu » (Rm 3, 23), privé

---

1. Cf. Gn 8, 8-12. - 2. Cf. Mt 3, 16 par. - 3. Cf. 2 Co 3, 14. - 4. Cf. Jn 5, 39. 46. - 5. Cf. Lc 24, 44.
- 6. Cf. Ps 33, 6; 104, 30; Gn 1, 2; 2, 7; Qo 3, 20-21, Ez 37, 10. - 7. Liturgie byzantine, Tropaire des matines des dimanches du second mode. - 8. S. Irénée, dem. 11.

de la « ressemblance ». La promesse faite à Abraham inaugure l'économie du salut au terme de laquelle le Fils Lui-même assumera « l'image [1] » et la restaurera dans « la ressemblance » avec le Père en lui redonnant la Gloire, l'Esprit « qui donne la Vie ».

2809

706 Contre toute espérance humaine, Dieu promet à Abraham une descendance, comme fruit de la foi et de la puissance de l'Esprit Saint [2]. En elle seront bénies toutes les nations de la terre [3]. Cette descendance sera le Christ [4] en qui l'effusion de l'Esprit Saint fera « l'unité des enfants de Dieu dispersés [5] ». En s'engageant par serment [6], Dieu s'engage déjà au don de son Fils bien-aimé [7] et au don de « l'Esprit de la Promesse (...) qui prépare la rédemption du Peuple que Dieu s'est acquis » (Ep 1, 13-14) [8].

60

Dans les Théophanies et la Loi

707 Les Théophanies (manifestations de Dieu) illuminent le chemin de la promesse, des patriarches à Moïse et de Josué jusqu'aux visions qui inaugurent la mission des grands prophètes. La tradition chrétienne a toujours reconnu que dans ces Théophanies le Verbe de Dieu se laissait voir et entendre, à la fois révélé et « ombré » dans la Nuée de l'Esprit Saint.

708 Cette pédagogie de Dieu apparaît spécialement dans le don de la Loi [9]. La lettre de la Loi a été donnée comme un « pédagogue » pour conduire le Peuple vers le Christ (Ga 3, 24). Mais son impuissance à sauver l'homme privé de la « ressemblance » divine et la connaissance accrue qu'elle donne du péché [10] suscitent le désir de l'Esprit Saint. Les gémissements des Psaumes en témoignent.

1961-1964,
122

2585

Dans le Royaume et l'Exil

709 La Loi, signe de la promesse et de l'alliance, aurait dû régir le coeur et les institutions du Peuple issu de la foi d'Abraham. « Si vous écoutez ma voix et gardez mon alliance, je vous tiendrai pour un royaume de prêtres, pour une nation sainte » (Ex 19, 5-6) [11]. Mais, après David, Israël succombe à la tentation de devenir un royaume comme les autres nations. Or le Royaume, objet de la promesse faite à David [12] sera l'oeuvre de l'Esprit Saint; il appartiendra aux pauvres selon l'Esprit.

2579

544

710 L'oubli de la Loi et l'infidélité à l'alliance aboutissent à la mort : c'est l'Exil apparemment échec des promesses, en fait fidélité mystérieuse du Dieu sauveur et début d'une restauration promise, mais selon l'Esprit. Il fallait que le Peuple de

---

1. Cf. Jn 1, 14; Ph 2, 7. - 2. Cf. Gn 18, 1-15; Lc 1, 26-38. 54-55; Jn 1, 12-13; Rm 4, 16-21. - 3. Cf. Gn 12, 3. - 4. Cf. Ga 3, 16. - 5. Cf. Jn 11, 52. - 6. Cf. Lc 1, 73. - 7. Cf. Gn 22, 17-19; Rm 8, 32; Jn 3, 16. - 8. Cf. Ga 3, 14. - 9. Cf. Ex 19-20; Dt 1-11; 29-30. - 10. Cf. Rm 3, 20. - 11. Cf. 1 P 2, 9. - 12. Cf. 2 S 7; Ps 89; Lc 1, 32-33.

Dieu souffrît cette purification [1]; l'Exil porte déjà l'ombre de la Croix dans le dessein de Dieu, et le Reste des pauvres qui en revient est l'une des figures les plus transparentes de l'Église.

L'attente du Messie et de son Esprit

711   « Voici que je vais faire du nouveau » (Is 43, 19) : deux lignes prophétiques
64   vont se dessiner, portant l'une sur l'attente du Messie, l'autre sur l'annonce d'un
522   Esprit nouveau, et elles convergent dans le petit Reste, le peuple des Pauvres [2], qui attend dans l'espérance la « consolation d'Israël » et la « délivrance de Jérusalem [3] ».

> On a vu plus haut comment Jésus accomplit les prophéties qui Le concernent. On se limite ici à celles où apparaît davantage la relation du Messie et de son Esprit.

712   Les traits du visage du *Messie* attendu commencent à apparaître dans le
439   Livre de l'Emmanuel [4] (« quand Isaïe eut la vision de la Gloire » du Christ : Jn 12, 41), en particulier en Is 11, 1-2 :

> Un rejeton sort de la souche de Jessé,
> un surgeon pousse de ses racines :
> sur lui repose l'Esprit du Seigneur,
> esprit de sagesse et d'intelligence,
> esprit de conseil et de force,
> esprit de science et de crainte du Seigneur.

713   Les traits du Messie sont révélés surtout dans les chants du Serviteur [5]. Ces
601   chants annoncent le sens de la passion de Jésus, et indiquent ainsi la manière dont Il répandra l'Esprit Saint pour vivifier la multitude : non pas de l'extérieur, mais en épousant notre « condition d'esclave » (Ph 2, 7). Prenant sur Lui notre mort, Il peut nous communiquer son propre Esprit de vie.

714   C'est pourquoi le Christ inaugure l'annonce de la Bonne Nouvelle en faisant sien ce passage d'Isaïe (Lc 4, 18-19) [6] :

> L'Esprit du Seigneur est sur moi,
> car le Seigneur m'a oint.
> Il m'a envoyé porter la Bonne Nouvelle aux pauvres,
> panser les coeurs meurtris;
> annoncer aux captifs l'amnistie
> et aux prisonniers la liberté,
> annoncer une année de grâce de la part du Seigneur.

715   Les textes prophétiques concernant directement l'envoi de l'Esprit Saint sont des oracles où Dieu parle au coeur de son Peuple dans le langage de la

---

1. Cf. Lc 24, 26. - 2. Cf. So 2, 3. - 3. Cf. Lc 2, 25. 38. - 4. Cf. Is 6-12. - 5. Cf. Is 42, 1-9; Mt 12, 18-21; Jn 1, 32-34, puis Is 49, 1-6; cf. Mt 3, 17; Lc 2, 32, enfin Is 50, 4-10 et Is 52, 13-53, 12. - 6. Cf. Is 61, 1-2.

promesse, avec les accents de « l'amour et de la fidélité [1] » dont S. Pierre proclamera l'accomplissement le matin de la Pentecôte [2]. Selon ces promesses, dans les « derniers temps », l'Esprit du Seigneur renouvellera le coeur des hommes en gravant en eux une loi nouvelle; Il rassemblera et réconciliera les peuples dispersés et divisés; Il transformera la création première et Dieu y habitera avec les hommes dans la paix.

214

1965

716 Le Peuple des « pauvres [3] », les humbles et les doux, tout abandonnés aux desseins mystérieux de leur Dieu, ceux qui attendent la justice, non des hommes mais du Messie, est finalement la grande oeuvre de la mission cachée de l'Esprit Saint durant le temps des prom̶e̶s̶s̶e̶s̶ ̶p̶o̶u̶r̶ ̶p̶r̶é̶p̶a̶r̶e̶r̶ la venue du Christ. C'est leur qualité de coeur, pur̶i̶f̶i̶é̶ ̶e̶t̶ ̶é̶c̶l̶a̶i̶r̶é̶,̶ ̶q̶u̶i̶ s'exprime dans les Psaumes. En ces pauvres, l'Esprit p̶r̶é̶p̶a̶r̶e̶ ̶a̶u̶ ̶S̶e̶i̶g̶n̶e̶u̶r̶ ̶u̶n̶ ̶p̶e̶u̶p̶l̶e̶ bien disposé [4] ».

368

The Twelve Promises
of the Sacred Heart
To St. Margaret Mary

1. I will give them all the graces necessary for their state of life.
2. I will give peace in their families.
3. I will console them in all their troubles.
4. They shall find in My Heart an assured refuge during life and especially at the hour of death.
5. I will pour abundant blessings on all their undertakings.
6. Sinners shall find in My Heart the source and infinite ocean of mercy.
7. Tepid souls shall become fervent.
8. Fervent souls shall speedily rise to great perfection.
9. I will bless the homes in which the image of My Sacred Heart shall be exposed and honoured.
10. I will give to priests the power to touch the most hardened hearts.
Continued on back

IV. L'Esprit du C̶h̶r̶i̶s̶t̶ ̶d̶a̶n̶s̶ ̶l̶a̶ ̶p̶l̶é̶n̶i̶t̶u̶d̶e̶ ̶d̶u̶ temps

Jean, Précurseur, P̶r̶o̶p̶h̶è̶t̶e̶ ̶e̶t̶ ̶B̶a̶p̶t̶i̶s̶t̶e̶

717 « Parut un ho̶m̶m̶e̶,̶ ̶e̶n̶v̶o̶y̶é̶ ̶d̶e̶ ̶D̶i̶e̶u̶:̶ ̶i̶l̶ ̶s̶e̶ ̶n̶o̶m̶mait Jean » (Jn 1, 6). Jean est « rempli de l'Esprit S̶a̶i̶n̶t̶ ̶d̶è̶s̶ ̶l̶e̶ ̶s̶e̶i̶n̶ ̶d̶e̶ ̶s̶a̶ ̶m̶è̶r̶e̶ » (Lc 1, 15. 41) par le Christ Lui-même que la Vierge M̶a̶r̶i̶e̶ ̶v̶e̶n̶a̶i̶t̶ ̶d̶e̶ ̶c̶o̶n̶c̶e̶v̶o̶i̶r̶ ̶d̶e̶ ̶l̶'̶E̶sprit Saint. La « visitation » de Marie à Élisabeth est a̶i̶n̶s̶i̶ ̶«̶ ̶v̶i̶s̶i̶t̶e̶ ̶d̶e̶ ̶D̶i̶e̶u̶ ̶à̶ ̶s̶o̶n̶ peuple » (Lc 1, 68).

523

718 Jean est « Élie ̶q̶u̶i̶ ̶d̶o̶i̶t̶ ̶v̶e̶n̶i̶r̶ ̶»̶ ̶(̶M̶t̶ ̶1̶7̶,̶ ̶1̶0̶-̶1̶3̶)̶:̶ Feu de l'Esprit l'habite et le fait « courir devant » [e̶n̶ ̶«̶ ̶p̶r̶é̶c̶u̶r̶s̶e̶u̶r̶ ̶»̶]̶ ̶l̶e̶ ̶S̶e̶i̶g̶n̶e̶u̶r̶ ̶q̶u̶i̶ ̶vient. En Jean le Précurseur, l'Esprit Saint achève de̶ ̶«̶ ̶p̶r̶é̶p̶a̶r̶e̶r̶ ̶a̶u̶ ̶S̶e̶i̶g̶n̶e̶u̶r̶ ̶u̶n̶ ̶p̶e̶u̶p̶l̶e̶ bien disposé » (Lc 1, 17).

696

719 Jean est « plus q̶u̶'̶u̶n̶ ̶p̶r̶o̶p̶h̶è̶t̶e̶ ̶»̶ ̶(̶L̶c̶ ̶7̶,̶ ̶2̶6̶)̶.̶ ̶E̶n̶ ̶l̶u̶i̶,̶ l'Esprit Saint accomplit de « parler par les prophèt̶e̶s̶ ̶»̶.̶ ̶J̶e̶a̶n̶ ̶a̶c̶h̶è̶v̶e̶ ̶l̶e̶ ̶c̶y̶c̶l̶e̶ ̶d̶e̶s̶ ̶p̶r̶o̶phètes inauguré par Élie [5]. Il annonce l'imminence d̶e̶ ̶l̶a̶ ̶c̶o̶n̶s̶o̶l̶a̶t̶i̶o̶n̶ ̶d̶'̶I̶s̶r̶a̶ë̶l̶,̶ ̶i̶l̶ ̶e̶s̶t̶ ̶l̶a̶ « voix » du consolateur qui vient (Jn 1, 23) [6]. C̶o̶m̶m̶e̶ ̶l̶e̶ ̶f̶e̶r̶a̶ ̶l̶'̶E̶s̶p̶r̶i̶t̶ ̶d̶e̶ ̶v̶é̶r̶i̶t̶é̶,̶ il vient comme témoin, pour rendre témoignag̶e̶ ̶à̶ ̶l̶a̶ ̶L̶u̶m̶i̶è̶r̶e̶ ̶(̶J̶n̶ ̶1̶,̶ ̶7̶)̶.̶ ̶A̶u̶ regard de Jean, l'Esprit accomplit ainsi les « rech̶e̶r̶c̶h̶e̶s̶ ̶»̶ ̶e̶t̶ ̶l̶a̶ ̶«̶ ̶c̶o̶n̶v̶oitise » des anges (1 P 1, 10-12) : « Celui sur qui tu v̶e̶r̶r̶a̶s̶ ̶l̶'̶E̶s̶p̶r̶i̶t̶ ̶d̶e̶s̶c̶e̶n̶d̶r̶e̶ ̶e̶t̶ ̶d̶e̶m̶e̶urer, c'est lui qui baptise dans l'Esprit (...). Oui, j̶'̶a̶i̶ ̶v̶u̶ ̶e̶t̶ ̶j̶'̶a̶t̶t̶e̶s̶t̶e̶ ̶q̶u̶'̶i̶l̶ ̶e̶s̶t̶ ̶l̶'Élu de Dieu. (...) Voici l'Agneau de Dieu » (Jn 1, 3̶3̶-̶3̶6̶)̶.̶

2684

536

720 Enfin, avec Jean le̶ ̶P̶r̶é̶c̶u̶r̶s̶e̶u̶r̶,̶ ̶l̶'̶E̶s̶p̶r̶i̶t̶ ̶S̶a̶i̶n̶t̶ ̶i̶n̶a̶u̶g̶u̶r̶e̶, en le préfigurant, ce qu'Il réalisera avec et da̶n̶s̶ ̶l̶e̶ ̶C̶h̶r̶i̶s̶t̶:̶ ̶r̶e̶n̶d̶r̶e̶ ̶à̶ ̶l̶'̶h̶o̶m̶m̶e̶ la « ressemblance »

1. Cf. Ez 11, 19; 36, 25-28; 37, 1-14̶;̶ ̶3̶4̶,̶ ̶3̶;̶ ̶I̶s̶ ̶4̶3̶,̶ ̶1̶9̶-̶21. - 3. Cf. So 2, 3; PS 22, 27; 34, 3; Is 49, 13; 61, 1; etc. - 4. C̶f̶.̶ ̶M̶t̶ ̶1̶1̶,̶ ̶2̶5̶.̶ ̶-̶ ̶5̶.̶ ̶C̶f̶.̶ ̶M̶l̶s̶ 40, 1-3. - 7. Cf. Jn 15, 26; 5, 33.

535 divine. Le baptême de Jean était pour le repentir, celui dans l'eau et dans l'Esprit sera une nouvelle naissance[1].

« Réjouis-toi, comblée de grâce »

721 Marie, la Toute Sainte Mère de Dieu, toujours Vierge est le chef-d'oeuvre de la mission du Fils et de l'Esprit dans la plénitude du temps. Pour la première fois dans le dessein du salut et parce que son Esprit l'a préparée, le Père trouve la *484* *Demeure* où son Fils et son Esprit peuvent habiter parmi les hommes. C'est en ce sens que la Tradition de l'Église a souvent lu en relation à Marie les plus beaux textes sur la Sagesse[2] : Marie est chantée et représentée dans la liturgie comme le « Trône de la Sagesse ».

En elle commencent à se manifester les « merveilles de Dieu », que l'Esprit va accomplir dans le Christ et dans l'Église :

722 L'Esprit Saint a *préparé* Marie par sa grâce. Il convenait que fût « pleine de grâce » la Mère de Celui en qui « habite corporellement la Plénitude de la Divinité » *489* (Col 2, 9). Elle a été, par pure grâce, conçue sans péché comme la plus humble des créatures, la plus capable d'accueil au Don ineffable du Tout-Puissant. C'est à juste titre que l'Ange Gabriel la salue comme la « Fille de Sion » : « Réjouis-toi[3]. » *2676* C'est l'action de grâce de tout le Peuple de Dieu, et donc de l'Église, qu'elle fait monter vers le Père dans l'Esprit Saint en son cantique[4], alors qu'elle porte en elle le Fils éternel.

723 En Marie, l'Esprit Saint *réalise* le dessein bienveillant du Père. C'est avec et *485* par l'Esprit Saint que la Vierge conçoit et enfante le Fils de Dieu. Sa virginité *506* devient fécondité unique par la puissance de l'Esprit et de la foi[5].

724 En Marie, l'Esprit Saint *manifeste* le Fils du Père devenu Fils de la Vierge. *208* Elle est le Buisson ardent de la Théophanie définitive : comblée de l'Esprit Saint, *2619* elle montre le Verbe dans l'humilité de sa chair et c'est aux Pauvres[6] et aux prémices des nations[7] qu'elle Le fait connaître.

725 Enfin, par Marie, l'Esprit Saint commence à *mettre en communion* avec le *963* Christ les hommes « objets de l'amour bienveillant de Dieu[8] », et les humbles sont toujours les premiers à le recevoir : les bergers, les mages, Siméon et Anne, les époux de Cana et les premiers disciples.

726 Au terme de cette mission de l'Esprit, Marie devient la « Femme », nouvelle *494, 2618* Ève « mère des vivants », Mère du « Christ total[9] ». C'est comme telle qu'elle est

---

1. Cf. Jn 3, 5. - 2. Cf. Pr 8, 1-9, 6; Si 24. - 3. Cf. So 3, 14; Za 2, 14. - 4. Cf. Lc 1, 46-55. - 5. Cf. Lc 1, 26-38; Rm 4, 18-21; Ga 4, 26-28. - 6. Cf. Lc 1, 15-19. - 7. Cf. Mt 2, 11. - 8. Cf. Lc 2, 14. - 9. Cf. Jn 19, 25-27.

présente avec les Douze, « d'un même coeur, assidus à la prière » (Ac 1, 14), à l'aube des « derniers temps » que l'Esprit va inaugurer le matin de la Pentecôte avec la manifestation de l'Église.

Le Christ Jésus

727 Toute la Mission du Fils et de l'Esprit Saint dans la plénitude du temps est contenue en ce que le Fils est l'oint de l'Esprit du Père depuis son Incarnation : Jésus est Christ, le Messie. *438, 695, 536*

Tout le deuxième chapitre du Symbole de la foi est à lire à cette lumière. Toute l'oeuvre du Christ est mission conjointe du Fils et de l'Esprit Saint. Ici, on mentionnera seulement ce qui concerne la promesse de l'Esprit Saint par Jésus et son don par le Seigneur glorifié.

728 Jésus ne révèle pas pleinement l'Esprit Saint tant que Lui-même n'a pas été glorifié par sa Mort et sa Résurrection. Pourtant, Il le suggère peu à peu, même dans son enseignement aux foules, lorsqu'Il révèle que sa Chair sera nourriture pour la vie du monde[1]. Il le suggère aussi à Nicodème[2], à la Samaritaine[3] et à ceux qui participent à la fête des Tabernacles[4]. À ses disciples, Il en parle ouvertement à propos de la prière[5] et du témoignage qu'ils auront à rendre[6]. *2615*

729 C'est seulement quand l'Heure est venue où Il va être glorifié que Jésus *promet* la venue de l'Esprit Saint, puisque sa Mort et sa Résurrection seront l'accomplissement de la promesse faite aux Pères[7] : l'Esprit de Vérité, l'autre Paraclet, sera donné par le Père à la prière de Jésus; Il sera envoyé par le Père au nom de Jésus; Jésus l'enverra d'auprès du Père car Il est issu du Père. L'Esprit Saint viendra, nous le connaîtrons, Il sera avec nous à jamais, Il demeurera avec nous; Il nous enseignera tout et nous rappellera tout ce que le Christ nous a dit et Lui rendra témoignage; Il nous conduira vers la vérité tout entière et glorifiera le Christ. Quant au monde, Il le confondra en matière de péché, de justice et de jugement. *388, 1433*

730 Enfin vient l'Heure de Jésus[8] : Jésus remet son esprit entre les mains du Père[9] au moment où par sa Mort Il est vainqueur de la mort, de sorte que, « ressuscité des morts par la Gloire du Père » (Rm 6, 4), Il *donne* aussitôt l'Esprit Saint en « soufflant » sur ses disciples[10]. À partir de cette Heure, la mission du Christ et de l'Esprit devient la mission de l'Église : « Comme le Père m'a envoyé, moi aussi je vous envoie » (Jn 20, 21)[11]. *850*

V. L'Esprit et l'Église dans les derniers temps

La Pentecôte

731 Le jour de la Pentecôte (au terme des sept semaines Pascales), la Pâque du Christ s'accomplit dans l'effusion de l'Esprit Saint qui est manifesté, donné et *2623, 767*

1. Cf. Jn 6, 27. 51. 62-63. - 2. Cf. Jn 3, 5-8. - 3. Cf. Jn 4, 10. 14. 23-24. - 4. Cf. Jn 7, 37-39. - 5. Cf. Lc 11, 13. - 6. Cf. Mt 10, 19-20. - 7. Cf. Jn 14, 16-17. 26; 15, 26; 16, 7-15; 17, 26. - 8. Cf. Jn 13, 1; 17, 1. - 9. Cf. Lc 23, 46; Jn 19, 30. - 10. Cf. Jn 20, 22. - 11. Cf. Mt 28, 19; Lc 24, 47-48; Ac 1, 8.

1302

communiqué comme Personne divine : de sa Plénitude, le Christ, Seigneur, répand à profusion l'Esprit[1].

244

672

732   En ce jour est pleinement révélée la Trinité Sainte. Depuis ce jour, le Royaume annoncé par le Christ est ouvert à ceux qui croient en Lui : dans l'humilité de la chair et dans la foi, ils participent déjà à la communion de la Trinité Sainte. Par sa venue, et elle ne cesse pas, l'Esprit Saint fait entrer le monde dans les « derniers temps », le temps de l'Église, le Royaume déjà hérité, mais pas encore consommé :

> Nous avons vu la vraie Lumière, nous avons reçu l'Esprit céleste, nous avons trouvé
> la vraie foi : nous adorons la Trinité indivisible car c'est elle qui nous a sauvés[2].

L'Esprit Saint - le Don de Dieu

218

733   « Dieu est Amour » (1 Jn 4, 8. 16) et l'Amour est le premier don, il contient tous les autres. Cet Amour, « Dieu l'a répandu dans nos coeurs par l'Esprit qui nous fut donné » (Rm 5, 5).

1987

734   Parce que nous sommes morts, ou, au moins, blessés par le péché, le premier effet du don de l'Amour est la rémission de nos péchés. C'est la communion de l'Esprit Saint (2 Co 13, 13) qui, dans l'Église, redonne aux baptisés la ressemblance divine perdue par le péché.

1822

735   Il donne alors les « arrhes » ou les « prémices » de notre Héritage[3] : la Vie même de la Trinité Sainte qui est d'aimer « comme Il nous a aimés[4] ». Cet Amour (la charité de 1 Co 13) est le principe de la vie nouvelle dans le Christ, rendue possible puisque nous avons « reçu une force, celle de l'Esprit Saint » (Ac 1, 8).

1832

736   C'est par cette puissance de l'Esprit que les enfants de Dieu peuvent porter du fruit. Celui qui nous a greffés sur la vraie Vigne, nous fera porter « le fruit de l'Esprit qui est charité, joie, paix, longanimité, serviabilité, bonté, confiance dans les autres, douceur, maîtrise de soi » (Ga 5, 22-23). « L'Esprit est notre Vie »; plus nous renonçons à nous-mêmes[5], plus « l'Esprit nous fait aussi agir » (Ga 5, 25) :

> Par communion avec Lui, l'Esprit Saint rend spirituel, rétablit au Paradis, ramène au
> Royaume des cieux et à l'adoption filiale, donne la confiance d'appeler Dieu Père
> et de participer à la grâce du Christ, d'être appelé enfant de lumière et d'avoir part
> à la gloire éternelle[6].

L'Esprit Saint et l'Église

787-798

737   La mission du Christ et de l'Esprit Saint s'accomplit dans l'Église, Corps du Christ et Temple de l'Esprit Saint. Cette mission conjointe associe désormais les

---

1. Cf. Ac 2, 36. - 2. Liturgie byzantine, Tropaire des vêpres de Pentecôte; il est repris dans les liturgies eucharistiques après la communion. - 3. Cf. Rm 8, 23; 2 Co 1, 21. - 4. Cf. 1 Jn 4, 11-12. - 5. Cf. Mt 16, 24-26. - 6. S. Basile, Spir. 15, 36.

fidèles du Christ à sa communion avec le Père dans l'Esprit Saint : l'Esprit *prépare* *1093-1109* les hommes, les prévient par sa grâce, pour les attirer vers le Christ. Il leur *manifeste* le Seigneur ressuscité, Il leur rappelle sa parole et leur ouvre l'esprit à l'intelligence de sa Mort et de sa Résurrection. Il leur *rend présent* le mystère du Christ, éminemment dans l'Eucharistie, afin de les réconcilier, de les *mettre en communion* avec Dieu, afin de leur faire porter « beaucoup de fruit » (Jn 15, 5. 8. 16).

738 Ainsi la mission de l'Église ne s'ajoute pas à celle du Christ et de l'Esprit Saint, mais elle en est le sacrement : par tout son être, et dans tous ses membres *850, 777* elle est envoyée pour annoncer et témoigner, actualiser et répandre le mystère de la communion de la Sainte Trinité (ce sera l'objet du prochain article) :

> Nous tous qui avons reçu l'unique et même esprit, à savoir, l'Esprit Saint, nous nous sommes fondus entre nous et avec Dieu. Car bien que nous soyons nombreux séparément et que le Christ fasse que l'Esprit du Père et le sien habite en chacun de nous, cet Esprit unique et indivisible ramène par Lui-même à l'unité ceux qui sont distincts entre eux (...) et fait que tous apparaissent comme une seule chose en Lui-même. Et de même que la puissance de la sainte humanité du Christ fait que tous ceux-là en qui elle se trouve forment un seul corps, je pense que de la même manière l'Esprit de Dieu qui habite en tous, unique et indivisible, les ramène tous à l'unité spirituelle [1].

739 Parce que l'Esprit Saint est l'onction du Christ, c'est le Christ, la Tête du Corps, qui Le répand dans ses membres pour les nourrir, les guérir, les organiser *1076* dans leurs fonctions mutuelles, les vivifier, les envoyer témoigner, les associer à son offrande au Père et à son intercession pour le monde entier. C'est par les sacrements de l'Église que le Christ communique aux membres de son Corps son Esprit Saint et Sanctificateur (ce sera l'objet de la deuxième partie du Catéchisme).

740 Ces « merveilles de Dieu », offertes aux croyants dans les sacrements de l'Église, portent leurs fruits dans la vie nouvelle, dans le Christ, selon l'Esprit (ce sera l'objet de la troisième partie du Catéchisme).

741 « L'Esprit vient au secours de notre faiblesse, car nous ne savons que demander pour prier comme il faut; mais l'Esprit Lui-même intercède pour nous en des gémissements ineffables » (Rm 8, 26). L'Esprit Saint, artisan des oeuvres de Dieu, est le Maître de la prière (ce sera l'objet de la quatrième partie du Catéchisme).

EN BREF

742 *« La preuve que vous êtes des fils, c'est que Dieu a envoyé dans nos coeurs l'Esprit de son Fils qui crie : Abba, Père » (Ga 4, 6).*

---

1. S. Cyrille d'Alexandrie, Jo. 12.

743   *Du commencement à la consommation du temps, quand Dieu envoie son Fils, Il envoie toujours son Esprit : leur mission est conjointe et inséparable.*

744   *Dans la plénitude du temps, l'Esprit Saint accomplit en Marie toutes les préparations à la venue du Christ dans le Peuple de Dieu. Par l'action de l'Esprit Saint en elle, le Père donne au monde l'Emmanuel, « Dieu-avec-nous » (Mt 1, 23).*

745   *Le Fils de Dieu est consacré Christ (Messie) par l'onction de l'Esprit Saint dans son Incarnation[1].*

746   *Par sa Mort et sa Résurrection, Jésus est constitué Seigneur et Christ dans la gloire (Ac 2, 36). De sa Plénitude, Il répand l'Esprit Saint sur les apôtres et l'Église.*

747   *L'Esprit Saint que le Christ, Tête, répand dans ses membres, bâtit, anime et sanctifie l'Église. Elle est le sacrement de la communion de la Trinité Sainte et des hommes.*

ARTICLE 9
« Je crois
à la Sainte Église catholique »

748   « Le Christ est la lumière des peuples : réuni dans l'Esprit Saint, le saint Concile souhaite donc ardemment, en annonçant à toutes créatures la bonne nouvelle de l'Évangile, répandre sur tous les hommes la clarté du Christ qui resplendit sur le visage de l'Église. » C'est sur ces paroles que s'ouvre la « constitution dogmatique sur l'Église » du deuxième Concile du Vatican. Par là, le Concile montre que l'article de foi sur l'Église dépend entièrement des articles concernant le Christ Jésus. L'Église n'a pas d'autre lumière que celle du Christ; elle est, selon une image chère aux Pères de l'Église, comparable à la lune dont toute la lumière est reflet du soleil.

749   L'article sur l'Église dépend aussi entièrement de celui sur le Saint-Esprit qui le précède. « En effet, après avoir montré que l'Esprit Saint est la source et le donateur de toute sainteté, nous confessons maintenant que c'est Lui qui a doté

1. Cf. Ps 2, 6-7.

l'Église de sainteté[1]. L'Église est, selon l'expression des Pères, le lieu « où fleurit l'Esprit[2] ».

750 Croire que l'Église est « Sainte » et « Catholique », et qu'elle est « Une » et « Apostolique » (comme l'ajoute le Symbole de Nicée-Constantinople) est insépara- *811* ble de la foi en Dieu le Père, le Fils et le Saint Esprit. Dans le Symbole des apôtres, nous faisons profession de croire une Église Sainte (« *Credo [...] Ecclesiam* »), et non pas *en* l'Église, pour ne pas confondre Dieu et ses oeuvres et pour attribuer claire- *169* ment à la bonté de Dieu *tous* les dons qu'Il a mis dans son Église[3].

PARAGRAPHE 1. *L'Église dans le dessein de Dieu*

I. Les noms et les images de l'Église

751 Le mot « Église » [*ekklèsia,* du grec *ek-kalein,* « appeler hors »] signifie « con-vocation ». Il désigne des assemblées du peuple[4], en général de caractère religieux. C'est le terme fréquemment utilisé dans l'Ancien Testament grec pour l'assemblée du peuple élu devant Dieu, surtout pour l'assemblée du Sinaï où Israël reçut la Loi et fut constitué par Dieu comme son peuple saint[5]. En s'appelant « Église », la pre-mière communauté de ceux qui croyaient au Christ se reconnaît héritière de cette assemblée. En elle, Dieu « convoque » son Peuple de tous les confins de la terre. Le terme *Kyriakè* dont sont dérivés *church, Kirche,* signifie « celle qui appartient au Seigneur ».

752 Dans le langage chrétien, le mot « Église » désigne l'assemblée liturgique[6], mais aussi la communauté locale[7] ou toute la communauté universelle des *1140, 832* croyants[8]. Ces trois significations sont en fait inséparables. « L'Église », c'est le *830* Peuple que Dieu rassemble dans le monde entier. Elle existe dans les commu-nautés locales et se réalise comme assemblée liturgique, surtout eucharistique. Elle vit de la Parole et du Corps du Christ et devient ainsi elle-même Corps du Christ.

Les symboles de l'Église

753 Dans l'Écriture Sainte, nous trouvons une foule d'images et de figures liées entre elles, par lesquelles la révélation parle du mystère inépuisable de l'Église. Les images prises de l'Ancien Testament constituent des variations d'une idée de fond, celle du « Peuple de Dieu ». Dans le Nouveau Testament[9], toutes ces images *781*

---

1. Catech. R. 1, 10, 1. - 2. S. Hippolyte, trad. ap. 35. - 3. Cf. Catech. R. 1, 10, 22. - 4. Cf. Ac 19, 39. - 5. Cf. Ex 19. - 6. Cf. 1 Co 11, 18; 14, 19. 28. 34. 35. - 7. Cf. 1 Co 1, 2; 16, 1. - 8. Cf. 1 Co 15, 9; Ga 1, 13; Ph 3, 6. - 9. Cf. Ep 1, 22; Col 1, 18.

789 trouvent un nouveau centre par le fait que le Christ devient « la Tête » de ce peuple[1] qui est dès lors son Corps. Autour de ce centre se sont groupées des images « tirées soit de la vie pastorale ou de la vie des champs, soit du travail de construction ou de la famille et des épousailles[2] ».

754　« L'Église, en effet, est le *bercail* dont le Christ est l'entrée unique et nécessaire[3]. Elle est aussi le troupeau dont Dieu a proclamé Lui-même à l'avance qu'Il serait le pasteur[4] et dont les bre-

857 bis, quoiqu'elles aient à leur tête des pasteurs humains, sont cependant continuellement conduites et nourries par le Christ même, Bon Pasteur et Prince des pasteurs[5], qui a donné sa vie pour ses brebis[6]. »

755　« L'Église est le *terrain de culture*, le champ de Dieu (1 Co 3, 9). Dans ce champ croît l'antique olivier dont les patriarches furent la racine sainte et en lequel s'opère et s'opérera la réconciliation entre Juifs et Gentils[7]. Elle fut plantée par le Vigneron céleste comme une vigne choisie[8,9].

795 La Vigne véritable, c'est le Christ : c'est Lui qui donne vie et fécondité aux rameaux que nous sommes : par l'Église nous demeurons en Lui, sans qui nous ne pouvons rien faire (Jn 15, 1-5). »

756　« Bien souvent aussi, l'Église est dite la *construction* de Dieu (1 Co 3, 9). Le Seigneur Lui-

797 même s'est comparé à la pierre rejetée par les bâtisseurs et devenue pierre angulaire (Mt 21, 42

857 par.)[10]. Sur ce fondement, l'Église est construite par les apôtres (1 Co 3, 11), et de ce fondement elle reçoit fermeté et cohésion. Cette construction est décorée d'appellations diverses : la maison de Dieu (1 Tm 3, 15), dans laquelle habite sa *famille*, l'habitation de Dieu dans l'Esprit (Ep 2, 19-22), la demeure de Dieu chez les hommes (Ap 21, 3), et surtout le *temple* saint, lequel, représenté par les sanctuaires de pierres, est l'objet de la louange des saints Pères et comparé à juste titre dans la

1045 liturgie à la Cité sainte, la nouvelle Jérusalem. En effet, nous sommes en elle sur la terre comme les pierres vivantes qui entrent dans la construction (1 P 2, 5). Cette Cité sainte, Jean la contemple descendant du ciel d'auprès de Dieu à l'heure où se renouvellera le monde, prête comme une fiancée parée pour son époux (Ap 21, 1-2). »

757　« L'Église s'appelle encore "la Jérusalem d'en haut" et "notre mère" (Ga 4, 26)[11]; elle est

507, 796 décrite comme l'épouse immaculée de l'Agneau immaculé (Ap 19, 7; 21, 2. 9; 22, 17) que le Christ

1616 "a aimée, pour laquelle Il s'est livré afin de la sanctifier" (Ep 5, 25-26), qu'Il s'est associée par un pacte indissoluble, qu'Il ne cesse de "nourrir et d'entourer de soins" (Ep 5, 29)[12]. »

II. Origine, fondation et mission de l'Église

758　Pour scruter le mystère de l'Église, il convient de méditer d'abord son origi-

257 ne dans le dessein de la Très Sainte Trinité et sa réalisation progressive dans l'histoire.

Un dessein né dans le cœur du Père

759　« Le Père Éternel par la disposition absolument libre et mystérieuse de sa

293 sagesse et de sa bonté a créé l'univers; Il a décidé d'élever les hommes à la

---

1. Cf. LG 9. - 2. LG 6. - 3. Cf. Jn 10, 1-10. - 4. Cf. Is 40, 11; Ez 34, 11-31. - 5. Cf. Jn 10, 11; 1 P 5, 4. - 6. Cf. Jn 10, 11-15. - 7. Cf. Rm 11, 13-26. - 8. Cf. Mt 21, 33-43 par. - 9. Cf. Is 5, 1-7. - 10. Cf. Ac 4, 11; 1 P 2, 7; Ps 118, 22. - 11. Cf. Ap 12, 17. - 12. LG 6.

communion de sa vie divine », à laquelle Il appelle tous les hommes dans son Fils :
« Tous ceux qui croient au Christ, le Père a voulu les appeler à former la Sainte
Église. » Cette « famille de Dieu » se constitue et se réalise graduellement au long   *1655*
des étapes de l'histoire humaine, selon les dispositions du Père : en effet, l'Église a
été « préfigurée dès l'origine du monde; elle a été merveilleusement préparée dans
l'histoire du peuple d'Israël et dans l'Ancienne Alliance; elle a été instituée enfin en
ces temps qui sont les derniers; elle est manifestée grâce à l'effusion de l'Esprit
Saint et, au terme des siècles, elle sera consommée dans la gloire [1] ».

L'Église – préfigurée dès l'origine du monde

760   « Le monde fut créé en vue de l'Église », disaient les chrétiens des premiers
temps [2]. Dieu a créé le monde en vue de la communion à sa vie divine, communion qui se réalise par la « convocation » des hommes dans le Christ, et cette « con-   *294*
vocation », c'est l'Église. L'Église est la fin de toutes choses [3], et les vicissitudes
douloureuses elles-mêmes, comme la chute des anges et le péché de l'homme, ne   *309*
furent permises par Dieu que comme occasion et moyen pour déployer toute la
force de son bras, toute la mesure d'amour qu'Il voulait donner au monde :

> De même que la volonté de Dieu est un acte et qu'elle s'appelle le monde, ainsi
> son intention est le salut des hommes, et elle s'appelle l'Église [4].

L'Église – préparée dans l'Ancienne Alliance

761   Le rassemblement du Peuple de Dieu commence à l'instant où le péché
détruit la communion des hommes avec Dieu et celle des hommes entre eux. Le
rassemblement de l'Église est pour ainsi dire la réaction de Dieu au chaos provo-   *55*
qué par le péché. Cette réunification se réalise secrètement au sein de tous les
peuples : « En toute nation, Dieu tient pour agréable quiconque Le craint et pratique la justice » (Ac 10, 35) [5].

762   La *préparation* lointaine du rassemblement du Peuple de Dieu commence
avec la vocation d'Abraham, à qui Dieu promet qu'il deviendra le père d'un grand   *122, 522, 60*
peuple [6]. La préparation immédiate commence avec l'élection d'Israël comme
Peuple de Dieu [7]. Par son élection, Israël doit être le signe du rassemblement futur
de toutes les nations [8]. Mais déjà les prophètes accusent Israël d'avoir rompu   *64*
l'alliance et de s'être comporté comme une prostituée [9]. Ils annoncent une Alliance
nouvelle et éternelle [10]. « Cette Alliance Nouvelle, le Christ l'a instituée [11]. »

---

1. LG 2. - 2. Hermas, vis. 2, 4, 1; cf. Aristide, apol. 16, 6; Justin, apol. 2, 7. - 3. Cf. S. Épiphane, haer.
1, 1, 5. - 4. Clément d'Alexandrie, paed. 1, 6. - 5. Cf. LG 9; 13; 16. - 6. Cf. Gn 12, 2; 15, 5-6. - 7. Cf. Ex
19, 5-6; Dt 7, 6. - 8. Cf. Is 2, 2-5; Mi 4, 1-4. - 9. Cf. Os 1; Is 1, 2-4; Jr 2; etc. - 10. Cf. Jr 31, 31-34; Is 55,
3. - 11. LG 9.

L'Église – instituée par le Christ Jésus

763   Il appartient au Fils de réaliser, dans la plénitude des temps, le plan de salut de son Père; c'est là le motif de sa « mission [1] ». « Le Seigneur Jésus posa le commencement de son Église en prêchant l'heureuse nouvelle, l'avènement du Règne de Dieu promis dans les Écritures depuis des siècles [2]. » Pour accomplir la volonté du Père, le Christ inaugura le Royaume des cieux sur la terre. L'Église « est le Règne du Christ déjà mystérieusement présent [3] ».

541

764   « Ce Royaume brille aux yeux des hommes dans la parole, les oeuvres et la présence du Christ [4]. » Accueillir la parole de Jésus, c'est « accueillir le Royaume lui-même [5] ». Le germe et le commencement du Royaume sont le « petit troupeau » (Lc 12, 32) de ceux que Jésus est venu convoquer autour de Lui et dont Il est Lui-même le pasteur [6]. Ils constituent la vraie famille de Jésus [7]. À ceux qu'Il a ainsi rassemblés autour de Lui, Il a enseigné une « manière d'agir » nouvelle, mais aussi une prière propre [8].

543

1691
2558

765   Le Seigneur Jésus a doté sa communauté d'une structure qui demeurera jusqu'au plein achèvement du Royaume. Il y a avant tout le choix des Douze avec Pierre comme leur chef [9]. Représentant les douze tribus d'Israël [10], ils sont les pierres d'assise de la nouvelle Jérusalem [11]. Les Douze [12] et les autres disciples [13] participent à la mission du Christ, à son pouvoir, mais aussi à son sort [14]. Par tous ces actes, le Christ prépare et bâtit son Église.

860, 551

766   Mais l'Église est née principalement du don total du Christ pour notre salut, anticipé dans l'institution de l'Eucharistie et réalisé sur la Croix. « Le commencement et la croissance de l'Église sont signifiés par le sang et l'eau sortant du côté ouvert de Jésus crucifié [15]. » « Car c'est du côté du Christ endormi sur la Croix qu'est né l'admirable sacrement de l'Église tout entière [16]. » De même qu'Ève a été formée du côté d'Adam endormi, ainsi l'Église est née du coeur transpercé du Christ mort sur la Croix [17].

813, 610,
1340
617

478

L'Église – manifestée par l'Esprit Saint

767   « Une fois achevée l'oeuvre que le Père avait chargé son Fils d'accomplir sur la terre, le jour de Pentecôte, l'Esprit Saint fut envoyé pour sanctifier l'Église en permanence [18]. » C'est alors que « l'Église se manifesta publiquement devant la multitude et que commença la diffusion de l'Évangile avec la prédication [19] ». Parce qu'elle est « convocation » de tous les hommes au salut, l'Église est, par sa nature

731

---

1. Cf. LG 3; AG 3. - 2. LG 5. - 3. LG 3. - 4. LG 5. - 5. *Ibid.* - 6. Cf. Mt 10, 16; 26, 31; Jn 10, 1-21. - 7. Cf. Mt 12, 49. - 8. Cf. Mt 5-6. - 9. Cf. Mc 3, 14-15. - 10. Cf. Mt 19, 28; Lc 22, 30. - 11. Cf. Ap 21, 12-14. - 12. Cf. Mc 6, 7. - 13. Cf. Lc 10, 1-2. - 14. Cf. Mt 10, 25 ; Jn 15, 20. - 15. LG 3. - 16. SC 5. - 17. Cf. S. Ambroise, Luc. 2, 85-89. - 18. LG 4. - 19. AG 4.

même, missionnaire envoyée par le Christ à toutes les nations pour en faire des *849*
disciples[1].

768   Pour réaliser sa mission, l'Esprit Saint « équipe et dirige l'Église grâce à la
diversité des dons hiérarchiques et charismatiques[2] ». « Aussi l'Église, pourvue des
dons de son fondateur, et fidèlement appliquée à garder ses préceptes de charité,
d'humilité et d'abnégation, reçoit mission d'annoncer le Royaume du Christ et de
Dieu et de l'instaurer dans toutes les nations; elle constitue de ce royaume le   *541*
germe et le commencement sur terre[3]. »

L'Église – consommée dans la gloire

769   « L'Église (...) n'aura sa consommation que dans la gloire céleste[4] », lors du
retour glorieux du Christ. Jusqu'à ce jour, « l'Église avance dans son pèlerinage à   *671, 2818*
travers les persécutions du monde et les consolations de Dieu[5] ». Ici-bas, elle se
sait en exil, loin du Seigneur[6], et elle aspire à l'avènement plénier du Royaume,   *675*
« l'heure où elle sera, dans la gloire, réunie à son Roi[7] ». La consommation de
l'Église et, à travers elle, celle du monde, dans la gloire ne se fera pas sans de
grandes épreuves. Alors seulement, « tous les justes depuis Adam, depuis Abel le   *1045*
juste jusqu'au dernier élu se trouveront rassemblés dans l'Église universelle auprès
du Père[8] ».

III. Le mystère de l'Église

770   L'Église est dans l'histoire, mais elle la transcende en même temps. C'est
uniquement « avec les yeux de la foi[9] » que l'on peut voir en sa réalité visible en   *812*
même temps une réalité spirituelle, porteuse de vie divine.

L'Église – à la fois visible et spirituelle

771   « Le Christ, unique médiateur, constitue et soutient continuellement son
Église sainte, communauté de foi, d'espérance et de charité, ici-bas, sur terre,   *827*
comme un tout visible par lequel Il répand, à l'intention de tous, la vérité et la
grâce. » L'Église est à la fois :
- « société dotée d'organes hiérarchiques et Corps Mystique du Christ;   *1880*
- assemblée visible et communauté spirituelle;
- Église terrestre et Église parée de dons célestes ».   *954*

        Ces dimensions constituent ensemble « une seule réalité complexe, faite
d'un double élément humain et divin[10] » :

---

1. Cf. Mt 28, 19-20; AG 2; 5-6. - 2. LG 4. - 3. LG 5. - 4. LG 48. - 5. S. Augustin, civ. 18, 51; cf. LG 8.
- 6. Cf. 2 Co 5, 6; LG 6. - 7. LG 5. - 8. LG 2. - 9. Catech. R. 1, 10, 20. - 10. LG 8.

Il appartient en propre à l'Église d'être à la fois humaine et divine, visible et riche de réalités invisibles, fervente dans l'action et occupée à la contemplation, présente dans le monde et pourtant étrangère. Mais de telle sorte qu'en elle ce qui est humain est ordonné et soumis au divin; ce qui est visible, à l'invisible; ce qui relève de l'action, à la contemplation; et ce qui est présent, à la cité future que nous recherchons [1].

Humilité ! Sublimité ! Tente de Cédar et sanctuaire de Dieu; habitation terrestre et céleste palais; maison d'argile et cour royale; corps mortel et temple de lumière; objet de mépris enfin pour les orgueilleux et épouse du Christ ! Elle est noire mais belle, filles de Jérusalem, celle qui, pâlie par la fatigue et la souffrance d'un long exil, a cependant pour ornement la parure céleste [2].

L'Église – mystère de l'union des hommes avec Dieu

772   C'est dans l'Église que le Christ accomplit et révèle son propre mystère comme le but du dessein de Dieu : « récapituler tout en Lui » (Ep 1, 10). S. Paul appelle « grand mystère » (Ep 5, 32) l'union sponsale du Christ et de l'Église. Parce qu'elle est unie au Christ comme à son Époux [3], l'Église devient elle-même à son tour mystère [4]. Contemplant en elle le mystère, S. Paul s'écrie : « Le Christ en vous, l'espérance de la gloire » (Col 1, 27).

518

796

773   Dans l'Église cette communion des hommes avec Dieu par « la charité qui ne passe jamais » (1 Co 13, 8) est la fin qui commande tout ce qui en elle est moyen sacramentel lié à ce monde qui passe [5]. « Sa structure est complètement ordonnée à la sainteté des membres du Christ. Et la sainteté s'apprécie en fonction du "grand mystère" dans lequel l'Épouse répond par le don de l'amour au don de l'Époux [6]. » Marie nous précède tous dans la sainteté qui est le mystère de l'Église comme « l'Épouse sans tache ni ride » (Ep 5, 27). C'est pourquoi « la dimension mariale de l'Église précède sa dimension pétrinienne [7] ».

671

972

L'Église – sacrement universel du salut

774   Le mot grec *mysterion* a été traduit en latin par deux termes : *mysterium* et *sacramentum*. Dans l'interprétation ultérieure, le terme *sacramentum* exprime davantage le signe visible de la réalité cachée du salut, indiquée par le terme *mysterium*. En ce sens, le Christ est Lui-même le mystère du salut : Il n'y a pas d'autre mystère que le Christ [8]. L'oeuvre salvifique de son humanité sainte et sanctifiante est le sacrement du salut qui se manifeste et agit dans les sacrements de l'Église (que les Églises d'Orient appellent aussi « les saints mystères »). Les sept sacrements sont les signes et les instruments par lesquels l'Esprit Saint répand la grâce du Christ, qui est la Tête, dans l'Église qui est son Corps. L'Église contient donc et communique la grâce invisible qu'elle signifie. C'est en ce sens analogique qu'elle est appelée « sacrement ».

1075

515
2014

1116

775   « L'Église est, dans le Christ, en quelque sorte le sacrement, c'est-à-dire à la fois le signe et l'instrument de l'union intime avec Dieu et de l'unité de tout le genre

---

1. SC 2. - 2. S. Bernard, Cant. 27, 14.- 3. Cf. Ep 5, 25-27. - 4. Cf. Ep 3, 9-11. - 5. Cf. LG 48. - 6. MD 27. - 7. *Ibid.* - 8. S. Augustin, ep. 187, 11, 34.

humain[1] » : Être le sacrement de l'*union intime des hommes avec Dieu* : c'est là le premier but de l'Église. Parce que la communion entre les hommes s'enracine dans l'union avec Dieu, l'Église est aussi le sacrement de l'*unité du genre humain*. En elle, cette unité est déjà commencée puisqu'elle rassemble des hommes « de toute nation, race, peuple et langue » (Ap 7, 9); en même temps, l'Église est « signe et instrument » de la pleine réalisation de cette unité qui doit encore venir.

360

776   Comme sacrement, l'Église est instrument du Christ. « Entre ses mains elle est l'instrument de la Rédemption de tous les hommes[2] », « le sacrement universel du salut[3] », par lequel le Christ « manifeste et actualise l'amour de Dieu pour les hommes[4] ». Elle « est le projet visible de l'amour de Dieu pour l'humanité[5] », qui veut « que le genre humain tout entier constitue un seul Peuple de Dieu, se rassemble dans le Corps unique du Christ, soit construit en un seul temple du Saint-Esprit[6] ».

1088

En bref

777   *Le mot « Église » signifie « convocation ». Il désigne l'assemblée de ceux que la Parole de Dieu convoque pour former le Peuple de Dieu et qui, nourris du Corps du Christ, deviennent eux-mêmes Corps du Christ.*

778   *L'Église est à la fois chemin et but du dessein de Dieu : préfigurée dans la création, préparée dans l'Ancienne Alliance, fondée par les paroles et les actions de Jésus-Christ, réalisée par sa Croix rédemptrice et sa Résurrection, elle est manifestée comme mystère de salut par l'effusion de l'Esprit Saint. Elle sera consommée dans la gloire du ciel comme assemblée de tous les rachetés de la terre[7].*

779   *L'Église est à la fois visible et spirituelle, société hiérarchique et Corps Mystique du Christ. Elle est une, formée d'un double élément humain et divin. C'est là son mystère que seule la foi peut accueillir.*

780   *L'Église est dans ce monde-ci le sacrement du salut, le signe et l'instrument de la communion de Dieu et des hommes.*

PARAGRAPHE 2. *L'Église - Peuple de Dieu, Corps du Christ, Temple de l'Esprit Saint*

I. L'Église - Peuple de Dieu

781   « À toute époque, à la vérité, et en toute nation, Dieu a tenu pour agréable quiconque le craint et pratique la justice. Cependant, il a plu à Dieu que les

1. LG 1. - 2. LG 9. - 3. LG 48. - 4. GS 45, § 1. - 5. Paul VI, discours 22 juin 1973. - 6. AG 7; cf. LG 17. - 7. Cf. Ap 14, 4.

hommes ne reçoivent pas la sanctification et le salut séparément, hors de tout lien mutuel; Il a voulu au contraire en faire un Peuple qui Le connaîtrait selon la vérité et Le servirait dans la sainteté. C'est pourquoi Il s'est choisi le Peuple d'Israël pour être son Peuple avec qui Il a fait alliance et qu'Il a progressivement instruit (...). Tout cela cependant n'était que pour préparer et figurer l'Alliance Nouvelle et parfaite qui serait conclue dans le Christ (...). C'est la Nouvelle Alliance dans son sang, appelant un Peuple, venu des Juifs et des païens, à se rassembler dans l'unité, non pas selon la chair, mais dans l'Esprit [1]. »

Les caractéristiques du Peuple de Dieu

782   Le Peuple de Dieu a des caractéristiques qui le distinguent nettement de
871   tous les groupements religieux, ethniques, politiques ou culturels de l'histoire :
2787   - Il est le Peuple *de Dieu* : Dieu n'appartient en propre à aucun peuple. Mais Il s'est acquis un Peuple de ceux qui autrefois n'étaient pas un peuple : « une race élue, un sacerdoce royal, une nation sainte » (1 P 2, 9).
1267   - On devient *membre* de ce Peuple non par la naissance physique, mais par la « naissance d'en haut », « de l'eau et de l'Esprit » (Jn 3, 3-5), c'est-à-dire par la foi au Christ et le Baptême.
695   - Ce Peuple a pour *Chef* (Tête) Jésus le Christ (oint, Messie) : parce que la même onction, l'Esprit Saint, découle de la Tête dans le Corps, il est « le Peuple messianique ».
1741   - « La *condition* de ce Peuple, c'est la dignité de la liberté des fils de Dieu : dans leurs coeurs, comme dans un temple, réside l'Esprit Saint. »
1972   - « Sa *loi,* c'est le commandement nouveau d'aimer comme le Christ Lui-même nous a aimés [2]. » C'est la loi « nouvelle » de l'Esprit Saint (Rm 8, 2; Ga 5, 25).
849   - Sa *mission,* c'est d'être le sel de la terre et la lumière du monde [3]. « Il constitue pour tout le genre humain le germe le plus fort d'unité, d'espérance et de salut. »
769   - Sa *destinée,* enfin, c'est « le Royaume de Dieu, commencé sur la terre par Dieu Lui-même, Royaume qui doit se dilater de plus en plus, jusqu'à ce que, à la fin des temps, il soit achevé par Dieu Lui-même [4]. »

Un Peuple sacerdotal, prophétique et royal

783   Jésus-Christ est celui que le Père a oint de l'Esprit Saint et qu'Il a constitué
436   « Prêtre, Prophète et Roi ». Le Peuple de Dieu tout entier participe à ces trois fonc-
873   tions du Christ et il porte les responsabilités de mission et de service qui en découlent [5].

784   En entrant dans le Peuple de Dieu par la foi et le Baptême, on reçoit part à
1268   la vocation unique de ce Peuple : à sa vocation *sacerdotale* : « Le Christ Seigneur,

---

1. LG 9. - 2. Cf. Jn 13, 34. - 3. Cf. Mt 5, 13-16. - 4. LG 9. - 5. Cf. RH 18-21.

grand prêtre pris d'entre les hommes a fait du Peuple nouveau "un royaume, des prêtres pour son Dieu et Père". Les baptisés, en effet, par la régénération et l'onction du Saint-Esprit, sont *consacrés* pour être une demeure spirituelle et un sacerdoce saint[1]. »   *1546*

785   « Le Peuple saint de Dieu participe aussi à la fonction *prophétique* du Christ. » Il l'est surtout par le sens surnaturel de la foi qui est celui du Peuple tout entier, laïcs et hiérarchie, lorsqu'il « s'attache indéfectiblement à la foi transmise aux saints une fois pour toutes[2] » et en approfondit l'intelligence et devient témoin du Christ au milieu de ce monde.   *92*

786   Le Peuple de Dieu participe enfin à la fonction *royale* du Christ. Le Christ exerce sa royauté en attirant à soi tous les hommes par sa mort et sa Résurrection[3]. Le Christ, Roi et Seigneur de l'univers, s'est fait le serviteur de tous, n'étant « pas venu pour être servi, mais pour servir et pour donner sa vie en rançon pour la multitude » (Mt 20, 28). Pour le chrétien, « régner, c'est Le servir[4] », particulièrement « dans les pauvres et les souffrants, dans lesquels l'Église reconnaît l'image de son Fondateur pauvre et souffrant[5] ». Le Peuple de Dieu réalise sa « dignité royale » en vivant conformément à cette vocation de servir avec le Christ.   *2449*   *2443*

> De tous les régénérés dans le Christ le signe de la Croix fait des rois, l'onction du Saint-Esprit les consacre comme prêtres, afin que, mis à part le service particulier de notre ministère, tous les chrétiens spirituels et usant de leur raison se reconnaissent membres de cette race royale et participants de la fonction sacerdotale. Qu'y a-t-il, en effet, d'aussi royal pour une âme que de gouverner son corps dans la soumission à Dieu ? Et qu'y a-t-il d'aussi sacerdotal que de vouer au Seigneur une conscience pure et d'offrir sur l'autel de son coeur les victimes sans taches de la piété[6] ?

II. L'Église - Corps du Christ

L'Église est communion avec Jésus

787   Dès le début, Jésus a associé ses disciples à sa vie[7]; Il leur a révélé le mystère du Royaume[8]; Il leur a donné part à sa mission, à sa joie[9] et à ses souffrances[10]. Jésus parle d'une communion encore plus intime entre Lui et ceux qui Le suivaient : « Demeurez en moi, comme moi en vous (...). Je suis le cep, vous êtes les sarments » (Jn 15, 4-5). Et Il annonce une communion mystérieuse et réelle entre son propre corps et le nôtre : « Qui mange ma chair et boit mon sang demeure en moi et moi en lui » (Jn 6, 56).   *755*

---

1. LG 10. - 2. LG 12. - 3. Cf. Jn 12, 32. - 4. LG 36. - 5. LG 8. - 6. S. Léon le Grand, serm. 4, 1. - 7. Cf. Mc 1, 16-20; 3, 13-19. - 8. Cf. Mt 13, 10-17. - 9. Cf. Lc 10, 17-20. - 10. Cf. Lc 22, 28-30.

788   Lorsque sa présence visible leur a été enlevée, Jésus n'a pas laissé orphelins ses disciples [1]. Il leur a promis de rester avec eux jusqu'à la fin des temps [2], Il leur a envoyé son Esprit [3]. La communion avec Jésus en est devenue, d'une certaine façon, plus intense : « En communiquant son Esprit à ses frères, qu'Il rassemble de toutes les nations, Il les a constitués mystiquement comme son corps [4]. »

690

789   La comparaison de l'Église avec le corps jette une lumière sur le lien intime entre l'Église et le Christ. Elle n'est pas seulement rassemblée *autour de Lui*; elle est unifiée *en Lui*, dans son Corps. Trois aspects de l'Église - Corps du Christ - sont plus spécifiquement à relever : l'unité de tous les membres entre eux par leur union au Christ; le Christ Tête du Corps; l'Église, Épouse du Christ.

521

« Un seul Corps »

790   Les croyants qui répondent à la Parole de Dieu et deviennent membres du Corps du Christ, deviennent étroitement unis au Christ : « Dans ce corps la vie du Christ se répand à travers les croyants que les sacrements, d'une manière mystérieuse et réelle, unissent au Christ souffrant et glorifié [5]. » Ceci est particulièrement vrai du Baptême par lequel nous sommes unis à la mort et à la Résurrection du Christ [6], et de l'Eucharistie, par laquelle, « participant réellement au Corps du Christ », « nous sommes élevés à la communion avec Lui et entre nous [7] ».

947

1227
1329

791   L'unité du corps n'abolit pas la diversité des membres : « Dans l'édification du Corps du Christ règne une diversité de membres et de fonctions. Unique est l'Esprit qui distribue des dons variés pour le bien de l'Église à la mesure de ses richesses et des exigences des services. » L'unité du Corps mystique produit et stimule entre les fidèles la charité : « Aussi un membre ne peut souffrir, que tous les membres ne souffrent, un membre ne peut être à l'honneur, que tous les membres ne se réjouissent avec lui [8]. » Enfin, l'unité du Corps mystique est victorieuse de toutes les divisions humaines : « Vous tous, en effet, baptisés dans le Christ, vous avez revêtu le Christ; il n'y a ni Juif ni Grec, il n'y a ni esclave ni homme libre, il n'y a ni homme ni femme; car tous vous ne faites qu'un dans le Christ Jésus » (Ga 3, 27-28).

814
1937

« De ce Corps, le Christ est la Tête »

792   Le Christ « est la Tête du Corps qui est l'Église » (Col 1, 18). Il est le Principe de la création et de la rédemption. Élevé dans la gloire du Père, « Il a en tout la primauté » (Col 1, 18), principalement sur l'Église par laquelle il étend son règne sur toute chose :

669
1119

---

1. Cf. Jn 14, 18. - 2. Cf. Mt 28, 20. - 3. Cf. Jn 20, 22; Ac 2, 33. - 4. LG 7. - 5. LG 7. - 6. Cf. Rm 6, 4-5 ; 1 Co 12, 13. - 7. LG 7. - 8. LG 7.

793 *Il nous unit à sa Pâque* : tous les membres doivent s'efforcer de Lui ressembler « jusqu'à ce que le Christ soit formé en eux » (Ga 4, 19). « C'est dans ce but *661* que nous sommes introduits dans les mystères de sa vie, (...) associés à ses souf- *519* frances comme le corps à la tête, unis à sa passion pour être unis à sa gloire[1]. »

794 *Il pourvoit à notre croissance*[2] : Pour nous faire grandir vers Lui, notre Tête[3], le Christ dispose dans son Corps, l'Église, les dons et les services par lesquels nous *872* nous aidons mutuellement sur le chemin du salut.

795 Le Christ et l'Église, c'est donc le *« Christ total » (Christus totus)*. L'Église est une avec le Christ. Les saints ont une conscience très vive de cette unité : *695*

> Félicitons-nous donc et rendons grâces de ce que nous sommes devenus, non seulement des chrétiens, mais le Christ lui-même. Comprenez-vous, frères, la grâce que Dieu nous a faite en nous donnant le Christ comme Tête ? Soyez dans l'admiration et réjouissez-vous, nous sommes devenus le Christ. En effet, puisqu'il est la Tête et que nous sommes les membres, l'homme tout entier, c'est lui et nous (...). La Plénitude du Christ, c'est donc la Tête et les membres; qu'est-ce à dire : la Tête et les membres ? Le Christ et l'Église[4].

> Notre Rédempteur s'est montré comme une seule et même personne que l'Église qu'il a assumée[5].

> Tête et membres, une seule et même personne mystique pour ainsi dire[6]. *1474*

> Un mot de Ste Jeanne d'Arc à ses juges résume la foi des saints Docteurs et exprime le bon sens du croyant : « De Jésus-Christ et de l'Église, il m'est avis que c'est tout un, et qu'il n'en faut pas faire difficulté[7]. »

L'Église est l'Épouse du Christ

796 L'unité du Christ et de l'Église, Tête et membres du Corps, implique aussi la distinction des deux dans une relation personnelle. Cet aspect est souvent exprimé par l'image de l'époux et de l'épouse. Le thème du Christ Epoux de l'Église a été *757* préparé par les prophètes et annoncé par Jean-Baptiste[8]. Le Seigneur s'est Lui- *219* même désigné comme « l'Époux » (Mc 2, 19)[9]. L'apôtre présente l'Église et chaque fidèle, membre de son Corps, comme une Épouse « fiancée » au Christ Seigneur, *772* pour n'être avec Lui qu'un seul Esprit[10]. Elle est l'Épouse immaculée de l'Agneau *1602* immaculé[11] que le Christ a aimée, pour laquelle Il s'est livré « afin de la sanctifier » (Ep 5, 26), qu'Il s'est associée par une alliance éternelle, et dont Il ne cesse de *1616* prendre soin comme de son propre Corps[12] :

---

1. LG 7. - 2. Cf. Col 2, 19. - 3. Cf. Ep 4, 11-16. - 4. S. Augustin, ev. Jo. 21, 8. - 5. S. Grégoire le Grand, mor. praef. 1, 6, 4. - 6. S. Thomas d'A., s. th. 3, 48, 2, ad 1. - 7. Jeanne d'Arc, proc. - 8. Cf. Jn 3, 29. - 9. Cf. Mt 22, 1-14; 25, 1-13. - 10. Cf. 1 Co 6, 15-17; 2 Co 11, 2. - 11. Cf. Ap 22, 17; Ep 1, 4; 5, 27. - 12. Cf. Ep 5, 29.

Voilà le Christ total, Tête et Corps, un seul formé de beaucoup. (...) Que ce soit la Tête qui parle, que ce soit les membres, c'est le Christ qui parle. Il parle en tenant le rôle de la Tête *(ex persona capitis)* ou bien en tenant le rôle du Corps *(ex persona corporis)*. Selon ce qui est écrit : « Ils seront deux en une seule chair. C'est là un grand mystère, je veux dire en rapport avec le Christ et l'Église » (Ep 5, 31-32). Et le Seigneur Lui-même dans l'Évangile : « Non plus deux, mais une seule chair » (Mt 19, 6). Comme vous l'avez vu, il y a bien en fait deux personnes différentes, et cependant, elles ne font qu'un dans l'étreinte conjugale. (...) *En tant que Tête Il se dit « Époux », en tant que Corps il se dit « Épouse »*[1].

III. L'Église - Temple de l'Esprit Saint

797   « Ce que notre esprit, je veux dire notre âme, est à nos membres, l'Esprit
813   Saint l'est aux membres du Christ, au Corps du Christ, je veux dire l'Église[2]. »
« C'est à l'Esprit du Christ comme à un principe caché qu'il faut attribuer que toutes les parties du Corps soient reliées, aussi bien entre elles qu'avec leur Tête suprême, puisqu'il réside tout entier dans la Tête, tout entier dans le Corps, tout
586   entier dans chacun de ses membres[3]. » L'Esprit Saint fait de l'Église « le Temple du Dieu Vivant » (2 Co 6, 16)[4] :

C'est à l'Église elle-même, en effet, qu'a été confié le Don de Dieu. (...) C'est en elle qu'a été déposée la communion avec le Christ, c'est-à-dire l'Esprit Saint, arrhes de l'incorruptibilité, confirmation de notre foi et échelle de notre ascension vers Dieu (...). Car là où est l'Église, là est aussi l'Esprit de Dieu; et là où est l'Esprit de Dieu, là est l'Église et toute grâce[5].

798   L'Esprit Saint est « le Principe de toute action vitale et vraiment salutaire en
737,   chacune des diverses parties du Corps[6] ». Il opère de multiples manières l'édifica-
1091-1109   tion du Corps tout entier dans la charité[7] : par la Parole de Dieu, « qui a la puissance de construire l'édifice » (Ac 20, 32), par le Baptême par lequel Il forme le Corps du Christ[8]; par les sacrements qui donnent croissance et guérison aux membres du Christ; par « la grâce accordée aux apôtres qui tient la première place parmi ses dons[9] », par les vertus qui font agir selon le bien, enfin par les multiples
791   grâces spéciales (appelées « charismes ») par lesquels il rend les fidèles « aptes et disponibles pour assumer les diverses charges et offices qui servent à renouveler et à édifier davantage l'Église[10] ».

Les charismes

799   Extraordinaires ou simples et humbles, les charismes sont des grâces de
951, 2003   l'Esprit Saint qui ont, directement ou indirectement, une utilité ecclésiale, ordon-

---

1. S. Augustin, Psal. 74, 4. - 2. S. Augustin, serm. 267, 4. - 3. Pie XII, enc. « Mystici Corporis » : DS 3808. - 4. Cf. 1 Co 3, 16-17; Ep 2, 21. - 5. S. Irénée, haer. 3, 24, 1. - 6. Pie XII, enc. « Mystici Corporis » : DS 3808. - 7. Cf. Ep 4, 16. - 8. Cf. 1 Co 12, 13. - 9. LG 7. - 10. LG 12; cf. AA 3.

nés qu'ils sont à l'édification de l'Église, au bien des hommes et aux besoins du monde.

800 Les charismes sont à accueillir avec reconnaissance par celui qui les reçoit, mais aussi par tous les membres de l'Église. Ils sont, en effet, une merveilleuse richesse de grâce pour la vitalité apostolique et pour la sainteté de tout le Corps du Christ; pourvu cependant qu'il s'agisse de dons qui proviennent véritablement de l'Esprit Saint et qu'ils soient exercés de façon pleinement conforme aux impulsions authentiques de ce même Esprit, c'est-à-dire selon la charité, vraie mesure des charismes [1].

801 C'est dans ce sens qu'apparaît toujours nécessaire le discernement des charismes. Aucun charisme ne dispense de la référence et de la soumission aux Pasteurs de l'Église. « C'est à eux qu'il convient spécialement, non pas d'éteindre *894* l'Esprit, mais de tout éprouver pour retenir ce qui est bon [2] », afin que tous les charismes coopèrent, dans leur diversité et leur complémentarité, au « bien commun » (1 Co 12, 7) [3]. *1905*

EN BREF

802 *« Le Christ Jésus s'est livré pour nous afin de nous racheter de toute iniquité et de purifier un Peuple qui Lui appartienne en propre » (Tt 2, 14).*

803 *« Vous êtes donc une race élue, un sacerdoce royal, une nation sainte, un Peuple acquis » (1 P 2, 9).*

804 *On entre dans le Peuple de Dieu par la foi et le Baptême. « Tous les hommes sont appelés à faire partie du Peuple de Dieu [4] » afin que, dans le Christ, « les hommes constituent une seule famille et un seul Peuple de Dieu [5] ».*

805 *L'Église est le Corps du Christ. Par l'Esprit et son action dans les sacrements, surtout l'Eucharistie, le Christ mort et ressuscité constitue la communauté des croyants comme son Corps.*

806 *Dans l'unité de ce Corps, il y a diversité de membres et de fonctions. Tous les membres sont liés les uns aux autres, particulièrement à ceux qui souffrent, sont pauvres et persécutés.*

807 *L'Église est ce Corps dont le Christ est la Tête : elle vit de Lui, en Lui et pour Lui; Il vit avec elle et en elle.*

808 *L'Église est l'Épouse du Christ : Il l'a aimée et s'est livré pour elle. Il l'a purifiée par son sang. Il a fait d'elle la Mère féconde de tous les fils de Dieu.*

---

1. Cf. 1 Co 13. - 2. LG 12. - 3. Cf. LG 30 ; CL 24. - 4. LG 13. - 5. AG 1.

809 *L'Église est le Temple de l'Esprit Saint. L'Esprit est comme l'âme du Corps Mystique, principe de sa vie, de l'unité dans la diversité et de la richesse de ses dons et charismes.*

810 *« Ainsi l'Église universelle apparaît comme "un Peuple qui tire son unité de l'unité du Père et du Fils et de l'Esprit Saint"[1]. »*

PARAGRAPHE 3. *L'Église est une, sainte, catholique et apostolique*

750

811 « C'est là l'unique Église du Christ, dont nous professons dans le symbole qu'elle est une, sainte, catholique et apostolique[2]. » Ces quatre attributs, inséparablement liés entre eux[3], indiquent des traits essentiels de l'Église et de sa mission. L'Église ne les tient pas d'elle-même; c'est le Christ qui, par l'Esprit Saint, donne à son Église, d'être une, sainte, catholique et apostolique, et c'est Lui encore qui l'appelle à réaliser chacune de ces qualités.

832, 865

156, 770

812 Seule la foi peut reconnaître que l'Église tient ces propriétés de sa source divine. Mais leurs manifestations historiques sont des signes qui parlent aussi clairement à la raison humaine. « L'Église, rappelle le premier Concile du Vatican, en raison de sa sainteté, de son unité catholique, de sa constance invaincue, est elle-même un grand et perpétuel motif de crédibilité et une preuve irréfragable de sa mission divine[4]. »

I. L'Église est une

« Le mystère sacré de l'Unité de l'Église[5] »

172

766

797

813 *L'Église est une de par sa source* : « De ce mystère, le modèle suprême et le principe est dans la trinité des personnes l'unité d'un seul Dieu Père, et Fils, en l'Esprit Saint[6]. » L'Église est une *de par son Fondateur* : « Car le Fils incarné en personne a réconcilié tous les hommes avec Dieu par sa Croix, rétablissant l'unité de tous en un seul Peuple et un seul Corps[7]. » L'Église est une *de par son « âme »* : « L'Esprit Saint qui habite dans les croyants, qui remplit et régit toute l'Église, réalise cette admirable communion des fidèles et les unit tous si intimement dans le Christ, qu'Il est le principe de l'Unité de l'Église[8]. » Il est donc de l'essence même de l'Église d'être une :

> Quel étonnant mystère ! Il y a un seul Père de l'univers, un seul Logos de l'univers et aussi un seul Esprit Saint, partout identique; il y a aussi une seule vierge devenue mère, et j'aime l'appeler l'Église[9].

---

1. LG 4, citant S. Cyprien. - 2. LG 8. - 3. Cf. DS 2888. - 4. DS 3013. - 5. UR 2. - 6. UR 2. - 7. GS 78, § 3. - 8. UR 2. - 9. S. Clément d'Alexandrie, paed. 1, 6.

814   Dès l'origine, cette Église une se présente cependant avec une grande *diver-*
sité qui provient à la fois de la variété des dons de Dieu et de la multiplicité des   *791, 873*
personnes qui les reçoivent. Dans l'unité du Peuple de Dieu se rassemblent les
diversités des peuples et des cultures. Entre les membres de l'Église existe une   *1202*
diversité de dons, de charges, de conditions et de modes de vie; « au sein de la
communion de l'Église il existe légitimement des Églises particulières, jouissant de   *832*
leurs traditions propres [1] ». La grande richesse de cette diversité ne s'oppose pas à
l'unité de l'Église. Cependant, le péché et le poids de ses conséquences menacent
sans cesse le don de l'unité. Aussi l'apôtre doit-il exhorter à « garder l'unité de
l'Esprit par le lien de la paix » (Ep 4, 3).

815   Quels sont ces liens de l'unité ? « Par-dessus tout [c'est] la charité, qui est le
lien de la perfection » (Col 3, 14). Mais l'unité de l'Église pérégrinante est assurée   *1827*
aussi par des liens visibles de communion :   *830, 837*
- la profession d'une seule foi reçue des apôtres;   *173*
- la célébration commune du culte divin, surtout des sacrements;
- la succession apostolique par le sacrement de l'Ordre, maintenant la concorde
fraternelle de la famille de Dieu [2].

816   « L'unique Église du Christ, (...) est celle que notre Sauveur, après sa
Résurrection, remit à Pierre pour qu'il en soit le pasteur, qu'Il lui confia, à lui et
aux autres apôtres, pour la répandre et la diriger (...). Cette Église comme société
constituée et organisée dans le monde est réalisée dans *(subsistit in)* l'Église
catholique gouvernée par le successeur de Pierre et les évêques qui sont en communion avec lui [3] » :

> Le Décret sur l'Œcuménisme du deuxième Concile du Vatican explicite : « C'est, en
> effet, par la seule Église catholique du Christ, laquelle est "moyen général de
> salut", que peut s'obtenir toute la plénitude des moyens de salut. Car c'est au seul   *830*
> collège apostolique, dont Pierre est le chef, que le Seigneur confia, selon notre foi,
> toutes les richesses de la Nouvelle Alliance, afin de constituer sur la terre un seul
> Corps du Christ auquel il faut que soient pleinement incorporés tous ceux qui,
> d'une certaine façon, appartiennent déjà au Peuple de Dieu [4]. »

Les blessures de l'unité

817   De fait, « dans cette seule et unique Église de Dieu apparurent dès l'origine
certaines scissions, que l'apôtre réprouve avec vigueur comme condamnables; au
cours des siècles suivants naquirent des dissensions plus amples, et des communautés considérables furent séparées de la pleine communion de l'Église
catholique, parfois de par la faute des personnes de l'une et de l'autre partie [5] ». Les
ruptures qui blessent l'unité du Corps du Christ (on distingue l'hérésie, l'apostasie   *2089*
et le schisme [6]) ne se font pas sans les péchés des hommes :

---

1. LG 13. - 2. Cf. UR 2; LG 14; CIC, can. 205. - 3. LG 8. - 4. UR 3. - 5. UR 3. - 6. Cf. CIC, can. 751.

> Où se trouve le péché, là aussi la multiplicité, là le schisme, là l'hérésie, là le con-
> flit; mais où se trouve la vertu, là aussi l'unité, l'union qui faisait que tous les
> croyants n'avaient qu'un corps et une âme[1].

818   Ceux qui naissent aujourd'hui dans des communautés issues de telles ruptures « et qui vivent la foi au Christ, ne peuvent être accusés de péché de division,
et l'Église catholique les entoure de respect fraternel et de charité (...). Justifiés par
1271   la foi reçue au Baptême, incorporés au Christ, ils portent à juste titre le nom de
chrétiens, et les fils de l'Église catholique les reconnaissent à bon droit comme des
frères dans le Seigneur[2]. »

819   Au surplus, « beaucoup d'éléments de sanctification et de vérité[3] » existent
en dehors des limites visibles de l'Église catholique : « la parole de Dieu écrite, la
vie de la grâce, la foi, l'espérance et la charité, d'autres dons intérieurs du Saint-
Esprit et d'autres éléments visibles[4] ». L'Esprit du Christ se sert de ces Églises et
communautés ecclésiales comme moyens de salut dont la force vient de la plénitude de grâce et de vérité que le Christ a confiée à l'Église catholique. Tous ces
biens proviennent du Christ et conduisent à Lui[5] et appellent par eux-mêmes
« l'unité catholique[6] ».

Vers l'unité

820   L'unité, « le Christ l'a accordée à son Église dès le commencement. Nous
croyons qu'elle subsiste de façon inamissible dans l'Église catholique et nous
espérons qu'elle s'accroîtra de jour en jour jusqu'à la consommation des siècles[7] ».
Le Christ donne toujours à son Église le don de l'unité, mais l'Église doit toujours
prier et travailler pour maintenir, renforcer et parfaire l'unité que le Christ veut
2748   pour elle. C'est pourquoi Jésus lui-même a prié à l'heure de sa passion, et Il ne
cesse de prier le Père pour l'unité de ses disciples : « ... Que tous soient un.
Comme Toi, Père, Tu es en Moi et Moi en Toi, qu'eux aussi soient un en Nous,
afin que le monde croit que Tu M'as envoyé » (Jn 17, 21). Le désir de retrouver
l'unité de tous les chrétiens est un don du Christ et un appel de l'Esprit Saint[8].

821   Pour y répondre adéquatement sont exigés :
- un *renouveau* permanent de l'Église dans une fidélité plus grande à sa vocation. Cette rénovation
est le ressort du mouvement vers l'unité[9];
827   - la *conversion du coeur* « en vue de vivre plus purement selon l'Évangile[10] », car c'est l'infidélité des
membres au don du Christ qui cause les divisions;
2791   - la *prière en commun*, car « la conversion du coeur et la sainteté de vie, unies aux prières publiques
et privées pour l'unité des chrétiens, doivent être regardées comme l'âme de tout oecuménisme et
peuvent être à bon droit appelées oecuménisme spirituel[11] »;
- la *connaissance réciproque fraternelle*[12];

---

1. Origène, hom. in Ezech. 9, 1. - 2. UR 3. - 3. LG 8. - 4. UR 3; cf. LG 15. - 5. Cf. UR 3. - 6. LG 8.
- 7. UR 4. - 8. Cf. UR 1. - 9. Cf. UR 6. - 10. Cf. UR 7. - 11. UR 8. - 12. Cf. UR 9.

- la *formation œcuménique* des fidèles et spécialement des prêtres [1];
- le *dialogue* entre les théologiens et les rencontres entre les chrétiens des différentes Églises et communautés [2];
- la *collaboration* entre chrétiens dans les divers domaines du service des hommes [3].

822 Le souci de réaliser l'union « concerne toute l'Église, fidèles et pasteurs [4] ». Mais il faut aussi « avoir conscience que ce projet sacré, la réconciliation de tous les chrétiens dans l'unité d'une seule et unique Église du Christ, dépasse les forces et les capacités humaines ». C'est pourquoi nous mettons tout notre espoir « dans la prière du Christ pour l'Église, dans l'amour du Père à notre égard, et dans la puissance du Saint-Esprit [5] ».

II. L'Église est sainte

823 « L'Église (...) est aux yeux de la foi indéfectiblement sainte. En effet le Christ, Fils de Dieu, qui, avec le Père et l'Esprit, est proclamé "seul Saint", a aimé *459* l'Église comme son épouse, Il s'est livré pour elle afin de la sanctifier, Il se l'est *796* unie comme son Corps et l'a comblée du don de l'Esprit Saint pour la Gloire de Dieu [6]. » L'Église est donc « le Peuple saint de Dieu [7] », et ses membres sont appelés « saints [8] ». *946*

824 L'Église, unie au Christ, est sanctifiée par Lui; par Lui et en Lui elle devient aussi *sanctifiante*. « Toutes les oeuvres de l'Église tendent comme à leur fin, à la sanctification des hommes dans le Christ et à la glorification de Dieu [9]. » C'est dans l'Église qu'est déposée « la plénitude des moyens de salut [10] ». C'est en elle que *816* « nous acquérons la sainteté par la grâce de Dieu [11] ».

825 « Sur terre, l'Église est parée d'une sainteté véritable, bien qu'imparfaite [12]. » En ses membres, la sainteté parfaite est encore à acquérir : « Pourvue de moyens *670* salutaires d'une telle abondance et d'une telle grandeur, tous ceux qui croient au Christ, quels que soient leur condition et leur état de vie, sont appelés par Dieu *2013* chacun dans sa route, à une sainteté dont la perfection est celle même du Père [13]. »

826 La *charité* est l'âme de la sainteté à laquelle tous sont appelés : « Elle dirige tous les moyens de sanctification, leur donne leur âme et les conduit à leur fin [14] » : *1827, 2658*

> Je compris que si l'Église avait un corps, composé de différents membres, le plus nécessaire, le plus noble de tous ne lui manquait pas, je compris que l'Église *avait un Coeur, et que ce Coeur était BRÛLANT d'AMOUR.* Je compris que l'*Amour seul* faisait agir les membres de l'Église, que si l'*Amour* venait à *864* s'éteindre, les apôtres n'annonceraient plus l'Évangile, les Martyrs refuseraient

---

1. Cf. UR 10. - 2. Cf. UR 4; 9; 11. - 3. Cf. UR 12. - 4. UR 5. - 5. UR 24. - 6. LG 39. - 7. LG 12. - 8. Cf. Ac 9, 13; 1 Co 6, 1; 16, 1. - 9. SC 10. - 10. UR 3. - 11. LG 48. - 12. LG 48. - 13. LG 11. - 14. LG 42.

de verser leur sang (...). Je compris que l'*AMOUR RENFERMAIT TOUTES LES VOCA-TIONS, QUE L'AMOUR ÉTAIT TOUT, QU'IL EMBRASSAIT TOUS LES TEMPS ET TOUS LES LIEUX (...) EN UN MOT, QU'IL EST ÉTERNEL*[1] !

827   « Tandis que le Christ saint, innocent, sans tache, venu uniquement pour
1425-1429   expier les péchés du peuple, n'a pas connu le péché, l'Église, elle, qui *renferme des pécheurs* dans son propre sein, est donc à la fois sainte et appelée à se purifier,
821   et poursuit constamment son effort de pénitence et de renouvellement[2]. » Tous les membres de l'Église, ses ministres y compris, doivent se reconnaître pécheurs[3]. En tous, l'ivraie du péché se trouve encore mêlée au bon grain de l'Évangile jusqu'à la fin des temps[4]. L'Église rassemble donc des pécheurs saisis par le salut du Christ mais toujours en voie de sanctification :

> L'Église est sainte tout en comprenant en son sein des pécheurs, parce qu'elle n'a elle-même d'autre vie que celle de la grâce : c'est en vivant de sa vie que ses membres se sanctifient; c'est en se soustrayant à sa vie qu'ils tombent dans les péchés et les désordres qui empêchent le rayonnement de sa sainteté. C'est pourquoi elle souffre et fait pénitence pour ces fautes, dont elle a le pouvoir de guérir ses enfants par le sang du Christ et le don de l'Esprit Saint[5].

828   En *canonisant* certains fidèles, c'est-à-dire en proclamant solennellement
1173   que ces fidèles ont pratiqué héroïquement les vertus et vécu dans la fidélité à la grâce de Dieu, l'Église reconnaît la puissance de l'Esprit de sainteté qui est en elle et elle soutient l'espérance des fidèles en les leur donnant comme modèles et intercesseurs[6]. « Les saints et les saintes ont toujours été source et origine de renouvellement dans les moments les plus difficiles de l'histoire de l'Église[7]. » En effet,
2045   « la sainteté est la source secrète et la mesure infaillible de son activité apostolique et de son élan missionnaire[8] ».

829   « En la personne de la bienheureuse Vierge l'Église atteint déjà à la perfec-
1172   tion qui la fait sans tache ni ride. Les fidèles du Christ, eux, sont encore tendus dans leur effort pour croître en sainteté par la victoire sur le péché : c'est pourquoi
972   ils lèvent leurs yeux vers Marie[9] » : en elle, l'Église est déjà la toute sainte.

III. L'Église est catholique

Que veut dire « catholique » ?

830   Le mot « catholique » signifie « universel » dans le sens de « selon la totalité » ou « selon l'intégralité ». L'Église est catholique dans un double sens :

1. Ste Thérèse de l'Enfant-Jésus, ms. autob. B 3v. - 2. LG 8; Cf. UR 3, 6. - 3. Cf. 1 Jn 1, 8-10. - 4. Cf. Mt 13, 24-30. - 5. SPF 19. - 6. Cf. LG 40; 48-51. - 7. CL 16, 3. - 8. CL 17, 3. - 9. LG 65.

Elle est catholique parce qu'en elle le Christ est présent. « Là où est le Christ Jésus, là est l'Église Catholique [1]. » En elle subsiste la plénitude du Corps du Christ uni à sa Tête [2], ce qui implique qu'elle reçoive de Lui « la plénitude des moyens de salut [3] » qu'Il a voulus : confession de foi droite et complète, vie sacramentelle intégrale et ministère ordonné dans la succession apostolique. L'Église était, en ce sens fondamental, catholique au jour de la Pentecôte [4], et elle le sera toujours jusqu'au jour de la Parousie.

795

815-816

831   Elle est catholique parce qu'elle est envoyée en mission par le Christ à l'universalité du genre humain [5] :

849

> Tous les hommes sont appelés à faire partie du Peuple de Dieu. C'est pourquoi ce Peuple, demeurant un et unique, est destiné à se dilater aux dimensions de l'univers entier et à toute la suite des siècles pour que s'accomplisse ce que s'est proposé la volonté de Dieu créant à l'origine la nature humaine dans l'unité, et décidant de rassembler enfin dans l'unité ses fils dispersés (...). Ce caractère d'universalité qui brille sur le Peuple de Dieu est un don du Seigneur Lui-même, grâce auquel l'Église catholique, efficacement et perpétuellement, tend à récapituler l'humanité entière avec tout ce qu'elle comporte de biens sous le Christ chef, dans l'unité de son Esprit [6].

360

518

Chaque Église particulière est « catholique »

832   « L'Église du Christ est vraiment présente en tous les légitimes groupements locaux de fidèles qui, unis à leurs pasteurs, reçoivent, dans le Nouveau Testament, eux aussi, le nom d'Églises (...). En elles, les fidèles sont rassemblés par la prédication de l'Évangile du Christ, le mystère de la Cène du Seigneur est célébré (...). Dans ces communautés, si petites et pauvres qu'elles puissent être souvent ou dispersées, le Christ est présent par la vertu de qui se constitue l'Église une, sainte, catholique et apostolique [7]. »

814

811

833   On entend par Église particulière, qui est le diocèse (ou l'éparchie), une communauté de fidèles chrétiens en communion dans la foi et les sacrements avec leur évêque ordonné dans la succession apostolique [8]. Ces Églises particulières « sont formées à l'image de l'Église universelle; c'est en elles et à partir d'elles qu'existe l'Église catholique une et unique [9] ».

886

834   Les Églises particulières sont pleinement catholiques par la communion avec l'une d'entre elles : l'Église de Rome « qui préside à la charité [10] ». « Car avec cette Église, en raison de son origine plus excellente doit nécessairement s'accorder toute Église, c'est-à-dire les fidèles de partout [11]. » « En effet, dès la descente vers

882, 1369

---

1. S. Ignace d'Antioche, Smyrn. 8, 2. - 2. Cf. Ep 1, 22-23. - 3. AG 6. - 4. Cf. AG 4. - 5. Cf. Mt 28, 19. - 6. LG 13. - 7. LG 26. - 8. Cf. CD 11; CIC, can. 368-369. - 9. LG 23. - 10. S. Ignace d'Antioche, Rom. 1, 1. - 11. S. Irénée, haer. 3, 3, 2 : repris par Cc. Vatican I : DS 3057.

nous du Verbe incarné, toutes les Églises chrétiennes de partout ont tenu et tiennent la grande Église qui est ici (à Rome) pour unique base et fondement parce que, selon les promesses mêmes du Sauveur, les portes de l'enfer n'ont jamais prévalu sur elle [1]. »

835   « L'Église universelle ne doit pas être comprise comme une simple somme ou fédération d'Églises particulières. Mais c'est bien plus l'Église, universelle par vocation et mission, qui prend racine dans une variété de terrains culturels, sociaux et humains, prenant dans chaque partie du monde des aspects et des formes d'expression diverses [2]. » La riche variété de disciplines ecclésiastiques, de rites liturgiques, de patrimoines théologiques et spirituels propres aux Églises locales « montre avec plus d'éclat, par leur convergence dans l'unité, la catholicité de l'Église indivise [3] ».

1202

Qui appartient à l'Église catholique ?

836   « À l'unité catholique du Peuple de Dieu (...) tous les hommes sont appelés; à cette unité appartiennent sous diverses formes ou sont ordonnés, et les fidèles catholiques et ceux qui, par ailleurs, ont foi dans le Christ, et finalement tous les hommes sans exception que la grâce de Dieu appelle au salut [4] » :

831

837   « Sont incorporés pleinement à la société qu'est l'Église ceux qui, ayant l'Esprit du Christ, acceptent intégralement son organisation et tous les moyens de salut institués en elle, et qui, en outre, grâce aux liens constitués par la profession de foi, les sacrements, le gouvernement ecclésiastique et la communion, sont unis, dans l'ensemble visible de l'Église, avec le Christ qui la dirige par le Souverain Pontife et les évêques. L'incorporation à l'Église, cependant, n'assure pas le salut pour celui qui, faute de persévérer dans la charité, reste bien "de corps" au sein de l'Église, mais non "de coeur" [5] ».

771
815

882

838   « Avec ceux qui, étant baptisés, portent le beau nom de chrétiens sans professer pourtant intégralement la foi ou sans garder l'unité de communion avec le successeur de Pierre, l'Église se sait unie pour de multiples raisons [6]. » « Ceux qui croient au Christ et qui ont reçu validement le Baptême, se trouvent dans une certaine communion, bien qu'imparfaite, avec l'Église catholique [7]. » *Avec les Églises orthodoxes*, cette communion est si profonde « qu'il lui manque bien peu pour qu'elle atteigne la plénitude autorisant une célébration commune de l'Eucharistie du Seigneur [8] ».

818

1271

1399

L'Église et les non-chrétiens

839   « Quant à ceux qui n'ont pas encore reçu l'Évangile, sous des formes diverses, eux aussi sont ordonnés au Peuple de Dieu [9] » :

856

1. S. Maxime le Confesseur, opusc. - 2. EN 62. - 3. LG 23. - 4. LG 13. - 5. LG 14. - 6. LG 15. - 7. UR 3. - 8. Paul VI, discours 14 décembre 1975; cf. UR 13-18. - 9. LG 16.

Le rapport de l'Église avec le Peuple Juif. L'Église, Peuple de Dieu dans la Nouvelle Alliance, découvre, en scrutant son propre mystère, son lien avec le Peuple Juif [1], « à qui Dieu a parlé en premier [2] ». À la différence des autres religions non chrétiennes la foi juive est déjà réponse à la révélation de Dieu dans l'Ancienne Alliance. C'est au Peuple Juif qu'« appartiennent l'adoption filiale, la gloire, les alliances, la législation, le culte, les promesses et les patriarches, lui de qui est né, selon la chair, le Christ » (Rm 9, 4-5) car « les dons et l'appel de Dieu sont sans repentance » (Rm 11, 29).

63
147

840 Par ailleurs, lorsque l'on considère l'avenir, le Peuple de Dieu de l'Ancienne Alliance et le nouveau Peuple de Dieu tendent vers des buts analogues : l'attente de la venue (ou du retour) du Messie. Mais l'attente est d'un côté du retour du Messie, mort et ressuscité, reconnu comme Seigneur et Fils de Dieu, de l'autre de la venue du Messie, dont les traits restent voilés, à la fin des temps, attente accompagnée du drame de l'ignorance ou de la méconnaissance du Christ Jésus.

674

597

841 *Les relations de l'Église avec les musulmans.* « Le dessein de salut enveloppe également ceux qui reconnaissent le Créateur, en tout premier lieu les musulmans qui professent la foi d'Abraham, adorent avec nous le Dieu unique, miséricordieux, juge des hommes au dernier jour [3]. »

842 *Le lien de l'Église avec les religions non chrétiennes* est d'abord celui de l'origine et de la fin communes du genre humain :

360

> En effet, tous les peuples forment une seule communauté; ils ont une seule origine, puisque Dieu a fait habiter toute la race humaine sur la face de la terre; ils ont aussi une seule fin dernière, Dieu, dont la providence, les témoignages de bonté et les desseins de salut s'étendent à tous, jusqu'à ce que les élus soient réunis dans la cité sainte [4].

843 L'Église reconnaît dans les autres religions la recherche, « encore dans les ombres et sous des images », du Dieu inconnu mais proche puisque c'est Lui qui donne à tous vie, souffle et toutes choses et puisqu'Il veut que tous les hommes soient sauvés. Ainsi, l'Église considère tout ce qui peut se trouver de bon et de vrai dans les religions « comme une préparation évangélique et comme un don de Celui qui illumine tout homme pour que, finalement, il ait la vie [5] ».

28

856

844 Mais dans leur comportement religieux, les hommes montrent aussi des limites et des erreurs qui défigurent en eux l'image de Dieu :

29

> Bien souvent, trompés par le malin, ils se sont égarés dans leurs raisonnements, ils ont échangé la vérité de Dieu contre le mensonge, en servant la créature de préférence au Créateur ou bien vivant et mourant sans Dieu en ce monde, ils sont exposés à l'extrême désespoir [6].

---

1. Cf. NA 4. - 2. MR, Vendredi Saint 13 : oraison universelle VI. - 3. LG 16; cf. NA 3. - 4. NA 1. - 5 LG 16; cf. NA 2; EN 53. - 6. LG 16.

845   C'est pour réunir de nouveau tous ses enfants que le péché a dispersés et
30   égarés que le Père a voulu convoquer toute l'humanité dans l'Église de son Fils.
L'Église est le lieu où l'humanité doit retrouver son unité et son salut. Elle est « le
953   monde réconcilié[1] ». Elle est ce navire qui « navigue bien en ce monde au souffle
du Saint-Esprit sous la pleine voile de la Croix du Seigneur[2] » selon une autre
1219   image chère aux Pères de l'Église, elle est figurée par l'Arche de Noé qui seule
sauve du déluge[3].

« Hors de l'Église point de salut »

846   Comment faut-il entendre cette affirmation souvent répétée par les Pères de
l'Église ? Formulée de façon positive, elle signifie que tout salut vient du Christ-
Tête par l'Église qui est son Corps :

> Appuyé sur la Sainte Écriture et sur la Tradition, le Concile enseigne que cette
> Église en marche sur la terre est nécessaire au salut. Seul, en effet, le Christ est
> médiateur et voie de salut : or, Il nous devient présent en son Corps qui est
> l'Église; et en nous enseignant expressément la nécessité de la foi et du Baptême,
> c'est la nécessité de l'Église elle-même, dans laquelle les hommes entrent par la
161, 1257   > porte du Baptême, qu'Il nous a confirmée en même temps. C'est pourquoi ceux
> qui refuseraient soit d'entrer dans l'Église catholique, soit d'y persévérer, alors qu'ils
> la sauraient fondée de Dieu par Jésus-Christ comme nécessaire, ceux-là ne pour-
> raient être sauvés.[4]

847   Cette affirmation ne vise pas ceux qui, sans qu'il y aille de leur faute,
ignorent le Christ et son Église :

> En effet, ceux qui, sans faute de leur part, ignorent l'Évangile du Christ et son
> Église, mais cherchent pourtant Dieu d'un coeur sincère et s'efforcent, sous l'influ-
> ence de sa grâce, d'agir de façon à accomplir sa volonté telle que leur conscience
> la leur révèle et la leur dicte, ceux-là peuvent arriver au salut éternel[5].

848   « Bien que Dieu puisse par des voies connues de Lui seul amener à la foi
1260   "sans laquelle il est impossible de plaire à Dieu" (He 11, 6) des hommes qui, sans
faute de leur part, ignorent l'Évangile, l'Église a le devoir en même temps que le
droit sacré d'évangéliser[6] » tous les hommes.

La mission - une exigence de la catholicité de l'Église

849   *Le mandat missionnaire.* « Envoyée par Dieu aux nations pour être le sacre-
738, 767   ment universel du salut, l'Église, en vertu des exigences intimes de sa propre
catholicité et obéissant au commandement de son fondateur est tendue de tout son
effort vers la prédication de l'Évangile à tous les hommes[7] » : « Allez donc, de

---

1. S. Augustin, serm. 96, 7, 9. - 2. S. Ambroise, virg. 18, 118. - 3. Cf. déjà 1 P 3, 20-21. - 4. LG 14.
- 5. LG 16; cf. DS 3866-3872. - 6. AG 7. - 7. AG 1.

toutes les nations faites des disciples, les baptisant au nom du Père et du Fils et du Saint-Esprit, et leur apprenant à observer tout ce que je vous ai prescrit. Et voici que je suis avec vous pour toujours, jusqu'à la fin du monde » (Mt 28, 19-20).

850 *L'origine et le but de la mission.* Le mandat missionnaire du Seigneur a sa source ultime dans l'amour éternel de la Très Sainte Trinité : « De par sa nature, l'Église, durant son pèlerinage sur terre, est missionnaire, puisqu'elle-même tire son origine de la mission du Fils et de la mission du Saint-Esprit, selon le dessein de Dieu le Père [1] ». Et le but dernier de la mission n'est autre que de faire participer les hommes à la communion qui existe entre le Père et le Fils dans leur Esprit d'amour [2].

257

730

851 *Le motif de la mission.* C'est de *l'amour* de Dieu pour tous les hommes que l'Église a de tout temps tiré l'obligation et la force de son élan missionnaire : « Car l'amour du Christ nous presse... » (2 Co 5, 14 [3].) En effet, « Dieu veut que tous les hommes soient sauvés et parviennent à la connaissance de la vérité » (1 Tm 2, 4). Dieu veut le salut de tous par la connaissance de *la vérité*. Le salut se trouve dans la vérité. Ceux qui obéissent à la motion de l'Esprit de vérité sont déjà sur le chemin du salut; mais l'Église, à qui cette vérité a été confiée, doit aller à la rencontre de leur désir pour la leur apporter. C'est parce qu'elle croit au dessein universel de salut qu'elle doit être missionnaire.

2104

221, 429

74, 217

890

852 *Les chemins de la mission.* « L'Esprit Saint est le protagoniste de toute la mission ecclésiale [4]. » C'est Lui qui conduit l'Église sur les chemins de la mission. Celle-ci « continue et développe au cours de l'histoire la mission du Christ Lui-même, qui fut envoyé pour annoncer aux pauvres la Bonne Nouvelle; c'est donc par la même route qu'a suivie le Christ Lui-même que, sous la poussée de l'Esprit du Christ, l'Église doit marcher, c'est-à-dire par la route de la pauvreté, de l'obéissance, du service et de l'immolation de soi jusqu'à la mort, dont Il est sorti victorieux par sa résurrection [5] ». C'est ainsi que « le sang des martyrs est une semence de chrétiens [6] ».

2044

2473

853 Mais dans son pèlerinage l'Église fait aussi l'expérience de la « distance qui sépare le message qu'elle révèle et la faiblesse humaine de ceux auxquels cet Évangile est confié [7] ». Ce n'est qu'en avançant sur le chemin « de la pénitence et du renouvellement [8] » et « par la porte étroite de la Croix [9] » que le Peuple de Dieu peut étendre le règne du Christ [10]. En effet, « comme c'est dans la pauvreté et la persécution que le Christ a opéré la Rédemption, l'Église elle aussi est appelée à entrer dans cette même voie pour communiquer aux hommes les fruits du salut [11] ».

1428

2443

854 Par sa mission même « l'Église fait route avec toute l'humanité et partage le sort terrestre du monde; elle est comme le ferment et, pour ainsi dire, l'âme de la société humaine appelée à être renouvelée dans le Christ et transformée en famille de Dieu [12] » L'effort missionnaire exige donc *la patience*. Il commence par l'annonce de l'Évangile aux peuples et aux groupes qui ne

2105

---

1. AG 2. - 2. Cf. Jean Paul II, RM 23. - 3. Cf. AA 6; RM 11. - 4. RM 21. - 5. AG 5. - 6. Tertullien, apol. 50. - 7. GS 43, § 6. - 8. LG 8; cf. 15. - 9. AG 1. - 10. Cf. RM 12-20. - 11. LG 8. - 12. GS 40, § 2.

croient pas encore au Christ [1]; il se poursuit dans l'établissement de communautés chrétiennes qui soient des « signes de la présence de Dieu dans le monde [2] », et dans la fondation d'Églises locales [3]; *204* il engage un processus d'inculturation pour incarner l'Évangile dans les cultures des peuples [4]; il ne manquera pas de connaître aussi des échecs. « En ce qui concerne les hommes, les groupes humains et les peuples, l'Église ne les atteint et ne les pénètre que progressivement, et les assume ainsi dans la plénitude catholique [5]. »

855   La mission de l'Église appelle l'effort *vers l'unité des chrétiens* [6]. En effet « les divisions entre *821* chrétiens empêchent l'Église de réaliser la plénitude de catholicité qui lui est propre en ceux de ses fils qui, certes, lui appartiennent par le Baptême, mais se trouvent séparés de sa pleine communion. Bien plus, pour l'Église elle-même, il devient plus difficile d'exprimer sous tous ses aspects la plénitude de la catholicité dans la réalité même de sa vie [7] ».

856   La tâche missionnaire implique *un dialogue respectueux* avec ceux qui n'acceptent pas *839* encore l'Évangile [8]. Les croyants peuvent tirer profit pour eux-mêmes de ce dialogue en apprenant à mieux connaître « tout ce qui se trouvait déjà de vérité et de grâce chez les nations comme par une secrète présence de Dieu [9] ». S'ils annoncent la Bonne Nouvelle à ceux qui l'ignorent, c'est pour con- *843* solider, compléter et élever la vérité et le bien que Dieu a répandus parmi les hommes et les peuples, et pour les purifier de l'erreur et du mal « pour la Gloire de Dieu, la confusion du démon et le bonheur de l'homme [10] ».

IV. L'Église est apostolique

857   L'Église est apostolique parce qu'elle est fondée sur les apôtres, et cela en *75* un triple sens :
- elle a été et demeure bâtie sur « le fondement des apôtres » (Ep 2, 20; Ap 21, 14), témoins choisis et envoyés en mission par le Christ lui-même [11];
171 - elle garde et transmet, avec l'aide de l'Esprit qui habite en elle, l'enseignement [12], le bon dépôt, les saines paroles entendues des apôtres [13];
- elle continue à être enseignée, sanctifiée et dirigée par les apôtres jusqu'au retour *880, 1575* du Christ grâce à ceux qui leur succèdent dans leur charge pastorale : le collège des évêques, « assisté par les prêtres, en union avec le successeur de Pierre, pasteur suprême de l'Église [14] » :

> Père éternel, tu n'abandonnes pas ton troupeau, mais tu le gardes par tes bien-heureux apôtres sous ta constante protection. Tu le diriges encore par ces mêmes pasteurs qui continuent aujourd'hui l'oeuvre de ton Fils [15].

La mission des apôtres

858   Jésus est l'Envoyé du Père. Dès le début de son ministère, Il « appela à Lui *551* ceux qu'Il voulut, et Il en institua Douze pour être avec Lui et pour les envoyer

---

1. Cf. RM 42-47. - 2. AG 15. - 3. Cf. RM 48-49. - 4. Cf. RM 52-54. - 5. AG 6. - 6. Cf. RM 50. - 7. UR 4. - 8. Cf. RM 55. - 9. AG 9. - 10. AG 9. - 11. Cf. Mt 28, 16-20; Ac 1, 8; 1 Co 9, 1; 15, 7-8; Ga 1, 1; etc. - 12. Cf. Ac 2, 42. - 13. Cf. 2 Tm 1, 13-14. - 14. AG 5. - 15. MR, Préface des apôtres.

prêcher » (Mc 3, 13-14). Dès lors, ils seront ses « envoyés » (ce que signifie le mot grec *apostoloi*). En eux continue sa propre mission : « Comme le Père M'a envoyé, Moi aussi Je vous envoie » (Jn 20, 21)[1]. Leur ministère est donc la continuation de sa propre mission : « Qui vous accueille, M'accueille », dit-il aux Douze (Mt 10, 40)[2].   *425, 1086*

859   Jésus les unit à sa mission reçue du Père : comme « le Fils ne peut rien faire de Lui-même » (Jn 5, 19. 30), mais reçoit tout du Père qui L'a envoyé, ainsi ceux que Jésus envoie ne peuvent rien faire sans Lui[3] de qui ils reçoivent le mandat de mission et le pouvoir de l'accomplir. Les apôtres du Christ savent donc qu'ils sont qualifiés par Dieu comme « ministres d'une alliance nouvelle » (2 Co 3, 6), « ministres de Dieu » (2 Co 6, 4), « en ambassade pour le Christ » (2 Co 5, 20), « serviteurs du Christ et dispensateurs des mystères de Dieu » (1 Co 4, 1).   *876*

860   Dans la charge des apôtres, il y a un aspect intransmissible : être les témoins choisis de la Résurrection du Seigneur et les fondements de l'Église. Mais il y a aussi un aspect permanent de leur charge. Le Christ leur a promis de rester *avec eux* jusqu'à la fin des temps[4]. « La mission divine confiée par Jésus aux apôtres est destinée à durer jusqu'à la fin des siècles, étant donné que l'Évangile qu'ils doivent transmettre est pour l'Église principe de toute sa vie, pour toute la durée du temps. C'est pourquoi les apôtres prirent soin d'instituer (...) des successeurs[5]. »   *642* *765* *1536*

Les évêques successeurs des apôtres

861   « Pour que la mission qui leur avait été confiée put se continuer après leur mort, les apôtres donnèrent mandat, comme par testament, à leurs coopérateurs immédiats d'achever leur tâche et d'affermir l'oeuvre commencée par eux, leur recommandant de prendre garde au troupeau dans lequel l'Esprit Saint les avait institués pour paître l'Église de Dieu. Ils instituèrent donc des hommes de ce genre, et disposèrent par la suite qu'après leur mort d'autres hommes éprouvés recueilleraient leur ministère[6]. »   *77* *1087*

862   « De même que la charge confiée personnellement par le Seigneur à Pierre, le premier des apôtres, et destinée à être transmise à ses successeurs, constitue une charge permanente, permanente est également la charge confiée aux apôtres d'être les pasteurs de l'Église, charge dont l'ordre sacré des évêques doit assurer la pérennité. » C'est pourquoi l'Église enseigne que « les évêques, en vertu de l'institution divine, succèdent aux apôtres, comme pasteurs de l'Église, en sorte que, qui les écoute, écoute le Christ, qui les rejette, rejette le Christ et celui qui a envoyé le Christ[7] ».   *880* *1556*

L'apostolat

863   Toute l'Église est apostolique en tant qu'elle demeure, à travers les successeurs de S. Pierre et des apôtres, en communion de foi et de vie avec son   *900*

---

1. Cf. 13, 20; 17, 18. - 2. Cf. Lc 10, 16. - 3. Cf. Jn 15, 5. - 4. Cf. Mt 28, 20. - 5. LG 20. - 6. LG 20; cf. S. Clément de Rome, Cor. 42; 44. - 7. LG 20.

origine. Toute l'Église est apostolique en tant qu'elle est « envoyée » dans le monde entier; tous les membres de l'Église, toutefois de diverses manières, ont part à cet *2472* envoi. « La vocation chrétienne est aussi par nature vocation à l'apostolat. » On appelle « apostolat » « toute activité du Corps mystique » qui tend à « étendre le règne du Christ à toute la terre[1] ».

864   « Le Christ envoyé par le Père étant la source et l'origine de tout l'apostolat de l'Église », il est évident que la fécondité de l'apostolat, celui des ministres ordon-*828* nés comme celui des laïcs, dépend de leur union vitale avec le Christ[2]. Selon les vocations, les appels du temps, les dons variés du Saint-Esprit, l'apostolat prend les *824* formes les plus diverses. Mais c'est toujours la charité, puisée surtout dans *1324* l'Eucharistie, « qui est comme l'âme de tout apostolat[3] ».

865   L'Église est *une, sainte, catholique et apostolique* dans son identité profonde *811, 541* et ultime, parce que c'est en elle qu'existe déjà et sera accompli à la fin des temps « le Royaume des cieux », « le Règne de Dieu[4] », advenu dans la Personne du Christ et grandissant mystérieusement au coeur de ceux qui Lui sont incorporés, jusqu'à sa pleine manifestation eschatologique. Alors *tous* les hommes rachetés par Lui, rendus en Lui « *saints* et immaculés en présence de Dieu dans l'Amour[5] », seront rassemblés comme *l'unique* Peuple de Dieu, « l'Épouse de l'Agneau » (Ap 21, 9), « la Cité Sainte descendant du Ciel, de chez Dieu, avec en elle la Gloire de Dieu » (Ap 21, 10-11); et « le rempart de la ville repose sur les douze assises portant cha-cune le nom de l'un des *douze apôtres de l'Agneau* » (Ap 21, 14).

En bref

866   *L'Église est une : elle a un seul Seigneur, elle confesse une seule foi, elle naît d'un seul Baptême, elle ne forme qu'un Corps, vivifié par un seul Esprit, en vue d'une unique espérance[6] au terme de laquelle seront surmon-tées toutes les divisions.*

867   *L'Église est sainte : le Dieu très saint est son auteur; le Christ, son Epoux, s'est livré pour elle pour la sanctifier; l'Esprit de sainteté la vivifie. Encore qu'elle comprenne des pécheurs, elle est « la sans-péché faite de pécheurs ». Dans les saints brille sa sainteté; en Marie elle est déjà la toute sainte.*

868   *L'Église est catholique : elle annonce la totalité de la foi; elle porte en elle et administre la plénitude des moyens de salut; elle est envoyée à tous les peuples; elle s'adresse à tous les hommes; elle embrasse tous les temps; « elle est, de par sa nature même, missionnaire[7] ».*

869   *L'Église est apostolique : elle est bâtie sur des assises durables : « les douze apôtres de l'Agneau » (Ap 21, 14); elle est indestructible[8]; elle est*

---

1. AA 2. - 2. Cf. Jn 15, 5; AA 4. - 3. AA 3. - 4. Cf. Ap 19, 6. - 5. Cf. Ep 1, 4. - 6. Cf. Ep 4, 3-5. - 7. AG 2. - 8. Cf. Mt 16, 18.

infailliblement tenue dans la vérité : le Christ la gouverne par Pierre et les autres apôtres, présents en leurs successeurs, le Pape et le collège des évêques.

870   « *L'unique Église du Christ, dont nous professons dans le Symbole qu'elle est une, sainte, catholique et apostolique, (...) c'est dans l'Église catholique qu'elle existe, gouvernée par le successeur de Pierre et par les évêques qui sont en communion avec lui; encore que des éléments nombreux de sanctification et de vérité subsistent hors de ses structures[1]. »*

PARAGRAPHE 4. *Les fidèles du Christ Hiérarchie, laïcs, vie consacrée*

871   « Les fidèles du Christ sont ceux qui, en tant qu'incorporés au Christ par le Baptême, sont constitués en Peuple de Dieu et qui, pour cette raison, participant à leur manière à la fonction sacerdotale, prophétique et royale du Christ, sont appelés à exercer, chacun selon sa condition propre, la mission que Dieu a confiée à l'Église pour qu'elle l'accomplisse dans le monde[2]. »

1268-1269

782-786

872   « Entre tous les fidèles du Christ, du fait de leur régénération dans le Christ, il existe, quant à la dignité et à l'activité, une véritable égalité en vertu de laquelle tous coopèrent à l'édification du Corps du Christ, selon la condition et la fonction propre de chacun[3]. »

1934

794

873   Les différences même que le Seigneur a voulu mettre entre les membres de son Corps servent son unité et sa mission. Car « il y a dans l'Église diversité de ministères, mais unité de mission. Le Christ a confié aux apôtres et à leurs successeurs la charge d'enseigner, de sanctifier et de gouverner en son nom et par son pouvoir. Mais les laïcs rendus participants de la charge sacerdotale, prophétique et royale du Christ assument, dans l'Église et dans le monde, leur part dans ce qui est la mission du Peuple de Dieu tout entier[4] ». Enfin il y a « des fidèles qui appartiennent à l'une et l'autre catégorie [hiérarchie et laïcs] et qui, par la profession des conseils évangéliques (...) sont consacrés à Dieu et concourent à la mission salvatrice de l'Église à leur manière propre[5] ».

814, 1937

I. La constitution hiérarchique de l'Église

Pourquoi le ministère ecclésial ?

874   Le Christ est Lui-même la source du ministère dans l'Église. Il l'a instituée, lui a donné autorité et mission, orientation et finalité :

1544

---

1. LG 8. - 2. CIC, can. 204, § 1; cf. LG 31. - 3. CIC, can. 208; cf. LG 32. - 4. AA 2. - 5. CIC, can. 207, § 2.

> Le Christ Seigneur, pour assurer au Peuple de Dieu des pasteurs et les moyens de sa croissance, a institué dans son Église des ministères variés qui tendent au bien de tout le corps. En effet, les ministres qui disposent du pouvoir sacré, sont au service de leurs frères, pour que tous ceux qui appartiennent au Peuple de Dieu (...) parviennent au salut[1].

875   « Comment croire sans d'abord entendre ? Et comment entendre sans prédicateur ? Et comment prêcher sans être d'abord envoyé ? » (Rm 10, 14-15.) Personne, *166* aucun individu ni aucune communauté, ne peut s'annoncer à lui-même l'Évangile. « La foi vient de l'écoute » (Rm 10, 17). Personne ne peut se donner lui-même le mandat et la mission d'annoncer l'Évangile. L'envoyé du Seigneur parle et agit non pas par autorité propre, mais en vertu de l'autorité du Christ; non pas comme membre de la communauté, mais parlant à elle au nom du Christ. Personne ne peut se conférer à lui-même la grâce, elle doit être donnée et offerte. Cela suppose des ministres de la grâce, autorisés et habilités de la part du Christ. De Lui, ils reçoivent la mission et la faculté (le « pouvoir sacré ») d'agir *in persona Christi* *1548 Capitis*. Ce ministère, dans lequel les envoyés du Christ font et donnent par don de Dieu ce qu'ils ne peuvent faire et donner d'eux-mêmes, la tradition de l'Église *1536* l'appelle « sacrement ». Le ministère de l'Église est conféré par un sacrement propre.

876   Intrinsèquement lié à la nature sacramentelle du ministère ecclésial est *son* *1551 caractère de service*. En effet, entièrement dépendants du Christ qui donne mission et autorité, les ministres sont vraiment « esclaves du Christ » (Rm 1, 1), à l'image du Christ qui a pris librement pour nous « la forme d'esclave » (Ph 2, 7). Parce que la *427* parole et la grâce dont ils sont les ministres ne sont pas les leurs, mais celles du Christ qui les leurs a confiées pour les autres, ils se feront librement esclaves de tous[2].

877   De même, il est de la nature sacramentelle du ministère ecclésial qu'il ait un *1559 caractère collégial*. En effet, dès le début de son ministère, le Seigneur Jésus institua les Douze, « les germes du Nouvel Israël et en même temps l'origine de la hiérarchie sacrée[3] ». Choisis ensemble, ils sont aussi envoyés ensemble, et leur unité fraternelle sera au service de la communion fraternelle de tous les fidèles; elle sera comme un reflet et un témoignage de la communion des personnes divines[4]. Pour cela, tout évêque exerce son ministère au sein du collège épiscopal, en communion avec l'évêque de Rome, successeur de S. Pierre et chef du collège; les prêtres exercent leur ministère au sein du presbyterium du diocèse, sous la direction de leur évêque.

878   Enfin, il est de la nature sacramentelle du ministère ecclésial qu'il ait un *caractère personnel*. Si les ministres du Christ agissent en communion, ils agissent toujours aussi de façon personnelle. Chacun est appelé personnellement : « Toi,

---

1. LG 18. - 2. Cf. 1 Co 9, 19. - 3. AG 5. - 4. Cf. Jn 17, 21-23.

suis-moi » (Jn 21, 22) [1] pour être, dans la mission commune, témoin personnel, portant personnellement responsabilité devant Celui qui donne la mission, agissant « en sa personne » et pour des personnes : « Je te baptise au nom du Père... »; « Je te pardonne... »

1484

879 Le ministère sacramentel dans l'Église est donc un service à la fois collégial et personnel, exercé au nom du Christ. Cela se vérifie dans les liens entre le collège épiscopal et son chef, le successeur de S. Pierre, et dans le rapport entre la responsabilité pastorale de l'évêque pour son Église particulière et la sollicitude commune du collège épiscopal pour l'Église Universelle.

Le collège épiscopal et son chef, le Pape

880 Le Christ, en instituant les Douze, « leur donna la forme d'un collège, c'est-à-dire d'un groupe stable, et mit à leur tête Pierre, choisi parmi eux [2] ». « De même que S. Pierre et les autres apôtres constituent, de par l'institution du Seigneur, un seul collège apostolique, semblablement le Pontife romain, successeur de Pierre et les évêques, successeurs des apôtres, forment entre eux un tout. [3] »

552, 862

881 Le Seigneur a fait du seul Simon, auquel Il donna le nom de Pierre, la pierre de son Église. Il lui en a remis les clefs [4]; Il l'a institué pasteur de tout le troupeau [5]. « Mais cette charge de lier et de délier qui a été donnée à Pierre a été aussi donnée, sans aucun doute, au collège des apôtres unis à leur chef [6]. » Cette charge pastorale de Pierre et des autres apôtres appartient aux fondements de l'Église. Elle est continuée par les évêques sous la primauté du Pape.

553

642

882 Le *Pape*, évêque de Rome et successeur de S. Pierre, « est principe perpétuel et visible et fondement de l'unité qui lie entre eux soit les évêques, soit la multitude des fidèles [7] ». « En effet, le Pontife romain a sur l'Église, en vertu de sa charge de Vicaire du Christ et de Pasteur de toute l'Église, un pouvoir plénier, suprême et universel qu'Il peut toujours librement exercer [8]. »

834, 1369

837

883 « Le *collège ou corps épiscopal* n'a d'autorité que si on l'entend comme uni au Pontife romain, comme à son chef. » Comme tel, ce collège est « lui aussi le sujet d'un pouvoir suprême et plénier sur toute l'Église, pouvoir cependant qui ne peut s'exercer qu'avec le consentement du Pontife romain [9] ».

884 « Le Collège des évêques exerce le pouvoir sur l'Église tout entière de manière solennelle dans le Concile Œcuménique [10]. » « Il n'y a pas de Concile Œcuménique s'il n'est comme tel confirmé ou tout au moins accepté par le successeur de Pierre [11]. »

---

1. Cf. Mt 4, 19. 21; Jn 1, 43. - 2. LG 19. - 3. LG 22; cf. CIC, can. 330. - 4. Cf. Mt 16, 18-19. - 5. Cf. Jn 21, 15-17. - 6. LG 22. - 7. LG 23. - 8. LG 22; cf. CD 2; 9. - 9. LG 22; cf. CIC, can. 336. - 10. CIC, can. 337, § 1. - 11. LG 22.

885 « Par sa composition multiple, ce collège exprime la variété et l'universalité du Peuple de Dieu; il exprime, par son rassemblement sous un seul chef, l'unité du troupeau du Christ[1]. »

1560, 833

886 « Les *évêques* sont, chacun pour sa part, principe et fondement de l'unité dans leurs Églises particulières[2]. » Comme tels ils « exercent leur autorité pastorale sur la portion du Peuple de Dieu qui leur a été confiée[3] », assistés des prêtres et des diacres. Mais, comme membres du collège épiscopal chacun d'entre eux a part à la sollicitude pour toutes les Églises[4], qu'ils exercent d'abord « en gouvernant bien leur propre Église comme une portion de l'Église universelle », contribuant ainsi « au bien de tout le Corps mystique qui est aussi le Corps des Églises[5] ». Cette sollicitude s'étendra particulièrement aux pauvres[6], aux persécutés pour la foi, ainsi qu'aux missionnaires qui oeuvrent sur toute la terre.

2448

887 Les Églises particulières voisines et de culture homogène forment des provinces ecclésiastiques ou des ensembles plus vastes appelés patriarcats ou régions[7]. Les évêques de ces ensembles peuvent se réunir en synodes ou en conciles provinciaux. « De même, les Conférences épiscopales peuvent, aujourd'hui, contribuer de façon multiple et féconde à ce que l'esprit collégial se réalise concrètement[8]. »

La charge d'enseigner

85-87, 2032-2040

888 Les évêques, avec les prêtres, leurs coopérateurs, « ont pour première tâche d'annoncer l'Évangile de Dieu à tous les hommes[9] », selon l'ordre du Seigneur[10]. Ils sont « les hérauts de la foi, qui amènent au Christ de nouveaux disciples, les docteurs authentiques » de la foi apostolique, « pourvus de l'autorité du Christ[11] ».

2068

889 Pour maintenir l'Église dans la pureté de la foi transmise par les apôtres, le Christ a voulu conférer à son Église une participation à sa propre infaillibilité, Lui qui est la Vérité. Par le « sens surnaturel de la foi », le Peuple de Dieu « s'attache indéfectiblement à la foi », sous la conduite du Magistère vivant de l'Église[12].

92

890 La mission du Magistère est liée au caractère définitif de l'alliance instaurée par Dieu dans le Christ avec son Peuple; il doit le protéger des déviations et des défaillances, et lui garantir la possibilité objective de professer sans erreur la foi authentique. La charge pastorale du Magistère est ainsi ordonnée à veiller à ce que le Peuple de Dieu demeure dans la vérité qui libère. Pour accomplir ce service, le Christ a doté les pasteurs du charisme d'infaillibilité en matière de foi et de moeurs. L'exercice de ce charisme peut revêtir plusieurs modalités :

851

1785

891 « De cette infaillibilité, le Pontife romain, chef du collège des évêques, jouit du fait même de sa charge quand, en tant que pasteur et docteur suprême de tous

1. LG 22. - 2. LG 23. - 3. LG 23. - 4. Cf. CD 3. - 5. LG 23. - 6. Cf. Ga 2, 10. - 7. Cf. Canon des apôtres 34. - 8. LG 23. - 9. PO 4. - 10. Cf. Mc 16, 15. - 11. LG 25. - 12. Cf. LG 12; DV 10.

les fidèles, et chargé de confirmer ses frères dans la foi, il proclame, par un acte définitif, un point de doctrine touchant la foi et les mœurs (...). L'infaillibilité promise à l'Église réside aussi dans le corps des évêques quand il exerce son Magistère suprême en union avec le successeur de Pierre », surtout dans un Concile Œcuménique [1]. Lorsque, par son Magistère suprême, l'Église propose quelque chose « à croire comme étant révélé par Dieu [2] » et comme enseignement du Christ, « il faut adhérer dans l'obéissance de la foi à de telles définitions [3] ». Cette infaillibilité s'étend aussi loin que le dépôt lui-même de la Révélation divine [4].

892   L'assistance divine est encore donnée aux successeurs des apôtres, enseignant en communion avec le successeur de Pierre, et, d'une manière particulière, à l'évêque de Rome, Pasteur de toute l'Église, lorsque, sans arriver à une définition infaillible et sans se prononcer d'une « manière définitive », ils proposent dans l'exercice du Magistère ordinaire un enseignement qui conduit à une meilleure intelligence de la Révélation en matière de foi et de mœurs. À cet enseignement ordinaire les fidèles doivent « donner l'assentiment religieux de leur esprit [5] » qui, s'il se distingue de l'assentiment de la foi, le prolonge cependant.

La charge de sanctifier

893   L'évêque porte aussi « la responsabilité de dispenser la grâce du suprême sacerdoce [6] », en particulier dans l'Eucharistie qu'il offre lui-même ou dont il assure l'oblation par les prêtres, ses coopérateurs. Car l'Eucharistie est le centre de la vie de l'Église particulière. L'évêque et les prêtres sanctifient l'Église par leur prière et leur travail, par le ministère de la parole et des sacrements. Ils la sanctifient par leur exemple, « non pas en faisant les seigneurs à l'égard de ceux qui vous sont échus en partage, mais en devenant les modèles du troupeau » (1 P 5, 3). C'est ainsi « qu'ils parviennent, avec le troupeau qui leur est confié, à la vie éternelle [7] ».

1561

La charge de régir

894   « Les évêques dirigent leurs Églises particulières comme vicaires et légats du Christ par leurs conseils, leurs encouragements, leurs exemples, mais aussi par leur autorité et par l'exercice de leur pouvoir sacré [8] », qu'ils doivent cependant exercer pour édifier, dans l'esprit de service qui est celui de leur Maître [9].

801

895   « Ce pouvoir qu'ils exercent personnellement au nom du Christ est un pouvoir propre, ordinaire et immédiat : il est soumis cependant dans son exercice à la régulation dernière de l'autorité suprême de l'Église. [10] » Mais on ne doit pas considérer les évêques comme des vicaires du Pape dont l'autorité ordinaire et

1558

---

1. LG 25; cf. Vatican I : DS 3074. - 2. DV 10. - 3. LG 25. - 4. Cf. LG 25. - 5. LG 25. - 6. LG 26. - 7. LG 26. - 8. LG 27. - 9. Cf. Lc 22, 26-27. - 10. LG 27.

immédiate sur toute l'Église n'annule pas, mais au contraire confirme et défend la leur. Celle-ci doit s'exercer en communion avec toute l'Église sous la conduite du Pape.

896 Le Bon Pasteur sera le modèle et la « forme » de la charge pastorale de *1550* l'évêque. Conscient de ses faiblesses, « l'évêque peut se montrer indulgent envers les ignorants et les égarés. Qu'il ne répugne pas à écouter ceux qui dépendent de lui, les entourant comme de vrais fils (...). Quant aux fidèles, ils doivent s'attacher à leur évêque comme l'Église à Jésus-Christ et comme Jésus-Christ à son Père[1] » :

> Suivez tous l'évêque, comme Jésus-Christ [suit] son Père, et le presbytérium comme les apôtres; quant aux diacres, respectez-les comme la loi de Dieu. Que personne ne fasse en dehors de l'évêque rien de ce qui regarde l'Église[2].

II. Les fidèles laïcs

897 « Sous le nom de laïcs, on entend ici l'ensemble des chrétiens excepté les *873* membres de l'ordre sacré et de l'état religieux reconnu par l'Église, c'est-à-dire les chrétiens qui, étant incorporés au Christ par le Baptême, intégrés au Peuple de Dieu, faits participants à leur manière de la fonction sacerdotale, prophétique et royale du Christ, exercent pour leur part, dans l'Église et dans le monde, la mission qui est celle de tout le peuple chrétien.[3] »

La vocation des laïcs

898 « La vocation propre des laïcs consiste à chercher le règne de Dieu précisé-*2105* ment à travers la gérance des choses temporelles qu'ils ordonnent selon Dieu (...). C'est à eux qu'il revient, d'une manière particulière, d'éclairer et d'orienter toutes les réalités temporelles auxquelles ils sont étroitement unis, de telle sorte qu'elles se fassent et prospèrent constamment selon le Christ et soient à la louange du Créateur et Rédempteur.[4] »

899 L'initiative des chrétiens laïcs est particulièrement nécessaire lorsqu'il s'agit *2442* de découvrir, d'inventer des moyens pour imprégner les réalités sociales, politiques, économiques, les exigences de la doctrine et de la vie chrétiennes. Cette initiative est un élément normal de la vie de l'Église :

> Les fidèles laïcs se trouvent sur la ligne la plus avancée de la vie de l'Église; par eux, l'Église est le principe vital de la société. C'est pourquoi eux surtout doivent avoir une conscience toujours plus claire, non seulement d'appartenir à l'Église, mais d'être l'Église, c'est-à-dire la communauté des fidèles sur la terre sous la

---

1. LG 27. - 2. S. Ignace d'Antioche, Smyrn. 8, 1. - 3. LG 31. - 4. LG 31.

conduite du Chef commun, le Pape, et des évêques en communion avec lui. Ils sont l'Église[1].

900   Parce que, comme tous les fidèles, ils sont chargés par Dieu de l'apostolat en vertu du Baptême et de la Confirmation, les laïcs sont tenus par l'obligation et jouissent du droit, individuellement ou groupés en associations, de travailler à ce que le message divin du salut soit connu et reçu par tous les hommes et par toute la terre; cette obligation est encore plus pressante lorsque ce n'est que par eux que les hommes peuvent entendre l'Évangile et connaître le Christ. Dans les communautés ecclésiales, leur action est si nécessaire que, sans elle, l'apostolat des pasteurs ne peut, la plupart du temps, obtenir son plein effet[2]. *863*

La participation des laïcs à la charge sacerdotale du Christ

901   « Les laïcs, en vertu de leur consécration au Christ et de l'onction de l'Esprit Saint, reçoivent la vocation admirable et les moyens qui permettent à l'Esprit de produire en eux des fruits toujours plus abondants. En effet, toutes leurs activités, leurs prières et leurs entreprises apostoliques, leur vie conjugale et familiale, leurs labeurs quotidiens, leurs détentes d'esprit et de corps, s'ils sont vécus dans l'Esprit de Dieu, et même les épreuves de la vie, pourvu qu'elles soient patiemment supportées, tout cela devient "offrande spirituelle, agréable à Dieu par Jésus-Christ" (1 P 2, 5); et dans la célébration eucharistique, ces offrandes rejoignent l'oblation du Corps du Seigneur pour être offertes en toute piété au Père. C'est ainsi que les laïcs consacrent à Dieu le monde lui-même, rendant partout à Dieu dans la sainteté de leur vie un culte d'adoration[3]. » *784, 1268* *358*

902   De façon particulière, les parents participent à la charge de sanctification « lorsqu'ils mènent une vie conjugale selon l'esprit chrétien et procurent à leurs enfants une éducation chrétienne[4] ».

903   Les laïcs, s'ils ont les qualités requises, peuvent être admis de manière stable aux ministères de lecteur et d'acolyte[5]. « Là où le besoin de l'Église le demande par défaut de ministres, les laïcs peuvent aussi, même s'ils ne sont ni lecteurs ni acolytes, suppléer à certaines de leurs fonctions, à savoir exercer le ministère de la parole, présider les prières liturgiques, conférer le Baptême et distribuer la sainte communion, selon les dispositions du droit[6]. » *1143*

Leur participation à la charge prophétique du Christ

904   « Le Christ (...) accomplit sa fonction prophétique non seulement par la hiérarchie (...) mais aussi par les laïcs dont Il fait pour cela des témoins en les pourvoyant du sens de la foi et de la grâce de la parole[7] » : *785* *92*

Enseigner quelqu'un pour l'amener à la foi est la tâche de chaque prédicateur et même de chaque croyant[8].

---

1. Pie XII, discours 20 février 1946 : cité par Jean Paul II, CL 9. - 2. Cf. LG 33. - 3. LG 34; cf. LG 10. - 4. CIC, can. 835, § 4. - 5. Cf. CIC, can. 230, § 1. - 6. CIC, can. 230, § 3. - 7. LG 35. - 8. S. Thomas d'A., s. th. 3 71, 4, ad 3.

905   Leur mission prophétique, les laïcs l'accomplissent aussi par l'évangélisation,

2044   « c'est-à-dire l'annonce du Christ faite par le témoignage de la vie et par la parole ». Chez les laïcs, « cette action évangélisatrice (...) prend un caractère spécifique et une particulière efficacité du fait qu'elle s'accomplit dans les conditions communes du siècle [1] » :

2472
> Cet apostolat ne consiste pas dans le seul témoignage de la vie : le véritable apôtre
> cherche les occasions d'annoncer le Christ par la parole, soit aux incroyants (...),
> soit aux fidèles [2].

906   Ceux d'entre les fidèles laïcs qui en sont capables et qui s'y forment peuvent aussi prêter leur concours à la formation catéchétique [3], à l'enseignement des sciences sacrées [4], aux moyens de

2495   communication sociale [5].

907   « Selon le devoir, la compétence et le prestige dont ils jouissent, ils ont le droit et même parfois le devoir de donner aux Pasteurs sacrés leur opinion sur ce qui touche le bien de l'Église et de la faire connaître aux autres fidèles, restant sauves l'intégrité de la foi et des moeurs et la révérence due aux pasteurs, et tenant compte de l'utilité commune et de la dignité des personnes [6]. »

Leur participation à la charge royale du Christ

908   Par son obéissance jusqu'à la mort [7], le Christ a communiqué à ses disciples

786   le don de la liberté royale, « pour qu'ils arrachent au péché son empire en eux-mêmes par leur abnégation et la sainteté de leur vie [8] » :

> Celui qui soumet son propre corps et régit son âme, sans se laisser submerger par
> les passions est son propre maître : il peut être appelé roi parce qu'il est capable
> de régir sa propre personne; il est libre et indépendant et ne se laisse captiver par
> un esclavage coupable [9].

909   « Que les laïcs, en outre, unissant leurs forces, apportent aux institutions et aux conditions de vie dans le monde, quand elles provoquent au péché, les

1887   assainissements convenables, pour qu'elles deviennent toutes conformes aux règles de la justice et favorisent l'exercice de la vertu au lieu d'y faire obstacle. En agissant ainsi ils imprègnent de valeur morale la culture et les oeuvres humaines. [10] »

910   « Les laïcs peuvent aussi se sentir appelés ou être appelés à collaborer avec les pasteurs au service de la communauté ecclésiale, pour la croissance et la vie de

799   celle-ci, exerçant des ministères très diversifiés, selon la grâce et les charismes que le Seigneur voudra bien déposer en eux [11]. »

911   Dans l'Église, « les fidèles laïcs peuvent coopérer selon le droit à l'exercice du pouvoir de gouvernement [12] ». Ainsi de leur présence dans les Conseils particuliers [13], les Synodes

---

1. LG 35. - 2. AA 6; cf. AG 15. - 3. Cf. CIC, can. 774; 776; 780. - 4. Cf. CIC, can. 229. - 5. Cf. CIC, can. 823, § 1. - 6. CIC, can. 212, § 3. - 7. Cf. Ph 2, 8-9. - 8. LG 36. - 9. S. Ambroise, Psal. 118, 14, 30 : PL 15, 1403A. - 10. LG 36. - 11. EN 73. - 12. CIC, can. 129, § 2. - 13. CIC, can. 443, § 4.

diocésains [1], les Conseils pastoraux [2]; dans l'exercice *in solidum* de la charge pastorale d'une paroisse[3]; la collaboration aux Conseils des affaires économiques [4]; la participation aux tribunaux ecclésiastiques [5], etc.

912 Les fidèles doivent « distinguer avec soin entre les droits et devoirs qui leur incombent en tant que membres de l'Église et ceux qui leur reviennent comme membres de la société humaine. Qu'ils s'efforcent d'accorder harmonieusement les uns et les autres entre eux, se souvenant que la conscience chrétienne doit être leur guide en tous domaines temporels, car aucune activité humaine, fût-elle d'ordre temporel, ne peut être soustraite à l'empire de Dieu[6]. »

2245

913 « Ainsi tout laïc, en vertu des dons qui lui ont été faits, constitue un témoin et en même temps un instrument vivant de la mission de l'Église elle même "à la mesure du don du Christ" (Ep 4, 7)[7]. »

III. La vie consacrée

914 « L'état de vie constitué par la profession des conseils évangéliques, s'il ne concerne pas la structure hiérarchique de l'Église, appartient cependant sans conteste à sa vie et à sa sainteté[8]. »

2103

Conseils évangéliques, vie consacrée

915 Les conseils évangéliques sont, dans leur multiplicité, proposés à tout disciple du Christ. La perfection de la charité à laquelle tous les fidèles sont appelés comporte pour ceux qui assument librement l'appel à la vie consacrée, l'obligation de pratiquer la chasteté dans le célibat pour le Royaume, la pauvreté et l'obéissance. C'est la *profession* de ces conseils, dans un état de vie stable reconnu par l'Église, qui caractérise la « vie consacrée » à Dieu[9].

1973-1974

916 L'état religieux apparaît dès lors comme l'une des manières de connaître une consécration « plus intime », qui s'enracine dans le Baptême et dédie totalement à Dieu[10]. Dans la vie consacrée, les fidèles du Christ se proposent, sous la motion de l'Esprit Saint, de suivre le Christ de plus près, de se donner à Dieu aimé par-dessus tout et, poursuivant la perfection de la charité au service du Royaume, de signifier et d'annoncer dans l'Église la gloire du monde à venir[11].

2687

933

Un grand arbre, de multiples rameaux

917 « Comme un arbre qui se ramifie de façons admirables et multiples dans le champ du Seigneur, à partir d'un germe semé par Dieu, ainsi se développèrent des

2684

---

1. CIC, Can. 463, §§ 1. 2. - 2. Can. 511; 536. - 3. Can. 517, § 2. - 4. Can. 492, § 1; 536. - 5. Can. 1421, § 2. - 6. LG 36. - 7. LG 33. - 8. LG 44. - 9. Cf. LG 42-43; PC 1. - 10. Cf. PC 5. - 11. Cf. CIC, can. 573.

formes variées de vie solitaire ou commune, des familles diverses dont le capital spirituel profite à la fois aux membres de ces familles et au bien de tout le Corps du Christ.[1] »

918   « Dès les origines de l'Église, il y eut des hommes et des femmes qui voulurent, par la pratique des conseils évangéliques, suivre plus librement le Christ et l'imiter plus fidèlement et qui, chacun à sa manière, menèrent une vie consacrée à Dieu. Beaucoup parmi eux, sous l'impulsion du Saint-Esprit, vécurent dans la solitude, ou bien fondèrent des familles religieuses que l'Église accueillit volontiers et approuva de son autorité[2]. »

919   Les évêques s'efforceront toujours de discerner les nouveaux dons de vie consacrée confiés par l'Esprit Saint à son Église; l'approbation de nouvelles formes de vie consacrée est réservée au Siège apostolique[3].

La vie érémitique

920   Sans toujours professer publiquement les trois conseils évangéliques, les ermites, « dans un retrait plus strict du monde, dans le silence de solitude, dans la prière assidue et la pénitence, vouent leur vie à la louange de Dieu et au salut du monde[4] ».

2719

2015

921   Ils montrent à chacun cet aspect intérieur du mystère de l'Église qu'est l'intimité personnelle avec le Christ. Cachée aux yeux des hommes, la vie de l'ermite est prédication silencieuse de Celui auquel il a livré sa vie, parce qu'Il est tout pour lui. C'est là un appel particulier à trouver au désert, dans le combat spirituel même, la gloire du Crucifié.

Les vierges consacrées

1618-1620

922   Dès les temps apostoliques, des vierges chrétiennes, appelées par le Seigneur à s'attacher à Lui sans partage[5] dans une plus grande liberté de coeur, de corps et d'esprit, ont pris la décision, approuvée par l'Église, de vivre dans l'état de la virginité « à cause du Royaume des cieux » (Mt 19, 12).

1537

1672

923   « Exprimant le propos sacré de suivre le Christ de plus près, [des vierges] sont consacrées à Dieu par l'évêque diocésain selon le rite liturgique approuvé, sont épousées mystiquement par le Christ Fils de Dieu et sont vouées au service de l'Église[6]. » Par ce rite solennel *(Consecratio virginum)*, « la vierge est constituée personne consacrée, signe transcendant de l'amour de l'Église envers le Christ, image eschatologique de cette Épouse du Ciel et de la vie future[7] ».

924   « Proche des autres formes de vie consacrée[8] », l'ordre des vierges établit la femme vivant dans le monde (ou la moniale) dans la prière, la pénitence, le service

1. LG 43. - 2. PC 1. - 3. Cf. CIC, can. 605. - 4. CIC, can. 603, § 1. - 5. Cf. 1 Co 7, 34-36. - 6. CIC, can. 604, § 1. - 7. OCV praenotanda 1. - 8. CIC, can. 604, § 1.

de ses frères et le travail apostolique, selon l'état et les charismes respectifs offerts à chacune[1]. Les vierges consacrées peuvent s'associer pour garder plus fidèlement leur propos[2].

La vie religieuse

925   Née en Orient dans les premiers siècles du christianisme[3] et vécue dans les instituts canoniquement érigés par l'Église[4], la vie religieuse se distingue des autres formes de la vie consacrée par l'aspect cultuel, la profession publique des conseils évangéliques, la vie fraternelle menée en commun, le témoignage rendu à l'union du Christ et de l'Église[5].

1672

926   La vie religieuse relève du mystère de l'Église. Elle est un don que l'Église reçoit de son Seigneur et qu'elle offre comme un état de vie stable au fidèle appelé par Dieu dans la profession des conseils. Ainsi l'Église peut-elle à la fois manifester le Christ et se reconnaître Épouse du Sauveur. La vie religieuse est invitée à signifier, sous ses formes variées, la charité même de Dieu, dans le langage de notre temps.

796

927   Tous les religieux, exempts ou non[6], prennent place parmi les coopérateurs de l'évêque diocésain dans sa charge pastorale[7]. L'implantation et l'expansion missionnaire de l'Église requièrent la présence de la vie religieuse sous toutes ses formes dès les débuts de l'évangélisation[8]. « L'histoire atteste les grands mérites des familles religieuses dans la propagation de la foi et dans la formation de nouvelles Églises, depuis les antiques Institutions monastiques et les Ordres médiévaux jusqu'aux Congrégations modernes[9]. »

854

Les instituts séculiers

928   « L'institut séculier est un institut de vie consacrée où les fidèles vivant dans le monde tendent à la perfection de la charité et s'efforcent de contribuer surtout de l'intérieur à la sanctification du monde[10]. »

929   Par une « vie parfaitement et entièrement consacrée à [cette] sanctification[11] », les membres de ces instituts participent à la tâche d'évangélisation de l'Église, « dans le monde et à partir du monde », où leur présence agit « à la manière d'un ferment[12] ». Leur « témoignage de vie chrétienne » vise à « ordonner selon Dieu les réalités temporelles et pénétrer le monde de la force de l'Évangile ». Ils assument par des liens sacrés les conseils évangéliques et gardent entre eux la communion et la fraternité propres à leur « mode de vie séculier[13] ».

901

---

1. OCV praenotanda 2. - 2. Cf. CIC, can. 604, § 2. - 3. Cf. UR 15. - 4. Cf. CIC, can. 573. - 5. Cf. CIC, can. 607. - 6. Cf. CIC, can. 591. - 7. Cf. CD 33-35. - 8. Cf. AG 18; 40. - 9. Jean Paul II, RM 69. - 10. CIC, can. 710. - 11. Pie XII, const. ap. « Provida Mater ». - 12. PC 11. - 13. CIC, can. 713, § 2.

Les sociétés de vie apostolique

930   Au côté des formes diverses de vie consacrée « prennent place les sociétés de vie apostolique dont les membres, sans les voeux religieux, poursuivent la fin apostolique propre de leur société et, menant la vie fraternelle en commun, tendent, selon leur mode de vie propre, à la perfection de la charité par l'observation des constitutions. Il y a parmi elles des sociétés dont les membres assument les conseils évangéliques », selon leurs constitutions[1].

Consécration et mission : annoncer le Roi qui vient

931   Livré à Dieu suprêmement aimé, celui que le Baptême avait déjà voué à Lui se trouve ainsi consacré plus intimement au service divin et dédié au bien de l'Église. Par l'état de consécration à Dieu, l'Église manifeste le Christ et montre comment l'Esprit Saint agit en elle de façon admirable. Ceux qui professent les conseils évangéliques ont donc d'abord pour mission de vivre leur consécration. « Mais puisqu'ils se vouent au service de l'Église en vertu même de leur consécration, ils sont tenus par obligation de travailler de manière spéciale à l'oeuvre missionnaire, selon le mode propre à leur Institut[2]. »

775   **932**   Dans l'Église qui est comme le sacrement, c'est-à-dire le signe et l'instrument de la vie de Dieu, la vie consacrée apparaît comme un signe particulier du mystère de la Rédemption. Suivre et imiter le Christ « de plus près », manifester « plus clairement » son anéantissement, c'est se trouver « plus profondément » présent, dans le coeur du Christ, à ses contemporains. Car ceux qui sont dans cette voie « plus étroite » stimulent leurs frères par leur exemple, ils rendent ce témoignage éclatant « que le monde ne peut être transfiguré et offert à Dieu sans l'esprit des béatitudes[3] ».

672   **933**   Que ce témoignage soit public, comme dans l'état religieux, ou plus discret, ou même secret, la venue du Christ demeure pour tous les consacrés l'origine et l'Orient de leur vie :

769   Comme le Peuple de Dieu n'a pas ici-bas de cité permanente, [cet état] (...) manifeste pour tous les croyants la présence, déjà dans ce siècle, des biens célestes; il témoigne de la vie nouvelle et éternelle acquise par la Rédemption du Christ, il annonce la résurrection future et la gloire céleste[4].

EN BREF

934   *« D'institution divine, il y a dans l'Église parmi les fidèles des ministres sacrés, qui en droit sont aussi appelés clercs; quant aux autres, ils sont nommés laïcs. » Il y a enfin des fidèles qui appartiennent à l'une et l'autre catégorie et qui, par la profession des conseils évangéliques, se sont consacrés à Dieu et servent ainsi la mission de l'Église[5].*

---

1. CIC, can. 731, §§ 1. 2. - 2. CIC, can. 783; cf. RM 69. - 3. LG 31. - 4. LG 44. - 5. CIC, can. 207, §§ 1. 2.

935   *Pour annoncer la foi et pour implanter son Règne, le Christ envoie ses apôtres et leurs successeurs. Il leur donne part à sa mission. De Lui ils reçoivent le pouvoir d'agir en sa personne.*

936   *Le Seigneur a fait de S. Pierre le fondement visible de son Église. Il lui en a remis les clefs. L'évêque de l'Église de Rome, successeur de S. Pierre, est « le chef du Collège des évêques, Vicaire du Christ et Pasteur de l'Église tout entière sur cette terre[1] ».*

937   *Le Pape « jouit, par institution divine, du pouvoir suprême, plénier, immédiat, universel pour la charge des âmes[2] ».*

938   *Les évêques, établis par l'Esprit Saint, succèdent aux apôtres. Ils sont, « chacun pour sa part, principe visible et fondement de l'unité dans leurs Églises particulières[3] ».*

939   *Aidés des prêtres, leurs coopérateurs, et des diacres, les évêques ont la charge d'enseigner authentiquement la foi, de célébrer le culte divin, surtout l'Eucharistie, et de diriger leur Église en vrais pasteurs. À leur charge appartient aussi le souci de toutes les Églises, avec et sous le Pape.*

940   *« Le propre de l'état des laïcs étant de mener leur vie au milieu du monde et des affaires profanes, ils sont appelés par Dieu à exercer leur apostolat dans le monde à la manière d'un ferment, grâce à la vigueur de leur esprit chrétien[4]. »*

941   *Les laïcs participent au sacerdoce du Christ : de plus en plus unis à Lui, ils deploient la grâce du Baptême et de la Confirmation dans toutes les dimensions de la vie personnelle, familiale, sociale et ecclésiale, et réalisent ainsi l'appel à la sainteté adressé à tous les baptisés.*

942   *Grâce à leur mission prophétique les laïcs « sont aussi appelés à être, en toute circonstance et au coeur même de la communauté humaine, les témoins du Christ[5] ».*

943   *Grâce à leur mission royale, les laïcs ont le pouvoir d'arracher au péché son empire en eux-mêmes et dans le monde par leur abnégation et la sainteté de leur vie[6].*

944   *La vie consacrée à Dieu se caractérise par la profession publique des conseils évangéliques de pauvreté, de chasteté et d'obéissance dans un état de vie stable reconnu par l'Église.*

945   *Livré à Dieu suprêmement aimé, celui que le Baptême avait déjà destiné à Lui se trouve, dans l'état de vie consacrée, voué plus intimement au service divin et dédié au bien de toute l'Église.*

---

1. CIC, can. 331. - 2. CD 2. - 3. LG 23. - 4. AA 2. - 5. GS 43, § 4. - 6. Cf. LG 36.

1474-1477
PARAGRAPHE 5. *La communion des saints*

946   Après avoir confessé « la Sainte Église catholique », le Symbole des apôtres ajoute « la communion des saints ». Cet article est, d'une certaine façon, une explicitation du précédent : « Qu'est-ce que l'Église sinon l'assemblée de tous les saints[1] ? » La communion des saints est précisément l'Église.

823

947   « Puisque tous les croyants forment un seul corps, le bien des uns est communiqué aux autres. (...) Il faut de la sorte croire qu'il existe une communion des biens dans l'Église. Mais le membre le plus important est le Christ, puisqu'Il est la tête (...). Ainsi, le bien du Christ est communiqué à tous les membres, et cette communication se fait par les sacrements de l'Église[2]. » « Comme cette Église est gouvernée par un seul et même Esprit, tous les biens qu'elle a reçus deviennent nécessairement un fonds commun[3]. »

790

948   Le terme « communion des saints » a dès lors deux significations, étroitement liées : « communion aux choses saintes, *sancta* » et « communion entre les personnes saintes, *sancti* ».

1331

> « *Sancta sanctis* ! (Ce qui est saint pour ceux qui sont saints) » est proclamé par le célébrant dans la plupart des liturgies orientales lors de l'élévation des saints Dons avant le service de la communion. Les fidèles *(sancti)* sont nourris du Corps et du Sang du Christ *(sancta)* afin de croître dans la communion de l'Esprit Saint *(Koinônia)* et de la communiquer au monde.

I. La communion des biens spirituels

949   Dans la communauté primitive de Jérusalem, les disciples « se montraient assidus à l'enseignement des apôtres, fidèles à la communion fraternelle, à la fraction du pain et aux prières » (Ac 2, 42) :

185

> La *communion dans la foi*. La foi des fidèles est la foi *de l'Église* reçue des apôtres, trésor de vie qui s'enrichit en étant partagé.

950   La *communion des sacrements*. « Le fruit de tous les sacrements appartient à tous. Car les sacrements, et surtout le Baptême qui est comme la porte par laquelle les hommes entrent dans l'Église, sont autant de liens sacrés qui les unissent tous et les attachent à Jésus-Christ. La communion des saints, c'est la communion des sacrements (...). Le nom de communion peut s'appliquer à chacun d'eux, car chacun d'eux nous unit à Dieu (...). Mais ce nom convient mieux à l'Eucharistie qu'à tout autre, parce que c'est elle principalement qui consomme cette communion[4]. »

1130

1331

---

1. Nicétas, symb. 10. - 2. S. Thomas d'A., symb. 10. - 3. Catech. R. 1, 10, 24. - 4. Catech. R. 1, 10, 24.

951   La *communion des charismes* : dans la communion de l'Église, l'Esprit Saint « distribue aussi parmi les fidèles de tous ordres (...) les grâces spéciales » pour l'édification de l'Église[1]. Or, « à chacun la manifestation de l'Esprit est donnée en vue du bien commun[2] ».

799

952   « *Ils mettaient tout en commun* » (Ac 4, 32) : « Tout ce que le vrai chrétien possède, il doit le regarder comme un bien qui lui est commun avec tous, et toujours il doit être prêt et empressé à venir au secours de l'indigent et de la misère du prochain[3]. » Le chrétien est un administrateur des biens du Seigneur[4].

2402

953   La *communion de la charité* : dans la *sanctorum communio* « nul d'entre nous ne vit pour soi-même, comme nul ne meurt pour soi-même » (Rm 14, 7). « Un membre souffre-t-il ? tous les membres souffrent avec lui. Un membre est-il à l'honneur ? tous les membres prennent part à sa joie. Or vous êtes le Corps du Christ, et membres chacun pour sa part » (1 Co 12, 26-27). « La charité ne cherche pas ce qui est à elle » (1 Co 13, 5)[5]. Le moindre de nos actes fait dans la charité retentit au profit de tous, dans cette solidarité avec tous les hommes, vivants ou morts, qui se fonde sur la communion des saints. Tout péché nuit à cette communion.

1827

2011

845, 1469

II. La communion de l'Église du ciel et de la terre

954   *Les trois états de l'Église.* « En attendant que le Seigneur soit venu dans sa majesté accompagné de tous les anges et que, la mort détruite, tout Lui soit soumis, les uns parmi ses disciples continuent sur terre leur pèlerinage; d'autres, ayant achevé leur vie, se purifient encore; d'autres enfin sont dans la gloire contemplant "dans la pleine lumière, tel qu'il est, le Dieu un en trois Personnes"[6] » :

771

1031, 1023

> Tous cependant, à des degrés divers et sous des formes diverses, nous communions dans la même charité envers Dieu et envers le prochain, chantant à notre Dieu le même hymne de gloire. En effet, tous ceux qui sont du Christ et possèdent son Esprit, constituent une seule Église et se tiennent mutuellement comme un tout dans le Christ[7].

955   « L'union de ceux qui sont encore en chemin avec leurs frères qui se sont endormis dans la paix du Christ ne connaît pas la moindre intermittence; au contraire, selon la foi constante de l'Église, cette union est renforcée par l'échange des biens spirituels[8]. »

956   *L'intercession des saints.* « Étant en effet plus intimement liés avec le Christ, les habitants du ciel contribuent à affirmer plus solidement l'Église en sainteté (...).

1370

---

1. LG 12. - 2. 1 Co 12, 7. - 3. Catech. R. 1, 10, 27. - 4. Cf. Lc 16, 1. 3. - 5. Cf. 10, 24. - 6. LG 49. - 7. LG 49. - 8. LG 49.

2683 Ils ne cessent d'intercéder pour nous auprès du Père, offrant les mérites qu'ils ont acquis sur terre par l'unique Médiateur de Dieu et des hommes, le Christ Jésus (...). Ainsi leur sollicitude fraternelle est du plus grand secours pour notre infirmité[1] » :

> Ne pleurez pas, je vous serai plus utile après ma mort et je vous aiderai plus efficacement que pendant ma vie[2].
>
> Je passerai mon ciel à faire du bien sur la terre[3].

957 *La communion avec les saints.* « Nous ne vénérons pas seulement au titre de
1173 leur exemple la mémoire des habitants du ciel; nous cherchons bien davantage par là à renforcer l'union de toute l'Église dans l'Esprit grâce à l'exercice de la charité fraternelle. Car tout comme la communion entre les chrétiens de la terre nous approche de plus près du Christ, ainsi la communauté avec les saints nous unit au Christ de qui découlent, comme de leur chef, toute grâce et la vie du Peuple de Dieu lui-même[4] » :

> Le Christ, nous L'adorons, parce qu'Il est le Fils de Dieu; quant aux martyrs, nous les aimons comme disciples et imitateurs du Seigneur, et c'est juste, à cause de leur dévotion incomparable envers leur roi et maître; puissions-nous, nous aussi, être leurs compagnons et leurs condisciples[5].

958 *La communion avec les défunts.* « Reconnaissant dès l'abord cette commu-
1371 nion qui existe à l'intérieur de tout le corps mystique de Jésus-Christ, l'Église en ses membres qui cheminent sur terre a entouré de beaucoup de piété la mémoire des défunts dès les premiers temps du christianisme en offrant aussi pour eux ses suf-
1032, 1689 frages; car "la pensée de prier pour les morts, afin qu'ils soient délivrés de leurs péchés, est une pensée sainte et pieuse" (2 M 12, 45)[6]. » Notre prière pour eux peut non seulement les aider mais aussi rendre efficace leur intercession en notre faveur.

959 *Dans l'unique famille de Dieu.* « Lorsque la charité mutuelle et la louange
1027 unanime de la Très Sainte Trinité nous font communier les uns aux autres, nous tous, fils de Dieu qui ne faisons dans le Christ qu'une seule famille, nous répondons à la vocation profonde de l'Église[7]. »

En bref

960 *L'Église est « communion des saints » : cette expression désigne d'abord les « choses saintes » (sancta), et avant tout l'Eucharistie, par laquelle « est représentée et réalisée l'unité des fidèles qui, dans le Christ, forment un seul Corps[8] ».*

961 *Ce terme désigne aussi la communion des « personnes saintes » (sancti) dans le Christ qui est « mort pour tous », de sorte que ce que chacun fait ou souffre dans et pour le Christ porte du fruit pour tous.*

---

1. LG 49. - 2. S. Dominique, mourant, à ses frères, cf. Jourdain de Saxe, lib. 93. - 3. Ste Thérèse de l'Enfant-Jésus, verba. - 4. LG 50. - 5. S. Polycarpe, mart. 17. - 6. LG 50. - 7. LG 51. - 8. LG 3.

962 *« Nous croyons à la communion de tous les fidèles du Christ, de ceux qui sont pèlerins sur la terre, des défunts qui achèvent leur purification, des bienheureux du ciel, tous ensemble formant une seule Église, et nous croyons que dans cette communion l'amour miséricordieux de Dieu et de ses saints est toujours à l'écoute de nos prières[1]. »*

PARAGRAPHE 6. *Marie - Mère du Christ, Mère de l'Église*

963 Après avoir parlé du rôle de la Vierge Marie dans le mystère du Christ et de l'Esprit, il convient de considérer maintenant sa place dans le mystère de l'Église. « En effet, la Vierge Marie (...) est reconnue et honorée comme la véritable Mère de Dieu et du Rédempteur (...). Elle est aussi vraiment "Mère des membres [du Christ] (...) ayant coopéré par sa charité à la naissance dans l'Église des fidèles qui sont les membres de ce Chef"[2]. » « ... Marie Mère du Christ, Mère de l'Église[3]. »

484-507
721-726

I. La maternité de Marie envers l'Église

Toute unie à son Fils...

964 Le rôle de Marie envers l'Église est inséparable de son union au Christ, elle en découle directement. « Cette union de Marie avec son Fils dans l'oeuvre du salut est manifeste dès l'heure de la conception virginale du Christ, jusqu'à sa mort[4]. » Elle est particulièrement manifeste à l'heure de sa passion :

> La bienheureuse Vierge avança dans son pèlerinage de foi, gardant fidèlement l'union avec son Fils jusqu'à la Croix où, non sans un dessein divin, elle était debout, souffrant cruellement avec son Fils unique, associée d'un coeur maternel à son sacrifice, donnant à l'immolation de la victime, née de sa chair, le consentement de son amour, pour être enfin, par le même Christ Jésus mourant sur la Croix, donnée comme sa Mère au disciple par ces mots : « Femme, voici ton fils » (Jn 19, 26-27)[5].

534

618

965 Après l'Ascension de son Fils, Marie a « assisté de ses prières l'Église naissante[6] ». Réunie avec les apôtres et quelques femmes, « on voit Marie appelant elle aussi de ses prières le don de l'Esprit qui, à l'Annonciation, l'avait déjà elle-même prise sous son ombre[7] ».

... aussi dans son Assomption...

966 « Enfin la Vierge immaculée, préservée par Dieu de toute atteinte de la faute originelle, ayant accompli le cours de sa vie terrestre, fut élevée corps et âme à la

491

---

1. SPF 30. - 2. LG 53, citant S. Augustin, virg. 6. - 3. Paul VI, discours 21 novembre 1964. - 4. LG 57. - 5. LG 58. - 6. LG 69. - 7. LG 59.

gloire du ciel, et exaltée par le Seigneur comme la Reine de l'univers, pour être ainsi plus entièrement conforme à son Fils, Seigneur des seigneurs, victorieux du péché et de la mort[1]. » L'Assomption de la Sainte Vierge est une participation singulière à la Résurrection de son Fils et une anticipation de la résurrection des autres chrétiens :

> Dans ton enfantement tu as gardé la virginité, dans ta dormition tu n'as pas quitté le monde, ô Mère de Dieu : tu as rejoint la source de la Vie, toi qui conçus le Dieu vivant et qui, par tes prières, délivreras nos âmes de la mort[2].

... elle est notre Mère dans l'ordre de la grâce

967 Par son adhésion entière à la volonté du Père, à l'oeuvre rédemptrice de son Fils, à toute motion de l'Esprit Saint, la Vierge Marie est pour l'Église le modèle de la foi et de la charité. Par là elle est « membre suréminent et absolument unique de l'Église[3] », elle constitue même « la réalisation exemplaire », *typus,* de l'Église[4].

2679

507

968 Mais son rôle par rapport à l'Église et à toute l'humanité va encore plus loin. « Elle a apporté à l'oeuvre du Sauveur une coopération absolument sans pareille par son obéissance, sa foi, son espérance, son ardente charité, pour que soit rendue aux âmes la vie surnaturelle. C'est pourquoi elle est devenue pour nous, dans l'ordre de la grâce, notre Mère[5]. »

494

969 « À partir du consentement qu'elle apporta par sa foi au jour de l'Annonciation et qu'elle maintint dans sa fermeté sous la Croix, cette maternité de Marie dans l'économie de la grâce se continue sans interruption jusqu'à la consommation définitive de tous les élus. En effet, après son Assomption au ciel, son rôle dans le salut ne s'interrompt pas : par son intercession répétée elle continue à nous obtenir les dons qui assurent notre salut éternel. (...) C'est pourquoi la bienheureuse Vierge est invoquée dans l'Église sous les titres d'advocate, d'auxiliatrice, de secourable, de médiatrice[6]. »

149, 501

1370

970 «Le rôle maternel de Marie à l'égard des hommes n'offusque cependant et ne diminue en rien l'unique médiation du Christ : il en manifeste au contraire la vertu. Car toute influence salutaire de la part de la bienheureuse Vierge (...) découle de la surabondance des mérites du Christ; elle s'appuie sur sa médiation, dont elle dépend en tout et d'où elle tire toute sa vertu[7]. » « Aucune créature en effet ne peut jamais être mise sur le même plan que le Verbe incarné et rédempteur. Mais tout comme le sacerdoce du Christ est participé sous formes diverses, tant par les ministres que par le peuple fidèle, et tout comme l'unique bonté de Dieu se répand réellement sous des formes diverses dans les créatures, ainsi l'unique médiation du Rédempteur n'exclut pas, mais suscite au contraire une coopération variée de la part des créatures, en dépendance de l'unique source[8]. »

2008

1545

308

1. LG 59; cf. la proclamation du dogme de l'Assomption de la Bienheureuse Vierge Marie par le Pape Pie XII en 1950 : DS 3903. - 2. Liturgie byzantine, Tropaire de la fête de la Dormition (15 août). - 3. LG 53. - 4. LG 63. - 5. LG 61. - 6. LG 62. - 7. LG 60. - 8. LG 62.

II. Le culte de la Sainte Vierge

2673-2679

971 « *Toutes les générations me diront bienheureuse* » (Lc 1, 48) : « La piété de l'Église envers la Sainte Vierge est intrinsèque au culte chrétien [1]. » La Sainte Vierge « est légitimement honorée par l'Église d'un culte spécial. Et de fait, depuis les temps les plus reculés, la bienheureuse Vierge est honorée sous le titre de "Mère de Dieu"; les fidèles se réfugient sous sa protection, l'implorant dans tous leurs dangers et leurs besoins (...). Ce culte (...) bien que présentant un caractère absolument unique, (...) n'en est pas moins essentiellement différent du culte d'adoration qui est rendu au Verbe incarné ainsi qu'au Père et à l'Esprit Saint; il est éminemment apte à le servir [2] »; il trouve son expression dans les fêtes liturgiques dédiées à la Mère de Dieu [3] et dans la prière mariale, telle le Saint Rosaire « abrégé de tout l'Évangile [4] ».

1172

2678

III. Marie - icône eschatologique de l'Église

972 Après avoir parlé de l'Église, de son origine, de sa mission et de sa destinée, nous ne saurions mieux conclure qu'en tournant le regard vers Marie pour contempler en elle ce qu'est l'Église dans son mystère, dans son « pèlerinage de la foi », et ce qu'elle sera dans la patrie au terme de sa marche, où l'attend, « dans la gloire de la Très Sainte et indivisible Trinité », « dans la communion de tous les saints [5] », celle que l'Église vénère comme la Mère de son Seigneur et comme sa propre Mère :

773

829

> Tout comme dans le ciel où elle est déjà glorifiée corps et âme, la Mère de Jésus représente et inaugure l'Église en son achèvement dans le siècle futur, de même sur terre, en attendant la venue du jour du Seigneur, elle brille déjà comme un signe d'espérance assurée et de consolation devant le Peuple de Dieu en pèlerinage [6].

2853

EN BREF

973 *En prononçant le « Fiat » de l'Annonciation et en donnant son consentement au mystère de l'Incarnation, Marie collabore déjà à toute l'oeuvre que doit accomplir son Fils. Elle est Mère partout où Il est Sauveur et Tête du Corps mystique.*

974 *La Très Sainte Vierge Marie, ayant accompli le cours de sa vie terrestre, fut enlevée corps et âme à la gloire du ciel, où elle participe déjà à la gloire de la Résurrection de son Fils, anticipant la résurrection de tous les membres de son Corps.*

975 *« Nous croyons que la Très Sainte Mère de Dieu, nouvelle Ève, Mère de l'Église, continue au ciel son rôle maternel à l'égard des membres du Christ [7]. »*

---

1. MC 56. - 2. LG 66. - 3. Cf. SC 103. - 4. Cf. MC 42. - 5. LG 69. - 6. LG 68. - 7. SPF 15.

ARTICLE 10
« Je crois au pardon des péchés »

976 Le Symbole des apôtres lie la foi au pardon des péchés à la foi en l'Esprit Saint, mais aussi à la foi en l'Église et en la communion des saints. C'est en donnant l'Esprit Saint à ses apôtres que le Christ ressuscité leur a conféré son propre pouvoir divin de pardonner les péchés : « Recevez l'Esprit Saint. Ceux à qui vous remettrez les péchés, ils leur seront remis; ceux à qui vous les retiendrez, ils leur seront retenus » (Jn 20, 22-23).

(La deuxième partie du Catéchisme traitera explicitement du pardon des péchés par le Baptême, le sacrement de Pénitence et les autres sacrements, surtout l'Eucharistie. Il suffit donc d'évoquer ici brièvement quelques données de base.)

1263 ## I. Un seul Baptême pour le pardon des péchés

977 Notre Seigneur a lié le pardon des péchés à la foi et au Baptême : « Allez par le monde entier, proclamez la Bonne Nouvelle à toute la création. Celui qui croira et sera baptisé, sera sauvé » (Mc 16, 15-16). Le Baptême est le premier et principal sacrement du pardon des péchés parce qu'il nous unit au Christ mort pour nos péchés, ressuscité pour notre justification [1], afin que « nous vivions nous aussi dans une vie nouvelle » (Rm 6, 4).

978 « Au moment où nous faisons notre première profession de foi, en recevant le saint Baptême qui nous purifie, le pardon que nous recevons est si plein et si entier, qu'il ne nous reste absolument rien à effacer, soit de la faute originelle, soit des fautes commises par notre volonté propre, ni aucune peine à subir pour les expier (...). Mais néanmoins la grâce du Baptême ne délivre personne de toutes les infirmités de la nature. Au contraire nous avons encore à combattre les mouve-
1264 ments de la concupiscence qui ne cessent de nous porter au mal [2]. »

979 En ce combat avec l'inclination au mal, qui serait assez vaillant et vigilant pour éviter toute blessure du péché ? « Si donc il était nécessaire que l'Église eût le pouvoir de remettre les péchés, il fallait aussi que le Baptême ne fût pas pour elle
1446 l'unique moyen de se servir de ces clefs du Royaume des cieux qu'elle avait reçues de Jésus-Christ; il fallait qu'elle fût capable de pardonner leurs fautes à tous les pénitents, quand même ils auraient péché jusqu'au dernier moment de leur vie. [3] »

980 C'est par le sacrement de Pénitence que le baptisé peut être réconcilié avec
1422-1484 Dieu et avec l'Église :

---

1. Cf. Rm 4, 25. - 2. Catech. R 1, 11, 3. - 3. Catech. R 1, 11, 4.

Les pères ont eu raison d'appeler la pénitence « un baptême laborieux [1] ». Ce sacrement de Pénitence est, pour ceux qui sont tombés après le Baptême, nécessaire au salut, comme l'est le Baptême lui-même pour ceux qui ne sont pas encore régénérés [2].

II. Le pouvoir des clefs

981 Le Christ après sa résurrection a envoyé ses apôtres « annoncer à toutes les nations le repentir en son nom en vue de la rémission des péchés » (Lc 24, 47). Ce « ministère de la réconciliation » (2 Co 5, 18), les apôtres et leurs successeurs ne l'accomplissent pas seulement en annonçant aux hommes le pardon de Dieu mérité pour nous par le Christ et en les appelant à la conversion et à la foi, mais aussi en leur communiquant la rémission des péchés par le Baptême et en les réconciliant avec Dieu et avec l'Église grâce au pouvoir des clefs reçu du Christ : *1444*

> L'Église a reçu les clés du Royaume des cieux, afin que se fasse en elle la rémission des péchés par le sang du Christ et l'action du Saint-Esprit. C'est dans cette Église que l'âme revit, elle qui était morte par les péchés, afin de vivre avec le Christ, dont la grâce nous a sauvés [3]. *553*

982 Il n'y a aucune faute, aussi grave soit-elle, que la Sainte Église ne puisse remettre. « Il n'est personne, si méchant et si coupable qu'il soit, qui ne doive espérer avec assurance son pardon, pourvu que son repentir soit sincère [4]. » Le Christ qui est mort pour tous les hommes, veut que, dans son Église, les portes du pardon soient toujours ouvertes à quiconque revient du péché [5]. *1463* *605*

983 La catéchèse s'efforcera d'éveiller et de nourrir chez les fidèles la foi en la grandeur incomparable du don que le Christ ressuscité a fait à son Église : la mission et le pouvoir de pardonner véritablement les péchés, par le ministère des apôtres et de leurs successeurs : *1442*

> Le Seigneur veut que ses disciples aient un pouvoir immense : Il veut que ses pauvres serviteurs accomplissent en son nom tout ce qu'Il avait fait quand Il était sur la terre [6]. *1465*

> Les prêtres ont reçu un pouvoir que Dieu n'a donné ni aux anges ni aux archanges. (...) Dieu sanctionne là-haut tout ce que les prêtres font ici-bas [7].

> Si dans l'Église il n'y avait pas la rémission des péchés, nul espoir n'existerait, nulle espérance d'une vie éternelle et d'une libération éternelle. Rendons grâce à Dieu qui a donné à son Église un tel don [8].

EN BREF

984 *Le Credo met en relation « le pardon des péchés » avec la profession de foi en l'Esprit Saint. En effet, le Christ ressuscité a confié aux apôtres le pouvoir de pardonner les péchés lorsqu'Il leur a donné l'Esprit Saint.*

---

1. S. Grégoire de Naz., or. 39, 17. - 2. Cc. Trente : DS 1672. - 3. S. Augustin, serm. 214, 11. - 4. Catech. R. 1, 11, 5. - 5. Cf. Mt 18, 21-22. - 6. S. Ambroise, poenit. 1, 34. - 7. S. Jean Chrysostome, sac. 3, 5. - 8. S. Augustin, serm. 213, 8.

985   *Le Baptême est le premier et principal sacrement pour le pardon des péchés : il nous unit au Christ mort et ressuscité et nous donne l'Esprit Saint.*

986   *De par la volonté du Christ, l'Église possède le pouvoir de pardonner les péchés des baptisés et elle l'exerce par les évêques et les prêtres de façon habituelle dans le sacrement de pénitence.*

987   *« Dans la rémission des péchés, les prêtres et les sacrements sont de purs instruments dont notre Seigneur Jésus-Christ, unique auteur et dispensateur de notre salut, veut bien se servir pour effacer nos iniquités et nous donner la grâce de la justification[1]. »*

ARTICLE 11

« Je crois
à la résurrection de la chair »

988   Le Credo chrétien - profession de notre foi en Dieu le Père, le Fils et le Saint-Esprit, et dans son action créatrice, salvatrice et sanctificatrice - culmine en la proclamation de la résurrection des morts à la fin des temps, et en la vie éternelle.

655

989   Nous croyons fermement, et ainsi nous espérons, que de même que le Christ est vraiment ressuscité des morts, et qu'Il vit pour toujours, de même après leur mort les justes vivront pour toujours avec le Christ ressuscité et qu'Il les ressuscitera au dernier jour[2]. Comme la sienne, notre résurrection sera l'oeuvre de

648   la Très Sainte Trinité :

> Si l'Esprit de Celui qui a ressuscité Jésus d'entre les morts habite en vous, Celui qui
> a ressuscité Jésus-Christ d'entre les morts donnera aussi la vie à vos corps mortels,
> par son Esprit qui habite en vous (Rm 8, 11)[3].

990   Le terme « chair » désigne l'homme dans sa condition de faiblesse et de mortalité[4]. La « résurrection de la chair » signifie qu'il n'y aura pas seulement, après la mort, la vie de l'âme

364   immortelle, mais que même nos « corps mortels » (Rm 8, 11) reprendront vie.

991   Croire en la résurrection des morts a été dès ses débuts un élément essen-

638   tiel de la foi chrétienne. « Une conviction des chrétiens : la résurrection des morts; cette croyance nous fait vivre[5] » :

---

1. Catech. R. 1, 11, 6. - 2. Cf. Jn 6, 39-40. - 3. Cf. 1 Th 4, 14; 1 Co 6, 14; 2 Co 4, 14; Ph 3, 10-11.
- 4. Cf. Gn 6, 3; Ps 56, 5; Is 40, 6. - 5. Tertullien res. 1, 1.

Comment certains d'entre vous peuvent-ils dire qu'il n'y a pas de résurrection des morts ? S'il n'y a pas de résurrection des morts, le Christ non plus n'est pas ressuscité. Mais si le Christ n'est pas ressuscité, alors notre prédication est vide, vide aussi votre foi. (...) Mais non, le Christ est ressuscité des morts, prémices de ceux qui se sont endormis (1 Co 15, 12-14. 20).

I. La Résurrection du Christ et la nôtre

Révélation progressive de la Résurrection

992 La résurrection des morts a été révélée progressivement par Dieu à son Peuple. L'espérance en la résurrection corporelle des morts s'est imposée comme une conséquence intrinsèque de la foi en un Dieu créateur de l'homme tout entier, âme et corps. Le créateur du ciel et de la terre est aussi Celui qui maintient fidèlement son alliance avec Abraham et sa descendance. C'est dans cette double perspective que commencera à s'exprimer la foi en la résurrection. Dans leurs épreuves, les martyrs Maccabées confessent : *297*

Le Roi du monde nous ressuscitera pour une vie éternelle, nous qui mourons pour ses lois (2 M 7, 9). Mieux vaut mourir de la main des hommes en tenant de Dieu l'espoir d'être ressuscité par Lui (2 M 7, 14)[1].

993 Les Pharisiens[2] et bien des contemporains du Seigneur[3] espéraient la résurrection. Jésus l'enseigne fermement. Aux Sadducéens qui la nient Il répond : « Vous ne connaissez ni les Écritures ni la puissance de Dieu, vous êtes dans l'erreur » (Mc 12, 24). La foi en la résurrection repose sur la foi en Dieu qui « n'est pas un Dieu des morts, mais des vivants » (Mc 12, 27). *575* *205*

994 Mais il y a plus : Jésus lie la foi en la résurrection à sa propre personne : « Je suis la Résurrection et la vie » (Jn 11, 25). C'est Jésus Lui-même qui ressuscitera au dernier jour ceux qui auront cru en Lui[4] et qui auront mangé son corps et bu son sang[5]. Il en donne dès maintenant un signe et un gage en rendant la vie à certains morts[6], annonçant par là sa propre Résurrection qui sera cependant d'un autre ordre. De cet événement unique Il parle comme du « signe de Jonas » (Mt 12, 39), du signe du Temple[7] : Il annonce sa Résurrection le troisième jour après sa mise à mort[8]. *646* *652*

995 Être témoin du Christ, c'est être « témoin de sa Résurrection » (Ac 1, 22)[9], « avoir mangé et bu avec Lui après sa Résurrection d'entre les morts » (Ac 10, 41). L'espérance chrétienne en la résurrection est toute marquée par les rencontres avec le Christ ressuscité. Nous ressusciterons comme Lui, avec Lui, par Lui. *860* *655*

---

1. Cf. 7, 29; Dn 12, 1-13. - 2. Cf. Ac 23, 6. - 3. Cf. Jn 11, 24. - 4. Cf. Jn 5, 24-25; 6, 40. - 5. Cf. Jn 6, 54. - 6. Cf. Mc 5, 21-42; Lc 7, 11-17; Jn 11. - 7. Cf. Jn 2, 19-22. - 8. Cf. Mc 10, 34. - 9. Cf. Ac 4, 33.

996 Dès le début, la foi chrétienne en la résurrection a rencontré incompréhen-
643 sions et oppositions[1]. « Sur aucun point la foi chrétienne ne rencontre plus de contradiction que sur la résurrection de la chair[2]. » Il est très communément accepté
qu'après la mort la vie de la personne humaine continue d'une façon spirituelle.
Mais comment croire que ce corps si manifestement mortel puisse ressusciter à la
vie éternelle ?

Comment les morts ressuscitent-ils ?

997 *Qu'est-ce que « ressusciter » ?* Dans la mort, séparation de l'âme et du corps,
366 le corps de l'homme tombe dans la corruption, alors que son âme va à la rencontre de Dieu, tout en demeurant en attente d'être réunie à son corps glorifié. Dieu
dans sa Toute-Puissance rendra définitivement la vie incorruptible à nos corps en
les unissant à nos âmes, par la vertu de la Résurrection de Jésus.

998 *Qui ressuscitera ?* Tous les hommes qui sont morts : « Ceux qui auront fait le
1038 bien ressusciteront pour la vie, ceux qui auront fait le mal, pour la damnation » (Jn
5, 29)[3].

999 *Comment ?* Le Christ est ressuscité avec son propre corps : « Regardez mes
640 mains et mes pieds : c'est bien moi » (Lc 24, 39); mais Il n'est pas revenu à une vie
645 terrestre. De même, en Lui, « tous ressusciteront avec leur propre corps, qu'ils ont
maintenant[4] », mais ce corps sera « transfiguré en corps de gloire » (Ph 3, 21), en
« corps spirituel » (1 Co 15, 44) :

> Mais, dira-t-on, comment les morts ressuscitent-ils ? Avec quel corps reviennent-ils ?
> Insensé ! Ce que tu sèmes, toi, ne reprend vie, s'il ne meurt. Et ce que tu sèmes, ce
> n'est pas le corps à venir, mais un grain tout nu (...). On sème de la corruption, il
> ressuscite de l'incorruption; (...) les morts ressusciteront incorruptibles (...). Il faut
> en effet que cet être corruptible revête l'incorruptibilité, que cet être mortel revête
> l'immortalité (1 Co 15, 35-37. 42. 42-53).

1000 Ce « comment » dépasse notre imagination et notre entendement; il n'est
647 accessible que dans la foi. Mais notre participation à l'Eucharistie nous donne déjà
un avant-goût de la transfiguration de notre corps par le Christ :

> De même que le pain qui vient de la terre, après avoir reçu l'invocation de Dieu,
> n'est plus du pain ordinaire, mais Eucharistie, constituée de deux choses, l'une ter-
1405 > restre et l'autre céleste, de même nos corps qui participent à l'Eucharistie ne sont
> plus corruptibles, puisqu'ils ont l'espérance de la résurrection[5].

1001 *Quand ?* Définitivement « au dernier jour » (Jn 6, 39-40. 44. 54; 11, 24); « à la
1038 fin du monde »[6]. En effet, la résurrection des morts est intimement associée à la
673 Parousie du Christ :

---

1. Cf. Ac 17, 32; 1 Co 15, 12-13. - 2. S. Augustin, Psal. 88, 2, 5. - 3. Cf. Dn 12, 2. - 4. Cc. Latran IV : DS
801. - 5. S. Irénée, haer. 4, 18, 4-5. - 6. LG 48.

Car Lui-même, le Seigneur, au signal donné par la voix de l'archange et la trompette de Dieu, descendra du ciel, et les morts qui sont dans le Christ ressusciteront en premier lieu (1 Th 4, 16).

Ressuscités avec le Christ

1002 S'il est vrai que le Christ nous ressuscitera « au dernier jour », il est vrai aussi que, d'une certaine façon, nous sommes déjà ressuscités avec le Christ. En effet grâce à l'Esprit Saint, la vie chrétienne est, dès maintenant sur terre, une participation à la mort et à la Résurrection du Christ :   *655*

> Ensevelis avec le Christ lors du Baptême, vous en êtes aussi ressuscités avec lui, parce que vous avez cru en la force de Dieu qui L'a ressuscité des morts (...). Du moment donc que vous êtes ressuscités avec le Christ, recherchez les choses d'en-haut, là où se trouve le Christ, assis à la droite de Dieu (Col 2, 12; 3, 1).

1003 Unis au Christ par le Baptême, les croyants participent déjà réellement à la vie céleste du Christ ressuscité[1], mais cette vie demeure « cachée avec le Christ en *1227* Dieu » (Col 3, 3) « Avec Lui Il nous a ressuscités et fait asseoir aux cieux, dans le *2796* Christ Jésus » (Ep 2, 6). Nourris de son Corps dans l'Eucharistie, nous appartenons déjà au Corps du Christ. Lorsque nous ressusciterons au dernier jour nous serons aussi « manifestés avec Lui pleins de gloire » (Col 3, 4).

1004 Dans l'attente de ce jour, le corps et l'âme du croyant participent déjà à la dignité d'être « au Christ »; d'où l'exigence de respect envers son propre corps, *364* mais aussi envers celui d'autrui, particulièrement lorsqu'il souffre :   *1397*

> Le corps est pour le Seigneur, et le Seigneur pour le corps. Et Dieu, qui a ressuscité le Seigneur, nous ressuscitera, nous aussi, par sa puissance. Ne savez-vous pas que vos corps sont des membres du Christ ? (...) Vous ne vous appartenez pas (...). Glorifiez donc Dieu dans votre corps (1 Co 6, 13-15. 19-20).

II. Mourir dans le Christ Jésus

1005 Pour ressusciter avec le Christ, il faut mourir avec le Christ, il faut « quitter ce corps pour aller demeurer auprès du Seigneur » (2 Co 5, 8). Dans ce « départ » (Ph 1, 23) qu'est la mort, l'âme est séparée du corps. Elle sera réunie à son corps le *624, 650* jour de la résurrection des morts[2].

La mort

1006 « C'est en face de la mort que l'énigme de la condition humaine atteint son sommet[3]. » En un sens, la mort corporelle est naturelle, mais pour la foi elle est en *164, 1500*

---

1. Cf. Ph 3, 20. - 2. Cf. SPF 28. - 3. GS 18.

fait « salaire du péché » (Rm 6, 23)[1]. Et pour ceux qui meurent dans la grâce du Christ, elle est une participation à la mort du Seigneur, afin de pouvoir participer aussi à sa Résurrection[2].

1007 *La mort est le terme de la vie terrestre.* Nos vies sont mesurées par le temps, au cours duquel nous changeons, nous vieillissons et, comme chez tous les êtres vivants de la terre, la mort apparaît comme la fin normale de la vie. Cet aspect de la mort donne une urgence à nos vies : le souvenir de notre mortalité sert aussi à nous rappeler que nous n'avons qu'un temps limité pour réaliser notre vie :

> Souviens-toi de ton Créateur aux jours de ton adolescence, (...) avant que la pous-sière ne retourne à la terre, selon qu'elle était, et que le souffle ne retourne à Dieu qui l'avait donné (Qo 12, 1. 7).

401

376

1008 *La mort est conséquence du péché.* Interprète authentique des affirmations de la Sainte Écriture[3] et de la Tradition, le Magistère de l'Église enseigne que la mort est entrée dans le monde à cause du péché de l'homme[4]. Bien que l'homme possédât une nature mortelle, Dieu le destinait à ne pas mourir. La mort fut donc contraire aux desseins de Dieu Créateur, et elle entra dans le monde comme con-séquence du péché[5]. « La mort corporelle, à laquelle l'homme aurait été soustrait s'il n'avait pas péché[6] », est ainsi « le dernier ennemi » de l'homme à devoir être vaincu[7].

612

1009 *La mort est transformée par le Christ.* Jésus, le Fils de Dieu, a souffert Lui aussi la mort, propre de la condition humaine. Mais, malgré son effroi face à elle[8], Il l'assuma dans un acte de soumission totale et libre à la volonté de son Père. L'obéissance de Jésus a transformé la malédiction de la mort en bénédiction[9].

1681-1690

Le sens de la mort chrétienne

1220

1010 Grâce au Christ, la mort chrétienne a un sens positif. « Pour moi, la vie c'est le Christ et mourir un gain » (Ph 1, 21). « C'est là une parole certaine : si nous mourons avec Lui, nous vivrons avec Lui » (2 Tm 2, 11). La nouveauté essentielle de la mort chrétienne est là : par le Baptême, le chrétien est déjà sacramentelle-ment « mort avec le Christ », pour vivre d'une vie nouvelle; et si nous mourons dans la grâce du Christ, la mort physique consomme ce « mourir avec le Christ » et achève ainsi notre incorporation à Lui dans son acte rédempteur :

> Il est bon pour moi de mourir dans *(eis)* le Christ Jésus, plus que de régner sur les extrémités de la terre. C'est Lui que je cherche, qui est mort pour nous; Lui que je veux, qui est ressuscité pour nous. Mon enfantement approche (...).

---

1. Cf. Gn 2, 17. - 2. Cf. Rm 6, 3-9; Ph 3, 10-11. - 3. Cf. Gn 2, 17; 3, 3; 3, 19; Sg 1, 13; Rm 5, 12; 6, 23. - 4 Cf. DS 1511. - 5. Cf. Sg 2, 23-24. - 6. GS 18. - 7. Cf. 1 Co 15, 26. - 8. Cf. Mc 14, 33-34; He 5, 7-8. - 9. Cf. Rm 5, 19-21.

Laissez-moi recevoir la pure lumière; quand je serai arrivé là, je serai un homme[1].

1011 Dans la mort, Dieu appelle l'homme vers Lui. C'est pourquoi le chrétien peut éprouver envers la mort un désir semblable à celui de S. Paul : « J'ai le désir de m'en aller et d'être avec le Christ »? (Ph 1, 23); et il peut transformer sa propre mort en un acte d'obéissance et d'amour envers le Père, à l'exemple du Christ[2] : *1025*

Mon désir terrestre a été crucifié; (...) il y a en moi une eau vive qui murmure et qui dit au-dedans de moi : « Viens vers le Père[3]. »

Je veux voir Dieu, et pour Le voir il faut mourir[4].

Je ne meurs pas, j'entre dans la vie[5].

1012 La vision chrétienne de la mort[6] est exprimée de façon privilégiée dans la liturgie de l'Église :

Pour tous ceux qui croient en toi, Seigneur, la vie n'est pas détruite, elle est transformée; et lorsque prend fin leur séjour sur la terre, ils ont déjà une demeure éternelle dans les cieux[7].

1013 La mort est la fin du pèlerinage terrestre de l'homme, du temps de grâce et de miséricorde que Dieu lui offre pour réaliser sa vie terrestre selon le dessein divin et pour décider son destin ultime. Quand a pris fin « l'unique cours de notre vie terrestre[8] », nous ne reviendrons plus à d'autres vies terrestres. « Les hommes ne meurent qu'une fois » (He 9, 27). Il n'y a pas de « réincarnation » après la mort.

1014 L'Église nous encourage à nous préparer pour l'heure de notre mort (« Délivre-nous, Seigneur, d'une mort subite et imprévue » : Litanie des saints), à demander à la Mère de Dieu d'intercéder pour nous « à l'heure de notre mort » (Prière Ave Maria), et à nous confier à saint Joseph, patron de la bonne mort : *2676-267*

Dans toutes tes actions, dans toutes tes pensées tu devrais te comporter comme si tu devais mourir aujourd'hui. Si ta conscience était en bon état, tu ne craindrais pas beaucoup la mort. Il vaudrait mieux se garder de pécher que de fuir la mort. Si aujourd'hui tu n'es pas prêt, comment le seras-tu demain[9] ?

Loué sois-tu, mon Seigneur, pour sœur notre mort corporelle, à qui nul homme vivant ne peut échapper. Malheur à ceux qui mourront dans les péchés mortels, heureux ceux qu'elle trouvera dans ses très saintes volontés, car la seconde mort ne leur fera pas mal[10].

EN BREF

1015 « La chair est le pivot du salut[11]. » *Nous croyons en Dieu qui est le créateur de la chair; nous croyons au Verbe fait chair pour racheter la chair; nous*

---

1. S. Ignace d'Antioche, Rom. 6, 1-2. - 2. Cf. Lc 23, 46. - 3. S. Ignace d'Antioche, Rom. 7, 2. - 4. Ste Thérèse de Jésus, vida 1. - 5. Ste Thérèse de l'Enfant-Jésus, verba. - 6. Cf. 1 Th 4, 13-14. - 7. MR, Préface des défunts. - 8. LG 48. - 9. Imitation du Christ 1, 23, 1. - 10. S. François d'Assise, cant. - 11. Tertullien, res. 8, 2.

croyons en la résurrection de la chair, achèvement de la création et de la rédemption de la chair.

1016 *Par la mort l'âme est séparée du corps, mais dans la résurrection Dieu rendra la vie incorruptible à notre corps transformé en le réunissant à notre âme. De même que le Christ est ressuscité et vit pour toujours, tous nous ressusciterons au dernier jour.*

1017 *« Nous croyons en la vraie résurrection de cette chair que nous possédons maintenant[1]. » Cependant, on sème dans le tombeau un corps corruptible, il ressuscite un corps incorruptible[2], un "corps spirituel" (1 Co 15, 44).*

1018 *En conséquence du péché originel, l'homme doit subir « la mort corporelle, à laquelle il aurait été soustrait s'il n'avait pas péché[3] ».*

1019 *Jésus, le Fils de Dieu, a librement souffert la mort pour nous dans une soumission totale et libre à la volonté de Dieu, son Père. Par sa mort Il a vaincu la mort, ouvrant ainsi à tous les hommes la possibilité du salut.*

ARTICLE 12

« Je crois à la vie éternelle »

1523-1525

1020 Le chrétien qui unit sa propre mort à celle de Jésus voit la mort comme une venue vers Lui et une entrée dans la vie éternelle. Lorsque l'Église a, pour la dernière fois, dit les paroles de pardon de l'absolution du Christ sur le chrétien mourant, l'a scellé pour la dernière fois d'une onction fortifiante et lui a donné le Christ dans le viatique comme nourriture pour le voyage, elle lui parle avec une douce assurance :

> Quitte ce monde, âme chrétienne, au nom du Père Tout-Puissant qui t'a créée, au nom de Jésus-Christ, le Fils du Dieu vivant, qui a souffert pour toi, au nom du Saint-Esprit qui a été répandu en toi. Prends ta place aujourd'hui dans la paix, et fixe ta demeure avec Dieu dans la sainte Sion, avec la Vierge Marie, la Mère de Dieu, avec saint Joseph, les anges et tous les saints de Dieu (...). Retourne auprès de ton Créateur qui t'a formée de la poussière du sol. Qu'à l'heure où ton âme sortira de ton corps, Marie, les anges et tous les saints se hâtent à ta rencontre (...). Que tu puisses voir ton Rédempteur face à face[4]...

2677, 336

I. Le jugement particulier

1021 La mort met fin à la vie de l'homme comme temps ouvert à l'accueil ou au rejet de la grâce divine manifestée dans le Christ[5]. Le Nouveau Testament parle du

---

1. DS 854. - 2. Cf. 1 Co 15, 42. - 3. GS 18. - 4. OEx « Commendatio animae ». - 5. Cf. 2 Tm 1, 9-10.

jugement principalement dans la perspective de la rencontre finale avec le Christ *1038*
dans son second avènement, mais il affirme aussi à plusieurs reprises la rétribution
immédiate après la mort de chacun en fonction de ses oeuvres et de sa foi. La *679*
parabole du pauvre Lazare[1] et la parole du Christ en Croix au bon larron[2], ainsi
que d'autres textes du Nouveau Testament[3] parlent d'une destinée ultime de l'âme[4]
qui peut être différente pour les unes et pour les autres.

1022 Chaque homme reçoit dans son âme immortelle sa rétribution éternelle dès
sa mort en un jugement particulier qui réfère sa vie au Christ, soit à travers une *393*
purification[5], soit pour entrer immédiatement dans la béatitude du ciel[6], soit pour
se damner immédiatement pour toujours[7].

> Au soir de notre vie, nous serons jugés sur l'amour[8]. *1470*

II. Le ciel

1023 Ceux qui meurent dans la grâce et l'amitié de Dieu, et qui sont parfaitement
purifiés, vivent pour toujours avec le Christ. Ils sont pour toujours semblables à *954*
Dieu, parce qu'ils Le voient « tel qu'Il est » (1 Jn 3, 2), face à face[9] :

> De notre autorité apostolique nous définissons que, d'après la disposition générale
> de Dieu, les âmes de tous les saints (...) et de tous les autres fidèles morts après
> avoir reçu le saint Baptême du Christ, en qui il n'y a rien eu à purifier lorsqu'ils
> sont morts, (...) ou encore, s'il y a eu ou qu'il y a quelque chose à purifier, lorsque,
> après leur mort, elles auront achevé de le faire, (...) avant même la résurrection
> dans leur corps et le Jugement général, et cela depuis l'Ascension du Seigneur et
> Sauveur Jésus-Christ au ciel, ont été, sont et seront au ciel, au Royaume des cieux
> et au Paradis céleste avec le Christ, admis dans la société des saints anges. Depuis
> la passion et la mort de notre Seigneur Jésus-Christ, elles ont vu et voient l'essence
> divine d'une vision intuitive et même face à face, sans la médiation d'aucune
> créature[10].

1024 Cette vie parfaite avec la Très Sainte Trinité, cette communion de vie et
d'amour avec Elle, avec la Vierge Marie, les anges et tous les bienheureux est
appelée « le ciel ». Le ciel est la fin ultime et la réalisation des aspirations les plus *260, 326,*
profondes de l'homme, l'état de bonheur suprême et définitif. *2734, 1718*

1025 Vivre au ciel c'est « être avec le Christ[11] ». Les élus vivent « en Lui », mais ils y
gardent, mieux, ils y trouvent leur vraie identité, leur propre nom[12] : *1011*

> Car la vie c'est d'être avec le Christ : là où est le Christ, là est la vie, là est le
> royaume[13].

---

1. Cf. Lc 16, 22. - 2. Cf. Lc 23, 43. - 3. Cf. 2 Co 5, 8; Ph 1, 23; He 9, 27, 12, 23. - 4. Cf. Mt 16, 26. - 5. Cf. Cc. Lyon : DS 857-858; Cc. Florence : DS 1304-1306; Cc. Trente : DS 1820. - 6. Cf. Benoît XII : DS 1000-1001; Jean XXII : DS 990. - 7. Cf. Benoît XII : DS 1002. - 8. S. Jean de la Croix, dichos 64. - 9. Cf. 1 Co 13, 12; Ap 22, 4. - 10. Benoît XII : DS 1000, cf. LG 49. - 11. Cf. Jn 14, 3; Ph 1, 23; 1 Th 4, 17. - 12. Cf. Ap 2, 17. - 13. S. Ambroise, Luc. 10, 121.

1026 Par sa mort et sa Résurrection Jésus-Christ nous a « ouvert » le ciel. La vie des bienheureux consiste dans la possession en plénitude des fruits de la rédemption opérée par le Christ qui associe à sa glorification céleste ceux qui ont cru en Lui et qui sont demeurés fidèles à sa volonté. Le ciel est la communauté bienheureuse de tous ceux qui sont parfaitement incorporés à Lui.

793

1027 Ce mystère de communion bienheureuse avec Dieu et avec tous ceux qui sont dans le Christ dépasse toute compréhension et toute représentation. L'Écriture nous en parle en images : vie, lumière, paix, festin de noces, vin du royaume, maison du Père, Jérusalem céleste, paradis : « Ce que l'oeil n'a pas vu, ce que l'oreille n'a pas entendu, ce qui n'est pas monté au coeur de l'homme, tout ce que Dieu a préparé pour ceux qui L'aiment » (1 Co 2, 9).

959, 1720

1028 À cause de sa transcendance, Dieu ne peut être vu tel qu'Il est que lorsqu'Il ouvre Lui-même son mystère à la contemplation immédiate de l'homme et qu'Il lui en donne la capacité. Cette contemplation de Dieu dans sa gloire céleste est appelée par l'Église la « vision béatifique » :

1722

163

> Quelle ne sera pas ta gloire et ton bonheur : être admis à voir Dieu, avoir l'honneur de participer aux joies du salut et de la lumière éternelle dans la compagnie du Christ le Seigneur ton Dieu, (...) jouir au Royaume des cieux dans la compagnie des justes et des amis de Dieu, des joies de l'immortalité acquise [1].

1029 Dans la gloire du ciel, les bienheureux continuent d'accomplir avec joie la volonté de Dieu par rapport aux autres hommes et à la création toute entière. Déjà ils règnent avec le Christ; avec Lui « ils régneront pour les siècles des siècles » (Ap 22, 5) [2].

956

668

III. La purification finale ou Purgatoire

1030 Ceux qui meurent dans la grâce et l'amitié de Dieu, mais imparfaitement purifiés, bien qu'assurés de leur salut éternel, souffrent après leur mort une purification, afin d'obtenir la sainteté nécessaire pour entrer dans la joie du ciel.

1031 L'Église appelle *Purgatoire* cette purification finale des élus qui est tout à fait distincte du châtiment des damnés. L'Église a formulé la doctrine de la foi relative au Purgatoire surtout aux Conciles de Florence [3] et de Trente [4]. La tradition de l'Église, faisant référence à certains textes de l'Écriture [5], parle d'un feu purificateur :

954, 1472

> Pour ce qui est de certaines fautes légères, il faut croire qu'il existe avant le jugement un feu purificateur, selon ce qu'affirme Celui qui est la Vérité, en disant que si quelqu'un a prononcé un blasphème contre l'Esprit Saint, cela ne

1. S. Cyprien, ep. 56, 10, 1. - 2. Cf. Mt 25, 21. 23. - 3. Cf. DS 1304. - 4. Cf. DS 1820; 1580. - 5. Par exemple 1 Co 3, 15; 1 P 1, 7.

lui sera pardonné ni dans ce siècle-ci, ni dans le siècle futur (Mt 12, 31). Dans cette sentence nous pouvons comprendre que certaines fautes peuvent être remises dans ce siècle-ci, mais certaines autres dans le siècle futur[1].

1032 Cet enseignement s'appuie aussi sur la pratique de la prière pour les défunts dont parle déjà la Sainte Écriture : « Voilà pourquoi il (Judas Macchabée) fit faire ce sacrifice expiatoire pour les morts, afin qu'ils fussent délivrés de leur péché » (2 M 12, 46). Dès les premiers temps, l'Église a honoré la mémoire des défunts et offert des suffrages en leur faveur, en particulier le sacrifice eucharistique[2], afin que, purifiés, ils puissent parvenir à la vision béatifique de Dieu. L'Église recommande aussi les aumônes, les indulgences et les oeuvres de pénitence en faveur des défunts : *958 1371 1479*

> Portons-leur secours et faisons-leur commémoraison. Si les fils de Job ont été purifiés par le sacrifice de leur père[3], pourquoi douterions-nous que nos offrandes pour les morts leur apportent quelque consolation ? N'hésitons pas à porter secours à ceux qui sont partis et à offrir nos prières pour eux[4].

IV. L'enfer

1033 Nous ne pouvons pas être unis à Dieu à moins de choisir librement de L'aimer. Mais nous ne pouvons pas aimer Dieu si nous péchons gravement contre Lui, contre notre prochain ou contre nous-même : « Celui qui n'aime pas demeure dans la mort. Quiconque hait son frère est un homicide; or vous savez qu'aucun homicide n'a la vie éternelle demeurant en lui » (1 Jn 3, 15). Notre Seigneur nous avertit que nous serons séparés de Lui si nous omettons de rencontrer les besoins graves des pauvres et des petits qui sont ses frères[5]. Mourir en péché mortel sans *1861* s'en être repenti et sans accueillir l'amour miséricordieux de Dieu, signifie demeurer séparé de Lui pour toujours par notre propre choix libre. Et c'est cet état d'auto-exclusion définitive de la communion avec Dieu et avec les bienheureux *393* qu'on désigne par le mot « enfer ». *633*

1034 Jésus parle souvent de la « géhenne » du « feu qui ne s'éteint pas[6] », réservée à ceux qui refusent jusqu'à la fin de leur vie de croire et de se convertir, et où peuvent être perdus à la fois l'âme et le corps[7]. Jésus annonce en termes graves qu'Il « enverra ses anges, qui ramasseront tous les fauteurs d'iniquité (...), et les jetteront dans la fournaise ardente » (Mt 13, 41-42), et qu'Il prononcera la condamnation : « Allez loin de moi, maudits, dans le feu éternel ! » (Mt 25, 41.)

1035 L'enseignement de l'Église affirme l'existence de l'enfer et son éternité. Les âmes de ceux qui meurent en état de péché mortel descendent immédiatement *393*

---

1. S. Grégoire le Grand, dial. 4, 39. - 2. Cf. DS 856. - 3. Cf. Jb 1, 5. - 4. S. Jean Chrysostome, hom. in 1 Cor. 41, 5. - 5. Cf. Mt 25, 31-46. - 6. Cf. Mt 5, 22.29; 13, 42.50; Mc 9, 43-48. - 7. Cf. Mt 10, 28.

après la mort dans les enfers, où elles souffrent les peines de l'enfer, « le feu éternel [1] ». La peine principale de l'enfer consiste en la séparation éternelle d'avec Dieu en qui seul l'homme peut avoir la vie et le bonheur pour lesquels il a été créé et auxquels il aspire.

1734

1428

1036 Les affirmations de la Sainte Écriture et les enseignements de l'Église au sujet de l'enfer sont un *appel à la responsabilité* avec laquelle l'homme doit user de sa liberté en vue de son destin éternel. Elles constituent en même temps un *appel pressant à la conversion* : « Entrez par la porte étroite. Car large et spacieux est le chemin qui mène à la perdition, et il en est beaucoup qui le prennent; mais étroite est la porte et resserré le chemin qui mène à la Vie, et il en est peu qui le trouvent » (Mt 7, 13-14) :

> Ignorants du jour et de l'heure, il faut que, suivant l'avertissement du Seigneur, nous restions constamment vigilants pour mériter, quand s'achèvera le cours unique de notre vie terrestre, d'être admis avec Lui aux noces et comptés parmi les bénis de Dieu, au lieu d'être, comme de mauvais et paresseux serviteurs, écartés par l'ordre de Dieu vers le feu éternel, vers ces ténèbres du dehors où seront les pleurs et les grincements de dents [2].

162

1014, 1821

1037 Dieu ne prédestine personne à aller en enfer [3]; il faut pour cela une aversion volontaire de Dieu (un péché mortel), et y persister jusqu'à la fin. Dans la liturgie eucharistique et dans les prières quotidiennes de ses fidèles, l'Église implore la miséricorde de Dieu, qui veut « que personne ne périsse, mais que tous arrivent au repentir » (2 P 3, 9) :

> Voici l'offrande que nous présentons devant toi, nous, tes serviteurs, et ta famille entière : dans ta bienveillance, accepte-la. Assure toi-même la paix de notre vie, arrache-nous à la damnation et reçois-nous parmi tes élus [4].

678-679

V. Le Jugement dernier

1001, 998

1038 La résurrection de tous les morts, « des justes et des pécheurs » (Ac 24, 15), précédera le Jugement dernier. Ce sera « l'heure où ceux qui gisent dans la tombe en sortiront à l'appel de la voix du Fils de l'Homme; ceux qui auront fait le bien ressusciteront pour la vie, ceux qui auront fait le mal pour la damnation » (Jn 5, 28-29). Alors le Christ « viendra dans sa gloire, escorté de tous les anges (...). Devant Lui seront rassemblées toutes les nations, et Il séparera les gens les uns des autres, tout comme le berger sépare les brebis des boucs. Il placera les brebis à sa droite, et les boucs à sa gauche (...). Et ils s'en iront, ceux-ci à une peine éternelle, et les justes à la vie éternelle » (Mt 25, 31. 32. 46).

---

1. Cf. DS 76; 409; 411; 801; 858; 1002; 1351; 1575; SPF 12. - 2. LG 48. - 3. Cf. DS 397; 1567. - 4. MR, Canon Romain 88.

1039 C'est face au Christ qui est la Vérité que sera définitivement mise à nu la vérité sur la relation de chaque homme à Dieu [1]. Le Jugement dernier révélera   *678* jusque dans ses ultimes conséquences ce que chacun aura fait de bien ou omis de faire durant sa vie terrestre :

> Tout le mal que font les méchants est enregistré - et ils ne le savent pas. Le Jour où « Dieu ne se taira pas » (Ps 50, 3) (...) Il se tournera vers les mauvais : « J'avais, leur dira-t-Il, placé sur terre mes petits pauvres, pour vous. Moi, leur chef, je trônais dans le ciel à la droite de mon Père - mais sur la terre mes membres avaient faim. Si vous aviez donné à mes membres, ce que vous auriez donné serait parvenu jusqu'à la Tête. Quand j'ai placé mes petits pauvres sur la terre, je les ai institués vos commissionnaires pour porter vos bonnes oeuvres dans mon trésor : vous n'avez rien déposé dans leurs mains, c'est pourquoi vous ne possédez rien auprès de moi [2]. »

1040 Le Jugement dernier interviendra lors du retour glorieux du Christ. Le Père seul en connaît l'heure et le jour, Lui seul décide de son avènement. Par son Fils   *637* Jésus-Christ Il prononcera alors sa parole définitive sur toute l'histoire. Nous connaîtrons le sens ultime de toute l'oeuvre de la création et de toute l'économie du salut, et nous comprendrons les chemins admirables par lesquels sa Providence   *314* aura conduit toute chose vers sa fin ultime. Le Jugement dernier révélera que la justice de Dieu triomphe de toutes les injustices commises par ses créatures et que son amour est plus fort que la mort [3].

1041 Le message du Jugement dernier appelle à la conversion pendant que Dieu donne encore aux hommes « le temps favorable, le temps du salut » (2 Co 6, 2). Il   *1432* inspire la sainte crainte de Dieu. Il engage pour la justice du Royaume de Dieu. Il annonce la « bienheureuse espérance » (Tt 2, 13) du retour du Seigneur qui « vien-   *2854* dra pour être glorifié dans ses saints et admiré en tous ceux qui auront cru » (2 Th 1, 10).

VI. L'espérance des cieux nouveaux et de la terre nouvelle

1042 À la fin des temps, le Royaume de Dieu arrivera à sa plénitude. Après le jugement universel, les justes régneront pour toujours avec le Christ, glorifiés en   *769* corps et en âme, et l'univers lui-même sera renouvelé :   *670*

> Alors l'Église sera « consommée dans la gloire céleste, lorsque, avec le genre humain, tout l'univers lui-même, intimement uni avec l'homme et atteignant par lui sa destinée, trouvera dans le Christ sa définitive perfection [4] ».   *310*

1043 Cette rénovation mystérieuse, qui transformera l'humanité et le monde, la Sainte Écriture l'appelle « les cieux nouveaux et la terre nouvelle » (2 P 3, 13) [5]. Ce   *671*

---

1. Cf. Jn 12, 49. - 2. S. Augustin, serm. 18, 4, 4. - 3. Cf. Ct 8, 6. - 4. LG 48. - 5. Cf. Ap 21, 1.

280
518   sera la réalisation définitive du dessein de Dieu de « ramener toutes choses sous un seul Chef, le Christ, les êtres célestes comme les terrestres » (Ep 1, 10).

1044   Dans cet « univers nouveau » (Ap 21, 5), la Jérusalem céleste, Dieu aura sa demeure parmi les hommes. « Il essuiera toute larme de leurs yeux; de mort, il n'y en aura plus; de pleur, de cri et de peine, il n'y en aura plus, car l'ancien monde s'en est allé » (Ap 21, 4)[1].

1045   *Pour l'homme*, cette consommation sera la réalisation ultime de l'unité du genre humain, voulue par Dieu dès la création et dont l'Église pérégrinante était « comme le sacrement[2] ». Ceux qui seront unis au Christ formeront la communauté des rachetés, la Cité Sainte de Dieu (Ap 21, 2), « l'Épouse de l'Agneau » (Ap 21, 9). Celle-ci ne sera plus blessée par le péché, les souillures[3], l'amour-propre, qui détruisent ou blessent la communauté terrestre des hommes. La vision béatifique, dans laquelle Dieu s'ouvrira de façon inépuisable aux élus, sera la source intarissable de bonheur, de paix et de communion mutuelle.

775

1404

1046   *Quant au cosmos*, la Révélation affirme la profonde communauté de destin du monde matériel et de l'homme :

349   Car la création en attente aspire à la révélation des fils de Dieu (...) avec l'espérance d'être elle aussi libérée de la servitude de la corruption. (...) Nous le savons en effet, toute la création jusqu'à ce jour gémit en travail d'enfantement. Et non pas elle seule; nous-mêmes qui possédons les prémices de l'Esprit, nous gémissons nous aussi intérieurement dans l'attente de la rédemption de notre corps (Rm 8, 19-23).

1047   L'univers visible est donc destiné, lui aussi, à être transformé, « afin que le monde lui-même, restauré dans son premier état, soit, sans plus aucun obstacle, au service des justes », participant à leur glorification en Jésus-Christ ressuscité[4].

1048   « *Nous ignorons le temps de l'achèvement* de la terre et de l'humanité, nous ne connaissons pas le mode de transformation du cosmos. Elle passe, certes, la figure de ce monde, déformée par le péché; mais nous l'avons appris, Dieu nous prépare une nouvelle demeure et une nouvelle terre où régnera la justice et dont la béatitude comblera et dépassera tous les désirs de paix qui montent au coeur de l'homme[5]. »

673

1049   « Mais l'attente de la terre nouvelle, loin d'affaiblir en nous le souci de cultiver cette terre, doit plutôt le réveiller : le corps de la nouvelle famille humaine y grandit, qui offre déjà quelque ébauche du siècle à venir. C'est pourquoi, s'il faut soigneusement distinguer le progrès terrestre de la croissance du règne du Christ, ce progrès a cependant beaucoup d'importance pour le royaume de Dieu, dans la mesure où il peut contribuer à une meilleure organisation de la société humaine[6]. »

2820

---

1. Cf. 21, 27. - 2. LG 1. - 3. Cf. Ap 21, 27. - 4. S. Irénée, haer. 5, 32, 1. - 5. GS 39, § 1. - 6. GS 39, § 2.

1050 « Car tous les fruits excellents de notre nature et de notre industrie, que nous aurons propagés sur terre selon le commandement du Seigneur et dans son Esprit, nous les retrouverons plus tard, mais purifiés de toute souillure, illuminés transfigurés, lorsque le Christ remettra à son Père le royaume éternel et universel[1]. » Dieu sera alors « tout en tous » (1 Co 15, 28), dans la *vie éternelle* : *1709*

260

> La vie subsistante et vraie, c'est le Père qui, par le Fils et en l'Esprit Saint, déverse sur tous sans exception les dons célestes. Grâce à sa miséricorde, nous aussi, hommes, nous avons reçu la promesse indéfectible de la vie éternelle[2].

EN BREF

1051 *Chaque homme dans son âme immortelle reçoit sa rétribution éternelle dès sa mort en un jugement particulier par le Christ, juge des vivants et des morts.*

1052 *« Nous croyons que les âmes de tous ceux qui meurent dans la grâce du Christ (...) sont le Peuple de Dieu dans l'au-delà de la mort, laquelle sera définitivement vaincue le jour de la résurrection où ces âmes seront réunies à leurs corps[3]. »*

1053 *« Nous croyons que la multitude de celles qui sont rassemblées autour de Jésus et de Marie au Paradis forme l'Église du ciel, où dans l'éternelle béatitude elles voient Dieu tel qu'Il est et où elles sont aussi, à des degrés divers, associées avec les saints anges au gouvernement divin exercé par le Christ en gloire, en intercédant pour nous et aidant notre faiblesse par leur sollicitude fraternelle[4]. »*

1054 *Ceux qui meurent dans la grâce et l'amitié de Dieu, mais imparfaitement purifiés, bien qu'assurés de leur salut éternel, souffrent après leur mort une purification, afin d'obtenir la sainteté nécessaire pour entrer dans la joie de Dieu.*

1055 *En vertu de la « communion des saints » l'Église recommande les défunts à la miséricorde de Dieu et offre en leur faveur des suffrages, en particulier le saint sacrifice eucharistique.*

1056 *Suivant l'exemple du Christ, l'Église avertit les fidèles de la « triste et lamentable réalité de la mort éternelle[5] » appelée aussi « enfer ».*

1057 *La peine principale de l'enfer consiste en la séparation éternelle d'avec Dieu en qui seul l'homme peut avoir la vie et le bonheur pour lesquels il a été créé et auxquels il aspire.*

1058 *L'Église prie pour que personne ne se perde : « Seigneur, ne permets pas que je sois jamais séparé de toi. » S'il est vrai que personne ne peut se sauver*

---

1. GS 39, § 3; Cf. LG 2. - 2. S. Cyrille de Jérusalem, catech. ill. 18, 29. - 3. SPF 28. - 4. SPF 29. - 5. DCG 69.

lui-même, Il est vrai aussi que « Dieu veut que tous soient sauvés » (1 Tm 2, 4) et que pour Lui « tout est possible » (Mt 19, 26).

1059 « La Très Sainte Église romaine croit et confesse fermement qu'au jour du Jugement tous les hommes comparaîtront avec leur propre corps devant le tribunal du Christ pour rendre compte de leurs propres actes[1]. »

1060 À la fin des temps, le Royaume de Dieu arrivera à sa plénitude. Alors les justes régneront avec le Christ pour toujours, glorifiés en corps et en âme, et l'univers matériel lui : même sera transformé. Dieu sera alors « tout en tous » (1 Co 15, 28), dans la vie éternelle.

« AMEN »

1061 Le Credo, comme aussi le dernier livre de l'Écriture Sainte[2], se termine avec
2856 le mot hébreu *Amen*. On le trouve fréquemment à la fin des prières du Nouveau Testament. De même, l'Église termine ses prières par « Amen ».

1062 En hébreu, *Amen* se rattache à la même racine que le mot « croire ». Cette racine exprime la solidité, la fiabilité, la fidélité. Ainsi on comprend pourquoi
214 l'« Amen » peut être dit de la fidélité de Dieu envers nous et de notre confiance en Lui.

1063 Dans le prophète Isaïe on trouve l'expression « Dieu de vérité », littérale-
215 ment « Dieu de l'Amen », c'est-à-dire le Dieu fidèle à ses promesses : « Quiconque voudra être béni sur terre voudra être béni par le Dieu de l'Amen » (Is 65, 16). Notre Seigneur emploie souvent le terme « Amen[3] », parfois sous forme redoublée[4],
156 pour souligner la fiabilité de son enseignement, son Autorité fondée sur la Vérité de Dieu.

1064 L'« Amen » final du Credo reprend et confirme donc ses deux premiers mots : « Je crois. » Croire, c'est dire « Amen » aux paroles, aux promesses, aux commandements de Dieu, c'est se fier totalement en Celui qui est l'« Amen » d'infini amour et de parfaite fidélité. La vie chrétienne de chaque jour sera alors l'« Amen »
197, 2101 au « Je crois » de la Profession de foi de notre Baptême :

> Que ton Symbole soit pour toi comme un miroir. Regarde-toi en lui : pour voir si tu crois tout ce que tu déclares croire. Et réjouis-toi chaque jour en ta foi[5].

---

1. DS 859; cf. DS 1549. - 2. Cf. Ap 22, 21. - 3. Cf. Mt 6, 2. 5. 16. - 4. Cf. Jn 5, 19. - 5. S. Augustin, serm. 58, 11, 13.

1065 Jésus-Christ Lui-même est « l'Amen » (Ap 3, 14). Il est l'« Amen » définitif de l'amour du Père pour nous; Il assume et achève notre « Amen » au Père : « Toutes les promesses de Dieu ont en effet leur "oui" en Lui; aussi bien est-ce par Lui que nous disons notre "Amen" à la Gloire de Dieu » (2 Co 1, 20) :

> Par Lui, avec Lui et en Lui,
> à toi, Dieu le Père Tout-Puissant,
> dans l'unité du Saint-Esprit,
> tout honneur et toute gloire,
> pour les siècles des siècles.
>
> AMEN.

Deuxième Partie
La célébration
du mystère chrétien

Fresque de la catacombe de S. Pierre et S. Marcellin, du début du IVe siècle.

La scène représente la rencontre de Jésus avec la femme hémorroïsse. Cette femme, souffrante depuis de longues années, est guérie en touchant le manteau de Jésus par « la force qui était sortie de Lui » (cf. Mc 5, 25-34).

Les sacrements de l'Église continuent maintenant les oeuvres que le Christ avait accomplies durant sa vie terrestre (cf. § 1115). Les sacrements sont comme ces « forces qui sortent » du Corps du Christ pour nous guérir des blessures du péché et pour nous donner la vie nouvelle du Christ (cf. §1116).

Cette image symbolise donc la puissance divine et salvatrice du Fils de Dieu qui sauve l'homme tout entier, âme et corps, à travers la vie sacramentelle.

Pourquoi la liturgie ?

1066 Dans le Symbole de la foi, l'Église confesse le mystère de la Trinité Sainte et son « dessein bienveillant » (Ep 1, 9) sur toute la création : le Père accomplit le « mystère de sa volonté » en donnant son Fils Bien-aimé et son Esprit Saint pour le salut du monde et pour la gloire de son nom. Tel est le mystère du Christ[1], révélé et réalisé dans l'histoire selon un plan, une « disposition » sagement ordonnée que S. Paul appelle « l'économie du mystère » (Ep 3, 9) et que la tradition patristique appelera « l'économie du Verbe incarné » ou « l'économie du salut ».

50

236

1067 « Cette oeuvre de la rédemption des hommes et de la parfaite glorification de Dieu, à quoi avaient prélude les grandes oeuvres divines dans le peuple de l'Ancien Testament, le Christ Seigneur l'a accomplie principalement par le mystère Pascal de sa bienheureuse passion, de sa résurrection du séjour des morts et de sa glorieuse ascension; mystère Pascal par lequel "en mourant Il a détruit notre mort, et en ressuscitant Il a restauré la vie". Car c'est du côté du Christ endormi sur la Croix qu'est né "l'admirable sacrement de l'Église tout entière[2]." » C'est pourquoi, dans la liturgie, l'Église célèbre principalement le mystère Pascal par lequel le Christ a accompli l'oeuvre de notre salut.

571

1068 C'est ce mystère du Christ que l'Église annonce et célèbre dans sa liturgie, afin que les fidèles en vivent et en témoignent dans le monde :

> En effet, la liturgie, par laquelle, surtout dans le divin sacrifice de l'Eucharistie, « s'exerce l'oeuvre de notre rédemption », contribue au plus haut point à ce que les fidèles, par leur vie, expriment et manifestent aux autres le mystère du Christ et la nature authentique de la véritable Église[3].

Que signifie le mot liturgie ?

1069 Le mot « liturgie » signifie originellement « oeuvre publique », « service de la part/en faveur du peuple ». Dans la tradition chrétienne il veut signifier que le Peuple de Dieu prend part à « l'oeuvre de Dieu[4] ». Par la liturgie, le Christ, notre Rédempteur et Grand Prêtre, continue dans son Église, avec elle et par elle, l'oeuvre de notre rédemption :

1070 Le mot « liturgie » dans le Nouveau Testament est employé pour désigner non seulement la célébration du culte divin[5], mais aussi l'annonce de l'Évangile[6] et la charité en acte[7]. Dans toutes ces situations, il s'agit du service de Dieu et des hommes. Dans la célébration liturgique, l'Église est servante, à l'image de son Seigneur, l'unique « Liturge[8] », participant à son sacerdoce (culte), prophétique (annonce) et royale (service de charité) :

783

---

1. Cf. Ep 3, 4. - 2. SC 5. - 3. SC 2. - 4. Cf. Jn 17, 4. - 5. Cf. Ac 13, 2; Lc 1, 23. - 6. Cf. Rm 15, 16; Ph 2, 14-17 et Ph 2, 30. - 7. Cf. Rm 15, 27; 2 Co 9, 12; Ph 2, 25. - 8. Cf. He 8, 2 et 6.

C'est donc à juste titre que la liturgie est considérée comme l'exercice de la fonction sacerdotale de Jésus-Christ, exercice dans lequel la sanctification de l'homme
est signifiée par des signes sensibles et est réalisée d'une manière propre à chacun
d'eux, dans lequel le culte public intégral est exercé par le Corps mystique de
Jésus-Christ, c'est-à-dire par le Chef et par ses membres. Par suite, toute célébration
liturgique, en tant qu'oeuvre du Christ prêtre et de son Corps qui est l'Église, est
l'action sacrée par excellence dont nulle autre action de l'Église ne peut atteindre
l'efficacité au même titre et au même degré [1].

La liturgie comme source de Vie

1071 Oeuvre du Christ, la liturgie est aussi une action de son *Église*. Elle réalise et
manifeste l'Église comme signe visible de la communion de Dieu et des hommes
1692 par le Christ. Elle engage les fidèles dans la Vie nouvelle de la communauté. Elle
implique une participation « consciente, active et fructueuse » de tous [2].

1072 « La liturgie n'épuise pas tout l'agir ecclésial [3] » : elle doit être précédée par
l'évangélisation, la foi et la conversion; elle peut alors porter ses fruits dans la vie
des fidèles : la Vie nouvelle selon l'Esprit, l'engagement dans la mission de l'Église
et le service de son Unité.

Prière et liturgie

1073 La liturgie est aussi participation à la prière du Christ, adressée au Père dans
l'Esprit Saint. En elle toute prière chrétienne trouve sa source et son terme. Par la
liturgie, l'homme intérieur est enraciné et fondé [4], dans « le grand amour dont le
Père nous a aimés » (Ep 2, 4) dans son Fils Bien-aimé. C'est la même « merveille de
2558 Dieu » qui est vécue et intériorisée par toute prière, « en tout temps, dans l'Esprit »
(Ep 6, 18).

Catéchèse et liturgie

1074 « La liturgie est le sommet auquel tend l'action de l'Église, et en même
temps la source d'où découle toute sa vigueur [5]. » Elle est donc le lieu privilégié de
la catéchèse du Peuple de Dieu. « La catéchèse est intrinsèquement reliée à toute
l'action liturgique et sacramentelle, car c'est dans les sacrements, et surtout dans
l'Eucharistie, que le Christ Jésus agit en plénitude pour la transformation des
hommes [6]. »

1075 La catéchèse liturgique vise à introduire dans le mystère du Christ (elle est
426 « mystagogie »), en procédant du visible à l'invisible, du signifiant au signifié, des

---

1. SC 7. - 2. SC 11. - 3. SC 9. - 4. Cf. Ep 3, 16-17. - 5. SC 10. - 6. Jean-Paul II, CT 23.

« sacrements » aux « mystères ». Une telle catéchèse est du ressort des catéchismes locaux et régionaux. Le présent Catéchisme, qui se veut au service de toute l'Église, dans la diversité de ses rites et de ses cultures [1], présentera ce qui est fondamental et commun à toute l'Église concernant la liturgie comme mystère et comme célébration *(première section)* puis les sept sacrements et les sacramentaux *(deuxième section)*.

774

---

1. Cf. SC 3-4.

PREMIÈRE SECTION

L'économie sacramentelle

1076 Le jour de la Pentecôte, par l'effusion de l'Esprit Saint, l'Église est manifestée au monde [1]. Le don de l'Esprit inaugure un temps nouveau dans la « dispensation du mystère » : le temps de l'Église, durant lequel le Christ manifeste, rend présent et communique son oeuvre de salut par la liturgie de son Église, « jusqu'à ce qu'Il vienne » (1 Co 11, 26). Durant ce temps de l'Église, le Christ vit et agit désormais dans son Église et avec elle d'une manière nouvelle, propre à ce temps nouveau. Il agit par les sacrements; c'est cela que la Tradition commune de l'Orient et de l'Occident appelle « l'économie sacramentelle »; celle-ci consiste en la communication (ou « dispensation ») des fruits du mystère Pascal du Christ dans la célébration de la liturgie « sacramentelle » de l'Église.

739

C'est pourquoi il importe de mettre d'abord en lumière cette « dispensation sacramentelle » *(chapitre premier)*. Ainsi apparaîtront plus clairement la nature et les aspects essentiels de la célébration liturgique *(chapitre deuxième)*.

CHAPITRE PREMIER

Le mystère Pascal
dans le temps de l'Église

ARTICLE 1

La liturgie - oeuvre de la Sainte Trinité

I. Le Père, source et fin de la liturgie

1077 « Béni soit le Dieu et Père de notre Seigneur Jésus-Christ, qui nous a bénis par toutes sortes de bénédictions spirituelles, aux Cieux, dans le Christ. C'est ainsi qu'Il nous a élus en Lui, dès avant la fondation du monde, pour être saints et

492

---

1. Cf. SC 6; LG 2.

immaculés en sa présence, dans l'amour, déterminant d'avance que nous serions pour Lui des fils adoptifs par Jésus-Christ. Tel fut le bon plaisir de sa volonté, à la louange de gloire de sa grâce, dont Il nous a gratifiés dans le Bien-Aimé » (Ep 1, 3-6).

2626 **1078** Bénir est une action divine qui donne la vie et dont le Père est la source. Sa bénédiction est à la fois parole et don *(bene-dictio, eu-logia)*. Appliqué à l'homme, ce terme signifiera l'adoration et la remise à son Créateur dans l'action de grâce.

1079 Du commencement jusqu'à la consommation des temps, toute l'oeuvre de Dieu est *bénédiction*. Du poème liturgique de la première création aux cantiques de la Jérusalem céleste, les auteurs inspirés annoncent le dessein du salut comme une immense bénédiction divine.

1080 Dès le commencement, Dieu bénit les êtres vivants, spécialement l'homme et la femme. L'alliance avec Noé et avec tous les êtres animés renouvelle cette bénédiction de fécondité, malgré le péché de l'homme par lequel le sol est « maudit ». Mais c'est à partir d'Abraham que la bénédiction divine pénètre l'histoire des hommes, qui allait vers la mort, pour la faire remonter à la vie, à sa source : par la foi du « père des croyants » qui accueille la bénédiction est inaugurée l'histoire du salut.

1081 Les bénédictions divines se manifestent en événements étonnants et sauveurs : la naissance d'Isaac, la sortie d'Égypte (Pâque et Exode), le don de la Terre promise, l'élection de David, la Présence de Dieu dans le temple, l'exil purificateur et le retour d'un « petit Reste ». La Loi, les Prophètes et les Psaumes qui tissent la liturgie du Peuple élu, à la fois rappellent ces bénédictions divines et y répondent par les bénédictions de louange et d'action de grâce.

1082 Dans la liturgie de l'Église, la bénédiction divine est pleinement révélée et communiquée : le Père est reconnu et adoré comme la Source et la Fin de toutes les bénédictions de la création et du salut; dans son Verbe, incarné, mort et ressuscité pour nous, Il nous comble de ses bénédictions, et par Lui Il répand en nos coeurs le Don qui contient tous les dons : l'Esprit Saint.

2627 **1083** On comprend alors la double dimension de la liturgie chrétienne comme réponse de foi et d'amour aux « bénédictions spirituelles » dont le Père nous gratifie. D'une part, l'Église, unie à son Seigneur et « sous l'action de l'Esprit Saint » (Lc 10, 21), bénit le Père « pour son Don ineffable » (2 Co 9, 15) par l'adoration, la louange et l'action de grâces. D'autre part, et jusqu'à la consommation du dessein de Dieu, l'Église ne cesse d'offrir au Père « l'offrande de ses propres dons » et de *1360* L'implorer d'envoyer l'Esprit Saint sur celle-ci, sur elle-même, sur les fidèles et sur le monde entier, afin que, par la communion à la mort et à la résurrection du Christ-Prêtre et par la puissance de l'Esprit, ces bénédictions divines portent des fruits de vie « à la louange de gloire de sa grâce » (Ep 1, 6).

II. L'oeuvre du Christ dans la liturgie

Le Christ glorifié...

1084 « Assis à la droite du Père » et répandant l'Esprit Saint en son Corps qui est
l'Église, le Christ agit désormais par les sacrements, institués par Lui pour commu-   *662*
niquer sa grâce. Les sacrements sont des signes sensibles (paroles et actions),
accessibles à notre humanité actuelle. Ils réalisent efficacement la grâce qu'ils signi-   *1127*
fient en vertu de l'action du Christ et par la puissance de l'Esprit Saint.

1085 Dans la liturgie de l'Église le Christ signifie et réalise principalement son
mystère Pascal. Durant sa vie terrestre, Jésus annonçait par son enseignement et
anticipait par ses actes son mystère Pascal. Quand son Heure est venue [1], Il vit
l'unique événement de l'histoire qui ne passe pas : Jésus meurt, est enseveli,
ressuscite d'entre les morts et est assis à la droite du Père « une fois pour toutes »
(Rm 6, 10; He 7, 27; 9, 12). C'est un événement réel, advenu dans notre histoire,
mais il est unique : tous les autres événements de l'histoire arrivent une fois, puis
ils passent, engloutis dans le passé. Le mystère Pascal du Christ, par contre, ne
peut pas rester seulement dans le passé, puisque par sa Mort il a détruit la mort, et
que tout ce que le Christ est, et tout ce qu'Il a fait et souffert pour tous les   *519*
hommes, participe de l'éternité divine et surplombe ainsi tous les temps et y est
rendu présent. L'Événement de la Croix et de la Résurrection *demeure* et attire tout   *1165*
vers la Vie.

... dès l'Église des apôtres...

1086 « De même que le Christ fut envoyé par le Père, ainsi Lui-même envoya ses
apôtres, remplis de l'Esprit Saint, non seulement pour que, prêchant l'Évangile à   *858*
toute créature, ils annoncent que le Fils de Dieu, par sa mort et par sa résurrection,
nous a délivrés du pouvoir de Satan ainsi que de la mort, et nous a transférés dans
le Royaume de son Père, mais aussi afin qu'ils exercent cette oeuvre de salut qu'ils
annonçaient, par le Sacrifice et les sacrements autour desquels gravite toute la vie
liturgique [2]. »

1087 Ainsi, le Christ ressuscité, en donnant l'Esprit Saint aux apôtres, leur confie
son pouvoir de sanctification [3] : ils deviennent signes sacramentels du Christ. Par la
puissance du même Esprit Saint, ils confient ce pouvoir à leurs successeurs. Cette
« succession apostolique » structure toute la vie liturgique de l'Église; elle est elle-   *861*
même sacramentelle, transmise par le sacrement de l'Ordre.   *1536*

... est présent dans la liturgie terrestre...

1088 « Pour l'accomplissement d'une si grande oeuvre » - la dispensation ou communication de son oeuvre de salut -, « le Christ est toujours là auprès de son   *776*

---

1. Cf. Jn 13, 1; 17, 1. - 2. SC 6. - 3. Cf. Jn 20, 21-23.

669

1373

Église, surtout dans les actions liturgiques. Il est là présent dans le Sacrifice de la Messe, et dans la personne du ministre, "le même offrant maintenant par le ministère des prêtres qui s'offrit alors Lui-même sur la Croix" et, au plus haut point, sous les espèces eucharistiques. Il est là présent par sa vertu dans les sacrements, au point que lorsque quelqu'un baptise, c'est le Christ Lui-même qui baptise. Il est là présent dans sa parole, car c'est Lui qui parle tandis qu'on lit dans l'Église les Saintes Écritures. Enfin Il est là présent lorsque l'Église prie et chante les psaumes, Lui qui a promis : "Là où deux ou trois sont rassemblés en mon nom, je suis là, au milieu d'eux" (Mt 18, 20)[1]. »

796

1089 « Pour l'accomplissement de cette grande oeuvre par laquelle Dieu est parfaitement glorifié et les hommes sanctifiés, le Christ s'associe toujours l'Église, son Épouse bien-aimée, qui L'invoque comme son Seigneur et qui passe par Lui pour rendre son culte au Père Éternel[2]. »

... qui participe à la liturgie céleste

1137-1139

1090 « Dans la liturgie terrestre nous participons par un avant-goût à cette liturgie céleste qui se célèbre dans la sainte cité de Jérusalem à laquelle nous tendons comme des voyageurs, où le Christ siège à la droite de Dieu, comme ministre du sanctuaire et du vrai tabernacle; avec toute l'armée de la milice céleste, nous chantons au Seigneur l'hymne de gloire; en vénérant la mémoire des saints, nous espérons partager leur société; nous attendons comme Sauveur notre Seigneur Jésus-Christ, jusqu'à ce que Lui-même se manifeste, Lui qui est notre vie, et alors nous serons manifestés avec Lui dans la gloire[3]. »

III. L'Esprit Saint et l'Église dans la liturgie

798

1091 Dans la liturgie l'Esprit Saint est le pédagogue de la foi du Peuple de Dieu, l'artisan des « chefs-d'oeuvre de Dieu » que sont les sacrements de la Nouvelle Alliance. Le désir et l'oeuvre de l'Esprit au coeur de l'Église est que nous vivions de la vie du Christ ressuscité. Quand Il rencontre en nous la réponse de foi qu'Il a suscitée, il se réalise une véritable coopération. Par elle, la liturgie devient l'oeuvre commune de l'Esprit Saint et de l'Église.

737

1092 Dans cette dispensation sacramentelle du mystère du Christ, l'Esprit Saint agit de la même manière que dans les autres temps de l'économie du salut : Il prépare l'Église à rencontrer son Seigneur; Il rappelle et manifeste le Christ à la foi de l'assemblée; Il rend présent et actualise le mystère du Christ par sa puissance transformante; enfin, l'Esprit de communion unit l'Église à la vie et à la mission du Christ.

---

1. SC 7. - 2. SC 7. - 3 SC 8; cf. LG 50.

L'Esprit Saint prépare à accueillir le Christ

1093 L'Esprit Saint accomplit dans l'économie sacramentelle les figures de *l'Ancienne Alliance*. Puisque l'Église du Christ était « admirablement préparée dans l'histoire du peuple d'Israël et dans l'Ancienne Alliance[1] », la liturgie de l'Église garde comme une partie intégrante et irremplaçable, en les faisant siens, des éléments du culte de l'Ancienne Alliance :
- principalement la lecture de l'Ancien Testament;
- la prière des Psaumes;
- et surtout la mémoire des événements sauveurs et des réalités significatives qui ont trouvé leur accomplissement dans le mystère du Christ (la promesse et l'alliance, l'Exode et la Pâque, le Royaume et le Temple, l'Exil et le Retour).

762

121

2585

1081

1094 C'est sur cette harmonie des deux Testaments[2] que s'articule la catéchèse Pascale du Seigneur[3], puis celle des apôtres et des Pères de l'Église. Cette catéchèse dévoile ce qui demeurait caché sous la lettre de l'Ancien Testament : le mystère du Christ. Elle est appelée « typologique » parce qu'elle révèle la nouveauté du Christ à partir des « figures » (types) qui l'annonçaient dans les faits, les paroles, et les symboles de la première alliance. Par cette relecture dans l'Esprit de Vérité à partir du Christ, les figures sont dévoilées[4]. Ainsi, le déluge et l'arche de Noé préfiguraient le salut par le Baptême[5], la Nuée et la traversée de la mer Rouge également, et l'eau du rocher était la figure des dons spirituels du Christ[6]; la manne au désert préfigurait l'Eucharistie, « le vrai Pain du Ciel » (Jn 6, 32).

128-130

1095 C'est pourquoi l'Église, spécialement lors des temps de l'Avent, du Carême et surtout dans la nuit de Pâques, relit et revit tous ces grands événements de l'histoire du salut dans l'« aujourd'hui » de sa liturgie. Mais cela exige aussi que la catéchèse aide les fidèles à s'ouvrir à cette intelligence « spirituelle » de l'économie du salut, telle que la liturgie de l'Église la manifeste et nous la fait vivre.

281

117

1096 *Liturgie juive et liturgie chrétienne*. Une meilleure connaissance de la foi et de la vie religieuse du peuple juif, telles qu'elles sont professées et vécues encore maintenant, peut aider à mieux comprendre certains aspects de la liturgie chrétienne. Pour les juifs et pour les chrétiens l'Écriture Sainte est une part essentielle de leurs liturgies : pour la proclamation de la Parole de Dieu, la réponse à cette Parole, la prière de louange et d'intercession pour les vivants et les morts, le recours à la miséricorde divine. La liturgie de la Parole, dans sa structure propre, trouve son origine dans la prière juive. La prière des Heures et autres textes et formulaires liturgiques y ont leurs parallèles, ainsi que les formules mêmes de nos prières les plus vénérables, dont le Pater. Les prières eucharistiques s'inspirent aussi de modèles de la tradition juive. Le rapport entre liturgie juive et liturgie chrétienne, mais aussi la différence de leurs contenus, sont particulièrement visibles dans les grandes fêtes de l'année liturgique, comme la Pâque. Les chrétiens et les juifs célèbrent la Pâque : Pâque de l'histoire, tendue vers l'avenir chez les juifs; Pâque accomplie dans la mort et la Résurrection du Christ chez les chrétiens, bien que toujours en attente de la consommation définitive.

1174

1352

840

---

1. LG 2. - 2. Cf. DV 14-16. - 3. Cf. Lc 24, 13-49. - 4. Cf. 2 Co 3, 14-16. - 5. Cf. 1 P 3, 21. - 6. Cf. 1 Co 10, 1-6.

1097 Dans la *liturgie de la Nouvelle Alliance*, toute action liturgique, spécialement la célébration de l'Eucharistie et des sacrements, est une rencontre entre le Christ et l'Église. L'assemblée liturgique tient son unité de la « communion de l'Esprit Saint » qui rassemble les enfants de Dieu dans l'unique Corps du Christ. Elle dépasse les affinités humaines, raciales, culturelles et sociales.

1098 L'assemblée doit se *préparer* à rencontrer son Seigneur, être « un peuple bien disposé ». Cette préparation des coeurs est l'oeuvre commune de l'Esprit Saint et de l'assemblée, en particulier de ses ministres. La grâce de l'Esprit Saint cherche *1430* à éveiller la foi, la conversion du coeur et l'adhésion à la volonté du Père. Ces dispositions sont présupposées à l'accueil des autres grâces offertes dans la célébration elle-même et aux fruits de Vie nouvelle qu'elle est destinée à produire ensuite

L'Esprit Saint rappelle le mystère du Christ

1099 L'Esprit et l'Église coopèrent à manifester le Christ et son oeuvre de salut dans la liturgie. Principalement dans l'Eucharistie, et analogiquement dans les autres sacrements, la liturgie est *Mémorial* du mystère du salut. L'Esprit Saint est la *91* mémoire vivante de l'Église [1].

1100 La *Parole de Dieu*. L'Esprit Saint rappelle d'abord à l'assemblée liturgique le *1134* sens de l'événement du salut en donnant vie à la Parole de Dieu qui est annoncée pour être reçue et vécue :

103, 131
> Dans la célébration de la liturgie, la Sainte Écriture a une importance extrême. C'est d'elle que sont tirés les textes que l'on lit et que l'homélie explique, ainsi que les psaumes que l'on chante; c'est sous son inspiration et dans son élan que les prières, les oraisons et les hymnes liturgiques ont jailli, et c'est d'elle aussi que les actions et les symboles reçoivent leur signification [2].

1101 C'est l'Esprit Saint qui donne aux lecteurs et aux auditeurs, selon les disposi-*117* tions de leurs coeurs, l'intelligence spirituelle de la Parole de Dieu. À travers les paroles, les actions et les symboles qui forment la trame d'une célébration, Il met les fidèles et les ministres en relation vivante avec le Christ, Parole et Image du Père, afin qu'ils puissent faire passer dans leur vie le sens de ce qu'ils entendent, contemplent et font dans la célébration.

1102 « C'est la Parole du salut qui nourrit la foi dans le coeur des chrétiens : c'est elle qui donne naissance et croissance à la communion des chrétiens [3]. » L'annonce de la Parole de Dieu ne s'arrête pas à un enseignement : elle appelle la *réponse de* *143* *foi*, comme consentement et engagement, en vue de l'alliance entre Dieu et son

---

1. Cf. Jn 14, 26. - 2. SC 24. - 3. PO 4.

peuple. C'est encore l'Esprit Saint qui donne la grâce de la foi, la fortifie et la fait croître dans la communauté. L'assemblée liturgique est d'abord communion dans la foi.

1103 L'*Anamnèse*. La célébration liturgique se réfère toujours aux interventions salvifiques de Dieu dans l'histoire. « L'économie de la révélation se fait par des actions et des paroles, étroitement liées entre elles (...). Les paroles proclament les oeuvres et font découvrir le mystère qui s'y trouve contenu[1]. » Dans la liturgie de la Parole l'Esprit Saint « rappelle » à l'assemblée tout ce que le Christ a fait pour nous. Selon la nature des actions liturgiques et les traditions rituelles des Églises, une célébration « fait mémoire » des merveilles de Dieu dans une Anamnèse plus ou moins développée. L'Esprit Saint, qui éveille ainsi la mémoire de l'Église, suscite alors l'action de grâces et la louange *(Doxologie)*.

1362

L'Esprit Saint actualise le mystère du Christ

1104 La liturgie chrétienne non seulement rappelle les événements qui nous ont sauvés, mais les actualise, les rend présents. Le mystère Pascal du Christ est célébré, il n'est pas répété; ce sont les célébrations qui se répètent; en chacune d'elle survient l'effusion de l'Esprit Saint qui actualise l'unique mystère.

1085

1105 L'*Épiclèse* (« invocation-sur ») est l'intercession en laquelle le prêtre supplie le Père d'envoyer l'Esprit Sanctificateur pour que les offrandes deviennent le corps et le sang du Christ et qu'en les recevant les fidèles deviennent eux-même une vivante offrande à Dieu.

1153

1106 Avec l'Anamnèse, l'Épiclèse est au coeur de chaque célébration sacramentelle, plus particulièrement de l'Eucharistie :

> Tu demandes comment le pain devient Corps du Christ, et le vin (...) Sang du Christ ? Moi, je te dis : le Saint-Esprit fait irruption et accomplit cela qui surpasse toute parole et toute pensée. (...) Qu'il te suffise d'entendre que c'est par le Saint-Esprit, de même que c'est de la Sainte Vierge et par le Saint-Esprit que le Seigneur, par Lui-même et en Lui-même, assuma la chair[2].

1375

1107 La puissance transformante de l'Esprit Saint dans la liturgie hâte la venue du Royaume et la consommation du mystère du salut. Dans l'attente et dans l'espérance il nous fait réellement anticiper la communion plénière de la Trinité Sainte. Envoyé par le Père qui exauce l'Épiclèse de l'Église, l'Esprit donne la vie à ceux qui l'accueillent, et constitue pour eux, dès maintenant, les « arrhes » de leur héritage[3].

2816

La communion de l'Esprit Saint

1108 Le terme de la mission de l'Esprit Saint dans toute action liturgique est de se mettre en communion avec le Christ pour former son Corps. L'Esprit Saint est

788

---

1. DV 2. - 2. S. Jean Damascène, f. o. 4, 13. - 3. Cf. Ep 1, 14; 2 Co 1, 22.

comme la sève de la Vigne du Père qui porte son fruit dans les sarments[1]. Dans la
1091 liturgie se réalise la coopération la plus intime de l'Esprit Saint et de l'Église. Lui,
l'Esprit de communion, demeure indéfectiblement dans l'Église, et c'est pourquoi
775 l'Église est le grand sacrement de la communion divine qui rassemble les enfants
de Dieu dispersés. Le fruit de l'Esprit dans la liturgie est inséparablement communion avec la Trinité Sainte et communion fraternelle[2].

1109 L'Épiclèse est aussi la prière pour le plein effet de la communion de
l'assemblée au mystère du Christ. « La grâce de notre Seigneur Jésus-Christ, l'amour
de Dieu le Père et la communion du Saint-Esprit » (2 Co 13, 13) doivent demeurer
toujours avec nous et porter des fruits au-delà de la célébration eucharistique.
L'Église prie donc le Père d'envoyer l'Esprit Saint pour qu'Il fasse de la vie des
1368 fidèles une vivante offrande à Dieu par la transformation spirituelle à l'image du
Christ, le souci de l'unité de l'Église et la participation à sa mission par le
témoignage et le service de la charité.

En bref

1110 *Dans la liturgie de l'Église Dieu le Père est béni et adoré comme la
source de toutes les bénédictions de la création et du salut, dont Il nous a
bénis en son Fils, pour nous donner l'Esprit de l'adoption filiale.*

1111 *L'oeuvre du Christ dans la liturgie est sacramentelle parce que son
mystère de salut y est rendu présent par la puissance de son Esprit Saint;
parce que son Corps, qui est l'Église, est comme le sacrement (signe et
instrument) dans lequel l'Esprit Saint dispense le mystère du salut; parce
qu'à travers ses actions liturgiques, l'Église pérégrinante participe déjà, en
avant-goût, à la liturgie céleste.*

1112 *La mission de l'Esprit Saint dans la liturgie de l'Église est de préparer
l'assemblée à rencontrer le Christ; de rappeler et de manifester le Christ à la
foi de l'assemblée; de rendre présente et d'actualiser l'oeuvre salvifique du
Christ par sa puissance transformante et de faire fructifier le don de la communion dans l'Église.*

Article 2
*Le mystère Pascal
dans les sacrements de l'Église*

1113 Toute la vie liturgique de l'Église gravite autour du Sacrifice eucharistique et
1210 des sacrements[3]. Il y a dans l'Église sept sacrements : le Baptême, la Confirmation
ou Chrismation, l'Eucharistie, la Pénitence, l'Onction des malades, l'Ordre, le

---

1. Cf. Jn 15, 1-17; Ga 5, 22. - 2. Cf. 1 Jn 1, 3-7. - 3. Cf. SC 6.

Mariage[1]. Dans cet article, il s'agit de ce qui est commun aux sept sacrements de l'Église, du point de vue doctrinal. Ce qui leur est commun sous l'aspect de la célébration sera exposé au chapitre II, et ce qui est propre à chacun d'eux fera l'objet de la section II.

I. Les sacrements du Christ

1114 « Attachés à la doctrine des Saintes Écritures, aux traditions apostoliques (...) et au sentiment unanime des Pères », nous professons que « les sacrements de la Loi nouvelle ont tous été institués par notre Seigneur Jésus-Christ[2] ».

1115 Les paroles et les actions de Jésus durant sa vie cachée et son ministère public étaient déjà salvifiques. Elles anticipaient la puissance de son mystère *512-560* Pascal. Elles annonçaient et préparaient ce qu'il allait donner à l'Église lorsque tout serait accompli. Les mystères de la vie du Christ sont les fondements de ce que, désormais, par les ministres de son Église, le Christ dispense dans les sacrements, car « ce qui était visible en notre Sauveur est passé dans ses mystères[3] ».

1116 « Forces qui sortent » du Corps du Christ[4], toujours vivant et vivifiant, actions de l'Esprit Saint à l'oeuvre dans son Corps qui est l'Église, les sacrements sont « les *1504, 774* chefs-d'oeuvre de Dieu » dans la nouvelle et éternelle alliance.

II. Les sacrements de l'Église

1117 Par l'Esprit qui la conduit « dans la vérité tout entière » (Jn 16, 13), l'Église a reconnu peu à peu ce trésor reçu du Christ et en a précisé la « dispensation », comme elle l'a fait pour le canon des Saintes Écritures et la doctrine de la foi, en *120* fidèle intendante des mystères de Dieu[5]. Ainsi, l'Église a discerné au cours des siècles que, parmi ses célébrations liturgiques il y en a sept qui sont, au sens propre du terme, des sacrements institués par le Seigneur.

1118 Les sacrements sont « de l'Église » en ce double sens qu'ils sont « par elle » et « pour elle ». Ils sont « par l'Église » car celle-ci est le sacrement de l'action du Christ opérant en elle grâce à la mission de l'Esprit Saint. Et ils sont « pour l'Église », ils sont ces « sacrements qui font l'Église[6] », puisqu'ils manifestent et communiquent *1396* aux hommes, surtout dans l'Eucharistie, le mystère de la communion du Dieu Amour, Un en trois Personnes.

1119 Formant avec le Christ-Tête « comme une unique personne mystique[7] », l'Église agit dans les sacrements comme « communauté sacerdotale », *792*

---

1. Cf. DS 860 ; 1310; 1601. - 2. DS 1600-1601. - 3. S. Léon le Grand, serm. 74, 2. - 4. Cf. Lc 5, 17; 6, 19; 8, 46. - 5. Cf. Mt 13, 52; 1 Co 4, 1. - 6. S. Augustin, civ. 22, 17; cf. S. Thomas d'A., s. th. 3, 64, 2, ad 3. - 7. Pie XII, enc. « Mystici Corporis ».

« organiquement structurée[1] » : par le Baptême et la Confirmation, le peuple sacerdotal est rendu apte à célébrer la liturgie; d'autre part, certains fidèles, « revêtus d'un Ordre sacré, sont établis au nom du Christ pour paître l'Église par la parole et la grâce de Dieu[2] ».

1120 Le ministère ordonné ou sacerdoce *ministériel*[3] est au service du sacerdoce baptismal. Il garantit que, dans les sacrements, c'est bien le Christ qui agit par l'Esprit Saint pour l'Église. La mission de salut confiée par le Père à son Fils incarné est confiée aux apôtres et par eux à leurs successeurs : ils reçoivent l'Esprit de Jésus pour agir en son nom et en sa personne[4]. Ainsi, le ministre ordonné est le lien sacramentel qui relie l'action liturgique à ce qu'ont dit et fait les apôtres, et, par eux, à ce qu'a dit et fait le Christ, source et fondement des sacrements.

1547

1121 Les trois sacrements du Baptême, de la Confirmation et de l'Ordre confèrent, en plus de la grâce, un *caractère* sacramentel ou « sceau » par lequel le chrétien participe au sacerdoce du Christ et fait partie de l'Église selon des états et des fonctions diverses. Cette configuration au Christ et à l'Église, réalisée par l'Esprit, est indélébile[5], elle demeure pour toujours dans le chrétien comme disposition positive pour la grâce, comme promesse et garantie de la protection divine et comme vocation au culte divin et au service de l'Église. Ces sacrements ne peuvent donc jamais être réitérés.

1272, 1304,
1582

III. Les sacrements de la foi

1122 Le Christ a envoyé ses apôtres afin que « en son nom, ils proclament à toutes les nations la conversion en vue de la rémission des péchés » (Lc 24, 47). « De toutes les nations faites des disciples, les baptisant au nom du Père, du Fils et du Saint-Esprit » (Mt 28, 19). La mission de baptiser, donc la mission sacramentelle, est impliquée dans la mission d'évangéliser, parce que le sacrement est préparé *par la Parole de Dieu et par la foi* qui est consentement à cette Parole :

849

1236

> Le Peuple de Dieu est rassemblé d'abord par la Parole du Dieu vivant. (...) La proclamation de la Parole est indispensable au ministère sacramentel, puisqu'il s'agit des sacrements de la foi et que celle-ci a besoin de la Parole pour naître et se nourrir[6].

1123 « Les sacrements ont pour fin de sanctifier les hommes, d'édifier le Corps du Christ, enfin de rendre le culte à Dieu; mais, à titre de signes, ils ont aussi un rôle d'enseignement. Non seulement ils supposent la foi, mais encore, par les paroles et par les choses, ils la nourrissent, ils la fortifient, ils l'expriment; c'est pourquoi ils sont dits sacrements *de la foi*[7]. »

1154

---

1. LG 11. - 2. LG 11. - 3. LG 10. - 4. Cf. Jn 20, 21-23; Lc 24, 47; Mt 28, 18-20. - 5. Cc. Trente : DS 1609. - 6. PO 4. - 7. SC 59.

1124 La foi de l'Église est antérieure à la foi du fidèle, qui est invité à y adhérer. Quand l'Église célèbre les sacrements, elle confesse la foi reçue des apôtres. De là, *166* l'adage ancien : « *Lex orandi, lex credendi* » (ou : « *Legem credendi lex statuat sup-* *1327* *plicandi* », selon Prosper d'Aquitaine [1] [Ve siècle]). La loi de la prière est la loi de la foi, l'Église croit comme elle prie. La liturgie est un élément constituant de la sainte et vivante Tradition [2].   *78*

1125 C'est pourquoi aucun rite sacramentel ne peut être modifié ou manipulé au gré du ministre ou de la communauté. Même l'autorité suprême dans l'Église ne *1205* peut changer la liturgie à son gré, mais seulement dans l'obéissance de la foi et dans le respect religieux du mystère de la liturgie.

1126 Par ailleurs, puisque les sacrements expriment et développent la commu- nion de foi dans l'Église, la *lex orandi* est l'un des critères essentiels du dialogue *815* qui cherche à restaurer l'unité des chrétiens [3].

IV. Les sacrements du salut

1127 Célébrés dignement dans la foi, les sacrements confèrent la grâce qu'ils si- gnifient [4]. Ils sont *efficaces* parce qu'en eux le Christ Lui-même est à l'oeuvre : c'est *1084* Lui qui baptise, c'est Lui qui agit dans ses sacrements afin de communiquer la grâce que le sacrement signifie. Le Père exauce toujours la prière de l'Église de son Fils qui, dans l'épiclèse de chaque sacrement, exprime sa foi en la puissance de *1105* l'Esprit. Comme le feu transforme en lui tout ce qu'il touche, l'Esprit Saint trans- *696* forme en Vie divine ce qui est soumis à sa puissance.

1128 C'est là le sens de l'affirmation de l'Église [5] : les sacrements agissent *ex opere operato* (littéralement : « par le fait même que l'action est accomplie »), c'est-à-dire en vertu de l'oeuvre salvifique du Christ, accomplie une fois pour toutes. Il s'ensuit que « le sacrement n'est pas réalisé par la justice de l'homme qui le donne ou le reçoit, mais par la puissance de Dieu [6] ». Dès lors qu'un sacrement est célébré con- *1584* formément à l'intention de l'Église, la puissance du Christ et de son Esprit agit en lui et par lui, indépendamment de la sainteté personnelle du ministre. Cependant, les fruits des sacrements dépendent aussi des dispositions de celui qui les reçoit.

1129 L'Église affirme que pour les croyants les sacrements de la Nouvelle Alliance sont *nécessaires au salut* [7]. La « grâce sacramentelle » est la grâce de l'Esprit Saint *1257, 2003* donnée par le Christ et propre à chaque sacrement. L'Esprit guérit et transforme ceux qui le reçoivent en les conformant au Fils de Dieu. Le fruit de la vie sacra- mentelle, c'est que l'Esprit d'adoption déifie [8] les fidèles en les unissant vitalement *460* au Fils unique, le Sauveur.

---

1. ep. 217. - 2. Cf. DV 8. - 3. Cf. UR 2 et 15. - 4. Cf. Cc. Trente : DS 1605 et 1606. - 5. Cf. Cc. Trente : DS 1608. - 6. S. Thomas d'A., s. th. 3, 68, 8. - 7. Cf. Cc. Trente : DS 1604. - 8. Cf. 2 P 1, 4.

V. Les sacrements de la vie éternelle

2817

950

1130 L'Église célèbre le mystère de son Seigneur « jusqu'à ce qu'Il vienne » et que « Dieu soit tout en tous » (1 Co 11, 26; 15, 28). Dès l'âge apostolique la liturgie est attirée vers son terme par le gémissement de l'Esprit dans l'Église : *« Marana tha ! »* (1 Co 16, 22.) La liturgie participe ainsi au désir de Jésus : « J'ai désiré d'un grand désir manger cette Pâque avec vous (...) jusqu'à ce qu'elle s'accomplisse dans le Royaume de Dieu » (Lc 22, 15-16). Dans les sacrements du Christ, l'Église reçoit déjà les arrhes de son héritage, elle participe déjà à la vie éternelle, tout en « attendant la bienheureuse espérance et l'avènement de la gloire de notre grand Dieu et Sauveur, le Christ Jésus » (Tt 2, 13). « L'Esprit et l'Épouse disent : Viens ! (...) Viens, Seigneur Jésus ! » (Ap 22, 17. 20.)

> S. Thomas résume ainsi les différentes dimensions du signe sacramentel : « Le sacrement est le signe qui remémore ce qui a précédé, à savoir la passion du Christ; qui met en évidence ce qui s'opère en nous par la passion du Christ, à savoir, la grâce; qui pronostique, je veux dire qui annonce à l'avance la Gloire à venir [1]. »

En bref

1131 *Les sacrements sont des signes efficaces de la grâce, institués par le Christ et confiés à l'Église, par lesquels la vie divine nous est dispensée. Les rites visibles sous lesquels les sacrements sont célébrés, signifient et réalisent les grâces propres de chaque sacrement. Ils portent fruit en ceux qui les reçoivent avec les dispositions requises.*

1132 *L'Église célèbre les sacrements comme communauté sacerdotale structurée par le sacerdoce baptismal et celui des ministres ordonnés.*

1133 *L'Esprit Saint prépare aux sacrements par la Parole de Dieu et par la foi qui accueille la Parole dans les coeurs bien disposés. Alors, les sacrements fortifient et expriment la foi.*

1134 *Le fruit de la vie sacramentelle est à la fois personnel et ecclésial. D'une part ce fruit est pour tout fidèle la vie pour Dieu dans le Christ Jésus; d'autre part il est pour l'Église croissance dans la charité et dans sa mission de témoignage.*

---

1. S. th. 3, 60, 3.

CHAPITRE DEUXIÈME

La célébration sacramentelle du mystère Pascal

1135 La catéchèse de la liturgie implique d'abord l'intelligence de l'économie sacramentelle *(chapitre premier)*. À cette lumière se révèle la nouveauté de sa *célébration*. Il s'agira donc, dans ce chapitre, de la célébration des sacrements de l'Église. On envisagera ce qui, à travers la diversité des traditions liturgiques, est commun à la célébration des sept sacrements; ce qui est propre à chacun d'eux sera présenté plus loin. Cette catéchèse fondamentale des célébrations sacramentelles répondra aux questions premières que se posent les fidèles à ce sujet :

- Qui célèbre ?
- Comment célébrer ?
- Quand célébrer ?
- Où célébrer ?

ARTICLE 1
Célébrer la liturgie de l'Église

I. Qui célèbre ?

1136 La liturgie est « action » du « *Christ tout entier* » (*Christus totus*). Ceux qui dès maintenant la célèbrent au-delà des signes sont déjà dans la liturgie céleste, là où la célébration est totalement communion et Fête.   *795, 1090*

Les célébrants de la liturgie céleste   *2642*

1137 L'Apocalypse de S. Jean, lue dans la liturgie de l'Église, nous révèle d'abord « dans le ciel un trône dressé, et siégeant sur le trône, Quelqu'un » (Ap 4, 2) : « le Seigneur Dieu » (Is 6, 1)[1]. Puis l'Agneau, « immolé et debout » (Ap 5, 6)[2] : le Christ crucifié et ressuscité, l'unique Grand Prêtre du véritable sanctuaire[3], le   *662*

---

1. Cf. Ez 1, 26-28. - 2. Cf. Jn 1, 29. - 3. Cf. He 4, 14-15; 10, 19-21; etc.

même « qui offre et qui est offert, qui donne et qui est donné [1] ». Enfin, « le fleuve de Vie qui jaillit du trône de Dieu et de l'Agneau » (Ap 22, 1), l'un des plus beaux symboles du Saint-Esprit [2].

335

1370

1138 « Récapitulés » dans le Christ, participent au service de la louange de Dieu et à l'accomplissement de son dessein : les Puissances célestes [3], toute la création (les quatre Vivants), les serviteurs de l'Ancienne et de la Nouvelle Alliance (les vingt-quatre Vieillards), le nouveau Peuple de Dieu (les cent quarante-quatre mille [4]), en particulier les martyrs « égorgés pour la Parole de Dieu » (Ap 6, 9-11), et la toute Sainte Mère de Dieu (la Femme [5]; l'Épouse de l'Agneau [6], enfin « une foule immense, impossible à dénombrer, de toute nation, race, peuple et langue » (Ap 7, 9).

1139 C'est à cette liturgie éternelle que l'Esprit et l'Église nous font participer lorsque nous célébrons le mystère du salut dans les sacrements.

Les célébrants de la liturgie sacramentelle

752, 1348

1372

1140 C'est toute la *Communauté*, le Corps du Christ uni à son Chef, qui célèbre. « Les actions liturgiques ne sont pas des actions privées, mais des célébrations de l'Église, qui est "le sacrement de l'unité", c'est-à-dire le peuple saint réuni et orga-nisé sous l'autorité des évêques. C'est pourquoi elles appartiennent au Corps tout entier de l'Église, elles le manifestent et elles l'affectent; mais elles atteignent cha-cun de ses membres, de façon diverse, selon la diversité des ordres, des fonctions et de la participation effective [7]. » C'est pourquoi aussi « chaque fois que les rites, selon la nature propre de chacun, comportent une célébration commune, avec fréquentation et participation active des fidèles, on soulignera que celle-ci, dans la mesure du possible, doit l'emporter sur leur célébration individuelle et quasi privée [8] ».

1120

1141 L'assemblée qui célèbre est la communauté des baptisés qui, « par la régénération et l'onction de l'Esprit Saint, sont consacrés pour être une maison spirituelle et un sacerdoce saint, en vue d'offrir des sacrifices spirituels [9] ». Ce « sa-cerdoce commun » est celui du Christ, unique Prêtre, participé par tous ses mem-bres [10] :

1268

> La Mère Église désire beaucoup que tous les fidèles soient amenés à cette participa-
> tion pleine, consciente et active aux célébrations liturgiques, qui est demandée par
> la nature de la liturgie elle-même et qui est, en vertu de son Baptême, un droit et
> un devoir pour le peuple chrétien « race élue, peuple royal, nation sainte, peuple
> racheté (1 P 2, 9) [11] » [12].

---

1. Liturgie de S. Jean Chrysostome, Anaphore. - 2. Cf. Jn 4, 10-14; Ap 21, 6. - 3. Cf. Ap 4-5; Is 6, 2-3. - 4. Cf. Ap 7, 1-8; 14, 1. - 5. Cf. Ap 12. - 6. Cf. Ap 21, 9. - 7. SC 26. - 8. SC 27. - 9. LG 10. - 10. Cf. LG 10; 34; PO 2. - 11. Cf. 1 P 2, 4-5. - 12. SC 14.

1142 Mais « tous les membres n'ont pas la même fonction » (Rm 12, 4). Certains membres sont appelés par Dieu, dans et par l'Église, à un service spécial de la communauté. Ces serviteurs sont choisis et consacrés par le sacrement de l'Ordre, par lequel l'Esprit Saint les rend aptes à agir en la personne du Christ-Tête pour le service de tous les membres de l'Église[1]. Le ministre ordonné est comme « l'icône » du Christ Prêtre. Puisque c'est dans l'Eucharistie que se manifeste pleinement le *1549* sacrement de l'Église, c'est dans la présidence de l'Eucharistie que le ministère de l'évêque apparaît d'abord, et en communion avec lui, celui des prêtres et des *1561* diacres.

1143 En vue de servir les fonctions du sacerdoce commun des fidèles, il existe aussi d'autres *ministères particuliers*, non consacrés par le sacrement de l'Ordre, et *903* dont la fonction est déterminée par les évêques selon les traditions liturgiques et les besoins pastoraux. « Même les servants, les lecteurs, les commentateurs et ceux qui appartiennent à la chorale s'acquittent d'un véritable ministère liturgique[2]. » *1672*

1144 Ainsi, dans la célébration des sacrements, c'est toute l'assemblée qui est « liturge », chacun selon sa fonction, mais dans « l'unité de l'Esprit » qui agit en tous. « Dans les célébrations liturgiques, chacun, ministre ou fidèle, en s'acquittant de sa fonction, fera *seulement* et *totalement* ce qui lui revient en vertu de la nature de la chose et des normes liturgiques[3]. »

II. Comment célébrer ?

Signes et symboles   *1333-1340*

1145 Une célébration sacramentelle est tissée de signes et de symboles. Selon la pédagogie divine du salut, leur signification s'enracine dans l'oeuvre de la création *53* et dans la culture humaine, se précise dans les événements de l'Ancienne Alliance et se révèle pleinement dans la personne et l'oeuvre du Christ.

1146 *Signes du monde des hommes*. Dans la vie humaine, signes et symboles occupent une place importante. L'homme, étant un être à la fois corporel et spirituel, exprime et perçoit les réalités spirituelles à travers des signes et des symbo- *362, 2702* les matériels. Comme être social, l'homme a besoin de signes et de symboles pour communiquer avec autrui, par le langage, par des gestes, par des actions. Il en est *1879* de même pour sa relation à Dieu.

1147 Dieu parle à l'homme à travers la création visible. Le cosmos matériel se présente à l'intelligence de l'homme pour qu'il y lise les traces de son Créateur[4]. La *299*

---

1. Cf. PO 2 et 15. - 2. SC 29. - 3. SC 28. - 4. Cf. Sg 13, 1; Rm 1; 19-20; Ac 14, 17.

lumière et la nuit, le vent et le feu, l'eau et la terre, l'arbre et les fruits parlent de Dieu, symbolisent à la fois sa grandeur et sa proximité.

1148 En tant que créatures, ces réalités sensibles peuvent devenir le lieu d'expression de l'action de Dieu qui sanctifie les hommes, et de l'action des hommes qui rendent leur culte à Dieu. Il en est de même des signes et des symboles de la vie sociale des hommes : laver et oindre, rompre le pain et partager la coupe peuvent exprimer la présence sanctifiante de Dieu et la gratitude de l'homme devant son Créateur.

843   **1149** Les grandes religions de l'humanité témoignent, souvent de façon impressionnante, de ce sens cosmique et symbolique des rites religieux. La liturgie de l'Église présuppose, intègre et sanctifie des éléments de la création et de la culture humaine en leur conférant la dignité de signes de la grâce, de la création nouvelle en Jésus-Christ.

1334   **1150** *Signes de l'alliance.* Le peuple élu reçoit de Dieu des signes et des symboles distinctifs qui marquent sa vie liturgique : ce ne sont plus seulement des célébrations de cycles cosmiques et des gestes sociaux, mais des signes de l'alliance, des symboles des hauts faits de Dieu pour son peuple. Parmi ces signes liturgiques de l'Ancienne Alliance on peut nommer la circoncision, l'onction et la consécration des rois et des prêtres, l'imposition des mains, les sacrifices, et surtout la Pâque. L'Église voit en ces signes une préfiguration des sacrements de la Nouvelle Alliance.

1335   **1151** *Signes assumés par le Christ.* Dans sa prédication, le Seigneur Jésus se sert souvent des signes de la création pour faire connaître les mystères du Royaume de Dieu [1]. Il accomplit ses guérisons ou souligne sa prédication avec des signes matériels ou des gestes symboliques [2]. Il donne un sens nouveau aux faits et aux signes de l'Ancienne Alliance, surtout à l'Exode et à la Pâque [3], car Il est Lui-même le sens de tous ces signes.

1152 *Signes sacramentels.* Depuis la Pentecôte, c'est à travers les signes sacramentels de son Église que l'Esprit Saint oeuvre la sanctification. Les sacrements de l'Église n'abolissent pas, mais purifient et intègrent toute la richesse des signes et des symboles du cosmos et de la vie sociale. En outre, ils accomplissent les types et les figures de l'Ancienne Alliance, ils signifient et réalisent le salut opéré par le Christ, et ils préfigurent et anticipent la gloire du ciel.

Paroles et actions

1153 Une célébration sacramentelle est une rencontre des enfants de Dieu avec leur Père, dans le Christ et l'Esprit Saint, et cette rencontre s'exprime comme un

---

1. Cf. Lc 8, 10. - 2. Cf. Jn 9, 6; Mc 7, 33-35; 8, 22-25. - 3. Cf. Lc 9, 31; 22, 7-20.

dialogue, à travers des actions et des paroles. Certes, les actions symboliques sont   *53*
elles-mêmes déjà un langage, mais il faut que la Parole de Dieu et la réponse de
foi accompagnent et vivifient ces actions, pour que la semence du Royaume porte
son fruit dans la bonne terre. Les actions liturgiques signifient ce que la Parole de
Dieu exprime : à la fois l'initiative gratuite de Dieu et la réponse de foi de son peuple.

1154 La *liturgie de la Parole* est partie intégrante des célébrations sacramentelles.
Pour nourrir la foi des fidèles, les signes de la Parole de Dieu doivent être mis en   *1100*
valeur : le livre de la Parole (lectionnaire ou évangéliaire), sa vénération (proces-   *103*
sion, encens, lumière), le lieu de son annonce (ambon), sa lecture audible et intel-
ligible, l'homélie du ministre qui prolonge sa proclamation, les réponses de
l'assemblée (acclamations, psaumes de méditation, litanies, confession de foi).

1155 Indissociables en tant que signes et enseignement, la parole et l'action
liturgiques le sont aussi en tant que réalisant ce qu'ils signifient. L'Esprit Saint ne   *1127*
donne pas seulement l'intelligence de la Parole de Dieu en suscitant la foi; par les
sacrements Il réalise aussi les « merveilles » de Dieu annoncées par la Parole : Il
rend présente et communique l'oeuvre du Père accomplie par le Fils bien-aimé.

Chant et musique

1156 « La tradition musicale de l'Église universelle a créé un trésor d'une valeur
inestimable qui l'emporte sur les autres arts, du fait surtout que, chant sacré lié aux
paroles, il fait partie nécessaire ou intégrante de la liturgie solennelle [1]. » La composition et le chant des Psaumes inspirés, souvent accompagnés d'instruments de
musique, sont déjà étroitement liés aux célébrations liturgiques de l'Ancienne
Alliance. L'Église continue et développe cette tradition : « Récitez entre vous des
psaumes, des hymnes et des cantiques inspirés; chantez et célébrez le Seigneur de
tout votre coeur » (Ep 5, 19) [2]. « Celui qui chante prie deux fois [3]. »

1157 Le chant et la musique remplissent leur fonction de signes d'une manière
d'autant plus significative qu'ils sont « en connexion plus étroite avec l'action
liturgique [4] », selon trois critères principaux : la beauté expressive de la prière, la   *2502*
participation unanime de l'assemblée aux moments prévus et le caractère solennel
de la célébration. Ils participent ainsi à la finalité des paroles et des actions
liturgiques : la Gloire de Dieu et la sanctification des fidèles [5] :

> Combien j'ai pleuré à entendre vos hymnes, vos cantiques, les suaves accents dont
> retentissait votre Église ! Quelle émotion j'en recueillais ! Ils coulaient dans mon
> oreille, distillant la vérité dans mon coeur. Un grand élan de piété me soulevait, et
> les larmes ruisselaient sur ma joue, mais elles me faisaient du bien [6].

---

1. SC 112. - 2. Cf. Col 3, 16-17. - 3. Cf. S. Augustin, Psal. 72, 1. - 4. SC 112. - 5. Cf. SC 112.
- 6. S. Augustin, conf. 9, 6, 14.

1158 L'harmonie des signes (chant, musique, paroles et actions) est ici d'autant *1201* plus expressive et féconde qu'elle s'exprime dans la *richesse culturelle* propre au *1674* Peuple de Dieu qui célèbre [1]. C'est pourquoi le « chant religieux populaire sera intelligemment favorisé, pour que, dans les exercices pieux et sacrés, et dans les actions liturgiques elles-mêmes », conformément aux normes de l'Église, « la voix des fidèles puisse se faire entendre [2] ». Mais, « les textes destinés au chant sacré seront conformes à la doctrine catholique et même seront tirés de préférence des Saintes Écritures et des sources liturgiques [3] ».

476-477,
2129-2132

Les saintes images

1159 L'image sacrée, l'Icône liturgique, représente principalement *le Christ*. Elle ne peut pas représenter le Dieu invisible et incompréhensible; c'est l'Incarnation du Fils de Dieu qui a inauguré une nouvelle « économie » des images :

> Autrefois Dieu qui n'a ni corps, ni figure, ne pouvait absolument pas être représenté par une image. Mais maintenant qu'Il s'est fait voir dans la chair et qu'Il a vécu avec les hommes, je peux faire une image de ce que j'ai vu de Dieu. (...) Le visage découvert, nous contemplons la gloire du Seigneur [4].

1160 L'iconographie chrétienne transcrit par l'image le message évangélique que l'Écriture Sainte transmet par la parole. Image et parole s'éclairent mutuellement :

> Pour dire brièvement notre profession de foi, nous conservons toutes les traditions de l'Église écrites ou non écrites qui nous ont été transmises sans changement. L'une d'elle est la représentation picturale des images, qui s'accorde avec la prédication de l'histoire évangélique, en croyant que, vraiment et non pas en apparence, le Dieu Verbe s'est fait homme, ce qui est aussi utile et aussi profitable, car les choses qui s'éclairent mutuellement ont indubitablement une signification réciproque [5].

1161 Tous les signes de la célébration liturgique sont relatifs au Christ : les images sacrées de la sainte Mère de Dieu et des saints le sont aussi. Elles signifient en effet le Christ qui est glorifié en eux. Elles manifestent « la nuée de témoins » (He 12, 1) qui continuent à participer au salut du monde et auxquels nous sommes unis, surtout dans la célébration sacramentelle. À travers leurs icônes, c'est l'homme « à l'image de Dieu », enfin transfiguré « à sa ressemblance [6] », qui se révèle à notre foi, et même les anges, eux aussi récapitulés dans le Christ :

> Suivant la doctrine divinement inspirée de nos saints Pères et la tradition de l'Église catholique, dont nous savons qu'elle est la tradition de l'Esprit Saint qui habite en elle, nous définissions en toute certitude et justesse que les vénérables et saintes images, tout comme les représentations de la Croix précieuse et

---

1. Cf. SC 119. - 2. SC 118. - 3. SC 121. - 4. S. Jean Damascène, imag. 1, 16. - 5. Cc. Nicée II, en 787 : COD 111. - 6. Cf. Rm 8, 29; 1 Jn 3, 2.

vivifiante, qu'elles soient peintes, en mosaïque ou de quelque autre matière appropriée, doivent être placées dans les saintes églises de Dieu, sur les ustensiles et
vêtements sacrés, sur les murs et les tableaux, dans les maisons et dans les
chemins, aussi bien l'image de notre Seigneur, Dieu et Sauveur, Jésus-Christ, que
celle de notre Dame, la toute pure et sainte Mère de Dieu, des saints anges, de tous
les saints et des justes [1].

1162 « La beauté et la couleur des images stimulent ma prière. C'est une fête pour
mes yeux, autant que le spectacle de la campagne stimule mon coeur pour rendre   *2502*
gloire à Dieu [2]. » La contemplation des icônes saintes, unie à la méditation de la
Parole de Dieu et au chant des hymnes liturgiques, entre dans l'harmonie des
signes de la célébration pour que le mystère célébré s'imprime dans la mémoire du
coeur et s'exprime ensuite dans la vie nouvelle des fidèles.

III. Quand célébrer ?

Le temps liturgique

1163 « Notre Mère la Sainte Église estime qu'il lui appartient de célébrer l'oeuvre
salvifique de son divin Époux par une commémoration sacrée, à jours fixes, tout
au long de l'année. Chaque semaine, au jour qu'elle a appelé "Jour du Seigneur",
elle fait mémoire de la Résurrection du Seigneur, qu'elle célèbre encore une fois
par an, en même temps que sa bienheureuse passion, par la grande solennité de
Pâques. Et elle déploie tout le mystère du Christ pendant le cycle de l'année. (...)   *512*
Tout en célébrant ainsi les mystères de la rédemption, elle ouvre aux fidèles les
richesses des vertus et des mérites de son Seigneur; de la sorte, ces mystères sont
en quelque manière rendus présents tout au long du temps, les fidèles sont mis en
contact avec eux et remplis par la grâce du salut [3]. »

1164 Le Peuple de Dieu, dès la loi mosaïque, a connu des fêtes fixes à partir de
la Pâque, pour commémorer les actions étonnantes du Dieu Sauveur, Lui en rendre
grâces, en perpétuer le souvenir et apprendre aux nouvelles générations à y conformer leur conduite. Dans le temps de l'Église, situé entre la Pâque du Christ, déjà
accomplie une fois pour toutes, et sa consommation dans le Royaume de Dieu, la
liturgie célébrée à des jours fixes est tout empreinte de la nouveauté du mystère du
Christ.

1165 Lorsque l'Église célèbre le mystère du Christ, il est un mot qui scande sa
prière : *« Aujourd'hui ! »*, en écho à la prière que lui a apprise son Seigneur [4] et à   *2659, 2836*
l'appel de l'Esprit Saint [5]. Cet « aujourd'hui » du Dieu vivant où l'homme est

---

1. Cc. Nicée II : DS 600. - 2. S. Jean Damascène, imag. 1, 27. - 3. SC 102. - 4. Cf. Mt 6, 11. - 5. Cf. He
3, 7-4, 11; Ps 95, 7.

1085

appelé à entrer est « l'Heure » de la Pâque de Jésus qui traverse et porte toute l'histoire :

> La vie s'est étendue sur tous les êtres et tous sont remplis d'une large lumière; l'Orient des orients envahit l'univers, et Celui qui était « avant l'étoile du matin » et avant les astres, immortel et immense, le grand Christ brille sur tous les êtres plus que le soleil. C'est pourquoi, pour nous qui croyons en Lui, s'instaure un jour de lumière, long, éternel, qui ne s'éteint pas : la Pâque mystique [1].

2174-2188 ## Le Jour du Seigneur

1166 « L'Église célèbre le mystère Pascal, en vertu d'une tradition apostolique qui remonte au jour même de la Résurrection du Christ, chaque huitième jour, qui est
1343 nommé à bon droit le Jour du Seigneur, ou dimanche [2].» Le jour de la Résurrection du Christ est à la fois le « premier jour de la semaine », mémorial du premier jour de la création, et le « huitième jour » où le Christ, après son « repos » du grand Sabbat, inaugure le Jour « que fait le Seigneur », le « jour qui ne connaît pas de soir [3] ». Le « repas du Seigneur » est son centre, car c'est ici que toute la communauté des fidèles rencontre le Seigneur ressuscité qui les invite à son banquet [4] :

> Le jour du Seigneur, le jour de la Résurrection, le jour des chrétiens, est notre jour. C'est pour cela qu'il est appelé jour du Seigneur : car c'est ce jour-là que le Seigneur est monté victorieux auprès du Père. Si les païens l'appellent jour du soleil, nous aussi, nous le confessons volontiers : car aujourd'hui s'est levée la lumière du monde, aujourd'hui est apparu le soleil de justice dont les rayons apportent le salut [5].

1167 Le dimanche est le jour par excellence de l'assemblée liturgique, où les fidèles se rassemblent « pour que, entendant la Parole de Dieu et participant à l'Eucharistie, ils fassent mémoire de la passion, de la Résurrection et de la Gloire du Seigneur Jésus, en rendant grâces à Dieu qui les a régénérés pour une vivante espérance par la Résurrection de Jésus-Christ d'entre les morts [6] » :

> Quand nous méditons, ô Christ, les merveilles qui furent accomplies en ce jour du dimanche de ta sainte Résurrection, nous disons : Béni est le jour du dimanche, car c'est en lui que fut le commencement de la création (...) le salut du monde (...) le renouvellement du genre humain (...). C'est en lui que le ciel et la terre se sont réjouis et que l'univers entier fut rempli de lumière. Béni est le jour du dimanche, car c'est en lui que furent ouvertes les portes du paradis pour qu'Adam et tous les bannis y entrent sans crainte [7].

L'année liturgique

1168 À partir du Triduum Pascal, comme de sa source de lumière, le temps nou-
2698 veau de la Résurrection emplit toute l'année liturgique de sa clarté. De proche

---

1. S. Hippolyte, pasch. 1-2. - 2. SC 106. - 3. Liturgie byzantine. - 4. Cf. Jn 21, 12; Lc 24, 30. - 5. S. Jérôme, pasch. - 6. SC 106. - 7. Fanqîth, Office syriaque d'Antioche, Vol. 6, La partie de l'été, p. 193 b.

en proche, de part et d'autre de cette source, l'année est transfigurée par la liturgie. Elle est réellement « année de grâce du Seigneur [1] ». L'économie du salut est à l'oeuvre dans le cadre du temps, mais depuis son accomplissement dans la Pâque de Jésus et l'effusion de l'Esprit Saint, la fin de l'histoire est anticipée, « en avant-goût », et le Royaume de Dieu entre dans notre temps.

1169 C'est pourquoi *Pâques* n'est pas simplement une fête parmi d'autres : elle est la « Fête des fêtes », « Solennité des solennités », comme l'Eucharistie est le sacrement des sacrements (le Grand sacrement). S. Athanase l'appelle « le Grand dimanche [2] », comme la Semaine Sainte est appelée en Orient la « Grande Semaine ». Le mystère de la Résurrection, dans lequel le Christ a écrasé la mort, pénètre notre vieux temps de sa puissante énergie, jusqu'à ce que tout Lui soit soumis.

1330
560

1170 Au Concile de Nicée (en 325) toutes les Églises se sont mises d'accord pour que la Pâque chrétienne soit célébrée le dimanche qui suit la pleine lune (14 Nisan) après l'équinoxe de printemps. La réforme du calendrier en Occident (surnommé « grégorien », du nom du Pape Grégoire XIII, en 1582) a introduit un décalage de plusieurs jours avec le calendrier oriental. Les Églises occidentales et orientales cherchent aujourd'hui un accord, afin de parvenir de nouveau à célébrer à une date commune le jour de la Résurrection du Seigneur.

1171 L'année liturgique est le déploiement des divers aspects de l'unique mystère Pascal. Cela vaut tout particulièrement pour le cycle des fêtes autour du mystère de l'Incarnation (Annonciation, Noël, Épiphanie) qui commémorent le commencement de notre salut et nous communiquent les prémices du mystère de Pâques.

524

Le Sanctoral dans l'année liturgique

1172 « En célébrant le cycle annuel des mystères du Christ, la Sainte Église vénère avec un amour particulier la bienheureuse Marie, Mère de Dieu, qui est unie à son Fils dans l'oeuvre du salut par un lien indissoluble. En Marie, l'Église admire et exalte le fruit le plus excellent de la rédemption, et, comme dans une image très pure, elle contemple avec joie ce qu'elle-même désire et espère être tout entière [3]. »

971
2030

1173 Quand l'Église, dans le cycle annuel, fait mémoire des martyrs et des autres saints, elle « proclame le mystère Pascal » en ceux et celles « qui ont souffert avec le Christ et sont glorifiés avec Lui, et elle propose aux fidèles leurs exemples qui les attirent tous au Père par le Christ, et, par leurs mérites, elle obtient les bienfaits de Dieu [4] ».

957

La Liturgie des Heures

1174 Le mystère du Christ, son Incarnation et sa Pâque, que nous célébrons dans l'Eucharistie, spécialement dans l'assemblée dominicale, pénètre et transfigure le

---

1. Cf. Lc 4, 19. - 2. Ep. fest. 329. - 3. SC 103. - 4. SC 104; cf. SC 108 et 111.

2698 temps de chaque jour par la célébration de la Liturgie des Heures, « l'Office divin [1] ». Cette célébration, en fidélité aux recommandations apostoliques de « prier sans cesse » (1 Th 5, 17; Ep 6, 18), « s'est constituée de telle façon que le déroulement du jour et de la nuit soit consacré par la louange de Dieu [2] ». Elle est « la prière publique de l'Église [3] » dans laquelle les fidèles (clercs, religieux et laïcs) exercent le sacerdoce royal des baptisés. Célébrée « selon la forme approuvée » par l'Église, la Liturgie des Heures « est vraiment la voix de l'Épouse elle-même qui s'adresse à son Époux; et même aussi, c'est la prière du Christ avec son Corps au Père [4] ».

1175 La Liturgie des Heures est destinée à devenir la prière de tout le Peuple de Dieu. En elle, le Christ Lui-même « continue à exercer sa fonction sacerdotale par son Église [5] »; chacun y participe selon sa place propre dans l'Église et les circonstances de sa vie : les prêtres en tant qu'adonnés au ministère pastoral, parce qu'ils sont appelés à rester assidus à la prière et au service de la Parole [6]; les religieux et religieuses, de par le charisme de leur vie consacrée [7]; tous les fidèles selon leurs possibilités : « Les pasteurs veilleront à ce que les Heures principales, surtout les Vêpres, les dimanches et jours de fêtes solennelles, soient célébrées en commun dans l'église. On recommande aux laïcs eux-mêmes la récitation de l'office divin, soit avec les prêtres, soit lorsqu'ils sont réunis entre eux, voire individuellement [8]. »

2700 **1176** Célébrer la Liturgie des Heures exige non seulement d'harmoniser la voix avec le coeur qui prie, mais aussi « de se procurer une connaissance plus abondante de la liturgie et de la Bible, principalement des psaumes [9] ».

2586 **1177** Les hymnes et les litanies de la Prière des Heures insèrent la prière des psaumes dans le temps de l'Église, exprimant le symbolisme du moment de la journée, du temps liturgique ou de la fête célébrée. De plus, la lecture de la Parole de Dieu à chaque Heure (avec les répons ou les tropaires qui la suivent), et, à certaines Heures, les lectures des Pères et maîtres spirituels, révèlent plus profondément le sens du mystère célébré, aident à l'intelligence des psaumes et préparent à l'oraison silencieuse. La *lectio divina*, où la Parole de Dieu est lue et méditée pour devenir prière, est ainsi enracinée dans la célébration liturgique.

1178 La Liturgie des Heures, qui est comme un prolongement de la célébration eucharistique, n'exclut pas mais appelle de manière complémentaire les diverses dévotions du Peuple de Dieu, particulièrement l'adoration et le culte du Saint *1378* sacrement.

IV. Où célébrer ?

1179 Le culte « en esprit et en vérité » (Jn 4, 24) de la Nouvelle Alliance n'est pas lié à un lieu exclusif. Toute la terre est sainte et confiée aux enfants des hommes. Ce

---

1. Cf. SC IV. - 2. SC 8. - 3. SC 98. - 4. SC 84. - 5. SC 83. - 6. Cf. SC 86; 96; PO 5. - 7. Cf. SC 98. - 8. SC 100. - 9. SC 90.

qui est premier, lorsque les fidèles se rassemblent en un même lieu, ce sont les « pierres vivantes », assemblées pour « l'édification d'un édifice spirituel » (1 P 2, 4-5). Le Corps du Christ ressuscité est le temple spirituel d'où jaillit la source d'eau *586* vive. Incorporés au Christ par l'Esprit Saint, « c'est nous qui sommes le temple du Dieu vivant » (2 Co 6, 16).

1180 Lorsque l'exercice de la liberté religieuse n'est pas entravé [1], les chrétiens construisent des édifices destinés au culte divin. Ces églises visibles ne sont pas de *2106* simples lieux de rassemblement mais elles signifient et manifestent l'Église vivant en ce lieu, demeure de Dieu avec les hommes réconciliés et unis dans le Christ.

1181 « La maison de prière où l'Eucharistie est célébrée et conservée, où les fidèles se rassemblent, où la présence du Fils de Dieu notre Sauveur, offert pour *2691* nous sur l'autel du sacrifice, est honorée pour le soutien et le réconfort des chrétiens, cette maison doit être belle et adaptée à la prière et aux célébrations eucharistiques [2]. » Dans cette « maison de Dieu », la vérité et l'harmonie des signes qui la constituent doivent manifester le Christ qui est présent et agit en ce lieu [3] :

1182 L'*autel* de la Nouvelle Alliance est la Croix du Seigneur [4] de laquelle découlent les sacrements du mystère Pascal. Sur l'autel, qui est le centre de l'église, est rendu présent le sacrifice de la *617, 1383* Croix sous les signes sacramentels. Il est aussi la Table du Seigneur, à laquelle le Peuple de Dieu est invité [5]. Dans certaines liturgies orientales, l'autel est aussi le symbole du Tombeau (le Christ est vraiment mort et vraiment ressuscité).

1183 Le *tabernacle* doit être situé « dans les églises en un lieu des plus dignes, avec le plus grand honneur [6] ». La noblesse, la disposition et la sécurité du tabernacle eucharistique [7] doivent favoriser *1379, 2120* l'adoration du Seigneur réellement présent dans le Saint sacrement de l'autel.

Le *saint chrême* (myron), dont l'onction est le signe sacramentel du sceau du don de *1241* l'Esprit Saint, est traditionnellement conservé et vénéré dans un lieu sûr du sanctuaire. On peut y joindre l'huile des catéchumènes et celle des malades.

1184 Le *siège* (cathèdre) de l'évêque ou du prêtre « doit exprimer la fonction de celui qui préside l'assemblée et dirige la prière [8] ».

L'*ambon* : « La dignité de la Parole de Dieu requiert qu'il existe dans l'église un lieu qui *103* favorise l'annonce de cette Parole et vers lequel, pendant la liturgie de la Parole, se tourne spontanément l'attention des fidèles [9]. »

1185 Le rassemblement du Peuple de Dieu commence par le Baptême; l'église doit donc avoir un lieu pour la célébration du *Baptême* (baptistère) et favoriser le souvenir des promesses du Baptême (eau bénite).

Le renouvellement de la vie baptismale exige *la pénitence*. L'église doit donc se prêter à l'expression du repentir et à l'accueil du pardon, ce qui exige un lieu approprié à l'accueil des pénitents.

---

1. Cf. DH 4. - 2. PO 5; cf. SC 122-127. - 3. Cf. SC 7. - 4. Cf. He 13, 10. - 5. Cf. IGMR 259. - 6. MF. - 7. SC 128. - 8. IGMR 271. - 9. IGMR 272.

2717   L'église doit aussi être un espace qui invite au recueillement et à la prière silencieuse qui prolonge et intériorise la grande prière de l'Eucharistie.

1186   Enfin, l'église a une signification eschatologique. Pour entrer dans la maison
1130   de Dieu, il faut franchir un *seuil*, symbole du passage du monde blessé par le péché au monde de la Vie nouvelle auquel tous les hommes sont appelés. L'église visible symbolise la maison paternelle vers laquelle le Peuple de Dieu est en marche et où le Père « essuiera toute larme de leurs yeux » (Ap 21, 4). C'est pourquoi aussi l'église est la maison de *tous* les enfants de Dieu, largement ouverte et accueillante.

EN BREF

1187   *La liturgie est l'oeuvre du Christ tout entier, Tête et Corps. Notre Grand Prêtre la célèbre sans cesse dans la liturgie céleste, avec la sainte Mère de Dieu, les apôtres, tous les saints et la multitude des humains qui sont déjà entrés dans le Royaume.*

1188   *Dans une célébration liturgique, toute l'Assemblée est « liturge », chacun selon sa fonction. Le sacerdoce baptismal est celui de tout le Corps du Christ. Mais certains fidèles sont ordonnés par le sacrement de l'Ordre pour représenter le Christ comme Tête du Corps.*

1189   *La célébration liturgique comporte des signes et des symboles qui se réfèrent à la création (lumière, eau, feu), à la vie humaine (laver, oindre, rompre le pain) et à l'histoire du salut (les rites de la Pâque). Insérés dans le monde de la foi et assumés par la force de l'Esprit Saint, ces éléments cosmiques, ces rites humains, ces gestes du souvenir de Dieu deviennent porteurs de l'action salvatrice et sanctificatrice du Christ.*

1190   *La liturgie de la Parole est une partie intégrante de la célébration. Le sens de la célébration est exprimé par la Parole de Dieu qui est annoncée et par l'engagement de la foi qui y répond.*

1191   *Le chant et la musique sont en connexion étroite avec l'action liturgique. Les critères de leur bon usage : la beauté expressive de la prière, la participation unanime de l'assemblée et le caractère sacré de la célébration.*

1192   *Les saintes images, présentes dans nos églises et dans nos maisons, sont destinées à éveiller et à nourrir notre foi dans le mystère du Christ. À travers l'Icône du Christ et de ses oeuvres de salut, c'est Lui que nous adorons. À travers les saintes images de la sainte Mère de Dieu, des anges et des saints, nous vénérons les personnes qui y sont représentées.*

1193   *Le dimanche, « Jour du Seigneur », est le principal jour de la célébration de l'Eucharistie parce qu'il est le jour de la Résurrection. Il est le jour de l'assemblée liturgique par excellence, le jour de la famille chrétienne, le jour* *de la joie et du repos du travail. Il est « le fondement et le noyau de toute l'année liturgique[1] ».*

1194 *L'Église « déploie tout le mystère du Christ pendant le cycle de l'année, de l'Incarnation et la Nativité jusqu'à l'Ascension, jusqu'au jour de la Pentecôte et jusqu'à l'attente de la bienheureuse espérance et de l'Avènement du Seigneur[2] ».*

1195 *Faisant mémoire des saints, en premier lieu de la sainte Mère de Dieu, puis des apôtres, des martyrs et des autres saints, à des jours fixes de l'année liturgique, l'Église de la terre manifeste qu'elle est unie à la liturgie céleste; elle glorifie le Christ d'avoir accompli son salut dans ses membres glorifiés; leur exemple la stimule sur son chemin vers le Père.*

1196 *Les fidèles qui célèbrent la Liturgie des Heures s'unissent au Christ, notre Souverain Prêtre, par la prière des psaumes, la méditation de la Parole de Dieu, des cantiques et des bénédictions, afin d'être associés à sa prière incessante et universelle qui rend gloire au Père et implore le don de l'Esprit Saint sur le monde entier.*

1197 *Le Christ est le vrai Temple de Dieu, « le lieu où réside sa gloire »; par la grâce de Dieu, les chrétiens deviennent, eux aussi, temples de l'Esprit Saint, les pierres vivantes dont est bâtie l'Église.*

1198 *Dans sa condition terrestre, l'Église a besoin de lieux où la communauté puisse se rassembler : nos églises visibles, lieux saints, images de la Cité sainte, la Jérusalem céleste vers laquelle nous cheminons en pèlerins.*

1199 *C'est dans ces églises que l'Église célèbre le culte public à la gloire de la Trinité Sainte, qu'elle entend la Parole de Dieu et chante ses louanges, qu'elle fait monter sa prière, et qu'elle offre le Sacrifice du Christ, sacramentellement présent au milieu de l'assemblée. Ces églises sont aussi des lieux de recueillement et de prière personnelle.*

ARTICLE 2
Diversité liturgique et unité du mystère

Traditions liturgiques et catholicité de l'Église

1200 De la première Communauté de Jérusalem jusqu'à la Parousie, c'est le même mystère Pascal que célèbrent, en tout lieu, les Églises de Dieu fidèles à la foi

---

1. SC 106. - 2. SC 102.

2625 apostolique. Le mystère célébré dans la liturgie est un, mais les formes de sa célébration sont diverses.

2663
1158
1201 La richesse insondable du mystère du Christ est telle qu'aucune tradition liturgique ne peut en épuiser l'expression. L'histoire de l'éclosion et du développement de ces rites témoigne d'une étonnante complémentarité. Lorsque les Églises ont vécu ces traditions liturgiques en communion dans la foi et dans les sacrements de la foi, elles se sont enrichies mutuellement et elles grandissent dans la fidélité à la Tradition et à la mission commune à toute l'Église[1].

814
1674
835
1937
1202 Les diverses traditions liturgiques sont nées en raison même de la mission de l'Église. Les Églises d'une même aire géographique et culturelle en sont venues à célébrer le mystère du Christ à travers des expressions particulières, culturellement typées : dans la tradition du « dépôt de la foi » (2 Tm 1, 14), dans le symbolisme liturgique, dans l'organisation de la communion fraternelle, dans l'intelligence théologique des mystères et dans des types de sainteté. Ainsi, le Christ, Lumière et Salut de tous les peuples, est manifesté par la vie liturgique d'une Église, au peuple et à la culture auxquels elle est envoyée et dans lesquels elle est enracinée. L'Église est catholique : elle peut intégrer dans son unité, en les purifiant, toutes les vraies richesses des cultures[2].

1203 Les traditions liturgiques, ou rites, actuellement en usage dans l'Église sont le rite latin (principalement le rite romain, mais aussi les rites de certaines Églises locales comme le rite ambrosien, ou de certains ordres religieux) et les rites byzantin, alexandrin ou copte, syriaque, arménien, maronite et chaldéen. « Obéissant fidèlement à la tradition, le saint Concile déclare que la sainte Mère l'Église considère comme égaux en droit et en dignité tous les rites légitimement reconnus, et qu'elle veut, à l'avenir, les conserver et les favoriser de toutes manières[3]. »

Liturgie et cultures

2684
854, 1232
2527
1204 La célébration de la liturgie doit donc correspondre au génie et à la culture des différents peuples[4]. Pour que le mystère du Christ soit « porté à la connaissance de toutes les nations pour les amener à l'obéissance de la foi » (Rm 16, 26), il doit être annoncé, célébré et vécu dans toutes les cultures, de sorte que celles-ci ne sont pas abolies mais rachetées et accomplies par lui[5]. C'est avec et par leur culture humaine propre, assumée et transfigurée par le Christ, que la multitude des enfants de Dieu ont accès auprès du Père, pour Le glorifier, en un seul Esprit.

1125
1205 « Dans la liturgie, surtout celle des sacrements, il existe une *partie immuable* - parce qu'elle est d'institution divine -, dont l'Église est gardienne, et des parties *susceptibles de changement,* qu'elle a le pouvoir, et parfois même le devoir, d'adapter aux cultures des peuples récemment évangélisés[6]. »

---

1. Cf. EN 63-64. - 2. Cf. LG 23; UR 4. - 3. SC 4. - 4. Cf. SC 37-40. - 5. Cf. CT 53. - 6. Jean Paul II, l. ap. « Vicesimus quintus annus » 16. Cf. SC 21.

1206 « La diversité liturgique peut être source d'enrichissement, elle peut aussi provoquer des tensions, des incompréhensions réciproques et même des schismes. Dans ce domaine, il est clair que la diversité ne doit pas nuire à l'unité. Elle ne peut s'exprimer que dans la fidélité à la foi commune, aux signes sacramentels que l'Église a reçus du Christ, et à la communion hiérarchique. L'adaptation aux cultures exige une conversion du coeur, et, s'il le faut, des ruptures avec des habitudes ancestrales incompatibles avec la foi catholique[1].

EN BREF

1207 *Il convient que la célébration de la liturgie tende à s'exprimer dans la culture du peuple où se trouve l'Église, sans se soumettre à elle. D'autre part, la liturgie est elle-même génératrice et formatrice de cultures.*

1208 *Les diverses traditions liturgiques, ou rites, légitimement reconnues, parce qu'elles signifient et communiquent le même mystère du Christ, manifestent la catholicité de l'Église.*

1209 *Le critère qui assure l'unité dans la pluriformité des traditions liturgiques est la fidélité à la Tradition apostolique, c'est-à-dire : la communion dans la foi et les sacrements reçus des apôtres, communion qui est signifiée et garantie par la succession apostolique.*

---

1. *Ibid.*

DEUXIÈME SECTION

Les sept sacrements de l'Église

1210 Les sacrements de la Loi nouvelle sont institués par le Christ et ils sont au nombre de sept, à savoir le Baptême, la Confirmation, l'Eucharistie, la Pénitence, l'Onction des malades, l'Ordre et le Mariage. Les sept sacrements touchent toutes les étapes et tous les moments importants de la vie du chrétien : ils donnent naissance et croissance, guérison et mission à la vie de foi des chrétiens. En cela il existe une certaine ressemblance entre les étapes de la vie naturelle et les étapes de la vie spirituelle[1].

1113

1211 En suivant cette analogie on exposera d'abord les trois sacrements de l'initiation chrétienne *(chapitre premier)*, ensuite les sacrements de guérison *(chapitre deuxième)*, enfin les sacrements qui sont au service de la communion et de la mission des fidèles *(chapitre troisième)*. Cet ordre n'est, certes, pas le seul possible, mais il permet de voir que les sacrements forment un organisme en lequel chaque sacrement particulier a sa place vitale. Dans cet organisme, l'Eucharistie tient une place unique en tant que « sacrement des sacrements » : « Tous les autres sacrements sont ordonnés à celui-ci comme à leur fin[2]. »

1374

CHAPITRE PREMIER

Les sacrements de l'initiation chrétienne

1212 Par les sacrements de l'initiation chrétienne, le Baptême, la Confirmation et l'Eucharistie, sont posés les *fondements* de toute vie chrétienne. « La participation à la nature divine, donnée aux hommes par la grâce du Christ, comporte une certaine analogie avec l'origine, la croissance et le soutien de la vie naturelle. Nés à une vie nouvelle par le Baptême, les fidèles sont en effet fortifiés par le sacrement de Confirmation et reçoivent dans l'Eucharistie le pain de la vie éternelle. Ainsi, par ces sacrements de l'initiation chrétienne, ils reçoivent toujours davantage les richesses de la vie divine et s'avancent vers la perfection de la charité[3]. »

---

1. Cf. S. Thomas d'A., s. th. 3, 65, 1. - 2. S. Thomas d'A., s. th. 3, 65, 3. - 3. Paul VI, const. ap. « Divinae consortium naturae »; cf. OICA praenotanda 1-2.

ARTICLE 1

Le sacrement du Baptême

1213 Le saint Baptême est le fondement de toute la vie chrétienne, le porche de la vie dans l'Esprit *(vitae spiritualis ianua)* et la porte qui ouvre l'accès aux autres sacrements. Par le Baptême nous sommes libérés du péché et régénérés comme fils de Dieu, nous devenons membres du Christ et nous sommes incorporés à l'Église et faits participants à sa mission[1] : « Le Baptême est le sacrement de la régénération par l'eau et dans la parole[2]. »

I. Comment est appelé ce sacrement ?

1214 On l'appelle *Baptême* selon le rite central par lequel il est réalisé : baptiser (en grec *baptizein*) signifie « plonger », « immerger »; la « plongée » dans l'eau symbolise l'ensevelissement du catéchumène dans la mort du Christ d'où il sort par la résurrection avec Lui[3], comme « nouvelle créature » (2 Co 5, 17; Ga 6, 15).

628

1215 Ce sacrement est aussi appelé « le *bain de la régénération et de la rénovation* en l'Esprit Saint » (Tt 3, 5), car il signifie et réalise cette naissance de l'eau et de l'Esprit sans laquelle « nul ne peut entrer au Royaume de Dieu » (Jn 3, 5).

1257

1216 « Ce bain est appelé *illumination*, parce que ceux qui reçoivent cet enseignement [catéchétique] ont l'esprit illuminé[4]... » Ayant reçu dans le Baptême le Verbe, « la lumière véritable qui illumine tout homme » (Jn 1, 9), le baptisé, « après avoir été illuminé » (He 10, 32) est devenu « fils de lumière » (1 Th 5, 5), et « lumière » lui-même (Ep 5, 8) :

1243

> Le Baptême est le plus beau et le plus magnifique des dons de Dieu (...). Nous l'appelons don, grâce, onction, illumination, vêtement d'incorruptibilité, bain de régénération, sceau, et tout ce qu'il y a de plus précieux. *Don*, parce qu'il est conféré à ceux qui n'apportent rien; *grâce*, parce qu'il est donné même à des coupables; *baptême*, parce que le péché est enseveli dans l'eau; *onction*, parce qu'il est sacré et royal (tels sont ceux qui sont oints); *illumination*, parce qu'il est lumière éclatante; *vêtement*, parce qu'il voile notre honte; *bain*, parce qu'il lave; *sceau*, parce qu'il nous garde et qu'il est le signe de la seigneurie de Dieu[5].

II. Le Baptême dans l'économie du salut

Les préfigurations du Baptême dans l'Ancienne Alliance

1217 Dans la liturgie de la Nuit Pascale, lors de la *bénédiction de l'eau baptismale*, l'Église fait solennellement mémoire des grands événements de l'histoire du salut qui préfiguraient déjà le mystère du Baptême :

---

1. Cf. Cc. Florence : DS 1314, CIC, can. 204, § 1; 849; CCEO, can. 675, § 1. - 2. Catech. R. 2, 2, 5. - 3. Cf. Rm 6, 3-4; Col 2, 12. - 4. S. Justin, apol. 1, 61, 12. - 5. S. Grégoire de Naz., or. 40, 3-4.

> Par ta puissance, Seigneur, tu accomplis des merveilles dans tes sacrements, et au cours de l'histoire du salut tu t'es servi de l'eau, ta créature, pour nous faire connaître la grâce du Baptême[1].

1218 Depuis l'origine du monde, l'eau, cette créature humble et admirable, est la source de la vie et de la fécondité. L'Écriture Sainte la voit comme « couvée » par l'Esprit de Dieu[2] : *344, 694*

> Dès le commencement du monde, c'est ton Esprit qui planait sur les eaux pour qu'elles reçoivent en germe la force qui sanctifie[3].

1219 L'Église a vu dans l'Arche de Noé une préfiguration du salut par le Baptême. En effet, par elle « un petit nombre, en tout huit personnes, furent sauvées par l'eau » (1 P 3, 20) : *701, 845*

> Par les flots du déluge, tu annonçais le Baptême qui fait revivre, puisque l'eau y préfigurait également la mort du péché et la naissance de toute justice[4].

1220 Si l'eau de source symbolise la vie, l'eau de la mer est un symbole de la mort. C'est pourquoi il pouvait figurer le mystère de la Croix. De par ce symbolisme, le Baptême signifie la communion avec la mort du Christ. *1010*

1221 C'est surtout la traversée de la mer Rouge, véritable libération d'Israël de l'esclavage d'Égypte, qui annonce la libération opérée par le Baptême :

> Aux enfants d'Abraham, tu as fait passer la mer Rouge à pied sec pour que la race libérée de la servitude préfigure le peuple des baptisés[5].

1222 Enfin, le Baptême est préfiguré dans la traversée du Jourdain, par laquelle le Peuple de Dieu reçoit le don de la Terre promise à la descendance d'Abraham, image de la vie éternelle. La promesse de cet héritage bienheureux s'accomplit dans la Nouvelle Alliance.

Le Baptême du Christ

1223 Toutes les préfigurations de l'Ancienne Alliance trouvent leur achèvement dans le Christ Jésus. Il commence sa vie publique après s'être fait baptiser par S. Jean le Baptiste dans le Jourdain[6], et, après sa résurrection, il donne cette mission aux apôtres : « Allez donc, de toutes les nations faites des disciples, les baptisant au nom du Père et du Fils et du Saint-Esprit, et leur apprenant à observer tout ce que *232* je vous ai prescrit » (Mt 28, 19-20)[7].

---

1. MR, Vigile pascale 42 : bénédiction de l'eau baptismale. - 2. Cf. Gn 1, 2. - 3. MR, Vigile pascale 42 : bénédiction de l'eau baptismale. - 4. *Ibid.* - 5. *Ibid.* - 6. Cf. Mt 3, 13. - 7. Cf. Mc 16, 15-16.

1224 Notre Seigneur s'est volontairement soumis au Baptême de S. Jean, destiné *536* aux pécheurs, pour « accomplir toute justice » (Mt 3, 15). Ce geste de Jésus est une manifestation de son « anéantissement » (Ph 2, 7). L'Esprit qui planait sur les eaux de la première création descend alors sur le Christ, en prélude de la nouvelle création, et le Père manifeste Jésus comme son « Fils bien-aimé » (Mt 3, 16-17).

1225 C'est dans sa Pâque que le Christ a ouvert à tous les hommes les sources du Baptême. En effet, Il avait déjà parlé de sa passion qu'Il allait souffrir à Jérusalem comme d'un « Baptême » dont Il devait être baptisé (Mc 10, 38)[1]. Le Sang et l'eau *766* qui ont coulé du côté transpercé de Jésus crucifié (Jn 19, 34) sont des types du Baptême et de l'Eucharistie, sacrements de la vie nouvelle[2] : dès lors, il est possible « de naître de l'eau et de l'Esprit » pour entrer dans le Royaume de Dieu (Jn 3, 5).

> Vois où tu es baptisé, d'où vient le Baptême, sinon de la Croix du Christ, de la mort du Christ. Là est tout le mystère : Il a souffert pour toi. C'est en Lui que tu es racheté, c'est en Lui que tu es sauvé[3].

Le Baptême dans l'Église

1226 Dès le jour de la Pentecôte, l'Église a célébré et administré le saint Baptême. En effet, S. Pierre déclare à la foule bouleversée par sa prédication : « Convertissez-*849* vous, et que chacun de vous se fasse baptiser au nom de Jésus-Christ pour obtenir le pardon de ses péchés. Vous recevrez alors le don du Saint-Esprit » (Ac 2, 38). Les apôtres et leurs collaborateurs offrent le Baptême à quiconque croit en Jésus : juifs, craignant-Dieu, païens[4]. Toujours le Baptême apparaît comme lié à la foi : « Crois au Seigneur Jésus; alors tu seras sauvé, toi et toute ta maison », déclare S. Paul à son geôlier de Philippes. Le récit continue : « Le geôlier reçut le Baptême sur-le-champ, lui et tous les siens » (Ac 16, 31-33).

1227 Selon l'apôtre S. Paul, par le Baptême le croyant communie à la mort du *790* Christ; il est enseveli et il ressuscite avec Lui :

> Baptisés dans le Christ Jésus, c'est dans sa mort que tous nous avons été baptisés. Nous avons donc été ensevelis avec Lui par le baptême dans la mort, afin que, comme le Christ est ressuscité des morts par la gloire du Père nous vivions nous aussi dans une vie nouvelle (Rm 6, 3-4)[5].

Les baptisés ont « revêtu le Christ » (Ga 3, 27). Par l'Esprit Saint, le Baptême est un bain qui purifie, sanctifie et justifie[6].

1228 Le Baptême est donc un bain d'eau en lequel « la semence incorruptible » de la Parole de Dieu produit son effet vivificateur[7]. S. Augustin dira du Baptême : « La parole rejoint l'élément matériel et cela devient un sacrement[8]. »

---

1. Cf. Lc 12, 50. - 2. Cf. 1 Jn 5, 6-8. - 3. S. Ambroise, sacr. 2, 6. - 4. Cf. Ac 2, 41; 8, 12-13; 10, 48; 16, 15. - 5. Cf. Col 2, 12. - 6. Cf. 1 Co 6, 11; 12, 13. - 7. Cf. 1 P 1, 23; Ep 5, 26. - 8. Ev. Jo 80, 3.

III. Comment est célébré le sacrement du Baptême ?

L'initiation chrétienne

1229 Devenir chrétien, cela se réalise dès les temps des apôtres par un cheminement et une initiation à plusieurs étapes. Ce chemin peut être parcouru rapidement ou lentement. Il devra toujours comporter quelques éléments essentiels : l'annonce de la Parole, l'accueil de l'Évangile entraînant une conversion, la profession de foi, le Baptême, l'effusion de l'Esprit Saint, l'accès à la communion eucharistique.

1230 Cette initiation a beaucoup varié au cours des siècles et selon les circonstances. Aux premiers siècles de l'Église, l'initiation chrétienne a connu un grand déploiement, avec une longue période de *catéchuménat* et une suite de rites préparatoires qui jalonnaient liturgiquement le chemin de la préparation catéchuménale et qui aboutissaient à la célébration des sacrements de l'initiation chrétienne.

1248

1231 Là où le Baptême des enfants est devenu largement la forme habituelle de la célébration de ce sacrement, celle-ci est devenue un acte unique qui intègre de façon très abrégée les étapes préalables à l'initiation chrétienne. De par sa nature même le Baptême des enfants exige un *catéchuménat postbaptismal*. Il ne s'agit pas seulement du besoin d'une instruction postérieure au baptême, mais de l'épanouissement nécessaire de la grâce baptismale dans la croissance de la personne. C'est le lieu propre du *catéchisme*.

13

1232 Le deuxième Concile du Vatican a restauré, pour l'Église latine, « le catéchuménat des adultes, distribué en plusieurs étapes [1] ». On en trouve les rites dans l'*Ordo initiationis christianae adultorum* (1972). Le Concile a par ailleurs permis que, « outre les éléments d'initiation fournis par la tradition chrétienne », on admette, en terre de mission, « ces autres éléments d'initiation dont on constate la pratique dans chaque peuple, pour autant qu'on peut les adapter au rite chrétien [2] ».

1204

1233 Aujourd'hui, donc, dans tous les rites latins et orientaux, l'initiation chrétienne des adultes commence dès leur entrée en catéchuménat, pour atteindre son point culminant dans une seule célébration des trois sacrements du Baptême, de la Confirmation et de l'Eucharistie [3]. Dans les rites orientaux, l'initiation chrétienne des enfants commence au Baptême suivi immédiatement par la Confirmation et l'Eucharistie, tandis que dans le rite romain elle se poursuit durant des années de catéchèse, pour s'achever plus tard avec la Confirmation et l'Eucharistie, sommet de leur initiation chrétienne [4].

1290

La mystagogie de la célébration

1234 Le sens et la grâce du sacrement du Baptême apparaissent clairement dans les rites de sa célébration. C'est en suivant, avec une participation attentive, les gestes et les paroles de cette célébration que les fidèles sont initiés aux richesses que ce sacrement signifie et réalise en chaque nouveau baptisé.

---

1. SC 64. - 2. SC 65; cf. SC 37-40. - 3. Cf. AG 14; CIC, can. 851; 865; 866. - 4. Cf. CIC, can. 851, 2°; 868.

1235 Le *signe de la Croix*, au seuil de la célébration, marque l'empreinte du
617 Christ sur celui qui va Lui appartenir et signifie la grâce de la rédemption que le
2157 Christ nous a acquise par sa Croix.

1236 L'*annonce de la Parole de Dieu* illumine de la vérité révélée les candidats et
l'assemblée, et suscite la réponse de la foi, inséparable du Baptême. En effet, le
1122 Baptême est d'une façon particulière « le sacrement de la foi » puisqu'il est l'entrée
sacramentelle dans la vie de foi.

1237 Puisque le Baptême signifie la libération du péché et de son instigateur, le
1673 diable, on prononce un (ou plusieurs) *exorcisme(s)* sur le candidat. Il est oint de
l'huile des catéchumènes ou bien le célébrant lui impose la main, et il renonce
189 explicitement à Satan. Ainsi préparé, il peut *confesser la foi de l'Église* à laquelle il
sera « confié » par le Baptême[1].

1238 L'*eau baptismale* est alors consacrée par une prière d'épiclèse (soit au
1217 moment même, soit dans la nuit Pascale). L'Église demande à Dieu que, par son
Fils, la puissance du Saint-Esprit descende dans cette eau, afin que ceux qui y
seront baptisés « naissent de l'eau et de l'Esprit » (Jn 3, 5).

1239 Suit alors le *rite essentiel* du sacrement : le *Baptême* proprement dit, qui si-
1214 gnifie et réalise la mort au péché et l'entrée dans la vie de la Très Sainte Trinité à
travers la configuration au mystère Pascal du Christ. Le Baptême est accompli de la
façon la plus significative par la triple immersion dans l'eau baptismale. Mais
depuis l'antiquité il peut aussi être conféré en versant par trois fois l'eau sur la tête
du candidat.

1240 Dans l'Église latine, cette triple infusion est accompagnée par les paroles du ministre : « *N.*,
je te baptise au nom du Père, et du Fils, et du Saint-Esprit. » Dans les liturgies orientales, le
catéchumène étant tourné vers l'Orient, le prêtre dit : « Le serviteur de Dieu, *N.*, est baptisé au nom
du Père, et du Fils, et du Saint-Esprit. » Et à l'invocation de chaque personne de la Très Sainte
Trinité, il le plonge dans l'eau et le relève.

1241 L'*onction du saint chrême*, huile parfumée consacrée par l'évêque, signifie
1294, 1574 le don de l'Esprit Saint au nouveau baptisé. Il est devenu un chrétien, c'est-à-dire
783 « oint » de l'Esprit Saint, incorporé au Christ, qui est oint prêtre, prophète et roi[2].

1242 Dans la liturgie des Églises d'Orient, l'onction postbaptismale est le sacrement de la Chrismation (Confirmation). Dans la liturgie romaine, elle annonce une
1291 seconde onction de saint chrême que donnera l'évêque : le sacrement de la
Confirmation qui, pour ainsi dire, « confirme » et achève l'onction baptismale.

1243 Le *vêtement blanc* symbolise que le baptisé a « revêtu le Christ » (Ga 3, 27) :
est ressuscité avec le Christ. Le *cierg*e, allumé au cierge Pascal, signifie que le Christ

---

1. Cf. Rm 6, 17. - 2. Cf. OBP 62.

a illuminé le néophyte. Dans le Christ, les baptisés sont « la lumière du monde » (Mt 5, 14)[1].   *1216*

Le nouveau baptisé est maintenant enfant de Dieu dans le Fils Unique. Il peut dire la prière des enfants de Dieu : le Notre Père.   *2769*

1244 La *première communion eucharistique.* Devenu enfant de Dieu, revêtu de la robe nuptiale, le néophyte est admis « au festin des noces de l'Agneau » et reçoit la nourriture de la vie nouvelle, le Corps et le Sang du Christ. Les Églises orientales gardent une conscience vive de l'unité de l'initiation chrétienne en donnant la sainte communion à tous les nouveaux baptisés et confirmés, même aux petits enfants, se souvenant de la parole du Seigneur : « Laissez venir à moi les petits enfants, ne les empêchez pas » (Mc 10, 14). L'Église latine, qui réserve l'accès à la sainte communion à ceux qui ont atteint l'âge de raison, exprime l'ouverture du Baptême sur l'Eucharistie en approchant de l'autel l'enfant nouveau baptisé pour la prière du Notre Père.   *1292*

1245 La *bénédiction solennelle* conclut la célébration du Baptême. Lors du Baptême de nouveau-nés la bénédiction de la mère tient une place spéciale.

IV. Qui peut recevoir le Baptême ?

1246 « Tout être humain non encore baptisé, et lui seul, est capable de recevoir le Baptême[2]. »

Le Baptême des adultes

1247 Depuis les origines de l'Église, le Baptême des adultes est la situation la plus courante là où l'annonce de l'Évangile est encore récente. Le catéchuménat (préparation au Baptême) tient alors une place importante. Initiation à la foi et à la vie chrétienne, il doit disposer à l'accueil du don de Dieu dans le Baptême, la Confirmation et l'Eucharistie.

1248 Le catéchuménat, ou formation des catéchumènes, a pour but de permettre à ces derniers, en réponse à l'initiative divine et en union avec une communauté ecclésiale, de mener leur conversion et leur foi à maturité. Il s'agit d'une « formation à la vie chrétienne intégrale (...) par laquelle les disciples sont unis au Christ leur Maître. Les catéchumènes doivent donc être initiés (...) aux mystères du salut et à la pratique d'une vie évangélique, et introduits, par des rites sacrés, célébrés à des époques successives, dans la vie de la foi, de la liturgie et de la charité du Peuple de Dieu[3] ».   *1230*

---

1. Cf. Ph 2, 15. - 2. CIC, can. 864; CCEO, can. 679. - 3. AG 14; cf. OICA 19 et 98.

1259 **1249** Les catéchumènes « sont déjà unis à l'Église, ils sont déjà de la maison du Christ, et il n'est pas rare qu'ils mènent une vie de foi, espérance et charité[1] ». « La Mère Église les enveloppe déjà comme siens dans son amour en prenant soin d'eux[2]. »

Le Baptême des enfants

403 **1250** Naissant avec une nature humaine déchue et entachée par le péché originel, les enfants eux aussi ont besoin de la nouvelle naissance dans le Baptême[3] afin d'être libérés du pouvoir des ténèbres et d'être transférés dans le domaine de la liberté des enfants de Dieu[4], à laquelle tous les hommes sont appelés. La pure *1996* gratuité de la grâce du salut est particulièrement manifeste dans le Baptême des enfants. L'Église et les parents priveraient dès lors l'enfant de la grâce inestimable de devenir enfant de Dieu s'ils ne lui conféraient le Baptême peu après la naissance[5].

1251 Les parents chrétiens reconnaîtront que cette pratique correspond aussi à leur rôle de nourriciers de la vie que Dieu leur a confié[6].

1252 La pratique de baptiser les petits enfants est une tradition immémoriale de l'Église. Elle est attestée explicitement depuis le IIe siècle. Il est cependant bien possible que, dès le début de la prédication apostolique, lorsque des « maisons » entières ont reçu le Baptême[7], on ait aussi baptisé les enfants[8].

Foi et Baptême

1123 **1253** Le Baptême est le sacrement de la foi[9]. Mais la foi a besoin de la communauté des croyants. Ce n'est que dans la foi de l'Église que chacun des fidèles peut croire. La foi qui est requise pour le Baptême n'est pas une foi parfaite et mûre, *168* mais un début qui est appelé à se développer. Au catéchumène ou à son parrain on demande : « Que demandez-vous à l'Église de Dieu ? Et il répond : La foi ! »

1254 Chez tous les baptisés, enfants ou adultes, la foi doit croître *après* le Baptême. C'est pour cela que l'Église célèbre chaque année, dans la nuit Pascale, *2101* le renouvellement des promesses du Baptême. La préparation au Baptême ne mène qu'au seuil de la vie nouvelle. Le Baptême est la source de la vie nouvelle dans le Christ de laquelle jaillit toute la vie chrétienne.

1255 Pour que la grâce baptismale puisse se déployer, l'aide des parents est *1311* importante. C'est là aussi le rôle du *parrain* ou de la *marraine*, qui doivent être des

---

1. AG 14. - 2. LG 14; cf. CIC, can. 206; 788, § 3. - 3. Cf. DS 1514. - 4. Cf. Col 1, 12-14. - 5. Cf. CIC, can. 867; CCEO, can. 681; 686, 1. - 6. Cf. LG 11; 41; GS 48 ; CIC, can. 868. - 7. Cf. Ac 16, 15. 33; 18, 8; 1 Co 1, 16. - 8. Cf. CDF, instr. « Pastoralis actio ». - 9. Cf. Mc 16, 16.

croyants solides, capables et prêts à aider le nouveau baptisé, enfant ou adulte, sur son chemin dans la vie chrétienne[1]. Leur tâche est une véritable fonction ecclésiale (*officium*[2]). Toute la communauté ecclésiale porte une part de responsabilité dans le déploiement et la garde de la grâce reçue au Baptême.

V. Qui peut baptiser ?

1256 Sont ministres ordinaires du Baptême l'évêque et le prêtre, et, dans l'Église latine, aussi le diacre[3]. En cas de nécessité, toute personne, même non baptisée, ayant l'intention requise, peut baptiser. L'intention requise, c'est de vouloir faire ce que fait l'Église en baptisant, et appliquer la formule baptismale trinitaire. L'Église voit la raison de cette possibilité dans la volonté salvifique universelle de Dieu[4] et dans la nécessité du Baptême pour le salut[5].

1752

VI. La nécessité du Baptême

1257 Le Seigneur Lui-même affirme que le Baptême est nécessaire pour le salut[6]. Aussi a-t-Il commandé à ses disciples d'annoncer l'Évangile et de baptiser toutes les nations[7]. Le Baptême est nécessaire au salut pour ceux auxquels l'Évangile a été annoncé et qui ont eu la possibilité de demander ce sacrement[8]. L'Église ne connaît pas d'autre moyen que le Baptême pour assurer l'entrée dans la béatitude éternelle; c'est pourquoi elle se garde de négliger la mission qu'elle a reçue du Seigneur de faire « renaître de l'eau et de l'Esprit » tous ceux qui peuvent être baptisés. *Dieu a lié le salut au sacrement du Baptême, mais Il n'est pas Lui-même lié à ses sacrements.*

1129
161, 846

1258 Depuis toujours, l'Église garde la ferme conviction que ceux qui subissent la mort en raison de la foi, sans avoir reçu le Baptême, sont baptisés par leur mort pour et avec le Christ. Ce *Baptême du sang*, comme le *désir du Baptême,* porte les fruits du Baptême, sans être sacrement.

2473

1259 Pour les *catéchumènes* qui meurent avant leur Baptême, leur désir explicite de le recevoir uni à la repentance de leurs péchés et à la charité, leur assure le salut qu'ils n'ont pas pu recevoir par le sacrement.

1249

1260 « Puisque le Christ est mort pour tous, et que la vocation dernière de l'homme est réellement unique, à savoir divine, nous devons tenir que l'Esprit Saint offre à tous, d'une façon que Dieu connaît, la possibilité d'être associé(s) au mystère Pascal[9]. » Tout homme qui, ignorant l'Évangile du Christ et son Église,

848

---

1. Cf. CIC, can. 872-874. - 2. Cf. SC 67. - 3. Cf. CIC, can. 861, § 1; CCEO, can. 677, § 1. - 4. Cf. 1 Tm 2, 4. - 5. Cf. Mc 16, 16. - 6. Cf. Jn 3, 5. - 7. Cf. Mt 28, 20; cf. DS 1618; LG 14; AG 5. - 8. Cf. Mc 16, 16. - 9. GS 22; cf. LG 16 AG 7.

cherche la vérité et fait la volonté de Dieu selon qu'il la connaît, peut être sauvé. On peut supposer que de telles personnes auraient *désiré explicitement le Baptême* si elles en avaient connu la nécessité.

1261 Quant aux *enfants morts sans Baptême*, l'Église ne peut que les confier à la miséricorde de Dieu, comme elle le fait dans le rite des funérailles pour eux. En effet, la grande miséricorde de Dieu qui veut que tous les hommes soient sauvés[1], et la tendresse de Jésus envers les enfants, qui Lui a fait dire : « Laissez les enfants venir à moi, ne les empêchez pas » (Mc 10, 14), nous permettent d'espérer qu'il y ait un chemin de salut pour les enfants morts sans Baptême. D'autant plus pressant est aussi l'appel de l'Église à ne pas empêcher les petits enfants de venir au Christ par le don du saint Baptême.

1250

VII. La grâce du Baptême

1262 Les différents effets du Baptême sont signifiés par les éléments sensibles du rite sacramentel. La plongée dans l'eau fait appel aux symbolismes de la mort et de la purification, mais aussi de la régénération et du renouvellement. Les deux effets principaux sont donc la purification des péchés et la nouvelle naissance dans l'Esprit Saint[2].

1234

Pour la rémission des péchés...

1263 Par le Baptême, *tous les péchés* sont remis, le péché originel et tous les péchés personnels ainsi que toutes les peines du péché[3]. En effet, en ceux qui ont été régénérés il ne demeure rien qui les empêcherait d'entrer dans le Royaume de Dieu, ni le péché d'Adam, ni le péché personnel, ni les suites du péché, dont la plus grave est la séparation de Dieu.

977

1425

1264 Dans le baptisé, certaines conséquences temporelles du péché demeurent cependant, telles les souffrances, la maladie, la mort, ou les fragilités inhérentes à la vie comme les faiblesses de caractère, etc., ainsi qu'une inclination au péché que la Tradition appelle la *concupiscence*, ou, métaphoriquement, « le foyer du péché » *(fomes peccati)* : « Laissée pour nos combats, la concupiscence n'est pas capable de nuire à ceux qui, n'y consentent pas, résistent avec courage par la grâce du Christ. Bien plus, "celui qui aura combattu selon les règles sera couronné" (2 Tm 2, 5)[4]. »

976, 2514,

1426

405

« Une créature nouvelle »

1265 Le Baptême ne purifie pas seulement de tous les péchés, il fait aussi du néophyte « une création nouvelle » (2 Co 5, 17), un fils adoptif de Dieu[5] qui est

505

---

1. Cf. 1 Tm 2, 4. - 2. Cf. Ac 2, 38; Jn 3, 5. - 3. Cf. DS 1316. - 4. Cc. Trente : DS 1515. - 5. Cf. Ga 4, 5-7.

devenu « participant de la nature divine » (2 P 1, 4), membre du Christ[1] et cohéritier avec Lui (Rm 8, 17), temple de l'Esprit Saint[2].   *460*

1266 La Très Sainte Trinité donne au baptisé la *grâce sanctifiante*, la grâce *de la justification* qui :   *1992*
- le rend capable de croire en Dieu, d'espérer en Lui et de L'aimer par les *vertus théologales;*   *1812*
- lui donne de pouvoir vivre et agir sous la motion de l'Esprit Saint par les *dons du Saint-Esprit;*   *1831*
- lui permet de croître dans le bien par les *vertus morales.*   *1810*

Ainsi, tout l'organisme de la vie surnaturelle du chrétien a sa racine dans le saint Baptême.

Incorporés à l'Église, Corps du Christ

1267 Le Baptême fait de nous des membres du Corps du Christ. « Dès lors, (...) ne sommes-nous pas membres les uns des autres ? » (Ep 4, 25.) Le Baptême incorpore *à l'Église*. Des fonts baptismaux naît l'unique Peuple de Dieu de la Nouvelle Alliance qui dépasse toutes les limites naturelles ou humaines des nations, des cultures, des races et des sexes : « Aussi bien est-ce en un seul Esprit que nous tous avons été baptisés pour ne former qu'un seul corps » (1 Co 12, 13).   *782*

1268 Les baptisés sont devenus des « pierres vivantes » pour « l'édification d'un édifice spirituel, pour un sacerdoce saint » (1 P 2, 5). Par le Baptême ils participent au sacerdoce du Christ, à sa mission prophétique et royale, ils sont « une race élue, un sacerdoce royal, une nation sainte, un peuple acquis pour annoncer les louanges de Celui qui (les) a appelés des ténèbres à son admirable lumière » (1 P 2, 9). *Le Baptême donne part au sacerdoce commun des fidèles.*   *1141*   *784*

1269 Devenu membre de l'Église, le baptisé n'appartient plus à lui-même (1 Co 6, 19), mais à Celui qui est mort et ressuscité pour nous[3]. Dès lors il est appelé à se soumettre aux autres[4], à les servir[5] dans la communion de l'Église, et à être « obéissant et docile » aux chefs de l'Église (He 13, 17) et à les considérer avec respect et affection[6]. De même que le Baptême est la source de responsabilités et de devoirs, le baptisé jouit aussi de droits au sein de l'Église : à recevoir les sacrements, à être nourri avec la parole de Dieu et à être soutenu par les autres aides spirituelles de l'Église[7].   *871*

1270 Devenus fils de Dieu par la régénération [baptismale], (les baptisés) sont tenus de professer devant les hommes la foi que par l'Église ils ont reçue de Dieu[8] » et de participer à l'activité apostolique et missionnaire du Peuple de Dieu[9].   *2472*

---

1. Cf. 1 Co 6, 15; 12, 27. - 2. Cf. 1 Co 6, 19. - 3. Cf. 2 Co 5, 15. - 4. Cf. Ep 5, 21; 1 Co 16, 15-16. - 5. Cf. Jn 13, 12-15. - 6. Cf. 1 Th 5, 12-13. - 7. Cf. LG 37; CIC, can. 208-223; CCEO, can. 675, 2. - 8. LG 11. - 9. Cf. LG 17; AG 7, 23.

Le lien sacramentel de l'unité des chrétiens

818, 838

1271 Le Baptême constitue le fondement de la communion entre tous les chrétiens, aussi avec ceux qui ne sont pas encore en pleine communion avec l'Église catholique : « En effet, ceux qui croient au Christ et qui ont reçu validement le Baptême, se trouvent dans une certaine communion, bien qu'imparfaite, avec l'Église catholique. (...) Justifiés par la foi reçue au Baptême, incorporés au Christ, ils portent à juste titre le nom de chrétiens, et les fils de l'Église catholique les reconnaissent à bon droit comme des frères dans le Seigneur[1]. » « Le Baptême est donc le *lien sacramentel d'unité* existant entre ceux qui ont été régénérés par lui[2]. »

Une marque spirituelle indélébile...

1121

1272 Incorporé au Christ par le Baptême, le baptisé est configuré au Christ[3]. Le Baptême scelle le chrétien d'une marque spirituelle indélébile *(character)* de son appartenance au Christ. Cette marque n'est effacée par aucun péché, même si le péché empêche le Baptême de porter des fruits de salut[4]. Donné une fois pour toutes, le Baptême ne peut pas être réitéré.

1070

1273 Incorporés à l'Église par le Baptême, les fidèles ont reçu le caractère sacramentel qui les consacre pour le culte religieux chrétien[5]. Le sceau baptismal rend capable et engage les chrétiens à servir Dieu dans une participation vivante à la sainte liturgie de l'Église et à exercer leur sacerdoce baptismal par le témoignage d'une vie sainte et d'une charité efficace[6].

197

2016

1274 Le « *sceau du Seigneur* » (« *Dominicus character*[7] ») est le sceau dont l'Esprit Saint nous a marqués « pour le jour de la rédemption » (Ep 4, 30)[8]. « Le Baptême, en effet, est le sceau de la vie éternelle[9]. » Le fidèle qui aura « gardé le sceau » jusqu'au bout, c'est-à-dire qui sera resté fidèle aux exigences de son Baptême, pourra s'en aller « marqué du signe de la foi[10] », avec la foi de son Baptême, dans l'attente de la vision bienheureuse de Dieu - consommation de la foi - et dans l'espérance de la résurrection.

EN BREF

1275 *L'initiation chrétienne s'accomplit par l'ensemble de trois sacrements : le Baptême qui est le début de la vie nouvelle; la Confirmation qui en est l'affermissement; et l'Eucharistie qui nourrit le disciple avec le Corps et le Sang du Christ en vue de sa transformation en Lui.*

1276 *« Allez donc, de toutes les nations faites des disciples, les baptisant au nom du Père et du Fils et du Saint-Esprit, et leur apprenant à observer tout ce que je vous ai prescrit » (Mt 28, 19-20).*

---

1. UR 3. - 2. UR 22. - 3. Cf. Rm 8, 29. - 4. Cf. DS 1609-1619. - 5. Cf. LG 11. - 6. Cf. LG 10. - 7. S. Augustin, ep. 98, 5. - 8. Cf. Ep 1, 13-14; 2 Co 1, 21-22. - 9. S. Irénée, dem. 3. - 10. MR, Canon Romain 97.

1277 *Le Baptême constitue la naissance à la vie nouvelle dans le Christ. Selon la volonté du Seigneur il est nécessaire pour le salut, comme l'Église elle-même, à laquelle introduit le Baptême.*

1278 *Le rite essentiel du Baptême consiste à plonger dans l'eau le candidat ou à verser de l'eau sur sa tête, en prononçant l'invocation de la Très Sainte Trinité c'est-à-dire du Père, du Fils et du Saint-Esprit.*

1279 *Le fruit du Baptême ou grâce baptismale est une réalité riche qui comporte : la rémission du péché originel et de tous les péchés personnels; la naissance à la vie nouvelle par laquelle l'homme devient fils adoptif du Père, membre du Christ, temple du Saint-Esprit. Par le fait même, le baptisé est incorporé à l'Église, Corps du Christ, et rendu participant du sacerdoce du Christ.*

1280 *Le Baptême imprime dans l'âme un signe spirituel indélébile, le caractère, qui consacre le baptisé au culte de la religion chrétienne. En raison du caractère le Baptême ne peut pas être réitéré[1].*

1281 *Ceux qui subissent la mort à cause de la foi, les catéchumènes et tous les hommes, qui sous l'impulsion de la grâce, sans connaître l'Église, cherchent sincèrement Dieu et s'efforcent d'accomplir sa volonté, sont sauvés même s'ils n'ont pas reçu le Baptême[2].*

1282 *Depuis les temps les plus anciens, le Baptême est administré aux enfants, car il est une grâce et un don de Dieu qui ne supposent pas des mérites humains; les enfants sont baptisés dans la foi de l'Église. L'entrée dans la vie chrétienne donne accès à la vraie liberté.*

1283 *Quant aux enfants morts sans Baptême, la liturgie de l'Église nous invite à avoir confiance en la miséricorde divine, et à prier pour leur salut.*

1284 *En cas de nécessité, toute personne peut baptiser, pourvu qu'elle ait l'intention de faire ce que fait l'Église, et qu'elle verse de l'eau sur la tête du candidat en disant : « Je te baptise au nom du Père et du Fils et du Saint-Esprit. »*

ARTICLE 2
Le sacrement de la Confirmation

1285 Avec le Baptême et l'Eucharistie, le sacrement de la Confirmation constitue l'ensemble des « sacrements de l'initiation chrétienne », dont l'unité doit être sauvegardée. Il faut donc expliquer aux fidèles que la réception de ce sacrement est nécessaire à l'accomplissement de la grâce baptismale[3]. En effet, « par le sacrement

---

1. Cf. DS 1609 et 1624. - 2. Cf. LG 16. - 3. Cf. OCf praenotanda 1.

de Confirmation, le lien des baptisés avec l'Église est rendu plus parfait, ils sont enrichis d'une force spéciale de l'Esprit Saint et obligés ainsi plus strictement à répandre et à défendre la foi par la parole et par l'action en vrais témoins du Christ [1] ».

I. La Confirmation dans l'économie du salut

1286 Dans l'*Ancien Testament*, les prophètes ont annoncé que l'Esprit du Seigneur reposerait sur le Messie espéré [2] en vue de sa mission salvifique [3]. La descente de l'Esprit Saint sur Jésus lors de son Baptême par Jean fut le signe que c'était Lui qui devait venir, qu'Il était le Messie, le Fils de Dieu [4]. Conçu de l'Esprit Saint, toute sa vie et toute sa mission se réalisent en une communion totale avec l'Esprit Saint que le Père Lui donne « sans mesure » (Jn 3, 34).

702-716

1287 Or, cette plénitude de l'Esprit ne devait pas rester uniquement celle du Messie, elle devait être communiquée à *tout le peuple messianique* [5]. À plusieurs reprises le Christ a promis cette effusion de l'Esprit [6], promesse qu'Il a réalisée d'abord le jour de Pâques (Jn 20, 22) et ensuite, de manière plus éclatante le jour de la Pentecôte [7]. Remplis de l'Esprit Saint, les apôtres commencent à proclamer « les merveilles de Dieu » (Ac 2, 11) et Pierre de déclarer que cette effusion de l'Esprit est le signe des temps messianiques [8]. Ceux qui ont alors cru à la prédication apostolique et qui se sont fait baptiser, ont à leur tour reçu le don du Saint-Esprit [9].

739

1288 « Depuis ce temps, les apôtres, pour accomplir la volonté du Christ, communiquèrent aux néophytes, par l'imposition des mains, le don de l'Esprit qui porte à son achèvement la grâce du Baptême [10]. C'est pourquoi dans l'Épître aux Hébreux prend place, parmi les éléments de la première instruction chrétienne, la doctrine sur les Baptêmes et aussi sur l'imposition des mains [11]. L'imposition des mains est à bon droit reconnue par la tradition catholique comme l'origine du sacrement de la Confirmation qui perpétue, en quelque sorte, dans l'Église, la grâce de la Pentecôte [12]. »

699

1289 Très tôt, pour mieux signifier le don du Saint-Esprit, s'est ajoutée à l'imposition des mains une onction d'huile parfumée (chrême). Cette onction illustre le nom de « chrétien » qui signifie « oint » et qui tire son origine de celui du Christ Lui-même, Lui que « Dieu a oint de l'Esprit Saint » (Ac 10, 38). Et ce rite d'onction existe jusqu'à nos jours, tant en Orient qu'en Occident. C'est pourquoi, en Orient, on appelle ce sacrement *chrismation*, onction de chrême, ou *myron*, ce qui signifie « chrême ». En Occident le nom de *Confirmation* suggère à la fois la

695

436

1297

---

1. LG 11; cf. OCf praenotanda 2. - 2. Cf. Is 11, 2. - 3. Cf. Lc 4, 16-22; Is 61, 1. - 4. Cf. Mt 3, 13-17; Jn 1, 33-34. - 5. Cf. Ez 36, 25-27; Jl 3, 1-2. - 6. Cf. Lc 12, 12; Jn 3, 5-8; 7, 37-39; 16, 7-15; Ac 1, 8. - 7. Cf. Ac 2, 1-4. - 8. Cf. Ac 2, 17-18. - 9. Cf. Ac 2, 38. - 10. Cf. Ac 8, 15-17; 19, 5-6. - 11. Cf. He 6, 2. - 12. Paul VI, const. ap. « Divinae consortium naturae ».

ratification du baptême, qui complète l'initiation chrétienne, et l'affermissement de la grâce baptismale, tous fruits du Saint-Esprit.

Deux traditions : l'Orient et l'Occident

1290   Aux premiers siècles, la Confirmation constitue généralement une unique célébration avec le Baptême, formant avec celui-ci, selon l'expression de S. Cyprien, un « sacrement double ». Parmi d'autres raisons, la multiplication des Baptêmes d'enfants, et ce en tout temps de l'année, et la multiplication des paroisses (rurales), agrandissant les diocèses, ne permettent plus la présence de l'évêque à toutes les célébrations baptismales. En Occident, parce que l'on désire réserver à l'évêque l'achèvement du Baptême, s'instaure la séparation temporelle des deux sacrements. L'Orient a gardé unis les deux sacrements, si bien que la confirmation est donnée par le prêtre qui baptise. Celui-ci *1233* cependant ne peut le faire qu'avec le « myron » consacré par un évêque [1].

1291   Une coutume de l'Église de Rome a facilité le développement de la pratique occidentale, grâce à une double onction au saint chrême après le Baptême : accomplie déjà par le prêtre sur le *1242* néophyte, au sortir du bain baptismal, elle est achevée par une deuxième onction faite par l'évêque sur le front de chacun des nouveaux baptisés [2]. La première onction au saint chrême, celle que donne le prêtre, est restée rattachée au rite baptismal; elle signifie la participation du baptisé aux fonctions prophétique, sacerdotale et royale du Christ. Si le Baptême est conféré à un adulte, il n'y a qu'une onction postbaptismale : celle de la Confirmation.

1292   La pratique des Églises d'Orient souligne davantage l'unité de l'initiation chrétienne. Celle de l'Église latine exprime plus nettement la communion du nouveau chrétien avec son évêque, *1244* garant et serviteur de l'unité de son Église, de sa catholicité et de son apostolicité, et par là, le lien avec les origines apostoliques de l'Église du Christ.

II. Les signes et le rite de la Confirmation

1293   Dans le rite de ce sacrement, il convient de considérer le signe de l'*onction* et ce que l'onction désigne et imprime : le *sceau* spirituel.

L'*onction*, dans la symbolique biblique et antique, est riche de nombreuses *695* significations : l'huile est signe d'abondance [3] et de joie [4], elle purifie (onction avant et après le bain) et elle rend souple (l'onction des athlètes et des lutteurs); elle est signe de guérison, puisqu'elle adoucit les contusions et les plaies [5] et elle rend rayonnant de beauté, de santé et de force.

1294   Toutes ces significations de l'onction d'huile se retrouvent dans la vie sacramentelle. L'onction avant le Baptême avec l'huile des catéchumènes signifie *1152* purification et fortification; l'onction des malades exprime la guérison et le réconfort. L'onction du saint chrême après le Baptême, dans la Confirmation et

---

1. Cf. CCEO, can. 695, 1; 696, 1. - 2. Cf. S. Hippolyte, trad. ap. 21. - 3. Cf. Dt 11, 14, etc. - 4. Cf. PS 23, 5; 104, 15. - 5. Cf. Is 1, 6; Lc 10, 34.

dans l'Ordination, est le signe d'une consécration. Par la Confirmation, les chrétiens, c'est-à-dire ceux qui sont oints, participent davantage à la mission de Jésus-
Christ et à la plénitude de l'Esprit Saint dont Il est comblé, afin que toute leur vie
dégage « la bonne odeur du Christ [1] ».

698

1295 Par cette onction, le confirmand reçoit « la marque », le *sceau* de l'Esprit
Saint. Le sceau est le symbole de la personne [2], signe de son autorité [3], de sa propriété sur un objet [4] - c'est ainsi que l'on marquait les soldats du sceau de leur chef
et aussi les esclaves de celui de leur maître -; il authentifie un acte juridique [5] ou
un document [6] et le rend éventuellement secret [7].

1121

1296 Le Christ Lui-même se déclare marqué du sceau de son Père [8]. Le chrétien,
lui aussi, est marqué d'un sceau : « Celui qui nous affermit avec vous dans le Christ
et qui nous a donné l'onction, c'est Dieu, Lui qui nous a marqués de son sceau et
a mis dans nos coeurs les arrhes de l'Esprit » (2 Co 1, 22) [9]. Ce sceau de l'Esprit
Saint, marque l'appartenance totale au Christ, la mise à son service pour toujours,
mais aussi la promesse de la protection divine dans la grande épreuve eschatologique [10].

La célébration de la Confirmation

1183

1241

1297 Un moment important qui précède la célébration de la Confirmation, mais
qui, d'une certaine façon, en fait partie, est la *consécration du saint chrême*. C'est
l'évêque qui, le Jeudi Saint, au cours de la Messe chrismale, consacre le saint
chrême pour tout son diocèse. Dans les Églises d'Orient, cette consécration est
même réservée au Patriarche :

> La liturgie syriaque d'Antioche exprime ainsi l'épiclèse de la consécration du saint
> chrême (myron) : « [Père (...) envoie ton Esprit Saint] sur nous et sur cette huile qui
> est devant nous et consacre-la, afin qu'elle soit pour tous ceux qui en seront oints
> et marqués : myron saint, myron sacerdotal, myron royal, onction d'allégresse, le
> vêtement de la lumière, le manteau du salut, le don spirituel, la sanctification des
> âmes et des corps, le bonheur impérissable, le sceau indélébile, le bouclier de la
> foi et le casque terrible contre toutes les oeuvres de l'Adversaire. »

1298 Lorsque la Confirmation est célébrée séparément du Baptême, comme c'est le cas dans le
rite romain, la liturgie du sacrement commence par le renouvellement des promesses du Baptême et
par la profession de foi des confirmands. Ainsi il apparaît clairement que la Confirmation se situe
dans la suite du Baptême [11]. Lorsqu'un adulte est baptisé, il reçoit immédiatement la Confirmation et
participe à l'Eucharistie [12].

1299 Dans le rite romain, l'évêque étend les mains sur l'ensemble des confirmands, geste qui, depuis le temps des apôtres, est le signe du don de l'Esprit. Et
l'évêque d'invoquer l'effusion de l'Esprit :

---

1. Cf. 2 Co 2, 15. - 2. Cf. Gn 38, 18; Ct 8, 6. - 3. Cf. Gn 41, 42. - 4. Cf. Dt 32, 34. - 5. Cf. 1 R 21, 8.
- 6. Cf. Jr 32, 10. - 7. Cf. Is 29, 11. - 8. Cf. Jn 6, 27. - 9. Cf. Ep 1, 13; 4, 30. - 10. Cf. Ap 7, 2-3; 9, 4; Ez
9, 4-6. - 11. Cf. SC 71. - 12. Cf. CIC, can. 866.

Dieu très bon, Père de Jésus, le Christ, notre Seigneur, regarde ces baptisés sur qui nous imposons les mains : par le Baptême, tu les as libérés du péché, tu les as fait renaître de l'eau et de l'Esprit. Comme tu l'as promis, répands maintenant sur eux ton Esprit Saint; donne-leur en plénitude l'Esprit qui reposait sur ton Fils Jésus : esprit de sagesse et d'intelligence, esprit de conseil et de force, esprit de connaissance et d'affection filiale; remplis-les de l'esprit de la crainte de Dieu. Par le Christ, notre Seigneur. *1831*

1300 Suit le *rite essentiel* du sacrement. Dans le rite latin, « le sacrement de Confirmation est conféré par l'onction du saint chrême sur le front, faite en imposant la main, et par ces paroles : "Sois marqué de l'Esprit Saint, le don de Dieu[1]." » Dans les Églises orientales, l'onction du myron se fait après une prière d'épiclèse, sur les parties les plus significatives du corps : le front, les yeux, le nez, les oreilles, les lèvres, la poitrine, le dos, les mains et les pieds, chaque onction étant accompagnée de la formule : « Sceau du don qui est le Saint-Esprit. » *699*

1301 Le baiser de paix qui achève le rite du sacrement signifie et manifeste la communion ecclésiale avec l'évêque et avec tous les fidèles[2].

III. Les effets de la Confirmation

1302 Il ressort de la célébration que l'effet du sacrement de Confirmation est l'effusion plénière de l'Esprit Saint, comme elle fut accordée jadis aux apôtres au jour de la Pentecôte. *731*

1303 De ce fait, la Confirmation apporte croissance et approfondissement de la grâce baptismale : *1262-1274*
- elle nous enracine plus profondément dans la filiation divine qui nous fait dire « *Abba*, Père » (Rm 8, 15);
- elle nous unit plus fermement au Christ;
- elle augmente en nous les dons de l'Esprit Saint; - elle rend notre lien avec l'Église plus parfait[3];
- elle nous accorde une force spéciale de l'Esprit Saint pour répandre et défendre la foi par la parole et par l'action en vrais témoins du Christ, pour confesser vaillamment le nom du Christ et pour ne jamais éprouver de la honte à l'égard de la Croix[4] : *2044*

Rappelle-toi donc que tu as reçu le signe spirituel, l'Esprit de sagesse et d'intelligence, l'Esprit de conseil et de force, l'Esprit de connaissance et de piété, l'Esprit de la sainte crainte, et garde ce que tu as reçu. Dieu le Père t'a marqué de son signe, le Christ Seigneur t'a confirmé et Il a mis en ton coeur le gage de l'Esprit[5].

---

1. Paul VI, const. ap. « Divinae consortium naturae ». - 2. Cf. S. Hippolyte, trad. ap. 21. - 3. Cf. LG 11. - 4. Cf. DS 1319; LG 11; 12. - 5. S. Ambroise, myst. 7, 42.

1304 Comme le Baptême dont elle est l'achèvement, la Confirmation est donnée une seule fois. La Confirmation imprime en effet dans l'âme une *marque spirituelle indélébile*, le « caractère [1] », qui est le signe de ce que Jésus-Christ a marqué un chrétien du sceau de son Esprit en le revêtant de la force d'en haut pour qu'il soit son témoin [2].

1121

1305 Le « caractère » perfectionne le sacerdoce commun des fidèles, reçu dans le Baptême, et « le confirmé reçoit la puissance de confesser la foi du Christ publiquement, et comme en vertu d'une charge *(quasi ex officio)* [3] ».

1268

IV. Qui peut recevoir ce sacrement ?

1306 Tout baptisé non encore confirmé peut et doit recevoir le sacrement de la Confirmation [4]. Puisque Baptême, Confirmation et Eucharistie forment une unité, il s'ensuit que « les fidèles sont tenus par l'obligation de recevoir ce sacrement en temps opportun [5] », car sans la Confirmation et l'Eucharistie, le sacrement du Baptême est, certes, valide et efficace, mais l'initiation chrétienne reste inachevée.

1212

1307 La tradition latine donne « l'âge de la discrétion » comme point de référence pour recevoir la Confirmation. En danger de mort, on doit cependant confirmer les enfants même s'ils n'ont pas encore atteint l'âge de la discrétion [6].

1308 Si l'on parle parfois de la Confirmation comme du « sacrement de la maturité chrétienne », il ne faudrait pas pour autant confondre l'âge adulte de la foi avec l'âge adulte de la croissance naturelle, ni oublier que la grâce baptismale est une grâce d'élection gratuite et imméritée qui n'a pas besoin d'une « ratification » pour devenir effective. S. Thomas le rappelle :

1250

> L'âge du corps ne constitue pas un préjudice pour l'âme. Ainsi, même dans l'enfance, l'homme peut recevoir la perfection de l'âge spirituel dont parle la Sagesse (4, 8) : « La vieillesse honorable n'est pas celle que donnent de longs jours, elle ne se mesure pas au nombre des années. » C'est ainsi que de nombreux enfants, grâce à la force du Saint-Esprit qu'ils avaient reçue, ont lutté courageusement et jusqu'au sang pour le Christ [7].

1309 La *préparation* à la Confirmation doit viser à conduire le chrétien vers une union plus intime au Christ, vers une familiarité plus vive avec l'Esprit Saint, son action, ses dons et ses appels, afin de pouvoir mieux assumer les responsabilités apostoliques de la vie chrétienne. Par là, la catéchèse de la confirmation s'efforcera d'éveiller le sens de l'appartenance à l'Église de Jésus-Christ, tant à l'Église universelle qu'à la communauté paroissiale. Cette dernière porte une responsabilité particulière dans la préparation des confirmands [8].

---

1. Cf. DS 1609. - 2. Cf. Lc 24, 48-49. - 3. S. Thomas d'A., s. th. 3, 72, 5, ad 2. - 4. Cf. CIC, can. 889, § 1. - 5. CIC, can. 890. - 6. Cf. CIC, can. 891; 883, 3. - 7. S. Thomas d'A., s. th. 3, 72, 8, ad 2. - 8. Cf. OCf praenotanda 3.

1310 Pour recevoir la Confirmation il faut être en état de grâce. Il convient de recourir au sacrement de Pénitence pour être purifié en vue du don du Saint Esprit. Une prière plus intense doit préparer à recevoir avec docilité et disponibilité la force et les grâces du Saint-Esprit[1]. *2670*

1311 Pour la Confirmation, comme pour le Baptême, il convient que les candidats cherchent l'aide spirituelle d'un *parrain* ou d'une *marraine*. Il convient qu'il soit le même que pour le Baptême pour bien marquer l'unité des deux sacrements[2]. *1255*

V. Le ministre de la Confirmation

1312 Le *ministre originaire* de la Confirmation est l'évêque[3].

En Orient, c'est ordinairement le prêtre qui baptise qui donne aussi immédiatement la Confirmation dans une seule et même célébration. Il le fait cependant avec le saint chrême consacré par le patriarche ou l'évêque, ce qui exprime l'unité apostolique de l'Église dont les liens sont renforcés par le sacrement de Confirmation. Dans l'Église latine on applique la même discipline dans les baptêmes d'adultes ou lorsqu'est admis à la pleine communion avec l'Église un baptisé d'une autre communauté chrétienne qui n'a pas validement le sacrement de confirmation[4]. *1233*

1313 *Dans le rite latin*, le ministre ordinaire de la Confirmation est l'évêque[5]. Même si l'évêque peut, pour des raisons graves, concéder la faculté à des prêtres d'administrer la Confirmation[6], il est convenable, de par le sens même du sacrement, qu'il le confère lui-même, n'oubliant pas que c'est pour cette raison que la célébration de la Confirmation a été temporellement séparée du Baptême. Les évêques sont les successeurs des apôtres, ils ont reçu la plénitude du sacrement de l'ordre. L'administration de ce sacrement par eux marque bien qu'il a pour effet d'unir ceux qui le reçoivent plus étroitement à l'Église, à ses origines apostoliques et à sa mission de témoigner du Christ. *1290* *1285*

1314 Si un chrétien est en danger de mort, tout prêtre doit lui donner la Confirmation[7]. En effet, l'Église veut qu'aucun de ses enfants, même tout petit, ne sorte de ce monde sans avoir été parfait par l'Esprit Saint avec le don de la plénitude du Christ. *1307*

En bref

1315 *« Apprenant que la Samarie avait accueilli la parole de Dieu, les apôtres qui étaient à Jérusalem y envoyèrent Pierre et Jean. Ceux-ci descendirent donc chez les Samaritains et prièrent pour eux, afin que l'Esprit Saint leur fût donné. Car*

---

1. Cf. Ac 1, 14. - 2. Cf. OCf praenotanda 5; 6; CIC, can. 893, §§ 1. 2. - 3. LG 26. - 4. Cf. CIC, can. 883, § 2. - 5. Cf. CIC, can. 882. - 6. CIC, can. 884, § 2. - 7. Cf. CIC, can. 883, § 3.

Il n'était encore tombé sur aucun d'eux; ils avaient seulement été baptisés au nom du Seigneur Jésus. Alors Pierre et Jean se mirent à leur imposer les mains et ils recevaient l'Esprit Saint » (Ac 8, 14-17).

1316 *La Confirmation parfait la grâce baptismale; elle est le sacrement qui donne l'Esprit Saint pour nous enraciner plus profondément dans la filiation divine, nous incorporer plus fermement au Christ, rendre plus solide notre lien avec l'Église, nous associer davantage à sa mission et nous aider à rendre témoignage de la foi chrétienne par la parole accompagnée des oeuvres.*

1317 *La Confirmation, comme le Baptême, imprime dans l'âme du chrétien un signe spirituel ou caractère indélébile; c'est pourquoi on ne peut recevoir ce sacrement qu'une seule fois dans la vie.*

1318 *En Orient, ce sacrement est administré immédiatement après le Baptême; il est suivi de la participation à l'Eucharistie, tradition qui met en relief l'unité des trois sacrements de l'initiation chrétienne. Dans l'Église latine, on administre ce sacrement lorsque l'âge de raison est atteint, et on en réserve ordinairement la célébration à l'évêque, signifiant ainsi que ce sacrement affermit le lien ecclésial.*

1319 *Un candidat pour la Confirmation qui a atteint l'âge de raison doit professer la foi, être en état de grâce, avoir l'intention de recevoir le sacrement et être préparé à assumer son rôle de disciple et de témoin du Christ, dans la communauté ecclésiale et dans les affaires temporelles.*

1320 *Le rite essentiel de la Confirmation est l'onction avec le saint chrême sur le front du baptisé (en Orient également sur d'autres organes des sens), avec l'imposition de la main du ministre et les paroles : « Reçois la marque du don de l'Esprit Saint », dans le rite romain, « Sceau du don de l'Esprit Saint », dans le rite byzantin.*

1321 *Lorsque la Confirmation est célébrée séparément du Baptême, son lien avec le Baptême est exprimé entre autres par le renouvellement des engagements baptismaux. La célébration de la Confirmation au cours de l'Eucharistie contribue à souligner l'unité des sacrements de l'initiation chrétienne.*

ARTICLE 3
Le sacrement de l'Eucharistie

1322 La Sainte Eucharistie achève l'initiation chrétienne. Ceux qui ont été élevés à la dignité du sacerdoce royal par le Baptême et configurés plus profondément au Christ par la confirmation, ceux-là, par le moyen de l'Eucharistie, participent avec toute la communauté au sacrifice même du Seigneur.

1212

1323 « Notre Sauveur, à la dernière Cène, la nuit où Il était livré, institua le sacrifice eucharistique de son Corps et de son Sang pour perpétuer le sacrifice de la Croix au long des siècles, jusqu'à ce qu'Il vienne, et pour confier à l'Église, son Épouse bien-aimée, le mémorial de sa mort et de sa résurrection : sacrement de l'amour, signe de l'unité, lien de la charité, banquet Pascal dans lequel le Christ est reçu en nourriture, l'âme est comblée de grâce et le gage de la gloire future nous est donné[1]. »

1402

I. L'Eucharistie - source et sommet de la vie ecclésiale

1324 L'Eucharistie est « source et sommet de toute la vie chrétienne[2] ». « Les autres sacrements ainsi que tous les ministères ecclésiaux et les tâches apostoliques sont tous liés à l'Eucharistie et ordonnés à elle. Car la sainte Eucharistie contient tout le trésor spirituel de l'Église, c'est-à-dire le Christ lui-même, notre Pâque[3]. »

864

1325 « La communion de vie avec Dieu et l'unité du Peuple de Dieu, par lesquelles l'Église est elle-même, l'Eucharistie les signifie et les réalise. En elle se trouve le sommet à la fois de l'action par laquelle, dans le Christ, Dieu sanctifie le monde, et du culte qu'en l'Esprit Saint les hommes rendent au Christ et, par Lui, au Père[4]. »

775

1326 Enfin, par la célébration eucharistique nous nous unissons déjà à la liturgie du ciel et nous anticipons la vie éternelle quand Dieu sera tout en tous[5].

1090

1327 Bref, l'Eucharistie est le résumé et la somme de notre foi : « Notre manière de penser s'accorde avec l'Eucharistie, et l'Eucharistie en retour confirme notre manière de penser[6]. »

1124

II. Comment est appelé ce sacrement?

1328 La richesse inépuisable de ce sacrement s'exprime dans les différents noms qu'on lui donne. Chacun de ces noms en évoque certains aspects. On l'appelle :

Eucharistie parce qu'il est action de grâces à Dieu. Les mots *eucharistein* (Lc 22, 19; 1 Co 11, 24) et *eulogein* (Mt 26, 26; Mc 14, 22) rappellent les bénédictions juives qui proclament - surtout pendant le repas - les oeuvres de Dieu : la création, la rédemption et la sanctification.

2637
1082
1359

1329 *Repas du Seigneur*[7] parce qu'il s'agit de la *Cène* que le Seigneur a prise avec ses disciples la veille de sa passion, et de l'anticipation du *repas des noces de l'Agneau*[8] dans la Jérusalem céleste.

1382

---

1. SC 47. - 2. LG 11. - 3. PO 5. - 4. CdR, instr. « Eucharisticum mysterium » 6. - 5. Cf. 1 Co 15, 28.
- 6. S. Irénée, haer. 4, 18, 5. - 7. Cf. 1 Co 11, 20. - 8. Cf. Ap 19, 9.

Fraction du Pain parce que ce rite, propre au repas juif, a été utilisé par Jésus lorsqu'Il bénissait et distribuait le pain en maître de table[1], surtout lors de la dernière Cène[2]. C'est à ce geste que les disciples Le reconnaîtront après sa résurrection[3], et c'est de cette expression que les premiers chrétiens désigneront leurs assemblées eucharistiques[4]. Ils signifient par là que tous ceux qui mangent à l'unique pain rompu, le Christ, entrent en communion avec Lui et ne forment plus qu'un seul corps en Lui[5].

790

Assemblée eucharistique (synaxis) parce que l'Eucharistie est célébrée en l'assemblée des fidèles, expression visible de l'Église[6].

1348

1341   **1330** *Mémorial* de la passion et de la résurrection du Seigneur.

Saint Sacrifice, parce qu'il actualise l'unique sacrifice du Christ Sauveur et qu'il inclut l'offrande de l'Église; ou encore *saint sacrifice de la messe, « sacrifice de louange »* (He 13, 15)[7], *sacrifice spirituel*[8], *sacrifice pur*[9] *et saint*, puisqu'il achève et dépasse tous les sacrifices de l'Ancienne Alliance.

2643
614

Sainte et divine liturgie, parce que toute la liturgie de l'Église trouve son centre et son expression la plus dense dans la célébration de ce sacrement; c'est dans le même sens qu'on l'appelle aussi célébration des *Saints mystères*. On parle aussi du *Très Saint Sacrement* parce qu'il est le sacrement des sacrements. On désigne de ce nom les espèces eucharistiques gardées dans le tabernacle.

1169

1331 *Communion*, parce que c'est par ce sacrement que nous nous unissons au Christ qui nous rend participants de son Corps et de son Sang pour former un seul corps[10]; on l'appelle encore *les choses saintes : ta hagia; sancta*[11] - c'est le sens premier de la « communion des saints » dont parle le Symbole des apôtres -, *pain des anges, pain du ciel, médicament d'immortalité*[12], *viatique...*

950

948
1405

1332 *Sainte Messe* parce que la liturgie dans laquelle s'est accompli le mystère du salut, se termine par l'envoi des fidèles *(missio)* afin qu'ils accomplissent la volonté de Dieu dans leur vie quotidienne.

849

III. L'Eucharistie dans l'économie du salut

Les signes du pain et du vin

1333 Au coeur de la célébration de l'Eucharistie il y a le pain et le vin qui, par les paroles du Christ et par l'invocation de l'Esprit Saint, deviennent le Corps et le

1350

1. Cf. Mt 14, 19; 15, 36; Mc 8, 6. 19. - 2. Cf. Mt 26, 26; 1 Co 11, 24. - 3. Cf. Lc 24, 13-35. - 4. Cf. Ac 2, 42. 46; 20, 7. 11. - 5. Cf. 1 Co 10, 16-17. - 6. Cf. 1 Co 11, 17-34. - 7. Cf. Ps 116, 13. 17. - 8. Cf. 1 P 2, 5. - 9. Cf. Ml 1, 11. - 10. Cf. 1 Co 10, 16-17. - 11. Const. Ap. 8, 13, 12; Didaché 9, 5; 10, 6. - 12. S. Ignace d'Antioche, Eph. 20, 2.

Sang du Christ. Fidèle à l'ordre du Seigneur l'Église continue de faire, en mémoire de Lui, jusqu'à son retour glorieux, ce qu'Il a fait la veille de sa passion : « Il prit du pain... » « Il prit la coupe remplie de vin... » En devenant mystérieusement le Corps et le Sang du Christ, les signes du pain et du vin continuent à signifier aussi la bonté de la création. Ainsi, dans l'Offertoire, nous rendons grâce au Créateur pour le pain et le vin [1], fruit « du travail de l'homme », mais d'abord « fruit de la terre » et « de la vigne », dons du Créateur. L'Église voit dans le geste de Melchisédech, roi et prêtre, qui « apporta du pain et du vin » (Gn 14, 18) une préfiguration de sa propre offrande [2].

1147
1148

1334 Dans l'Ancienne Alliance, le pain et le vin sont offerts en sacrifice parmi les prémices de la terre, en signe de reconnaissance au Créateur. Mais ils reçoivent aussi une nouvelle signification dans le contexte de l'Exode : Les pains azymes qu'Israël mange chaque année à la Pâque commémorent la hâte du départ libérateur d'Égypte; le souvenir de la manne du désert rappellera toujours à Israël qu'il vit du pain de la Parole de Dieu [3]. Enfin, le pain de tous les jours est le fruit de la Terre promise, gage de la fidélité de Dieu à ses promesses. La « coupe de bénédiction » (1 Co 10, 16), à la fin du repas Pascal des juifs, ajoute à la joie festive du vin une dimension eschatologique, celle de l'attente messianique du rétablissement de Jérusalem. Jésus a institué son Eucharistie en donnant un sens nouveau et définitif à la bénédiction du pain et de la coupe.

1150
1363

1335 Les miracles de la multiplication des pains, lorsque le Seigneur dit la bénédiction, rompit et distribua les pains par ses disciples pour nourrir la multitude, préfigurent la surabondance de cet unique pain de son Eucharistie [4]. Le signe de l'eau changée en vin à Cana [5] annonce déjà l'Heure de la glorification de Jésus. Il manifeste l'accomplissement du repas des noces dans le Royaume du Père, où les fidèles boiront le vin nouveau [6] devenu le Sang du Christ.

1151

1336 La première annonce de l'Eucharistie a divisé les disciples, tout comme l'annonce de la passion les a scandalisés : « Ce langage-là est trop fort ! Qui peut l'écouter ? » (Jn 6, 60.) L'Eucharistie et la Croix sont des pierres d'achoppement. C'est le même mystère, et il ne cesse d'être occasion de division. « Voulez-vous partir, vous aussi ? » (Jn 6, 67) : cette question du Seigneur retentit à travers les âges, invitation de son amour à découvrir que c'est Lui seul qui a « les paroles de la vie éternelle » (Jn 6, 68) et qu'accueillir dans la foi le don de son Eucharistie, c'est L'accueillir Lui-même.

1327

L'institution de l'Eucharistie

1337 Le Seigneur, ayant aimé les siens, les aima jusqu'à la fin. Sachant que l'heure était venue de partir de ce monde pour retourner à son Père, au cours d'un repas, Il

610

---

1. Cf. Ps 104, 13-15. - 2. Cf. MR, Canon Romain 95 : « Supra quae ». - 3. Cf. Dt 8, 3. - 4. Cf. Mt 14, 13-21; 15, 32-39. - 5. Cf. Jn 2, 11. - 6. Cf. Mc 14, 25.

leur lava les pieds et leur donna le commandement de l'amour[1]. Pour leur laisser un gage de cet amour, pour ne jamais s'éloigner des siens et pour les rendre participants de sa Pâque, Il institua l'Eucharistie comme mémorial de sa mort et de sa résurrection, et Il ordonna à ses apôtres de le célébrer jusqu'à son retour, « les *611* établissant alors prêtres du Nouveau Testament[2] ».

1338 Les trois Évangiles synoptiques et S. Paul nous ont transmis le récit de l'institution de l'Eucharistie; de son côté, S. Jean rapporte les paroles de Jésus dans la synagogue de Capharnaüm, paroles qui préparent l'institution de l'Eucharistie : le Christ se désigne comme le pain de vie, descendu du ciel[3].

1339 Jésus a choisi le temps de la Pâque pour accomplir ce qu'Il avait annoncé à *1169* Capharnaüm : donner à ses disciples son Corps et son Sang :

> Vint le jour des Azymes, où l'on devait immoler la Pâque. [Jésus] envoya alors Pierre et Jean : « Allez, dit-Il, nous préparer la Pâque, que nous la mangions. » (...) Ils s'en allèrent donc (...) et préparèrent la Pâque. L'heure venue, Il se mit à table avec ses apôtres et leur dit : « J'ai désiré avec ardeur manger cette Pâque avec vous avant de souffrir; car Je vous le dis, Je ne la mangerai jamais plus jusqu'à ce qu'elle s'accomplisse dans le Royaume de Dieu. » (...) Puis, prenant du pain et rendant grâces, Il le rompit et le leur donna, en disant : « Ceci est mon Corps, qui va être donné pour vous; faites ceci en mémoire de moi. » Il fit de même pour la coupe après le repas, disant : « Cette coupe est la Nouvelle Alliance en mon Sang, qui va être versé pour vous » (Lc 22, 7-20)[4].

1340 En célébrant la dernière Cène avec ses apôtres au cours du repas Pascal, *1151* Jésus a donné son sens définitif à la Pâque juive. En effet, le passage de Jésus à son Père par sa mort et sa résurrection, la Pâque nouvelle, est anticipée dans la *677* Cène et célébrée dans l'Eucharistie qui accomplit la Pâque juive et anticipe la Pâque finale de l'Église dans la gloire du Royaume.

« Faites ceci en mémoire de moi »

1341 Le commandement de Jésus de répéter ses gestes et ses paroles « jusqu'à ce qu'Il vienne », ne demande pas seulement de se souvenir de Jésus et de ce qu'Il a *1363* fait. Il vise la célébration liturgique, par les apôtres et leurs successeurs, du *mémo-* *611* *rial* du Christ, de sa vie, de sa mort, de sa résurrection et de son intercession auprès du Père.

1342 Dès le commencement l'Église a été fidèle à l'ordre du Seigneur. De l'Église *2624* de Jérusalem il est dit :

> Ils se montraient assidus à l'enseignement des apôtres, fidèles à la communion fraternelle, à la fraction du pain et aux prières. (...) Jour après jour, d'un seul coeur, ils fréquentaient assidûment le Temple et rompaient le pain dans leurs maisons, prenant leur nourriture avec joie et simplicité de coeur (Ac 2, 42. 46).

---

1. Cf. Jn 13, 1-17. - 2. Cc. Trente : DS 1740. - 3. Cf. Jn 6. - 4. Cf. Mt 26, 17-29; Mc 14, 12-25; 1 Co 11, 23-26.

1343 C'était surtout « le premier jour de la semaine », c'est-à-dire le jour du dimanche, le jour de la résurrection de Jésus, que les chrétiens se réunissaient *1166, 2177* « pour rompre le pain » (Ac 20, 7). Depuis ces temps-là jusqu'à nos jours la célébration de l'Eucharistie s'est perpétuée, de sorte qu'aujourd'hui nous la rencontrons partout dans l'Église, avec la même structure fondamentale. Elle demeure le centre de la vie de l'Église.

1344 Ainsi, de célébration en célébration, annonçant le mystère Pascal de Jésus « jusqu'à ce qu'Il vienne » (1 Co 11, 26), le Peuple de Dieu en pèlerinage « s'avance *1404* par la porte étroite de la Croix [1] » vers le banquet céleste, quand tous les élus s'assiéront à la table du Royaume.

IV. La célébration liturgique de l'Eucharistie

La messe de tous les siècles

1345 Dès le IIe siècle, nous avons le témoignage de S. Justin le Martyr sur les grandes lignes du déroulement de la célébration eucharistique. Elles sont restées les mêmes jusqu'à nos jours pour toutes les grandes familles liturgiques. Voici ce qu'il écrit, vers 155, pour expliquer à l'empereur païen Antonin le Pieux (138-161) ce que font les chrétiens :

> Le jour qu'on appelle jour du soleil, a lieu le rassemblement en un même endroit de tous ceux qui habitent la ville ou la campagne.
>
> On lit les mémoires des apôtres et les écrits des prophètes, autant que le temps le permet.
>
> Quand le lecteur a fini, celui qui préside prend la parole pour inciter et exhorter à l'imitation de ces belles choses.
>
> Ensuite, nous nous levons tous ensemble et nous faisons des prières pour nous-mêmes (...) et pour tous les autres, où qu'ils soient, afin que nous soyons trouvés justes par notre vie et nos actions et fidèles aux commandements, pour obtenir ainsi le salut éternel.
>
> Quand les prières sont terminées, nous nous donnons un baiser les uns aux autres.
>
> Ensuite, on apporte à celui qui préside les frères du pain et une coupe d'eau et de vin mélangés.
>
> Il les prend et fait monter louange et gloire vers le Père de l'univers, par le nom du Fils et du Saint-Esprit et il rend grâce (en grec : *eucharistian*) longuement de ce que nous avons été jugés dignes de ces dons.

---

1. AG 1.

> Quand il a terminé les prières et les actions de grâce, tout le peuple présent pousse une acclamation en disant : Amen.

> Lorsque celui qui préside a fait l'action de grâce et que le peuple a répondu, ceux que chez nous on appelle diacres distribuent à tous ceux qui sont présents du pain, du vin et de l'eau « eucharistiés » et ils en apportent aux absents[1].

1346 La liturgie de l'Eucharistie se déroule selon une structure fondamentale qui s'est conservée à travers les siècles jusqu'à nous. Elle se déploie en deux grands moments qui forment une unité foncière :
- le rassemblement, la *liturgie de la Parole*, avec les lectures, l'homélie et la prière universelle;
- la *liturgie eucharistique*, avec la présentation du pain et du vin, l'action de grâce consécratoire et la communion.

103   Liturgie de la Parole et liturgie eucharistique constituent ensemble « un seul et même acte du culte[2] »; en effet, la table dressée pour nous dans l'Eucharistie est à la fois celle de la Parole de Dieu et celle du Corps du Seigneur[3].

1347 N'est-ce pas là le mouvement même du repas Pascal de Jésus ressuscité avec ses disciples ? Chemin faisant, Il leur expliquait les Écritures, puis, se mettant à table avec eux, « Il prit le pain, dit la bénédiction, le rompit et le leur donna[4] ».

Le mouvement de la célébration

1348 *Tous se rassemblent.* Les chrétiens accourent dans un même lieu pour
1140   l'assemblée eucharistique. À sa tête le Christ Lui-même qui est l'acteur principal de l'Eucharistie. Il est le grand prêtre de la Nouvelle Alliance. C'est Lui-même qui pré-
1548   side invisiblement toute célébration eucharistique. C'est en Le représentant que l'évêque ou le prêtre (agissant *en la personne du Christ-Tête*) préside l'assemblée, prend la parole après les lectures, reçoit les offrandes et dit la prière eucharistique. *Tous* ont leur part active dans la célébration, chacun à sa manière : les lecteurs, ceux qui apportent les offrandes, ceux qui donnent la communion, et le peuple tout entier dont l'Amen manifeste la participation.

1349 La *liturgie de la Parole* comporte « les écrits des prophètes », c'est-à-dire
1184   l'Ancien Testament, et « les mémoires des apôtres », c'est-à-dire leurs épîtres et les Évangiles; après l'homélie qui exhorte à accueillir cette Parole comme ce qu'elle est vraiment, Parole de Dieu[5], et à la mettre en pratique, viennent les intercessions pour tous les hommes, selon la parole de l'apôtre : « Je recommande donc, avant tout, qu'on fasse des demandes, des prières, des supplications, des actions de

---

1. S. Justin, apol. 1, 65 [le texte entre crochets est du chapitre 67]. - 2. SC 56. - 3. Cf. DV 21. - 4. Cf. Lc 24, 13-35. - 5. Cf. 1 Th 2, 13.

grâces pour tous les hommes, pour les rois et tous les dépositaires de l'autorité » (1 Tm 2, 1-2).

1350 La *présentation des oblats* (l'offertoire) : on apporte alors, parfois en procession, le pain et le vin à l'autel qui seront offerts par le prêtre au nom du Christ dans le sacrifice eucharistique où ils deviendront le corps et le sang de Celui-ci. C'est le geste même du Christ à la dernière Cène, « prenant du pain et une coupe ». « Cette oblation, l'Église seule l'offre, pure, au Créateur, en lui offrant avec action de grâce ce qui provient de sa création[1]. » La présentation des oblats à l'autel assume le geste de Melchisédech et confie les dons du créateur entre les mains du Christ. C'est Lui qui, dans son sacrifice, mène à la perfection toutes les tentatives humaines d'offrir des sacrifices.

1359

614

1351 Dès le début, les chrétiens apportent, avec le pain et le vin pour l'Eucharistie, leurs dons pour le partage avec ceux qui sont dans le besoin. Cette coutume de la *collecte*[2], toujours actuelle, s'inspire de l'exemple du Christ qui s'est fait pauvre pour nous enrichir[3] :

1397

2186

> Ceux qui sont riches et qui veulent, donnent, chacun selon ce qu'il s'est lui-même imposé; ce qui est recueilli est remis à celui qui préside et lui, il assiste les orphelins et les veuves, ceux que la maladie ou toute autre cause prive de ressources, les prisonniers, les immigrés et, en un mot, il secourt tous ceux qui sont dans le besoin[4].

1352 L'*anaphore* : avec la prière eucharistique, prière d'action de grâce et de consécration, nous arrivons au coeur et au sommet de la célébration :

> Dans la *préface* l'Église rend grâce au Père, par le Christ, dans l'Esprit Saint, pour toutes ses oeuvres, pour la création, la rédemption et la sanctification. Toute la communauté rejoint alors cette louange incessante que l'Église céleste, les anges et tous les saints, chantent au Dieu trois fois Saint.

559

1353 Dans l'*épiclèse* elle demande au Père d'envoyer son Esprit Saint (ou la puissance de sa bénédiction[5]) sur le pain et le vin, afin qu'ils deviennent, par sa puissance, le Corps et le Sang de Jésus-Christ, et que ceux qui prennent part à l'Eucharistie soient un seul corps et un seul esprit (certaines traditions liturgiques placent l'épiclèse après l'anamnèse).

1105

> Dans le *récit de l'institution* la force des paroles et de l'action du Christ, et la puissance de l'Esprit Saint, rendent sacramentellement présents sous les espèces du pain et du vin son Corps et son Sang, son sacrifice offert sur la Croix une fois pour toutes.

1375

1354 Dans l'*anamnèse* qui suit, l'Église fait mémoire de la passion, de la résurrection et du retour glorieux du Christ Jésus; elle présente au Père l'offrande de son Fils qui nous réconcilie avec Lui.

1103

---

1. S. Irénée, haer. 4, 18, 4; cf. Ml 1, 11. - 2. Cf. 1 Co 16, 1. - 3. Cf. 2 Co 8, 9. - 4. S. Justin, apol. 1, 67, 6. - 5. Cf. MR, Canon Romain 90.

954   Dans les *intercessions*, l'Église exprime que l'Eucharistie est célébrée en communion avec toute l'Église du ciel et de la terre, des vivants et des défunts, et dans la communion avec les pasteurs de l'Église, le Pape, l'évêque du diocèse, son presbyterium et ses diacres, et tous les évêques du monde entier avec leurs Églises.

1355 Dans la *communion*, précédée de la prière du Seigneur et de la fraction du
1382   pain, les fidèles reçoivent « le pain du ciel » et « la coupe du salut », le Corps et le Sang du Christ qui s'est livré « pour la vie du monde » (Jn 6, 51) :

1327   Parce que ce pain et ce vin ont été, selon l'expression ancienne, « eucharistiés », « nous appelons cette nourriture *Eucharistie* et personne ne peut y prendre part s'il ne croit pas à la vérité de ce qu'on enseigne chez nous, s'il n'a reçu le bain pour la rémission des péchés et la nouvelle naissance et s'il ne vit selon les préceptes du Christ [1] ».

V. Le sacrifice sacramentel : action de grâce, mémorial, présence

1356 Si les chrétiens célèbrent l'Eucharistie depuis les origines, et sous une forme qui, dans sa substance, n'a pas changé à travers la grande diversité des âges et des liturgies, c'est parce que nous nous savons liés par l'ordre du Seigneur, donné la veille de sa passion : « Faites ceci en mémoire de Moi » (1 Co 11, 24-25).

1357 Cet ordre du Seigneur, nous l'accomplissons en célébrant le *mémorial de son sacrifice*. Ce faisant, *nous offrons au Père* ce qu'Il nous a Lui-même donné : les dons de sa création, le pain et le vin, devenus, par la puissance de l'Esprit Saint et par les paroles du Christ, le Corps et le Sang du Christ : le Christ est ainsi rendu réellement et mystérieusement *présent*.

1358 Il nous faut donc considérer l'Eucharistie :
- comme action de grâce et louange au *Père* ;
- comme mémorial sacrificiel du *Christ* et de son Corps ;
- comme présence du Christ par la puissance de sa Parole et de son *Esprit*.

L'action de grâce et la louange au Père

1359 L'Eucharistie, sacrement de notre salut accompli par le Christ sur la Croix,
293   est aussi un sacrifice de louange en action de grâce pour l'oeuvre de la création. Dans le sacrifice eucharistique, toute la création aimée par Dieu est présentée au Père à travers la mort et la résurrection du Christ. Par le Christ, l'Église peut offrir le sacrifice de louange en action de grâce pour tout ce que Dieu a fait de bon, de beau et de juste dans la création et dans l'humanité.

---

1. S. Justin, apol. 1, 66, 1-2.

1360 L'Eucharistie est un sacrifice d'action de grâce au Père, une bénédiction par laquelle l'Église exprime sa reconnaissance à Dieu pour tous ses bienfaits, pour tout ce qu'Il a accompli par la création, la rédemption et la sanctification. Eucharistie signifie d'abord « action de grâce ». *1083*

1361 L'Eucharistie est aussi le sacrifice de louange, par lequel l'Église chante la Gloire de Dieu au nom de toute la création. Ce sacrifice de louange n'est possible qu'à travers le Christ : Il unit les fidèles à sa personne, à sa louange et à son intercession, en sorte que le sacrifice de louange au Père est offert *par* le Christ et *avec* Lui pour être accepté *en* Lui. *294*

Le mémorial sacrificiel du Christ et de son Corps, l'Église

1362 L'Eucharistie est le mémorial de la Pâque du Christ, l'actualisation et l'offrande sacramentelle de son unique sacrifice, dans la liturgie de l'Église qui est son Corps. Dans toutes les prières eucharistiques nous trouvons, après les paroles de l'institution, une prière appelée *anamnèse* ou mémorial. *1103*

1363 Dans le sens de l'Écriture Sainte *le mémorial* n'est pas seulement le souvenir des événements du passé, mais la proclamation des merveilles que Dieu a accomplies pour les hommes [1]. Dans la célébration liturgique de ces événements, ils deviennent d'une certaine façon présents et actuels. C'est de cette manière qu'Israël comprend sa libération d'Égypte : chaque fois qu'est célébrée la Pâque, les événements de l'Exode sont rendus présents à la mémoire des croyants afin qu'ils y conforment leur vie. *1099*

1364 Le mémorial reçoit un sens nouveau dans le Nouveau Testament. Quand l'Église célèbre l'Eucharistie, elle fait mémoire de la Pâque du Christ, et celle-ci devient présente : le sacrifice que le Christ a offert une fois pour toutes sur la Croix demeure toujours actuel [2] : « Toutes les fois que le sacrifice de la Croix par lequel le Christ notre Pâque a été immolé se célèbre sur l'autel, l'oeuvre de notre rédemption s'opère [3]. » *611* *1085*

1365 Parce qu'elle est mémorial de la Pâque du Christ, *l'Eucharistie est aussi un sacrifice*. Le caractère sacrificiel de l'Eucharistie est manifesté dans les paroles mêmes de l'institution : « Ceci est mon Corps qui va être donné pour vous » et « Cette coupe est la Nouvelle Alliance en mon Sang, qui va être versé pour vous » (Lc 22, 19-20). Dans l'Eucharistie le Christ donne ce corps même qu'Il a livré pour nous sur la Croix, le sang même qu'Il a « répandu pour une multitude en rémission des péchés » (Mt 26, 28). *2100* *1846*

1366 L'Eucharistie est donc un sacrifice parce qu'elle *représente* (rend présent) le sacrifice de la Croix, parce qu'elle en est le *mémorial* et parce qu'elle en *applique* le fruit : *613*

---

1. Cf. Ex 13, 3. - 2. Cf. He 7, 25-27. - 3. LG 3.

[Le Christ] notre Dieu et Seigneur, s'offrit Lui-même à Dieu le Père une fois pour toutes, mourant en intercesseur sur l'autel de la Croix, afin de réaliser pour eux (les hommes) une rédemption éternelle. Cependant, comme sa mort ne devait pas mettre fin à son sacerdoce (He 7, 24. 27), à la dernière Cène, « la nuit où Il fut livré » (1 Co 11, 23), Il voulait laisser à l'Église, son épouse bien-aimée, un sacrifice visible (comme le réclame la nature humaine), où serait représenté le sacrifice sanglant qui allait s'accomplir une unique fois sur la Croix, dont la mémoire se perpétuerait jusqu'à la fin des siècles (1 Co 11, 23) et dont la vertu salutaire s'appliquerait à la rédemption des péchés que nous commettons chaque jour [1].

1367 Le sacrifice du Christ et le sacrifice de l'Eucharistie sont *un unique sacrifice* :
1545 « C'est une seule et même victime, c'est le même qui offre maintenant par le ministère des prêtres, qui s'est offert Lui-même alors sur la Croix. Seule la manière d'offrir diffère » : « Dans ce divin sacrifice qui s'accomplit à la messe, ce même Christ, qui s'est offert Lui-même une fois de manière sanglante sur l'autel de la Croix, est contenu et immolé de manière non sanglante [2]. »

1368 *L'Eucharistie est également le sacrifice de l'Église.* L'Église, qui est le Corps du Christ, participe à l'offrande de son Chef. Avec Lui, elle est offerte elle-même tout entière. Elle s'unit à son intercession auprès du Père pour tous les hommes.
618, 2031 Dans l'Eucharistie, le sacrifice du Christ devient aussi le sacrifice des membres de son Corps. La vie des fidèles, leur louange, leur souffrance, leur prière, leur travail,
1109 sont unis à ceux du Christ et à sa totale offrande, et acquièrent ainsi une valeur nouvelle. Le sacrifice du Christ présent sur l'autel donne à toutes les générations de chrétiens la possibilité d'être unis à son offrande.

Dans les catacombes, l'Église est souvent représentée comme une femme en prière, les bras largement ouverts en attitude d'orante. Comme le Christ qui a étendu les bras sur la Croix, par Lui, avec Lui et en Lui, elle s'offre et intercède pour tous les hommes.

1369 *Toute l'Église est unie à l'offrande et à l'intercession du Christ.* Chargé du
834, 882 ministère de Pierre dans l'Église, le *Pape* est associé à toute célébration de l'Eucharistie où il est nommé comme signe et serviteur de l'unité de l'Église
1561 Universelle. L'*évêque* du lieu est toujours responsable de l'Eucharistie, même
1566 lorsqu'elle est présidée par un *prêtre*; son nom y est prononcé pour signifier sa présidence de l'Église particulière, au milieu du presbyterium et avec l'assistance des *diacres*. La communauté intercède aussi pour tous les ministres qui, pour elle et avec elle, offrent le sacrifice Eucharistique :

Que cette Eucharistie seule soit regardée comme légitime, qui se fait sous la présidence de l'évêque ou de celui qu'il en a chargé [3].

C'est par le ministère des prêtres que se consomme le sacrifice spirituel des chrétiens, en union avec le sacrifice du Christ, unique Médiateur, offert au nom de toute l'Église dans l'Eucharistie par les mains des prêtres, de manière non sanglante et sacramentelle, jusqu'à ce que vienne le Seigneur Lui-même [4].

---

1. Cc. Trente : DS 1740. - 2. Cc. Trente : DS 1743. - 3. S. Ignace d'Antioche, Smyrn. 8, 1. - 4. PO 2.

1370 À l'offrande du Christ s'unissent non seulement les membres qui sont encore ici-bas, mais aussi ceux qui sont déjà *dans la gloire du ciel* : c'est en communion avec la Très Sainte Vierge Marie et en faisant mémoire d'elle, ainsi que de tous les saints et toutes les saintes, que l'Église offre le sacrifice eucharistique. Dans l'Eucharistie l'Église, avec Marie, est comme au pied de la Croix, unie à l'offrande et à l'intercession du Christ.

956
969

1371 Le sacrifice eucharistique est aussi offert *pour les fidèles défunts* « qui sont morts dans le Christ et ne sont pas encore pleinement purifiés [1] », pour qu'ils puissent entrer dans la lumière et la paix du Christ :

958, 1689,
1032

> Enterrez ce corps n'importe où ! Ne vous troublez pas pour lui d'aucun souci ! Tout ce que je vous demande, c'est de vous souvenir de moi à l'autel du Seigneur où que vous soyez [2] ».

> Ensuite, nous prions [dans l'anaphore] pour les saints pères et évêques endormis, et en général pour tous ceux qui se sont endormis avant nous, en croyant qu'il y aura très grand profit pour les âmes, en faveur desquelles la supplication est offerte, tandis que se trouve présente la sainte et si redoutable victime. (...) En présentant à Dieu nos supplications pour ceux qui se sont endormis, fussent-ils pécheurs, nous (...) présentons le Christ immolé pour nos péchés, rendant propice, pour eux et pour nous, le Dieu ami des hommes [3].

1372 S. Augustin a admirablement résumé cette doctrine qui nous incite à une participation de plus en plus complète au sacrifice de notre Rédempteur que nous célébrons dans l'Eucharistie :

1140

> Cette cité rachetée tout entière, c'est-à-dire l'assemblée et la société des saints, est offerte à Dieu comme un sacrifice universel par le Grand Prêtre qui, sous la forme d'esclave, est allé jusqu'à s'offrir pour nous dans sa passion, pour faire de nous le corps d'un si grand Chef. (...) Tel est le sacrifice des chrétiens : « À plusieurs, n'être qu'un seul corps dans le Christ » (Rm 12, 5). Et ce sacrifice, l'Église ne cesse de le reproduire dans le sacrement de l'autel bien connu des fidèles, où il lui est montré que dans ce qu'elle offre, elle est elle-même offerte [4].

La présence du Christ par la puissance de sa Parole et de l'Esprit Saint

1373 « Le Christ Jésus qui est mort, qui est ressuscité, qui est à la droite de Dieu, qui intercède pour nous » (Rm 8, 34), est présent de multiples manières à son Église [5] : dans sa Parole, dans la prière de son Église, « là où deux ou trois sont rassemblés en mon nom » (Mt 18, 20), dans les pauvres, les malades, les prisonniers (Mt 25, 31-46), dans ses sacrements dont Il est l'auteur, dans le sacrifice

---

1. Cc. Trente : DS 1743. - 2. Ste Monique, avant sa mort, à S. Augustin et son frère; conf. 9, 11, 27.
- 3. S. Cyrille de Jérusalem, catech. myst. 5, 9. 10. - 4. Civ. 10, 6. - 5. Cf. LG 48.

1088 de la messe et en la personne du ministre. Mais « *au plus haut point* Il est présent *sous les espèces eucharistiques*[1] ».

1374 Le mode de présence du Christ sous les espèces eucharistiques est unique.
1211 Il élève l'Eucharistie au-dessus de tous les sacrements et en fait « comme la perfection de la vie spirituelle et la fin à laquelle tendent tous les sacrements[2] ». Dans le très saint sacrement de l'Eucharistie sont « contenus *vraiment, réellement et substantiellement* le Corps et le Sang conjointement avec l'âme et la divinité de notre Seigneur Jésus-Christ, et, par conséquent, *le Christ tout entier*[3] ». « Cette présence, on la nomme "réelle", non à titre exclusif, comme si les autres présences n'étaient pas "réelles", mais par excellence parce qu'elle est *substantielle*, et que par elle le Christ, Dieu et homme, se rend présent tout entier[4]. »

1375 C'est par la *conversion* du pain et du vin au Corps et au Sang du Christ que le Christ devient présent en ce sacrement. Les Pères de l'Église ont fermement affir-
1105 mé la foi de l'Église en l'efficacité de la Parole du Christ et de l'action de l'Esprit Saint pour opérer cette conversion. Ainsi, S. Jean Chrysostome déclare :

1128 > Ce n'est pas l'homme qui fait que les choses offertes deviennent Corps et Sang du Christ, mais le Christ Lui-même qui a été crucifié pour nous. Le prêtre, figure du Christ, prononce ces paroles, mais leur efficacité et la grâce sont de Dieu. *Ceci est mon Corps*, dit-Il. Cette parole transforme les choses offertes[5].

Et S. Ambroise dit au sujet de cette conversion :

298 > Soyons bien persuadés que ceci n'est pas ce que la nature a formé, mais ce que la bénédiction a consacré, et que la force de la bénédiction l'emporte sur celle de la nature, parce que par la bénédiction la nature elle-même se trouve changée (...). La parole du Christ, qui a pu faire de rien ce qui n'existait pas, ne pourrait donc changer les choses existantes en ce qu'elles n'étaient pas encore ? Car ce n'est pas moins de donner aux choses leur nature première que de la leur changer[6].

1376 Le Concile de Trente résume la foi catholique en déclarant : « Parce que le Christ, notre Rédempteur, a dit que ce qu'Il offrait sous l'espèce du pain était vraiment son Corps, on a toujours eu dans l'Église cette conviction, que déclare le saint Concile de nouveau : par la consécration du pain et du vin s'opère le changement de toute la substance du pain en la substance du Corps du Christ notre Seigneur et de toute la substance du vin en la substance de son Sang; ce changement, l'Église catholique l'a justement et exactement appelé *transsubstantiation*[7]. »

1377 La présence eucharistique du Christ commence au moment de la consécration et dure aussi longtemps que les espèces eucharistiques subsistent. Le Christ est

---

1. SC 7. - 2. S. Thomas d'A., s. th. 3, 73, 3. - 3. Cc Trente : DS 1651. - 4. MF 39. - 5. Prod. Jud. 1, 6. - 6. Myst. 9, 50, 52. - 7. DS 1642.

tout entier présent dans chacune des espèces et tout entier dans chacune de leurs parties, de sorte que la fraction du pain ne divise pas le Christ [1].

1378 *Le culte de l'Eucharistie.* Dans la liturgie de la messe, nous exprimons notre foi en la présence réelle du Christ sous les espèces du pain et du vin, entre autres, en fléchissant les genoux, ou en nous inclinant profondément en signe d'adoration du Seigneur. « L'Église catholique a rendu et continue de rendre ce culte d'adoration qui est dû au sacrement de l'Eucharistie non seulement durant la messe, mais aussi en dehors de sa célébration : en conservant avec le plus grand soin les hosties consacrées, en les présentant aux fidèles pour qu'ils les vénèrent avec solennité, en les portant en procession [2]. »

1178

103, 2628

1379 La sainte réserve (tabernacle) était d'abord destinée à garder dignement l'Eucharistie pour qu'elle puisse être portée aux malades et aux absents en dehors de la messe. Par l'approfondissement de la foi en la présence réelle du Christ dans son Eucharistie, l'Église a pris conscience du sens de l'adoration silencieuse du Seigneur présent sous les espèces eucharistiques. C'est pour cela que le tabernacle doit être placé à un endroit particulièrement digne de l'église; il doit être construit de telle façon qu'il souligne et manifeste la vérité de la présence réelle du Christ dans le saint sacrement.

1183

2691

1380 Il est hautement convenable que le Christ ait voulu rester présent à son Église de cette façon unique. Puisque le Christ allait quitter les siens sous sa forme visible, Il voulait nous donner sa présence sacramentelle; puisqu'Il allait s'offrir sur la Croix pour nous sauver, Il voulait que nous ayons le mémorial de l'amour dont Il nous a aimés « jusqu'à la fin » (Jn 13, 1), jusqu'au don de sa vie. En effet, dans sa présence eucharistique Il reste mystérieusement au milieu de nous comme celui qui nous a aimés et qui s'est livré pour nous [3], et Il le reste sous les signes qui expriment et communiquent cet amour :

669

478

> L'Église et le monde ont un grand besoin du culte eucharistique. Jésus nous attend dans ce sacrement de l'amour. Ne refusons pas le temps pour aller Le rencontrer dans l'adoration, dans la contemplation pleine de foi et ouverte à réparer les fautes graves et les délits du monde. Que ne cesse jamais notre adoration [4].

2715

1381 « La présence du véritable Corps du Christ et du véritable Sang du Christ dans ce sacrement, "on ne l'apprend point par les sens, dit S. Thomas, mais *par la foi seule,* laquelle s'appuie sur l'autorité de Dieu". C'est pourquoi, commentant le texte de S. Luc, 22, 19 : "Ceci est mon Corps qui sera livré pour vous", saint Cyrille déclare : "Ne va pas te demander si c'est vrai, mais accueille plutôt avec foi les paroles du Seigneur, parce que Lui, qui est la Vérité, ne ment pas" [5] » :

156

215

> Je T'adore profondément, divinité cachée,
> vraiment présente sous ces apparences;

---

1. Cf. Cc. Trente : DS 1641. - 2. MF 56. - 3. Cf. Ga 2, 20. - 4. Jean Paul II, l. « Dominicae cenae » 3. - 5. Thomas d'A., s. th. 3, 75, 1, cité par Paul VI, MF 1.

> à Toi mon coeur se soumet tout entier
> parce qu'à Te contempler, tout entier il défaille
>
> La vue, le goût, le toucher ne T'atteignent pas :
> à ce qu'on entend dire seulement il faut se fier;
> je crois tout ce qu'a dit le Fils de Dieu;
> rien de plus vrai que cette parole de la Vérité.

VI. Le banquet Pascal

1382 La messe est à la fois et inséparablement le mémorial sacrificiel dans lequel se perpétue le sacrifice de la Croix, et le banquet sacré de la communion au Corps et au Sang du Seigneur. Mais la célébration du sacrifice eucharistique est tout orientée vers l'union intime des fidèles au Christ par la communion. Communier, c'est recevoir le Christ Lui-même qui s'est offert pour nous.

950

1383 L'*autel*, autour duquel l'Église est rassemblée dans la célébration de l'Eucharistie, représente les deux aspects d'un même mystère : l'autel du sacrifice et la table du Seigneur, et ceci d'autant plus que l'autel chrétien est le symbole du Christ Lui-même, présent au milieu de l'assemblée de ses fidèles, à la fois comme la victime offerte pour notre réconciliation et comme aliment céleste qui se donne à nous. « Qu'est-ce en effet que l'autel du Christ sinon l'image du Corps du Christ ? » dit S. Ambroise [1], et ailleurs : « L'autel représente le Corps [du Christ], et le Corps du Christ est sur l'autel [2]. » La liturgie exprime cette unité du sacrifice et de la communion dans de nombreuses prières. Ainsi, l'Église de Rome prie dans son anaphore :

1182

> Nous T'en supplions, Dieu Tout-Puissant : que [cette offrande] soit portée par ton ange en présence de ta gloire, sur ton autel céleste, afin qu'en recevant ici, par notre communion à l'autel, le corps et le sang de ton Fils, nous soyons comblés de ta grâce et de tes bénédictions.

« Prenez et mangez-en tous » : la communion

1384 Le Seigneur nous adresse une invitation pressante à Le recevoir dans le sacrement de l'Eucharistie : « En vérité, en vérité, je vous le dis, si vous ne mangez la Chair du Fils de l'homme et ne buvez son Sang, vous n'aurez pas la vie en vous » (Jn 6, 53).

2835

1385 Pour répondre à cette invitation, nous devons *nous préparer* à ce moment si grand et si saint. S. Paul exhorte à un examen de conscience : « Quiconque mange ce pain ou boit cette coupe du Seigneur indignement aura à répondre du Corps et

---

1. Sacr. 5, 7. - 2. Sacr. 4, 7.

du Sang du Seigneur. Que chacun donc s'éprouve soi-même et qu'il mange alors de ce pain et boive de cette coupe; car celui qui mange et boit, mange et boit sa propre condamnation, s'il n'y discerne le Corps » (1 Co 11, 27-29). Celui qui est conscient d'un péché grave doit recevoir le sacrement de la Réconciliation avant d'accéder à la communion.   *1457*

1386 Devant la grandeur de ce sacrement, le fidèle ne peut que reprendre humblement et avec une foi ardente la parole du Centurion [1] : « *Domine, non sum dignus, ut intres sub tectum meum, sed tantum dic verbum, et sanabitur anima mea* » (« Seigneur, je ne suis pas digne de te recevoir, mais dis seulement une parole et je serai guéri »). Et dans la Divine liturgie de S. Jean Chrysostome, les fidèles prient dans le même esprit :

> À ta cène mystique fais-moi communier aujourd'hui, ô Fils de Dieu. Car je ne dirai   *732* pas le Secret à tes ennemis, ni ne Te donnerai le baiser de Judas. Mais, comme le larron, je Te crie : Souviens-Toi de moi, Seigneur, dans ton royaume.

1387 Pour se préparer convenablement à recevoir ce sacrement, les fidèles observeront le jeûne prescrit dans leur Église [2]. L'attitude corporelle (gestes, vêtement) traduira le respect, la solennité, la   *2043* joie de ce moment où le Christ devient notre hôte.

1388 Il est conforme au sens même de l'Eucharistie que les fidèles, s'ils ont les dispositions requises, *communient chaque fois* qu'ils participent à la messe [3] : « Il est vivement recommandé aux fidèles de participer à la Messe de façon plus parfaite en recevant aussi, après la communion du prêtre, le corps du Seigneur du même sacrifice [4]. »

1389 L'Église fait obligation aux fidèles « de participer les dimanches et les jours de fête à la divine liturgie [5] » et de recevoir au moins une fois par an l'Eucharistie, si   *2042* possible au temps Pascal [6], préparés par le sacrement de la Réconciliation. Mais l'Église recommande vivement aux fidèles de recevoir la sainte Eucharistie les dimanches et les jours de fête, ou plus souvent encore, même tous les jours.   *2837*

1390 Grâce à la présence sacramentelle du Christ sous chacune des espèces, la communion à la seule espèce du pain permet de recevoir tout le fruit de grâce de l'Eucharistie. Pour des raisons pastorales, cette manière de communier s'est légitimement établie comme la plus habituelle dans le rite latin. « La sainte communion réalise plus pleinement sa forme de signe lorsqu'elle se fait sous les deux espèces. Car, sous cette forme, le signe du banquet eucharistique est mis plus pleinement en lumière [7]. » C'est la forme habituelle de communier dans les rites orientaux.

Les fruits de la communion

1391 *La communion accroît notre union au Christ.* Recevoir l'Eucharistie dans la communion porte comme fruit principal l'union intime au Christ Jésus. Le   *460*

---

1. Cf. Mt 8, 8. - 2. Cf. CIC, can. 919. - 3. Cf. CIC, can. 917; AAS 76 (1984) 746-747. - 4. SC 55 - 5. OE 15. - 6. Cf. CIC, can. 920. - 7. IGMR 240.

Seigneur dit en effet : « Qui mange ma Chair et boit mon Sang demeure en Moi et Moi en lui » (Jn 6, 56). La vie en Christ trouve son fondement dans le banquet eucharistique : « De même qu'envoyé par le Père, qui est vivant, Moi, Je vis par le *521*   Père, de même, celui qui Me mange, vivra, lui aussi, par Moi » (Jn 6, 57) :

> Lorsque dans les fêtes du Seigneur les fidèles reçoivent le Corps du Fils, ils proclament les uns aux autres la Bonne Nouvelle que les arrhes de la vie sont donnés, comme lorsque l'ange dit à Marie de Magdala : « Le Christ est ressuscité ! » Voici que maintenant aussi la vie et la résurrection sont conférées à celui qui reçoit le Christ [1].

1392 Ce que l'aliment matériel produit dans notre vie corporelle, la communion *1212*   le réalise de façon admirable dans notre vie spirituelle. La communion à la Chair du Christ ressuscité, « vivifiée par l'Esprit Saint et vivifiante [2] », conserve, accroît et renouvelle la vie de grâce reçue au Baptême. Cette croissance de la vie chrétienne a besoin d'être nourrie par la communion eucharistique, pain de notre pèlerinage, *1524*   jusqu'au moment de la mort, où il nous sera donné comme viatique.

1393 *La communion nous sépare du péché.* Le Corps du Christ que nous recevons dans la communion est « livré pour nous », et le Sang que nous buvons, *613*   est « versé pour la multitude en rémission des péchés ». C'est pourquoi l'Eucharistie ne peut pas nous unir au Christ sans nous purifier en même temps des péchés commis et nous préserver des péchés futurs :

> « Chaque fois que nous Le recevons, nous annonçons la mort du Seigneur » (1 Co 11, 26). Si nous annonçons la mort du Seigneur, nous annonçons la rémission des péchés. Si, chaque fois que son Sang est répandu, il est répandu pour la rémission des péchés, je dois toujours le recevoir, pour que toujours il remette mes péchés. Moi qui pèche toujours, je dois avoir toujours un remède [3].

1394 Comme la nourriture corporelle sert à restaurer la perte des forces, *1863*   l'Eucharistie fortifie la charité qui, dans la vie quotidienne, tend à s'affaiblir; et cette charité vivifiée *efface les péchés véniels* [4]. En se donnant à nous, le Christ ravive *1436*   notre amour et nous rend capables de rompre les attachements désordonnés aux créatures et de nous enraciner en Lui :

> Puisque le Christ est mort pour nous par amour, lorsque nous faisons mémoire de sa mort au moment du sacrifice, nous demandons que l'amour nous soit accordé par la venue du Saint-Esprit; nous prions humblement qu'en vertu de cet amour, par lequel le Christ a voulu mourir pour nous, nous aussi, en recevant la grâce du Saint-Esprit, nous puissions considérer le monde comme crucifié pour nous, et être nous-mêmes crucifiés pour le monde. (...) Ayant reçu le don de l'amour, mourons au péché et vivons pour Dieu [5].

1395 Par la même charité qu'elle allume en nous, l'Eucharistie nous *préserve des* *1855*   *péchés mortels* futurs. Plus nous participons à la vie du Christ et plus nous

---

1. Fanqîth, Office syriaque d'Antioche, volume 1, Commun, 237 a-b. - 2. PO 5. - 3. S. Ambroise, sacr. 4, 28. - 4. Cf. Cc. Trente : DS 1638. - 5. S. Fulgence de Ruspe, Fab. 28, 16-19.

progressons dans son amitié, plus il nous est difficile de rompre avec Lui par le péché mortel. L'Eucharistie n'est pas ordonnée au pardon des péchés mortels. Ceci est propre au sacrement de la Réconciliation. Le propre de l'Eucharistie est d'être le sacrement de ceux qui sont dans la pleine communion de l'Église. *1446*

1396 *L'unité du Corps mystique : l'Eucharistie fait l'Église.* Ceux qui reçoivent l'Eucharistie sont unis plus étroitement au Christ. Par là même, le Christ les unit à tous les fidèles en un seul corps : l'Église. La communion renouvelle, fortifie, approfondit cette incorporation à l'Église déjà réalisée par le Baptême. Dans le Baptême nous avons été appelés à ne faire qu'un seul corps [1]. L'Eucharistie réalise cet appel : « La coupe de bénédiction que nous bénissons n'est-elle pas communion au Sang du Christ ? Le pain que nous rompons, n'est-il pas communion au Corps du Christ ? Puisqu'il n'y a qu'un pain, à nous tous nous ne formons qu'un corps, car tous nous avons part à ce pain unique » (1 Co 10, 16-17) : *790*

> Si vous êtes le Corps du Christ et ses membres, c'est votre sacrement qui est placé sur la table du Seigneur, vous recevez votre sacrement. Vous répondez « Amen » (« Oui, c'est vrai ! ») à ce que vous recevez, et vous y souscrivez en répondant. Tu entends ce mot : « Le Corps du Christ » et tu réponds : « Amen. » Sois donc un membre du Christ pour que soit vrai ton Amen [2]. *1064*

1397 *L'Eucharistie engage envers les pauvres* : Pour recevoir dans la vérité le Corps et le Sang du Christ livrés pour nous, nous devons reconnaître le Christ dans les plus pauvres, ses frères [3] : *2449*

> Tu as goûté au Sang du Seigneur et tu ne reconnais pas même ton frère. Tu déshonores cette table même, en ne jugeant pas digne de partager ta nourriture celui qui a été jugé digne de prendre part à cette table. Dieu t'a libéré de tous tes péchés et t'y a invité. Et toi, pas même alors, tu n'es devenu plus miséricordieux [4].

1398 *L'Eucharistie et l'unité des chrétiens.* Devant la grandeur de ce mystère, S. Augustin s'écrie : « *Ô sacrement de la piété ! Ô signe de l'unité ! Ô lien de la charité* [5] *!* » D'autant plus douloureuses se font ressentir les divisions de l'Église qui rompent la commune participation à la table du Seigneur, d'autant plus pressantes sont les prières au Seigneur pour que reviennent les jours de l'unité complète de tous ceux qui croient en Lui. *817*

1399 Les Églises orientales qui ne sont pas en pleine communion avec l'Église catholique célèbrent l'Eucharistie avec un grand amour. « Ces Églises, bien que séparées, ont de vrais sacrements, - principalement, en vertu de la succession apostolique : le Sacerdoce et l'Eucharistie, - qui les unissent intimement à nous [6]. » Une certaine communion *in sacris* donc dans l'Eucharistie, est « non seulement possible, mais même recommandée, lors de circonstances favorables et avec l'approbation de l'autorité ecclésiastique [7] ». *838*

---

1. Cf. 1 Co 12, 13. - 2. S. Augustin, serm. 272. - 3. Cf. Mt 25, 40. - 4. S. Jean Chrysostome, hom. in 1 Cor. 27, 4. - 5. Ev. Jo. 26, 6, 13; cf. SC 47. - 6. UR 15. - 7. UR 15; cf. CIC, can. 844, § 3.

1400 Les communautés ecclésiales issues de la Réforme, séparées de l'Église catholique, « en rai-
1536 son surtout de l'absence du sacrement de l'Ordre, n'ont pas conservé la substance propre et intégrale du mystère eucharistique[1] ». C'est pour cette raison que l'intercommunion eucharistique avec
ces communautés n'est pas possible pour l'Église catholique. Cependant, ces communautés
ecclésiales, « lorsqu'elles font mémoire dans la sainte Cène de la mort et de la résurrection du
Seigneur, professent que la vie consiste dans la communion au Christ et attendent son retour glorieux[2] ».

1401 Lorsqu'une nécessité grave se fait pressante, selon le jugement de l'ordi-
1483 naire, les ministres catholiques peuvent donner les sacrements (Eucharistie,
Pénitence, Onction des malades) aux autres chrétiens qui ne sont pas en pleine
communion avec l'Église catholique, mais qui les demandent de leur plein gré : il
faut alors qu'ils manifestent la foi catholique concernant ces sacrements et qu'ils se
1385 trouvent dans les dispositions requises[3].

VII. L'Eucharistie - « gage de la gloire à venir »

1402 Dans une antique prière, l'Église acclame le mystère de l'Eucharistie : « Ô
1323 banquet sacré où le Christ est notre aliment, où est ravivé le souvenir de sa passion, où la grâce emplit notre âme, où nous est donné le gage de la vie à venir. » Si
l'Eucharistie est le mémorial de la Pâque du Seigneur, si par notre communion à
l'autel, nous sommes comblés « de toute bénédiction céleste et grâce[4] »,
1130 l'Eucharistie est aussi l'anticipation de la gloire céleste.

1403 Lors de la dernière Cène, le Seigneur a Lui-même tourné le regard de ses
disciples vers l'accomplissement de la Pâque dans le royaume de Dieu : « Je vous
le dis, je ne boirai plus désormais de ce produit de la vigne jusqu'au jour où je
boirai avec vous le vin nouveau dans le Royaume de mon Père » (Mt 26, 29)[5].
Chaque fois que l'Église célèbre l'Eucharistie, elle se souvient de cette promesse et
son regard se tourne vers « Celui qui vient » (Ap 1, 4). Dans sa prière, elle appelle
671 sa venue : « *Marana tha* » (1 Co 16, 22), « Viens, Seigneur Jésus » (Ap 22, 20), « Que
ta grâce vienne et que ce monde passe[6] ! »

1404 L'Église sait que, dès maintenant, le Seigneur vient dans son Eucharistie, et
qu'Il est là, au milieu de nous. Cependant, cette présence est voilée. C'est pour
cela que nous célébrons l'Eucharistie en « attendant la bienheureuse espérance et
1041 l'avènement de notre Sauveur Jésus-Christ[7] », en demandant « d'être comblés de ta
gloire, dans ton Royaume, tous ensemble et pour l'éternité, quand Tu essuieras
1028 toute larme de nos yeux; en Te voyant, Toi notre Dieu, tel que Tu es, nous Te
serons semblables éternellement, et sans fin nous chanterons ta louange, par le
Christ, notre Seigneur[8] ».

---

1. UR 22. - 2. UR 22. - 3. Cf. CIC, can. 844, § 4. - 4. MR, Canon Romain 96 : « Supplices te rogamus ».
- 5. Cf. Lc 22, 18; Mc 14, 25. - 6. Didaché 10, 6. - 7. Embolisme après le Notre Père; cf. Tt 2, 13.
- 8. MR, prière eucharistique III, 116 : prière pour les défunts.

1405 De cette grande espérance, celle des cieux nouveaux et de la terre nouvelle en lesquels habitera la justice [1], nous n'avons pas de gage plus sûr, de signe plus manifeste que l'Eucharistie. En effet, chaque fois qu'est célébré ce mystère, « l'oeuvre de notre rédemption s'opère [2] » et nous « rompons un même pain qui est remède d'immortalité, antidote pour ne pas mourir, mais pour vivre en Jésus Christ pour toujours [3] ».

1042

1000

EN BREF

1406 *Jésus dit : « Je suis le pain vivant, descendu du ciel. Qui mangera ce pain vivra à jamais (...). Qui mange ma Chair et boit mon Sang a la vie éternelle (...) il demeure en Moi et Moi en lui » (Jn 6, 51. 54. 56).*

1407 *L'Eucharistie est le coeur et le sommet de la vie de l'Église car en elle le Christ associe son Église et tous ses membres à son sacrifice de louange et d'action de grâces offert une fois pour toutes sur la Croix à son Père; par ce sacrifice Il répand les grâces du salut sur son Corps, qui est l'Église.*

1408 *La célébration eucharistique comporte toujours : la proclamation de la Parole de Dieu, l'action de grâce à Dieu le Père pour tous ses bienfaits, surtout pour le don de son Fils, la consécration du pain et du vin et la participation au banquet liturgique par la réception du Corps et du Sang du Seigneur. Ces éléments constituent un seul et même acte de culte.*

1409 *L'Eucharistie est le mémorial de la Pâque du Christ : c'est-à-dire de l'oeuvre du salut accomplie par la vie, la mort et la résurrection du Christ, oeuvre rendue présente par l'action liturgique.*

1410 *C'est le Christ Lui-même, grand prêtre éternel de la Nouvelle Alliance, qui, agissant par le ministère des prêtres, offre le sacrifice eucharistique. Et c'est encore le même Christ, réellement présent sous les espèces du pain et du vin, qui est l'offrande du sacrifice eucharistique.*

1411 *Seuls les prêtres validement ordonnés peuvent présider l'Eucharistie et consacrer le pain et le vin pour qu'ils deviennent le Corps et le Sang du Seigneur.*

1412 *Les signes essentiels du sacrement eucharistique sont le pain de blé et le vin du vignoble, sur lesquels est invoquée la bénédiction de l'Esprit Saint et le prêtre prononce les paroles de la consécration dites par Jésus pendant la dernière cène : « Ceci est mon Corps livré pour vous. (...) Ceci est la coupe de mon Sang... »*

1413 *Par la consécration s'opère la transsubstantiation du pain et du vin dans le Corps et le Sang du Christ. Sous les espèces consacrées du pain et du vin, le Christ Lui-même, vivant et glorieux, est présent de manière vraie, réelle et substantielle, son Corps et son Sang, avec son âme et sa divinité [4].*

1. Cf. 2 P 3, 13. - 2. LG 3. - 3. S. Ignace d'Antioche, Eph. 20, 2. - 4. Cf. Cc. Trente : DS 1640; 1651.

1414 *En tant que sacrifice, l'Eucharistie est aussi offerte en réparation des péchés des vivants et des défunts, et pour obtenir de Dieu des bienfaits spirituels ou temporels.*

1415 *Celui qui veut recevoir le Christ dans la communion eucharistique doit se trouver en état de grâce. Si quelqu'un a conscience d'avoir péché mortellement, il ne doit pas accéder à l'Eucharistie sans avoir reçu préalablement l'absolution dans le sacrement de Pénitence.*

1416 *La sainte communion au Corps et au Sang du Christ accroît l'union du communiant avec le Seigneur, lui remet les péchés véniels et le préserve des péchés graves. Puisque les liens de charité entre le communiant et le Christ sont renforcés, la réception de ce sacrement renforce l'unité de l'Église, Corps mystique du Christ.*

1417 *L'Église recommande vivement aux fidèles de recevoir la sainte communion chaque fois qu'ils participent à la célébration de l'Eucharistie; elle leur en fait obligation au moins une fois par an.*

1418 *Puisque le Christ Lui-même est présent dans le sacrement de l'autel, il faut L'honorer d'un culte d'adoration. « La visite au Très Saint Sacrement est une preuve de gratitude, un signe d'amour et un devoir d'adoration envers le Christ, notre Seigneur[1]. »*

1419 *Le Christ ayant passé de ce monde au Père, nous donne dans l'Eucharistie le gage de la gloire auprès de Lui : la participation au Saint Sacrifice nous identifie avec son Coeur, soutient nos forces au long du pèlerinage de cette vie, nous fait souhaiter la Vie éternelle et nous unit déjà à l'Église du Ciel, à la Sainte Vierge Marie et à tous les Saints.*

---

1. MF.

CHAPITRE DEUXIÈME
Les sacrements de guérison

1420 Par les sacrements de l'initiation chrétienne, l'homme reçoit la vie nouvelle du Christ. Or, cette vie, nous la portons « en des vases d'argile » (2 Co 4, 7). Maintenant, elle est encore « cachée avec le Christ en Dieu » (Col 3, 3). Nous sommes encore dans « notre demeure terrestre » (2 Co 5, 1) soumise à la souffrance, à la maladie et à la mort. Cette vie nouvelle d'enfant de Dieu peut être affaiblie et même perdue par le péché.

1421 Le Seigneur Jésus-Christ, médecin de nos âmes et de nos corps, Lui qui a remis les péchés au paralytique et lui a rendu la santé du corps[1], a voulu que son Église continue, dans la force de l'Esprit Saint, son oeuvre de guérison et de salut, même auprès de ses propres membres. C'est le but des deux sacrements de guérison : le sacrement de Pénitence et l'Onction des malades.

ARTICLE 4
Le sacrement de Pénitence
et de Réconciliation

1422 « Ceux qui s'approchent du sacrement de Pénitence y reçoivent de la miséricorde de Dieu le pardon de l'offense qu'ils Lui ont faite et du même coup sont réconciliés avec l'Église que leur péché a blessée et qui par la charité, l'exemple, les prières, travaille à leur conversion[2]. »

980

I. Comment est appelé ce sacrement ?

1423 Il est appelé *sacrement de conversion* puisqu'il réalise sacramentellement l'appel de Jésus à la conversion[3], la démarche de revenir au Père[4] dont on s'est éloigné par le péché.

1989

Il est appelé *sacrement de Pénitence* puisqu'il consacre une démarche personnelle et ecclésiale de conversion, de repentir et de satisfaction du chrétien pécheur.

1440

---

1. Cf. Mc 2, 1-12. - 2. LG 11. - 3. Cf. Mc 1, 15. - 4. Cf. Lc 15, 18.

1424 Il est appelé *sacrement de la confession* puisque l'aveu, la confession des

1456 péchés devant le prêtre est un élément essentiel de ce sacrement. Dans un sens profond ce sacrement est aussi une « confession », reconnaissance et louange de la sainteté de Dieu et de sa miséricorde envers l'homme pécheur.

1449 Il est appelé *sacrement du pardon* puisque par l'absolution sacramentelle du prêtre, Dieu accorde au pénitent « le pardon et la paix[1] ».

1442 Il est appelé *sacrement de Réconciliation* car il donne au pécheur l'amour de Dieu qui réconcilie : « Laissez-vous réconcilier avec Dieu » (2 Co 5, 20). Celui qui vit de l'amour miséricordieux de Dieu est prêt à répondre à l'appel du Seigneur : « Va d'abord te réconcilier avec ton frère » (Mt 5, 24).

II. Pourquoi un sacrement de la Réconciliation après le Baptême ?

1425 « Vous avez été lavés, vous avez été sanctifiés, vous avez été justifiés au

1263 nom du Seigneur Jésus-Christ et par l'Esprit de notre Dieu » (1 Co 6, 11). Il faut se rendre compte de la grandeur du don de Dieu qui nous est fait dans les sacrements de l'initiation chrétienne pour saisir à quel point le péché est une chose exclue pour celui qui a « revêtu le Christ » (Ga 3, 27). Mais l'apôtre S. Jean dit aussi : « Si nous disons que nous sommes sans péché, nous nous abusons nous-mêmes, et la vérité n'est point en nous » (1 Jn 1, 8). Et le Seigneur Lui-même nous

2838 a enseigné de prier : « Pardonne-nous nos offenses » (Lc 11, 4) en liant le pardon mutuel de nos offenses au pardon que Dieu accordera à nos péchés.

1426 La *conversion* au Christ, la nouvelle naissance du Baptême, le don de l'Esprit Saint, le Corps et le Sang du Christ reçus en nourriture, nous ont rendus « saints et immaculés devant Lui » (Ep 1, 4), comme l'Église elle-même, épouse du Christ, est « sainte et immaculée devant Lui » (Ep 5, 27). Cependant, la vie nouvelle reçue dans l'initiation chrétienne n'a pas supprimé la fragilité et la faiblesse de la

405, 978 nature humaine, ni l'inclination au péché que la tradition appelle la *concupiscence*,
1264 qui demeure dans les baptisés pour qu'ils fassent leurs preuves dans le combat de la vie chrétienne aidés par la grâce du Christ[2]. Ce combat est celui de la *conversion* en vue de la sainteté et de la vie éternelle à laquelle le Seigneur ne cesse de nous appeler[3].

III. La conversion des baptisés

1427 Jésus appelle à la conversion. Cet appel est une partie essentielle de

541 l'annonce du Royaume : « Les temps sont accomplis et le Royaume de Dieu est

---

1. OP, formule de l'absolution. - 2. Cf. DS 1515. - 3. Cf. DS 1545; LG 40.

tout proche; repentez-vous et croyez à la Bonne Nouvelle » (Mc 1, 15). Dans la prédication de l'Église cet appel s'adresse d'abord à ceux qui ne connaissent pas encore le Christ et son Évangile. Aussi, le Baptême est-il le lieu principal de la conversion première et fondamentale. C'est par la foi en la Bonne Nouvelle et par le Baptême [1] que l'on renonce au mal et qu'on acquiert le salut, c'est-à-dire la rémission de tous les péchés et le don de la vie nouvelle.

1226

1428 Or l'appel du Christ à la conversion continue à retentir dans la vie des chrétiens. Cette *seconde conversion* est une tâche ininterrompue pour toute l'Église qui « enferme des pécheurs dans son propre sein » et qui « est donc à la fois sainte et appelée à se purifier, et qui poursuit constamment son effort de pénitence et de renouvellement [2]». Cet effort de conversion n'est pas seulement une oeuvre humaine. Il est le mouvement du « coeur contrit » (Ps 51, 19) attiré et mû par la grâce [3] à répondre à l'amour miséricordieux de Dieu qui nous a aimés le premier [4].

1036

853

1996

1429 En témoigne la conversion de S. Pierre après le triple reniement de son Maître. Le regard d'infinie miséricorde de Jésus provoque les larmes du repentir (Lc 22, 61) et, après la résurrection du Seigneur, la triple affirmation de son amour envers Lui [5]. La seconde conversion a aussi une dimension *communautaire*. Cela apparaît dans l'appel du Seigneur à toute une Église : « Repens-toi ! » (Ap 2, 5. 16).

> S. Ambroise dit des deux conversions que, dans l'Église, « il y a l'eau et les larmes : l'eau du Baptême et les larmes de la Pénitence [6] ».

IV. La pénitence intérieure

1430 Comme déjà chez les prophètes, l'appel de Jésus à la conversion et à la pénitence ne vise pas d'abord des oeuvres extérieures, « le sac et la cendre », les jeûnes et les mortifications, mais *la conversion du coeur, la pénitence intérieure*. Sans elle, les oeuvres de pénitence restent stériles et mensongères; par contre, la conversion intérieure pousse à l'expression de cette attitude en des signes visibles, des gestes et des oeuvres de pénitence [7].

1098

1431 La pénitence intérieure est une réorientation radicale de toute la vie, un retour, une conversion vers Dieu de tout notre coeur, une cessation du péché, une aversion du mal, avec une répugnance envers les mauvaises actions que nous avons commises. En même temps, elle comporte le désir et la résolution de changer de vie avec l'espérance de la miséricorde divine et la confiance en l'aide de sa grâce. Cette conversion du coeur est accompagnée d'une douleur et d'une tristesse salutaires

1451

---

1. Cf. Ac 2, 38. - 2. LG 8. - 3. Cf. Jn 6, 44; 12, 32. - 4. Cf. 1 Jn 4, 10. - 5. Cf. Jn 21, 15-17 - 6. Ep. 41, 12. - 7. Cf. Jl 2, 12-13; Is 1, 16-17; Mt 6, 1-6. 16-18.

que les Pères ont appelées *animi cruciatus* (affliction de l'esprit), *compunctio*

368 *cordis* (repentir du coeur)[1].

1432 Le coeur de l'homme est lourd et endurci. Il faut que Dieu donne à

1989 l'homme un coeur nouveau[2]. La conversion est d'abord une oeuvre de la grâce de Dieu qui fait revenir nos coeurs à Lui : « Convertis-nous, Seigneur, et nous serons convertis » (Lm 5, 21). Dieu nous donne la force de commencer à nouveau. C'est en découvrant la grandeur de l'amour de Dieu que notre coeur est ébranlé par l'horreur et le poids du péché et qu'il commence à craindre d'offenser Dieu par le péché et d'être séparé de Lui. Le coeur humain se convertit en regardant vers Celui que nos péchés ont transpercé[3] :

> Ayons les yeux fixés sur le sang du Christ et comprenons combien il est précieux à son Père car, répandu pour notre salut, il a ménagé au monde entier la grâce du repentir[4].

1433 Depuis Pâques, c'est l'Esprit Saint qui « confond le monde en matière de

729 péché » (Jn 16, 8-9), à savoir que le monde n'a pas cru en Celui que le Père a

692, 1848 envoyé. Mais ce même Esprit, qui dévoile le péché, est le Consolateur[5] qui donne au coeur de l'homme la grâce du repentir et de la conversion[6].

V. Les multiples formes de la pénitence dans la vie chrétienne

1434 La pénitence intérieure du chrétien peut avoir des expressions très variées. L'Écriture et les

1969 Pères insistent surtout sur trois formes : *le jeûne, la prière, l'aumône*[7], qui expriment la conversion par rapport à soi-même, par rapport à Dieu et par rapport aux autres. À côté de la purification radicale opérée par le Baptême ou par le martyre, ils citent, comme moyen d'obtenir le pardon des péchés, les efforts accomplis pour se réconcilier avec son prochain, les larmes de pénitence, le souci du salut du prochain[8], l'intercession des saints et la pratique de la charité « qui couvre une multitude de péchés » (1 P 4, 8).

1435 La conversion se réalise dans la vie quotidienne par des gestes de réconciliation, par le souci des pauvres, l'exercice et la défense de la justice et du droit[9] par l'aveu des fautes aux frères, la correction fraternelle, la révision de vie, l'examen de conscience, la direction spirituelle, l'acceptation des souffrances, l'endurance de la persécution à cause de la justice. Prendre sa Croix, chaque jour, et suivre Jésus est le chemin le plus sûr de la pénitence[10].

1436 *Eucharistie et Pénitence.* La conversion et la pénitence quotidiennes trouvent leur source et leur nourriture dans l'Eucharistie, car en elle est rendu présent le sacrifice du Christ qui nous a ré-conciliés avec Dieu; par elle sont nourris et fortifiés ceux qui vivent de la vie du Christ; « elle est

1394 l'antidote qui nous libère de nos fautes quotidiennes et nous préserve des péchés mortels[11] ».

---

1. Cf. Cc. Trente : DS 1676-1678; 1705; Catech. R. 2, 5, 4. - 2. Cf. Ez 36, 26-27. - 3. Cf. Jn 19, 37; Za 12, 10. - 4. S. Clément de Rome, Cor. 7, 4. - 5. Cf. Jn 15, 26. - 6. Cf. Ac 2, 36-38; cf. Jean Paul II, DV 27-48. - 7. Cf. Tb 12, 8; Mt 6, 1-18. - 8. Cf. Jc 5, 20. - 9. Cf. Am 5, 24; Is 1, 17. - 10. Cf. Lc 9, 23. - 11. Cc. Trente : DS 1638.

1437 La lecture de l'Écriture Sainte, la prière de la Liturgie des Heures et du Notre Père, tout acte sincère de culte ou de piété ravive en nous l'esprit de conversion et de pénitence et contribue au pardon de nos péchés.

1438 *Les temps et les jours de pénitence* au cours de l'année liturgique (le temps du carême, chaque vendredi en mémoire de la mort du Seigneur) sont des moments forts de la pratique pénitentielle de l'Église [1]. Ces temps sont particulièrement appropriés pour les exercices spirituels, les liturgies pénitentielles, les pèlerinages en signe de pénitence, les privations volontaires comme le jeûne et l'aumône, le partage fraternel (oeuvres caritatives et missionnaires).

540

2043

1439 Le *mouvement de la conversion et de la pénitence* a été merveilleusement décrit par Jésus dans la parabole dite « du fils prodigue » dont le centre est « le père miséricordieux » (Lc 15, 11-24) : la fascination d'une liberté illusoire, l'abandon de la maison paternelle; la misère extrême dans laquelle le fils se trouve après avoir dilapidé sa fortune; l'humiliation profonde de se voir obligé de paître des porcs, et pire encore, celle de désirer se nourrir des caroubes que mangeaient les cochons; la réflexion sur les biens perdus; le repentir et la décision de se déclarer coupable devant son père; le chemin du retour; l'accueil généreux par le père; la joie du père : ce sont là des traits propres au processus de conversion. La belle robe, l'anneau et le banquet de fête sont des symboles de cette vie nouvelle, pure, digne, pleine de joie qu'est la vie de l'homme qui revient à Dieu et au sein de sa famille, qui est l'Église. Seul le coeur du Christ, qui connaît les profondeurs de l'amour de son Père, a pu nous révéler l'abîme de sa miséricorde d'une manière si pleine de simplicité et de beauté.

545

VI. Le sacrement de la Pénitence et de la Réconciliation

1440 Le péché est avant tout offense à Dieu, rupture de la communion avec Lui. Il porte en même temps atteinte à la communion avec l'Église. C'est pourquoi la conversion apporte à la fois le pardon de Dieu et la réconciliation avec l'Église, ce qu'exprime et réalise liturgiquement le sacrement de la Pénitence et de la Réconciliation [2].

1850

Dieu seul pardonne le péché

1441 Dieu seul pardonne les péchés [3]. Parce que Jésus est le Fils de Dieu, Il dit de Lui-même : « Le Fils de l'Homme a le pouvoir de remettre les péchés sur la terre » (Mc 2, 10) et Il exerce ce pouvoir divin : « Tes péchés sont pardonnés ! » (Mc 2, 5; Lc 7, 48). Plus encore : en vertu de sa divine autorité, Il donne ce pouvoir aux hommes [4] pour qu'ils l'exercent en son nom.

270, 431

589

1442 Le Christ a voulu que son Église soit tout entière, dans sa prière, sa vie et son agir, le signe et l'instrument du pardon et de la réconciliation qu'Il nous a acquis au prix de son sang. Il a cependant confié l'exercice du pouvoir d'absolution au

983

---

1. Cf. SC 109-110; CIC, can. 1249-1253; CCEO, can. 880-883. - 2. Cf. LG 11. - 3. Cf. Mc 2, 7. - 4. Cf. Jn 20, 21-23.

ministère apostolique. Celui-ci est chargé du « ministère de la réconciliation » (2 Co 5, 18). L'apôtre est envoyé « au nom du Christ », et « c'est Dieu Lui-même » qui, à travers lui, exhorte et supplie : « Laissez-vous réconcilier avec Dieu » (2 Co 5, 20).

Réconciliation avec l'Église

1443 Durant sa vie publique, Jésus n'a pas seulement pardonné les péchés, Il a aussi manifesté l'effet de ce pardon : Il a réintégré les pécheurs pardonnés dans la communauté du Peuple de Dieu d'où le péché les avait éloignés ou même exclus.

545 Un signe éclatant en est le fait que Jésus admet les pécheurs à sa table, plus encore, qu'Il se met Lui-même à leur table, geste qui exprime de façon bouleversante à la fois le pardon de Dieu[1] et le retour au sein du Peuple de Dieu[2].

1444 En donnant part aux apôtres de son propre pouvoir de pardonner les péchés, le Seigneur leur donne aussi l'autorité de réconcilier les pécheurs avec

981 l'Église. Cette dimension ecclésiale de leur tâche s'exprime notamment dans la parole solennelle du Christ à Simon Pierre : « Je te donnerai les clefs du Royaume des cieux; tout ce que tu lieras sur la terre sera lié aux cieux, et tout ce que tu délieras sur la terre sera délié aux cieux » (Mt 16, 19). « Cette même charge de lier et de délier qui a été donnée à Pierre a été aussi donnée au collège des apôtres unis à leur chef (Mt 18, 18; 28, 16-20)[3]. »

1445 Les mots *lier et délier* signifient : celui que vous exclurez de votre commu-

553 nion, celui-là sera exclu de la communion avec Dieu; celui que vous recevrez de nouveau dans votre communion, Dieu l'accueillera aussi dans la sienne. *La réconciliation avec l'Église est inséparable de la réconciliation avec Dieu.*

Le sacrement du pardon

1446 Le Christ a institué le sacrement de Pénitence pour tous les membres

979 pécheurs de son Église, avant tout pour ceux qui, après le baptême, sont tombés

1856 dans le péché grave et qui ont ainsi perdu la grâce baptismale et blessé la communion ecclésiale. C'est à eux que le sacrement de Pénitence offre une nouvelle pos-

1990 sibilité de se convertir et de retrouver la grâce de la justification. Les Pères de l'Église présentent ce sacrement comme « la seconde planche [de salut] après le naufrage qu'est la perte de la grâce[4] ».

1447 Au cours des siècles, la forme concrète, selon laquelle l'Église a exercé ce pouvoir reçu du Seigneur, a beaucoup varié. Durant les premiers siècles, la réconciliation des chrétiens qui avaient commis des péchés particulièrement graves après leur Baptême (par exemple l'idolâtrie,

---

1. Cf. Lc 15. - 2. Cf. Lc 19, 9. - 3. LG 22. - 4. Tertullien, paen. 4, 2; cf. Cc. Trente : DS 1542.

l'homicide ou l'adultère), était liée à une discipline très rigoureuse, selon laquelle les pénitents devaient faire pénitence publique pour leurs péchés, souvent durant de longues années, avant de recevoir la réconciliation. À cet « ordre des pénitents » (qui ne concernait que certains péchés graves) on n'était admis que rarement et, dans certaines régions, une seule fois dans sa vie. Pendant le VIIe siècle, inspirés par la tradition monastique d'Orient, les missionnaires irlandais apportèrent en Europe continentale la pratique « privée » de la pénitence qui n'exige pas la réalisation publique et prolongée d'oeuvres de pénitence avant de recevoir la réconciliation avec l'Église. Le sacrement se réalise désormais d'une manière plus secrète entre le pénitent et le prêtre. Cette nouvelle pratique prévoyait la possibilité de la réitération et ouvrait ainsi le chemin à une fréquentation régulière de ce sacrement. Elle permettait d'intégrer dans une seule célébration sacramentelle le pardon des péchés graves et des péchés véniels. C'est, dans les grandes lignes, cette forme de la pénitence que l'Église pratique jusqu'à nos jours.

1448 À travers les changements que la discipline et la célébration de ce sacrement ont connus au cours des siècles, on discerne la même *structure fondamentale*. Elle comporte deux éléments également essentiels; d'une part, les actes de l'homme qui se convertit sous l'action de l'Esprit Saint : à savoir la contrition, l'aveu et la satisfaction; d'autre part, l'action de Dieu par l'intervention de l'Église. L'Église qui, par l'évêque et ses prêtres, donne au nom de Jésus-Christ le pardon des péchés et fixe la modalité de la satisfaction, prie aussi pour le pécheur et fait pénitence avec lui. Ainsi le pécheur est guéri et rétabli dans la communion ecclésiale.

1449 La formule d'absolution en usage dans l'Église latine exprime les éléments essentiels de ce sacrement : le Père des miséricordes est la source de tout pardon. *1481* Il réalise la réconciliation des pécheurs par la Pâque de son Fils et le don de son *234* Esprit, à travers la prière et le ministère de l'Église :

> Que Dieu notre Père vous montre sa miséricorde; par la mort et la résurrection de son Fils, Il a réconcilié le monde avec Lui et Il a envoyé l'Esprit Saint pour la rémission des péchés : par le ministère de l'Église, qu'Il vous donne le pardon et la paix. Et moi, au nom du Père et du Fils et du Saint-Esprit, je vous pardonne tous vos péchés.

VII. Les actes du pénitent

1450 « La Pénitence oblige le pécheur à accepter volontiers tous ses éléments : dans son coeur, la contrition; dans sa bouche, la confession; dans son comportement, une totale humilité ou une fructueuse satisfaction[1]. »

La contrition

1451 Parmi les actes du pénitent, la contrition vient en premier lieu. Elle est « une douleur de l'âme et une détestation du péché commis avec la résolution de ne plus *431* pécher à l'avenir[2] ».

---

1. Catech. R. 2, 5, 21; cf. Cc. Trente : DS 1673. - 2. Cc. Trente : DS 1676.

1452 Quand elle provient de l'amour de Dieu aimé plus que tout, la contrition est
1822 appelée « parfaite » (contrition de charité). Une telle contrition remet les fautes
vénielles; elle obtient aussi le pardon des péchés mortels, si elle comporte la ferme
résolution de recourir dès que possible à la confession sacramentelle [1].

1453 La contrition dite « imparfaite » (ou « attrition ») est, elle aussi, un don de
Dieu, une impulsion de l'Esprit Saint. Elle naît de la considération de la laideur du
péché ou de la crainte de la damnation éternelle et des autres peines dont est
menacé le pécheur (contrition par crainte). Un tel ébranlement de la conscience
peut amorcer une évolution intérieure qui sera parachevée sous l'action de la
grâce, par l'absolution sacramentelle. Par elle-même, cependant, la contrition
imparfaite n'obtient pas le pardon des péchés graves, mais elle dispose à l'obtenir
dans le sacrement de la Pénitence [2].

1454 Il convient de préparer la réception de ce sacrement par un *examen de conscience* fait à la
lumière de la Parole de Dieu. Les textes les plus adaptés à cet effet sont à chercher dans la
catéchèse morale des Évangiles et des lettres apostoliques : sermon sur la Montagne, les enseignements apostoliques [3].

La confession des péchés

1455 La confession des péchés (l'aveu), même d'un point de vue simplement
1424 humain, nous libère et facilite notre réconciliation avec les autres. Par l'aveu,
l'homme regarde en face les péchés dont il s'est rendu coupable; il en assume la
1734 responsabilité et par là, il s'ouvre de nouveau à Dieu et à la communion de l'Église
afin de rendre possible un nouvel avenir.

1456 L'aveu au prêtre constitue une partie essentielle du sacrement de Péni-
1855 tence : « Les pénitents doivent, dans la confession, énumérer tous les péchés mortels dont ils ont conscience après s'être examinés sérieusement, même si ces
péchés sont très secrets et s'ils ont été commis seulement contre les deux derniers
préceptes du Décalogue [4], car parfois ces péchés blessent plus grièvement l'âme et
sont plus dangereux que ceux qui ont été commis au su de tous [5] » :

> Lorsque les fidèles du Christ s'efforcent de confesser tous les péchés qui leur vien-
> nent à la mémoire, on ne peut pas douter qu'ils les présentent tous au pardon de la
> *1505* miséricorde divine. Ceux qui agissent autrement et qui en cachent sciemment
> quelques-uns ne proposent à la bonté divine rien qu'elle puisse remettre par l'inter-
> médiaire du prêtre. Car « si le malade rougit de découvrir sa plaie au médecin, la
> médecine ne soigne pas ce qu'elle ignore [6] ».

1457 D'après le commandement de l'Église, « tout fidèle parvenu à l'âge de la discrétion doit
2042 confesser, au moins une fois par an, les péchés graves dont il a conscience [7] ». Celui qui a

---

1. Cf. Cc. Trente : DS 1677. - 2. Cf. Cc. Trente : DS 1678, 1705. - 3. Cf. Rm 12-15; 1 Co 12-13; Ga 5, Ep
4-6. - 4. Cf. Ex 20, 17; Mt 5, 28. - 5. Cc. Trente : DS 1680. - 6. S. Jérôme, Eccl. 10, 11; Cc. Trente : DS
1680. - 7. Cc., can. 989; cf. DS 1683, 1708.

conscience d'avoir commis un péché mortel ne doit pas recevoir la Sainte communion, même s'il *1385* éprouve une grande contrition, sans avoir préalablement reçu l'absolution sacramentelle [1], à moins qu'il n'ait un motif grave pour communier et qu'il ne lui soit possible d'accéder à un confesseur [2]. Les enfants doivent accéder au sacrement de la Pénitence avant de recevoir pour la première fois la Sainte communion [3].

1458 Sans être strictement nécessaire, la confession des fautes quotidiennes (péchés véniels) est néanmoins vivement recommandée par l'Église [4]. En effet, la *1783* confession régulière de nos péchés véniels nous aide à former notre conscience, à lutter contre nos penchants mauvais, à nous laisser guérir par le Christ, à progresser dans la vie de l'Esprit. En recevant plus fréquemment, par ce sacrement, le don de la miséricorde du Père, nous sommes poussés à être miséricordieux comme Lui [5] :

> Celui qui confesse ses péchés agit déjà avec Dieu. Dieu accuse tes péchés; si tu les accuses toi aussi, tu te joins à Dieu. L'homme et le pécheur sont pour ainsi dire deux réalités : quand tu entends parler de l'homme, c'est Dieu qui l'a fait; quand tu entends parler du pécheur, c'est l'homme lui-même qui l'a fait. Détruis ce que tu as fait pour que Dieu sauve ce qu'il a fait (...). Quand tu commences à détester ce que tu as fait, c'est alors que tes oeuvres bonnes commencent parce que tu accuses tes oeuvres mauvaises. Le commencement des oeuvres bonnes, c'est la confession *2468* des oeuvres mauvaises. Tu fais la vérité et tu viens à la Lumière [6].

La satisfaction

1459 Beaucoup de péchés causent du tort au prochain. Il faut faire le possible pour le réparer (par exemple restituer des choses volées, rétablir la réputation de *2412* celui qui a été calomnié, compenser des blessures). La simple justice exige cela. *2487* Mais en plus, le péché blesse et affaiblit le pécheur lui-même, ainsi que ses relations avec Dieu et avec le prochain. L'absolution enlève le péché, mais elle ne remédie pas à tous les désordres que le péché a causés [7]. Relevé du péché, le pécheur doit encore recouvrer la pleine santé spirituelle. Il doit donc faire quelque *1473* chose de plus pour réparer ses péchés : il doit « satisfaire » de manière appropriée ou « expier » ses péchés. Cette satisfaction s'appelle aussi « pénitence ».

1460 La *pénitence* que le confesseur impose doit tenir compte de la situation personnelle du pénitent et doit chercher son bien spirituel. Elle doit correspondre autant que possible à la gravité et à la nature des péchés commis. Elle peut consister dans la prière, une offrande, dans les oeuvres de miséricorde, le service du *2447* prochain, dans des privations volontaires, des sacrifices, et surtout dans l'acceptation patiente de la Croix que nous devons porter. De telles pénitences aident à nous configurer au Christ qui, seul, a expié pour nos péchés [8] une fois pour toutes. *618*

---

1. Cf. Cc. Trente : DS 1647; 1661. - 2. Cf. CIC, can. 916; CCEO, can. 711. - 3. Cf. CIC, can. 914. - 4. Cf. Cc. Trente : DS 1680; CIC, can. 988, § 2. - 5. Cf. Lc 6, 36. - 6. S. Augustin, ev. Jo. 12, 13. - 7. Cf. Cc. Trente : DS 1712. - 8. Cf. Rm 3, 25; 1 Jn 2, 1-2.

Elles nous permettent de devenir les cohéritiers du Christ ressuscité, « puisque nous souffrons avec Lui » (Rm 8, 17)[1] :

> *2011* Mais notre satisfaction, celle que nous acquittons pour nos péchés, n'est que par Jésus-Christ : nous qui, de nous-mêmes comme tels, ne pouvons rien nous-mêmes, avec l'aide « de Celui qui nous fortifie, nous pouvons tout » (Ph 4, 13). Ainsi l'homme n'a rien dont il puisse se glorifier, mais toute notre « gloire » est dans le Christ (...) en qui nous satisfaisons, « en faisant de dignes fruits de pénitence » (Lc 3, 8), qui en Lui puisent leur force, par Lui sont offerts au Père et grâce à Lui sont acceptés par le Père[2].

VIII. Le ministre de ce sacrement

981 **1461** Puisque le Christ a confié à ses apôtres le ministère de la réconciliation[3], les évêques, leurs successeurs, et les presbytres, collaborateurs des évêques, continuent à exercer ce ministère. En effet, ce sont les évêques et les presbytres, qui ont, en vertu du sacrement de l'Ordre, le pouvoir de pardonner tous les péchés « au nom du Père et du Fils et du Saint-Esprit ».

886 **1462** Le pardon des péchés réconcilie avec Dieu mais aussi avec l'Église. L'évêque, chef visible de l'Église particulière, est donc considéré à juste titre, depuis les temps anciens, comme celui qui a principalement le pouvoir et le ministère de la réconciliation : il est le modérateur de la discipline pénitentielle[4]. Les *1567* presbytres, ses collaborateurs, l'exercent dans la mesure où ils en ont reçu la charge soit de leur évêque (ou d'un supérieur religieux) soit du Pape, à travers le droit de l'Église[5].

1463 Certains péchés particulièrement graves sont frappés de l'excommunication, la peine ecclésiastique la plus sévère, qui empêche le réception des sacrements et l'exercice de certains actes ecclésiastiques, et dont l'absolution, par conséquent, ne peut être accordée, selon le droit de l'Église, que par le Pape, l'évêque du lieu ou des prêtres autorisés par eux[6]. En cas de danger de mort tout prêtre, même dépourvu de la faculté d'entendre les confessions, peut absoudre de tout péché[7] et de *982* toute excommunication.

1464 Les prêtres doivent encourager les fidèles à accéder au sacrement de la Pénitence et doivent se montrer disponibles à célébrer ce sacrement chaque fois que les chrétiens le demandent de manière raisonnable[8].

983 **1465** En célébrant le sacrement de la Pénitence, le prêtre accomplit le ministère du Bon Pasteur qui cherche la brebis perdue, celui du Bon Samaritain qui panse les blessures, du Père qui attend le Fils prodigue et l'accueille à son retour, du juste

---

1. Cf. Cc. Trente : DS 1690. - 2. Cc. Trente : DS 1691. - 3. Cf. Jn 20, 23; 2 Co 5, 18. - 4. LG 26. - 5. Cf. CIC, can. 844; 967-969; 972; CCEO, can. 722, §§ 3 - 4. - 6. Cf. CIC, can. 1331; 1354-1357; CCEO, can. 1431; 1434; 1420. - 7. Cf. CIC, can. 976; CCEO, can. 725. - 8. Cf. CIC, can. 986; CCEO, can. 735; PO 13.

juge qui ne fait pas acception de personne et dont le jugement est à la fois juste et miséricordieux. Bref, le prêtre est le signe et l'instrument de l'amour miséricordieux de Dieu envers le pécheur.

1466 Le confesseur n'est pas le maître, mais le serviteur du pardon de Dieu. Le ministre de ce sacrement doit s'unir à l'intention et à la charité du Christ[1]. Il doit avoir une connaissance éprouvée du comportement chrétien, l'expérience des choses humaines, le respect et la délicatesse envers celui qui est tombé; il doit aimer la vérité, être fidèle au Magistère de l'Église et conduire le pénitent avec patience vers la guérison et la pleine maturité. Il doit prier et faire pénitence pour lui en le confiant à la miséricorde du Seigneur.

1551
2690

1467 Étant donné la délicatesse et la grandeur de ce ministère et le respect dû aux personnes, l'Église déclare que tout prêtre qui entend des confessions est obligé de garder un secret absolu au sujet des péchés que ses pénitents lui ont confessés, sous des peines très sévères[2]. Il ne peut pas non plus faire état des connaissances que la confession lui donne sur la vie des pénitents. Ce secret, qui n'admet pas d'exceptions, s'appelle le « sceau sacramentel », car ce que le pénitent a manifesté au prêtre reste « scellé » par le sacrement.

2490

IX. Les effets de ce sacrement

1468 « Toute l'efficacité de la Pénitence consiste à nous rétablir dans la grâce de Dieu et à nous unir à Lui dans une souveraine amitié[3]. » Le but et l'effet de ce sacrement sont donc la *réconciliation* avec Dieu. Chez ceux qui reçoivent le sacrement de Pénitence avec un coeur contrit et dans une disposition religieuse, « il est suivi de la paix et de la tranquillité de la conscience, qu'accompagne une forte consolation spirituelle[4] ». En effet, le sacrement de la réconciliation avec Dieu apporte une véritable « résurrection spirituelle », une restitution de la dignité et des biens de la vie des enfants de Dieu dont le plus précieux est l'amitié de Dieu (Lc 15, 32).

2305

1469 Ce sacrement nous *réconcilie avec l'Église*. Le péché ébrèche ou brise la communion fraternelle. Le sacrement de Pénitence la répare ou la restaure. En ce sens, il ne guérit pas seulement celui qui est rétabli dans la communion ecclésiale, il a aussi un effet vivifiant sur la vie de l'Église qui a souffert du péché d'un de ses membres[5]. Rétabli ou affermi dans la communion des saints, le pécheur est fortifié par l'échange des biens spirituels entre tous les membres vivants du Corps du Christ, qu'ils soient encore dans l'état de pèlerinage ou qu'ils soient déjà dans la patrie céleste[6] :

953
949

---

1. Cf. PO 13. - 2. CIC, can. 1388, § 1; CCEO, can. 1456. - 3. Catech. R. 2, 5, 18. - 4. Cc. Trente : DS 1674. - 5. Cf. 1 Co 12, 26. - 6. Cf. LG 48-50.

Il faut rappeler que la réconciliation avec Dieu a comme conséquence, pour ainsi dire, d'autres réconciliations qui porteront remède à d'autres ruptures produites par le péché : le pénitent pardonné se réconcilie avec lui-même dans la profondeur de son être, où il récupère la propre vérité intérieure; il se réconcilie avec les frères que de quelque manière il a offensés et blessés; il se réconcilie avec l'Église; il se réconcilie avec la création tout entière[1].

1470 Dans ce sacrement, le pécheur, en se remettant au jugement miséricordieux de Dieu, *anticipe* d'une certaine façon *le jugement* auquel il sera soumis à la fin de cette vie terrestre. Car c'est maintenant, dans cette vie-ci, que nous est offert le choix entre la vie et la mort, et ce n'est que par le chemin de la conversion que nous pouvons entrer dans le Royaume d'où exclut le péché grave[2]. En se convertissant au Christ par la pénitence et la foi, le pécheur passe de la mort à la vie « et il n'est pas soumis au jugement » (Jn 5, 24).

678, 1039

X. Les indulgences

1471 La doctrine et la pratique des indulgences dans l'Église sont étroitement liées aux effets du sacrement de Pénitence.

Qu'est-ce que l'indulgence ?

« L'indulgence est la rémission devant Dieu de la peine temporelle due pour les péchés dont la faute est déjà effacée, rémission que le fidèle bien disposé obtient à certaines conditions déterminées, par l'action de l'Église, laquelle, en tant que dispensatrice de la rédemption, distribue et applique par son autorité le trésor des satisfactions du Christ et des saints. »

« L'indulgence est partielle ou plénière, selon qu'elle libère partiellement ou totalement de la peine temporelle due pour le péché. » Les indulgences peuvent être appliquées aux vivants ou aux défunts[3].

Les peines du péché

1472 Pour comprendre cette doctrine et cette pratique de l'Église il faut voir que le péché *a une double conséquence*. Le péché grave nous prive de la communion avec Dieu, et par là il nous rend incapables de la vie éternelle, dont la privation s'appelle la « peine éternelle » du péché. D'autre part, tout péché, même véniel, entraîne un attachement malsain aux créatures, qui a besoin de purification, soit ici-bas, soit après la mort, dans l'état qu'on appelle Purgatoire. Cette purification libère de ce qu'on appelle la « peine temporelle » du péché. Ces deux peines ne doivent pas être conçues comme une espèce de vengeance, infligée par Dieu de l'extérieur, mais bien comme découlant de la nature même du péché. Une conversion qui procède d'une fervente charité peut arriver à la totale purification du pécheur, de sorte qu'aucune peine ne subsisterait[4].

1861

1031

---

1. RP 31. - 2. Cf. 1 Co 5, 11; Ga 5, 19-21; Ap 22, 15. - 3. Paul VI, const. ap. « Indulgentiarum doctrina », Normae 1-3. - 4. Cf. Cc. Trente : DS 1712-1713; 1820.

1473 Le pardon du péché et la restauration de la communion avec Dieu entraînent la remise des peines éternelles du péché. Mais des peines temporelles du péché demeurent. Le chrétien doit s'efforcer, en supportant patiemment les souffrances et les épreuves de toute sorte et, le jour venu, en faisant sereinement face à la mort, d'accepter comme une grâce ces peines temporelles du péché; il doit s'appliquer, par les oeuvres de miséricorde et de charité, ainsi que par la prière et les différentes pratiques de la pénitence, à se dépouiller complètement du « vieil homme » et à revêtir « l'homme nouveau[1] ». *2447*

Dans la communion des saints

1474 Le chrétien qui cherche à se purifier de son péché et à se sanctifier avec l'aide de la grâce de Dieu ne se trouve pas seul. « La vie de chacun des enfants de Dieu se trouve liée d'une façon admirable, dans le Christ et par le Christ, avec la vie de tous les autres frères chrétiens, dans l'unité surnaturelle du Corps mystique du Christ, comme dans une personne mystique[2]. » *946-959* *795*

1475 Dans la communion des saints « il existe donc entre les fidèles - ceux qui sont en possession de la patrie céleste, ceux qui ont été admis à expier au purgatoire ou ceux qui sont encore en pèlerinage sur la terre - un constant lien d'amour et un abondant échange de tous biens[3] ». Dans cet échange admirable, la sainteté de l'un profite aux autres, bien au-delà du dommage que le péché de l'un a pu causer aux autres. Ainsi, le recours à la communion des saints permet au pécheur contrit d'être plus tôt et plus efficacement purifié des peines du péché.

1476 Ces biens spirituels de la communion des saints, nous les appelons aussi le *trésor de l'Église*, « qui n'est pas une somme de biens, ainsi qu'il en est des richesses matérielles accumulées au cours des siècles, mais qui est le prix infini et inépuisable qu'ont auprès de Dieu les expiations et les mérites du Christ notre Seigneur, offerts pour que l'humanité soit libérée du péché et parvienne à la communion avec le Père. C'est dans le Christ, notre Rédempteur, que se trouvent en abondance les satisfactions et les mérites de sa rédemption[4]. » *617*

1477 « Appartiennent également à ce trésor le prix vraiment immense, incommensurable et toujours nouveau qu'ont auprès de Dieu les prières et les bonnes oeuvres de la bienheureuse Vierge Marie et de tous les saints qui se sont sanctifiés par la grâce du Christ, en marchant sur ses traces, et ont accompli une oeuvre agréable au Père, de sorte qu'en travaillant à leur propre salut, ils ont coopéré également au salut de leurs frères dans l'unité du Corps mystique[5]. » *969*

Obtenir l'indulgence de Dieu par l'Église

1478 L'indulgence s'obtient par l'Église qui, en vertu du pouvoir de lier et de délier qui lui a été accordé par le Christ Jésus, intervient en faveur d'un chrétien et lui ouvre le trésor des mérites du Christ et des saints pour obtenir du Père des miséricordes la remise des peines temporelles dues pour ses péchés. C'est ainsi que l'Église ne veut pas seulement venir en aide à ce chrétien, mais aussi l'inciter à des oeuvres de piété, de pénitence et de charité[6]. *981*

1479 Puisque les fidèles défunts en voie de purification sont aussi membres de la même communion des saints, nous pouvons les aider entre autres en obtenant pour eux des indulgences, de sorte qu'ils soient acquittés des peines temporelles dues pour leurs péchés. *1032*

---

1. Cf. Ep 4, 24. - 2. Paul VI, const. ap. « Indulgentiarum doctrina » 5. - 3. *Ibid.* - 4. *Ibid.* - 5. Paul VI, const. ap. « Indulgentiarum doctrina » 5. - 6. Cf. Paul VI, *loc. cit.* 8; Cc. Trente : DS 1835.

XI. La célébration du sacrement de Pénitence

1480 Comme tous les sacrements, la Pénitence est une action liturgique. Tels sont ordinairement les éléments de la célébration : salutation et bénédiction du prêtre, lecture de la Parole de Dieu pour éclairer la conscience et susciter la contrition, et exhortation à la repentance; la confession qui reconnaît les péchés et les manifeste au prêtre; l'imposition et acceptation de la pénitence; l'absolution du prêtre; louange d'action de grâces et envoi avec la bénédiction du prêtre.

1481 La liturgie byzantine connaît plusieurs formules d'absolution, de forme déprécative, qui
1449 expriment admirablement le mystère du pardon : « Que le Dieu, qui par le prophète Nathan, a pardonné à David lorsqu'il eut confessé ses propres péchés, et à Pierre lorsqu'il eut pleuré amèrement, et à la courtisane lorsqu'elle eut répandu ses larmes sur ses pieds, et au Pharisien, et au prodigue, que ce même Dieu vous pardonne, par moi, pécheur, en cette vie et dans l'autre et qu'Il vous fasse comparaître sans vous condamner à son redoutable tribunal, Lui qui est béni dans les siècles des siècles. Amen. »

1482 Le sacrement de la Pénitence peut aussi avoir lieu dans le cadre d'une *célébration communautaire*, dans laquelle on se prépare ensemble à la confession et on rend grâce ensemble pour le pardon reçu. Ici, la confession personnelle des péchés et l'absolution individuelle sont insérées dans une liturgie de la Parole de Dieu, avec lectures et homélie, examen de conscience mené en commun, demande communautaire du pardon, prière du Notre Père et action de grâce en commun. Cette célébration communautaire exprime plus clairement le caractère ecclésial de la pénitence. Quelle que soit cependant la manière de sa célébration, le sacrement de Pénitence est toujours,
1140 d'après sa nature même, une action liturgique, donc ecclésiale et publique [1].

1483 En des cas de nécessité grave on peut recourir à la *célébration communautaire de la récon-*
1401 *ciliation avec confession générale et absolution générale.* Une telle nécessité grave peut se présenter lorsqu'il y a un danger imminent de mort sans que le ou les prêtres aient le temps suffisant pour entendre la confession de chaque pénitent. La nécessité grave peut exister aussi lorsque, compte tenu du nombre des pénitents, il n'y a pas assez de confesseurs pour entendre dûment les confessions individuelles dans un temps raisonnable, de sorte que les pénitents, sans faute de leur part, se verraient privés pendant longtemps de la grâce sacramentelle ou de la sainte communion. Dans ce cas les fidèles doivent avoir, pour la validité de l'absolution, le propos de confesser individuellement leurs péchés en temps voulu [2]. C'est à l'évêque diocésain de juger si les conditions requises pour l'absolution générale existent [3]. Un grand concours de fidèles à l'occasion de grandes fêtes ou de pèlerinages ne constitue pas un cas d'une telle grave nécessité [4].

1484 « La confession individuelle et intégrale suivie de l'absolution demeure le seul mode ordinaire par lequel les fidèles se réconcilient avec Dieu et l'Église, sauf si une impossibilité physique ou morale dispense d'une telle confession [5]. » Ceci n'est pas sans raisons profondes. Le Christ agit en chacun des sacrements. Il
878 s'adresse personnellement à chacun des pécheurs : « Mon enfant, tes péchés sont remis » (Mc 2, 5); Il est le médecin qui se penche sur chacun des malades qui ont besoin de lui [6] pour les guérir; Il les relève et les réintègre dans la communion

---

1. Cf. SC 26-27. - 2. Cf. CIC, can. 962, § 1. - 3. Cf. CIC, can. 961, § 2. - 4. Cf. CIC, can. 961, § 1. - 5. OP 31. - 6. Cf. Mc 2, 17.

fraternelle. La confession personnelle est donc la forme la plus significative de la réconciliation avec Dieu et avec l'Église.

EN BREF

1485 *« Le soir de Pâques, le Seigneur Jésus se montra à ses apôtres et leur dit : "Recevez l'Esprit Saint. Ceux à qui vous remettrez les péchés, ils leur seront remis. Ceux à qui vous les retiendrez, ils leur seront retenus" » (Jn 20, 22-23).*

1486 *Le pardon des péchés commis après le Baptême est accordé par un sacrement propre appelé sacrement de la conversion, de la confession, de la Pénitence ou de la Réconciliation.*

1487 *Qui pèche blesse l'honneur de Dieu et son amour, sa propre dignité d'homme appelé à être fils de Dieu et le bien-être spirituel de l'Église dont chaque chrétien doit être une pierre vivante.*

1488 *Aux yeux de la foi, aucun mal n'est plus grave que le péché et rien n'a de pires conséquences pour les pécheurs eux-mêmes, pour l'Église et pour le monde entier.*

1489 *Revenir à la communion avec Dieu après l'avoir perdue par le péché, est un mouvement né de la grâce du Dieu plein de miséricorde et soucieux du salut des hommes. Il faut demander ce don précieux pour soi-même comme pour autrui.*

1490 *Le mouvement de retour à Dieu, appelé conversion et repentir, implique une douleur et une aversion vis-à-vis des péchés commis, et le propos ferme de ne plus pécher à l'avenir. La conversion touche donc le passé et l'avenir; elle se nourrit de l'espérance en la miséricorde divine.*

1491 *Le sacrement de la Pénitence est constitué par l'ensemble des trois actes posés par le pénitent, et par l'absolution du prêtre. Les actes du pénitent sont : le repentir, la confession ou manifestation des péchés au prêtre et le propos d'accomplir la réparation et les oeuvres de réparation.*

1492 *Le repentir (appelé aussi contrition) doit être inspiré par des motifs qui relèvent de la foi. Si le repentir est conçu par amour de charité envers Dieu, on le dit « parfait »; s'il est fondé sur d'autres motifs, on l'appelle « imparfait ».*

1493 *Celui qui veut obtenir la réconciliation avec Dieu et avec l'Église, doit confesser au prêtre tous les péchés graves qu'il n'a pas encore confessés et dont il se souvient après avoir examiné soigneusement sa conscience. Sans être en soi nécessaire, la confession des fautes vénielles est néanmoins vivement recommandée par l'Église.*

1494 *Le confesseur propose au pénitent l'accomplissement de certains actes de « satisfaction » ou de « pénitence » en vue de réparer le dommage causé par le péché et de rétablir les habitudes propres au disciple du Christ.*

1495 *Seuls les prêtres qui ont reçu de l'autorité de l'Église la faculté d'absoudre peuvent pardonner les péchés au nom du Christ.*

1496 *Les effets spirituels du sacrement de Pénitence sont :*
- la réconciliation avec Dieu par laquelle le pénitent recouvre la grâce;
- la réconciliation avec l'Église;
- la remise de la peine éternelle encourue par les péchés mortels;
- la remise, au moins en partie, des peines temporelles, suites du péché;
- la paix et la sérénité de la conscience, et la consolation spirituelle;
- l'accroissement des forces spirituelles pour le combat chrétien.

1497 *La confession individuelle et intégrale des péchés graves suivie de l'absolution demeure le seul moyen ordinaire pour la réconciliation avec Dieu et avec l'Église.*

1498 *Par les indulgences les fidèles peuvent obtenir pour eux-mêmes et aussi pour les âmes du Purgatoire, la rémission des peines temporelles, suites des péchés.*

ARTICLE 5
L'onction des malades

1499 « Par l'onction sacrée des malades et la prière des prêtres, c'est l'Église tout entière qui recommande les malades au Seigneur souffrant et glorifié, pour qu'Il les soulage et les sauve; bien mieux, elle les exhorte, en s'associant librement à la passion et à la mort du Christ à apporter leur part pour le bien du Peuple de Dieu [1]. »

I. Ses fondements dans l'économie du salut

La maladie dans la vie humaine

1500 La maladie et la souffrance ont toujours été parmi les problèmes les plus graves qui éprouvent la vie humaine. Dans la maladie, l'homme fait l'expérience de son impuissance, de ses limites et de sa finitude. Toute maladie peut nous faire entrevoir la mort.

1006

1501 La maladie peut conduire à l'angoisse, au repliement sur soi, parfois même au désespoir et à la révolte contre Dieu. Elle peut aussi rendre la personne plus

---

1. LG 11.

mûre, l'aider à discerner dans sa vie ce qui n'est pas essentiel pour se tourner vers ce qui l'est. Très souvent, la maladie provoque une recherche de Dieu, un retour à Lui.

Le malade devant Dieu

1502 L'homme de l'Ancien Testament vit la maladie en face de Dieu. C'est devant Dieu qu'il déverse sa plainte sur sa maladie[1] et c'est de Lui, le Maître de la vie et de la mort, qu'il implore la guérison[2]. La maladie devient chemin de conversion[3] et le pardon de Dieu inaugure la guérison[4]. Israël fait l'expérience que la maladie est, *164* d'une façon mystérieuse, liée au péché et au mal, et que la fidélité à Dieu, selon sa *376* loi, rend la vie : « Car c'est moi, le Seigneur, qui suis ton médecin » (Ex 15, 26). Le prophète entrevoit que la souffrance peut aussi avoir un sens rédempteur pour les péchés des autres[5]. Enfin, Isaïe annonce que Dieu amènera un temps pour Sion où Il pardonnera toute faute et guérira toute maladie[6].

Le Christ-médecin

1503 La compassion du Christ envers les malades et ses nombreuses guérisons d'infirmes de toute sorte[7] sont un signe éclatant de ce que « Dieu a visité son peu- *549* ple » (Lc 7, 16) et que le Royaume de Dieu est tout proche. Jésus n'a pas seulement pouvoir de guérir, mais aussi de pardonner les péchés[8] : Il est venu guérir l'homme tout entier, âme et corps; Il est le médecin dont les malades ont besoin[9]. *1421* Sa compassion envers tous ceux qui souffrent va si loin qu'il s'identifie avec eux : « J'ai été malade et vous m'avez visité » (Mt 25, 36). Son amour de prédilection pour les infirmes n'a cessé, tout au long des siècles, d'éveiller l'attention toute parti- culière des chrétiens envers tous ceux qui souffrent dans leur corps et dans leur *2288* âme. Elle est à l'origine des efforts inlassables pour les soulager.

1504 Souvent Jésus demande aux malades de croire[10]. Il se sert de signes pour guérir : salive et imposition des mains[11], boue et ablution[12]. Les malades cherchent à Le toucher[13] « car une force sortait de Lui qui les guérissait tous » (Lc 6, 19). Ainsi, *695, 1116* dans les sacrements, le Christ continue à nous « toucher » pour nous guérir.

1505 Ému par tant de souffrances, le Christ non seulement se laisse toucher par les malades, mais il fait siennes leurs misères : « Il a pris nos infirmités et s'est chargé de nos maladies » (Mt 8, 17)[14] Il n'a pas guéri tous les malades. Ses guérisons étaient des signes de la venue du Royaume de Dieu. Ils annonçaient une guérison plus radicale : la victoire sur le péché et la mort par sa Pâque. Sur la Croix, *440*

---

1. Cf. Ps 38. - 2. Cf. Ps 6, 3. ; Is 38 - 3. Cf. Ps 38, 5; 39, 9. 12. - 4. Cf. Ps 32, 5; 107, 20; Mc 2, 5-12. - 5. Cf. Is 53, 11. - 6. Cf. Is 33, 24. - 7. Cf. Mt 4, 24. - 8. Cf. Mc 2, 5-12. - 9. Cf. Mc 2, 17. - 10. Cf. Mc 5, 34. 36; 9, 23. - 11. Cf. Mc 7, 32-36; 8, 22-25. - 12. Cf. Jn 9, 6 s. - 13. Cf. Mc 1, 41; 3, 10; 6, 56. - 14. Cf. Is 53, 4.

le Christ a pris sur Lui tout le poids du mal[1] et a enlevé le « péché du monde » (Jn 1, 29), dont la maladie n'est qu'une conséquence. Par sa passion et sa mort sur la Croix, le Christ a donné un sens nouveau à la souffrance : elle peut désormais nous configurer à Lui et nous unir à sa passion rédemptrice.

307

« Guérissez les malades... »

1506   Le Christ invite ses disciples à Le suivre en prenant à leur tour leur Croix[2]. En Le suivant, ils acquièrent un nouveau regard sur la maladie et sur les malades. Jésus les associe à sa vie pauvre et servante. Il les fait participer à son ministère de compassion et de guérison : « Ils s'en allèrent prêcher qu'on se repentît; et ils chassaient beaucoup de démons et faisaient des onctions d'huile à de nombreux malades et les guérissaient » (Mc 6, 12-13).

859

1507   Le Seigneur ressuscité renouvelle cet envoi (« Par mon nom [...] ils imposeront les mains aux malades et ceux-ci seront guéris » : Mc 16, 17-18) et le confirme par les signes que l'Église accomplit en invoquant son nom[3]. Ces signes manifestent d'une manière spéciale que Jésus est vraiment « Dieu qui sauve[4] ».

430

1508   L'Esprit Saint donne à certains un charisme spécial de guérison[5] pour manifester la force de la grâce du Ressuscité. Même les prières les plus intenses n'obtiennent toutefois pas la guérison de toutes les maladies. Ainsi S. Paul doit apprendre du Seigneur que « ma grâce te suffit : car ma puissance se déploie dans la faiblesse » (2 Co 12, 9), et que les souffrances à endurer peuvent avoir comme sens que « je complète dans ma chair ce qui manque aux épreuves du Christ pour son Corps qui est l'Église » (Col 1, 24).

798
618

1509   « Guérissez les malades ! » (Mt 10, 8.) Cette charge, l'Église l'a reçue du Seigneur et tâche de la réaliser autant par les soins qu'elle apporte aux malades que par la prière d'intercession avec laquelle elle les accompagne. Elle croit en la présence vivifiante du Christ, médecin des âmes et des corps. Cette présence est particulièrement agissante à travers les sacrements, et de manière toute spéciale par l'Eucharistie, pain qui donne la vie éternelle[6] et dont S. Paul insinue le lien avec la santé corporelle[7].

1405

1510   L'Église apostolique connaît cependant un rite propre en faveur des malades, attesté par S. Jacques : « Quelqu'un parmi vous est malade ? Qu'il appelle les presbytres de l'Église et qu'ils prient sur lui, après l'avoir oint d'huile au nom du Seigneur. La prière de la foi sauvera le patient, et le Seigneur le relèvera. S'il a commis des péchés, ils lui seront remis » (Jc 5, 14-15). La Tradition a reconnu dans ce rite un des sept sacrements de l'Église[8].

1117

---

1. Cf. Is 53, 4-6. - 2. Cf. Mt 10, 38. - 3. Cf. Ac 9, 34; 14, 3. - 4. Cf. Mt 1, 21; Ac 4, 12. - 5. Cf. 1 Co 12, 9. 28. 30. - 6. Cf. Jn 6, 54. 58. - 7. Cf. 1 Co 11, 30. - 8. Cf. DS 216; 1324-1325; 1695-1696; 1716-1717.

Un sacrement des malades

1511 L'Église croit et confesse qu'il existe, parmi les sept sacrements, un sacrement spécialement destiné à réconforter ceux qui sont éprouvés par la maladie : l'onction des malades :

> Cette onction sainte des malades a été instituée par le Christ notre Seigneur comme un sacrement du Nouveau Testament, véritablement et proprement dit, insinué par Marc [1], mais recommandé aux fidèles et promulgué par Jacques, apôtre et frère du Seigneur [2].

1512 Dans la tradition liturgique, tant en Orient qu'en Occident, on possède dès l'antiquité des témoignages d'onctions de malades pratiquées avec de l'huile bénite. Au cours des siècles, l'onction des malades a été conférée de plus en plus exclusivement à ceux qui étaient sur le point de mourir. À cause de cela elle avait reçu le nom d' « Extrême-Onction ». Malgré cette évolution la liturgie n'a jamais omis de prier le Seigneur afin que le malade recouvre sa santé si cela est convenable à son salut [3].

1513 La constitution apostolique « Sacram unctionem infirmorum » du 30 novembre 1972, à la suite du deuxième Concile du Vatican [4], a établi que désormais, dans le rite romain, on observe ce qui suit :

> Le sacrement de l'onction des malades est conféré aux personnes dangereusement malades en les oignant sur le front et sur les mains avec de l'huile dûment bénite - huile d'olive ou autre huile extraite de plantes - en disant une seule fois : « Par cette onction sainte, que le Seigneur, en sa grande bonté vous réconforte par la grâce de l'Esprit Saint. Ainsi, vous ayant libéré de tous péchés, qu'Il vous sauve et vous relève [5]. »

II. Qui reçoit et qui administre ce sacrement ?

En cas de maladie grave...

1514 L'onction des malades « n'est pas seulement le sacrement de ceux qui se trouvent à toute extrémité. Aussi, le temps opportun pour la recevoir est-il certainement déjà arrivé lorsque le fidèle commence à être en danger de mort à cause de la maladie par suite d'affaiblissement physique ou de vieillesse [6]. »

1515 Si un malade qui a reçu l'onction recouvre la santé, il peut, en cas de nouvelle maladie grave, recevoir de nouveau ce sacrement. Au cours de la même maladie, ce sacrement peut être réitéré si la maladie s'aggrave. Il est approprié de recevoir l'onction des malades au seuil d'une opération importante. Il en va de même pour les personnes âgées dont la fragilité s'accentue.

---

1. Cf. Mc 6, 13. - 2. Cf. Jc 5, 14-15; Cc. Trente : DS 1695. - 3. Cf. DS 1696. - 4. Cf. SC 73. - 5. Cf. CIC, can. 847, § 1. - 6. SC 73; cf. CIC, can. 1004, § 1; 1005; 1007; CCEO, can. 738.

« ... qu'il appelle les presbytres de l'Église »

1516 Seuls les prêtres (évêques et presbytres) sont les ministres de l'onction des malades [1]. C'est le devoir des pasteurs d'instruire les fidèles des bienfaits de ce sacrement. Que les fidèles encouragent les malades à faire appel au prêtre pour recevoir ce sacrement. Que les malades se préparent pour le recevoir dans les bonnes dispositions, avec l'aide de leur pasteur et de toute la communauté ecclésiale qui est invitée à entourer tout spécialement les malades de ses prières et de ses attentions fraternelles.

III. Comment est célébré ce sacrement ?

1140
1517 Comme tous les sacrements, l'onction des malades est une célébration liturgique et communautaire [2], qu'elle ait lieu en famille, à l'hôpital ou à l'Église, pour un seul malade ou pour tout un groupe d'infirmes. Il est très convenable qu'elle soit célébrée au sein de l'Eucharistie, mémorial de la Pâque du Seigneur. Si les circonstances y invitent, la célébration du sacrement peut être précédée du sacrement de Pénitence et suivie du sacrement de l'Eucharistie. En tant que sacrement de la Pâque du Christ, l'Eucharistie devrait toujours être le dernier sacrement
1524
de la pérégrination terrestre, le « viatique » pour le « passage » vers la vie éternelle.

1518 Parole et sacrement forment un tout inséparable. La liturgie de la Parole, précédée d'un acte de pénitence, ouvre la célébration. Les paroles du Christ, le témoignage des apôtres éveillent la foi du malade et de la communauté pour demander au Seigneur la force de son Esprit.

1519 La célébration du sacrement comprend principalement les éléments suivants : « les prêtres de l'Église » (Jc 5, 14) imposent - en silence - les mains aux malades; ils prient sur les malades dans la foi de l'Église [3]; c'est l'épiclèse propre de ce sacrement; ils donnent alors l'onction avec l'huile bénite, si possible, par l'évêque.

Ces actions liturgiques indiquent quelle grâce ce sacrement confère aux malades.

IV. Les effets de la célébration de ce sacrement

733
1520 Un *don particulier de l'Esprit Saint*. La grâce première de ce sacrement est une grâce de réconfort, de paix et de courage pour vaincre les difficultés propres à

---

1. Cf. Cc. Trente : DS 1697; 1719; CIC, can. 1003; CCEO, can. 739, § 1. - 2. Cf. SC 27. - 3. Cf. Jc 5, 15.

l'état de maladie grave ou à la fragilité de la vieillesse. Cette grâce est un don du Saint-Esprit qui renouvelle la confiance et la foi en Dieu et fortifie contre les tentations du malin, tentation de découragement et d'angoisse de la mort[1]. Cette assistance du Seigneur par la force de son Esprit veut conduire le malade à la guérison de l'âme, mais aussi à celle du corps, si telle est la volonté de Dieu[2]. En outre, « s'il a commis des péchés, ils lui seront remis » (Jc 5, 15)[3].

1521 L'*union à la passion du Christ.* Par la grâce de ce sacrement, le malade reçoit la force et le don de s'unir plus intimement à la passion du Christ : il est d'une certaine façon *consacré* pour porter du fruit par la configuration à la passion rédemptrice du Sauveur. La souffrance, séquelle du péché originel, reçoit un sens nouveau : elle devient participation à l'oeuvre salvifique de Jésus.

1535

1499

1522 Une *grâce ecclésiale.* Les malades qui reçoivent ce sacrement, « en s'associant librement à la passion et à la mort du Christ », apportent « leur part pour le bien du Peuple de Dieu[4] ». En célébrant ce sacrement, l'Église, dans la communion des saints, intercède pour le bien du malade. Et le malade, à son tour, par la grâce de ce sacrement, contribue à la sanctification de l'Église et au bien de tous les hommes pour lesquels l'Église souffre et s'offre, par le Christ, à Dieu le Père.

953

1523 Une *préparation au dernier passage.* Si le sacrement de l'Onction des malades est accordé à tous ceux qui souffrent de maladies et d'infirmités graves, il l'est à plus forte raison à ceux qui sont sur le point de sortir de cette vie[5], de sorte qu'on l'a aussi appelé *sacramentum exeuntium*[6]. L'onction des malades achève de nous conformer à la mort et à la Résurrection du Christ, comme le Baptême avait commencé de le faire. Elle parachève les onctions saintes qui jalonnent toute la vie chrétienne; celle du Baptême avait scellé en nous la vie nouvelle; celle de la Confirmation nous avait fortifiés pour le combat de cette vie. Cette dernière onction munit la fin de notre vie terrestre comme d'un solide rempart en vue des dernières luttes avant l'entrée dans la Maison du Père[7].

1020

1294

1020

V. Le Viatique, dernier sacrement du chrétien

1524 À ceux qui vont quitter cette vie, l'Église offre, en plus de l'onction des malades, l'Eucharistie comme viatique. Reçue à ce moment de passage vers le Père, la communion au Corps et au Sang du Christ a une signification et une importance particulières. Elle est semence de vie éternelle et puissance de résurrection, selon les paroles du Seigneur : « Celui qui mange ma chair et boit mon sang a la vie éternelle et moi, je le ressusciterai au dernier jour » (Jn 6, 54). Sacrement du Christ mort et ressuscité, l'Eucharistie est ici sacrement du passage de la mort à la vie, de ce monde vers le Père[8].

1392

---

1. Cf. He 2, 15. - 2. Cf. Cc. Florence : DS 1325. - 3. Cf. Cc. Trente : DS 1717. - 4. LG 11. - 5. « In exitu vitae constituti » : Cc. Trente : DS 1698. - 6. *Ibid.* - 7. *Ibid.* : DS 1694. - 8. Cf. Jn 13, 1.

1680

2299

1525 Ainsi, comme les sacrements du Baptême, de la Confirmation et de l'Eucharistie constituent une unité appelée « les sacrements de l'initiation chrétienne », on peut dire que la Pénitence, la Sainte Onction et l'Eucharistie, en tant que viatiques, constituent, quand la vie chrétienne touche à son terme, « les sacrements qui préparent à la Patrie » ou les sacrements qui achèvent la pérégrination.

EN BREF

1526 *« Quelqu'un parmi vous est-il malade ? Qu'il appelle les presbytres de l'Église et qu'ils prient sur lui, après l'avoir oint d'huile au nom du Seigneur. La prière de la foi sauvera le patient, et le Seigneur le relèvera. S'il a commis des péchés, ils lui seront remis » (Jc 5, 14-15).*

1527 *Le sacrement de l'Onction des malades a pour but de conférer une grâce spéciale au chrétien qui éprouve les difficultés inhérentes à l'état de maladie grave ou à la vieillesse.*

1528 *Le temps opportun pour recevoir la Sainte Onction est certainement arrivé lorsque le fidèle commence à se trouver en danger de mort pour cause de maladie ou de vieillesse.*

1529 *Chaque fois qu'un chrétien tombe gravement malade, il peut recevoir la Sainte Onction, de même lorsque, après l'avoir reçue, la maladie s'aggrave.*

1530 *Seuls les prêtres (presbytres et évêques) peuvent donner le sacrement de l'Onction des malades; pour le conférer ils emploient de l'huile bénite par l'évêque, ou, au besoin, par le presbytre célébrant lui-même.*

1531 *L'essentiel de la célébration de ce sacrement consiste en l'onction sur le front et les mains du malade (dans le rite romain) ou sur d'autres parties du corps (en Orient), onction accompagnée de la prière liturgique du prêtre célébrant qui demande la grâce spéciale de ce sacrement.*

1532 *La grâce spéciale du sacrement de l'Onction des malades a comme effets :*

- l'union du malade à la passion du Christ, pour son bien et pour celui de toute l'Église;
- le réconfort, la paix et le courage pour supporter chrétiennement les souffrances de la maladie ou de la vieillesse;
- le pardon des péchés si le malade n'a pas pu l'obtenir par le sacrement de la Pénitence;
- le rétablissement de la santé, si cela convient au salut spirituel;
- la préparation au passage à la vie éternelle.

CHAPITRE TROISIÈME

Les sacrements du service de la communion

1533 Le Baptême, la Confirmation et l'Eucharistie sont les sacrements de l'initiation chrétienne. Ils fondent la vocation commune de tous les disciples du Christ, vocation à la sainteté et à la mission d'évangéliser le monde. Ils confèrent les grâces nécessaires pour la vie selon l'Esprit en cette vie de pèlerins en marche vers la patrie. *1212*

1534 Deux autres sacrements, l'Ordre et le Mariage, sont ordonnés au salut d'autrui. S'ils contribuent également au salut personnel, c'est à travers le service des autres qu'ils le font. Ils confèrent une mission particulière dans l'Église et servent à l'édification du Peuple de Dieu.

1535 En ces sacrements, ceux qui ont été déjà *consacrés* par le Baptême et la Confirmation[1] pour le sacerdoce commun de tous les fidèles, peuvent recevoir des *consécrations* particulières. Ceux qui reçoivent le sacrement de l'Ordre sont *consacrés* pour être, au nom du Christ, « par la parole et la grâce de Dieu les pasteurs de l'Église[2] ». De leur côté, « les époux chrétiens, pour accomplir dignement les devoirs de leur état, sont fortifiés et comme *consacrés* par un sacrement spécial[3] ». *784*

ARTICLE 6

Le sacrement de l'Ordre

1536 L'Ordre est le sacrement grâce auquel la mission confiée par le Christ à ses apôtres continue à être exercée dans l'Église jusqu'à la fin des temps : il est donc le sacrement du ministère apostolique. Il comporte trois degrés : l'épiscopat, le presbytérat et le diaconat. *860*

[Sur l'institution et la mission du ministère apostolique par le Christ, voir p. 191 *sq*. Ici, il n'est question que de la voie sacramentelle par laquelle est transmis ce ministère.]

I. Pourquoi ce nom de sacrement de l'Ordre ?

1537 Le mot *Ordre,* dans l'antiquité romaine, désignait des corps constitués au sens civil, surtout le corps de ceux qui gouvernent. *Ordinatio* désigne l'intégration

---

1. Cf. LG 10. - 2. LG 11. - 3. GS 48, 2.

dans un *ordo*. Dans l'Église, il y a des corps constitués que la Tradition, non sans fondements dans l'Écriture Sainte[1], appelle dès les temps anciens du nom de *taxeis* (en grec), d'*ordines* : ainsi la liturgie parle de l'*ordo episcoporum*, de l'*ordo presbyterorum*, de l'*ordo diaconorum*. D'autres groupes reçoivent aussi ce nom d'*ordo* : les catéchumènes, les vierges, les époux, les veuves...

923; 1631

1538 L'intégration dans un de ces corps de l'Église se faisait par un rite appelé *ordinatio,* acte religieux et liturgique, qui était une consécration, une bénédiction ou un sacrement. Aujourd'hui le mot *ordinatio* est réservé à l'acte sacramentel qui intègre dans l'ordre des évêques, des presbytres et des diacres et qui va au-delà d'une simple *élection, désignation, délégation* ou *institution* par la communauté, car elle confère un don du Saint-Esprit permettant d'exercer un « pouvoir sacré » (*sacra potestas*[2]) qui ne peut venir que du Christ Lui-même, par son Église. L'ordination est aussi appelée *consecratio* car elle est une mise à part et une investiture par le Christ Lui-même, pour son Église. L'*imposition des mains* de l'évêque, avec la prière consécratoire, constitue le signe visible de cette consécration.

875

699

II. Le sacrement de l'Ordre dans l'économie du salut

Le sacerdoce de l'Ancienne Alliance

1539 Le peuple élu fut constitué par Dieu comme « un royaume de prêtres et une nation consacrée » (Ex 19, 6)[3]. Mais au-dedans du peuple d'Israël, Dieu choisit l'une des douze tribus, celle de Lévi, mise à part pour le service liturgique[4]; Dieu Lui-même est sa part d'héritage[5]. Un rite propre a consacré les origines du sacerdoce de l'Ancienne Alliance[6]. Les prêtres y sont « établis pour intervenir en faveur des hommes dans leurs relations avec Dieu, afin d'offrir dons et sacrifices pour les péchés[7] ».

1540 Institué pour annoncer la parole de Dieu[8] et pour rétablir la communion avec Dieu par les sacrifices et la prière, ce sacerdoce reste pourtant impuissant à opérer le salut, ayant besoin de répéter sans cesse les sacrifices, et ne pouvant aboutir à une sanctification définitive[9], que seul devait opérer le sacrifice du Christ.

2099

1541 La liturgie de l'Église voit cependant dans le sacerdoce d'Aaron et le service des lévites, tout comme dans l'institution des soixante-dix « Anciens[10] », des préfigurations du ministère ordonné de la Nouvelle Alliance. Ainsi, dans le rite latin, l'Église prie dans la préface consécratoire de l'ordination des évêques :

---

1. Cf. He 5, 6; 7, 11; Ps 110, 4. - 2. Cf. LG 10. - 3. Cf. Is 61, 6. - 4. Cf. Nb 1, 48-53. - 5. Cf. Jos 13, 33. - 6. Cf. Ex 29, 1-30; Lv 8. - 7. Cf. He 5, 1. - 8. Cf. Ml 2, 7-9. - 9. Cf. He 5, 3; 7, 27; 10, 1-4. - 10. Cf. Nb 11, 24-25.

> Dieu et Père de Jésus-Christ notre Seigneur, (...) tout au long de l'Ancienne Alliance tu commençais à donner forme à ton Église; dès l'origine, tu as destiné le peuple issu d'Abraham à devenir un peuple saint; tu as institué des chefs et des prêtres et toujours pourvu au service de ton sanctuaire...

1542 Lors de l'ordination des prêtres, l'Église prie :

> Seigneur, Père très saint, (...) déjà dans l'Ancienne Alliance, et comme pour annoncer les sacrements à venir, tu avais mis à la tête du peuple des grands prêtres chargés de le conduire, mais tu as aussi choisi d'autres hommes que tu as associés à leur service et qui les ont secondés dans leur tâche. C'est ainsi que tu as communiqué à soixante-dix hommes, pleins de sagesse, l'esprit que tu avais donné à Moïse, et tu as fait participer les fils d'Aaron à la consécration que leur père avait reçue.

1543 Et dans la prière consécratoire pour l'ordination des diacres, l'Église confesse :

> Père très saint (...), pour l'édification de ce temple nouveau (l'Église), tu as établi des ministres des trois ordres différents, les évêques, les prêtres et les diacres, chargés, les uns et les autres, de te servir, comme autrefois, dans l'Ancienne Alliance, pour le service de ta demeure, tu avais mis à part les fils de la tribu de Lévi et tu étais leur héritage.

L'unique sacerdoce du Christ

1544 Toutes les préfigurations du sacerdoce de l'Ancienne Alliance trouvent leur accomplissement dans le Christ Jésus « unique médiateur entre Dieu et les hommes » (1 Tm 2, 5). Melchisédech, « prêtre du Dieu Très Haut » (Gn 14, 18), est considéré par la Tradition chrétienne comme une préfiguration du sacerdoce du Christ, unique « Grand prêtre selon l'ordre de Melchisédech » (He 5, 10; 6, 20), « saint, innocent, immaculé » (He 7, 26), qui, « par une oblation unique, a rendu parfaits pour toujours ceux qu'Il sanctifie » (He 10, 14), c'est-à-dire par l'unique sacrifice de sa Croix. *874*

1545 Le sacrifice rédempteur du Christ est unique, accompli une fois pour toutes. Et pourtant, il est rendu présent dans le sacrifice eucharistique de l'Église. Il en est de même de l'unique sacerdoce du Christ : il est rendu présent par le sacerdoce ministériel sans que soit diminuée l'unicité du sacerdoce du Christ : « Aussi le Christ est-Il le seul vrai prêtre, les autres n'étant que ses ministres[1]. » *1367* *662*

Deux participations à l'unique sacerdoce du Christ

1546 Le Christ, grand prêtre et unique médiateur, a fait de l'Église « un Royaume de prêtres pour son Dieu et Père » (Ap 1, 6)[2]. Toute la communauté des croyants

---

1. S. Thomas d'A., Hebr.7, 4. - 2. Cf. Ap 5, 9-10; 1 P 2, 5. 9.

1268 est, comme telle, sacerdotale. Les fidèles exercent leur sacerdoce baptismal à travers leur participation, chacun selon sa vocation propre, à la mission du Christ, Prêtre, Prophète et Roi. C'est par les sacrements du Baptême et de la Confirmation que les fidèles sont « consacrés pour être (...) un sacerdoce saint [1] ».

1547 Le sacerdoce ministériel ou hiérarchique des évêques et des prêtres, et le
1142 sacerdoce commun de tous les fidèles, bien que « l'un et l'autre, chacun selon son mode propre, participent de l'unique sacerdoce du Christ [2] », diffèrent cependant essentiellement, tout en étant « ordonnés l'un à l'autre [3] ». En quel sens ? Alors que le sacerdoce commun des fidèles se réalise dans le déploiement de la grâce baptismale, vie de foi, d'espérance et de charité, vie selon l'Esprit, le sacerdoce minis-
1120 tériel est au service du sacerdoce commun, il est relatif au déploiement de la grâce baptismale de tous les chrétiens. Il est un des *moyens* par lesquels le Christ ne cesse de construire et de conduire son Église. C'est pour cela qu'il est transmis par un sacrement propre, le sacrement de l'Ordre.

En la personne du Christ-Tête...

1548 Dans le service ecclésial du ministre ordonné, c'est le Christ Lui-même qui
875, 792 est présent à son Église en tant que Tête de son Corps, Pasteur de son troupeau, grand prêtre du sacrifice rédempteur, Maître de la Vérité. C'est ce que l'Église exprime en disant que le prêtre, en vertu du sacrement de l'Ordre, agit *in persona Christi Capitis* [4] :

> C'est le même Prêtre, le Christ Jésus, dont en vérité le ministre tient le rôle. Si, en vérité, celui-ci est assimilé au Souverain Prêtre, à cause de la consécration sacerdotale qu'il a reçue, il jouit du pouvoir d'agir par la puissance du Christ Lui-même qu'il représente *(virtute ac persona ipsius Christi)* [5].

> Le Christ est la source de tout le sacerdoce : car le prêtre de l'ancienne loi était figure du Christ et le prêtre de la nouvelle agit en la personne du Christ [6].

1549 Par le ministère ordonné, spécialement des évêques et des prêtres, la présence du Christ comme chef de l'Église, est rendue visible au milieu de la communauté des croyants [7]. Selon la belle expression de S. Ignace d'Antioche, l'évêque
1142 est *typos tou Patros*, il est comme l'image vivante de Dieu le Père [8].

1550 Cette présence du Christ dans le ministre ne doit pas être comprise comme
896 si celui-ci était prémuni contre toutes les faiblesses humaines, l'esprit de domination, les erreurs, voire le péché. La force de l'Esprit Saint ne garantit pas de la même manière tous les actes des ministres. Tandis que dans les sacrements cette

---

1. LG 10. - 2. LG 10. - 3. LG 10. - 4. Cf. LG 10; 28; SC 33; CD 11; PO 2; 6. - 5. Pie XII, enc. « Mediator Dei ». - 6. S. Thomas d'A., s. th. 3, 22, 4. - 7. Cf. LG 21. - 8. Trall. 3, 1; cf. Magn. 6, 1.

garantie est donnée, de sorte que même le péché du ministre ne peut empêcher le *1128*
fruit de grâce, il existe beaucoup d'autres actes où l'empreinte humaine du ministre *1584*
laisse des traces qui ne sont pas toujours le signe de la fidélité à l'Évangile, et qui
peuvent nuire par conséquent à la fécondité apostolique de l'Église.

1551 Ce sacerdoce est *ministériel*. « Cette charge, confiée par le Seigneur aux pasteurs de son peuple, est un véritable *service*[1]. » Il est entièrement référé au Christ et *876*
aux hommes. Il dépend entièrement du Christ et de son sacerdoce unique, et il a
été institué en faveur des hommes et de la communauté de l'Église. Le sacrement
de l'Ordre communique « un pouvoir sacré », qui n'est autre que celui du Christ. *1538*
L'exercice de cette autorité doit donc se mesurer d'après le modèle du Christ qui
par amour s'est fait le dernier et le serviteur de tous[2]. « Le Seigneur a dit clairement *608*
que le soin apporté à son troupeau était une preuve d'amour pour Lui[3]. »

... « Au nom de toute l'Église »

1552 Le sacerdoce ministériel n'a pas seulement pour tâche de représenter le
Christ - Tête de l'Église - face à l'assemblée des fidèles, il agit aussi au nom de
toute l'Église lorsqu'il présente à Dieu la prière de l'Église[4] et surtout lorsqu'il offre
le sacrifice eucharistique[5].

1553 « Au nom de *toute* l'Église », cela ne veut pas dire que les prêtres soient les
délégués de la communauté. La prière et l'offrande de l'Église sont inséparables de
la prière et de l'offrande du Christ, son Chef. C'est toujours le culte du Christ dans
et par son Église. C'est toute l'Église, Corps du Christ, qui prie et qui s'offre, « par
Lui, avec Lui et en Lui », dans l'unité du Saint-Esprit, à Dieu le Père. Tout le Corps,
caput et membra, prie et s'offre, et c'est pourquoi ceux qui, dans le Corps, en sont *795*
spécialement les ministres, sont appelés ministres non seulement du Christ, mais
aussi de l'Église. C'est parce que le sacerdoce ministériel représente le Christ qu'il
peut représenter l'Église.

III. Les trois degrés du sacrement de l'Ordre

1554 « Le ministère ecclésiastique, institué par Dieu, est exercé dans la diversité
des ordres par ceux que déjà depuis l'antiquité on appelle évêques, prêtres, *1536*
diacres[6]. » La doctrine catholique, exprimée dans la liturgie, le Magistère et la pratique constante de l'Église, reconnaît qu'il existe deux degrés de participation ministérielle au sacerdoce du Christ : l'épiscopat et le presbytérat. Le diaconat est

---

1. LG 24. - 2. Cf. Mc 10, 43-45; 1 P 5, 3. - 3. S. Jean Chrysostome, sac.2, 4; cf. Jn 21, 15-17. - 4. Cf. SC
33. - 5. Cf. LG 10. - 6. LG 28.

destiné à les aider et à les servir. C'est pourquoi le terme *sacerdos* désigne, dans l'usage actuel, les évêques et les prêtres, mais non pas les diacres. Néanmoins, la doctrine catholique enseigne que les degrés de participation sacerdotale (épiscopat et presbytérat) et le degré de service (diaconat) sont tous les trois conférés par un acte sacramentel appelé « ordination », c'est-à-dire par le sacrement de l'Ordre :

1538

> Que tous révèrent les diacres comme Jésus-Christ, comme aussi l'évêque, qui est l'image du Père, et les presbytres comme le sénat de Dieu et comme l'assemblée des apôtres : sans eux on ne peut parler d'Église [1].

L'ordination épiscopale - plénitude du sacrement de l'Ordre

1555 « Parmi les différents ministères qui s'exercent dans l'Église depuis les premiers temps, la première place, au témoignage de la Tradition, appartient à la fonction de ceux qui, établis dans l'épiscopat, dont la ligne se continue depuis les origines, sont les sarments par lesquels se transmet la semence apostolique [2]. »

861

1556 Pour remplir leur haute mission, « les apôtres furent enrichis par le Christ d'une effusion spéciale de l'Esprit Saint descendant sur eux; eux-mêmes, par l'imposition des mains, transmirent à leurs collaborateurs le don spirituel qui s'est communiqué jusqu'à nous à travers la consécration épiscopale [3] ».

862

1557 Le deuxième Concile du Vatican « enseigne que, par la consécration épiscopale, est conférée *la plénitude du sacrement de l'Ordre*, que la coutume liturgique de l'Église et la voix des saints Pères désignent en effet sous le nom de sacerdoce suprême, de réalité totale *(summa)* du ministère sacré [4] ».

1558 « La consécration épiscopale, en même temps que la charge de sanctifier, confère aussi des charges d'enseigner et de gouverner. (...) En effet (...) par l'imposition des mains et par les paroles de la consécration, la grâce de l'Esprit Saint est donnée et le caractère sacré imprimé, de telle sorte que les évêques, d'une façon éminente et visible, tiennent la place du Christ Lui-même, Maître, Pasteur et Pontife et jouent son rôle *(in Eius persona agant)*[5]. » « Aussi, par l'Esprit Saint qui leur a été donné, les évêques ont-ils été constitués de vrais et authentiques maîtres de la foi, pontifes et pasteurs [6]. »

895

1121

1559 « C'est en vertu de la consécration sacramentelle et par la communion hiérarchique avec le chef du collège et ses membres que quelqu'un est fait membre du corps épiscopal [7]. » Le caractère et la *nature collégiale* de l'ordre épiscopal se manifestent entre autres dans l'antique pratique de l'Église qui veut que pour la consécration d'un nouvel évêque plusieurs évêques participent au sacre [8]. Pour

877

---

1. S. Ignace d'Antioche, Trall. 3, 1. - 2. LG 20. - 3. LG 21. - 4. *Ibid.* - 5. *Ibid.* - 6. CD 2. - 7. LG 22. - 8. Cf. *ibid.*

l'ordination légitime d'un évêque, une intervention spéciale de l'évêque de Rome   *882*
est requise aujourd'hui, en raison de sa qualité de lien suprême visible de la communion des Églises particulières dans l'Église une et de garant de leur liberté.

1560 Chaque évêque a, comme vicaire du Christ, la charge pastorale de l'Église
particulière qui lui a été confiée, mais en même temps il porte collégialement avec   *833, 886*
tous ses frères dans l'épiscopat la *sollicitude pour toutes les Églises* : « Si chaque
évêque n'est pasteur propre que de la portion du troupeau confiée à ses soins, sa
qualité de légitime successeur des apôtres par institution divine le rend solidaire-
ment responsable de la mission apostolique de l'Église[1]. »

1561 Tout ce qu'on vient de dire explique pourquoi l'Eucharistie célébrée par
l'évêque a une signification toute spéciale comme expression de l'Église réunie   *1369*
autour de l'autel sous la présidence de celui qui représente visiblement le Christ,
Bon Pasteur et Tête de son Église[2].

L'ordination des presbytres - coopérateurs des évêques

1562 « Le Christ, que le Père a consacré et envoyé dans le monde, a, par les
apôtres, fait leurs successeurs, c'est-à-dire les évêques, participants de sa consécration et de sa mission. À leur tour, les évêques ont légitimement transmis, à divers
membres de l'Église, et suivant des degrés divers, la charge de leur ministère[3]. »
« Leur fonction ministérielle a été transmise aux prêtres à un degré subordonné :
ceux-ci sont établis dans l'Ordre du presbytérat pour être les *coopérateurs de
l'Ordre épiscopal* dans l'accomplissement de la mission apostolique confiée par le
Christ[4]. »

1563 « La fonction des prêtres, en tant qu'elle est unie à l'Ordre épiscopal, participe à l'autorité par laquelle le Christ lui-même construit, sanctifie et gouverne
son Corps. C'est pourquoi le sacerdoce des prêtres, s'il suppose les sacrements de
l'initiation chrétienne, est cependant conféré au moyen du sacrement particulier
qui, par l'onction du Saint-Esprit, les marque d'un caractère spécial, et les configure   *1121*
ainsi au Christ-Prêtre pour les rendre capables d'agir au nom du Christ-Tête en personne[5]. »

1564 « Tout en n'ayant pas charge suprême du pontificat et tout en dépendant
des évêques dans l'exercice de leur pouvoir, les prêtres leur sont cependant unis
dans la dignité sacerdotale; et par la vertu du sacrement de l'Ordre, à l'image du
Christ prêtre suprême et éternel[6] ils sont consacrés pour prêcher l'Évangile, pour
être les pasteurs des fidèles et pour célébrer le culte divin *en vrais prêtres du
Nouveau Testament*[7]. »   *611*

---

1. Pie XII, enc. « Fidei donum »; cf. LG 23; CD 4; 36; 37; AG 5; 6; 38. - 2. Cf. SC 41 ; LG 26. - 3. LG 28.
- 4. PO 2. - 5. PO 2. - 6. Cf. He 5, 1-10; 7, 24; 9, 11-28. - 7. LG 28.

849 **1565** En vertu du sacrement de l'Ordre les prêtres participent aux dimensions universelles de la mission confiée par le Christ aux apôtres. Le don spirituel qu'ils ont reçu dans l'ordination les prépare, non pas à une mission limitée et restreinte, « mais à une mission de salut d'ampleur universelle, "jusqu'aux extrémités de la terre[1]"», « prêts au fond du coeur à prêcher l'Évangile en quelque lieu que ce soit[2] ».

1369 **1566** « C'est dans le culte ou *synaxe eucharistique* que s'exerce par excellence leur charge sacrée : là, tenant la place du Christ et proclamant son mystère, ils joignent les demandes des fidèles au sacrifice de leur chef, rendant présent et appliquant dans le sacrifice de la messe, jusqu'à ce que le Seigneur vienne, *611* l'unique sacrifice du Nouveau Testament, celui du Christ S'offrant une fois pour toutes à son Père en victime immaculée[3]. » De ce sacrifice unique, tout leur ministère sacerdotal tire sa force[4].

1462 **1567** « Coopérateurs avisés de l'ordre épiscopal dont ils sont l'aide et l'instrument, appelés à servir le Peuple de Dieu, les prêtres constituent, avec leur évêque, un seul *presbyterium* aux fonctions diverses. En chaque lieu où se trouve une commu-*2179* nauté de fidèles, ils rendent d'une certaine façon présent l'évêque auquel ils sont associés d'un coeur confiant et généreux, assumant pour leur part ses charges et sa sollicitude, et les mettant en oeuvre dans leur souci quotidien des fidèles[5]. » Les prêtres ne peuvent exercer leur ministère qu'en dépendance de l'évêque et en communion avec lui. La promesse d'obéissance qu'ils font à l'évêque au moment de l'ordination et le baiser de paix de l'évêque à la fin de la liturgie de l'ordination signifient que l'évêque les considère comme ses collaborateurs, ses fils, ses frères et ses amis, et qu'en retour ils lui doivent amour et obéissance.

1537 **1568** « Du fait de leur ordination, qui les a fait entrer dans l'ordre du presbytérat, les prêtres sont tous intimement liés entre eux par la fraternité sacramentelle; mais, du fait de leur affectation au service d'un diocèse en dépendance de l'évêque local, ils forment tout spécialement à ce niveau un presbyterium unique[6]. » L'unité du presbyterium trouve une expression liturgique dans l'usage qui veut que les presbytres imposent à leur tour les mains, après l'évêque, pendant le rite de l'ordination.

L'ordination des diacres – « en vue du service »

1569 « Au degré inférieur de la hiérarchie, se trouvent les diacres auxquels on a imposé les mains "non pas en vue du sacerdoce, mais en vue du service[7]." » Pour l'ordination au diaconat, seul l'évêque impose les mains, signifiant ainsi que le diacre est spécialement rattaché à l'évêque dans les tâches de sa « diaconie[8] ».

---

1. PO 10. - 2. OT 20. - 3. LG 28. - 4. Cf. PO 2. - 5. LG 28. - 6. PO 8. - 7. LG 29; cf. CD 15. - 8. Cf. S. Hippolyte, trad. ap. 8.

1570 Les diacres participent d'une façon spéciale à la mission et à la grâce du Christ[1]. Le sacrement de l'Ordre les marque d'une *empreinte* (« caractère ») que nul ne peut faire disparaître et qui les configure au Christ qui s'est fait le « diacre », c'est-à-dire le serviteur de tous[2]. Il appartient entre autres aux diacres d'assister l'évêque et les prêtres dans la célébration des divins mystères, surtout de l'Eucharistie, de la distribuer, d'assister au mariage et de le bénir, de proclamer l'Évangile et de prêcher, de présider aux funérailles et de se consacrer aux divers services de la charité[3].

1121

1571 Depuis le deuxième Concile du Vatican, l'Église latine a rétabli le diaconat « en tant que degré propre et permanent de la hiérarchie[4] », alors que les Églises d'Orient l'avaient toujours maintenu. Ce *diaconat permanent*, qui peut être conféré à des hommes mariés, constitue un enrichissement important pour la mission de l'Église. En effet, il est approprié et utile que des hommes qui accomplissent dans l'Église un ministère vraiment diaconal, soit dans la vie liturgique et pastorale, soit dans les oeuvres sociales et caritatives « soient fortifiés par l'imposition des mains transmise depuis les apôtres et plus étroitement unis à l'autel, pour qu'ils s'acquittent de leur ministère plus efficacement, au moyen de la grâce sacramentelle du diaconat[5] ».

1579

IV. La célébration de ce sacrement

1572 La célébration de l'ordination d'un évêque, de prêtres ou de diacres, de par son importance pour la vie de l'Église particulière, réclame le concours du plus grand nombre possible de fidèles. Elle aura lieu de préférence le dimanche et à la cathédrale, avec une solennité adaptée à la circonstance. Les trois ordinations, de l'évêque, du prêtre et du diacre, suivent le même mouvement. Leur place est au sein de la liturgie eucharistique.

1573 Le *rite essentiel* du sacrement de l'Ordre est constitué, pour les trois degrés, de l'imposition des mains par l'évêque sur la tête de l'ordinand ainsi que de la prière consécratoire spécifique qui demande à Dieu l'effusion de l'Esprit Saint et de ses dons appropriés au ministère pour lequel le candidat est ordonné[6].

699
1585

1574 Comme dans tous les sacrements, des rites annexes entourent la célébration. Variant fortement dans les différentes traditions liturgiques, ils ont en commun d'exprimer les multiples aspects de la grâce sacramentelle. Ainsi, les rites initiaux, dans le rite latin - la présentation et l'élection de l'ordinand, l'allocution de l'évêque, l'interrogatoire de l'ordinand, les litanies des saints - attestent que le choix du candidat s'est fait conformément à l'usage de l'Église et préparent l'acte solennel de la consécration, après laquelle plusieurs rites viennent exprimer et achever d'une manière symbolique le mystère qui s'est accompli : pour l'évêque et le prêtre l'onction du saint chrême, signe de l'onction spéciale du Saint-Esprit qui rend fécond leur ministère; remise du livre des Évangiles, de l'anneau, de la mitre et de la crosse à l'évêque en signe de sa mission apostolique d'annonce de la Parole de Dieu, de sa fidélité à l'Église, épouse

1294

796

---

1. Cf. LG 41; AA 16. - 2. Cf. Mc 10, 45; Lc 22, 27; S. Polycarpe, ep. 5, 2. - 3. Cf. LG 29; SC 35, § 4; AG 16. - 4. LG 29. - 5. AG 16. - 6. Cf. Pie XII, const. ap. « Sacramentum Ordinis » : DS 3858.

du Christ, de sa charge de pasteur du troupeau du Seigneur; remise au prêtre de la patène et du calice, « l'offrande du peuple saint » qu'il est appelé à présenter à Dieu; remise du livre des Évangiles au diacre qui vient de recevoir mission d'annoncer l'Évangile du Christ.

V. Qui peut conférer ce sacrement ?

1575 C'est le Christ qui a choisi les apôtres et leur a donné part à sa mission et à son autorité. Élevé à la droite du Père, il n'abandonne pas son troupeau, mais le
857 garde par les apôtres sous sa constante protection et le dirige encore par ces mêmes pasteurs qui continuent aujourd'hui son oeuvre [1]. C'est donc le Christ « qui donne » aux uns d'être apôtres, aux autres, pasteurs [2]. Il continue d'agir par les évêques [3].

1576 Puisque le sacrement de l'Ordre est le sacrement du ministère apostolique,
1536 il revient aux évêques en tant que successeurs des apôtres, de transmettre le « don spirituel [4] », la « semence apostolique [5] ». Les évêques validement ordonnés, c'est-à-dire qui sont dans la ligne de la succession apostolique, confèrent validement les trois degrés du sacrement de l'Ordre [6].

VI. Qui peut recevoir ce sacrement ?

1577 « Seul un homme *(vir)* baptisé reçoit validement l'ordination sacrée [7]. » Le
551 Seigneur Jésus a choisi des hommes *(viri)* pour former le collège des douze apôtres [8], et les apôtres ont fait de même lorsqu'ils ont choisi les collaborateurs [9] qui
861 leur succéderaient dans leur tâche [10]. Le collège des évêques, avec qui les prêtres
862 sont unis dans le sacerdoce, rend présent et actualise jusqu'au retour du Christ le collège des douze. L'Église se reconnaît liée par ce choix du Seigneur lui-même. C'est pourquoi l'ordination des femmes n'est pas possible [11].

1578 Nul n'a un *droit* à recevoir le sacrement de l'Ordre. En effet, nul ne s'arroge
2121 à soi-même cette charge. On y est appelé par Dieu [12]. Celui qui croit reconnaître les signes de l'appel de Dieu au ministère ordonné, doit soumettre humblement son désir à l'autorité de l'Église à laquelle revient la responsabilité et le droit d'appeler quelqu'un à recevoir les ordres. Comme toute grâce, ce sacrement ne peut être *reçu* que comme un don immérité.

1579 Tous les ministres ordonnés de l'Église latine, à l'exception des diacres permanents, sont normalement choisis parmi les hommes croyants qui vivent en

---

1. Cf. MR, Préface des Apôtres I. - 2. Cf. Ep 4, 11. - 3. Cf. LG 21. - 4. LG 21. - 5. LG 20. - 6. Cf. DS 794 et 802; CIC, can. 1012; CCEO, can. 744; 747. - 7. CIC, can. 1024. - 8. Cf. Mc 3, 14-19; Lc 6, 12-16. - 9. Cf. 1 Tm 3, 1-13; 2 Tm 1, 6; Tt 1, 5-9. - 10. S. Clément de Rome, Cor. 42, 4; 44, 3. - 11. Cf. MD 26-27; CDF, décl. « Inter insigniores ». - 12. Cf. He 5, 4.

célibataires et qui ont la volonté de garder le *célibat* « en vue du Royaume des cieux » (Mt 19, 12). Appelés à se consacrer sans partage au Seigneur et à « ses affaires[1] », ils se donnent tout entiers à Dieu et aux hommes. Le célibat est un signe de cette vie nouvelle au service de laquelle le ministre de l'Église est consacré; accepté d'un coeur joyeux, il annonce de façon rayonnante le Règne de Dieu[2]. *1618*

2233

1580 Dans les Églises orientales, depuis des siècles, une discipline différente est en vigueur : alors que les évêques sont choisis uniquement parmi les célibataires, des hommes mariés peuvent être ordonnés diacres et prêtres. Cette pratique est depuis longtemps considérée comme légitime; ces prêtres exercent un ministère fructueux au sein de leurs communautés[3]. D'ailleurs, le célibat des prêtres est très en honneur dans les Églises orientales, et nombreux sont les prêtres qui l'ont choisi librement, pour le Royaume de Dieu. En Orient comme en Occident, celui qui a reçu le sacrement de l'Ordre ne peut plus se marier.

VII. Les effets du sacrement de l'Ordre

Le caractère indélébile

1581 Ce sacrement configure au Christ par une grâce spéciale de l'Esprit Saint, en vue de servir d'instrument du Christ pour son Église. Par l'ordination l'on est habilité à agir comme représentant du Christ, Tête de l'Église, dans sa triple fonction de prêtre, prophète et roi. *1548*

1582 Comme dans le cas du Baptême et de la Confirmation, cette participation à la fonction du Christ est accordée une fois pour toutes. Le sacrement de l'Ordre confère, lui aussi, un *caractère spirituel indélébile* et il ne peut pas être réitéré ni être conféré temporairement[4]. *1121*

1583 Un sujet validement ordonné peut, certes, pour de justes motifs, être déchargé des obligations et des fonctions liées à l'ordination ou être interdit de les exercer[5], mais il ne peut plus redevenir laïc au sens strict[6] car le caractère imprimé par l'ordination l'est pour toujours. La vocation et la mission reçues au jour de son ordination le marquent d'une façon permanente.

1584 Puisqu'en fin de compte c'est le Christ qui agit et opère le salut à travers le ministre ordonné, l'indignité de celui-ci n'empêche pas le Christ d'agir[7]. S. Augustin le dit avec force : *1128*

1550

> Quant au ministre orgueilleux, il est à ranger avec le diable. Le don du Christ n'en est pas pour autant profané, ce qui s'écoule à travers lui garde sa pureté, ce qui passe par lui reste limpide et vient jusqu'à la terre fertile (...) La vertu

1. Cf. 1 Co 7, 32. - 2. Cf. PO 16. - 3. Cf. PO 16. - 4. Cf. Cc. Trente : DS 1767; LG 21; 28; 29; PO 2 - 5. Cf. CIC, can. 290-293; 1336, § 1, 3°. 5°; 1338, § 2. - 6. Cf. Cc. Trente : DS 1774. - 7. Cf. Cc. Trente : DS 1612; DS 1154.

spirituelle du sacrement est en effet pareille à la lumière : ceux qui doivent être éclairés la reçoivent dans sa pureté et, si elle traverse des êtres souillés, elle ne se souille pas [1].

La grâce du Saint-Esprit

1585 La grâce du Saint-Esprit propre à ce sacrement est celle d'une configuration au Christ Prêtre, Maître et Pasteur dont l'ordonné est constitué le ministre.

2448

1586 Pour l'évêque, c'est d'abord une grâce de force (« L'Esprit qui fait chefs » : prière de consécration de l'évêque du rite latin) : celle de guider et de défendre avec force et prudence son Église comme un père et un pasteur, avec un amour gratuit pour tous et une prédilection pour les pauvres, les malades et les nécessiteux [2]. Cette grâce le pousse à annoncer l'Évangile à tous, à être le modèle de son troupeau, à le précéder sur le chemin de la sanctification en s'identifiant dans l'Eucharistie avec le Christ Prêtre et Victime, sans craindre de donner sa vie pour ses brebis :

1558

> Accorde, Père qui connais les coeurs, à ton serviteur que Tu as choisi pour l'épiscopat, qu'il fasse paître ton saint troupeau et qu'il exerce à ton égard le souverain sacerdoce sans reproche, en Te servant nuit et jour; qu'il rende sans cesse ton visage propice et qu'il offre les dons de ta sainte Église; qu'il ait en vertu de l'esprit du souverain sacerdoce le pouvoir de remettre les péchés suivant ton commandement, qu'il distribue les charges suivant ton ordre et qu'il délie de tout lien en vertu du pouvoir que Tu as donné aux apôtres; qu'il Te plaise par sa douceur et son coeur pur, en T'offrant un parfum agréable, par ton Enfant Jésus-Christ [3]...

1564

1587 Le don spirituel que confère l'ordination presbytérale est exprimé par cette prière propre au rite byzantin. L'évêque, en imposant la main, dit entre autres :

> Seigneur, remplis du don du Saint-Esprit celui que Tu as daigné élever au degré du sacerdoce afin qu'il soit digne de se tenir sans reproche devant ton autel, d'annoncer l'Évangile de ton Royaume, d'accomplir le ministère de ta parole de vérité, de T'offrir des dons et des sacrifices spirituels, de renouveler ton peuple par le bain de la régénération; de sorte que lui-même aille à la rencontre de notre grand Dieu et Sauveur Jésus-Christ, ton Fils unique, au jour de son second avènement, et qu'Il reçoive de ton immense bonté la récompense d'une fidèle administration de son ordre [4].

1569

1588 Quant aux diacres, « la grâce sacramentelle leur donne la force nécessaire de servir le Peuple de Dieu dans la "diaconie" de la liturgie, de la parole et de la charité, en communion avec l'évêque et son presbyterium [5] ».

1589 Devant la grandeur de la grâce et de la charge sacerdotales, les saints docteurs ont ressenti l'urgent appel à la conversion afin de correspondre par toute

---

1. Ev. Jo. 5, 15. - 2. Cf. CD 13 et 16. - 3. S. Hippolyte, trad. ap. 3. - 4. Euchologion. - 5. LG 29.

leur vie à Celui dont le sacrement les constitue les ministres. Ainsi, S. Grégoire de Nazianze, tout jeune prêtre, s'écrie :

> Il faut commencer par se purifier avant de purifier les autres; il faut être instruit pour pouvoir instruire; il faut devenir lumière pour éclairer, s'approcher de Dieu pour en rapprocher les autres, être sanctifié pour sanctifier, conduire par la main et conseiller avec intelligence [1]. Je sais de qui nous sommes les ministres, à quel niveau nous nous trouvons et quel est Celui vers lequel nous nous dirigeons. Je connais la hauteur de Dieu et la faiblesse de l'homme, mais aussi sa force [2]. [Qui est donc le prêtre ? Il est] le défenseur de la vérité, il se dresse avec les anges, il glorifie avec les archanges, il fait monter sur l'autel d'en haut les victimes des sacrifices, il partage le sacerdoce du Christ, il remodèle la créature, il rétablit [en elle] l'image [de Dieu], il la recrée pour le monde d'en haut, et, pour dire ce qu'il y a de plus grand, *il est divinisé et il divinise* [3].

460

Et le saint Curé d'Ars : « C'est le prêtre qui continue l'oeuvre de rédemption sur la terre... » « Si l'on comprenait bien le prêtre sur la terre, on mourrait non de frayeur, mais d'amour... » « Le Sacerdoce, c'est l'amour du coeur de Jésus [4]. »

1551

En bref

1590 *S. Paul dit à son disciple Timothée : « Je t'invite à raviver le don que Dieu a déposé en toi par l'imposition de mes mains » (2 Tm 1, 6), et « celui qui aspire à la charge d'évêque, désire une noble fonction » (1 Tm 3, 1). À Tite, il disait : « Si je t'ai laissé en Crète, c'est pour y achever l'organisation, et pour établir dans chaque ville des presbytres, conformément à mes instructions » (Tt 1, 5).*

1591 *Toute l'Église est un peuple sacerdotal. Grâce au Baptême, tous les fidèles participent au sacerdoce du Christ. Cette participation s'appelle « sacerdoce commun des fidèles ». Sur sa base et à son service existe une autre participation à la mission du Christ; celle du ministère conféré par le sacrement de l'Ordre, dont la tâche est de servir au nom et en la personne du Christ-Tête au milieu de la communauté.*

1592 *Le sacerdoce ministériel diffère essentiellement du sacerdoce commun des fidèles parce qu'il confère un pouvoir sacré pour le service des fidèles. Les ministres ordonnés exercent leur service auprès du Peuple de Dieu par l'enseignement* (munus docendi), *le culte divin* (munus liturgicum) *et par le gouvernement pastoral* (munus regendi).

1593 *Depuis les origines, le ministère ordonné a été conféré et exercé à trois degrés : celui des évêques, celui des presbytres et celui des diacres. Les ministères conférés par l'ordination sont irremplaçables pour la structure organique de l'Église : sans l'évêque, les presbytres et les diacres, on ne peut parler d'Église* [5].

1594 *L'évêque reçoit la plénitude du sacrement de l'Ordre qui l'insère dans le Collège épiscopal et fait de lui le chef visible de l'Église particulière qui lui est*

---

1. Or. 2, 71. - 2. *Ibid.*, 74. - 3. *Ibid.*, 73. - 4. Nodet, Jean-Marie Vianney 100. - 5. Cf. S. Ignace d'Antioche, Trall. 3, 1.

confiée. Les évêques, en tant que successeurs des apôtres et membres du Collège, ont part à la responsabilité apostolique et à la mission de toute l'Église sous l'autorité du Pape, successeur de S. Pierre.

1595 *Les presbytres sont unis aux évêques dans la dignité sacerdotale et en même temps dépendent d'eux dans l'exercice de leur fonctions pastorales; ils sont appelés à être les coopérateurs avisés des évêques; ils forment autour de leur évêque le presbyterium qui porte avec lui la responsabilité de l'Église particulière. Ils reçoivent de l'évêque la charge d'une communauté paroissiale ou d'une fonction ecclésiale déterminée.*

1596 *Les diacres sont des ministres ordonnés pour les tâches de service de l'Église; ils ne reçoivent pas le sacerdoce ministériel, mais l'ordination leur confère des fonctions importantes dans le ministère de la Parole, du culte divin, du gouvernement pastoral et du service de la charité, tâches qu'ils doivent accomplir sous l'autorité pastorale de leur évêque.*

1597 *Le sacrement de l'Ordre est conféré par l'imposition des mains suivie d'une prière consécratoire solennelle qui demande à Dieu pour l'ordinand les grâces du Saint-Esprit requises pour son ministère. L'ordination imprime un caractère sacramentel indélébile.*

1598 *L'Église confère le sacrement de l'Ordre seulement à des hommes (viris) baptisés, dont les aptitudes pour l'exercice du ministère ont été dûment reconnues. C'est à l'autorité de l'Église que revient la responsabilité et le droit d'appeler quelqu'un à recevoir les ordres.*

1599 *Dans l'Église latine, le sacrement de l'Ordre pour le presbytérat n'est conféré normalement qu'à des candidats qui sont prêts à embrasser librement le célibat et qui manifestent publiquement leur volonté de le garder pour l'amour du Royaume de Dieu et du service des hommes.*

1600 *Il revient aux évêques de conférer le sacrement de l'Ordre dans les trois degrés.*

ARTICLE 7

Le sacrement du Mariage

1601 « L'alliance matrimoniale, par laquelle un homme et une femme constituent entre eux une communauté de toute la vie, ordonnée par son caractère naturel au bien des conjoints ainsi qu'à la génération et à l'éducation des enfants, a été élevée entre baptisés par le Christ Seigneur à la dignité de sacrement [1]. »

---

1. CIC, can. 1055, § 1.

I. Le mariage dans le dessein de Dieu

1602 L'Écriture Sainte s'ouvre sur la création de l'homme et de la femme à l'image et à la ressemblance de Dieu [1] et s'achève sur la vision des « noces de l'Agneau » (Ap 19, 7. 9). D'un bout à l'autre l'Écriture parle du mariage et de son « mystère », de son institution et du sens que Dieu lui a donné, de son origine et de sa fin, de ses réalisations diverses tout au long de l'histoire du salut, de ses difficultés issues du péché et de son renouvellement « dans le Seigneur » (1 Co 7, 39), dans l'alliance nouvelle du Christ et de l'Église [2].

369, 796

Le mariage dans l'ordre de la création

1603 « La communauté profonde de vie et d'amour que forme le couple a été fondée et dotée de ses lois propres par le Créateur. Dieu Lui-même est l'auteur du mariage [3]. » La vocation au mariage est inscrite dans la nature même de l'homme et de la femme, tels qu'ils sont issus de la main du Créateur. Le mariage n'est pas une institution purement humaine, malgré les variations nombreuses qu'il a pu subir au cours des siècles, dans les différentes cultures, structures sociales et attitudes spirituelles. Ces diversités ne doivent pas faire oublier les traits communs et permanents. Bien que la dignité de cette institution ne transparaisse pas partout avec la même clarté [4], il existe cependant dans toutes les cultures un certain sens pour la grandeur de l'union matrimoniale. « Car le bien-être de la personne et de la société est étroitement lié à la prospérité de la communauté conjugale et familiale [5]. »

371

2331

2210

1604 Dieu, qui a créé l'homme par amour, l'a aussi appelé à l'amour, vocation fondamentale et innée de tout être humain. Car l'homme est créé à l'image et à la ressemblance du Dieu [6] qui est Lui-même Amour [7]. Dieu l'ayant créé homme et femme, leur amour mutuel devient une image de l'amour absolu et indéfectible dont Dieu aime l'homme. Il est bon, très bon, aux yeux du Créateur [8]. Et cet amour que Dieu bénit est destiné à être fécond et à se réaliser dans l'oeuvre commune de la garde de la création : « Et Dieu les bénit et Il leur dit : "Soyez féconds, multipliez-vous, remplissez la terre et soumettez-la" » (Gn 1, 28).

355

1605 Que l'homme et la femme soient créés l'un pour l'autre, l'Écriture Sainte l'affirme : « Il n'est pas bon que l'homme soit seul. » La femme, « chair de sa chair », c'est-à-dire son vis-à-vis, son égale, toute proche de lui, lui est donnée par Dieu comme un « secours », représentant ainsi le « Dieu en qui est notre secours [9] ». « C'est pour cela que l'homme quittera son père et sa mère et s'attachera à sa femme, et les deux deviennent une seule chair » (Gn 2, 18-25). Que

372

---

1. Cf. Gn 1, 2627. - 2. Cf. Ep 5, 31-32. - 3. GS 48, § 1. - 4. Cf. GS 47, § 2. - 5. GS 47, § 1. - 6. Cf. Gn 1, 27. - 7. Cf. 1 Jn 4, 8. 16. - 8. Cf. Gn 1, 31. - 9. Cf. Ps 121, 2.

1614   cela signifie une unité indéfectible de leur deux vies, le Seigneur Lui-même le montre en rappelant quel a été, « à l'origine », le dessein du Créateur : « Ainsi, ils ne sont plus deux, mais une seule chair » (Mt 19, 6).

Le mariage sous le régime du péché

1606   Tout homme fait l'expérience du mal, autour de lui et en lui-même. Cette expérience se fait aussi sentir dans les relations entre l'homme et la femme. De tout temps, leur union a été menacée par la discorde, l'esprit de domination, l'infidélité, la jalousie et par des conflits qui peuvent aller jusqu'à la haine et la rupture. Ce désordre peut se manifester de façon plus ou moins aiguë, et il peut être plus ou moins surmonté, selon les cultures, les époques, les individus, mais il semble bien avoir un caractère universel.

1607   Selon la foi ce désordre, que nous constatons douloureusement, ne vient
1849   pas de la *nature* de l'homme et de la femme, ni de la nature de leurs relations, mais du *péché*. Rupture avec Dieu, le premier péché a comme première con-
400   séquence la rupture de la communion originelle de l'homme et de la femme. Leurs relations sont distordues par des griefs réciproques[1]; leur attrait mutuel, don propre du créateur[2], se change en rapports de domination et de convoitise[3]; la belle vocation de l'homme et de la femme d'être féconds, de se multiplier et de soumettre la terre[4] est grevée des peines de l'enfantement et du gagne-pain[5].

1608   Pourtant, l'ordre de la création subsiste, même s'il est gravement perturbé.
55   Pour guérir les blessures du péché, l'homme et la femme ont besoin de l'aide de la grâce que Dieu, dans sa miséricorde infinie, ne leur a jamais refusée[6]. Sans cette aide, l'homme et la femme ne peuvent parvenir à réaliser l'union de leurs vies en vue de laquelle Dieu les a créés « au commencement ».

Le mariage sous la pédagogie de la loi

1609   Dans sa miséricorde, Dieu n'a pas abandonné l'homme pécheur. Les peines
410   qui suivent le péché, « les douleurs de l'enfantement » (Gn 3, 16), le travail « à la sueur de ton front » (Gn 3, 19), constituent aussi des remèdes qui limitent les méfaits du péché. Après la chute, le mariage aide à vaincre le repliement sur soi-même, l'égoïsme, la quête du propre plaisir, et à s'ouvrir à l'autre, à l'aide mutuelle, au don de soi.

1610   La conscience morale concernant l'unité et l'indissolubilité du mariage s'est
1963, 2387   développée sous la pédagogie de la loi ancienne. La polygamie des patriarches et des rois n'est pas encore explicitement repoussée. Cependant, la loi donnée à

---

1. Cf. Gn 3, 12. - 2. Cf. Gn 2, 22. - 3. Cf. Gn 3, 16b. - 4. Cf. Gn 1, 28. - 5. Cf. Gn 3, 16-19. - 6. Cf. Gn 3, 21.

Moïse vise à protéger la femme contre l'arbitraire d'une domination par l'homme, même si elle porte aussi, selon la parole du Seigneur, les traces de « la dureté du coeur » de l'homme en raison de laquelle Moïse a permis la répudiation de la femme [1].

1611   En voyant l'alliance de Dieu avec Israël sous l'image d'un amour conjugal exclusif et fidèle [2], les prophètes ont préparé la conscience du Peuple élu à une intelligence approfondie de l'unicité et de l'indissolubilité du mariage [3]. Les livres de Ruth et de Tobie donnent des témoignages émouvants du sens élevé du mariage, de la fidélité et de la tendresse des époux. La Tradition a toujours vu dans le Cantique des Cantiques une expression unique de l'amour humain, pur reflet de l'amour de Dieu, amour « fort comme la mort » que « les torrents d'eau ne peuvent éteindre » (Ct 8, 6-7).

219, 2380

2361

Le mariage dans le Seigneur

1612   L'alliance nuptiale entre Dieu et son peuple Israël avait préparé l'Alliance nouvelle et éternelle dans laquelle le Fils de Dieu, en s'incarnant et en donnant sa vie, s'est uni d'une certaine façon toute l'humanité sauvée par Lui [4], préparant ainsi les « noces de l'Agneau » (Ap 19, 7. 9).

521

1613   Au seuil de sa vie publique, Jésus opère son premier signe - à la demande de sa Mère - lors d'une fête de mariage [5]. L'Église accorde une grande importance à la présence de Jésus aux noces de Cana. Elle y voit la confirmation de la bonté du mariage et l'annonce que désormais le mariage sera un signe efficace de la présence du Christ.

1614   Dans sa prédication, Jésus a enseigné sans équivoque le sens originel de l'union de l'homme et de la femme, telle que le Créateur l'a voulue au commencement : la permission, donnée par Moïse, de répudier sa femme, était une concession à la dureté du coeur [6]; l'union matrimoniale de l'homme et de la femme est indissoluble : Dieu lui-même l'a conclue : « Que l'homme ne sépare donc pas ce que Dieu a uni » (Mt 19, 6).

2336

2382

1615   Cette insistance sans équivoque sur l'indissolubilité du lien matrimonial a pu laisser perplexe et apparaître comme une exigence irréalisable [7]. Pourtant Jésus n'a pas chargé les époux d'un fardeau impossible à porter et trop lourd [8], plus pesant que la Loi de Moïse. En venant rétablir l'ordre initial de la création perturbé par le péché, Il donne Lui-même la force et la grâce pour vivre le mariage dans la dimension nouvelle du Règne de Dieu. C'est en suivant le Christ, en renonçant à eux-mêmes, en prenant leurs Croix sur eux [9] que les époux pourront

2364

---

1. Cf. Mt 19, 8; Dt 24, 1. - 2. Cf. Os 1-3; Is 54; 62; Jr 2-3; 31; Ez 16; 23. - 3. Cf. Mt 2, 13-17. - 4. Cf. GS 22. - 5. Cf. Jn 2, 1-11. - 6. Cf. Mt 19, 8. - 7. Cf. Mt 19, 10. - 8. Cf. Mt 11, 29-30. - 9. Cf. Mc 8, 34.

1642 « comprendre [1] » le sens originel du mariage et le vivre avec l'aide du Christ. Cette grâce du mariage chrétien est un fruit de la Croix du Christ, source de toute vie chrétienne.

1616 C'est ce que l'apôtre Paul fait saisir en disant : « Maris, aimez vos femmes, comme le Christ a aimé l'Église; Il s'est livré pour elle, afin de la sanctifier » (Ep 5, 25-26), en ajoutant aussitôt : « "Voici donc que l'homme quittera son père et sa mère pour s'attacher à sa femme, et les deux ne feront qu'une seule chair" : ce mystère est de grande portée; je veux dire qu'il s'applique au Christ et à l'Église » (Ep 5, 31-32).

796 **1617** Toute la vie chrétienne porte la marque de l'amour sponsal du Christ et de l'Église. Déjà le Baptême, entrée dans le Peuple de Dieu, est un mystère nuptial : il est, pour ainsi dire, le bain de noces [2] qui précède le repas de noces, l'Eucharistie. Le mariage chrétien devient à son tour signe efficace, sacrement de l'alliance du Christ et de l'Église. Puisqu'il en signifie et communique la grâce, le mariage entre baptisés est un vrai sacrement de la Nouvelle Alliance [3].

La virginité pour le Royaume

2232 **1618** Le Christ est le centre de toute vie chrétienne. Le lien avec Lui prend la pre-
1579 mière place devant tous les autres liens, familiaux ou sociaux [4]. Dès le début de l'Église, il y a eu des hommes et des femmes qui ont renoncé au grand bien du mariage pour suivre l'Agneau partout où Il va [5], pour se soucier des choses du Seigneur, pour chercher à Lui plaire [6], pour aller au-devant de l'Époux qui vient [7]. Le Christ Lui-même a invité certains à Le suivre en ce mode de vie dont Il demeure le modèle :

> Il y a des eunuques qui le sont de naissance, dès le sein de leur mère; il y a aussi des eunuques qui le sont devenus par la main des hommes; et il y en a qui se sont faits eunuques eux-mêmes à cause du Royaume des cieux. Que celui qui peut comprendre, comprenne (Mt 19, 12).

922-924 **1619** La virginité pour le Royaume des cieux est un déploiement de la grâce baptismale, un signe puissant de la prééminence du lien au Christ, de l'attente ardente de son retour, un signe qui rappelle aussi que le mariage est une réalité de l'éon présent qui passe [8].

2349 **1620** Les deux, le sacrement du Mariage et la virginité pour le Royaume de Dieu, viennent du Seigneur Lui-même. C'est Lui qui leur donne sens et leur accorde la grâce indispensable pour les vivre conformément à sa volonté [9]. L'estime de la

---

1. Cf. Mt 19, 11. - 2. Cf. Ep 5, 26-27. - 3. Cf. DS 1800; CIC, can. 1055, § 2. - 4. Cf. Lc 14, 26; Mc 10, 28-31. - 5. Cf. Ap 14, 4. - 6. Cf. 1 Co 7, 32. - 7. Cf. Mt 25, 6. - 8. Cf. Mc 12, 25; 1 Co 7, 31. - 9. Cf. Mt 19, 3-12.

virginité pour le Royaume [1] et le sens chrétien du mariage sont inséparables et se favorisent mutuellement :

> Dénigrer le mariage, c'est amoindrir du même coup la gloire de la virginité; en faire l'éloge, c'est rehausser l'admiration qui est due à la virginité. (...) Car enfin, ce qui ne paraît un bien que par comparaison avec un mal ne peut être vraiment un bien, mais ce qui est mieux encore que des biens incontestés est le bien par excellence [2].

II. La célébration du mariage

1621 Dans le rite latin, la célébration du mariage entre deux fidèles catholiques a normalement lieu au cours de la Sainte Messe, en raison du lien de tous les sacrements avec le mystère Pascal du Christ [3]. Dans l'Eucharistie se réalise le mémorial *1323* de la Nouvelle Alliance, en laquelle le Christ s'est uni pour toujours à l'Église, son épouse bien-aimée pour laquelle Il s'est livré [4]. Il est donc convenable que les époux scellent leur consentement à se donner l'un à l'autre par l'offrande de leurs propres vies, en l'unissant à l'offrande du Christ pour son Église, rendue présente *1368* dans le sacrifice eucharistique, et en recevant l'Eucharistie, afin que, communiant au même Corps et au même Sang du Christ, ils « ne forment qu'un corps » dans le Christ [5].

1622 « En tant que geste sacramentel de sanctification, la célébration liturgique du mariage (...) doit être par elle-même valide, digne et fructueuse [6]. » Il convient donc que les futurs époux se disposent à la célébration de leur mariage en recevant le sacrement de pénitence. *1422*

1623 Dans l'Église latine, on considère habituellement que ce sont les époux qui, comme ministres de la grâce du Christ, se confèrent mutuellement le sacrement du Mariage en exprimant devant l'Église leur consentement. Dans les liturgies orientales, le ministre du sacrement (appelé « Couronnement ») est le prêtre ou l'évêque qui, après avoir reçu le consentement réciproque des époux, couronne successivement l'époux et l'épouse en signe de l'alliance matrimoniale.

1624 Les diverses liturgies sont riches en prières de bénédiction et d'épiclèse demandant à Dieu sa grâce et la bénédiction sur le nouveau couple, spécialement sur l'épouse. Dans l'épiclèse de ce sacrement les époux reçoivent l'Esprit Saint *736* comme communion d'amour du Christ et de l'Église [7]. C'est Lui le sceau de leur alliance, la source toujours offerte de leur amour, la force où se renouvellera leur fidélité.

III. Le consentement matrimonial

1625 Les protagonistes de l'alliance matrimoniale sont un homme et une femme baptisés, libres de contracter le mariage et qui expriment librement leur consente- *1734* ment. « Être libre » veut dire :

---

1. Cf. LG 42; PC 12; OT 10. - 2. S. Jean Chrysostome, virg. 10, 1; cf. FC 16. - 3. Cf. SC 61. - 4. Cf. LG 6. - 5. Cf. 1 Co 10, 17. - 6. FC 67. - 7. Cf. Ep 5, 32.

- ne pas subir de contrainte;
- ne pas être empêché par une loi naturelle ou ecclésiastique.

1626 L'Église considère l'échange des consentements entre les époux comme
2201   l'élément indispensable « qui fait le mariage[1] ». Si le consentement manque, il n'y a
pas de mariage.

1627 Le consentement consiste en un « acte humain par lequel les époux se don-
1735   nent et se reçoivent mutuellement[2] » : « Je te prends comme ma femme. Je te
prends comme mon mari[3]. » Ce consentement qui lie les époux entre eux, trouve
son accomplissement en ce que les deux « deviennent une seule chair[4] ».

1628 Le consentement doit être un acte de la volonté de chacun des contractants,
libre de violence ou de crainte grave externe[5]. Aucun pouvoir humain ne peut se
substituer à ce consentement[6]. Si cette liberté manque, le mariage est invalide.

1629 Pour cette raison (ou pour d'autres raisons qui rendent nul et non avenu le mariage[7]),
l'Église peut, après examen de la situation par le tribunal ecclésiastique compétent, déclarer « la nul-
lité du mariage », c'est-à-dire que le mariage n'a jamais existé. En ce cas, les contractants sont libres
de se marier, quitte à se tenir aux obligations naturelles d'une union antérieure[8].

1630 Le prêtre (ou le diacre) qui assiste à la célébration du mariage, accueille le
consentement des époux au nom de l'Église et donne la bénédiction de l'Église. La
présence du ministre de l'Église (et aussi des témoins) exprime visiblement que le
mariage est une réalité ecclésiale.

1631 C'est pour cette raison que l'Église demande normalement pour ses fidèles
la *forme ecclésiastique* de la conclusion du mariage[9]. Plusieurs raisons concourent
à expliquer cette détermination :
1069   - le mariage sacramentel est un acte *liturgique*. Il est dès lors convenable qu'il soit
célébré dans la liturgie publique de l'Église;
1537   - le mariage est introduit dans un *ordo* ecclésial, il crée des droits et des devoirs
dans l'Église, entre les époux et envers les enfants;
- puisque le mariage est un état de vie dans l'Église, il faut qu'il y ait certitude sur
le mariage (d'où l'obligation d'avoir des témoins);
2365   - le caractère public du consentement protège le « Oui » une fois donné et aide à y
rester fidèle.

1632 Pour que le « Oui » des époux soit un acte libre et responsable, et pour que
l'alliance matrimoniale ait des assises humaines et chrétiennes solides et durables,
la *préparation au mariage* est de première importance :

---

1. CIC, Can. 1057, § 1. - 2. GS 48, § 1; Cf. CIC, Can. 1057, § 2. - 3. OcM 45. - 4. Cf. Gn 2, 24; MC 10, 8;
Ep 5, 31. - 5. Cf. CIC, Can. 1103. - 6. CIC, Can. 1057, § 1. - 7. Cf. CIC, Can. 1095-1107. - 8. Cf. CIC,
Can. 1071. - 9. Cf. Cc. Trente: DS 1813-1816; CIC, Can. 1108.

L'exemple et l'enseignement donnés par les parents et par les familles restent le chemin privilégié de *2206* cette préparation.

Le rôle des pasteurs et de la communauté chrétienne comme « famille de Dieu » est indispensable pour la transmission des valeurs humaines et chrétiennes du mariage et de la famille [1], et ceci d'autant plus qu'à notre époque beaucoup de jeunes connaissent l'expérience des foyers brisés qui n'assurent plus suffisamment cette initiation :

> Il faut instruire à temps les jeunes, et de manière appropriée, de préférence au sein de la famille, sur la dignité de l'amour conjugal, sa fonction, son exercice : ainsi formés à la chasteté, ils pourront, le moment venu, s'engager dans le mariage après des fiançailles vécues dans la dignité [2]. *2350*

Les mariages mixtes et la disparité de culte

1633 Dans de nombreux pays, la situation du *mariage mixte* (entre catholique et baptisé non catholique) se présente de façon assez fréquente. Elle demande une attention particulière des conjoints et des pasteurs; le cas des mariages avec *disparité de culte* (entre catholique et non-baptisé) une circonspection plus grande encore.

1634 La différence de confession entre les conjoints ne constitue pas un obstacle insurmontable pour le mariage, lorsqu'ils parviennent à mettre en commun ce que chacun d'eux a reçu dans sa communauté, et à apprendre l'un de l'autre la façon dont chacun vit sa fidélité au Christ. Mais les difficultés des mariages mixtes ne doivent pas non plus être sous-estimées. Elles sont dues au fait que la séparation des chrétiens n'est pas encore surmontée. Les époux risquent de ressentir le drame de la désunion des chrétiens au sein même de leur foyer. La disparité de culte peut encore aggraver *817* ces difficultés. Des divergences concernant la foi, la conception même du mariage, mais aussi des mentalités religieuses différentes, peuvent constituer une source de tensions dans le mariage, principalement à propos de l'éducation des enfants. Une tentation peut se présenter alors : l'indifférence religieuse.

1635 D'après le droit en vigueur dans l'Église latine, un mariage mixte a besoin, pour sa licéité, de la *permission expresse* de l'autorité ecclésiastique [3]. En cas de disparité de culte une *dispense expresse* de l'empêchement est requise pour la validité du mariage [4]. Cette permission ou cette dispense supposent que les deux parties connaissent et n'excluent pas les fins et les propriétés essentielles du mariage ainsi que les obligations contractées par la partie catholique concernant le baptême et l'éducation des enfants dans l'Église catholique [5].

1636 Dans beaucoup de régions, grâce au dialogue œcuménique, les communautés chrétiennes concernées ont pu mettre sur pied une *pastorale commune pour les mariages mixtes*. Sa tâche est *821* d'aider ces couples à vivre leur situation particulière à la lumière de la foi. Elle doit aussi les aider à surmonter les tensions entre les obligations des conjoints l'un envers l'autre et envers leurs communautés ecclésiales. Elle doit encourager l'épanouissement de ce qui leur est commun dans la foi, et le respect de ce qui les sépare.

1637 Dans les mariages avec disparité de culte l'époux catholique a une tâche particulière : « Car le mari non croyant se trouve sanctifié par sa femme, et la femme non croyante se trouve

---

1. Cf. CIC, can. 1063. - 2. GS 49, § 3. - 3. Cf. CIC, can. 1124. - 4. Cf. CIC, can. 1086. - 5. Cf. CIC, can. 1125.

sanctifiée par le mari croyant » (1 Co 7, 14). C'est une grande joie pour le conjoint chrétien et pour l'Église si cette « sanctification » conduit à la conversion libre de l'autre conjoint à la foi chrétienne[1]. L'amour conjugal sincère, la pratique humble et patiente des vertus familiales et la prière persévérante peuvent préparer le conjoint non croyant à accueillir la grâce de la conversion.

IV. Les effets du sacrement du Mariage

1638 « Du mariage valide naît entre les conjoints *un lien* de par sa nature perpétuel et exclusif; en outre, dans le mariage chrétien, les conjoints sont fortifiés et comme consacrés par *un sacrement spécial* pour les devoirs et la dignité de leur état[2]. »

Le lien matrimonial

1639 Le consentement par lequel les époux se donnent et s'accueillent mutuellement, est scellé par Dieu Lui-même[3]. De leur alliance « une institution, que la loi divine confirme, naît ainsi, au regard même de la société[4] ». L'alliance des époux est intégrée dans l'alliance de Dieu avec les hommes : « L'authentique amour conjugal est assumé dans l'amour divin[5]. »

1640 Le *lien matrimonial* est donc établi par Dieu Lui-même, de sorte que le mariage conclu et consommé entre baptisés ne peut jamais être dissous. Ce lien, qui résulte de l'acte humain libre des époux et de la consommation du mariage, est une réalité désormais irrévocable et donne origine à une alliance garantie par la
2365   fidélité de Dieu. Il n'est pas au pouvoir de l'Église de se prononcer contre cette disposition de la sagesse divine[6].

La grâce du sacrement du Mariage

1641 « En leur état de vie et dans leur ordre, [les époux chrétiens] ont dans le Peuple de Dieu leurs dons propres[7]. » Cette grâce propre du sacrement du Mariage est destinée à perfectionner l'amour des conjoints, à fortifier leur unité indissoluble. Par cette grâce « ils s'aident mutuellement à se sanctifier dans la vie conjugale, dans l'accueil et l'éducation des enfants[8] ».

1642 *Le Christ est la source de cette grâce.* « De même que Dieu prit autrefois l'ini-
1615   tiative d'une alliance d'amour et de fidélité avec son peuple, ainsi, maintenant, le
796   Sauveur des hommes, Époux de l'Église, vient à la rencontre des époux chrétiens

---

1. Cf. 1 Co 7, 16. - 2. CIC, can. 1134. - 3. Cf. Mc 10, 9. - 4. GS 48, § 1. - 5. GS 48, § 2. - 6. Cf. CIC, can. 1141. - 7. LG 11. - 8. LG 11; cf. LG 41.

par le sacrement du Mariage[1]. » Il reste avec eux, Il leur donne la force de le suivre en prenant leur Croix sur eux, de se relever après leurs chutes, de se pardonner mutuellement, de porter les uns les fardeaux des autres[2], d'être « soumis les uns aux autres dans la crainte du Christ » (Ep 5, 21) et de s'aimer d'un amour surnaturel, délicat et fécond. Dans les joies de leur amour et de leur vie familiale il leur donne, dès ici-bas, un avant-goût du festin des noces de l'Agneau :

> Où vais-je puiser la force de décrire de manière satisfaisante le bonheur du mariage que l'Église ménage, que confirme l'offrande, que scelle la bénédiction; les anges le proclament, le Père céleste le ratifie. (...) Quel couple que celui de deux chrétiens, unis par une seule espérance, un seul désir, une seule discipline, le même service ! Tous deux enfants d'un même Père, serviteurs d'un même Maître; rien ne les sépare, ni dans l'esprit ni dans la chair; au contraire, ils sont vraiment deux en une seule chair. Là où la chair est une, un aussi est l'esprit[3].

V. Les biens et les exigences de l'amour conjugal

1643 « L'amour conjugal comporte une totalité où entrent toutes les composantes de la personne - appel du corps et de l'instinct, force du sentiment et de l'affectivité, aspiration de l'esprit et de la volonté - ; il vise une unité profondément personnelle, celle qui, au-delà de l'union en une seule chair, conduit à ne faire qu'un coeur et qu'une âme; il exige l'*indissolubilité* et la *fidélité* dans la donation réciproque définitive; et il s'ouvre sur la *fécondité*. Il s'agit bien des caractéristiques normales de tout amour conjugal naturel, mais avec une signification nouvelle qui, non seulement les purifie et les consolide, mais les élève au point d'en faire l'expression de valeurs proprement chrétiennes[4]. »

2361

L'unité et l'indissolubilité du mariage

1644 L'amour des époux exige, par sa nature même, l'unité et l'indissolubilité de leur communauté de personnes qui englobe toute leur vie : « Ainsi ils ne sont plus deux, mais une seule chair » (Mt 19, 6)[5]. « Ils sont appelés à grandir sans cesse dans leur communion à travers la fidélité quotidienne à la promesse du don mutuel total que comporte le mariage[6]. » Cette communion humaine est confirmée, purifiée et parachevée par la communion en Jésus-Christ donnée par le sacrement de mariage. Elle s'approfondit par la vie de la foi commune et par l'Eucharistie reçue en commun.

1645 « L'égale dignité personnelle qu'il faut reconnaître à la femme et à l'homme dans l'amour plénier qu'ils se portent l'un à l'autre fait clairement apparaître l'unité du mariage, confirmée par le Seigneur[7]. » La *polygamie* est contraire à cette égale dignité et à l'amour conjugal qui est unique et exclusif[8].

369

---

1. GS 48, § 2. - 2. Cf. Ga 6, 2. - 3. Tertullien, ux. 2, 9; cf. FC 13. - 4. FC 13. - 5. Cf. Gn 2, 24. - 6. FC 19. - 7. GS 49, § 2. - 8. Cf. FC 19.

2364-2365 ## La fidélité de l'amour conjugal

1646 L'amour conjugal exige des époux, de par sa nature même, une fidélité inviolable. Ceci est la conséquence du don d'eux-mêmes que se font l'un à l'autre les époux. L'amour veut être définitif. Il ne peut être « jusqu'à nouvel ordre ». « Cette union intime, don réciproque de deux personnes, non moins que le bien des enfants, exigent l'entière fidélité des époux et requièrent leur indissoluble unité [1]. »

1647 Le motif le plus profond se trouve dans la fidélité de Dieu à son alliance, du Christ à son Église. Par le sacrement de Mariage les époux sont habilités à représenter cette fidélité et à en témoigner. Par le sacrement, l'indissolubilité du mariage reçoit un sens nouveau et plus profond.

1648 Il peut paraître difficile, voire impossible, de se lier pour la vie à un être humain. Il est d'autant plus important d'annoncer la Bonne Nouvelle que Dieu nous aime d'un amour définitif et irrévocable, que les époux ont part à cet amour, qu'il les porte et les soutient, et que par leur fidélité ils peuvent être les témoins de l'amour fidèle de Dieu. Les époux qui, avec la grâce de Dieu, donnent ce témoignage, souvent dans des conditions bien difficiles, méritent la gratitude et le soutien de la communauté ecclésiale [2].

2383 **1649** Il existe cependant des situations où la cohabitation matrimoniale devient pratiquement impossible pour des raisons très diverses. En de tels cas, l'Église admet la *séparation* physique des époux et la fin de la cohabitation. Les époux ne cessent pas d'être mari et femme devant Dieu; ils ne sont pas libres de contracter une nouvelle union. En cette situation difficile, la solution la meilleure serait, si possible, la réconciliation. La communauté chrétienne est appelée à aider ces personnes à vivre chrétiennement leur situation, dans la fidélité au lien de leur mariage qui reste indissoluble [3].

2384 **1650** Nombreux sont aujourd'hui, dans bien des pays, les catholiques qui ont recours au *divorce* selon les lois civiles et qui contractent civilement une nouvelle union. L'Église maintient, par fidélité à la parole de Jésus-Christ (« Quiconque répudie sa femme et en épouse une autre, commet un adultère à l'égard de la première; et si une femme répudie son mari et en épouse un autre, elle commet un adultère » : Mc 10, 11-12), qu'elle ne peut reconnaître comme valide une nouvelle union, si le premier mariage l'était. Si les divorcés sont remariés civilement, ils se trouvent dans une situation qui contrevient objectivement à la loi de Dieu. Dès lors ils ne peuvent pas accéder à la communion eucharistique, aussi longtemps que persiste cette situation. Pour la même raison ils ne peuvent pas exercer certaines responsabilités ecclésiales. La réconciliation par le sacrement de Pénitence ne peut être accordée qu'à ceux qui se sont repentis d'avoir violé le signe de l'alliance et de la fidélité au Christ, et se sont engagés à vivre dans une continence complète.

1651 À l'égard des chrétiens qui vivent en cette situation et qui souvent gardent la foi et désirent élever chrétiennement leurs enfants, les prêtres et toute la communauté doivent faire

---

1. GS 48, § 1. - 2. Cf. FC 20. - 3. Cf. FC 83; CIC, can. 1151-1155.

preuve d'une sollicitude attentive, afin qu'ils ne se considèrent pas comme séparés de l'Église, à la vie de laquelle ils peuvent et doivent participer en tant que baptisés :

> On les invitera à écouter la Parole de Dieu, à assister au Sacrifice de la messe, à persévérer dans la prière, à apporter leur contribution aux oeuvres de charité et aux initiatives de la communauté en faveur de la justice, à élever leurs enfants dans la foi chrétienne, à cultiver l'esprit de pénitence et à en accomplir les actes, afin d'implorer, jour après jour, la grâce de Dieu [1].

L'ouverture à la fécondité

2366-2367

1652 « C'est par sa nature même que l'institution du mariage et l'amour conjugal sont ordonnés à la procréation et à l'éducation qui, tel un sommet, en constituent le couronnement [2] » :

372

> Les enfants sont le don le plus excellent du mariage et ils contribuent grandement au bien des parents eux-mêmes. Dieu Lui-même qui a dit : « Il n'est pas bon que l'homme soit seul » (Gn 2, 18) et qui « dès l'origine a fait l'être humain homme et femme » (Mt 19, 4), a voulu lui donner une participation spéciale dans son oeuvre créatrice; aussi a-t-Il béni l'homme et la femme, disant : « Soyez féconds et multipliez-vous » (Gn 1, 28). Dès lors, un amour conjugal vrai et bien compris, comme toute la structure de la vie familiale qui en découle, tendent, sans sous-estimer pour autant les autres fins du mariage, à rendre les époux disponibles pour coopérer courageusement à l'amour du Créateur et du Sauveur qui, par eux, veut sans cesse agrandir et enrichir sa propre famille [3].

1653 La fécondité de l'amour conjugal s'étend aux fruits de la vie morale, spirituelle et surnaturelle que les parents transmettent à leurs enfants par l'éducation. Les parents sont les principaux et premiers éducateurs de leurs enfants [4]. En ce sens, la tâche fondamentale du mariage et de la famille est d'être au service de la vie [5].

2231

1654 Les époux auxquels Dieu n'a pas donné d'avoir des enfants, peuvent néanmoins avoir une vie conjugale pleine de sens, humainement et chrétiennement. Leur mariage peut rayonner d'une fécondité de charité, d'accueil et de sacrifice.

VI. L'Église domestique

1655 Le Christ a voulu naître et grandir au sein de la Sainte Famille de Joseph et de Marie. L'Église n'est autre que la « famille de Dieu ». Dès ses origines, le noyau de l'Église était souvent constitué par ceux qui, « avec toute leur maison », étaient devenus croyants [6]. Lorsqu'ils se convertissaient, ils désiraient aussi que « toute leur maison » soit sauvée [7]. Ces familles devenues croyantes étaient des îlots de vie chrétienne dans un monde incroyant.

759

---

1. FC 84. - 2. GS 48, § 1. - 3. GS 50, § 1. - 4. Cf. GE 3. - 5. Cf. FC 28. - 6. Cf. Ac 18, 8. - 7. Cf. Ac 16, 31 et 11, 14.

1656 De nos jours, dans un monde souvent étranger et même hostile à la foi, les familles croyantes sont de première importance, comme foyers de foi vivante et rayonnante. C'est pour cela que le deuxième Concile du Vatican appelle la famille, *2204* avec une vieille expression, *Ecclesia domestica*[1]. C'est au sein de la famille que les parents sont « par la parole et par l'exemple (...) pour leurs enfants les premiers hérauts de la foi, au service de la vocation propre de chacun et tout spécialement de la vocation sacrée[2] ».

1657 C'est ici que s'exerce de façon privilégiée le *sacerdoce baptismal* du père de *1268* famille, de la mère, des enfants, de tous les membres de la famille, « par la réception des sacrements, la prière et l'action de grâce, le témoignage d'une vie sainte, et par leur renoncement et leur charité effective[3] ». Le foyer est ainsi la première *2214-2231* école de vie chrétienne et « une école d'enrichissement humain[4] ». C'est ici que l'on apprend l'endurance et la joie du travail, l'amour fraternel, le pardon généreux, *2685* même réitéré, et surtout le culte divin par la prière et l'offrande de sa vie.

1658 Il faut encore faire mémoire de certaines personnes qui sont, à cause des conditions concrètes dans lesquelles elles doivent vivre - et souvent sans l'avoir voulu - particulièrement proches du coeur de Jésus et qui méritent donc affection et sollicitude empressée de l'Église et notamment des pasteurs : le grand nombre de *personnes célibataires*. Beaucoup d'entre elles restent *sans famille humaine*, souvent à cause des conditions de pauvreté. Il y en a qui vivent leur situation dans *2231* l'esprit des béatitudes, servant Dieu et le prochain de façon exemplaire. À elles toutes il faut ouvrir les portes des foyers, « Églises domestiques », et de la grande *2233* famille qu'est l'Église. « Personne n'est sans famille en ce monde : l'Église est la maison et la famille de tous, en particulier de ceux qui "peinent et ploient sous le fardeau" (Mt 11, 28)[5]. »

EN BREF

1659 *S. Paul dit : « Maris, aimez vos femmes, comme le Christ a aimé l'Église. (...) Ce mystère est de grande portée; je veux dire qu'il s'applique au Christ et à l'Église » (Ep 5, 25. 32).*

1660 *L'alliance matrimoniale, par laquelle un homme et une femme constituent entre eux une intime communauté de vie et d'amour, a été fondée et dotée de ses lois propres par le Créateur. De par sa nature elle est ordonnée au bien des conjoints ainsi qu'à la génération et à l'éducation des enfants. Elle a été élevée entre baptisés par le Christ Seigneur à la dignité de sacrement[6].*

1661 *Le sacrement du Mariage signifie l'union du Christ et de l'Église. Il donne aux époux la grâce de s'aimer de l'amour dont le Christ a aimé son Église; la grâce du sacrement perfectionne ainsi l'amour humain des époux, affermit leur unité indissoluble et les sanctifie sur le chemin de la vie éternelle[7].*

---

1. LG 11; cf. FC 21. - 2. LG 11. - 3. LG 10. - 4. GS 52, § 1. - 5. FC 85. - 6. Cf. GS 48, § 1; CIC, can. 1055, § 1. - 7. Cf. Cc. Trente: DS 1799.

1662 *Le mariage se fonde sur le consentement des contractants, c'est-à-dire sur la volonté de se donner mutuellement et définitivement dans le but de vivre une alliance d'amour fidèle et fécond.*

1663 *Puisque le mariage établit les conjoints dans un état public de vie dans l'Église, il convient que sa célébration soit publique, dans le cadre d'une célébration liturgique, devant le prêtre (ou le témoin qualifié de l'Église), les témoins et l'assemblée des fidèles.*

1664 *L'unité, l'indissolubilité et l'ouverture à la fécondité sont essentielles au mariage. La polygamie est incompatible avec l'unité du mariage; le divorce sépare ce que Dieu a uni; le refus de la fécondité détourne la vie conjugale de son « don le plus excellent », l'enfant*[1].

1665 *Le remariage des divorcés du vivant du conjoint légitime contrevient au dessein et à la loi de Dieu enseignés par le Christ. Ils ne sont pas séparés de l'Église, mais ils ne peuvent accéder à la communion eucharistique. Ils mèneront leur vie chrétienne notamment en éduquant leurs enfants dans la foi.*

1666 *Le foyer chrétien est le lieu où les enfants reçoivent la première annonce de la foi. Voilà pourquoi la maison familiale est appelée à bon droit l'« Église domestique », communauté de grâce et de prière, école des vertus humaines et de la charité chrétienne.*

Chapitre quatrième
Les autres célébrations liturgiques

Article 1
Les sacramentaux

1667 « La Sainte Mère Église a institué des sacramentaux, qui sont des signes sacrés par lesquels, selon une certaine imitation des sacrements, des effets surtout spirituels sont signifiés et sont obtenus par la prière de l'Église. Par eux, les hommes sont disposés à recevoir l'effet principal des sacrements, et les diverses circonstances de la vie sont sanctifiées[2]. »

---

1. GS 50, § 1. - 2. SC 60; cf. CIC, can. 1166; CCEO, can. 867.

Les traits caractéristiques des sacramentaux

1668 Ils sont institués par l'Église en vue de la sanctification de certains ministères de l'Église, de certains états de vie, de circonstances très variées de la vie chrétienne, ainsi que de l'usage des choses utiles à l'homme. Selon les décisions pastorales des évêques, ils peuvent aussi répondre aux besoins, à la culture et à l'histoire propres au peuple chrétien d'une région ou d'une époque. Ils comportent toujours une prière, souvent accompagnée d'un signe déterminé, comme l'imposition de la main, le signe de la Croix, l'aspersion d'eau bénite (qui rappelle le Baptême).

699, 2157

1669 Ils relèvent du sacerdoce baptismal : tout baptisé est appelé à être une « bénédiction [1] » et à bénir [2]. C'est pourquoi des laïcs peuvent présider certaines bénédictions [3]; plus une bénédiction concerne la vie ecclésiale et sacramentelle, plus sa présidence est réservée au ministère ordonné (évêques, prêtres ou diacres [4]).

784
2626

1670 Les sacramentaux ne confèrent pas la grâce de l'Esprit Saint à la manière des sacrements, mais par la prière de l'Église ils préparent à recevoir la grâce et disposent à y coopérer. « Chez les fidèles bien disposés, presque tous les événements de la vie sont sanctifiés par la grâce divine qui découle du mystère Pascal de la passion, de la mort et de la Résurrection du Christ, car c'est de Lui que tous les sacrements et sacramentaux tirent leur vertu; et il n'est à peu près aucun usage honorable des choses matérielles qui ne puisse être dirigé vers cette fin : la sanctification de l'homme et la louange de Dieu [5]. »

1128, 2001

Les formes variées des sacramentaux

1671 Parmi les sacramentaux figurent d'abord les *bénédictions* (de personnes, de la table, d'objets, de lieux). Toute bénédiction est louange de Dieu et prière pour obtenir ses dons. Dans le Christ, les chrétiens sont bénis par Dieu le Père « de toutes sortes de bénédictions spirituelles » (Ep 1, 3). C'est pourquoi l'Église donne la bénédiction en invoquant le nom de Jésus et en faisant habituellement le signe saint de la Croix du Christ.

1078

1672 Certaines bénédictions ont une portée durable : elles ont pour effet de *consacrer* des personnes à Dieu et de réserver à l'usage liturgique des objets et des lieux. Parmi celles qui sont destinées à des personnes - à ne pas confondre avec l'ordination sacramentelle - figurent la bénédiction de l'abbé ou de l'abbesse d'un monastère, la consécration des vierges, le rite de la profession religieuse et les bénédictions pour certains ministères d'Église (lecteurs, acolytes, catéchistes, etc.). Comme exemple de celles qui concernent des objets, on peut signaler la dédicace ou la bénédiction d'une église ou d'un autel, la bénédiction des saintes huiles, des vases et des vêtements sacrés, des cloches, etc.

923
925, 903

1673 Quand l'Église demande publiquement et avec autorité, au nom de Jésus-Christ, qu'une personne ou un objet soit protégé contre l'emprise du Malin et soustrait à son empire, on parle

395

---

1. Cf. Gn 12, 2. - 2. Cf. Lc 6, 28; Rm 12, 14; 1 P 3, 9. - 3. Cf. SC 79; CIC, can. 1168. - 4. Cf. Ben 16; 18. - 5. SC 61.

d'*exorcisme*. Jésus l'a pratiqué [1], c'est de Lui que l'Église tient le pouvoir et la charge d'exorciser [2]. Sous une forme simple, l'exorcisme est pratiqué lors de la célébration du Baptême. L'exorcisme solennel, appelé « grand exorcisme », ne peut être pratiqué que par un prêtre et avec la permission de l'évêque. Il faut y procéder avec prudence, en observant strictement les règles établies par l'Église. L'exorcisme vise à expulser les démons ou à libérer de l'emprise démoniaque et cela par l'autorité spirituelle que Jésus a confiée à son Église. Très différent est le cas des maladies, surtout psychiques, dont le soin relève de la science médicale. Il est important, donc, de s'assurer, avant de célébrer l'exorcisme, qu'il s'agit d'une présence du Malin, et non pas d'une maladie [3].

550
1237

La religiosité populaire

1674 Hors de la liturgie sacramentelle et des sacramentaux, la catéchèse doit tenir compte des formes de la piété des fidèles et de la religiosité populaire. Le sens religieux du peuple chrétien a, de tout temps, trouvé son expression dans des formes variées de piété qui entourent la vie sacramentelle de l'Église, telles que la vénération des reliques, les visites aux sanctuaires, les pèlerinages, les processions, le chemin de Croix, les danses religieuses, le rosaire, les médailles [4], etc.

2688

2669, 2678

1675 Ces expressions prolongent la vie liturgique de l'Église, mais ne la remplacent pas : « [Elles] doivent être réglées en tenant compte des temps liturgiques et de façon à s'harmoniser avec la liturgie, à en découler d'une certaine manière et à y introduire le peuple, parce que la liturgie, de sa nature, leur est de loin supérieure [5]. »

1676 Un discernement pastoral est nécessaire pour soutenir et appuyer la religiosité populaire et, le cas échéant, pour purifier et rectifier le sens religieux qui sous-tend ces dévotions et pour faire progresser dans la connaissance du mystère au Christ. Leur exercice est soumis au soin et au jugement des évêques et aux normes générales de l'Église [6].

426

> La religiosité populaire, pour l'essentiel, est un ensemble de valeurs qui, avec sagesse chrétienne, répond aux grandes interrogations de l'existence. Le bon sens populaire catholique est fait de capacité de synthèse pour l'existence. C'est ainsi qu'il fait aller ensemble, de façon créative, le divin et l'humain, le Christ et Marie, l'esprit et le corps, la communion et l'institution, la personne et la communauté, la foi et la patrie, l'intelligence et le sentiment. Cette sagesse est un humanisme chrétien qui affirme radicalement la dignité de tout être comme fils de Dieu, instaure une fraternité fondamentale, apprend à rencontrer la nature comme à comprendre le travail, et donne des raisons de vivre dans la joie et la bonne humeur, même aux milieu des duretés de l'existence. Cette sagesse est aussi pour le peuple un principe de discernement, un instinct évangélique qui lui fait percevoir spontanément quand l'Évangile est le premier servi dans l'Église, ou quand il est vidé de son contenu et asphyxié par d'autres intérêts [7].

EN BREF

1677 *On appelle sacramentaux les signes sacrés institués par l'Église dont le but est de préparer les hommes à recevoir le fruit des sacrements et de sanctifier les différentes circonstances de la vie.*

---

1. Cf. Mc 1, 25 s. - 2. Cf. Mc 3, 15; 6, 7. 13; 16, 17. - 3. Cf. CIC, can. 1172. - 4. Cf. Cc. Nicée II : DS 601; 603; Cc. Trente : DS 1822. - 5. SC 13. - 6. Cf. CT 54 - 7. Document de Puebla; cf. EN 48.

1678 *Parmi les sacramentaux, les bénédictions occupent une place importante. Elles comportent à la fois la louange de Dieu pour ses oeuvres et ses dons, et l'intercession de l'Église afin que les hommes puissent faire usage des dons de Dieu selon l'esprit de l'Évangile.*

1679 *En plus de la liturgie, la vie chrétienne se nourrit des formes variées de piété populaire, enracinées dans les différentes cultures. Tout en veillant à les éclairer par la lumière de la foi, l'Église favorise les formes de religiosité populaire qui expriment un instinct évangélique et une sagesse humaine et qui enrichissent la vie chrétienne.*

ARTICLE 2
Les funérailles chrétiennes

1680 Tous les sacrements, et principalement ceux de l'initiation chrétienne, avaient pour but la dernière Pâque de l'enfant de Dieu, celle qui, par la mort, Le fait entrer dans la Vie du Royaume. Alors s'accomplit ce qu'Il confessait dans la foi et dans l'espérance : « J'attends la Résurrection des morts et la Vie du monde à venir[1]. »

1525

I. La dernière Pâque du chrétien

1681 Le sens chrétien de la mort est révélé dans la lumière du *mystère Pascal* de la mort et de la résurrection du Christ, en qui repose notre unique espérance. Le chrétien qui meurt dans le Christ Jésus « quitte ce corps pour aller demeurer auprès du Seigneur » (2 Co 5, 8).

1010-1014

1682 Le jour de la mort inaugure pour le chrétien, au *terme de sa vie sacramentelle*, l'achèvement de sa nouvelle naissance commencée au Baptême, la « ressemblance » définitive à « l'image du Fils » conférée par l'onction de l'Esprit Saint et la participation au Festin du Royaume qui était anticipée dans l'Eucharistie, même si d'ultimes purifications lui sont encore nécessaires pour revêtir la robe nuptiale.

1683 L'Église qui, comme Mère, a porté sacramentellement en son sein le chrétien durant son pèlerinage terrestre, l'accompagne au terme de son chemine-

1020

---

1. Symbole de Nicée-Constantinople.

ment pour le remettre « entre les mains du Père ». Elle offre au Père, dans le Christ, l'enfant de sa grâce, et elle dépose en terre, dans l'espérance, le germe du corps qui ressuscitera dans la gloire [1]. Cette offrande est pleinement célébrée par le Sacrifice eucharistique; les bénédictions qui précèdent et qui suivent sont des sacramentaux.

627

II. La célébration des funérailles

1684 Les funérailles chrétiennes ne confèrent au défunt ni sacrement ni sacramental, puisqu'il est « passé » au-delà de l'économie sacramentelle. Elles n'en sont pas moins une célébration liturgique de l'Église [2]. Le ministère de l'Église a en vue ici aussi bien d'exprimer la communion efficace avec *le défunt* que d'y faire participer *la communauté* rassemblée pour les obsèques et de lui annoncer la vie éternelle.

1685 Les différents rites des funérailles expriment le *caractère Pascal* de la mort chrétienne et répondent aux situations et aux traditions de chaque région, même en ce qui concerne la couleur liturgique [3].

1686 L'*Ordo exsequiarum* (OEx) de la liturgie romaine propose trois types de célébration des funérailles, correspondant aux trois lieux de son déroulement (la maison, l'église, le cimetière), et selon l'importance qu'y attachent la famille, les coutumes locales, la culture et la piété populaire. Ce déroulement est d'ailleurs commun à toutes les traditions liturgiques et il comprend quatre moments principaux :

1687 L'*accueil de la communauté*. Une salutation de foi ouvre la célébration. Les proches du défunt sont accueillis par une parole de « consolation » (au sens du Nouveau Testament : la force de l'Esprit Saint dans l'espérance [4]. La communauté priante qui se rassemble attend aussi « les paroles de la vie éternelle ». La mort d'un membre de la communauté (ou le jour anniversaire, le septième ou le quarantième jour) est un événement qui doit faire dépasser les perspectives de « ce monde-ci » et attirer les fidèles dans les véritables perspectives de la foi au Christ ressuscité.

1688 La *liturgie de la Parole*, lors de funérailles, exige une préparation d'autant plus attentive que l'assemblée alors présente peut comprendre des fidèles peu assidus à la liturgie et des amis du défunt qui ne sont pas chrétiens. L'homélie, en particulier, doit « éviter le genre littéraire de l'éloge funèbre [5] » et illuminer le mystère de la mort chrétienne dans la lumière du Christ ressuscité.

1689 Le *Sacrifice eucharistique*. Lorsque la célébration a lieu dans l'Église, l'Eucharistie est le coeur de la réalité Pascale de la mort chrétienne [6]. C'est alors que l'Église exprime sa communion efficace avec le défunt : offrant au Père, dans l'Esprit Saint, le sacrifice de la mort et de la résurrection du Christ, elle lui demande que son enfant soit purifié de ses péchés et de ses conséquences et qu'il soit admis à la plénitude Pascale de la table du Royaume [7]. C'est par l'Eucharistie ainsi célébrée que la communauté des fidèles, spécialement la famille du défunt, apprend à vivre en communion avec celui qui « s'est endormi dans le Seigneur », en

1371

958

---

1. Cf. 1 Co 15, 42-44. - 2. Cf. SC 81-82. - 3. Cf. SC 81. - 4. Cf. 1 Th 4, 18. - 5. OEx 41. - 6. Cf. OEx 1. - 7. Cf. OEx 57.

communiant au Corps du Christ dont il est membre vivant et en priant pour lui et avec lui.

1690   L'*adieu* (« à-Dieu ») au défunt est sa « recommandation à Dieu » par l'Église. C'est « le dernier adieu par lequel la communauté chrétienne salue un de ses membres avant que le corps de celui-ci *2300* ne soit porté à sa tombe [1] ». La tradition byzantine l'exprime par le baiser d'adieu au défunt :

> Par ce salut final « on chante pour son départ de cette vie et pour sa séparation, mais aussi parce qu'il y a une communion et une réunion. En effet, morts nous ne sommes nullement séparés les uns des autres, car tous nous parcourons le même chemin et nous nous retrouverons dans le même lieu. Nous ne serons jamais séparés, car nous vivons pour le Christ, et maintenant nous sommes unis au Christ, allant vers lui (...) nous serons tous ensemble dans le Christ [2] ».

---

1. OEx 10. - 2. S. Syméon de Thessalonique, sep.

Troisième Partie

La vie dans le Christ

Partie centrale du sarcophage de Iunius Bassus trouvé sous la Confessio de la Basilique de S. Pierre de Rome et daté de l'an 359.

Le Christ en gloire, représenté tout jeune (signe de sa divinité) est assis sur le trône céleste, les pieds sur le dieu païen du ciel, Ouranos. Il est entouré des apôtres Pierre et Paul qui reçoivent du Christ, vers lequel ils se tournent, deux rouleaux : la Loi nouvelle.

De même que Moïse avait reçu la Loi ancienne de Dieu sur la montagne du Sinaï, maintenant les apôtres, représentés par leurs deux chefs, reçoivent du Christ, le Fils de Dieu, le Seigneur du ciel et de la terre, la Loi nouvelle, non plus écrite sur des tables de pierre, mais, gravée par l'Esprit Saint dans le coeur des croyants. Le Christ donne la force de vivre selon la « vie nouvelle » (§ 1697). Il vient accomplir en nous ce qu'il a commandé pour notre bien (cf. § 2074).

1691 « Chrétien, reconnais ta dignité. Puisque tu participes maintenant à la nature divine, ne dégénère pas en revenant à la déchéance de ta vie passée. Rappelle-toi à quel Chef tu appartiens et de quel Corps tu es membre. Souviens-toi que tu as été arraché au pouvoir des ténèbres pour être transféré dans la lumière et le Royaume de Dieu [1]. »

790

1692 Le Symbole de la foi a professé la grandeur des dons de Dieu à l'homme dans l'oeuvre de sa création, et plus encore par la rédemption et la sanctification. Ce que la foi confesse, les sacrements le communiquent : par « les sacrements qui les ont fait renaître », les chrétiens sont devenus « enfants de Dieu » (Jn 1, 12; 1 Jn 3, 1), « participants de la nature divine » (2 P 1, 4). En reconnaissant dans la foi leur dignité nouvelle, les chrétiens sont appelés à mener désormais une « vie digne de l'Évangile du Christ » (Ph 1, 27). Par les sacrements et la prière, ils reçoivent la grâce du Christ et les dons de son Esprit qui les en rendent capables.

1693 Le Christ Jésus a toujours fait ce qui plaisait au *Père* [2]. Il a toujours vécu en parfaite communion avec Lui. De même ses disciples sont-ils invités à vivre sous le regard du Père « qui voit dans le secret [3] » pour devenir « parfaits comme le Père céleste est parfait » (Mt 5, 47).

1694 Incorporés au *Christ* par le Baptême [4], les chrétiens sont « morts au péché et vivants à Dieu dans le Christ Jésus » (Rm 6, 11), participant ainsi à la vie du Ressuscité [5]. À la suite du Christ et en union avec Lui [6], les chrétiens peuvent « chercher à imiter Dieu comme des enfants bien-aimés et suivre la voie de l'amour » (Ep 5, 1), en conformant leurs pensées, leurs paroles et leurs actions aux « sentiments qui sont dans le Christ Jésus » (Ph 2, 5) et en suivant ses exemples [7].

1267

1695 « Justifiés par le nom du Seigneur Jésus-Christ et par l'Esprit de notre Dieu » (1 Co 6, 11), « sanctifiés et appelés à être saints » (1 Co 1, 2), les chrétiens sont devenus « le Temple de l'*Esprit Saint* [8] ». Cet « Esprit du Fils » leur apprend à prier le Père [9] et, étant devenu leur vie, les fait agir [10] pour « porter les fruits de l'Esprit » (Ga 5, 22) par la charité en oeuvre. Guérissant les blessures du péché, l'Esprit Saint nous « renouvelle intérieurement par une transformation spirituelle » (Ep 4, 23), Il nous éclaire et nous fortifie pour vivre en « enfant de lumière » (Ep 5, 8) par « la bonté, la justice et la vérité » en toute chose (Ep 5, 9).

1696 La voie du Christ « mène à la vie », une voie contraire « mène à la perdition » (Mt 7, 13) [11]. La parabole évangélique des *deux voies* reste toujours présente dans la catéchèse de l'Église. Elle signifie l'importance des décisions morales pour notre salut. « Il y a deux voies, l'une de la vie, l'autre de la mort; mais entre les deux, une grande différence [12]. »

1970

---

1. S. Léon le Grand, serm. 21, 2-3. - 2. Cf. Jn 8, 29. - 3. Cf. Mt 6, 6. - 4. Cf. Rm 6, 5. - 5. Cf. Col 2, 12. - 6. Cf. Jn 15, 5. - 7. Cf. Jn 13, 12-16. - 8. Cf. 1 Co 6, 19. - 9. Cf. Ga 4, 6. - 10. Cf. Ga 5, 25. - 11. Cf. Dt 30, 15-20. - 12. Didaché 1, 1.

1697 Dans la *catéchèse*, il importe de révéler en toute clarté la joie et les exigences de la voie du Christ[1]. La catéchèse de la « vie nouvelle » (Rm 6, 4) en Lui sera :

737 ss. — *une catéchèse du Saint-Esprit*, Maître intérieur de la vie selon le Christ, doux hôte
et ami qui inspire, conduit, rectifie et fortifie cette vie;

1938 ss. — *une catéchèse de la grâce*, car c'est par la grâce que nous sommes sauvés, et c'est
encore par la grâce que nos oeuvres peuvent porter du fruit pour la vie éternelle;

1716 ss. — *une catéchèse des béatitudes*, car la voie du Christ est résumée dans les béatitudes, seul chemin vers le bonheur éternel auquel le coeur de l'homme aspire;

1846 ss. — *une catéchèse du péché et du pardon*, car sans se reconnaître pécheur, l'homme
ne peut connaître la vérité sur lui-même, condition de l'agir juste, et sans l'offre du
pardon il ne pourrait supporter cette vérité;

1803 ss. — *une catéchèse des vertus humaines* qui fait saisir la beauté et l'attrait des droites
dispositions pour le bien;

1812 ss. — *une catéchèse des vertus chrétiennes* de foi, d'espérance et de charité qui s'inspire
magnanimement de l'exemple des saints;

2067 — *une catéchèse du double commandement de la charité* déployé dans le
Décalogue;

946 ss. — *une catéchèse ecclésiale*, car c'est dans les multiples échanges des « biens spirituels » dans la « communion des saints » que la vie chrétienne peut croître, se
déployer et se communiquer.

1698 La référence première et ultime de cette catéchèse sera toujours Jésus-Christ
426 Lui-même qui est « le chemin, la vérité et la vie » (Jn 14, 6). C'est en Le regardant
dans la foi que les fidèles du Christ peuvent espérer qu'Il réalise Lui-même en eux
ses promesses, et qu'en L'aimant de l'amour dont Il les a aimés, ils fassent les oeuvres qui correspondent à leur dignité :

> Je vous prie de considérer que Jésus-Christ notre Seigneur est votre véritable Chef,
> et que vous êtes un de ses membres. Il est à vous comme le chef est à ses mem-
> bres; tout ce qui est à Lui est à vous, son esprit, son Coeur, son corps, son âme, et
> toutes ses facultés, et vous devez en faire usage comme de choses qui sont vôtres,
> pour servir, louer, aimer et glorifier Dieu. Vous êtes à Lui, comme les membres
> sont à leur chef. Aussi désire-t-Il ardemment faire usage de tout ce qui est en vous,
> pour le service et la gloire de son Père, comme des choses qui sont à Lui[2].
> Ma vie, c'est le Christ (Ph 1, 21).

---

1. Cf. CT 29. - 2. S. Jean Eudes, cord. 1, 5.

Première section

La vocation de l'homme: la vie dans l'esprit

1699 La vie dans l'Esprit Saint accomplit la vocation de l'homme *(chapitre premier)*. Elle est faite de charité divine et de solidarité humaine *(chapitre deuxième)*. Elle est gracieusement accordée comme un Salut *(chapitre troisième)*.

Chapitre premier

La dignité de la personne humaine

1700 La dignité de la personne humaine s'enracine dans sa création à l'image et à la ressemblance de Dieu *(article 1)*; elle s'accomplit dans sa vocation à la béatitude divine *(article 2)*. Il appartient à l'être humain de se porter librement à cet achèvement *(article 3)*. Par ses actes délibérés *(article 4)*, la personne humaine se conforme, ou non, au bien promis par Dieu et attesté par la conscience morale *(article 5)*. Les êtres humains s'édifient eux-mêmes et grandissent de l'intérieur : ils font de toute leur vie sensible et spirituelle un matériau de leur croissance *(article 6)*. Avec l'aide de la grâce ils grandissent dans la vertu *(article 7)*, évitent le péché et s'ils l'ont commis, s'en remettent comme l'enfant prodigue [1] à la miséricorde de notre Père des cieux *(article 8)*. Ils accèdent ainsi à la perfection de la charité. *356* *1439*

Article 1
L'homme image de Dieu

1701 « Le Christ, dans la révélation du mystère du Père et de son Amour, manifeste pleinement l'homme à lui-même et lui découvre la sublimité de sa vocation [2]. » C'est dans le Christ, « image du Dieu invisible » (Col 1, 15) [3], que *359*

---

1. Cf. Lc 15, 11-31. - 2. GS 22. - 3. Cf. 2 Co 4, 4.

l'homme a été créé à « l'image et à la ressemblance » du Créateur. C'est dans le Christ, rédempteur et sauveur, que l'image divine, altérée dans l'homme par le premier péché, a été restaurée dans sa beauté originelle et ennoblie de la grâce de Dieu [1].

1702 L'image divine est présente en chaque homme. Elle resplendit dans la communion des personnes, à la ressemblance de l'union des personnes divines entre elles (cf. chapitre deuxième).

1878

1703 Dotée d'une âme « spirituelle et immortelle [2] », la personne humaine est « la seule créature sur la terre que Dieu a voulue pour elle-même [3] ». Dès sa conception, elle est destinée à la béatitude éternelle.

363
2258

1704 La personne humaine participe à la lumière et à la force de l'Esprit divin. Par la raison, elle est capable de comprendre l'ordre des choses établi par le Créateur. Par sa volonté, elle est capable de se porter d'elle-même vers son bien véritable. Elle trouve sa perfection dans « la recherche et l'amour du vrai et du bien [4] ».

339

30

1705 En vertu de son âme et de ses puissances spirituelles d'intelligence et de volonté l'homme est doté de liberté, « signe privilégié de l'image divine [5] ».

1730

1706 Par sa raison, l'homme connaît la voix de Dieu qui le presse « d'accomplir le bien et d'éviter le mal [6] ». Chacun est tenu de suivre cette loi qui résonne dans la conscience et qui s'accomplit dans l'amour de Dieu et du prochain. L'exercice de la vie morale atteste la dignité de la personne.

1776

1707 « Séduit par le Malin, dès le début de l'histoire, l'homme a abusé de sa liberté [7]. » Il a succombé à la tentation et commis le mal. Il conserve le désir du bien, mais sa nature porte la blessure du péché originel. Il est devenu enclin au mal et sujet à l'erreur :

397

> C'est en lui-même que l'homme est divisé. Voici que toute la vie des hommes, individuelle et collective, se manifeste comme une lutte, combien dramatique, entre le bien et le mal, entre la lumière et les ténèbres [8].

1708 Par sa passion, le Christ nous a délivrés de Satan et du péché. Il nous a mérité la vie nouvelle dans l'Esprit Saint. Sa grâce restaure ce que le péché avait détérioré en nous.

617

1709 Celui qui croit au Christ devient fils de Dieu. Cette adoption filiale le transforme en lui donnant de suivre l'exemple du Christ. Elle le rend capable d'agir droitement et de pratiquer le bien. Dans l'union avec son Sauveur, le disciple

1265

---

1. Cf. GS 22. - 2.GS 14. - 3. GS 24, § 3. - 4. GS 15, § 2. - 5. Gs 17. - 6. GS 16. - 7. GS 13, § 1. - 8. GS 13, § 2.

atteint la perfection de la charité, la sainteté. Mûrie dans la grâce, la vie morale s'épanouit en vie éternelle, dans la gloire du ciel.

1050

EN BREF

1710 *« Le Christ manifeste pleinement l'homme à lui-même et lui découvre la sublimité de sa vocation[1]. »*

1711 *Dotée d'une âme spirituelle, d'intelligence et de volonté, la personne humaine est dès sa conception ordonnée à Dieu et destinée à la béatitude éternelle. Elle poursuit sa perfection dans « la recherche et l'amour du vrai et du bien[2] ».*

1712 *La liberté véritable est en l'homme le « signe privilégié de l'image divine[3] ».*

1713 *L'homme est tenu de suivre la loi morale qui le presse d'« accomplir le bien et d'éviter le mal[4] ». Cette loi résonne dans sa conscience.*

1714 *L'homme blessé dans sa nature par le péché originel est sujet à l'erreur et enclin au mal dans l'exercice de sa liberté.*

1715 *Celui qui croit au Christ a la vie nouvelle dans l'Esprit Saint. La vie morale, grandie et mûrie dans la grâce, doit s'accomplir dans la gloire du ciel.*

ARTICLE 2
Notre vocation à la béatitude

I. Les béatitudes

1716 Les béatitudes sont au coeur de la prédication de Jésus. Leur annonce reprend les promesses faites au peuple élu depuis Abraham. Elle les accomplit en les ordonnant non plus à la seule jouissance d'une terre, mais au Royaume des cieux :

2546

> Bienheureux ceux qui ont une âme de pauvre, car le Royaume des cieux est à eux.
> Bienheureux les doux, car ils posséderont la terre.
> Bienheureux les affligés, car ils seront consolés.
> Bienheureux les affamés et assoiffés de la justice, car ils seront rassasiés.
> Bienheureux les miséricordieux, car ils obtiendront miséricorde.
> Bienheureux les coeurs purs, car ils verront Dieu.

---

1. GS 22, § 1. - 2. GS 15, § 2. - 3. GS 17. - 4. GS 16.

Bienheureux les artisans de paix, car ils seront appelés fils de Dieu.
Bienheureux les persécutés pour la justice, car le Royaume de Dieu est à eux.
Bienheureux êtes-vous quand on vous insultera, qu'on vous persécutera et qu'on dira faussement contre vous toute sorte d'infamies à cause de moi.
Soyez dans la joie et l'allégresse, car votre récompense sera grande dans les cieux.

(Mt 5, 3-12.)

1717 Les béatitudes dépeignent le visage de Jésus-Christ et en décrivent la charité; elles expriment la vocation des fidèles associés à la gloire de sa passion et de sa Résurrection; elles éclairent les actions et les attitudes caractéristiques de la vie chrétienne; elles sont les promesses paradoxales qui soutiennent l'espérance dans les tribulations; elles annoncent les bénédictions et les récompenses déjà obscurément acquises aux disciples; elles sont inaugurées dans la vie de la Vierge Marie et de tous les saints.

459

1820

II. Le désir de bonheur

1718 Les béatitudes répondent au désir naturel de bonheur. Ce désir est d'origine divine; Dieu l'a mis dans le coeur de l'homme afin de l'attirer à Lui qui seul peut le combler :

27, 1024

> Tous certainement nous voulons vivre heureux, et dans le genre humain il n'est personne qui ne donne son assentiment à cette proposition avant même qu'elle ne soit pleinement énoncée[1].

2541

> Comment est-ce donc que je te cherche, Seigneur ? Puisqu'en te cherchant, mon Dieu, je cherche la vie heureuse, fais que je te cherche pour que vive mon âme, car mon corps vit de mon âme et mon âme vit de toi[2].

> Dieu seul rassasie[3].

1719 Les béatitudes découvrent le but de l'existence humaine, la fin ultime des actes humains : Dieu nous appelle à sa propre béatitude. Cette vocation s'adresse à chacun personnellement, mais aussi à l'ensemble de l'Église, peuple nouveau de ceux qui ont accueilli la promesse et en vivent dans la foi.

1950

III. La béatitude chrétienne

1720 Le Nouveau Testament utilise plusieurs expressions pour caractériser la béatitude à laquelle Dieu appelle l'homme : l'avènement du Royaume de Dieu[4]; la vision de Dieu : « Heureux les coeurs purs, car ils verront Dieu » (Mt 5, 8)[5]; l'entrée dans la joie du Seigneur[6]; l'entrée dans le Repos de Dieu (He 4, 7-11) :

1027

---

1. S. Augustin, mor. eccl. 1, 3, 4. - 2. S. Augustin, conf. 10, 29. - 3. S. Thomas d'A., symb. 1. - 4. Cf. Mt 4, 17. - 5. Cf. 1 Jn 3, 2; 1 Co 13, 12. - 6. Cf. Mt 25, 21. 23.

Là nous reposerons et nous verrons; nous verrons et nous aimerons; nous aimerons et nous louerons. Voilà ce qui sera à la fin sans fin. Et quelle autre fin avons-nous, sinon de parvenir au royaume qui n'aura pas de fin[1] ?

1721 Car Dieu nous a mis au monde pour Le connaître, Le servir et L'aimer et ainsi parvenir en Paradis. La béatitude nous fait participer à la nature divine (2 P 1, 4) et à la Vie éternelle[2]. Avec elle, l'homme entre dans la gloire du Christ[3] et dans la jouissance de la vie trinitaire.

260

1722 Une telle béatitude dépasse l'intelligence et les seules forces humaines. Elle résulte d'un don gratuit de Dieu. C'est pourquoi on la dit surnaturelle, ainsi que la grâce qui dispose l'homme à entrer dans la jouissance divine.

1028

« Bienheureux les coeurs purs parce qu'ils verront Dieu. » Certes, selon sa grandeur et son inexprimable gloire, « nul ne verra Dieu et vivra », car le Père est insaisissable; mais selon son amour, sa bonté envers les hommes et sa Toute-Puissance, Il va jusqu'à accorder à ceux qui L'aiment le privilège de voir Dieu (...) « car ce qui est impossible aux hommes est possible à Dieu[4]. »

294

1723 La béatitude promise nous place devant les choix moraux décisifs. Elle nous invite à purifier notre coeur de ses instincts mauvais et à rechercher l'amour de Dieu par-dessus tout. Elle nous enseigne que le vrai bonheur ne réside ni dans la richesse ou le bien-être, ni dans la gloire humaine ou le pouvoir, ni dans aucune oeuvre humaine, si utile soit-elle, comme les sciences, les techniques et les arts, ni dans aucune créature, mais en Dieu seul, source de tout bien et de tout amour :

2519

227

La richesse est la grande divinité du jour; c'est à elle que la multitude, toute la masse des hommes, rend un instinctif hommage. Ils mesurent le bonheur d'après la fortune, et d'après la fortune aussi ils mesurent l'honorabilité. (...) Tout cela vient de cette conviction qu'avec la richesse on peut tout. La richesse est donc une des idoles du jour et la notoriété en est une autre. (...) La notoriété, le fait d'être connu et de faire du bruit dans le monde (ce qu'on pourrait nommer une renommée de presse), en est venue à être considérée comme un bien en elle-même, un souverain bien, un objet, elle aussi, de véritable vénération[5].

1724 Le Décalogue, le sermon sur la Montagne et la catéchèse apostolique nous décrivent les chemins qui conduisent au Royaume des cieux. Nous nous y engageons pas à pas, par des actes quotidiens, soutenus par la grâce de l'Esprit Saint. Fécondés par la Parole du Christ, lentement nous portons des fruits dans l'Église pour la Gloire de Dieu[6].

EN BREF

1725 *Les béatitudes reprennent et accomplissent les promesses de Dieu depuis Abraham en les ordonnant au Royaume des cieux. Elles répondent au désir de bonheur que Dieu a placé dans le coeur de l'homme.*

1. S. Augustin, civ. 22, 30. - 2. Cf. Jn 17, 3. - 3. Cf. Rm 8, 18. - 4. S. Irénée, haer. 4, 20, 5. - 5. Newman, mix. 5, sur la sainteté. - 6. Cf. la parabole du semeur : Mt 13, 3-23.

1726 *Les béatitudes nous enseignent la fin ultime à laquelle Dieu nous appelle : le Royaume, la vision de Dieu, la participation à la nature divine, la vie éternelle, la filiation, le repos en Dieu.*

1727 *La béatitude de la vie éternelle est un don gratuit de Dieu; elle est surnaturelle comme la grâce qui y conduit.*

1728 *Les béatitudes nous placent devant des choix décisifs concernant les biens terrestres; elles purifient notre coeur pour nous apprendre à aimer Dieu par-dessus tout.*

1729 *La béatitude du ciel détermine les critères de discernement dans l'usage des biens terrestres conformément à la Loi de Dieu.*

ARTICLE 3
La liberté de l'homme

30

1730 Dieu a créé l'homme raisonnable en lui conférant la dignité d'une personne douée de l'initiative et de la maîtrise de ses actes. « Dieu a "laissé l'homme à son propre conseil" (Si 15, 14) pour qu'il puisse de lui-même chercher son Créateur et, en adhérant librement à Lui, parvenir à la pleine et bienheureuse perfection [1] » :

> L'homme est raisonnable, et par là semblable à Dieu, créé libre et maître de ses actes [2].

I. Liberté et responsabilité

1721

1731 La liberté est le pouvoir, enraciné dans la raison et la volonté, d'agir ou de ne pas agir, de faire ceci ou cela, de poser ainsi par soi-même des actions délibérées. Par le libre arbitre chacun dispose de soi. La liberté est en l'homme une force de croissance et de maturation dans la vérité et la bonté. La liberté atteint sa perfection quand elle est ordonnée à Dieu, notre béatitude.

396

1849

2006

1732 Tant qu'elle ne s'est pas fixée définitivement dans son bien ultime qu'est Dieu, la liberté implique la possibilité de *choisir entre le bien et le mal*, donc celle de grandir en perfection ou de défaillir et de pécher. Elle caractérise les actes proprement humains. Elle devient source de louange ou de blâme, de mérite ou de démérite.

---

1. GS 17. - 2. S. Irénée, haer. 4, 4, 3.

1733 Plus on fait le bien, plus on devient libre. Il n'y a de liberté vraie qu'au service du bien et de la justice. Le choix de la désobéissance et du mal est un abus de la liberté et conduit à « l'esclavage du péché[1] ». *1803*

1734 La liberté rend l'homme *responsable* de ses actes dans la mesure où ils sont volontaires. Le progrès dans la vertu, la connaissance du bien et l'ascèse accroissent la maîtrise de la volonté sur ses actes. *1036, 1804*

1735 L'*imputabilité* et la responsabilité d'une action peuvent être diminuées voire supprimées par l'ignorance, l'inadvertance, la violence, la crainte, les habitudes, les affections immodérées et d'autres facteurs psychiques ou sociaux. *597*

1736 Tout acte directement voulu est imputable à son auteur :

> Ainsi le Seigneur demande à Adam après le péché dans le jardin : « Qu'as-tu fait là ? » (Gn 3, 13.) De même à Caïn[2]. Ainsi encore le prophète Nathan au roi David après l'adultère avec la femme d'Urie et le meurtre de celui-ci[3]. *2568*

> Une action peut être indirectement volontaire quant elle résulte d'une négligence à l'égard de ce qu'on aurait dû connaître ou faire, par exemple un accident provenant d'une ignorance du code de la route.

1737 Un effet peut être toléré sans être voulu par l'agent, par exemple l'épuisement d'une mère au chevet de son enfant malade. L'effet mauvais n'est pas imputable s'il n'a été voulu ni comme fin ni comme moyen de l'action, ainsi la mort reçue en portant secours à une personne en danger. Pour que l'effet mauvais soit imputable, il faut qu'il soit prévisible et que celui qui agit ait la possibilité de l'éviter, par exemple dans le cas d'un homicide commis par un conducteur en état d'ivresse. *2263*

1738 La liberté s'exerce dans les rapports entre les êtres humains. Chaque personne humaine, créée à l'image de Dieu, a le droit naturel d'être reconnue comme un être libre et responsable. Tous doivent à chacun ce devoir du respect. Le *droit à l'exercice de la liberté* est une exigence inséparable de la dignité de la personne humaine, notamment en matière morale et religieuse[4]. Ce droit doit être civilement reconnu et protégé dans les limites du bien commun et de l'ordre public[5]. *2106* *210*

II. La liberté humaine dans l'économie du salut

1739 *Liberté et péché.* La liberté de l'homme est finie et faillible. De fait, l'homme a failli. Librement, il a péché. En refusant le projet d'amour de Dieu, il s'est trompé lui-même; il est devenu esclave du péché. Cette aliénation première en a engendré *387*

---

1. Cf. Rm 6, 17. - 2. Cf. Gn 4, 10. - 3. Cf. 2 S 12, 7-15. - 4. Cf. DH 2. - 5. Cf. DH 7.

401 une multitude d'autres. L'histoire de l'humanité, depuis ses origines, témoigne des malheurs et des oppressions nés du coeur de l'homme, par suite d'un mauvais usage de la liberté.

1740 *Menaces pour la liberté.* L'exercice de la liberté n'implique pas le droit de
2108 tout dire et de tout faire. Il est faux de prétendre que « l'homme, sujet de la liberté, se suffit à lui-même en ayant pour fin la satisfaction de son intérêt propre dans la jouissance des biens terrestres [1] ». Par ailleurs, les conditions d'ordre économique et social, politique et culturel requises pour un juste exercice de la liberté sont trop
1887 souvent méconnues et violées. Ces situations d'aveuglement et d'injustice grèvent la vie morale et placent aussi bien les forts que les faibles en tentation de pécher contre la charité. En s'écartant de la loi morale, l'homme porte atteinte à sa propre liberté, il s'enchaîne à lui-même, rompt la fraternité de ses semblables et se rebelle contre la vérité divine.

1741 *Libération et salut.* Par sa Croix glorieuse, le Christ a obtenu le salut de tous les hommes. Il les a rachetés du péché qui les détenait en esclavage. « C'est pour la liberté que le Christ nous a libérés » (Ga 5, 1). En Lui, nous communions à « la
782 vérité qui nous rend libres » (Jn 8, 32). L'Esprit Saint nous a été donné et, comme l'enseigne l'apôtre, « là où est l'Esprit, là est la liberté » (2 Co 3, 17). Dès maintenant, nous nous glorifions de la « liberté des enfants de Dieu » (Rm 8, 21).

1742 *Liberté et grâce.* La grâce du Christ ne se pose nullement en concurrente de
2002 notre liberté, quand celle-ci correspond au sens de la vérité et du bien que Dieu a placé dans le coeur de l'homme. Au contraire, comme l'expérience chrétienne en témoigne notamment dans la prière, plus nous sommes dociles aux impulsions de
1784 la grâce, plus s'accroissent notre liberté intime et notre assurance dans les épreuves, comme devant les pressions et les contraintes du monde extérieur. Par le travail de la grâce, l'Esprit Saint nous éduque à la liberté spirituelle pour faire de nous de libres collaborateurs de son oeuvre dans l'Église et dans le monde :

> Dieu qui es bon et Tout-Puissant, éloigne de nous ce qui nous arrête, afin que sans aucune entrave, ni d'esprit ni de corps, nous soyons libres pour accomplir ta volonté [2].

EN BREF

1743 *« Dieu a laissé l'homme à son propre conseil » (Si 15, 14) pour qu'il puisse librement adhérer à son Créateur et parvenir ainsi à la bienheureuse perfection [3].*

1744 *La liberté est le pouvoir d'agir ou de ne pas agir et de poser ainsi par soi-même des actions délibérées. Elle atteint la perfection de son acte quand elle est ordonnée à Dieu, le souverain Bien.*

---

1. CDF, instr. « Libertatis conscientia » 13. - 2. MR, collecte du 32e dimanche. - 3. Cf. GS 17, § 1.

1745 *La liberté caractérise les actes proprement humains. Elle rend l'être humain responsable des actes dont il est volontairement l'auteur. Son agir délibéré lui appartient en propre.*

1746 *L'imputabilité ou la responsabilité d'une action peut être diminuée ou supprimée par l'ignorance, la violence, la crainte et d'autres facteurs psychiques ou sociaux.*

1747 *Le droit à l'exercice de la liberté est une exigence inséparable de la dignité de l'homme, notamment en matière religieuse et morale. Mais l'exercice de la liberté n'implique pas le droit supposé de tout dire ni de tout faire.*

1748 *« C'est pour la liberté que le Christ nous a libérés » (Ga 5, 1).*

ARTICLE 4
La moralité des actes humains

1749 La liberté fait de l'homme un sujet moral. Quand il agit de manière délibérée, l'homme est, pour ainsi dire, le *père de ses actes.* Les actes humains, c'est-à-dire librement choisis par suite d'un jugement de conscience, sont moralement qualifiables. Ils sont bons ou mauvais. *1732*

I. Les sources de la moralité

1750 La moralité des actes humains dépend :
- de l'objet choisi;
- de la fin visée ou de l'intention;
- des circonstances de l'action.

L'objet, l'intention et les circonstances forment les « sources », ou éléments constitutifs, de la moralité des actes humains.

1751 L'*objet* choisi est un bien vers lequel se porte délibérément la volonté. Il est la matière d'un acte humain. L'objet choisi spécifie moralement l'acte du vouloir, selon que la raison le reconnaît et le juge conforme ou non au bien véritable. Les règles objectives de la moralité énoncent l'ordre rationnel du bien et du mal, attesté par la conscience. *1794*

1752 Face à l'objet, l'*intention* se place du côté du sujet agissant. Parce qu'elle se tient à la source volontaire de l'action et la détermine par la fin, l'intention est un

2520 élément essentiel dans la qualification morale de l'action. La fin est le terme premier de l'intention et désigne le but poursuivi dans l'action. L'intention est un mouvement de la volonté vers la fin; elle regarde le terme de l'agir. Elle est la visée du bien attendu de l'action entreprise. Elle ne se limite pas à la direction de nos actions singulières, mais peut ordon-

1731 ner vers un même but des actions multiples; elle peut orienter toute la vie vers la fin ultime. Par exemple, un service rendu a pour fin d'aider le prochain, mais peut être inspiré en même temps par l'amour de Dieu comme fin ultime de toutes nos actions. Une même action peut aussi être inspirée par plusieurs intentions, comme de rendre service pour obtenir une faveur ou pour en tirer vanité.

1753 Une intention bonne (par exemple : aider le prochain) ne rend ni bon ni

2479 juste un comportement en lui-même désordonné (comme le mensonge et la médisance). La fin ne justifie pas les moyens. Ainsi ne peut-on pas justifier la con-

596 damnation d'un innocent comme un moyen légitime de sauver le peuple. Par contre, une intention mauvaise surajoutée (ainsi la vaine gloire) rend mauvais un acte qui, de soi, peut être bon (comme l'aumône [1]).

1754 Les *circonstances*, y compris les conséquences, sont les éléments secondaires d'un acte moral. Elles contribuent à aggraver ou à diminuer la bonté ou la malice morale des actes humains (par exemple le montant d'un vol). Elles peu-

1735 vent aussi atténuer ou augmenter la responsabilité de l'agent (ainsi agir par crainte de la mort). Les circonstances ne peuvent de soi modifier la qualité morale des actes eux-mêmes; elles ne peuvent rendre ni bonne, ni juste une action en elle-même mauvaise.

II. Les actes bons et les actes mauvais

1755 L'acte *moralement bon* suppose à la fois la bonté de l'objet, de la fin et des circonstances. Une fin mauvaise corrompt l'action, même si son objet est bon en soi (comme de prier et de jeûner « pour être vu des hommes »).

L'*objet du choix* peut à lui seul vicier l'ensemble d'un agir. Il y a des comportements concrets - comme la fornication - qu'il est toujours erroné de choisir, parce que leur choix comporte un désordre de la volonté, c'est-à-dire un mal moral.

1756 Il est donc erroné de juger de la moralité des actes humains en ne considérant que l'intention qui les inspire, ou les circonstances (milieu, pression sociale, contrainte ou nécessité d'agir, etc.) qui en sont le cadre. Il y a des actes qui par eux-mêmes et en eux-mêmes, indépendamment des circonstances et des

---

1. Cf. Mt 6, 2-4.

intentions, sont toujours gravement illicites en raison de leur objet; ainsi le blasphème et le parjure, l'homicide et l'adultère. Il n'est pas permis de faire le mal pour qu'il en résulte un bien.

1789

EN BREF

1757 *L'objet, l'intention et les circonstances constituent les trois « sources » de la moralité des actes humains.*

1758 *L'objet choisi spécifie moralement l'acte du vouloir selon que la raison le reconnaît et le juge bon ou mauvais.*

1759 *« On ne peut justifier une action mauvaise faite avec une bonne intention¹. » La fin ne justifie pas les moyens.*

1760 *L'acte moralement bon suppose à la fois la bonté de l'objet, de la fin et des circonstances.*

1761 *Il y a des comportements concrets qu'il est toujours erroné de choisir parce que leur choix comporte un désordre de la volonté, c'est-à-dire un mal moral. Il n'est pas permis de faire le mal pour qu'il en résulte un bien.*

ARTICLE 5

La moralité des passions

1762 La personne humaine s'ordonne à la béatitude par ses actes délibérés : les passions ou sentiments qu'elle éprouve peuvent l'y disposer et y contribuer.

I. Les passions

1763 Le terme de « passions » appartient au patrimoine chrétien. Les sentiments ou passions désignent les émotions ou mouvements de la sensibilité, qui inclinent à agir ou à ne pas agir en vue de ce qui est ressenti ou imaginé comme bon ou comme mauvais.

1764 Les passions sont des composantes naturelles du psychisme humain, elles forment le lieu de passage et assurent le lien entre la vie sensible et la vie de l'esprit.

---

1. S. Thomas d'A., dec. praec. 6.

368 Notre Seigneur désigne le coeur de l'homme comme la source d'où jaillit le mouvement des passions[1].

1765 Les passions sont nombreuses. La passion la plus fondamentale est l'amour provoqué par l'attrait du bien. L'amour cause le désir du bien absent et l'espoir de l'obtenir. Ce mouvement s'achève dans le plaisir et la joie du bien possédé. L'appréhension du mal cause la haine, l'aversion et la crainte du mal à venir. Ce mouvement s'achève dans la tristesse du mal présent ou la colère qui s'y oppose.

1766 « Aimer, c'est vouloir du bien à quelqu'un[2]. » Toutes les autres affections ont
1704 leur source dans ce mouvement originel du coeur de l'homme vers le bien. Il n'y a que le bien qui soit aimé[3]. « Les passions sont mauvaises si l'amour est mauvais, bonnes s'il est bon[4]. »

II. Passions et vie morale

1767 En elles-mêmes, les passions ne sont ni bonnes ni mauvaises. Elles ne reçoivent de qualification morale que dans la mesure où elles relèvent effective-
1860 ment de la raison et de la volonté. Les passions sont dites volontaires, « ou bien parce qu'elles sont commandées par la volonté, ou bien parce que la volonté n'y fait pas obstacle[5] ». Il appartient à la perfection du bien moral ou humain que les passions soient réglées par la raison[6].

1768 Les grands sentiments ne décident ni de la moralité, ni de la sainteté des personnes; ils sont le réservoir inépuisable des images et des affections où s'exprime la vie morale. Les passions sont moralement bonnes quand elles contribuent à une action bonne, et mauvaises dans le cas contraire. La volonté droite ordonne au bien et à la béatitude les mouvements sensibles qu'elle assume; la volonté mauvaise succombe aux passions désordonnées et les exacerbe. Les émo-
1803 tions et sentiments peuvent être assumés dans les *vertus*, ou pervertis dans les
1865 *vices*.

1769 Dans la vie chrétienne, l'Esprit Saint Lui-même accomplit son oeuvre en mobilisant l'être tout entier y compris ses douleurs, craintes et tristesses, comme il apparaît dans l'Agonie et la passion du Seigneur. Dans le Christ, les sentiments humains peuvent recevoir leur consommation dans la charité et la béatitude divine.

1770 La perfection morale est que l'homme ne soit pas mû au bien par sa volon-
30 té seulement, mais aussi par son appétit sensible selon cette parole du psaume : « Mon coeur et ma chair crient de joie vers le Dieu vivant » (Ps 84, 3).

---

1. Cf. Mc 7, 21. - 2. S. Thomas d'A., s. th. 1-2, 26, 4. - 3. Cf. S. Augustin, Trin. 8, 3, 4. - 4. S. Augustin, civ. 14, 7. - 5. S. Thomas d'A., s. th. 1-2, 24, 1. - 6. Cf. S. Thomas d'A., s. th. 2-2, 24, 3.

EN BREF

1771 *Le terme « passions » désigne les affections ou les sentiments. À travers ses émotions, l'homme pressent le bien et soupçonne le mal.*

1772 *Les principales passions sont l'amour et la haine, le désir et la crainte, la joie, la tristesse et la colère.*

1773 *Dans les passions comme mouvements de la sensibilité, il n'y a ni bien ni mal moral. Mais selon qu'elles relèvent ou non de la raison et de la volonté, il y a en elles bien ou mal moral.*

1774 *Les émotions et les sentiments peuvent être assumés dans les vertus, ou pervertis dans les vices.*

1775 *La perfection du bien moral est que l'homme ne soit pas mû au bien par sa seule volonté mais aussi par son « coeur ».*

ARTICLE 6
La conscience morale

1776 « Au fond de sa conscience, l'homme découvre la présence d'une loi qu'il ne s'est pas donnée lui-même, mais à laquelle il est tenu d'obéir. Cette voix qui ne cesse de le presser d'aimer et d'accomplir le bien et d'éviter le mal, au moment opportun résonne dans l'intimité de son coeur. (...) C'est une loi inscrite par Dieu au coeur de l'homme. La conscience est le centre le plus intime et le plus secret de l'homme, le sanctuaire où il est seul avec Dieu et où sa voix se fait entendre[1]. » *1954*

I. Le jugement de conscience

1777 Présente au coeur de la personne, la conscience morale[2] lui enjoint, au moment opportun, d'accomplir le bien et d'éviter le mal. Elle juge aussi les choix concrets, approuvant ceux qui sont bons, dénonçant ceux qui sont mauvais[3]. Elle atteste l'autorité de la vérité en référence au Bien suprême dont la personne humaine reçoit l'attirance et accueille les commandements. Quand il écoute la conscience morale, l'homme prudent peut entendre Dieu qui parle. *1766, 2071*

1778 La conscience morale est un jugement de la raison par lequel la personne humaine reconnaît la qualité morale d'un acte concret qu'elle va poser, est en train *1749*

---

1. GS 16. - 2. Cf. Rm 2, 14-16. - 3. Cf. Rm 1, 32.

d'exécuter ou a accompli. En tout ce qu'il dit et fait, l'homme est tenu de suivre fidèlement ce qu'il sait être juste et droit. C'est par le jugement de sa conscience que l'homme perçoit et reconnaît les prescriptions de la loi divine :

> La conscience est une loi de notre esprit, mais qui dépasse notre esprit, qui nous fait des injonctions, qui signifie responsabilité et devoir, crainte et espérance. (...) Elle est la messagère de Celui qui, dans le monde de la nature comme dans celui de la grâce, nous parle à travers le voile, nous instruit et nous gouverne. La conscience est le premier de tous les vicaires du Christ[1].

1779 Il importe à chacun d'être assez présent à lui-même pour entendre et suivre la
1886 voix de sa conscience. Cette requête d'*intériorité* est d'autant plus nécessaire que la vie nous expose souvent à nous soustraire à toute réflexion, examen ou retour sur soi :

> Fais retour à ta conscience, interroge-la. (...) Retournez, frères, à l'intérieur et en tout ce que vous faites, regardez le Témoin, Dieu[2].

1780 La dignité de la personne humaine implique et exige la *rectitude de la conscience morale*. La conscience morale comprend la perception des principes de la moralité (syndérèse), leur application dans les circonstances données par un discernement pratique des raisons et des biens et, en conclusion, le jugement porté sur les actes concrets à poser ou déjà posés. La vérité sur le bien moral, déclarée dans la loi de la raison, est reconnue pratiquement et concrètement par le *jugement prudent* de la
1806 conscience. On appelle prudent l'homme qui choisit conformément à ce jugement.

1781 La conscience permet d'assumer la *responsabilité* des actes posés. Si
1731 l'homme commet le mal, le juste jugement de la conscience peut demeurer en lui le témoin de la vérité universelle du bien, en même temps que de la malice de son choix singulier. Le verdict du jugement de conscience demeure un gage d'espérance et de miséricorde. En attestant la faute commise, il rappelle le pardon à demander, le bien à pratiquer encore et la vertu à cultiver sans cesse avec la grâce de Dieu :

> Devant Lui, nous apaisons notre coeur, parce que, si notre coeur nous condamne, Dieu est plus grand que notre coeur et Il connaît tout (1 Jn 3, 19-20).

1782 L'homme a le droit d'agir en conscience et en liberté afin de prendre personnellement les décisions morales. « L'homme ne doit pas être contraint d'agir contre sa conscience. Mais il ne doit pas être empêché non plus d'agir selon sa
2106 conscience, surtout en matière religieuse[3]. »

II. La formation de la conscience

1783 La conscience doit être informée et le jugement moral éclairé. Une conscience bien formée est droite et véridique. Elle formule ses jugements suivant

---

1. Newman, lettre au duc de Norfolk 5. - 2. S. Augustin, ep. Jo. 8, 9. - 3. DH 3.

la raison, conformément au bien véritable voulu par la sagesse du Créateur. L'éducation de la conscience est indispensable à des êtres humains soumis à des influences négatives et tentés par le péché de préférer leur jugement propre et de récuser les enseignements autorisés.

2039

1784 L'éducation de la conscience est une tâche de toute la vie. Dès les premières années, elle éveille l'enfant à la connaissance et à la pratique de la loi intérieure reconnue par la conscience morale. Une éducation prudente enseigne la vertu; elle préserve ou guérit de la peur, de l'égoïsme et de l'orgueil, des ressentiments de la culpabilité et des mouvements de complaisance, nés de la faiblesse et des fautes humaines. L'éducation de la conscience garantit la liberté et engendre la paix du coeur.

1742

1785 Dans la formation de la conscience, la Parole de Dieu est la lumière sur notre route; il nous faut l'assimiler dans la foi et la prière, et la mettre en pratique. Il nous faut encore examiner notre conscience au regard de la Croix du Seigneur. Nous sommes assistés des dons de l'Esprit Saint, aidés par le témoignage ou les conseils d'autrui et guidés par l'enseignement autorisé de l'Église [1].

890

III. Choisir selon la conscience

1786 Mise en présence d'un choix moral, la conscience peut porter soit un jugement droit en accord avec la raison et avec la loi divine, soit au contraire, un jugement erroné qui s'en éloigne.

1787 L'homme est quelquefois affronté à des situations qui rendent le jugement moral moins assuré et la décision difficile. Mais il doit toujours rechercher ce qui est juste et bon et discerner la volonté de Dieu exprimée dans la loi divine.

1955

1788 À cet effet, l'homme s'efforce d'interpréter les données de l'expérience et les signes des temps grâce à la vertu de prudence, aux conseils des personnes avisées et à l'aide de l'Esprit Saint et de ses dons.

1806

1789 Quelques règles s'appliquent dans tous les cas :
- Il n'est jamais permis de faire le mal pour qu'il en résulte un bien.
- La « règle d'or » : « Tout ce que vous désirez que les autres fassent pour vous, faites-le vous-mêmes pour eux » (Mt 7, 12) [2].
- La charité passe toujours par le respect du prochain et de sa conscience : « En parlant contre les frères et en blessant leur conscience (...), c'est contre le Christ que vous péchez » (1 Co 8, 12). « Ce qui est bien, c'est de s'abstenir (...) de tout ce qui fait buter ou tomber ou faiblir ton frère » (Rm 14, 21).

1756

1970

1827

1971

---

1. Cf. DH 14. - 2. Cf. Lc 6, 31; Tb 4, 15.

IV. Le jugement erroné

1790 L'être humain doit toujours obéir au jugement certain de sa conscience. S'il agissait délibérément contre ce dernier, il se condamnerait lui-même. Mais il arrive que la conscience morale soit dans l'ignorance et porte des jugements erronés sur des actes à poser ou déjà commis.

1704 **1791** Cette ignorance peut souvent être imputée à la responsabilité personnelle. Il en va ainsi, « lorsque l'homme se soucie peu de rechercher le vrai et le bien et lorsque l'habitude du péché rend peu à peu la conscience presque aveugle [1] ». En ces cas, la personne est coupable du mal qu'elle commet.

133 **1792** L'ignorance du Christ et de son Évangile, les mauvais exemples donnés par autrui, la servitude des passions, la prétention à une autonomie mal entendue de la conscience, le refus de l'autorité de l'Église et de son enseignement, le manque de conversion et de charité peuvent être à l'origine des déviations du jugement dans la conduite morale.

1860 **1793** Si - au contraire - l'ignorance est invincible, ou le jugement erroné sans responsabilité du sujet moral, le mal commis par la personne ne peut lui être imputé. Il n'en demeure pas moins un mal, une privation, un désordre. Il faut donc travailler à corriger la conscience morale de ses erreurs.

1794 La conscience bonne et pure est éclairée par la foi véritable. Car la charité procède en même temps « d'un coeur pur, d'une bonne conscience et d'une foi sans détours » (1 Tm 1, 5) [2] :

1751 Plus la conscience droite l'emporte, plus les personnes et les groupes s'éloignent d'une décision aveugle et tendent à se conformer aux règles objectives de la moralité [3].

EN BREF

1795 *« La conscience est le centre le plus intime et le plus secret de l'homme, le sanctuaire où il est le seul avec Dieu et où sa voix se fait entendre [4]. »*

1796 *La conscience morale est un jugement de la raison par lequel la personne humaine reconnaît la qualité morale d'un acte concret.*

1797 *Pour l'homme qui a commis le mal, le verdict de sa conscience demeure un gage de conversion et d'espérance.*

1798 *Une conscience bien formée est droite et véridique. Elle formule ses jugements suivant la raison, conformément au bien véritable voulu par la sagesse du Créateur. Chacun doit prendre les moyens de former sa conscience.*

---

1. GS 16. - 2. Cf. 1 Tm 3, 9; 2 Tm 1, 3; 1 P 3, 21; Ac 24, 16. - 3. GS 16. - 4. GS 16.

1799 *Mise en présence d'un choix moral, la conscience peut porter soit un jugement droit en accord avec la raison et avec la loi divine, soit au contraire, un jugement erroné qui s'en éloigne.*

1800 *L'être humain doit toujours obéir au jugement certain de sa conscience.*

1801 *La conscience morale peut rester dans l'ignorance ou porter des jugements erronés. Ces ignorances et ces erreurs ne sont pas toujours exemptes de culpabilité.*

1802 *La Parole de Dieu est une lumière sur nos pas. Il nous faut l'assimiler dans la foi et dans la prière, et la mettre en pratique. Ainsi se forme la conscience morale.*

ARTICLE 7
Les vertus

1803 « Tout ce qui est vrai, tout ce qui est digne, tout ce qui est juste, tout ce qui est pur, tout ce qui est aimable, tout ce qui a bon renom, s'il est quelque vertu et s'il est quelque chose de louable, que ce soit pour vous ce qui compte » (Ph 4, 8).

La vertu est une disposition habituelle et ferme à faire le bien. Elle permet à   *1733*
la personne, non seulement d'accomplir des actes bons, mais de donner le
meilleur d'elle-même. De toutes ses forces sensibles et spirituelles, la personne   *1768*
vertueuse tend vers le bien; elle le poursuit et le choisit en des actions concrètes.

Le but d'une vie vertueuse consiste à devenir semblable à Dieu[1].

I. Les vertus humaines

1804 Les *vertus humaines* sont des attitudes fermes, des dispositions stables, des
perfections habituelles de l'intelligence et de la volonté qui règlent nos actes,
ordonnent nos passions et guident notre conduite selon la raison et la foi. Elles
procurent facilité, maîtrise et joie pour mener une vie moralement bonne. L'homme   *2500*
vertueux, c'est celui qui librement pratique le bien.

Les vertus morales sont humainement acquises. Elles sont les fruits et les
germes des actes moralement bons; elles disposent toutes les puissances de l'être
humain à communier à l'amour divin.   *1827*

---

1. S. Grégoire de Nysse, beat. 1.

Distinction des vertus cardinales

1805 Quatre vertus jouent un rôle charnière. Pour cette raison on les appelle « cardinales »; toutes les autres se regroupent autour d'elles. Ce sont la prudence, la justice, la force et la tempérance. « Aime-t-on la rectitude ? Les vertus sont les fruits de ses travaux, car elle enseigne tempérance et prudence, justice et courage » (Sg 8, 7). Sous d'autres noms, ces vertus sont louées dans de nombreux passages de l'Écriture.

1806 La *prudence* est la vertu qui dispose la raison pratique à discerner en toute circonstance notre véritable bien et à choisir les justes moyens de l'accomplir. « L'homme avisé surveille ses pas » (Pr 14, 15). « Soyez sages et sobres en vue de la prière » (1 P 4, 7). La prudence est la « droite règle de l'action », écrit S. Thomas [1] après Aristote. Elle ne se confond ni avec la timidité ou la peur, ni avec la duplicité ou la dissimulation. Elle est dite *auriga virtutum* : elle conduit les autres vertus en leur indiquant règle et mesure. C'est la prudence qui guide immédiatement le jugement de conscience. L'homme prudent décide et ordonne sa conduite suivant ce jugement. Grâce à cette vertu, nous appliquons sans erreur les principes moraux aux cas particuliers et nous surmontons les doutes sur le bien à accomplir et le mal à éviter.

1788

1780

1807 La *justice* est la vertu morale qui consiste dans la constante et ferme volonté de donner à Dieu et au prochain ce qui leur est dû. La justice envers Dieu est appelée « vertu de religion ». Envers les hommes, elle dispose à respecter les droits de chacun et à établir dans les relations humaines l'harmonie qui promeut l'équité à l'égard des personnes et du bien commun. L'homme juste, souvent évoqué dans les Livres saints, se distingue par la droiture habituelle de ses pensées et la rectitude de sa conduite envers le prochain. « Tu n'auras ni faveur pour le petit, ni complaisance pour le grand; c'est avec justice que tu jugeras ton prochain » (Lv 19, 15). « Maîtres, accordez à vos esclaves le juste et l'équitable, sachant que, vous aussi, vous avez un Maître au ciel » (Col 4, 1).

2095

2401

1808 La *force* est la vertu morale qui assure dans les difficultés la fermeté et la constance dans la poursuite du bien. Elle affermit la résolution de résister aux tentations et de surmonter les obstacles dans la vie morale. La vertu de force rend capable de vaincre la peur, même de la mort, d'affronter l'épreuve et les persécutions. Elle dispose à aller jusqu'au renoncement et au sacrifice de sa vie pour défendre une juste cause. « Ma force et mon chant, c'est le Seigneur » (Ps 118, 14). « Dans le monde, vous aurez de l'affliction, mais courage, Moi J'ai vaincu le monde » (Jn 16, 33).

2848

2473

1809 La *tempérance* est la vertu morale qui modère l'attrait des plaisirs et procure l'équilibre dans l'usage des biens créés. Elle assure la maîtrise de la volonté sur les

---

1. S. th. 2-2, 47, 2.

instincts et maintient les désirs dans les limites de l'honnêteté. La personne tem- *2341*
pérante oriente vers le bien ses appétits sensibles, garde une saine discrétion et
« ne se laisse pas entraîner pour suivre les passions de son coeur » (Si 5, 2) [1]. La
tempérance est souvent louée dans l'Ancien Testament : « Ne te laisse pas aller à
tes convoitises, réprime tes appétits » (Si 18, 30). Dans le Nouveau Testament, elle *2517*
est appelée « modération » ou « sobriété ». Nous devons « vivre avec modération,
justice et piété dans le monde présent » (Tt 2, 12).

> Bien vivre n'est autre chose qu'aimer Dieu de tout son coeur, de toute son âme et
> de tout son agir. On Lui conserve un amour entier (par la tempérance) que nul
> malheur ne peut ébranler (ce qui relève de la force), qui n'obéit qu'à Lui seul (et
> ceci est la justice), qui veille pour discerner toutes choses de peur de se laisser sur-
> prendre par la ruse et le mensonge (et ceci est la prudence) [2].

Les vertus et la grâce

1810 Les vertus humaines acquises par l'éducation, par des actes délibérés et par
une persévérance toujours reprise dans l'effort, sont purifiées et élevées par la *1266*
grâce divine. Avec l'aide de Dieu, elles forgent le caractère et donnent aisance dans
la pratique du bien. L'homme vertueux est heureux de les pratiquer.

1811 Il n'est pas facile pour l'homme blessé par le péché de garder l'équilibre
moral. Le don du salut par le Christ nous accorde la grâce nécessaire pour persévérer dans la recherche des vertus. Chacun doit toujours demander cette grâce *2015*
de lumière et de force, recourir aux sacrements, coopérer avec le Saint Esprit, suivre ses appels à aimer le bien et à se garder du mal.

II. Les vertus théologales

2086-2094,
2656-2658

1812 Les vertus humaines s'enracinent dans les vertus théologales qui adaptent
les facultés de l'homme à la participation de la nature divine [3]. Car les vertus
théologales se réfèrent directement à Dieu. Elles disposent les chrétiens à vivre en
relation avec la Sainte Trinité. Elles ont Dieu Un et Trine pour origine, pour motif *1266*
et pour objet.

1813 Les vertus théologales fondent, animent et caractérisent l'agir moral du chrétien. Elles informent et vivifient toutes les vertus morales. Elles sont infusées par
Dieu dans l'âme des fidèles pour les rendre capables d'agir comme ses enfants et
de mériter la vie éternelle. Elles sont le gage de la présence et de l'action du Saint- *2008*
Esprit dans les facultés de l'être humain. Il y a trois vertus théologales : la foi,
l'espérance et la charité [4].

---

1. Cf. 37, 27-31. - 2. S. Augustin, mor. eccl. 1, 25, 46. - 3. Cf. 2 P 1, 4. - 4. Cf. 1 Co 13, 13.

142-175   La foi

1814   La foi est la vertu théologale par laquelle nous croyons en Dieu et à tout ce qu'Il nous a dit et révélé, et que la Sainte Église nous propose à croire, parce qu'Il

506   est la vérité même. Par la foi « l'homme s'en remet tout entier librement à Dieu [1] ». C'est pourquoi le croyant cherche à connaître et à faire la volonté de Dieu. « Le juste vivra de la foi » (Rm 1, 17). La foi vivante « agit par la charité » (Ga 5, 6).

1815   Le don de la foi demeure en celui qui n'a pas péché contre elle [2]. Mais « sans les oeuvres, la foi est morte » (Jc 2, 26) : privée de l'espérance et de l'amour, la foi n'unit pas pleinement le fidèle au Christ et n'en fait pas un membre vivant de son Corps.

1816   Le disciple du Christ ne doit pas seulement garder la foi et en vivre, mais

2471   encore la professer, en témoigner avec assurance et la répandre : « Tous doivent être prêts à confesser le Christ devant les hommes et à Le suivre sur le chemin de la Croix, au milieu des persécutions qui ne manquent jamais à l'Église [3]. » Le service et le témoignage de la foi sont requis pour le salut : « Quiconque se déclarera pour Moi devant les hommes, Je Me déclarerai, Moi aussi, pour lui devant mon Père qui est aux cieux; mais celui qui Me reniera devant les hommes, Je le renierai, Moi aussi, devant mon Père qui est aux cieux » (Mt 10, 32-33).

L'espérance

1817   L'espérance est la vertu théologale par laquelle nous désirons comme notre

1024   bonheur le Royaume des cieux et la vie éternelle, en mettant notre confiance dans les promesses du Christ et en prenant appui, non sur nos forces, mais sur le secours de la grâce du Saint-Esprit. « Gardons indéfectible la confession de l'espérance, car celui qui a promis est fidèle » (He 10, 23). « Cet Esprit, Il l'a répandu sur nous à profusion, par Jésus-Christ notre Sauveur, afin que, justifiés par la grâce du Christ, nous obtenions en espérance l'héritage de la vie éternelle » (Tt 3, 6-7).

1818   La vertu d'espérance répond à l'aspiration au bonheur placée par Dieu dans

27   le coeur de tout homme; elle assume les espoirs qui inspirent les activités des hommes; elle les purifie pour les ordonner au Royaume des cieux; elle protège du découragement; elle soutient en tout délaissement; elle dilate le coeur dans l'attente de la béatitude éternelle. L'élan de l'espérance préserve de l'égoïsme et conduit au bonheur de la charité.

1819   L'espérance chrétienne reprend et accomplit l'espérance du peuple élu qui

146   trouve son origine et son modèle dans l'*espérance d'Abraham* comblé en Isaac des

---

1. DV 5. - 2. Cf. Cc. Trente : DS 1545. - 3. LG 42; cf. DH 14.

promesses de Dieu et purifié par l'épreuve du sacrifice[1]. « Espérant contre toute espérance, il crut et devint ainsi père d'une multitude de peuples » (Rm 4, 18).

1820 L'espérance chrétienne se déploie dès le début de la prédication de Jésus dans l'annonce des béatitudes. Les *Béatitudes* élèvent notre espérance vers le Ciel *1716* comme vers la nouvelle Terre promise; elles en tracent le chemin à travers les épreuves qui attendent les disciples de Jésus. Mais par les mérites de Jésus-Christ et de sa passion, Dieu nous garde dans « l'espérance qui ne déçoit pas » (Rm 5, 5). L'espérance est « l'ancre de l'âme », sûre et ferme, « qui pénètre (...) là où est entré pour nous, en précurseur, Jésus » (He 6, 19-20). Elle est aussi une arme qui nous protège dans le combat du salut : « Revêtons la cuirasse de la foi et de la charité, avec le casque de l'espérance du salut » (1 Th 5, 8). Elle nous procure la joie dans l'épreuve même : « Avec la joie de l'espérance, constants dans la tribulation » (Rm 12, 12). Elle s'exprime et se nourrit dans la prière, tout particulièrement dans celle du Pater, résumé de tout ce que l'espérance nous fait désirer. *2772*

1821 Nous pouvons donc espérer la gloire du ciel promise par Dieu à ceux qui L'aiment[2] et font sa volonté[3]. En toute circonstance, chacun doit espérer, avec la grâce de Dieu, « persévérer jusqu'à la fin[4] » et obtenir la joie du ciel, comme l'éter- *2016* nelle récompense de Dieu pour les bonnes oeuvres accomplies avec la grâce du Christ. Dans l'espérance l'Église prie que « tous les hommes soient sauvés » (1 Tm *1037* 2, 4). Elle aspire à être, dans la gloire du ciel, unie au Christ, son Époux :

> Espère, ô mon âme, espère. Tu ignores le jour et l'heure. Veille soigneusement, tout passe avec rapidité, quoique ton impatience rende douteux ce qui est certain, et long un temps bien court. Songe que plus tu combattras, plus tu prouveras l'amour que tu portes à ton Dieu, et plus tu te réjouiras un jour avec ton Bien-Aimé, dans un bonheur et un ravissement qui ne pourront jamais finir[5].

La charité

1822 La charité est la vertu théologale par laquelle nous aimons Dieu par-dessus toute chose pour Lui-même, et notre prochain comme nous-mêmes pour l'amour *1723* de Dieu.

1823 Jésus fait de la charité le *commandement nouveau*[6]. En aimant les siens « jusqu'à la fin » (Jn 13, 1), Il manifeste l'amour du Père qu'Il reçoit. En s'aimant les *1970* uns les autres, les disciples imitent l'amour de Jésus qu'ils reçoivent aussi en eux. C'est pourquoi Jésus dit: « Comme le Père M'a aimé, Moi aussi Je vous ai aimés. Demeurez en mon amour » (Jn 15, 9). Et encore : « Voici mon commandement : Aimez-vous les uns les autres comme Je vous ai aimés » (Jn 15, 12).

1. Cf. Gn 17, 4-8; 22, 1-18. - 2. Cf. Rm 8, 28-30. - 3. Cf. Mt 7, 21. - 4. Cf. Mt 10, 22; cf. Cc. Trente : DS 1541. - 5. Ste Thérèse de Jésus, excl. 15, 3. - 6. Cf. Jn 13, 34.

1824 Fruit de l'Esprit et plénitude de la Loi, la charité garde *les commandements*
de Dieu et de son Christ : « Demeurez en mon amour. Si vous gardez mes commandements, vous demeurerez en mon amour » (Jn 15, 9-10) [1].

735

1825 Le Christ est mort par amour pour nous alors que nous étions encore
« ennemis » (Rm 5, 10). Le Seigneur nous demande d'aimer comme Lui jusqu'à nos
ennemis (Cf. Mt 5, 44), de nous faire le prochain du plus lointain [2], d'aimer les
enfants [3] et les pauvres comme Lui-même [4].

604

> L'apôtre S. Paul a donné un incomparable tableau de la charité : « La charité prend
> patience, la charité rend service, elle ne jalouse pas, elle ne plastronne pas, elle ne
> s'enfle pas d'orgueil, elle ne fait rien de laid, elle ne cherche pas son intérêt, elle ne
> s'irrite pas, elle n'entretient pas de rancune, elle ne se réjouit pas de l'injustice,
> mais elle trouve sa joie dans la vérité. Elle excuse tout, elle croit tout, elle espère
> tout, elle endure tout » (1 Co 13, 4-7).

1826 « Sans la charité, dit encore l'apôtre, je ne suis rien... » Et tout ce qui est privilège, service, vertu même... « sans la charité, cela ne me sert de rien » (1 Co 13,
1-4). La charité est supérieure à toutes les vertus. Elle est la première des vertus
théologales : « Les trois demeurent : la foi, l'espérance et la charité. Mais *la charité
est la plus grande* » (1 Co 13, 13).

1827 L'exercice de toutes les vertus est animé et inspiré par la charité. Celle-ci est
le « lien de la perfection » (Col 3, 14); elle est la *forme des vertus*; elle les articule et
les ordonne entre elles; elle est source et terme de leur pratique chrétienne. La
charité assure et purifie notre puissance humaine d'aimer. Elle l'élève à la perfection surnaturelle de l'amour divin.

815
826

1828 La pratique de la vie morale animée par la charité donne au chrétien la liberté spirituelle des enfants de Dieu. Il ne se tient plus devant Dieu comme un
esclave, dans la crainte servile, ni comme le mercenaire en quête de salaire, mais
comme un fils qui répond à l'amour de « Celui qui nous a aimés le premier » (1 Jn
4, 19) :

1972

> Ou bien nous nous détournons du mal par crainte du châtiment, et nous sommes
> dans la disposition de l'esclave. Ou bien nous poursuivons l'appât de la récom-
> pense et nous ressemblons aux mercenaires. Ou enfin c'est pour le bien lui-même
> et l'amour de celui qui commande que nous obéissons (...) et nous sommes alors
> dans la disposition des enfants [5].

1829 La charité a pour *fruits* la joie, la paix et la miséricorde; elle exige la bienfaisance et la correction fraternelle; elle est bienveillance; elle suscite la réciprocité,
demeure désintéressée et libérale; elle est amitié et communion :

2540

---

1. Cf. Mt 22, 40; Rm 13, 8-10. - 2. Cf. Lc 10, 27-37. - 3. Cf. Mc 9, 37. - 4. Cf. Mt 25, 40. 45. - 5. S. Basile,
reg. fus. prol. 3.

L'achèvement de toutes nos oeuvres, c'est la dilection. Là est la fin; c'est pour l'obtenir que nous courons, c'est vers elle que nous courons; une fois arrivés, c'est en elle que nous nous reposerons[1].

III. Les dons et les fruits du Saint-Esprit

1830 La vie morale des chrétiens est soutenue par les dons du Saint-Esprit. Ceux-ci sont des dispositions permanentes qui rendent l'homme docile à suivre les impulsions de l'Esprit Saint.

1831 Les sept *dons* du Saint-Esprit sont la sagesse, l'intelligence, le conseil, la force, la science, la piété et la crainte de Dieu. Ils appartiennent en leur plénitude au Christ, Fils de David[2]. Ils complètent et mènent à leur perfection les vertus de ceux qui les reçoivent. Ils rendent les fidèles dociles à obéir avec promptitude aux inspirations divines. *1266, 1299*

> Que ton Esprit bon me conduise sur une terre unie (Ps 143, 10).

> Tout ceux qu'anime l'Esprit de Dieu sont fils de Dieu (...). Enfants et donc héritiers; héritiers de Dieu et cohéritiers du Christ (Rm 8, 14. 17).

1832 Les *fruits* de l'Esprit sont des perfections que forme en nous le Saint-Esprit comme des prémices de la gloire éternelle. La tradition de l'Église en énumère douze : « charité, joie, paix, patience, longanimité, bonté, bénignité, mansuétude, fidélité, modestie, continence, chasteté » (Ga 5, 22-23 vulg.). *736*

EN BREF

1833 *La vertu est une disposition habituelle et ferme à faire le bien.*

1834 *Les vertus humaines sont des dispositions stables de l'intelligence et de la volonté, qui règlent nos actes, ordonnent nos passions et guident notre conduite selon la raison et la foi. Elles peuvent être regroupées autour de quatre vertus cardinales : la prudence, la justice, la force et la tempérance.*

1835 *La prudence dispose la raison pratique à discerner, en toute circonstance, notre véritable bien et à choisir les justes moyens de l'accomplir.*

1836 *La justice consiste dans la constante et ferme volonté de donner à Dieu et au prochain ce qui lui est dû.*

1837 *La force assure, dans les difficultés, la fermeté et la constance dans la poursuite du bien.*

---

1. S. Augustin, ep. Jo. 10, 4. - 2. Cf. Is 11, 1-2.

1838 *La tempérance modère l'attrait des plaisirs sensibles et procure l'équilibre dans l'usage des biens créés.*

1839 *Les vertus morales grandissent par l'éducation, par des actes délibérés et par la persévérance dans l'effort. La grâce divine les purifie et les élève.*

1840 *Les vertus théologales disposent les chrétiens à vivre en relation avec la Sainte Trinité. Elles ont Dieu pour origine, pour motif et pour objet, Dieu connu par la foi, espéré et aimé pour Lui-même.*

1841 *Il y a trois vertus théologales : la foi, l'espérance et la charité[1]. Elles informent et vivifient toutes les vertus morales.*

1842 *Par la foi nous croyons en Dieu et nous croyons tout ce qu'Il nous a révélé et que la Sainte Église nous propose à croire.*

1843 *Par l'espérance nous désirons et attendons de Dieu avec une ferme confiance la vie éternelle et les grâces pour la mériter.*

1844 *Par la charité nous aimons Dieu par-dessus toute chose et notre prochain comme nous-même pour l'amour de Dieu. Elle est le « lien de la perfection » (Col 3, 14) et la forme de toutes les vertus.*

1845 *Les sept dons du Saint Esprit accordés aux chrétiens sont la sagesse, l'intelligence, le conseil, la force, la science, la piété et la crainte de Dieu.*

ARTICLE 8
Le péché

I. La miséricorde et le péché

1846 L'Évangile est la révélation, en Jésus-Christ, de la miséricorde de Dieu pour les pécheurs[2]. L'ange l'annonce à Joseph : « Tu lui donneras le nom de Jésus : car c'est Lui qui sauvera son peuple de ses péchés » (Mt 1, 21). Il en va de même de l'Eucharistie, sacrement de la Rédemption : « Ceci est mon sang, le sang de l'alliance, qui va être répandu pour une multitude en rémission des péchés » (Mt 26, 28).

430

1365

---

1. Cf. 1 Co 13, 13. - 2. Cf. Lc 15.

1847 « Dieu nous a créés sans nous, Il n'a pas voulu nous sauver sans nous [1]. » L'accueil de sa miséricorde réclame de nous l'aveu de nos fautes. « Si nous disons : "Nous n'avons pas de péché", nous nous abusons, la vérité n'est pas en nous. Si nous confessons nos péchés, Il est assez fidèle et juste pour remettre nos péchés et nous purifier de toute injustice » (1 Jn 1, 8-9). *387, 1455*

1848 Comme l'affirme S. Paul : « Où le péché s'est multiplié, la grâce a surabondé. » Mais pour faire son oeuvre, la grâce doit découvrir le péché pour convertir notre coeur et nous conférer « la justice pour la vie éternelle par Jésus-Christ notre Seigneur » (Rm 5, 20-21). Tel un médecin qui sonde la plaie avant de la panser, Dieu, par sa Parole et par son Esprit, projette une lumière vive sur le péché : *385*

> La conversion *requiert la mise en lumière du péché*, elle contient en elle-même le jugement intérieur de la conscience. On peut y voir la preuve de l'action de l'Esprit de vérité au plus profond de l'homme, et cela devient en même temps le commencement d'un nouveau don de la grâce et de l'amour : « Recevez l'Esprit Saint. » Ainsi, dans cette « mise en lumière du péché » nous découvrons *un double don* : le don de la vérité de la conscience et le don de la certitude de la rédemption. L'Esprit de vérité est le Consolateur [2]. *1433*

II. La définition du péché

1849 Le péché est une faute contre la raison, la vérité, la conscience droite; il est un manquement à l'amour véritable, envers Dieu et envers le prochain, à cause d'un attachement pervers à certains biens. Il blesse la nature de l'homme et porte atteinte à la solidarité humaine. Il a été défini comme « une parole, un acte ou un désir contraires à la loi éternelle [3] ». *311* *1952*

1850 Le péché est une offense à l'égard de Dieu : « Contre Toi, Toi seul, j'ai péché. Ce qui est mal à tes yeux, je l'ai fait » (Ps 51, 6). Le péché se dresse contre l'amour de Dieu pour nous et en détourne nos coeurs. Comme le péché premier, il est une désobéissance, une révolte contre Dieu, par la volonté de devenir « comme des dieux », connaissant et déterminant le bien et le mal (Gn 3, 5). Le péché est ainsi « amour de soi jusqu'au mépris de Dieu [4] ». Par cette exaltation orgueilleuse de soi, le péché est diamétralement contraire à l'obéissance de Jésus qui accomplit le salut [5]. *1440* *397* *615*

1851 C'est précisément dans la passion, où la miséricorde du Christ va le vaincre, que le péché manifeste le mieux sa violence et sa multiplicité : incrédulité, haine meurtrière, rejet et moqueries de la part des chefs et du peuple, lâcheté de Pilate et *598*

---

1. S. Augustin, serm. 169, 11, 13. - 2. DeV 31. - 3. S. Augustin, *Contra Faustum manichaeum*, 22; PL 42, 41; S. Thomas d'A., s. th. 1-2, 71, 6. - 4. S. Augustin, civ. 14, 28. - 5. Cf. Ph 2, 6-9.

2746, 616 cruauté des soldats, trahison de Judas si dure à Jésus, reniement de Pierre et aban-don des disciples. Cependant, à l'heure même des ténèbres et du Prince de ce monde [1], le sacrifice du Christ devient secrètement la source de laquelle jaillira intarissablement le pardon de nos péchés.

III. La diversité des péchés

1852 La variété des péchés est grande. L'Écriture en fournit plusieurs listes. L'épître aux Galates oppose les oeuvres de la chair au fruit de l'Esprit : « On sait bien tout ce que produit la chair : fornication, impureté, débauche, idolâtrie, magie, haines, discorde, jalousie, emportements, disputes, dissensions, scissions, sentiments d'envie, orgies, ripailles et choses semblables - et je vous préviens, comme je l'ai déjà fait, que ceux qui commettent ces fautes-là n'hériteront pas du Royaume de Dieu » (5, 19-21) [2].

1751
2067

368

1853   On peut distinguer les péchés selon leur objet, comme pour tout acte humain, ou selon les vertus auxquelles ils s'opposent, par excès ou par défaut, ou selon les commandements qu'ils con-trarient. On peut les ranger aussi selon qu'ils concernent Dieu, le prochain ou soi-même; on peut les diviser en péchés spirituels et charnels, ou encore en péchés en pensée, en parole, par action ou par omission. La racine du péché est dans le coeur de l'homme, dans sa libre volonté selon l'enseignement du Seigneur : « Du coeur en effet procèdent mauvais desseins, meurtres, adultères, débauches, vols, faux témoignages, diffamations. Voilà les choses qui rendent l'homme impur » (Mt 15, 19-20). Dans le coeur réside aussi la charité, principe des oeuvres bonnes et pures, que blesse le péché.

IV. La gravité du péché : péché mortel et véniel

1854   Il convient d'apprécier les péchés selon leur gravité. Déjà perceptible dans l'Écriture [3], la distinction entre péché mortel et péché véniel s'est imposée dans la tradition de l'Église. L'expérience des hommes la corrobore.

1395 **1855**   Le *péché mortel* détruit la charité dans le coeur de l'homme par une infrac-tion grave à la Loi de Dieu; il détourne l'homme de Dieu, qui est sa fin ultime et sa béatitude en Lui préférant un bien inférieur.

Le *péché véniel* laisse subsister la charité, même s'il l'offense et la blesse.

1446 **1856**   Le péché mortel, attaquant en nous le principe vital qu'est la charité, néces-site une nouvelle initiative de la miséricorde de Dieu et une conversion du coeur qui s'accomplit normalement dans le cadre du sacrement de la Réconciliation :

---

1. Cf. Jn 14, 30. - 2. Cf. Rm 1, 28-32; 1 Co 6, 9-10; Ep 5, 3-5; Col 3, 5-8; 1 Tm 1, 9-10; 2 Tm 3, 2-5. - 3. Cf. 1 Jn 5, 16-17.

> Lorsque la volonté se porte à une chose de soi contraire à la charité par laquelle on est ordonné à la fin ultime, le péché par son objet même a de quoi être mortel (...) qu'il soit contre l'amour de Dieu, comme le blasphème, le parjure, etc., ou contre l'amour du prochain, comme l'homicide, l'adultère, etc. (...) En revanche, lorsque la volonté du pécheur se porte quelquefois à une chose qui contient en soi un désordre mais n'est cependant pas contraire à l'amour de Dieu et du prochain, tel que parole oiseuse, rire superflu, etc., de tels péchés sont véniels [1].

1857 Pour qu'un *péché* soit *mortel* trois conditions sont ensemble requises : « Est péché mortel tout péché qui a pour objet une matière grave, et qui est commis en pleine conscience et de propos délibéré [2]. »

1858 La *matière grave* est précisée par les dix commandements selon la réponse de Jésus au jeune homme riche : « Ne tue pas, ne commets pas d'adultère, ne vole pas, ne porte pas de faux témoignage, ne fais pas de tort, honore ton père et ta mère » (Mc 10, 19). La gravité des péchés est plus ou moins grande : un meurtre est plus grave qu'un vol. La qualité des personnes lésées entre aussi en ligne de compte : la violence exercée contre les parents est de soi plus grave qu'envers un étranger.

2072

2214

1859 Le péché mortel requiert *pleine connaissance* et *entier consentement*. Il présuppose la connaissance du caractère peccamineux de l'acte, de son opposition à la Loi de Dieu. Il implique aussi un consentement suffisamment délibéré pour être un choix personnel. L'ignorance affectée et l'endurcissement du coeur [3] ne diminuent pas, mais augmentent le caractère volontaire du péché.

1734

1860 L'*ignorance involontaire* peut diminuer sinon excuser l'imputabilité d'une faute grave. Mais nul n'est censé ignorer les principes de la loi morale qui sont inscrits dans la conscience de tout homme. Les impulsions de la sensibilité, les passions peuvent également réduire le caractère volontaire et libre de la faute, de même que des pressions extérieures ou des troubles pathologiques. Le péché par malice, par choix délibéré du mal, est le plus grave.

1735

1767

1861 Le péché mortel est une possibilité radicale de la liberté humaine comme l'amour lui-même. Il entraîne la perte de la charité et la privation de la grâce sanctifiante, c'est-à-dire de l'état de grâce. S'il n'est pas racheté par le repentir et le pardon de Dieu, il cause l'exclusion du Royaume du Christ et la mort éternelle de l'enfer, notre liberté ayant le pouvoir de faire des choix pour toujours, sans retour. Cependant si nous pouvons juger qu'un acte est en soi une faute grave, nous devons confier le jugement sur les personnes à la justice et à la miséricorde de Dieu.

1742

1033

1862 On commet un *péché véniel* quand on n'observe pas dans une matière légère la mesure prescrite par la loi morale, ou bien quand on désobéit à la loi morale en matière grave, mais sans pleine connaissance ou sans entier consentement.

---

1. S. Thomas d'A., s. th. 1-2, 88, 2. - 2. RP 17. - 3. Cf. Mc 3, 5-6; Lc 16, 19-31.

1863 Le péché véniel affaiblit la charité; il traduit une affection désordonnée pour

1394

1472

des biens créés; il empêche les progrès de l'âme dans l'exercice des vertus et la pratique du bien moral; il mérite des peines temporelles. Le péché véniel délibéré et resté sans repentance nous dispose peu à peu à commettre le péché mortel. Cependant le péché véniel ne nous rend pas contraires à la volonté et à l'amitié divines; il ne rompt pas l'alliance avec Dieu. Il est humainement réparable avec la grâce de Dieu. « Il ne prive pas de la grâce sanctifiante ou déifiante et de la charité, ni par suite, de la béatitude éternelle [1] » :

> L'homme ne peut, tant qu'il est dans la chair, éviter tout péché, du moins les péchés légers. Mais ces péchés que nous disons légers, ne les tiens pas pour anodins : si tu les tiens pour anodins quand tu les pèses, tremble quand tu les comptes. Nombre d'objets légers font une grande masse; nombre de gouttes emplissent un fleuve; nombre de grains font un monceau. Quelle est alors notre espérance ? Avant tout, la confession [2]...

1864 « Quiconque aura *blasphémé contre l'Esprit Saint* n'aura jamais de pardon; il est coupable d'une faute éternelle » (Mc 3, 29) [3]. Il n'y a pas de limites à la miséri-

2091

1037

corde de Dieu, mais qui refuse délibérément d'accueillir la miséricorde de Dieu par le repentir rejette le pardon de ses péchés et le salut offert par l'Esprit Saint [4]. Un tel endurcissement peut conduire à l'impénitence finale et à la perte éternelle.

V. La prolifération du péché

1865 Le péché crée un entraînement au péché; il engendre le vice par la répéti-

401

tion des mêmes actes. Il en résulte des inclinations perverses qui obscurcissent la conscience et corrompent l'appréciation concrète du bien et du mal. Ainsi le péché

1768

tend-il à se reproduire et à se renforcer, mais il ne peut détruire le sens moral jusqu'en sa racine.

1866 Les vices peuvent être rangés d'après les vertus qu'ils contrarient, ou encore rattachés aux *péchés capitaux* que l'expérience chrétienne a distingués à la suite de S. Jean Cassien et de S. Grégoire le Grand [5]. Ils sont appelés capitaux parce qu'ils

2539

sont générateurs d'autres péchés, d'autres vices. Ce sont l'orgueil, l'avarice, l'envie, la colère, l'impureté, la gourmandise, la paresse ou acédie.

1867 La tradition catéchétique rappelle aussi qu'il existe des « *péchés qui crient*

2268

vers le ciel ». Crient vers le ciel : le sang d'Abel [6]; le péché des Sodomites [7]; la clameur du peuple opprimé en Égypte [8]; la plainte de l'étranger, de la veuve et de l'orphelin [9]; l'injustice envers le salarié [10].

---

1. RP 17. - 2. S. Augustin, ep. Jo. 1, 6. - 3. Cf. Mt 12, 32; Lc 12, 10. - 4. Cf. DeV 46. - 5. Mor. 31, 45. - 6. Cf. Gn 4, 10. - 7. Cf. Gn 18, 20; 19, 13. - 8. Cf. Ex 3, 7-10. - 9. Cf. Ex 22, 20-22. - 10. Cf. Dt 24, 14-15; Jc 5, 4.

1868 Le péché est un acte personnel. De plus, nous avons une responsabilité dans les péchés commis par d'autres, quand *nous y coopérons* :
- en y participant directement et volontairement;
- en les commandant, les conseillant, les louant ou les approuvant;
- en ne les révélant pas ou en ne les empêchant pas, quand on y est tenu;
- en protégeant ceux qui font le mal.

1736

1869 Ainsi le péché rend les hommes complices les uns des autres, fait régner entre eux la concupiscence, la violence et l'injustice. Les péchés provoquent des situations sociales et des institutions contraires à la Bonté divine. Les « structures de péché » sont l'expression et l'effet des péchés personnels. Elles induisent leurs victimes à commettre le mal à leur tour. Dans un sens analogique elles constituent un « péché social [1] ».

408
1887

EN BREF

1870 *« Dieu a enfermé tous les hommes dans la désobéissance pour faire à tous miséricorde » (Rm 11, 32).*

1871 *Le péché est « une parole, un acte ou un désir contraires à la loi éternelle [2] ». Il est une offense à Dieu. Il se dresse contre Dieu dans une désobéissance contraire à l'obéissance du Christ.*

1872 *Le péché est un acte contraire à la raison. Il blesse la nature de l'homme et porte atteinte à la solidarité humaine.*

1873 *La racine de tous les péchés est dans le coeur de l'homme. Leurs espèces et leur gravité se mesurent principalement selon leur objet.*

1874 *Choisir délibérément, c'est-à-dire en le sachant et en le voulant, une chose gravement contraire à la loi divine et à la fin dernière de l'homme, c'est commettre un péché mortel. Celui-ci détruit en nous la charité sans laquelle la béatitude éternelle est impossible. Sans repentir, il entraîne la mort éternelle.*

1875 *Le péché véniel constitue un désordre moral réparable par la charité qu'il laisse subsister en nous.*

1876 *La répétition des péchés, même véniels, engendre les vices parmi lesquels on distingue les péchés capitaux.*

---

1. Cf. RP 16. - 2. S. Augustin, Faust, 22.

CHAPITRE DEUXIÈME

La communauté humaine

1877 La vocation de l'humanité est de manifester l'image de Dieu et d'être transformée à l'image du Fils unique du Père. Cette vocation revêt une forme personnelle, puisque chacun est appelé à entrer dans la béatitude divine; elle concerne
aussi l'ensemble de la communauté humaine.

355

ARTICLE 1

La personne et la société

I. Le caractère communautaire de la vocation humaine

1878 Tous les hommes sont appelés à la même fin, Dieu Lui-même. Il existe une
certaine ressemblance entre l'union des personnes divines et la fraternité que les
hommes doivent instaurer entre eux, dans la vérité et l'amour [1]. L'amour du
prochain est inséparable de l'amour pour Dieu.

1702

1879 La personne humaine a besoin de la vie sociale. Celle-ci ne constitue pas
pour elle quelque chose de surajouté, mais une exigence de sa nature. Par
l'échange avec autrui, la réciprocité des services et le dialogue avec ses frères,
l'homme développe ses virtualités; il répond ainsi à sa vocation [2].

1936

1880 Une *société* est un ensemble de personnes liées de façon organique par un
principe d'unité qui dépasse chacune d'elles. Assemblée à la fois visible et spirituelle, une société perdure dans le temps : elle recueille le passé et prépare
l'avenir. Par elle, chaque homme est constitué « héritier », reçoit des « talents » qui
enrichissent son identité et dont il doit développer les fruits [3]. À juste titre, chacun
doit le dévouement aux communautés dont il fait partie et le respect aux autorités
en charge du bien commun.

771

1881 Chaque communauté se définit par son but et obéit en conséquence à des
règles spécifiques, mais « la *personne humaine* est et doit être le principe, le sujet
et la fin de toutes les institutions sociales [4] ».

1929

---

1. Cf. GS 24, § 3. - 2. Cf. GS 25, § 1. - 3. Cf. Lc 19, 13. 15. - 4. GS 25, § 1.

1882 Certaines sociétés, telles que la famille et la cité, correspondent plus immédiatement à la nature de l'homme. Elles lui sont nécessaires. Afin de favoriser la participation du plus grand nombre à la vie sociale, il faut encourager la création *1913* d'associations et d'institutions d'élection « à buts économiques, culturels, sociaux, sportifs, récréatifs, professionnels, politiques, aussi bien à l'intérieur des communautés politiques que sur le plan mondial [1] ». Cette « *socialisation* » exprime également la tendance naturelle qui pousse les humains à s'associer, en vue d'atteindre des objectifs qui excèdent les capacités individuelles. Elle développe les qualités de la personne, en particulier, son sens de l'initiative et de la responsabilité. Elle aide à garantir ses droits [2].

1883 La socialisation présente aussi des dangers. Une intervention trop poussée de l'État peut menacer la liberté et l'initiative personnelles. La doctrine de l'Église a élaboré le principe dit de *subsidiarité*. Selon celui-ci, « une société d'ordre supérieur ne doit pas intervenir dans la vie interne d'une société d'ordre inférieur en lui enlevant ses compétences, mais elle doit plutôt la soutenir en cas de nécessité et l'aider à coordonner son action avec celle des autres éléments qui com- *2431* posent la société, en vue du bien commun [3] ».

1884 Dieu n'a pas voulu retenir pour Lui seul l'exercice de tous les pouvoirs. Il remet à chaque créature les fonctions qu'elle est capable d'exercer, selon les *307* capacités de sa nature propre. Ce mode de gouvernement doit être imité dans la vie sociale. Le comportement de Dieu dans le gouvernement du monde, qui témoigne de si grands égards pour la liberté humaine, devrait inspirer la sagesse de ceux qui gouvernent les communautés humaines. Ils ont à se comporter en *302* ministres de la providence divine.

1885 Le principe de subsidiarité s'oppose à toutes les formes de collectivisme. Il trace les limites de l'intervention de l'État. Il vise à harmoniser les rapports entre les individus et les sociétés. Il tend à instaurer un véritable ordre international.

II. La conversion et la société

1886 La société est indispensable à la réalisation de la vocation humaine. Pour atteindre ce but il faut que soit respectée la juste hiérarchie des valeurs qui « subordonne les dimensions physiques et instinctives aux dimensions intérieures et *1779* spirituelles [4] » :

> La vie en société doit être considérée avant tout comme une réalité d'ordre spirituel. Elle est, en effet, échange de connaissances dans la lumière de la vérité, exercice de droits et accomplissement des devoirs, émulation dans la recherche

---

1. MM 60. - 2. Cf. GS 25, § 2; CA 12. - 3. CA 48; cf. Pie XI, enc. « Quadragesimo anno ». - 4. CA 36.

2500

du bien moral, communion dans la noble jouissance du beau en toutes ses expressions légitimes, disposition permanente à communiquer à autrui le meilleur de soi-même et aspiration commune à un constant enrichissement spirituel. Telles sont les valeurs qui doivent animer et orienter l'activité culturelle, la vie économique, l'organisation sociale, les mouvements et les régimes politiques, la législation et toutes les autres expressions de la vie sociale dans sa continuelle évolution [1].

909
1869

1887 L'inversion des moyens et des fins [2], qui aboutit à donner valeur de fin ultime à ce qui n'est que moyen d'y concourir, ou à considérer des personnes comme de purs moyens en vue d'un but, engendre des structures injustes qui « rendent ardue et pratiquement impossible une conduite chrétienne, conforme aux commandements du Divin Législateur [3] ».

787, 1430

1888 Il faut alors faire appel aux capacités spirituelles et morales de la personne et à l'exigence permanente de sa *conversion intérieure*, afin d'obtenir des changements sociaux qui soient réellement à son service. La priorité reconnue à la conversion du coeur n'élimine nullement, elle impose, au contraire, l'obligation d'apporter aux institutions et aux conditions de vie, quand elles provoquent le péché, les assainissements convenables pour qu'elles se conforment aux normes de la justice, et favorisent le bien au lieu d'y faire obstacle [4].

1825

1889 Sans le secours de la grâce, les hommes ne sauraient « découvrir le sentier, souvent étroit, entre la lâcheté qui cède au mal et la violence qui, croyant le combattre, l'aggrave [5] ». C'est le chemin de la charité, c'est-à-dire de l'amour de Dieu et du prochain. La charité représente le plus grand commandement social. Elle respecte autrui et ses droits. Elle exige la pratique de la justice et seule nous en rend capables. Elle inspire une vie de don de soi : « Qui cherchera à conserver sa vie la perdra, et qui la perdra la sauvera » (Lc 17, 33).

EN BREF

1890 *Il existe une certaine ressemblance entre l'union des personnes divines et la fraternité que les hommes doivent instaurer entre eux.*

1891 *Pour se développer en conformité avec sa nature, la personne humaine a besoin de la vie sociale. Certaines sociétés, comme la famille et la cité, correspondent plus immédiatement à la nature de l'homme.*

1892 *« La personne humaine est, et doit être le principe, le sujet et la fin de toutes les institutions sociales [6]. »*

1893 *Il faut encourager une large participation à des associations et des institutions d'élection.*

1894 *Selon le principe de subsidiarité, ni l'État ni aucune société plus vaste ne doivent se substituer à l'initiative et à la responsabilité des personnes et des corps intermédiaires.*

---

1. PT 35. - 2. Cf. CA 41. - 3. Pie XII, discours ler juin 1941. - 4. Cf. LG 36. - 5. CA 25. - 6. GS 25, § 1.

1895 *La société doit favoriser l'exercice des vertus, non y faire obstacle. Une juste hiérarchie des valeurs doit l'inspirer.*

1896 *Là où le péché pervertit le climat social, il faut faire appel à la conversion des coeurs et à la grâce de Dieu. La charité pousse à de justes réformes. Il n'y a pas de solution à la question sociale en dehors de l'Évangile[1].*

ARTICLE 2
La participation à la vie sociale

I. L'autorité

1897 « À la vie en société manqueraient l'ordre et la fécondité sans la présence d'hommes légitimement investis de l'autorité et qui assurent la sauvegarde des institutions et pourvoient, dans une mesure suffisante, au bien commun[2]. »   *2234*

On appelle « autorité » la qualité en vertu de laquelle des personnes ou des institutions donnent des lois et des ordres à des hommes, et attendent une obéissance de leur part.

1898 Toute communauté humaine a besoin d'une autorité qui la régisse[3]. Celle-ci trouve son fondement dans la nature humaine. Elle est nécessaire à l'unité de la Cité. Son rôle consiste à assurer autant que possible le bien commun de la société.

1899 L'autorité exigée par l'ordre moral émane de Dieu : « Que tout homme soit soumis aux autorités qui exercent le pouvoir, car il n'y a d'autorité que par Dieu et celles qui existent sont établies par Lui. Ainsi, celui qui s'oppose à l'autorité se rebelle contre l'ordre voulu par Dieu, et les rebelles attireront la condamnation sur eux-mêmes » (Rm 13, 1-2)[4].   *2235*

1900 Le devoir d'obéissance impose à tous de rendre à l'autorité les honneurs qui lui sont dus, et d'entourer de respect et, selon leur mérite, de gratitude et de bienveillance les personnes qui en exercent la charge.   *2238*

On trouve sous la plume du Pape S. Clément de Rome la plus ancienne prière de l'Église pour l'autorité politique[5] :   *2240*

« Accorde-leur, Seigneur, la santé, la paix, la concorde, la stabilité, pour qu'ils exercent sans heurt la souveraineté que Tu leur as remise. C'est Toi, Maître, céleste roi des siècles, qui donnes aux fils des hommes gloire, honneur et pouvoir

---

1. Cf. CA 3. - 2. PT 46. - 3. Cf. Léon XIII, enc. « Immortale Dei »; enc. « Diuturnum illud ». - 4. Cf. 1 P 2, 13-17. - 5. Cf. déjà 1 Tm 2, 1-2.

sur les choses de la terre. Dirige, Seigneur, leur conseil, suivant ce qui est bien, suivant ce qui est agréable à tes yeux, afin qu'en exerçant avec piété, dans la paix et la mansuétude, le pouvoir que tu leur as donné, ils te trouvent propice[1]. »

1901 Si l'autorité renvoie à un ordre fixé par Dieu, « la détermination des régimes politiques, comme la détermination de leurs dirigeants, doivent être laissés, à la libre volonté des citoyens[2] ».

2242 La diversité des régimes politiques est moralement admissible, pourvu qu'ils concourent au bien légitime de la communauté qui les adopte. Les régimes dont la nature est contraire à la loi naturelle, à l'ordre public et aux droits fondamentaux des personnes, ne peuvent réaliser le bien commun des nations auxquelles ils se sont imposés.

1930 **1902** L'autorité ne tire pas d'elle-même sa légitimité morale. Elle ne doit pas se comporter de manière despotique, mais agir pour le bien commun comme une « force morale fondée sur la liberté et le sens de la responsabilité[3] » :

1951 La législation humaine ne revêt le caractère de loi qu'autant qu'elle se conforme à la juste raison; d'où il apparaît qu'elle tient sa vigueur de la loi éternelle. Dans la mesure où elle s'écarterait de la raison, il faudrait la déclarer injuste, car elle ne vérifierait pas la notion de loi; elle serait plutôt une forme de violence[4].

1903 L'autorité ne s'exerce légitimement que si elle recherche le bien commun du groupe considéré et si, pour l'atteindre, elle emploie des moyens moralement licites. S'il arrive aux dirigeants d'édicter des lois injustes ou de prendre des *2242* mesures contraires à l'ordre moral, ces dispositions ne sauraient obliger les consciences. « En pareil cas, l'autorité cesse d'être elle-même et dégénère en oppression[5]. »

1904 « Il est préférable que tout pouvoir soit équilibré par d'autres pouvoirs et par d'autres compétences qui le maintiennent dans de justes limites. C'est là le principe de "l'État de droit" dans lequel la souveraineté appartient à la loi et non pas aux volontés arbitraires des hommes[6]. »

II. Le bien commun

801 **1905** Conformément à la nature sociale de l'homme, le bien de chacun est nécessairement en rapport avec le bien commun. Celui-ci ne peut être défini qu'en *1881* référence à la personne humaine :

Ne vivez point isolés, retirés en vous-mêmes, comme si vous étiez déjà justifiés, mais rassemblez-vous pour rechercher ensemble ce qui est de l'intérêt commun[7].

---

1. Clément de Rome, Cor. 61, 1-2. - 2. GS 74, § 3. - 3. GS 74, § 2. - 4. S. Thomas d'A., s. th. 1-2, 93, 3, ad 2. - 5. PT 51. - 6. CA 44. - 7. Barnabé, ep. 4, 10.

1906 Par bien commun, il faut entendre « l'ensemble des conditions sociales qui permettent, tant aux groupes qu'à chacun de leurs membres d'atteindre leur perfection, d'une façon plus totale et plus aisée[1] ». Le bien commun intéresse la vie de tous. Il réclame la prudence de la part de chacun, et plus encore de la part de ceux qui exercent la charge de l'autorité. Il comporte *trois éléments essentiels* :

1907 Il suppose, en premier lieu, le *respect de la personne* en tant que telle. Au nom du bien commun, les pouvoirs publics sont tenus de respecter les droits fondamentaux et inaliénables de la personne humaine. La société se doit de permettre à chacun de ses membres de réaliser sa vocation. En particulier, le bien commun réside dans les conditions d'exercice des libertés naturelles qui sont indispensables à l'épanouissement de la vocation humaine : « Ainsi : droit d'agir selon la droite règle de sa conscience, droit à la sauvegarde de la vie privée et à la juste liberté, y compris en matière religieuse[2]. »

1929

2106

1908 En second lieu, le bien commun demande le *bien-être social* et le *développement* du groupe lui-même. Le développement est le résumé de tous les devoirs sociaux. Certes, il revient à l'autorité d'arbitrer, au nom du bien commun, entre les divers intérêts particuliers. Mais elle doit rendre accessible à chacun ce dont il a besoin pour mener une vie vraiment humaine : nourriture, vêtement, santé, travail, éducation et culture, information convenable, droit de fonder une famille[3], etc.

2441

1909 Le bien commun implique enfin la *paix*, c'est-à-dire la durée et la sécurité d'un ordre juste. Il suppose donc que l'autorité assure, par des moyens honnêtes, la *sécurité* de la société et celle de ses membres. Il fonde le droit à la légitime défense personnelle et collective.

2304
2310

1910 Si chaque communauté humaine possède un bien commun qui lui permet de se reconnaître en tant que telle, c'est dans la *communauté politique* qu'on trouve sa réalisation la plus complète. Il revient à l'État de défendre et de promouvoir le bien commun de la société civile, des citoyens et des corps intermédiaires.

2244

1911 Les dépendances humaines s'intensifient. Elles s'étendent peu à peu à la terre entière. L'unité de la famille humaine, rassemblant des êtres jouissant d'une dignité naturelle égale, implique un *bien commun universel*. Celui-ci appelle une organisation de la communauté des nations capable de « pourvoir aux divers besoins des hommes, aussi bien dans le domaine de la vie sociale (alimentation, santé, éducation...), que pour faire face à maintes circonstances particulières qui peuvent surgir ici ou là (par exemple : subvenir aux misères des réfugiés, l'assistance aux migrants et à leurs familles...)[4] ».

2438

1912 Le bien commun est toujours orienté vers le progrès des personnes : « L'ordre des choses doit être subordonné à l'ordre des personnes, et non

1881

---

1. GS 26, § 1; cf. GS 74, § 1. - 2. GS 26, § 2. - 3. Cf. GS 26, § 2. - 4. GS 84, § 2.

l'inverse [1]. » Cet ordre a pour base la vérité, il s'édifie dans la justice, il est vivifié par l'amour.

III. Responsabilité et participation

1913 La participation est l'engagement volontaire et généreux de la personne dans les échanges sociaux. Il est nécessaire que tous participent, chacun selon la place qu'il occupe et le rôle qu'il joue, à promouvoir le bien commun. Ce devoir est inhérent à la dignité de la personne humaine.

1734 **1914** La participation se réalise d'abord dans la prise en charge des domaines dont on assume la responsabilité personnelle : par le soin apporté à l'éducation de sa famille, par la conscience dans son travail, l'homme participe au bien d'autrui et de la société [2].

2239 **1915** Les citoyens doivent autant que possible prendre une part active à la *vie publique*. Les modalités de cette participation peuvent varier d'un pays ou d'une culture à l'autre. « Il faut louer la façon d'agir des nations où, dans une liberté authentique, le plus grand nombre possible de citoyens participe aux affaires publiques [3]. »

1888 **1916** La participation de tous à la mise en oeuvre du bien commun implique, comme tout devoir éthique, une *conversion* sans cesse renouvelée des partenaires sociaux. La fraude et autres subterfuges par lesquels certains échappent aux contraintes de la loi et aux prescriptions du devoir social doivent être fermement con*2409* damnés, parce qu'incompatibles avec les exigences de la justice. Il faut s'occuper de l'essor des institutions qui améliorent les conditions de la vie humaine [4].

1917 Il revient à ceux qui exercent la charge de l'autorité d'affirmer les valeurs qui attirent la confiance des membres du groupe et les incitent à se mettre au service de leurs semblables. La participation commence par l'éducation et la culture. « On peut légitimement penser que l'avenir est entre les mains de ceux qui auront *1818* su donner aux générations de demain des raisons de vivre et d'espérer [5]. »

EN BREF

1918 « *Il n'y a d'autorité que par Dieu et celles qui existent sont établies par Lui* » (Rm 13, 1).

1919 *Toute communauté humaine a besoin d'une autorité pour se maintenir et se développer.*

---

1. GS 26, § 3.- 2. Cf. CA 43. - 3. GS 31, § 3. - 4. Cf. GS 30, § 1 - 5. GS 31, § 3.

1920   « *La communauté politique et l'autorité publique trouvent leur fondement dans la nature humaine et relèvent par là d'un ordre fixé par Dieu*[1]. »

1921   *L'autorité s'exerce d'une manière légitime si elle s'attache à la poursuite du bien commun de la société. Pour l'atteindre, elle doit employer des moyens moralement recevables.*

1922   *La diversité des régimes politiques est légitime, pourvu qu'ils concourent au bien de la communauté.*

1923   *L'autorité politique doit se déployer dans les limites de l'ordre moral et garantir les conditions d'exercice de la liberté.*

1924   *Le bien commun comprend* « *l'ensemble des conditions sociales qui permettent aux groupes et aux personnes d'atteindre leur perfection, de manière plus totale et plus aisée*[2]. »

1925   *Le bien commun comporte trois éléments essentiels : le respect et la promotion des droits fondamentaux de la personne; la prospérité ou le développement des biens spirituels et temporels de la société; la paix et la sécurité du groupe et de ses membres.*

1926   *La dignité de la personne humaine implique la recherche du bien commun. Chacun doit se préoccuper de susciter et de soutenir des institutions qui améliorent les conditions de la vie humaine.*

1927   *Il revient à l'État de défendre et de promouvoir le bien commun de la société civile. Le bien commun de la famille humaine tout entière appelle une organisation de la société internationale.*

ARTICLE 3
La justice sociale

1928   La société assure la justice sociale lorsqu'elle réalise les conditions permettant aux associations et à chacun d'obtenir ce qui leur est dû selon leur nature et leur vocation. La justice sociale est en lien avec le bien commun et avec l'exercice de l'autorité.

2832

I. Le respect de la personne humaine

1929   La justice sociale ne peut être obtenue que dans le respect de la dignité transcendante de l'homme. La personne représente le but ultime de la société, qui lui est ordonnée :

1881

---

1. GS 74, § 3. - 2. GS 26, § 1.

> La défense et la promotion de la dignité humaine nous ont été confiées par le Créateur. Dans toutes les circonstances de l'histoire les hommes et les femmes en sont rigoureusement responsables et débiteurs [1].

1930 Le respect de la personne humaine implique celui des droits qui découlent de sa dignité de créature. Ces droits sont antérieurs à la société et s'imposent à elle. Ils fondent la légitimité morale de toute autorité : en les bafouant, ou en refusant de les reconnaître dans sa législation positive, une société mine sa propre légitimité morale [2]. Sans un tel respect, une autorité ne peut que s'appuyer sur la force ou la violence pour obtenir l'obéissance de ses sujets. Il revient à l'Église de rappeler ces droits à la mémoire des hommes de bonne volonté, et de les distinguer des revendications abusives ou fausses.

1700
1902

1931 Le respect de la personne humaine passe par le respect du principe : « Que chacun considère son prochain, sans aucune exception, comme "un autre lui-même". Qu'il tienne compte avant tout de son existence et des moyens qui lui sont nécessaires pour vivre dignement [3]. » Aucune législation ne saurait par elle-même faire disparaître les craintes, les préjugés, les attitudes d'orgueil et d'égoïsme qui font obstacle à l'établissement de sociétés vraiment fraternelles. Ces comportements ne cessent qu'avec la charité qui trouve en chaque homme un « prochain », un frère.

2212

1825

1932 Le devoir de se faire le prochain d'autrui et de le servir activement se fait plus pressant encore lorsque celui-ci est plus démuni, en quelque domaine que ce soit. « Chaque fois que vous l'avez fait à l'un de ces plus petits de mes frères, c'est à Moi que vous l'avez fait » (Mt 25, 40).

2449

1933 Ce même devoir s'étend à ceux qui pensent ou agissent différemment de nous. L'enseignement du Christ va jusqu'à requérir le pardon des offenses. Il étend le commandement de l'amour, qui est celui de la Loi nouvelle, à tous les ennemis [4]. La libération dans l'esprit de l'Évangile est incompatible avec la haine de l'ennemi en tant que personne mais non avec la haine du mal qu'il fait en tant qu'ennemi.

II. Égalité et différences entre les hommes

1934 Créés à l'image du Dieu unique, dotés d'une même âme raisonnable, tous les hommes ont même nature et même origine. Rachetés par le sacrifice du Christ, tous sont appelés à participer à la même béatitude divine : tous jouissent donc d'une égale dignité.

225

1935 L'égalité entre les hommes porte essentiellement sur leur dignité personnelle et les droits qui en découlent :

357

---

1. SRS 47. - 2. Cf. PT 65. - 3. GS 27, § 1. - 4. Cf. Mt 5, 43-44.

> Toute forme de discrimination touchant les droits fondamentaux de la personne, qu'elle soit fondée sur le sexe, la race, la couleur de la peau, la condition sociale, la langue ou la religion, doit être dépassée, comme contraire au dessein de Dieu[1].

1936 En venant au monde, l'homme ne dispose pas de tout ce qui est nécessaire au développement de sa vie, corporelle et spirituelle. Il a besoin des autres. Des différences apparaissent liées à l'âge, aux capacités physiques, aux aptitudes intellectuelles ou morales, aux échanges dont chacun a pu bénéficier, à la distribution des richesses[2]. Les « talents » ne sont pas distribués également[3].

1879

1937 Ces différences appartiennent au plan de Dieu, qui veut que chacun reçoive d'autrui ce dont il a besoin, et que ceux qui disposent de « talents » particuliers en communiquent les bienfaits à ceux qui en ont besoin. Les différences encouragent et souvent obligent les personnes à la magnanimité, à la bienveillance et au partage; elles incitent les cultures à s'enrichir les unes les autres :

340
791

1202

> Je ne donne pas toutes les vertus également à chacun. (...) Il en est plusieurs que je distribue de telle manière, tantôt à l'un, tantôt à l'autre. (...) À l'un, c'est la charité; à l'autre, la justice; à celui-ci, l'humilité; à celui-là, une foi vive. (...) Quant aux biens temporels, pour les choses nécessaires à la vie humaine, je les ai distribués avec la plus grande inégalité, et je n'ai pas voulu que chacun possédât tout ce qui lui était nécessaire pour que les hommes aient ainsi l'occasion, par nécessité, de pratiquer la charité les uns envers les autres. (...) J'ai voulu qu'ils eussent besoin les uns des autres et qu'ils fussent mes ministres pour la distribution des grâces et des libéralités qu'ils ont reçues de moi[4].

1938 Il existe aussi des *inégalités iniques* qui frappent des millions d'hommes et de femmes. Elles sont en contradiction ouverte avec l'Évangile :

2437

> L'égale dignité des personnes exige que l'on parvienne à des conditions de vie plus justes et plus humaines. Les inégalités économiques et sociales excessives entre les membres ou entre les peuples d'une seule famille humaine font scandale. Elles font obstacle à la justice sociale, à l'équité, à la dignité de la personne humaine, ainsi qu'à la paix sociale et internationale[5].

2317

III. La solidarité humaine

1939 Le principe de solidarité, énoncé encore sous le nom d'« amitié » ou de « charité sociale », est une exigence directe de la fraternité humaine et chrétienne[6] :

2213

> Une erreur, « aujourd'hui largement répandue, est l'oubli de cette loi de solidarité humaine et de charité, dictée et imposée aussi bien par la communauté d'origine et par l'égalité de la nature raisonnable chez tous les hommes, à

360

---

1. GS 29, § 2. - 2. Cf. GS 29, § 2. - 3. Cf. Mt 25, 14-30; Lc 19, 11-27. - 4. Ste Catherine de Sienne, dial. 1, 7. - 5. GS 29, § 3. - 6. Cf. SRS 38-40; CA 10.

quelque peuple qu'ils appartiennent, que par le sacrifice de rédemption offert par Jésus-Christ sur l'autel de la Croix à son Père céleste, en faveur de l'humanité pécheresse[1] ».

1940 La solidarité se manifeste en premier lieu dans la répartition des biens et la rémunération du travail. Elle suppose aussi l'effort en faveur d'un ordre social plus juste dans lequel les tensions pourront être mieux résorbées, et où les conflits trouveront plus facilement leur issue négociée.

2402

1941 Les problèmes socio-économiques ne peuvent être résolus qu'avec l'aide de toutes les formes de solidarité : solidarité des pauvres entre eux, des riches et des pauvres, des travailleurs entre eux, des employeurs et des employés dans l'entreprise, solidarité entre les nations et entre les peuples. La solidarité internationale est une exigence d'ordre moral. La paix du monde en dépend pour une part.

2317

1942 La vertu de solidarité va au-delà des biens matériels. En répandant les biens spirituels de la foi, l'Église a, de surcroît, favorisé le développement des biens temporels auquel elle a souvent ouvert des voies nouvelles. Ainsi s'est vérifiée, tout au long des siècles, la parole du Seigneur : « Cherchez d'abord le Royaume et sa justice, et tout cela vous sera donné par surcroît » (Mt 6, 33) :

1887

2632

> Depuis deux mille ans, vit et persévère dans l'âme de l'Église ce sentiment qui a poussé et pousse encore les âmes jusqu'à l'héroïsme charitable des moines agriculteurs, des libérateurs d'esclaves, des guérisseurs de malades, des messagers de foi, de civilisation, de science à toutes les générations et à tous les peuples en vue de créer des conditions sociales capables de rendre à tous possible une vie digne de l'homme et du chrétien[2].

EN BREF

1943 *La société assure la justice sociale en réalisant les conditions permettant aux associations et à chacun d'obtenir ce qui leur est dû.*

1944 *Le respect de la personne humaine considère autrui comme un « autre soi-même ». Il suppose le respect des droits fondamentaux qui découlent de la dignité intrinsèque de la personne.*

1945 *L'égalité entre les hommes porte sur leur dignité personnelle et sur les droits qui en découlent.*

1946 *Les différences entre les personnes appartiennent au dessein de Dieu qui veut que nous ayons besoin les uns des autres. Elles doivent encourager la charité.*

1947 *L'égale dignité des personnes humaines demande l'effort pour réduire les inégalités sociales et économiques excessives. Elle pousse à la disparition des inégalités iniques.*

1. Pie XII, enc. « Summi pontificatus ». - 2. Pie XII, discours 1er juin 1941.

1948 *La solidarité est une vertu éminemment chrétienne. Elle pratique le partage des biens spirituels plus encore que matériels.*

CHAPITRE TROISIÈME

Le salut de Dieu : la loi et la grâce

1949 Appelé à la béatitude, mais blessé par le péché, l'homme a besoin du salut de Dieu. Le secours divin lui parvient dans le Christ par la loi qui le dirige et dans la grâce qui le soutient :

> Travaillez avec crainte et tremblement à accomplir votre salut : aussi bien, Dieu est là qui opère en vous à la fois le vouloir et l'opération même, au profit de ses bienveillants desseins (Ph 2, 12-13).

ARTICLE 1
La loi morale

1950 La loi morale est l'oeuvre de la Sagesse divine. On peut la définir, au sens biblique, comme une instruction paternelle, une pédagogie de Dieu. Elle prescrit à l'homme les voies, les règles de conduite qui mènent vers la béatitude promise; elle proscrit les chemins du mal qui détournent de Dieu et de son amour. Elle est à la fois ferme dans ses préceptes et aimable dans ses promesses. *53 1719*

1951 La loi est une règle de conduite édictée par l'autorité compétente en vue du bien commun. La loi morale suppose l'ordre rationnel établi entre les créatures, pour leur bien et en vue de leur fin, par la puissance, la sagesse et la bonté du Créateur. Toute loi trouve dans la loi éternelle sa vérité première et ultime. La loi est déclarée et établie par la raison comme une participation à la providence du Dieu vivant Créateur et Rédempteur de tous. « Cette ordination de la raison, voilà ce qu'on appelle la loi [1] » : *295 306*

> Seul parmi tous les êtres animés, l'homme peut se glorifier d'avoir été digne de recevoir de Dieu une loi : animal doué de raison, capable de comprendre et de discerner, il réglera sa conduite en disposant de sa liberté et de sa raison, dans la soumission à Celui qui lui a tout remis [2]. *301*

---

1. Léon XIII, enc. « Libertas praestantissimum »; citant Thomas d'A., s. th. 1-2, 90, 1. - 2. Tertullien, Marc. 2, 4.

1952 Les expressions de la loi morale sont diverses, et elles sont toutes coordonnées entre elles : la loi éternelle, source en Dieu de toutes les lois; la loi naturelle; la loi révélée comprenant la Loi ancienne et la Loi nouvelle ou évangélique; enfin les lois civiles et ecclésiastiques.

1953 La loi morale trouve dans le Christ sa plénitude et son unité. Jésus-Christ est *578* en personne le chemin de la perfection. Il est la fin de la loi, car Lui seul enseigne et donne la justice de Dieu : « Car la fin de la loi, c'est le Christ pour la justification de tout croyant » (Rm 10, 4).

I. La loi morale naturelle

1954 L'homme participe à la sagesse et à la bonté du Créateur qui lui confère la *307* maîtrise de ses actes et la capacité de se gouverner en vue de la vérité et du bien. *1776* La loi naturelle exprime le sens moral originel qui permet à l'homme de discerner par la raison ce que sont le bien et le mal, la vérité et le mensonge :

> La loi naturelle est écrite et gravée dans l'âme de tous et de chacun des hommes parce qu'elle est la raison humaine ordonnant de bien faire et interdisant de pécher. (...) Mais cette prescription de la raison humaine ne saurait avoir force de loi, si elle n'était la voix et l'interprète d'une raison plus haute à laquelle notre esprit et notre liberté doivent être soumis [1].

1955 La loi « divine et naturelle [2] » montre à l'homme la voie à suivre pour prati-*1787* quer le bien et atteindre sa fin. La loi naturelle énonce les préceptes premiers et essentiels qui régissent la vie morale. Elle a pour pivot l'aspiration et la soumission *396* à Dieu, source et juge de tout bien, ainsi que le sens d'autrui comme égal à soi-*2070* même. Elle est exposée en ses principaux préceptes dans le Décalogue. Cette loi est dite naturelle non pas en référence à la nature des êtres irrationnels, mais parce que la raison qui l'édicte appartient en propre à la nature humaine :

> Où donc ces règles sont-elles inscrites, sinon dans le livre de cette lumière qu'on appelle la Vérité ? C'est là qu'est écrite toute loi juste, c'est de là qu'elle passe dans le coeur de l'homme qui accomplit la justice, non qu'elle émigre en lui, mais elle y pose son empreinte, à la manière d'un sceau qui d'une bague passe à la cire, mais sans quitter la bague [3].

> La loi naturelle n'est rien d'autre que la lumière de l'intelligence mise en nous par Dieu; par elle, nous connaissons ce qu'il faut faire et ce qu'il faut éviter. Cette lumière ou cette loi, Dieu l'a donnée à la création [4].

1956 Présente dans le coeur de chaque homme et établie par la raison, la loi *2261* naturelle est *universelle* en ses préceptes et son autorité s'étend à tous les hommes.

1. Léon XIII, enc. « Libertas praestantissimum ». - 2. GS 89, § 1. - 3. S. Augustin, Trin. 14, 15, 21. - 4. S. Thomas d'A., dec. praec. 1.

Elle exprime la dignité de la personne et détermine la base de ses droits et de ses devoirs fondamentaux :

> Il existe certes une vraie loi, c'est la droite raison; elle est conforme à la nature, répandue chez tous les hommes; elle est immuable et éternelle; ses ordres appellent au devoir; ses interdictions détournent de la faute. (...) C'est un sacrilège que de la remplacer par une loi contraire; il est interdit de n'en pas appliquer une seule disposition; quant à l'abroger entièrement, personne n'en a la possibilité [1].

1957 L'application de la loi naturelle varie beaucoup; elle peut requérir une réflexion adaptée à la multiplicité des conditions de vie, selon les lieux, les époques, et les circonstances. Néanmoins, dans la diversité des cultures, la loi naturelle demeure comme une règle reliant entre eux les hommes et leur imposant, au-delà des différences inévitables, des principes communs.

1958 La loi naturelle est *immuable* [2] et permanente à travers les variations de l'histoire; elle subsiste sous le flux des idées et des moeurs et en soutient le progrès. Les règles qui l'expriment demeurent substantiellement valables. Même si l'on renie jusqu'à ses principes, on ne peut pas la détruire ni l'enlever du coeur de l'homme. Toujours elle resurgit dans la vie des individus et des sociétés : *2072*

> Le vol est assurément puni par ta loi, Seigneur, et par la loi qui est écrite dans le coeur de l'homme et que l'iniquité elle-même n'efface pas [3].

1959 Oeuvre très bonne du Créateur, la loi naturelle fournit les fondements solides sur lesquels l'homme peut construire l'édifice des règles morales qui guideront ses choix. Elle pose aussi la base morale indispensable pour l'édification *1879* de la communauté des hommes. Elle procure enfin la base nécessaire à la loi civile qui se rattache à elle, soit par une réflexion qui tire les conclusions de ses principes, soit par des additions de nature positive et juridique.

1960 Les préceptes de la loi naturelle ne sont pas perçus par tous d'une manière claire et immédiate. Dans la situation actuelle, la grâce et la révélation sont néces- *2071* saires à l'homme pécheur pour que les vérités religieuses et morales puissent être connues « de tous et sans difficulté, avec une ferme certitude et sans mélange *37* d'erreur [4] ». La loi naturelle procure à la loi révélée et à la grâce une assise préparée par Dieu et accordée à l'oeuvre de l'Esprit.

II. La Loi ancienne

1961 Dieu, notre Créateur et notre Rédempteur, s'est choisi Israël comme son peuple et lui a révélé sa Loi, préparant ainsi la venue du Christ. La Loi de Moïse *62*

---

1. Cicéron, rép. 3, 22, 33. - 2. Cf. GS 10. - 3. S. Augustin, conf. 2, 4, 9. - 4. Pie XII, enc. « Humani generis » : DS 3876.

exprime plusieurs vérités naturellement accessibles à la raison. Celles-ci se trouvent déclarées et authentifiées à l'intérieur de l'alliance du Salut.

1962 La Loi ancienne est le premier état de la loi révélée. Ses prescriptions morales *2058* sont résumées dans les dix commandements. Les préceptes du Décalogue posent les fondements de la vocation de l'homme, façonné à l'image de Dieu; ils interdisent ce qui est contraire à l'amour de Dieu et du prochain, et prescrivent ce qui lui est essentiel. Le Décalogue est une lumière offerte à la conscience de tout homme pour lui manifester l'appel et les voies de Dieu, et le protéger contre le mal :

> Dieu a écrit sur les tables de la Loi ce que les hommes ne lisaient pas dans leurs coeurs [1].

1963 Selon la tradition chrétienne, la Loi sainte [2], spirituelle [3] et bonne [4] est encore *1610* imparfaite. Comme un pédagogue [5] elle montre ce qu'il faut faire, mais ne donne pas de soi la force, la grâce de l'Esprit pour l'accomplir. À cause du péché qu'elle *2542* ne peut enlever, elle reste une loi de servitude. Selon S. Paul, elle a notamment pour fonction de dénoncer et de *manifester le péché* qui forme une « loi de concu- *2515* piscence [6] » dans le coeur de l'homme. Cependant la Loi demeure la première étape sur le chemin du Royaume. Elle prépare et dispose le peuple élu et chaque chrétien à la conversion et à la foi dans le Dieu Sauveur. Elle procure un enseignement qui subsiste pour toujours, comme la Parole de Dieu.

1964 La Loi ancienne est une *préparation à l'Évangile.* « La Loi est prophétie et *122* pédagogie des réalités à venir [7]. » Elle prophétise et présage l'oeuvre de la libération du péché qui s'accomplira avec le Christ, elle fournit au Nouveau Testament les images, les « types », les symboles, pour exprimer la vie selon l'Esprit. La Loi se complète enfin par l'enseignement des livres sapientiaux et des prophètes qui l'orientent vers la Nouvelle Alliance et le Royaume des cieux.

> Il y eut (...), sous le régime de l'Ancienne Alliance, des gens qui possédaient la charité et la grâce de l'Esprit Saint et aspiraient avant tout aux promesses spirituelles et éternelles, en quoi ils se rattachaient à la Loi nouvelle. Inversement, il existe sous la Nouvelle Alliance des hommes charnels, encore éloignés de la per- *1828* fection de la Loi nouvelle : pour les inciter aux oeuvres vertueuses, la crainte du châtiment et certaines promesses temporelles ont été nécessaires, jusque sous la Nouvelle Alliance. En tout cas, même si la Loi ancienne prescrivait la charité, elle ne donnait pas l'Esprit Saint par qui « la charité est répandue dans nos coeurs » (Rm 5, 5) [8].

III. La Loi nouvelle ou Loi évangélique

1965 La Loi nouvelle ou Loi évangélique est la perfection ici-bas de la loi divine, *459* naturelle et révélée. Elle est l'oeuvre du Christ et s'exprime particulièrement dans le

---

1. S. Augustin, Psal. 57, 1. - 2. Cf. Rm 7, 12. - 3. Cf. Rm 7, 14. - 4. Cf. Rm 7, 16. - 5. Cf. Ga 3, 24. 6. Cf. Rm 7. - 7. S. Irénée, haer. 4, 15, 1. - 8. S. Thomas d'A., s. th. 1-2, 107, 1, ad 2.

sermon sur la Montagne. Elle est aussi l'oeuvre de l'Esprit Saint et, par lui, elle *581*
devient la loi intérieure de la charité : « Je conclurai avec la maison d'Israël une
alliance nouvelle (...). Je mettrai mes lois dans leur pensée, je les graverai dans leur
coeur, et je serai leur Dieu et ils seront mon peuple » (He 8, 8-10) [1]. *715*

1966 La Loi nouvelle est la *grâce du Saint-Esprit* donnée aux fidèles par la foi au
Christ. Elle opère par la charité, elle use du sermon du Seigneur pour nous *1999*
enseigner ce qu'il faut faire, et des sacrements pour nous communiquer la grâce de
le faire :

> Celui qui voudra méditer avec piété et perspicacité le sermon que notre Seigneur a
> prononcé sur la montagne, tel que nous le lisons dans l'Évangile de S. Matthieu, y
> trouvera, sans aucun doute, la charte parfaite de la vie chrétienne. (...) Ce sermon
> contient tous les préceptes propres à guider la vie chrétienne [2].

1967 La Loi évangélique « accomplit [3] », affine, dépasse et mène à sa perfection la
Loi ancienne. Dans les béatitudes, elle *accomplit les promesses* divines en les éle- *577*
vant et les ordonnant au « Royaume des cieux ». Elle s'adresse à ceux qui sont disposés à accueillir avec foi cette espérance nouvelle : les pauvres, les humbles, les
affligés, les coeurs purs, les persécutés à cause du Christ, traçant ainsi les voies sur-
prenantes du Royaume.

1968 La Loi évangélique *accomplit les commandements* de la Loi. Le sermon du
Seigneur, loin d'abolir ou de dévaluer les prescriptions morales de la Loi ancienne,
en dégage les virtualités cachées et en fait surgir de nouvelles exigences : il en *129*
révèle toute la vérité divine et humaine. Il n'ajoute pas de préceptes extérieurs
nouveaux, mais il va jusqu'à réformer la racine des actes, le coeur, là où l'homme *582*
choisit entre le pur et l'impur [4], où se forment la foi, l'espérance et la charité et,
avec elles, les autres vertus. L'Évangile conduit ainsi la Loi à sa plénitude par l'imitation de la perfection du Père céleste [5], par le pardon des ennemis et la prière
pour les persécuteurs, à l'instar de la générosité divine [6].

1969 La Loi nouvelle *pratique les actes de la religion* : l'aumône, la prière et le
jeûne, en les ordonnant au « Père qui voit dans le secret », à l'encontre du désir *1434*
« d'être vu des hommes [7] ». Sa prière est le Notre Père [8].

1970 La Loi évangélique comporte le choix décisif entre « les deux voies [9] » et la
mise en pratique des paroles du Seigneur [10]; elle se résume dans la *règle d'or* *1696, 1789*
« Ainsi, tout ce que vous désirez que les autres fassent pour vous, faites-le vous-
mêmes pour eux : voilà la Loi et les Prophètes » (Mt 7, 12) [11].

1971 Toute la Loi évangélique tient dans le « *commandement nouveau* » de Jésus *1823*
(Jn 13, 34), de nous aimer les uns les autres comme Il nous a aimés [12].

---

1. Cf. Jr 31, 31-34. - 2. S. Augustin, serm. Dom. 1, 1. - 3. Cf. Mt 5, 17-19. - 4. Cf. Mt 15, 18-19. - 5. Cf.
Mt 5, 48. - 6 .Cf. Mt 5, 44. - 7. Cf. Mt 6, 1-6; 16-18. - 8. Mt 6, 9-13. - 9. Cf. Mt 7, 13-14. - 10. Cf. Mt 7,
21-27. - 11. Cf. Lc 6, 31. - 12. Cf. Jn 15, 12.

1971 Au sermon du Seigneur il convient de joindre la *catéchèse morale des enseignements apostoliques*, comme Rm 12-15; 1 Co 12-13; Col 3-4; Ep 4-5; etc. Cette doctrine transmet l'enseignement du Seigneur avec l'autorité des apôtres, notamment par l'exposé des vertus qui découlent de la foi au Christ et qu'anime la charité, le principal don de l'Esprit Saint. « Que votre charité soit sans feinte. (...) Que l'amour fraternel vous lie d'affection (...) avec la joie de l'espérance, constants dans la tribulation, assidus à la prière, prenant part aux besoins des saints, avides de donner l'hospitalité » (Rm 12, 9-13). Cette catéchèse nous apprend aussi à traiter *1789* les cas de conscience à la lumière de notre relation au Christ et à l'Église[1].

1972 La Loi nouvelle est appelée une *loi d'amour* parce qu'elle fait agir par *782* l'amour qu'infuse l'Esprit Saint plutôt que par la crainte; une *loi de grâce*, parce qu'elle confère la force de la grâce pour agir par le moyen de la foi et des sacrements; une *loi de liberté*[2] parce qu'elle nous libère des observances rituelles et juridiques de la Loi ancienne, nous incline à agir spontanément sous l'impulsion de *1828* la charité, et nous fait enfin passer de la condition du serviteur « qui ignore ce que fait son Maître » à celle d'ami du Christ, « car tout ce que j'ai appris de mon Père, je vous l'ai fait connaître » (Jn 15, 15), ou encore à la condition de fils héritier[3].

1973 Outre ses préceptes, la Loi nouvelle comporte aussi les *conseils* *2053* *évangéliques*. La distinction traditionnelle entre les commandements de Dieu et les *915* conseils évangéliques s'établit par rapport à la charité, perfection de la vie chrétienne. Les préceptes sont destinés à écarter ce qui est incompatible avec la charité. Les conseils ont pour but d'écarter ce qui, même sans lui être contraire, peut constituer un empêchement au développement de la charité[4].

1974 Les conseils évangéliques manifestent la plénitude vivante de la charité jamais satisfaite de ne pas donner davantage. Ils attestent son élan et sollicitent *2013* notre promptitude spirituelle. La perfection de la Loi nouvelle consiste essentiellement dans les préceptes de l'amour de Dieu et du prochain. Les conseils indiquent des voies plus directes, des moyens plus aisés, et sont à pratiquer suivant la vocation de chacun :

> [Dieu] ne veut pas qu'un chacun observe tous les conseils, mais seulement ceux qui sont convenables selon la diversité des personnes, des temps, des occasions et des forces, ainsi que la charité le requiert; car c'est elle qui, comme reine de toutes les vertus, de tous les commandements, de tous les conseils, et en somme de toutes les lois et de toutes les actions chrétiennes, leur donne à tous et à toutes le rang, l'ordre, le temps et la valeur[5].

EN BREF

1975 *Selon l'Écriture, la Loi est une instruction paternelle de Dieu prescrivant à l'homme les voies qui mènent à la béatitude promise et proscrivant les chemins du mal.*

---

1. Cf. Rm 14; 1 Co 5-10. - 2. Cf. Jc 1, 25; 2, 12. - 3 Cf. Ga 4, 1-7. 21-31; Rm 8, 15. - 4. Cf. S. Thomas d'A., s. th. 2-2. 184, 3. - 5. S. François de Sales, amour 8, 6.

1976 « *La loi est ordination de la raison au bien commun, promulguée par celui qui a la charge de la communauté[1]. »*

1977 *Le Christ est la fin de la loi[2], Lui seul enseigne et accorde la justice de Dieu.*

1978 *La loi naturelle est une participation à la sagesse et à la bonté de Dieu par l'homme, formé à l'image de son Créateur. Elle exprime la dignité de la personne humaine et forme la base de ses droits et de ses devoirs fondamentaux.*

1979 *La loi naturelle est immuable, permanente à travers l'histoire. Les règles qui l'expriment demeurent substantiellement valables. Elle est une base nécessaire à l'édification des règles morales et à la loi civile.*

1980 *La Loi ancienne est le premier état de la loi révélée. Ses prescriptions morales sont résumées dans les dix commandements.*

1981 *La Loi de Moïse contient plusieurs vérités naturellement accessibles à la raison. Dieu les a révélées parce que les hommes ne les lisaient pas dans leur coeur.*

1982 *La Loi ancienne est une préparation à l'Évangile.*

1983 *La loi nouvelle est la grâce du Saint-Esprit reçue par la foi au Christ, opérant par la charité. Elle s'exprime notamment dans le sermon du Seigneur sur la Montagne et use des sacrements pour nous communiquer la grâce.*

1984 *La loi évangélique accomplit, dépasse et mène à sa perfection la Loi ancienne : ses promesses par les béatitudes du Royaume des cieux, ses commandements en réformant la racine des actes, le coeur.*

1985 *La Loi nouvelle est une loi d'amour, une loi de grâce, une loi de liberté.*

1986 *Outre ses préceptes, la Loi nouvelle comporte les conseils évangéliques. « La sainteté de l'Église est entretenue spécialement par les conseils multiples que le Seigneur a proposés à l'observation de ses disciples dans l'Évangile[3]. »*

ARTICLE 2
Grâce et justification

I. La justification

1987 La grâce du Saint-Esprit a le pouvoir de nous justifier, c'est-à-dire de nous laver de nos péchés et de nous communiquer « la justice de Dieu par la foi en Jésus-Christ » (Rm 3, 22) et par le Baptême[4] :

734

---

1. S. Thomas d'A., s. th. 1-2, 90, 4. - 2. Cf. Rm 10, 4. - 3. LG 42. - 4. Cf. Rm 6, 3-4.

> Si nous sommes morts avec le Christ, nous croyons que nous vivrons aussi avec Lui, sachant que le Christ une fois ressuscité des morts ne meurt plus, que la mort n'exerce plus de pouvoir sur Lui. Sa mort fut une mort au péché, une fois pour toutes; mais sa vie est une vie à Dieu. Et vous de même, regardez-vous comme morts au péché et vivants pour Dieu dans le Christ Jésus (Rm 6, 8-11).

1988 Par la puissance de l'Esprit Saint, nous prenons part à la passion du Christ *654* en mourant au péché, et à sa Résurrection en naissant à une vie nouvelle; nous sommes les membres de son Corps qui est l'Église [1], les sarments greffés sur la Vigne qu'Il est Lui-même [2] :

460
> C'est par l'Esprit que nous avons part à Dieu. Par la participation de l'Esprit, nous devenons participants de la nature divine (...). C'est pourquoi ceux en qui habite l'Esprit sont divinisés [3].

1989 La première oeuvre de la grâce de l'Esprit Saint est la *conversion* qui opère *1427* la justification selon l'annonce de Jésus au commencement de l'Évangile : « Convertissez-vous, car le Royaume des cieux est tout proche » (Mt 4, 17). Sous la motion de la grâce, l'homme se tourne vers Dieu et se détourne du péché, accueillant ainsi le pardon et la justice d'en haut. « La justification comporte donc la rémission des péchés, la sanctification et la rénovation de l'homme intérieur [4]. »

1990 La justification *détache l'homme du péché* qui contredit l'amour de Dieu, et *1446* en purifie son coeur. La justification fait suite à l'initiative de la miséricorde de Dieu *1733* qui offre le pardon. Elle réconcilie l'homme avec Dieu. Elle libère de la servitude du péché et guérit.

1991 La justification est en même temps *l'accueil de la justice de Dieu* par la foi en Jésus-Christ. La justice désigne ici la rectitude de l'amour divin. Avec la justifica*1812* tion, la foi, l'espérance et la charité sont répandues en nos coeurs, et l'obéissance à la volonté divine nous est accordée.

1992 La justification nous a été *méritée par la passion du Christ* qui s'est offert sur *617* la Croix en hostie vivante, sainte et agréable à Dieu et dont le sang est devenu instrument de propitiation pour les péchés de tous les hommes. La justification est *1266* accordée par le Baptême, sacrement de la foi. Elle nous conforme à la justice de Dieu qui nous rend intérieurement justes par la puissance de sa miséricorde. Elle a *294* pour but la Gloire de Dieu et du Christ, et le don de la vie éternelle [5] :

> Maintenant, sans la loi, la justice de Dieu s'est manifestée, attestée par la Loi et les Prophètes, justice de Dieu par la foi en Jésus-Christ, à l'adresse de tous ceux qui croient, - car il n'y a pas de différence : tous ont péché et sont privés de la

---

1. Cf. 1 Co 12. - 2. Cf. Jn 15, 1-4. - 3. S. Athanase, ep. Serap. 1, 24. - 4. Cc. Trente : DS 1528. - 5. Cf. Cc. Trente : DS 1529.

Gloire de Dieu - et ils sont justifiés par la faveur de sa grâce en vertu de la rédemption accomplie dans le Christ Jésus : Dieu l'a exposé, instrument de propitiation par son propre sang moyennant la foi; Il voulait montrer sa justice, du fait qu'Il avait passé condamnation sur les péchés commis jadis au temps de la patience de Dieu; Il voulait montrer sa justice au temps présent, afin d'être juste et de justifier celui qui se réclame de la foi en Jésus (Rm 3, 21-26).

1993 La justification établit la *collaboration entre la grâce de Dieu et la liberté de l'homme*. Elle s'exprime du côté de l'homme dans l'assentiment de la foi à la *2008* Parole de Dieu qui l'invite à la conversion, et dans la coopération de la charité à l'impulsion de l'Esprit Saint qui le prévient et le garde :

Quand Dieu touche le coeur de l'homme par l'illumination de l'Esprit Saint, *2068* l'homme n'est pas sans rien faire en recevant cette inspiration, qu'il peut d'ailleurs rejeter; et cependant il ne peut pas non plus, sans la grâce de Dieu, se porter par sa volonté libre vers la justice devant Lui[1].

1994 La justification est l'*oeuvre la plus excellente de l'amour de Dieu* manifesté dans le Christ Jésus et accordé par l'Esprit Saint. S. Augustin estime que « la justification de l'impie est une oeuvre plus grande que la création du ciel et de la terre », *312* parce que « le ciel et la terre passeront tandis que le salut et la justification des élus demeureront[2] ». Il estime même que la justification des pécheurs l'emporte sur la création des anges dans la justice en ce qu'elle témoigne d'une plus grande miséri- *412* corde.

1995 L'Esprit Saint est le maître intérieur. En faisant naître l'« homme intérieur » (Rm 7, 22; Ep 3, 16), la justification implique la *sanctification* de tout l'être : *741*

Si vous avez jadis offert vos membres comme esclaves à l'impureté et au désordre de manière à vous désordonner, offrez-les de même aujourd'hui à la justice pour vous sanctifier. (...) Aujourd'hui, libérés du péché et asservis à Dieu, vous fructifiez pour la sainteté, et l'aboutissement, c'est la vie éternelle (Rm 6, 19. 22).

II. La grâce

1996 Notre justification vient de la grâce de Dieu. La grâce est la *faveur*, le *secours gratuit* que Dieu nous donne pour répondre à son appel : devenir enfants *153* de Dieu[3], fils adoptifs[4], participants de la divine nature[5], de la vie éternelle[6].

1997 La grâce est une *participation à la vie de Dieu*, elle nous introduit dans l'intimité de la vie trinitaire : par le Baptême le chrétien participe à la grâce du *375, 260* Christ, Tête de son Corps. Comme un « fils adoptif », il peut désormais appeler

---

1. Cc. Trente : DS 1525. - 2. Ev. Jo. 72, 3. - 3. Cf. Jn 1, 12-18. - 4. Cf. Rm 8, 14-17. - 5. Cf. 2 P 1, 3-4. - 6. Cf. Jn 17, 3.

Dieu « Père », en union avec le Fils unique. Il reçoit la vie de l'Esprit qui lui insuffle la charité et qui forme l'Église.

1719

1998 Cette vocation à la vie éternelle est *surnaturelle*. Elle dépend entièrement de l'initiative gratuite de Dieu, car Lui seul peut se révéler et se donner Lui-même. Elle surpasse les capacités de l'intelligence et les forces de la volonté humaine, comme de toute créature[1].

1966

1999 La grâce du Christ est le don gratuit que Dieu nous fait de sa vie infusée par l'Esprit Saint dans notre âme pour la guérir du péché et la sanctifier : C'est la *grâce sanctifiante* ou *déifiante,* reçue dans le Baptême. Elle est en nous la source de l'oeuvre de sanctification[2] :

> Si donc quelqu'un est dans le Christ, c'est une création nouvelle; l'être ancien a disparu, un être nouveau est là. Et le tout vient de Dieu qui nous a réconciliés avec Lui par le Christ (2 Co 5, 17-18).

2000 La grâce sanctifiante est un don habituel, une disposition stable et surnaturelle perfectionnant l'âme même pour la rendre capable de vivre avec Dieu, d'agir par son amour. On distinguera la *grâce habituelle*, disposition permanente à vivre et à agir selon l'appel divin, et les *grâces actuelles* qui désignent les interventions divines soit à l'origine de la conversion soit au cours de l'oeuvre de la sanctification.

490

2001 La *préparation de l'homme* à l'accueil de la grâce est déjà une oeuvre de la grâce. Celle-ci est nécessaire pour susciter et soutenir notre collaboration à la justification par la foi et à la sanctification par la charité. Dieu achève en nous ce qu'Il a commencé, « car Il commence en faisant en sorte, par son opération, que nous voulions : Il achève, en coopérant avec nos vouloirs déjà convertis[3] » :

> Certes nous travaillons nous aussi, mais nous ne faisons que travailler avec Dieu qui travaille. Car sa miséricorde nous a devancés pour que nous soyons guéris, car elle nous suit encore pour qu'une fois guéris, nous soyons vivifiés; elle nous devance pour que nous soyons appelés, elle nous suit pour que nous soyons glorifiés; elle nous devance pour que nous vivions selon la piété, elle nous suit pour que nous vivions à jamais avec Dieu, car sans Lui nous ne pouvons rien faire[4].

1742

2002 La libre initiative de Dieu réclame la *libre réponse de l'homme*, car Dieu a créé l'homme à son image en lui conférant, avec la liberté, le pouvoir de Le connaître et de L'aimer. L'âme n'entre que librement dans la communion de l'amour. Dieu touche immédiatement et meut directement le coeur de l'homme. Il a placé en l'homme une aspiration à la vérité et au bien que Lui seul peut combler. Les promesses de la « vie éternelle » répondent, au-delà de toute espérance, à cette aspiration :

---

1. Cf. 1 Co 2, 7-9. - 2. Cf. Jn 4, 14; 7, 38-39. - 3. S. Augustin, grat. 17. - 4. S. Augustin, nat. et grat. 31.

> Si Toi, au terme de tes oeuvres très bonnes (...), Tu T'es reposé le septième jour, c'est pour nous dire d'avance par la voix de ton livre qu'au terme de nos oeuvres « qui sont très bonnes » du fait même que c'est Toi qui nous les a données, nous aussi au sabbat de la vie éternelle nous nous reposerions en Toi[1].

2550

2003 La grâce est d'abord et principalement le don de l'Esprit qui nous justifie et nous sanctifie. Mais la grâce comprend aussi les dons que l'Esprit nous accorde pour nous associer à son oeuvre, pour nous rendre capables de collaborer au salut des autres et à la croissance du Corps du Christ, l'Église. Ce sont les *grâces sacramentelles*, dons propres aux différents sacrements. Ce sont en outre les *grâces spéciales* appelées aussi *charismes* suivant le terme grec employé par S. Paul, et qui signifie faveur, don gratuit, bienfait[2]. Quel que soit leur caractère, parfois extraordinaire, comme le don des miracles ou des langues, les charismes sont ordonnés à la grâce sanctifiante, et ont pour but le bien commun de l'Église. Ils sont au service de la charité qui édifie l'Église[3].

1108

1127

799-801

2004 Parmi les grâces spéciales, il convient de mentionner les *grâces d'état* qui accompagnent l'exercice des responsabilités de la vie chrétienne et des ministères au sein de l'Église :

> Pourvus de dons différents selon la grâce qui nous a été donnée, si c'est le don de prophétie, exerçons-le en proportion de notre foi; si c'est le service, en servant; l'enseignement, en enseignant; l'exhortation, en exhortant. Que celui qui donne le fasse sans calcul; celui qui préside, avec diligence; celui qui exerce la miséricorde, en rayonnant de joie (Rm 12, 6-8).

2005 Étant d'ordre surnaturel, la grâce *échappe à notre expérience* et ne peut être connue que par la foi. Nous ne pouvons donc nous fonder sur nos sentiments ou nos oeuvres pour en déduire que nous sommes justifiés et sauvés[4]. Cependant, selon la parole du Seigneur : « C'est à leurs fruits que vous les reconnaîtrez » (Mt 7, 20), la considération des bienfaits de Dieu dans notre vie et dans la vie des saints, nous offre une garantie que la grâce est à l'oeuvre en nous et nous incite à une foi toujours plus grande et à une attitude de pauvreté confiante.

> On trouve une des plus belles illustrations de cette attitude dans la réponse de Ste Jeanne d'Arc à une question piège de ses juges ecclésiastiques : « Interrogée, si elle sait qu'elle soit en la grâce de Dieu; répond : "Si je n'y suis, Dieu m'y veuille mettre; si j'y suis, Dieu m'y veuille garder[5]." »

III. Le mérite

> Tu es glorifié dans l'assemblée des Saints : lorsque Tu couronnes leurs mérites, Tu couronnes tes propres dons[6].

2006 Le terme « mérite » désigne, en général, la *rétribution due* par une communauté ou une société pour l'action d'un de ses membres éprouvée comme un

1723

---

1. S. Augustin, conf. 13, 36. 51. - 2. Cf. LG 12. - 3. Cf. 1 Co 12. - 4. Cf. Cc. Trente DS : 1533-1534. - 5. Jeanne d'Arc, proc. - 6. MR, Préface des saints citant le « Docteur de la grâce » S. Augustin, Psal. 102, 7.

1807 bienfait ou un méfait, digne de récompense ou de sanction. Le mérite ressort à la vertu de justice conformément au principe de l'égalité qui la régit.

2007 À l'égard de Dieu, il n'y a pas, au sens d'un droit strict, de mérite de la part *42* de l'homme. Entre Lui et nous l'inégalité est sans mesure, car nous avons tout reçu de Lui, notre Créateur.

2008 Le mérite de l'homme auprès de Dieu dans la vie chrétienne provient de ce *306* que *Dieu a librement disposé d'associer l'homme à l'oeuvre de sa grâce.* L'action paternelle de Dieu est première par son impulsion, et le libre agir de l'homme est *155, 970* second en sa collaboration, de sorte que les mérites des oeuvres bonnes doivent être attribués à la grâce de Dieu d'abord, au fidèle ensuite. Le mérite de l'homme revient, d'ailleurs, lui-même à Dieu, car ses bonnes actions procèdent dans le Christ, des prévenances et des secours de l'Esprit Saint.

2009 L'adoption filiale, en nous rendant participants par grâce à la nature divine, peut nous conférer, suivant la justice gratuite de Dieu, un *véritable mérite.* C'est là un droit par grâce, le plein droit de l'amour, qui nous fait « cohéritiers » du Christ et dignes d'obtenir l'« héritage promis de la vie éternelle [1] ». Les mérites de nos bonnes *604* oeuvres sont des dons de la bonté divine [2]. « La grâce a précédé; maintenant on rend ce qui est dû. (...) Les mérites sont des dons de Dieu [3]. »

2010 L'initiative appartenant à Dieu dans l'ordre de la grâce, *personne ne peut* *1998* *mériter la grâce première*, à l'origine de la conversion, du pardon et de la justification. Sous la motion de l'Esprit Saint et de la charité, *nous pouvons ensuite mériter* pour nous-mêmes et pour autrui les grâces utiles pour notre sanctification, pour la croissance de la grâce et de la charité, comme pour l'obtention de la vie éternelle. Les biens temporels eux-mêmes, comme la santé, l'amitié, peuvent être mérités suivant la sagesse de Dieu. Ces grâces et ces biens sont l'objet de la prière chrétienne. Celle-ci pourvoit à notre besoin de la grâce pour les actions méritoires.

2011 *La charité du Christ est en nous la source de tous nos mérites* devant Dieu. *492* La grâce, en nous unissant au Christ d'un amour actif, assure la qualité surnaturelle de nos actes et, par suite, leur mérite devant Dieu comme devant les hommes. Les saints ont toujours eu une conscience vive que leurs mérites étaient pure grâce.

> Après l'exil de la terre, j'espère aller jouir de Vous dans la Patrie, mais je ne veux pas amasser de mérites pour le ciel, je veux travailler pour votre *seul Amour* (...).
> *1460* Au soir de cette vie, je paraîtrai devant Vous les mains vides, car je ne Vous demande pas, Seigneur, de compter mes oeuvres. Toutes nos justices ont des taches à vos yeux. Je veux donc me revêtir de votre propre Justice et recevoir de votre *Amour* la possession éternelle de *Vous-même* [4]...

---

1. Cc. Trente : DS 1546. - 2. Cf. Cc. Trente : DS 1548. - 3. S. Augustin, serm. 298, 4-5. - 4. Ste Thérèse de l'Enfant-Jésus, offr.

IV. La sainteté chrétienne

2012 « Avec ceux qui L'aiment, Dieu collabore en tout pour leur bien. (...) Ceux que d'avance, Il a discernés, Il les a aussi prédestinés à reproduire l'image de son Fils pour qu'Il soit l'aîné d'une multitude de frères. Ceux qu'Il a prédestinés, Il les a aussi appelés. Ceux qu'Il a appelés, Il les a aussi justifiés. Ceux qu'Il a justifiés, Il les a aussi glorifiés » (Rm 8, 28-30). *459*

2013 « L'appel à la plénitude de la vie chrétienne et à la perfection de la charité s'adresse à tous ceux qui croient au Christ, quels que soient leur rang et leur état[1]. » Tous sont appelés à la sainteté : « Soyez parfaits comme votre Père céleste est parfait » (Mt 5, 48). *915, 2545 825*

> Les fidèles doivent appliquer les forces qu'ils ont reçues selon la mesure du don du Christ, à obtenir cette perfection, afin qu' (...) accomplissant en tout la volonté du Père, ils soient avec toute leur âme voués à la Gloire de Dieu et au service du prochain. Ainsi la sainteté du Peuple de Dieu s'épanouit en fruits abondants, comme en témoigne avec éclat l'histoire de l'Église par la vie de tant de saints[2].

2014 Le progrès spirituel tend à l'union toujours plus intime avec le Christ. Cette union s'appelle « mystique », parce qu'elle participe au mystère du Christ par les sacrements - « les saints mystères » - et, en Lui, au mystère de la Sainte Trinité. Dieu nous appelle tous à cette intime union avec Lui, même si des grâces spéciales ou des signes extraordinaires de cette vie mystique sont seulement accordés à certains en vue de manifester le don gratuit fait à tous. *774*

2015 Le chemin de la perfection passe par la Croix. Il n'y a pas de sainteté sans renoncement et sans combat spirituel[3]. Le progrès spirituel implique l'ascèse et la mortification qui conduisent graduellement à vivre dans la paix et la joie des béatitudes : *407, 2725, 1438*

> Celui qui monte ne s'arrête jamais d'aller de commencement en commencement par des commencements qui n'ont pas de fin. Jamais celui qui monte n'arrête de désirer ce qu'il connaît déjà[4].

2016 Les enfants de notre mère la Sainte Église espèrent justement *la grâce de la persévérance finale et la récompense* de Dieu leur Père pour les bonnes oeuvres accomplies avec sa grâce en communion avec Jésus[5]. Gardant la même règle de vie, les croyants partagent la « bienheureuse espérance » de ceux que la miséricorde divine rassemble dans la « Cité sainte, la Jérusalem nouvelle qui descend du Ciel d'auprès de Dieu, prête comme une épouse parée pour son Époux » (Ap 21, 2). *162, 1821 1274*

---

1. LG 40. - 2. LG 40. - 3. Cf. 2 Tm 4. - 4. S. Grégoire de Nysse, hom. in Cant. 8. - 5. Cf. Cc. Trente : DS 1576.

En bref

2017 *La grâce du Saint-Esprit nous confère la justice de Dieu. En nous unissant par la foi et le Baptême à la passion et à la Résurrection du Christ, l'Esprit nous fait participer à sa vie.*

2018 *La justification, comme la conversion, présente deux faces. Sous la motion de la grâce, l'homme se tourne vers Dieu et se détourne du péché, accueillant ainsi le pardon et la justice d'en haut.*

2019 *La justification comporte la rémission des péchés, la sanctification et la rénovation de l'homme intérieur.*

2020 *La justification nous a été méritée par la passion du Christ. Elle nous est accordée à travers le Baptême. Elle nous conforme à la justice de Dieu qui nous fait justes. Elle a pour but la Gloire de Dieu et du Christ et le don de la vie éternelle. Elle est l'oeuvre la plus excellente de la miséricorde de Dieu.*

2021 *La grâce est le secours que Dieu nous donne pour répondre à notre vocation de devenir ses fils adoptifs. Elle nous introduit dans l'intimité de la vie trinitaire.*

2022 *L'initiative divine dans l'oeuvre de la grâce prévient, prépare et suscite la libre réponse de l'homme. La grâce répond aux aspirations profondes de la liberté humaine; elle l'appelle à coopérer avec elle et la perfectionne.*

2023 *La grâce sanctifiante est le don gratuit que Dieu nous fait de sa vie, infusée par l'Esprit Saint dans notre âme pour la guérir du péché et la sanctifier.*

2024 *La grâce sanctifiante nous rend « agréables à Dieu ». Les charismes, grâces spéciales du Saint-Esprit, sont ordonnés à la grâce sanctifiante et ont pour but le bien commun de l'Église. Dieu agit aussi par des grâces actuelles multiples qu'on distingue de la grâce habituelle, permanente en nous.*

2025 *Il n'y a pour nous de mérite devant Dieu que suite au libre dessein de Dieu d'associer l'homme à l'oeuvre de sa grâce. Le mérite appartient à la grâce de Dieu en premier lieu, à la collaboration de l'homme en second lieu. Le mérite de l'homme revient à Dieu.*

2026 *La grâce du Saint-Esprit, en vertu de notre filiation adoptive, peut nous conférer un véritable mérite suivant la justice gratuite de Dieu. La charité est en nous la source principale du mérite devant Dieu.*

2027 *Personne ne peut mériter la grâce première qui est à l'origine de la conversion. Sous la motion du Saint-Esprit, nous pouvons mériter pour nous-mêmes et pour autrui toutes les grâces utiles pour parvenir à la vie éternelle, comme aussi les biens temporels nécessaires.*

2028 *« L'appel à la plénitude de la vie chrétienne et à la perfection de la charité s'adresse à tous ceux qui croient au Christ[1]. » « La perfection chrétienne n'a qu'une limite, celle de n'en avoir aucune[2]. »*

2029 *« Si quelqu'un veut venir à ma suite, qu'il se renie lui-même, qu'il se charge de sa Croix, et qu'il me suive » (Mt 16, 24).*

ARTICLE 3
L'Église, mère et éducatrice

2030 C'est en Église, en communion avec tous les baptisés, que le chrétien accomplit sa vocation. De l'Église, il accueille la Parole de Dieu qui contient les enseignements de la « Loi du Christ » (Ga 6, 2). De l'Église, il reçoit la grâce des sacrements qui le soutient sur la « voie ». De l'Église, il apprend l'*exemple de la sainteté*; il en reconnaît la figure et la source dans la Toute Sainte Vierge Marie; il la discerne dans le témoignage authentique de ceux qui la vivent; il la découvre dans la tradition spirituelle et la longue histoire des saints qui l'ont précédé et que la liturgie célèbre au rythme du Sanctoral.

828

1172

2031 *La vie morale est un culte spirituel.* Nous « offrons nos corps en hostie vivante, sainte, agréable à Dieu[3] », au sein du Corps du Christ que nous formons, et en communion avec l'offrande de son Eucharistie. Dans la liturgie et la célébration des sacrements, prière et enseignement se conjuguent avec la grâce du Christ pour éclairer et nourrir l'agir chrétien. Comme l'ensemble de la vie chrétienne, la vie morale trouve sa source et son sommet dans le sacrifice eucharistique.

1368

I. Vie morale et Magistère de l'Église

85-87,
888-892

2032 L'Église, « colonne et soutien de la vérité » (1 Tm 3, 15), « a reçu des apôtres le solennel commandement du Christ de prêcher la vérité du salut[4] ». « Il appartient à l'Église d'annoncer en tout temps et en tout lieu les principes de la morale, même en ce qui concerne l'ordre social, ainsi que de porter un jugement sur toute réalité humaine, dans la mesure où l'exigent les droits fondamentaux de la personne et le salut des âmes[5]. »

2246

2420

2033 Le *Magistère des pasteurs de l'Église* en matière morale s'exerce ordinairement dans la catéchèse et dans la prédication, avec l'aide des oeuvres des

---

1. LG 40. - 2. S. Grégoire de Nysse, v. Mos. - 3. Cf. Rm 12, 1. - 4. LG 17. - 5. CIC, can. 747.

théologiens et des auteurs spirituels. Ainsi s'est transmis de génération en génération, sous l'égide et la vigilance des pasteurs, le « dépôt » de la morale chrétienne,
composé d'un ensemble caractéristique de règles, de commandements et de vertus
procédant de la foi au Christ et vivifiés par la charité. Cette catéchèse a traditionnellement pris pour base, à côté du Credo et du Pater, le Décalogue qui énonce les
principes de la vie morale valables pour tous les hommes.

2034 Le pontife romain et les évêques en « docteurs authentiques, pourvus de
l'autorité du Christ, prêchent au peuple à eux confié la foi qui doit être crue et
appliquée dans les moeurs [1] ». Le *Magistère ordinaire* et universel du Pape et des
évêques en communion avec lui enseigne aux fidèles la vérité à croire, la charité à
pratiquer, la béatitude à espérer.

2035 Le degré suprême dans la participation à l'autorité du Christ est assuré par
le charisme de l'*infaillibilité*. Celle-ci s'étend aussi loin que le dépôt de la
Révélation divine [2]; elle s'étend encore à tous les éléments de doctrine, y compris
morale, sans lesquels les vérités salutaires de la foi ne peuvent être gardées,
exposées ou observées [3].

2036 L'autorité du Magistère s'étend aussi aux préceptes spécifiques de la *loi
naturelle*, parce que leur observance, demandée par le Créateur, est nécessaire au
salut. En rappelant les prescriptions de la loi naturelle, le Magistère de l'Église
exerce une part essentielle de sa fonction prophétique d'annoncer aux hommes ce
qu'ils sont en vérité et de leur rappeler ce qu'ils doivent être devant Dieu [4].

2037 La Loi de Dieu, confiée à l'Église est enseignée aux fidèles comme chemin
de vie et de vérité. Les fidèles ont donc le *droit* [5] d'être instruits des préceptes
divins salutaires qui purifient le jugement et, avec la grâce, guérissent la raison
humaine blessée. Ils ont le *devoir* d'observer les constitutions et les décrets portés
par l'autorité légitime de l'Église. Même si elles sont disciplinaires, ces détermina-
tions requièrent la docilité dans la charité.

2038 Dans l'oeuvre d'enseignement et d'application de la morale chrétienne,
l'Église a besoin du dévouement des pasteurs, de la science des théologiens, de la
contribution de tous les chrétiens et des hommes de bonne volonté. La foi et la
mise en pratique de l'Évangile procurent à chacun une expérience de la vie « dans
le Christ », qui l'éclaire et le rend capable d'estimer les réalités divines et humaines
selon l'Esprit de Dieu [6]. Ainsi l'Esprit Saint peut se servir des plus humbles pour
éclairer les savants et les plus élevés en dignité.

2039 Les ministères doivent s'exercer dans un esprit de service fraternel et de
dévouement à l'Église, au nom du Seigneur [7]. En même temps, la conscience de

84

1960

2041

2442

---

1. LG 25. - 2. Cf. LG 25. - 3. CDF, décl. « Mysterium Ecclesiae » 3. - 4. Cf. DH 14. - 5. Cf. CIC, can. 213.
- 6. Cf. 1 Co 2, 10-15. - 7. Cf. Rm 12, 8.11.

chacun, dans son jugement moral sur ses actes personnels, doit éviter de s'enfermer dans une considération individuelle. De son mieux elle doit s'ouvrir à la considération du bien de tous, tel qu'il s'exprime dans la loi morale, naturelle et révélée, et conséquemment dans la loi de l'Église et dans l'enseignement autorisé du Magistère sur les questions morales. Il ne convient pas d'opposer la conscience personnelle et la raison à la loi morale ou au Magistère de l'Église. *1783*

2040 Ainsi peut se développer parmi les chrétiens un véritable *esprit filial à l'égard de l'Église.* Il est l'épanouissement normal de la grâce baptismale, qui nous a engendrés dans le sein de l'Église et rendus membres du Corps du Christ. Dans sa sollicitude maternelle, l'Église nous accorde la miséricorde de Dieu qui l'emporte sur tous nos péchés et agit spécialement dans le sacrement de la Réconciliation. Comme une mère prévenante, elle nous prodigue aussi dans sa *167* liturgie, jour après jour, la nourriture de la Parole et de l'Eucharistie du Seigneur.

II. Les commandements de l'Église

2041 Les commandements de l'Église se placent dans cette ligne d'une vie morale reliée à la vie liturgique et se nourrissant d'elle. Le caractère obligatoire de ces lois positives édictées par les autorités pastorales a pour but de garantir aux fidèles le minimum indispensable dans l'esprit de prière et dans l'effort moral, dans la croissance de l'amour de Dieu et du prochain :

2042 Le premier commandement (« Les Dimanches Messes entendras et les Fêtes pareillement ») demande aux fidèles de participer à la célébration eucharistique où se rassemble la Communauté *1389* chrétienne, au jour qui commémore la Résurrection du Seigneur[1]. *2180*

Le deuxième commandement (« Tous tes péchés confesseras à tout le moins une fois l'an ») assure la préparation à l'Eucharistie par la réception du sacrement de la Réconciliation, qui continue *1457* l'oeuvre de conversion et de pardon du Baptême[2].

Le troisième commandement (« Ton Créateur tu recevras au moins à Pâques humblement ») *1389* garantit un minimum dans la réception du Corps et du Sang du Seigneur en liaison avec les fêtes Pascales, origine et centre de la liturgie chrétienne[3].

2043 Le quatrième commandement (« Les Fêtes tu sanctifieras qui te sont de commandement ») complète l'observance dominicale par la participation aux principales fêtes liturgiques, qui honorent *2177* les mystères du Seigneur, la Vierge Marie et les Saints[4].

Le cinquième commandement (« Le jeûne prescrit garderas et l'abstinence également ») *1387* assure les temps d'ascèse et de pénitence qui nous préparent aux fêtes liturgiques; ils contribuent à *1438* nous faire acquérir la maîtrise sur nos instincts et la liberté du coeur[5].

---

1. Cf. CIC, can. 1246-1248; CCEO, can. 881, 1. 2. 4. - 2. Cf. CIC, can. 989; CCEO, can. 719. - 3. Cf. CIC, can. 920; CCEO, can. 708; 881, 3. - 4. Cf. CIC, can. 1246; CCEO can. 881, 1. 4; 880, 3. - 5. Cf. CIC, can. 1249-1251; CCEO, can. 882.

1351   Les fidèles ont encore l'obligation de subvenir, chacun selon ses capacités, aux nécessités matérielles de l'Église [1].

III. Vie morale et témoignage missionnaire

2044 La fidélité des baptisés est une condition primordiale pour l'annonce de
852, 905 l'Évangile et pour la *mission de l'Église dans le monde*. Pour manifester devant les hommes sa force de vérité et de rayonnement, le message du salut doit être authentifié par le témoignage de vie des chrétiens. « Le témoignage de la vie chrétienne et les oeuvres accomplies dans un esprit surnaturel sont puissants pour attirer les hommes à la foi et à Dieu [2]. »

2045 Parce qu'ils sont les membres du Corps dont le Christ est la Tête [3], les chré-
753 tiens contribuent par la constance de leurs convictions et de leur moeurs, à l'*édification de l'Église*. L'Église grandit, s'accroît et se développe par la sainteté de ses
828 fidèles [4], jusqu'à ce que « soit constitué l'homme parfait dans la force de l'âge, qui réalise la plénitude du Christ » (Ep 4, 13).

2046 Par leur vie selon le Christ, les chrétiens *hâtent la venue du Règne de Dieu*,
671, 2819 du « Règne de la justice, de la vérité et de la paix [5] ». Ils ne délaissent pas pour autant leurs tâches terrestres; fidèles à leur Maître ils les remplissent avec droiture, patience et amour.

En bref

2047 *La vie morale est un culte spirituel. L'agir chrétien trouve sa nourriture dans la liturgie et la célébration des sacrements.*

2048 *Les commandements de l'Église concernent la vie morale et chrétienne unie à la liturgie et se nourrissant d'elle.*

2049 *Le Magistère des pasteurs de l'Église en matière morale s'exerce ordinairement dans la catéchèse et la prédication, sur la base du Décalogue qui énonce les principes de la vie morale valables pour tout homme.*

2050 *Le pontife romain et les évêques, en docteurs authentiques, prêchent au Peuple de Dieu la foi qui doit être crue et appliquée dans les moeurs. Il leur appartient aussi de se prononcer sur les questions morales qui sont du ressort de la loi naturelle et de la raison.*

2051 *L'infaillibilité du Magistère des pasteurs s'étend à tous les éléments de doctrine y compris morale sans lesquels les vérités salutaires de la foi ne peuvent être gardées, exposées ou observées.*

---

1. Cf. CIC, can. 222. - 2. AA 6. - 3. Cf. Ep 1, 22. - 4. Cf. LG 39. - 5. MR, Préface du Christ-Roi.

Les dix commandements

Exode 20, 2-17

Je suis le Seigneur ton Dieu,
qui t'ai fait sortir
du pays d'Égypte,
de la maison de servitude.

Tu n'auras pas
d'autres dieux devant Moi.
Tu ne te feras
aucune image sculptée,
rien qui ressemble à ce qui
est dans les cieux, là-haut,
ou sur la terre, ici-bas,
ou dans les eaux,
au-dessous de la terre.
Tu ne te prosterneras pas
devant ces dieux et
tu ne les serviras pas, car Moi,
le Seigneur ton Dieu,
Je suis un Dieu jaloux,
qui punis la faute des pères
sur les enfants,
les petits-enfants et
les arrières-petits-enfants,
pour ceux qui me haïssent,
mais qui fais grâce
à des milliers, pour ceux
qui M'aiment et gardent
mes commandements.

Tu ne prononceras pas
le nom du Seigneur
ton Dieu à faux,
car le Seigneur ne laisse
pas impuni celui
qui prononce son nom à faux.

Tu te souviendras du jour du
sabbat pour Le sanctifier.
Pendant six jours
tu travailleras
et tu feras tout ton ouvrage,
mais le septième jour
est un sabbat
pour le Seigneur ton Dieu.

Deutéronome 5, 6-21

Je suis le Seigneur ton Dieu,
qui t'ai fait sortir
du pays d'Égypte,
de la maison de servitude.

Tu n'auras pas
d'autres dieux devant Moi.

Un seul Dieu tu adoreras
et aimeras parfaitement

Tu ne prononceras pas
le nom du Seigneur
ton Dieu à faux...

Son saint nom tu respecteras,
fuyant blasphème
et faux serment.

Observe le jour du sabbat
pour Le sanctifier.

Le jour du Seigneur garderas,
en servant Dieu dévotement.

Tu ne feras aucun ouvrage,
toi, ni ton fils, ni ta fille,
ni ton serviteur, ni ta servante
ni tes bêtes
ni l'étranger
qui est dans tes portes.
Car en six jours
le Seigneur a fait
le ciel, la terre, la mer
et tout ce qu'ils contiennent
mais Il s'est reposé
le septième jour;
c'est pourquoi le Seigneur
a béni le jour du sabbat
et l'a consacré.

Honore ton père et ta mère, afin que se prolongent tes jours sur la terre que te donne le Seigneur ton Dieu.	Honore ton père et ta mère,	Tes père et mère honoreras, tes supérieurs pareillement.
Tu ne tueras pas.	Tu ne tueras pas.	Meurtre et scandale éviteras haine et colère pareillement.
Tu ne commettras pas d'adultère.	Tu ne commettras pas d'adultère.	La pureté observeras en tes actes soigneusement.
Tu ne voleras pas	Tu ne voleras pas	Le bien d'autrui Tu ne prendras, ni retiendras injustement.
Tu ne porteras pas de témoignage mensonger contre ton prochain.	Tu ne porteras pas de faux témoignage contre ton prochain.	La médisance banniras et le mensonge également.
Tu ne convoiteras pas la maison de ton prochain. Tu ne convoiteras pas la femme de ton prochain, ni son serviteur, ni sa servante, ni son boeuf, ni son âne, ni rien de ce qui est à ton prochain.	Tu ne convoiteras pas la femme de ton prochain. Tu ne désireras... rien de ce qui est à ton prochain.	En pensées, désirs veilleras à rester pur entièrement. Bien d'autrui ne convoiteras pour l'avoir malhonnêtement.

Deuxième section

Les dix commandements

« Maître, que dois-je faire... ? »

2052 « Maître, que dois-je faire de bon pour posséder la vie éternelle ? » Au jeune homme qui lui pose cette question, Jésus répond d'abord en invoquant la nécessité de reconnaître Dieu comme « le seul Bon », comme le Bien par excellence et comme la source de tout bien. Puis, Jésus lui déclare : « Si tu veux entrer dans la vie, observe les commandements. » Et de citer à son interlocuteur les préceptes qui concernent l'amour du prochain : « Tu ne tueras pas, tu ne commettras pas d'adultère, tu ne voleras pas, tu ne porteras pas de faux témoignage, honore ton père et ta mère. » Jésus résume enfin ces commandements d'une manière positive : « Tu aimeras ton prochain comme toi-même » (Mt 19, 16-19).
1858

2053 À cette première réponse, une seconde vient s'ajouter : « Si tu veux être parfait, va, vends ce que tu possèdes, donne-le aux pauvres, et tu auras un trésor aux cieux; puis viens, suis-moi » (Mt 19, 21). Elle n'annule pas la première. La suite de Jésus-Christ comprend l'accomplissement des commandements. La Loi n'est pas abolie [1], mais l'homme est invité à la retrouver en la Personne de son Maître, qui en est l'accomplissement parfait. Dans les trois Évangiles synoptiques, l'appel de Jésus adressé au jeune homme riche, de le suivre dans l'obéissance du disciple et dans l'observance des préceptes, est rapproché de l'appel à la pauvreté et à la chasteté [2]. Les conseils évangéliques sont indissociables des commandements.
1968

1973

2054 Jésus a repris les dix commandements, mais Il a manifesté la force de l'Esprit à l'oeuvre dans leur lettre. Il a prêché la « justice qui surpasse celle des scribes et des Pharisiens » (Mt 5, 20) aussi bien que celle des païens [3]. Il a déployé toutes les exigences des commandements. « Vous avez entendu qu'il a été dit aux ancêtres : Tu ne tueras pas... Eh bien ! Moi je vous dis : Quiconque se fâche contre son frère en répondra au tribunal » (Mt 5, 21-22).
581

2055 Lorsqu'on Lui pose la question : « Quel est le plus grand commandement de la Loi ? » (Mt 22, 36), Jésus répond : « Tu aimeras le Seigneur ton Dieu de tout ton coeur, de toute ton âme et de tout ton esprit; voilà le plus grand et le premier commandement. Le second lui est semblable : Tu aimeras ton prochain comme toi-même. À ces deux commandements se rattache toute la Loi, ainsi que les
129

---

1. Cf. Mt 5, 17. - 2. Cf. Mt 19, 6-12. 21. 23-29. - 3. Cf. Mt 5, 46-47.

Prophètes » (Mt 22, 37-40) [1]. Le Décalogue doit être interprété à la lumière de ce double et unique commandement de la charité, plénitude de la Loi :

> Le précepte : Tu ne commettras pas d'adultère; tu ne tueras pas; tu ne voleras pas; tu ne convoiteras pas, et tous les autres se résument en ces mots : Tu aimeras ton prochain comme toi-même. La charité ne fait point de tort au prochain. La charité est donc la loi dans sa plénitude (Rm 13, 9-10).

Le Décalogue dans l'Écriture Sainte

2056 Le mot « Décalogue » signifie littéralement « dix paroles » (Ex 34, 28; Dt 4, 13; 10, 4). Ces « dix paroles », Dieu les a révélées à son peuple sur la montagne sainte. Il les a écrites « de son Doigt » (Ex 31, 18; Dt 5, 22), à la différence des autres préceptes écrits par Moïse [2]. Elles constituent des paroles de Dieu à un titre éminent. Elles nous sont transmises dans le livre de l'Exode [3] et dans celui du Deutéronome [4]. Dès l'Ancien Testament, les livres saints font référence aux « dix paroles [5] » mais c'est dans la Nouvelle Alliance en Jésus-Christ que leur plein sens sera révélé.

700
62

2057 Le Décalogue se comprend d'abord dans le contexte de l'Exode qui est le grand événement libérateur de Dieu au centre de l'Ancienne Alliance. Qu'elles soient formulées comme des préceptes négatifs, des interdictions, ou comme des commandements positifs (comme : « Honore ton père et ta mère »), les « dix paroles » indiquent les conditions d'une vie libérée de l'esclavage du péché. Le Décalogue est un chemin de vie :

2084

> Si tu aimes ton Dieu, si tu marches dans ses voies, si tu gardes ses commandements, ses lois et ses coutumes, tu vivras et tu te multiplieras » (Dt 30, 16).

2170

Cette force libératrice du Décalogue apparaît par exemple dans le commandement sur le repos du sabbat, destiné également aux étrangers et aux esclaves :

> Souvenez-vous : vous étiez des esclaves sur une terre étrangère. Le Seigneur votre Dieu vous en a fait sortir à main forte et à bras étendu (Dt 5, 15).

2058 Les « dix paroles » résument et proclament la Loi de Dieu : « Telles sont les paroles que vous adressa le Seigneur quand vous étiez tous assemblés sur la montagne. Il vous parla du milieu du feu, dans la nuée et les ténèbres d'une voix puissante. Il n'y ajouta rien et les écrivit sur deux tables de pierre qu'Il me donna » (Dt 5, 22). C'est pourquoi ces deux tables sont appelées « le Témoignage » (Ex 25, 16). Elles contiennent en effet les clauses de l'alliance conclue entre Dieu et son peuple. Ces « tables du Témoignage » (Ex 31, 18; 32, 15; 34, 29) doivent être déposées dans « l'arche » (Ex 25, 16; 40, 1-2).

1962

---

1. Cf. Dt 6, 5; Lv 19, 18. - 2. Cf. Dt 31, 9. 24. - 3. Cf. Ex 20, 1-17. - 4. Cf. Dt 5, 6-22. - 5. Cf. par exemple Os 4, 2; Jr 7, 9; Ez 18, 5-9.

2059 Les « dix paroles » sont prononcées par Dieu au sein d'une théophanie (« Sur la montagne, au milieu du feu, le Seigneur vous a parlé face à face » : Dt 5, 4). Elles appartiennent à la révélation que Dieu fait de Lui-même et de sa gloire. Le don des commandements est don de Dieu Lui-même et de sa sainte volonté. En faisant connaître ses volontés, Dieu se révèle à son peuple. *707* *2823*

2060 Le don des commandements et de la Loi fait partie de l'alliance scellée par Dieu avec les siens. Suivant le livre de l'Exode, la révélation des « dix paroles » est accordée entre la proposition de l'alliance [1] et sa conclusion [2] - après que le peuple s'est engagé à « faire » tout ce que le Seigneur avait dit, et à y « obéir » (Ex 24, 7). Le Décalogue n'est jamais transmis qu'après le rappel de l'Alliance (« Le Seigneur, notre Dieu, a conclu avec nous une alliance à l'Horeb » : Dt 5, 2). *62*

2061 Les commandements reçoivent leur pleine signification à l'intérieur de l'alliance. Selon l'Écriture, l'agir moral de l'homme prend tout son sens dans et par l'alliance. La première des « dix paroles » rappelle l'amour premier de Dieu pour son peuple :

> Comme il y avait eu, en châtiment du péché, passage du paradis de la liberté à la servitude de ce monde, pour cette raison, la première phrase du Décalogue, première parole des commandements de Dieu, porte sur la liberté : « Moi, je suis le Seigneur, ton Dieu, qui t'ai fait sortir de la terre d'Égypte, de la maison de servitude » (Ex 20, 2; Dt 5, 6) [3]. *2086*

2062 Les commandements proprement dits viennent en second lieu; ils disent les implications de l'appartenance à Dieu instituée par l'alliance. L'existence morale est réponse à l'initiative aimante du Seigneur. Elle est reconnaissance, hommage à Dieu et culte d'action de grâce. Elle est coopération au dessein que Dieu poursuit dans l'histoire. *142* *2002*

2063 L'alliance et le dialogue entre Dieu et l'homme sont encore attestés du fait que toutes les obligations sont énoncées à la première personne (« Je suis le Seigneur... ») et adressées à un autre sujet (« Tu... »). Dans tous les commandements de Dieu, c'est un pronom personnel *singulier* qui désigne le destinataire. En même temps qu'à tout le peuple, Dieu fait connaître sa volonté à chacun en particulier : *878*

> Le Seigneur prescrivit l'amour envers Dieu et enseigna la justice envers le prochain, afin que l'homme ne fût ni injuste, ni indigne de Dieu. Ainsi, par le Décalogue, Dieu préparait l'homme à devenir son ami et à n'avoir qu'un seul coeur avec son prochain. (...) Les paroles du Décalogue demeurent pareillement chez nous (chrétiens). Loin d'être abolies, elles ont reçu amplification et développement du fait de la venue du Seigneur dans la chair [4].

Le Décalogue dans la Tradition de l'Église

2064 En fidélité à l'Écriture et conformément à l'exemple de Jésus, la Tradition de l'Église a reconnu au Décalogue une importance et une signification primordiales.

---

1. Cf. Ex 19. - 2. Cf. Ex 24. - 3. Origène, hom. in Ex. 8, 1. - 4. S. Irénée, haer. 4, 16, 3-4.

2065 Depuis S. Augustin, les « dix commandements » ont une place prépondérante dans la catéchèse des futurs baptisés et des fidèles. Au XVe siècle, on prit l'habitude d'exprimer les préceptes du Décalogue en formules rimées, faciles à mémoriser, et positives. Elles sont encore en usage aujourd'hui. Les catéchismes de l'Église ont souvent exposé la morale chrétienne en suivant l'ordre des « dix commandements ».

2066 La division et la numérotation des commandements a varié au cours de l'histoire. Le présent catéchisme suit la division des commandements établie par S. Augustin et devenue traditionnelle dans l'Église catholique. Elle est également celle des confessions luthériennes. Les Pères grecs ont opéré une division quelque peu différente qui se retrouve dans les Églises orthodoxes et dans les communautés réformées.

1853 **2067** Les dix commandements énoncent les requêtes de l'amour de Dieu et du prochain. Les trois premiers se rapportent davantage à l'amour de Dieu, et les sept autres à l'amour du prochain.

> Comme la charité comprend deux préceptes auxquels le Seigneur rapporte toute la Loi et les Prophètes (...), ainsi les dix préceptes sont eux-mêmes divisés en deux tables. Trois ont été écrits sur une table et sept sur l'autre [1].

1993 **2068** Le Concile de Trente enseigne que les dix commandements obligent les chrétiens et que l'homme justifié est encore tenu de les observer [2]. Et le Concile Vatican II l'affirme : « Les évêques, successeurs des apôtres, reçoivent du Seigneur *888* (...) la mission d'enseigner toutes les nations et de prêcher l'Évangile à toute créature, afin que tous les hommes, par la foi, le Baptême et l'accomplissement des commandements, obtiennent le salut [3]. »

L'unité du Décalogue

2534 **2069** Le Décalogue forme un tout indissociable. Chaque « parole » renvoie à chacune des autres et à toutes; elles se conditionnent réciproquement. Les deux Tables s'éclairent mutuellement; elles forment une unité organique. Transgresser un commandement, c'est enfreindre tous les autres [4]. On ne peut honorer autrui sans bénir Dieu son Créateur. On ne saurait adorer Dieu sans aimer tous les hommes ses créatures. Le Décalogue unifie la vie théologale et la vie sociale de l'homme.

Le Décalogue et la loi naturelle

1955 **2070** Les dix commandements appartiennent à la révélation de Dieu. Ils nous enseignent en même temps la véritable humanité de l'homme. Ils mettent en lumière les devoirs essentiels et donc, indirectement, les droits fondamentaux, inhérents à la nature de la personne humaine. Le Décalogue contient une expression privilégiée de la « loi naturelle » :

---

1. S. Augustin, serm. 33, 2, 2. - 2. Cf. DS 1569-1570. - 3. LG 24. - 4. Cf. Jc 2, 10-11.

Dès le commencement, Dieu avait enraciné dans le coeur des hommes les préceptes de la loi naturelle. Il se contenta d'abord de les leur rappeler. Ce fut le Décalogue [1].

2071 Bien qu'accessibles à la seule raison, les préceptes du Décalogue ont été révélés. Pour atteindre une connaissance complète et certaine des exigences de la loi naturelle, l'humanité pécheresse avait besoin de cette révélation :

1960

> Une explication plénière des commandements du Décalogue fut rendue nécessaire dans l'état de péché à cause de l'obscurcissement de la lumière de la raison et de la déviation de la volonté [2].

Nous connaissons les commandements de Dieu par la révélation divine qui nous est proposée dans l'Église, et par la voix de la conscience morale.

1777

L'obligation du Décalogue

2072 Puisqu'ils expriment les devoirs fondamentaux de l'homme envers Dieu et envers son prochain, les dix commandements révèlent, en leur contenu primordial, des obligations *graves*. Ils sont foncièrement immuables et leur obligation vaut toujours et partout. Nul ne pourrait en dispenser. Les dix commandements sont gravés par Dieu dans le coeur de l'être humain.

1858
1958

2073 L'obéissance aux commandements implique encore des obligations dont la matière est, en elle-même, légère. Ainsi l'injure en parole est-elle défendue par le cinquième commandement, mais elle ne pourrait être une faute grave qu'en fonction des circonstances ou de l'intention de celui qui la profère.

« Hors de moi, vous ne pouvez rien faire »

2074 Jésus dit : « Je suis la vigne; vous êtes les sarments. Celui qui demeure en Moi et Moi en lui, celui-là porte beaucoup de fruit; car hors de Moi, vous ne pouvez rien faire » (Jn 15, 5). Le fruit évoqué dans cette parole est la sainteté d'une vie fécondée par l'union au Christ. Lorsque nous croyons en Jésus-Christ, communions à ses mystères et gardons ses commandements, le Sauveur vient Lui-même aimer en nous son Père et ses frères, notre Père et nos frères. Sa personne devient, grâce à l'Esprit, la règle vivante et intérieure de notre agir. « Voici quel est mon commandement : vous aimer les uns les autres, comme Je vous ai aimés » (Jn 15, 12).

2732

521

EN BREF

2075 *« Que dois-je faire de bon pour posséder la vie éternelle ? - Si tu veux entrer dans la vie, observe les commandements » (Mt 19 16-17).*

---

1. S. Irénée, haer. 4, 15, 1. - 2. S. Bonaventure, sent. 4, 37, 1, 3.

2076 *Par sa pratique et par sa prédication, Jésus a attesté la pérennité du Décalogue.*

2077 *Le don du Décalogue est accordé à l'intérieur de l'alliance conclue par Dieu avec son peuple. Les commandements de Dieu reçoivent leur signification véritable dans et par cette alliance.*

2078 *En fidélité à l'Écriture et conformément à l'exemple de Jésus, la Tradition de l'Église a reconnu au Décalogue une importance et une signification primordiales.*

2079 *Le Décalogue forme une unité organique où chaque « parole » ou « commandement » renvoie à tout l'ensemble. Transgresser un commandement, c'est enfreindre toute la Loi[1].*

2080 *Le Décalogue contient une expression privilégiée de la loi naturelle. Il nous est connu par la révélation divine et par la raison humaine.*

2081 *Les dix commandements énoncent, en leur contenu fondamental, des obligations graves. Cependant, l'obéissance à ces préceptes implique aussi des obligations dont la matière est, en elle-même, légère.*

2082 *Ce que Dieu commande, Il le rend possible par sa grâce.*

CHAPITRE PREMIER

« Tu aimeras le Seigneur ton Dieu de tout ton coeur, de toute ton âme et de tout ton esprit »

2083 Jésus a résumé les devoirs de l'homme envers Dieu par cette parole : « Tu aimeras le Seigneur ton Dieu de tout ton coeur, de toute ton âme et de tout ton esprit » (Mt 22, 37)[2] ». Celle-ci fait immédiatement écho à l'appel solennel : « Écoute, Israël : le Seigneur notre Dieu est l'unique » (Dt 6, 4).

Dieu a aimé le premier. L'amour du Dieu Unique est rappelé dans la première des « dix paroles ». Les commandements explicitent ensuite la réponse d'amour que l'homme est appelé à donner à son Dieu.

---

1. Cf. Jc 2, 10-11. - 2. Cf. Lc 10, 27 : « ...toutes tes forces ».

ARTICLE 1
Le premier commandement

Je suis le Seigneur, ton Dieu, qui t'ai fait sortir du pays d'Égypte, de la maison de servitude. Tu n'auras pas d'autres dieux que Moi. Tu ne te feras aucune image sculptée, rien qui ressemble à ce qui est dans les cieux là-haut, ou sur la terre ici-bas, ou dans les eaux en dessous de la terre. Tu ne te prosterneras pas devant ces images ni ne les serviras (Ex 20, 2-5)[1].

Il est écrit : « C'est le Seigneur, ton Dieu, que tu adoreras, et à Lui seul tu rendras un culte » (Mt 4, 10).

I. « Tu adoreras le Seigneur, ton Dieu, et tu Le serviras »

2084 Dieu se fait connaître en rappelant son action toute-puissante, bienveillante et libératrice dans l'histoire de celui auquel Il s'adresse : « Je t'ai fait sortir du pays d'Égypte, de la maison de servitude. » La première parole contient le premier commandement de la Loi : « Tu adoreras le Seigneur, ton Dieu, et tu Le serviras. (...) Vous n'irez pas à la suite d'autres dieux » (Dt 6, 13-14). Le premier appel et la juste exigence de Dieu est que l'homme L'accueille et L'adore. *2057*

398

2085 Le Dieu unique et vrai révèle d'abord sa gloire à Israël[2]. La révélation de la vocation et de la vérité de l'homme est liée à la révélation de Dieu. L'homme a la vocation de manifester Dieu par son agir en conformité avec sa création « à l'image et à la ressemblance de Dieu » : *200* *1701*

> Il n'y aura jamais d'autre Dieu, Tryphon, et il n'y en a pas eu d'autre, depuis les siècles (...) que celui qui a fait et ordonné l'univers. Nous ne pensons pas que notre Dieu soit différent du vôtre. Il est le même qui a fait sortir vos pères d'Égypte « par sa main puissante et son bras élevé ». Nous ne mettons pas nos espérances en quelque autre, il n'y en a pas, mais dans le même que vous, le Dieu d'Abraham, d'Isaac et de Jacob[3].

2086 « Le premier des préceptes embrasse la foi, l'espérance et la charité. Qui dit Dieu, en effet, dit un être constant, immuable, toujours le même, fidèle, parfaitement juste. D'où il suit que nous devons nécessairement accepter ses Paroles, et avoir en Lui une foi et une confiance entières. Il est Tout-Puissant, clément, infiniment porté à faire du bien. Qui pourrait ne pas mettre en Lui toutes ses espérances ? Et qui pourrait ne pas L'aimer en contemplant les trésors de bonté et *212*

---

1. Cf. Dt 5, 6-9. - 2. Cf. Ex 19, 16-25; 24, 15-18. - 3. S. Justin, dial. 11, 1.

de tendresse qu'Il a répandus sur nous ? De là cette formule que Dieu emploie dans la Sainte Écriture soit au commencement, soit à la fin de ses préceptes : "Je suis le Seigneur[1]." »

2061

1814-1816 ## La foi

2087 Notre vie morale trouve sa source dans la foi en Dieu qui nous révèle son amour. S. Paul parle de l'« obéissance de la foi » (Rm 1, 5; 16, 26) comme de la première obligation. Il fait voir dans la « méconnaissance de Dieu » le principe et l'explication de toutes les déviations morales[2]. Notre devoir à l'égard de Dieu est de croire en Lui et de Lui rendre témoignage.

143

2088 Le premier commandement nous demande de nourrir et de garder avec prudence et vigilance notre foi et de rejeter tout ce qui s'oppose à elle. Il y a diverses manières de pécher contre la foi :

157

Le *doute volontaire* portant sur la foi néglige ou refuse de tenir pour vrai ce que Dieu a révélé et que l'Église propose à croire. Le *doute involontaire* désigne l'hésitation à croire, la difficulté de surmonter les objections liées à la foi ou encore l'anxiété suscitée par l'obscurité de celle-ci. S'il est délibérément cultivé, le doute peut conduire à l'aveuglement de l'esprit.

2089 L'*incrédulité* est la négligence de la vérité révélée ou le refus volontaire d'y donner son assentiment. « L'*hérésie* est la négation obstinée, après la réception du Baptême, d'une vérité qui doit être crue de foi divine et catholique, ou le doute obstiné sur cette vérité. L'*apostasie* est le rejet total de la foi chrétienne. Le *schisme* est le refus de la soumission au Souverain Pontife ou de communion avec les membres de l'Église qui lui sont soumis[3]. »

162, 817

1817-1821 ## L'espérance

2090 Lorsque Dieu se révèle et appelle l'homme, celui-ci ne peut répondre pleinement à l'amour divin par ses propres forces. Il doit espérer que Dieu lui donnera la capacité de l'aimer en retour et d'agir conformément aux commandements de la charité. L'espérance est l'attente confiante de la bénédiction divine et de la vision bienheureuse de Dieu; elle est aussi la crainte d'offenser l'amour de Dieu et de provoquer le châtiment.

1996

2091 Le premier commandement vise aussi les péchés contre l'espérance, qui sont le désespoir et la présomption :

Par le *désespoir,* l'homme cesse d'espérer de Dieu son salut personnel, les secours pour y parvenir ou le pardon de ses péchés. Il s'oppose à la Bonté de Dieu, à sa Justice - car le Seigneur est fidèle à ses promesses -, et à sa Miséricorde.

1864

---

1. Catech. R. 3, 2, 4. - 2. Cf. Rm 1, 18-32. - 3. CIC, can. 751.

2092 Il y deux sortes de *présomption*. Ou bien, l'homme présume de ses capacités (espérant pouvoir se sauver sans l'aide d'en haut), ou bien il présume de la toute-puissance ou de la miséricorde divines (espérant obtenir son pardon sans conversion et la gloire sans mérite). *2732*

La charité *1822-1829*

2093 La foi dans l'amour de Dieu enveloppe l'appel et l'obligation de répondre à la charité divine par un amour sincère. Le premier commandement nous ordonne d'aimer Dieu par-dessus tout et toutes les créatures pour Lui et à cause de Lui[1].

2094 On peut pécher de diverses manières contre l'amour de Dieu : L'*indifférence* néglige ou refuse la considération de la charité divine; elle en méconnaît la prévenance et en dénie la force. L'*ingratitude* omet ou récuse de reconnaître la charité divine et de lui rendre en retour amour pour amour. La *tiédeur* est une hésitation ou une négligence à répondre à l'amour divin, elle peut impliquer le refus de se livrer au mouvement de la charité. L'*acédie* ou paresse spirituelle va *2733* jusqu'à refuser la joie qui vient de Dieu et à prendre en horreur le bien divin. La *haine de Dieu* vient de l'orgueil. Elle s'oppose à l'amour de Dieu dont elle nie la *2303* bonté et qu'elle prétend maudire comme celui qui prohibe les péchés et qui inflige les peines.

II. « C'est à Lui seul que tu rendras un culte »

2095 Les vertus théologales de foi, d'espérance et de charité informent et vivifient les vertus morales. Ainsi, la charité nous porte à rendre à Dieu ce qu'en toute justice nous Lui devons en tant que créatures. La *vertu de religion* nous dispose à *1807* cette attitude.

L'adoration *2628*

2096 De la vertu de religion, l'adoration est l'acte premier. Adorer Dieu, c'est Le reconnaître comme Dieu, comme le Créateur et le Sauveur, le Seigneur et le Maître de tout ce qui existe, l'Amour infini et miséricordieux. « Tu adoreras le Seigneur ton Dieu, et c'est à Lui seul que tu rendras un culte » (Lc 4, 8) dit Jésus, citant le Deutéronome (Dt 6, 13).

2097 Adorer Dieu, c'est, dans le respect et la soumission absolue, reconnaître le « néant de la créature » qui n'est que par Dieu. Adorer Dieu, c'est comme Marie, *2807*

---

1. Cf. Dt 6, 4-5.

dans le Magnificat, Le louer, L'exalter et s'humilier soi-même, en confessant avec gratitude qu'Il a fait de grandes choses et que saint est son nom [1]. L'adoration du Dieu unique libère l'homme du repliement sur soi-même, de l'esclavage du péché et de l'idolâtrie du monde.

La prière

2558

2098 Les actes de foi, d'espérance et de charité que commande le premier commandement s'accomplissent dans la prière. L'élévation de l'esprit vers Dieu est une expression de notre adoration de Dieu : prière de louange et d'action de grâce, d'intercession et de demande. La prière est une condition indispensable pour pouvoir obéir aux commandements de Dieu. « Il faut toujours prier sans jamais se las-ser » (Lc 18, 1).

2742

Le sacrifice

2099 Il est juste d'offrir à Dieu des sacrifices en signe d'adoration et de reconnais-sance, de supplication et de communion : « Est un véritable sacrifice toute action opérée pour adhérer à Dieu dans la sainte communion et pouvoir être bien-heureux [2]. »

613

2100 Pour être véridique, le sacrifice extérieur doit être l'expression du sacrifice spirituel : « Mon sacrifice, c'est un esprit brisé... » (Ps 51, 19.) Les prophètes de l'Ancienne Alliance ont souvent dénoncé les sacrifices faits sans participation intérieure [3] ou sans lien avec l'amour du prochain [4]. Jésus rappelle la parole du prophète Osée : « C'est la miséricorde que je désire, et non le sacrifice » (Mt 9, 13; 12, 7) [5]. Le seul sacrifice parfait est celui que le Christ a offert sur la Croix en totale offrande à l'amour du Père et pour notre salut [6]. En nous unissant à son sacrifice nous pouvons faire de notre vie un sacrifice à Dieu.

2711

614

618

Promesses et voeux

2101 En plusieurs circonstances, le chrétien est appelé à faire des promesses à Dieu. Le Baptême et la Confirmation, le Mariage et l'Ordination en comportent tou-jours. Par dévotion personnelle, le chrétien peut aussi promettre à Dieu tel acte, telle prière, telle aumône, tel pèlerinage, etc. La fidélité aux promesses faites à Dieu est une manifestation du respect dû à la Majesté divine et de l'amour envers le Dieu fidèle.

1237

1064

2102 « Le *voeu*, c'est-à-dire la promesse délibérée et libre faite à Dieu d'un bien possible et meilleur doit être accompli au titre de la vertu de religion [7]. » Le voeu est

---

1. Cf. Lc 1, 46-49. - 2. S. Augustin, civ. 10, 6. - 3. Cf. Am 5, 21-25. - 4. Cf. Is 1, 10-20. - 5. Cf. Os 6, 6. - 6. Cf. He 9, 13-14. - 7. CIC, can. 1191, § 1.

un acte de *dévotion* dans lequel le chrétien se voue lui-même à Dieu ou Lui promet une oeuvre bonne. Par l'accomplissement de ses voeux, il rend donc à Dieu ce qui Lui a été promis et consacré. Les Actes des apôtres nous montrent S. Paul soucieux d'accomplir les voeux qu'il a faits[1].

2103 L'Église reconnaît une valeur exemplaire aux voeux de pratiquer les *conseils évangéliques*[2] :

1973

> L'Église notre Mère se réjouit de ce qu'il se trouve dans son sein en grand nombre des hommes et des femmes pour vouloir suivre de plus près et manifester plus clairement l'anéantissement du Sauveur, en assumant, dans la liberté des fils de Dieu, la pauvreté et en renonçant à leur propre volonté; c'est-à-dire des hommes et des femmes qui se soumettent en matière de perfection à une créature humaine à cause de Dieu afin de se conformer plus pleinement au Christ obéissant[3].

914

> En certains cas, l'Église peut, pour des raisons proportionnées, dispenser des voeux et des promesses[4].

Le devoir social de religion et le droit à la liberté religieuse

2104 « Tous les hommes sont tenus de chercher la vérité, surtout en ce qui concerne Dieu et son Église; et quand ils l'ont connue, de l'embrasser et de lui être fidèles[5]. » Ce devoir découle de « la nature même des hommes[6] ». Il ne contredit pas un « respect sincère » pour les diverses religions qui « apportent souvent un rayon de la vérité qui illumine tous les hommes[7] », ni l'exigence de la charité qui presse les chrétiens « d'agir avec amour, prudence, patience, envers ceux qui se trouvent dans l'erreur ou dans l'ignorance de la foi[8] ».

2467

851

2105 Le devoir de rendre à Dieu un culte authentique concerne l'homme individuellement et socialement. C'est là « la doctrine catholique traditionnelle sur le devoir moral des hommes et des sociétés à l'égard de la vraie religion et de l'unique Église du Christ[9] ». En évangélisant sans cesse les hommes, l'Église travaille à ce qu'ils puissent « pénétrer d'esprit chrétien les mentalités et les moeurs, les lois et les structures de la communauté où ils vivent[10] ». Le devoir social des chrétiens est de respecter et d'éveiller en chaque homme l'amour du vrai et du bien. Il leur demande de faire connaître le culte de l'unique vraie religion qui subsiste dans l'Église catholique et apostolique[11]. Les chrétiens sont appelés à être la lumière du monde[12]. L'Église manifeste ainsi la royauté du Christ sur toute la création et en particulier sur les sociétés humaines[13].

854

898

2106 « Qu'en matière religieuse, nul ne soit forcé d'agir contre sa conscience, ni empêché d'agir, dans de justes limites, suivant sa conscience en privé comme en

160, 1782

---

1. Cf. Ac 18, 18; 21, 23-24. - 2. Cf. CIC, can. 654. - 3. LG 42. - 4. Cf. CIC, can 692; 1196-1197. - 5. DH 1. - 6. DH 2. - 7. NA 2. - 8. DH 14. - 9. DH 1. - 10. AA 13. - 11. Cf. DH 1. - 12. Cf. AA 13. - 13. Cf. Léon XIII, enc. « Immortale Dei »; Pie XI enc. « Quas primas ».

1738 public, seul ou associé à d'autres [1]. » Ce droit est fondé sur la nature même de la personne humaine dont la dignité la fait adhérer librement à la vérité divine qui transcende l'ordre temporel. C'est pourquoi il « persiste même en ceux-là qui ne satisfont pas à l'obligation de chercher la vérité et d'y adhérer [2] ».

2107 « Si, en raison des circonstances particulières dans lesquelles se trouvent des peuples, une reconnaissance civile spéciale est accordée dans l'ordre juridique de la cité à une société religieuse donnée, il est nécessaire qu'en même temps, pour tous les citoyens et toutes les communautés religieuses, le droit à la liberté en matière religieuse soit reconnu et respecté [3]. »

2108 Le droit à la liberté religieuse n'est ni la permission morale d'adhérer à
1740 l'erreur [4], ni un droit supposé à l'erreur [5], mais un droit naturel de la personne humaine à la liberté civile, c'est-à-dire à l'immunité de contrainte extérieure, dans de justes limites, en matière religieuse, de la part du pouvoir politique. Ce droit naturel doit être reconnu dans l'ordre juridique de la société de telle manière qu'il constitue un droit civil [6].

2109 Le droit à la liberté religieuse ne peut être de soi ni illimité [7], ni limité seulement par un
2244 « ordre public » conçu de manière positiviste ou naturaliste [8]. Les « justes limites » qui lui sont inhérentes doivent être déterminées pour chaque situation sociale par la prudence politique, selon
1906 les exigences du bien commun, et ratifiées par l'autorité civile selon des « règles juridiques conformes à l'ordre moral objectif [9] ».

III. « Tu n'auras pas d'autres dieux devant Moi »

2110 Le premier commandement interdit d'honorer d'autres dieux que l'Unique Seigneur qui S'est révélé à son peuple. Il proscrit la superstition et l'irréligion. La superstition représente en quelque sorte un excès pervers de religion; l'irréligion est un vice opposé par défaut à la vertu de religion.

La superstition

2111 La superstition est la déviation du sentiment religieux et des pratiques qu'il impose. Elle peut affecter aussi le culte que nous rendons au vrai Dieu, par exemple, lorsqu'on attribue une importance en quelque sorte magique à certaines pratiques, par ailleurs légitimes ou nécessaires. Attacher à la seule matérialité des prières ou des signes sacramentels leur efficacité, en dehors de dispositions intérieures qu'ils exigent, c'est tomber dans la superstition [10].

L'idolâtrie

2112 Le premier commandement condamne le *polythéisme*. Il exige de l'homme
210 de ne pas croire en d'autres dieux que Dieu, de ne pas vénérer d'autres divinités

---

1. DH 2. - 2. DH 2. - 3. DH 6. - 4. Cf. Léon XIII, enc. « Libertas praestantissimum ». - 5. Cf. Pie XII, discours 6 décembre 1953. - 6. Cf. DH 2. - 7. Cf. Pie VI, bref « Quod aliquantum ». - 8. Cf. Pie IX, enc. « Quanta cura ». - 9. DH 7. - 10. Cf. Mt 23, 16-22.

que l'Unique. L'Écriture rappelle constamment ce rejet des « idoles, or et argent, oeuvres de mains d'hommes », elles qui « ont une bouche et ne parlent pas, des yeux et ne voient pas »... Ces idoles vaines rendent vain : « Comme elles, seront ceux qui les firent, quiconque met en elles sa foi » (Ps 115, 4-5. 8)[1]. Dieu, au contraire, est le « Dieu vivant » (Jos 3, 10; Ps 42, 3; etc.), qui fait vivre et intervient dans l'histoire.

2113 L'idolâtrie ne concerne pas seulement les faux cultes du paganisme. Elle reste une tentation constante de la foi. Elle consiste à diviniser ce qui n'est pas *398* Dieu. Il y a idolâtrie dès lors que l'homme honore et révère une créature à la place *2534* de Dieu, qu'il s'agisse des dieux ou des démons (par exemple le satanisme), de pouvoir, de plaisir, de la race, des ancêtres, de l'État, de l'argent, etc. « Vous ne *2289* pouvez servir Dieu et Mammon », dit Jésus (Mt 6, 24). De nombreux martyrs sont morts pour ne pas adorer « la Bête[2] », en refusant même d'en simuler le culte. *2473* L'idolâtrie récuse l'unique Seigneurie de Dieu; elle est donc incompatible avec la communion divine[3].

2114 La vie humaine s'unifie dans l'adoration de l'Unique. Le commandement d'adorer le seul Seigneur simplifie l'homme et le sauve d'une dispersion infinie. L'idolâtrie est une perversion du sens religieux inné de l'homme. L'idolâtre est celui qui « rapporte à n'importe quoi plutôt qu'à Dieu son indestructible notion de Dieu[4] ».

Divination et magie

2115 Dieu peut révéler l'avenir à ses prophètes ou à d'autres saints. Cependant l'attitude chrétienne juste consiste à s'en remettre avec confiance entre les mains de la Providence pour ce qui concerne le futur et à abandonner toute curiosité mal- *305* saine à ce propos. L'imprévoyance peut constituer un manque de responsabilité.

2116 Toutes les formes de *divination* sont à rejeter : recours à Satan ou aux démons, évocation des morts ou autres pratiques supposées à tort « dévoiler » l'avenir[5]. La consultation des horoscopes, l'astrologie, la chiromancie, l'interprétation des présages et des sorts, les phénomènes de voyance, le recours aux médiums recèlent une volonté de puissance sur le temps, sur l'histoire et finalement sur les hommes en même temps qu'un désir de se concilier les puissances cachées. Elles sont en contradiction avec l'honneur et le respect, mêlé de crainte aimante, que nous devons à Dieu seul.

2117 Toutes les pratiques de *magie* ou de *sorcellerie,* par lesquelles on prétend domestiquer les puissances occultes pour les mettre à son service et obtenir un

---

1. Cf. Is 44, 9-20; Jr 10, 1-16; Dn 14, 1-30; Ba 6; Sg 13, 1-15, 19. - 2. Cf. Ap 13-14. - 3. Cf. Ga 5, 20; Ep 5, 5. - 4. Origène, Cels. 2, 40. - 5. Cf. Dt 18, 10; Jr 29, 8.

pouvoir surnaturel sur le prochain - fût-ce pour lui procurer la santé -, sont gravement contraires à la vertu de religion. Ces pratiques sont plus condamnables
encore quand elles s'accompagnent d'une intention de nuire à autrui ou qu'elles
recourent à l'intervention des démons. Le port des amulettes est lui aussi répréhen-
sible. Le *spiritisme* implique souvent des pratiques divinatoires ou magiques. Aussi
l'Église avertit-elle les fidèles de s'en garder. Le recours aux médecines dites tradi-
tionnelles ne légitime ni l'invocation des puissances mauvaises, ni l'exploitation de
la crédulité d'autrui.

L'irréligion

2118 Le premier commandement de Dieu réprouve les principaux péchés d'irréligion : l'action de tenter Dieu, en paroles ou en actes, le sacrilège et la simonie.

394

2119 L'action de *tenter Dieu* consiste en une mise à l'épreuve, en parole ou en
acte, de sa bonté et de sa Toute-Puissance. C'est ainsi que Satan voulait obtenir de
Jésus qu'Il se jette du Temple et force Dieu, par ce geste, à agir [1]. Jésus lui oppose
la parole de Dieu : « Tu ne tenteras pas le Seigneur, ton Dieu » (Dt 6, 16). Le défi
qui contient pareille tentation de Dieu blesse le respect et la confiance que nous

2088 devons à notre Créateur et Seigneur. Il inclut toujours un doute concernant son
amour, sa providence et sa puissance [2].

2120 Le *sacrilège* consiste à profaner ou à traiter indignement les sacrements et
les autres actions liturgiques, ainsi que les personnes, les choses et les lieux consacrés à Dieu. Le sacrilège est un péché grave surtout quand il est commis contre
l'Eucharistie puisque, dans ce sacrement, le Corps même du Christ nous est rendu

1374 présent substantiellement [3].

2121 La *simonie* [4] se définit comme l'achat ou la vente des réalités spirituelles. À
Simon le magicien, qui voulait acheter le pouvoir spirituel qu'il voyait à l'oeuvre
dans les apôtres, Pierre répond : « Périsse ton argent, et toi avec lui, puisque tu as
cru acheter le don de Dieu à prix d'argent » (Ac 8, 20). Il se conformait ainsi à la
parole de Jésus : « Vous avez reçu gratuitement, donnez gratuitement » (Mt 10, 8) [5].

1578 Il est impossible de s'approprier les biens spirituels et de se comporter à leur égard
comme un possesseur ou un maître, puisqu'ils ont leur source en Dieu. On ne
peut que les recevoir gratuitement de Lui.

2122 « En dehors des offrandes fixées par l'autorité compétente, le ministre ne demandera rien
pour l'administration des sacrements, en veillant toujours à ce que les nécessiteux ne soient
pas privés de l'aide des sacrements à cause de leur pauvreté [6]. » L'autorité compétente fixe ces

---

1. Cf. Lc 4, 9. - 2. Cf. 1 Co 10, 9; Ex 17, 2-7; Ps 95, 9. - 3. Cf. CIC, can. 1367; 1376. - 4. Cf. Ac 8, 9-24.
- 5. Cf. déjà Is 55, 1. - 6. CIC, can. 848.

« offrandes » en vertu du principe que le peuple chrétien doit subvenir à l'entretien des ministres de l'Église. « L'ouvrier mérite sa nourriture » (Mt 10, 10)[1].

L'athéisme

2123 « Beaucoup de nos contemporains ne perçoivent pas du tout ou même rejettent explicitement le rapport intime et vital qui unit l'homme à Dieu : à tel point que l'athéisme compte parmi les faits les plus graves de ce temps[2]. »   *29*

2124 Le nom d'athéisme recouvre des phénomènes très divers. Une forme fréquente en est le matérialisme pratique qui borne ses besoins et ses ambitions à l'espace et au temps. L'humanisme athée considère faussement que l'homme « est pour lui-même sa propre fin, le seul artisan et le démiurge de son histoire[3] ». Une autre forme de l'athéisme contemporain attend la libération de l'homme d'une libération économique et sociale à laquelle « s'opposerait par sa nature même, la religion, dans la mesure où érigeant l'espérance de l'homme sur le mirage d'une vie future, elle le détournerait d'édifier la cité terrestre[4] ».

2125 En tant qu'il rejette ou refuse l'existence de Dieu, l'athéisme est un péché contre la vertu de religion[5]. L'imputabilité de cette faute peut être largement dimi-   *1535* nuée en vertu des intentions et des circonstances. Dans la genèse et la diffusion de l'athéisme, « les croyants peuvent avoir une part qui n'est pas mince, dans la mesure où, par la négligence dans l'éducation de la foi, par des représentations trompeuses de la doctrine, et aussi par des défaillances de leur vie religieuse, morale et sociale, on peut dire qu'ils voilent l'authentique visage de Dieu et de la religion plus qu'ils ne le révèlent[6] ».

2126 Souvent l'athéisme se fonde sur une conception fausse de l'autonomie humaine, poussée jusqu'au refus de toute dépendance à l'égard de Dieu[7].   *396* Pourtant, « la reconnaissance de Dieu ne s'oppose en aucune façon à la dignité de l'homme, puisque cette dignité trouve en Dieu Lui-même ce qui la fonde et ce qui   *154* l'achève[8] ». L'Église sait « que son message est en accord avec le fond secret du coeur humain[9] ».

L'agnosticisme

2127 L'agnosticisme revêt plusieurs formes. Dans certains cas, l'agnostique se refuse à nier Dieu; il postule au contraire l'existence d'un être transcendant qui ne pourrait se révéler et dont personne ne saurait rien dire. Dans d'autres cas, l'agnostique ne se prononce pas sur l'existence de Dieu, déclarant qu'il est impossible de la prouver et même de l'affirmer ou de la nier.   *36*

---

1. Cf. Lc 10, 7; 1 Co 9, 5-18; 1 Tm 5, 17-18. - 2. GS 19, § 1. - 3. GS 20, § 1. - 4. GS 20, § 2. - 5. Cf. Rm 1, 18. - 6. GS 19, § 3. - 7. Cf. GS 20, § 1. - 8. GS 21, § 3. - 9. GS 21, § 7.

1036

2128 L'agnosticisme peut parfois contenir une certaine recherche de Dieu, mais il peut également représenter un indifférentisme, une fuite devant la question ultime de l'existence, et une paresse de la conscience morale. L'agnosticisme équivaut trop souvent à un athéisme pratique.

1159-1162

IV. « Tu ne te feras aucune image sculptée... »

2129 L'injonction divine comportait l'interdiction de toute représentation de Dieu par la main de l'homme. Le Deutéronome explique : « Puisque vous n'avez vu aucune forme, le jour où le Seigneur, à l'Horeb, vous a parlé du milieu du feu, n'allez pas vous pervertir et vous faire une image sculptée représentant quoi que ce soit... » (Dt 4, 15-16.) C'est le Dieu absolument Transcendant qui s'est révélé à Israël. « Il est toutes choses » mais, en même temps, « Il est au-dessus de toutes ses oeuvres » (Si 43, 27-28). Il est « la source même de toute beauté créée » (Sg 13, 3).

300
2500

2130 Cependant, dès l'Ancien Testament, Dieu a ordonné ou permis l'institution d'images qui conduiraient symboliquement au salut par le Verbe incarné : ainsi le serpent d'airain[1], l'arche d'alliance et les chérubins[2].

2131 C'est en se fondant sur le mystère du Verbe incarné que le septième Concile œcuménique, à Nicée (en 787), a justifié, contre les iconoclastes, le culte des icônes : celles du Christ, mais aussi celles de la Mère de Dieu, des anges et de tous les saints. En s'incarnant, le Fils de Dieu a inauguré une nouvelle « économie » des images.

476

2132 Le culte chrétien des images n'est pas contraire au premier commandement qui proscrit les idoles. En effet, « l'honneur rendu à une image remonte au modèle original[3] », et « quiconque vénère une image, vénère en elle la personne qui y est dépeinte[4] ». L'honneur rendu aux saintes images est une « vénération respectueuse », non une adoration qui ne convient qu'à Dieu seul :

> Le culte de la religion ne s'adresse pas aux images en elles-mêmes comme des réalités, mais les regarde sous leur aspect propre d'images qui nous conduisent à Dieu incarné. Or le mouvement qui s'adresse à l'image en tant que telle ne s'arrête pas à elle, mais tend à la réalité dont elle est l'image[5].

EN BREF

2133 « *Tu aimeras le Seigneur ton Dieu, de tout ton coeur, de toute ton âme et de toutes tes forces* » *(Dt 6, 5).*

---

1. Cf. Nb 21, 4-9; Sg 16, 5-14; Jn 3, 14-15. - 2. Cf. Ex 25, 10-22; 1 R 6, 23-28; 7, 23-26. - 3. S. Basile, Spir. 18, 45. - 4. Cc. Nicée II : DS 601; cf. Cc. Trente : DS 1821-1825; Cc. Vatican II : SC 126; LG 67. - 5. S. Thomas d'A., s. th. 2-2, 81, 3, ad 3.

2134 *Le premier commandement appelle l'homme à croire en Dieu, à espérer en Lui et à L'aimer par-dessus tout.*

2135 *« C'est le Seigneur ton Dieu que tu adoreras » (Mt 4, 10). Adorer Dieu, Le prier, Lui offrir le culte qui Lui revient, accomplir les promesses et les vœux qu'on Lui a faits, sont des actes de la vertu de religion qui relèvent de l'obéissance au premier commandement.*

2136 *Le devoir de rendre à Dieu un culte authentique concerne l'homme individuellement et socialement.*

2137 *L'homme « doit pouvoir professer librement la religion en privé et en public[1] ».*

2138 *La superstition est une déviation du culte que nous rendons au vrai Dieu. Elle éclate dans l'idolâtrie, ainsi que dans les différentes formes de divination et de magie.*

2139 *L'action de tenter Dieu, en paroles ou en actes, le sacrilège, la simonie sont des péchés d'irréligion interdits par le premier commandement.*

2140 *En tant qu'il rejette ou refuse l'existence de Dieu, l'athéisme est un péché contre le premier commandement.*

2141 *Le culte des images saintes est fondé sur le mystère de l'Incarnation du Verbe de Dieu. Il n'est pas contraire au premier commandement.*

ARTICLE 2

Le deuxième commandement

Tu ne prononceras pas le nom du Seigneur ton Dieu à faux (Ex 20, 7; Dt 5, 11).

Il a été dit aux anciens : « Tu ne parjureras pas. » (…) Eh bien ! moi je vous dis de ne pas jurer du tout (Mt 5, 33-34).

I. Le nom du Seigneur est saint

2807-2815

2142 Le deuxième commandement *prescrit de respecter le nom du Seigneur.* Il relève, comme le premier commandement, de la vertu de religion et règle plus particulièrement notre usage de la parole dans les choses saintes.

---

1. DH 15.

2143 Parmi toutes les paroles de la Révélation il en est une, singulière, qui est la *203* révélation de son nom. Dieu confie son nom à ceux qui croient en Lui; Il se révèle à eux dans son mystère personnel. Le don du nom appartient à l'ordre de la confidence et de l'intimité. « Le nom du Seigneur est saint. » C'est pourquoi l'homme ne *435* peut en abuser. Il doit le garder en mémoire dans un silence d'adoration aimante [1]. Il ne le fera intervenir dans ses propres paroles que pour le bénir, le louer et le glorifier [2].

2144 La déférence à l'égard de son nom exprime celle qui est due au mystère de Dieu Lui-même et à toute la réalité sacrée qu'il évoque. Le *sens du sacré* relève de la vertu de religion :

> Les sentiments de crainte et de sacré sont-ils des sentiments chrétiens ou non ?
> Personne ne peut raisonnablement en douter. Ce sont les sentiments que nous
> aurions, et à un degré intense, si nous avions la vision du Dieu souverain. Ce sont
> les sentiments que nous aurions si nous « réalisions » sa présence. Dans la mesure
> où nous croyons qu'Il est présent, nous devons les avoir. Ne pas les avoir, c'est ne
> point réaliser, ne point croire qu'Il est présent [3].

2145 Le fidèle doit témoigner du nom du Seigneur, en confessant sa foi sans *2472, 427* céder à la peur [4]. L'acte de la prédication et l'acte de la catéchèse doivent être pénétrés d'adoration et de respect pour le nom de notre Seigneur Jésus-Christ.

2146 Le deuxième commandement *interdit l'abus du nom de Dieu*, c'est-à-dire tout usage inconvenant du nom de Dieu, de Jésus-Christ, de la Vierge Marie et de tous les saints :

2147 Les *promesses* faites à autrui au nom de Dieu engagent l'honneur, la fidélité, *2101* la véracité et l'autorité divines. Elles doivent être respectées en justice. Leur être infidèle, c'est abuser du nom de Dieu et, en quelque sorte, faire de Dieu un menteur [5].

2148 Le *blasphème* s'oppose directement au deuxième commandement. Il consiste à proférer contre Dieu - intérieurement ou extérieurement - des paroles de haine, de reproche, de défi, à dire du mal de Dieu, à manquer de respect envers Lui dans ses propos, à abuser du nom de Dieu. S. Jacques réprouve « ceux qui blasphèment le beau nom (de Jésus) qui a été invoqué sur eux » (Jc 2, 7). L'interdiction du blasphème s'étend aux paroles contre l'Église du Christ, les saints, les choses sacrées. Il est encore blasphématoire de recourir au nom de Dieu pour couvrir des pratiques criminelles, réduire des peuples en servitude, torturer ou mettre à mort. L'abus du nom de Dieu pour commettre un crime provoque le rejet de la religion.

---

1. Cf. Za 2, 17. - 2. Cf. Ps 29, 2; 96, 2; 113, 1-2. - 3. Newman, par. 5, 2. - 4. Cf. Mt 10, 32; 1 Tm 6, 12.
- 5. Cf. 1 Jn 1, 10.

Le blasphème est contraire au respect dû à Dieu et à son saint nom. Il est de soi un péché grave[1].

1756

2149 Les *jurons,* qui font intervenir le nom de Dieu, sans intention de blasphème, sont un manque de respect envers le Seigneur. Le second commandement interdit aussi l'*usage magique* du nom divin.

> Le nom de Dieu est grand là où on le prononce avec le respect dû à sa grandeur et à sa Majesté. Le nom de Dieu est saint là où on le nomme avec vénération et la crainte de L'offenser[2].

II. Le nom du Seigneur prononcé à faux

2150 Le deuxième commandement *proscrit le faux serment.* Faire serment ou jurer, c'est prendre Dieu à témoin de ce que l'on affirme. C'est invoquer la véracité divine en gage de sa propre véracité. Le serment engage le nom du Seigneur « C'est ton Dieu que tu craindras, Lui que tu serviras; c'est par son nom que tu jureras » (Dt 6, 13).

2151 La réprobation du faux serment est un devoir envers Dieu. Comme Créateur et Seigneur, Dieu est la règle de toute vérité. La parole humaine est en accord ou en opposition avec Dieu qui est la Vérité même. Lorsqu'il est véridique et légitime, le serment met en lumière le rapport de la parole humaine à la vérité de Dieu. Le faux serment appelle Dieu à témoigner d'un mensonge.

215

2152 Est *parjure* celui qui, sous serment, fait une promesse qu'il n'a pas l'intention de tenir, ou qui, après avoir promis sous serment, ne s'y tient pas. Le parjure constitue un grave manque de respect envers le Seigneur de toute parole. S'engager par serment à faire une oeuvre mauvaise est contraire à la sainteté du nom divin.

2476
1756

2153 Jésus a exposé le deuxième commandement dans le sermon sur la Montagne : « Vous avez entendu qu'il a été dit aux ancêtres : "Tu ne parjureras pas, mais tu t'acquitteras envers le Seigneur de tes serments." Eh bien ! Moi Je vous dis de ne pas jurer du tout (...). Que votre langage soit : "Oui ? oui", "Non ? non" : ce qu'on dit de plus vient du Mauvais » (Mt 5, 33-34. 37) 3. Jésus enseigne que tout serment implique une référence à Dieu et que la présence de Dieu et de sa vérité doit être honorée en toute parole. La discrétion du recours à Dieu dans le langage va de pair avec l'attention respectueuse à sa présence, attestée ou bafouée, en chacune de nos affirmations.

2466

2154 À la suite de S. Paul[4], la tradition de l'Église a compris la parole de Jésus comme ne s'opposant pas au serment lorsqu'il est fait pour une cause grave et juste

---

1. Cf. CIC, can. 1369. - 2. S. Augustin, serm. Dom. 2, 45, 19. - 3. Cf. Jc 5, 12. - 4. Cf. 2 Co 1, 23; Ga 1, 20.

(par exemple devant le tribunal). « Le serment, c'est-à-dire l'énonciation du nom divin comme témoin de la vérité, ne peut être porté qu'en vérité, avec discernement et selon la justice[1]. »

2155 La sainteté du nom divin exige de ne pas recourir à lui pour des choses futiles, et de ne pas prêter serment dans des circonstances susceptibles de le faire interpréter comme une approbation du pouvoir qui l'exigerait injustement. Lorsque le serment est exigé par des autorités civiles illégitimes, il peut être refusé. Il doit l'être quand il est demandé à des fins contraires à la dignité des personnes ou à la communion de l'Église.

1903

III. Le nom chrétien

2156 Le sacrement de Baptême est conféré « au nom du Père et du Fils et du Saint-Esprit » (Mt 28, 19). Dans le baptême, le nom du Seigneur sanctifie l'homme, et le chrétien reçoit son nom dans l'Église. Ce peut être celui d'un saint, c'est-à-dire d'un disciple qui a vécu une vie de fidélité exemplaire à son Seigneur. Le patronage du saint offre un modèle de charité et assure de son intercession. Le « nom de baptême » peut encore exprimer un mystère chrétien ou une vertu chrétienne. « Les parents, les parrains et le curé veilleront à ce que ne soit pas donné de prénom étranger au sens chrétien[2]. »

232
1267

2157 Le chrétien commence sa journée, ses prières et ses actions par le signe de la Croix, « au nom du Père et du Fils et du Saint-Esprit. Amen. » Le baptisé voue la journée à la Gloire de Dieu et fait appel à la grâce du Sauveur qui lui permet d'agir dans l'Esprit comme enfant du Père. Le signe de la Croix nous fortifie dans les tentations et dans les difficultés.

1235
1668

2158 Dieu appelle chacun par son nom[3]. Le nom de tout homme est sacré. Le nom est l'icône de la personne. Il exige le respect, en signe de la dignité de celui qui le porte.

2159 Le nom reçu est un nom d'éternité. Dans le royaume, le caractère mystérieux et unique de chaque personne marquée du nom de Dieu resplendira en pleine lumière. « Au vainqueur, (...) je donnerai un caillou blanc, portant gravé un nom nouveau que nul ne connaît, hormis celui qui le reçoit » (Ap 2, 17). « Voici que l'Agneau apparut à mes yeux; il se tenait sur le mont Sion, avec cent quarante-quatre milliers de gens portant, inscrits sur le front, son nom et le nom de son Père » (Ap 14, 1).

EN BREF

2160 *« Ô Seigneur notre Dieu qu'il est grand ton nom par tout l'univers » (Ps 8, 2).*

2161 *Le deuxième commandement prescrit de respecter le nom du Seigneur. Le nom du Seigneur est saint.*

---

1. CIC, can. 1199, § 1. - 2. CIC, can. 855. - 3. Cf. Is 43, 1; Jn 10, 3.

2162 *Le second commandement interdit tout usage inconvenant du nom de Dieu. Le blasphème consiste à user du nom de Dieu, de Jésus-Christ, de la Vierge Marie et des saints d'une façon injurieuse.*

2163 *Le faux serment appelle Dieu à témoigner d'un mensonge. Le parjure est un manquement grave envers le Seigneur, toujours fidèle à ses promesses.*

2164 *« Ne jurer ni par le Créateur, ni par la créature, si ce n'est avec vérité, nécessité et révérence* [1]*. »*

2165 *Dans le Baptême, le chrétien reçoit son nom dans l'Église. Les parents, les parrains et le curé veilleront à ce que lui soit donné un prénom chrétien. Le patronage d'un saint offre un modèle de charité et assure sa prière.*

2166 *Le chrétien commence ses prières et ses actions par le signe de la Croix « au nom du Père et du Fils et du Saint-Esprit. Amen. »*

2167 *Dieu appelle chacun par son nom* [2]*.*

ARTICLE 3
Le troisième commandement

Souviens-toi du jour du sabbat pour le sanctifier. Pendant six jours tu travailleras et tu feras tout ton ouvrage; mais le septième jour est un sabbat pour le Seigneur ton Dieu. Tu n'y feras aucun ouvrage (Ex 20, 8-10) [3].

Le sabbat a été fait pour l'homme, et non l'homme pour le sabbat; en sorte que le Fils de l'homme est maître même du sabbat (Mc 2, 27-28).

I. Le jour du sabbat

346-348

2168 Le troisième commandement du Décalogue rappelle la sainteté du sabbat : « Le septième jour est un sabbat; un repos complet consacré au Seigneur » (Ex 31, 15).

2169 L'Écriture fait à ce propos *mémoire de la création* : « Car en six jours le Seigneur a fait le ciel et la terre, la mer et tout ce qui s'y trouve, mais Il s'est reposé le septième jour. Voilà pourquoi le Seigneur a béni le jour du sabbat, Il l'a sanctifié » (Ex 20, 11).

2057

---

1. S. Ignace, ex. spir. 38. - 2. Cf. Is 43, 1. - 3. Cf. Dt 5, 12-15.

2170 L'Écriture révèle encore dans le jour du Seigneur un *mémorial de la libération d'Israël* de la servitude d'Égypte : « Tu te souviendras que tu as été esclave au pays d'Égypte et que le Seigneur ton Dieu t'en a fait sortir à main forte et à bras étendu. Voilà pourquoi le Seigneur ton Dieu te commande de pratiquer le jour du sabbat » (Dt 5, 15).

2171 Dieu a confié à Israël le sabbat pour qu'il le garde *en signe de l'alliance* infrangible [1]. Le sabbat est pour le Seigneur, saintement réservé à la louange de Dieu, de son oeuvre de création et de ses actions salvifiques en faveur d'Israël.

2184

2172 L'agir de Dieu est le modèle de l'agir humain. Si Dieu a « repris haleine » le septième jour (Ex 31, 17), l'homme doit aussi « chômer » et laisser les autres, surtout les pauvres, « reprendre souffle » (Ex 23, 12). Le sabbat fait cesser les travaux quotidiens et accorde un répit. C'est un jour de protestation contre les servitudes du travail et le culte de l'argent [2].

582

2173 L'Évangile rapporte de nombreux incidents où Jésus est accusé de violer la loi du sabbat. Mais jamais Jésus ne manque à la sainteté de ce jour [3]. Il en donne avec autorité l'interprétation authentique : « Le sabbat a été fait pour l'homme, et non l'homme pour le sabbat » (Mc 2, 27). Avec compassion, le Christ s'autorise « le jour du sabbat, de faire du bien plutôt que le mal, de sauver une vie plutôt que de la tuer » (Mc 3, 4). Le sabbat est le jour du Seigneur des miséricordes et de l'honneur de Dieu [4]. « Le Fils de l'Homme est maître du sabbat » (Mc 2, 28).

II. Le jour du Seigneur

> Ce jour qu'a fait le Seigneur, exultons et soyons dans la joie (Ps 118, 24).

Le jour de la Résurrection : la création nouvelle

638
349

2174 Jésus est ressuscité d'entre les morts, « le premier jour de la semaine » (Mt 28, 1; Mc 16, 2; Lc 24, 1; Jn 20, 1). En tant que « premier jour », le jour de la Résurrection du Christ rappelle la première création. En tant que « huitième jour » qui suit le sabbat [5] il signifie la nouvelle création inaugurée avec la Résurrection du Christ. Il est devenu pour les chrétiens le premier de tous les jours, la première de toutes les fêtes, le jour du Seigneur *(Hè kuriakè hèmera, dies dominica)*, le « dimanche » :

> Nous nous assemblons tous le jour du soleil parce que c'est le premier jour [après le sabbat juif, mais aussi le premier jour] où Dieu, tirant la matière des ténèbres, a créé le monde et que, ce même jour, Jésus-Christ notre Sauveur ressuscita d'entre les morts [6].

---

1. Cf. Ex 31, 16. - 2. Cf. Ne 13, 15-22; 2 Ch 36, 21. - 3. Cf. Mc 1, 21; Jn 9, 16. - 4. Cf. Mt 12, 5; Jn 7, 23. - 5. Cf. Mc 16, 1; Mt 28, 1. - 6. S. Justin, apol. 1, 67.

Le dimanche – accomplissement du sabbat

2175 Le dimanche se distingue expressément du sabbat auquel il succède chronologiquement, chaque semaine, et dont il remplace pour les chrétiens la prescription cérémonielle. Il accomplit, dans la Pâque du Christ, la vérité spirituelle du sabbat juif et annonce le repos éternel de l'homme en Dieu. Car le culte de la loi préparait le mystère du Christ, et ce qui s'y pratiquait figurait quelque trait relatif au Christ[1] :

1166

> Ceux qui vivaient selon l'ancien ordre des choses sont venus à la nouvelle espérance, n'observant plus le sabbat, mais le Jour du Seigneur, en lequel notre vie est bénie par Lui et par sa mort[2].

2176 La célébration du dimanche observe la prescription morale naturellement inscrite au coeur de l'homme de « rendre à Dieu un culte extérieur, visible, public et régulier sous le signe de son bienfait universel envers les hommes[3] ». Le culte dominical accomplit le précepte moral de l'Ancienne Alliance dont il reprend le rythme et l'esprit en célébrant chaque semaine le Créateur et le Rédempteur de son peuple.

L'Eucharistie dominicale

2177 La célébration dominicale du Jour et de l'Eucharistie du Seigneur est au coeur de la vie de l'Église. « Le dimanche, où, de par la tradition apostolique, est célébré le mystère Pascal, doit être observé dans l'Église tout entière comme le principal jour de fête de précepte[4]. »

1167

> « De même, doivent être observés les jours de la Nativité de notre Seigneur Jésus-Christ, de l'Épiphanie, de l'Ascension et du Très Saint Corps et Sang du Christ, le jour de Sainte Marie Mère de Dieu, de son Immaculée Conception et de son Assomption, de saint Joseph, des saints apôtres Pierre et Paul et de tous les Saints[5]. »

2043

2178 Cette pratique de l'assemblée chrétienne date des débuts de l'âge apostolique[6]. L'épître aux Hébreux rappelle : « Ne désertez pas votre propre assemblée comme quelques-uns ont coutume de le faire; mais encouragez-vous mutuellement » (He 10, 25).

1343

> La tradition garde le souvenir d'une exhortation toujours actuelle : « Venir tôt à l'Église, s'approcher du Seigneur et confesser ses péchés, se repentir dans la prière (...). Assister à la sainte et divine liturgie, finir sa prière et ne point partir avant le renvoi (...). Nous l'avons souvent dit : ce jour vous est donné pour la prière et le repos. Il est le Jour que le Seigneur a fait. En lui exultons et réjouissons-nous[7]. »

---

1. Cf. 1 Co 10, 11. - 2. S. Ignace d'Antioche, Magn. 9, 1. - 3. S. Thomas d'A., s. th. 2-2, 122, 4. - 4. CIC, can. 1246, § 1. - 5. CIC, can. 1246, § 1. - 6. Cf. Ac 2, 42-46; 1 Co 11, 17. - 7. Auteur anonyme, serm. dom.

2179 « La *paroisse* est une communauté précise de fidèles qui est constituée d'une
1567 manière stable dans une Église particulière, et dont la charge pastorale est confiée
au curé, comme à son pasteur propre, sous l'autorité de l'évêque diocésain[1]. » Elle
2691 est le lieu où tous les fidèles peuvent être rassemblés par la célébration dominicale
2226 de l'Eucharistie. La paroisse initie le peuple chrétien à l'expression ordinaire de la
vie liturgique, elle le rassemble dans cette célébration; elle enseigne la doctrine
salvifique du Christ; elle pratique la charité du Seigneur dans des oeuvres bonnes
et fraternelles :

> Tu ne peux pas prier à la maison comme à l'Église, où il y a le grand nombre, où
> le cri est lancé à Dieu d'un seul coeur. Il y a là quelque chose de plus, l'union des
> esprits, l'accord des âmes, le lien de la charité, les prières des prêtres[2].

L'obligation du dimanche

2180 Le commandement de l'Église détermine et précise la Loi du Seigneur : « Le
2042 dimanche et les autres jours de fête de précepte, les fidèles sont tenus par l'obliga-
1389 tion de participer à la Messe[3]. » « Satisfait au précepte de participation à la Messe,
qui assiste à la Messe célébrée selon le rite catholique le jour de fête lui-même ou
le soir du jour précédent[4]. »

2181 L'Eucharistie du dimanche fonde et sanctionne toute la pratique chrétienne.
C'est pourquoi les fidèles sont obligés de participer à l'Eucharistie les jours de précepte, à moins d'en être excusés pour une raison sérieuse (par exemple la maladie,
le soin des nourrissons) ou dispensés par leur pasteur propre[5]. Ceux qui délibérément manquent à cette obligation commettent un péché grave.

2182 La participation à la célébration commune de l'Eucharistie dominicale est un
815 témoignage d'appartenance et de fidélité au Christ et à son Église. Les fidèles attestent par là leur communion dans la foi et la charité. Ils témoignent ensemble de la
sainteté de Dieu et de leur espérance du Salut. Ils se réconfortent mutuellement
sous la guidance de l'Esprit Saint.

2183 « Si, faute de ministres sacrés, ou pour toute autre cause grave, la participation à la célébration eucharistique est impossible, il est vivement recommandé que les fidèles participent à la liturgie
de la Parole s'il y en a une, dans l'église paroissiale ou dans un autre lieu sacré, célébrée selon les
dispositions prises par l'évêque diocésain, ou bien s'adonnent à la prière durant un temps convenable, seuls ou en famille, ou, selon l'occasion, en groupe de familles[6]. »

Jour de grâce et de cessation du travail

2184 Comme Dieu « se reposa le septième jour après tout le travail qu'Il avait
2172 fait » (Gn 2, 2), la vie humaine est rythmée par le travail et le repos. L'institution du

---

1. CIC, can. 515, § 1. - 2. S. Jean Chrysostome, incomprehens. 3, 6. - 3. CIC, can. 1247. - 4. CIC, can.
1248, § 1. - 5. Cf. CIC, can. 1245. - 6. CIC, can. 1248, § 2.

Jour du Seigneur contribue à ce que tous jouissent du temps de repos et de loisir suffisant qui leur permette de cultiver leur vie familiale, culturelle, sociale et religieuse[1].

2185 Pendant le dimanche et les autres jours de fête de précepte, les fidèles s'abstiendront de se livrer à des travaux ou à des activités qui empêchent le culte dû à Dieu, la joie propre au Jour du Seigneur, la pratique des oeuvres de miséricorde et la détente convenable de l'esprit et du corps[2]. Les nécessités familiales ou une grande utilité sociale constituent des excuses légitimes vis-à-vis du précepte du repos dominical. Les fidèles veilleront à ce que de légitimes excuses n'introduisent pas des habitudes préjudiciables à la religion, à la vie de famille et à la santé.

2428

> L'amour de la vérité cherche le saint loisir, la nécessité de l'amour accueille le juste travail[3].

2186 Que les chrétiens qui disposent de loisirs se rappellent leurs frères qui ont les mêmes besoins et les mêmes droits et ne peuvent se reposer à cause de la pauvreté et de la misère. Le dimanche est traditionnellement consacré par la piété chrétienne aux bonnes oeuvres et aux humbles services des malades, des infirmes, des vieillards. Les chrétiens sanctifieront encore le dimanche en donnant à leur famille et à leurs proches le temps et les soins, difficiles à accorder les autres jours de la semaine. Le dimanche est un temps de réflexion, de silence, de culture et de méditation qui favorisent la croissance de la vie intérieure et chrétienne.

2447

2187 Sanctifier les dimanches et jours de fête exige un effort commun. Chaque chrétien doit éviter d'imposer sans nécessité à autrui ce qui l'empêcherait de garder le jour du Seigneur. Quand les coutumes (sport, restaurants, etc.) et les contraintes sociales (services publics, etc.) requièrent de certains un travail dominical, chacun garde la responsabilité d'un temps suffisant de loisir. Les fidèles veilleront, avec tempérance et charité, à éviter les excès et les violences engendrés parfois par des loisirs de masse. Malgré les contraintes économiques, les pouvoirs publics veilleront à assurer aux citoyens un temps destiné au repos et au culte divin. Les employeurs ont une obligation analogue vis-à-vis de leurs employés.

2289

2188 Dans le respect de la liberté religieuse et du bien commun de tous, les chrétiens ont à faire reconnaître les dimanches et jours de fête de l'Église comme des jours fériés légaux. Ils ont à donner à tous un exemple public de prière, de respect et de joie et à défendre leurs traditions comme une contribution précieuse à la vie spirituelle de la société humaine. Si la législation du pays ou d'autres raisons obligent à travailler le dimanche, que ce jour soit néanmoins vécu comme le jour de notre délivrance qui nous fait participer à cette « réunion de fête », à cette « assemblée des premiers-nés qui sont inscrits dans les cieux » (He 12, 22-23).

2105

En bref

2189 *« Observe le jour du sabbat pour Le sanctifier » (Dt 5, 12). « Le septième jour sera jour de repos complet, consacré au Seigneur » (Ex 31, 15).*

---

1. Cf. GS 67, § 3. - 2. Cf. CIC, can. 1247. - 3. S. Augustin, civ. 19, 19.

2190 *Le sabbat qui représentait l'achèvement de la première création est remplacé par le dimanche qui rappelle la création nouvelle, inaugurée à la Résurrection du Christ.*

2191 *L'Église célèbre le jour de la Résurrection du Christ le huitième jour, qui est nommé à bon droit jour du Seigneur, ou dimanche[1].*

2192 *« Le dimanche (...) doit être observé dans l'Église tout entière comme le principal jour de fête de précepte[2]. » « Le dimanche et les autres jours de fête de précepte, les fidèles sont tenus par l'obligation de participer à la Messe[3]. »*

2193 *« Le dimanche ou les autres jours de précepte, les fidèles s'abstiendront de ces travaux et de ces affaires qui empêchent le culte dû à Dieu, la joie propre du jour du Seigneur ou la détente convenable de l'esprit et du corps[4]. »*

2194 *L'institution du dimanche contribue à ce que « tous jouissent du temps de repos et de loisir suffisant qui leur permette de cultiver leur vie familiale, culturelle, sociale et religieuse[5] ».*

2195 *Chaque chrétien doit éviter d'imposer sans nécessité à autrui ce qui l'empêcherait de garder le jour du Seigneur.*

CHAPITRE DEUXIÈME

« Tu aimeras ton prochain comme toi-même »

Jésus dit à ses disciples : « Aimez-vous les uns les autres comme Je vous ai aimés » (Jn 13, 34).

2196 En réponse à la question posée sur le premier des commandements, Jésus dit : « Le premier, c'est : "Écoute Israël ! Le Seigneur notre Dieu est l'Unique Seigneur; et tu aimeras le Seigneur ton Dieu de tout ton coeur, de toute ton âme, de tout ton esprit et de toute ta force !" Voici le second : "Tu aimeras ton prochain comme toi-même." Il n'y a pas de commandement plus grand que ceux-là » (Mc 12, 29-31).

2822   L'apôtre S. Paul le rappelle : « Celui qui aime autrui a de ce fait accompli la loi. En effet, le précepte : *Tu ne commettras pas d'adultère; tu ne tueras pas; tu ne*

---

1. Cf. SC 106. - 2. CIC, can. 1246, § 1. - 3. CIC, can. 1247. - 4. CIC, can. 1247. - 5. GS 67, § 3.

voleras pas; tu ne convoiteras pas, et tous les autres se résument en ces mots : Tu aimeras ton prochain comme toi-même. La charité ne fait point de tort au prochain. La charité est donc la loi dans sa plénitude » (Rm 13, 8-10).

ARTICLE 4
Le quatrième commandement

Honore ton père et ta mère afin d'avoir longue vie sur la terre que le Seigneur ton Dieu te donne (Ex 20, 12).

Il leur était soumis (Lc 2, 51).

Le Seigneur Jésus a Lui-même rappelé la force de ce « commandement de Dieu » (Mc 7, 8-13). L'apôtre enseigne : « Enfants, obéissez à vos parents, dans le Seigneur : cela est juste. "Honore ton père et ta mère", tel est le premier commandement auquel soit attachée une promesse : "pour que tu t'en trouves bien et jouisses d'une longue vie sur la terre" » (Ep 6, 1-3) [1].

2197 Le quatrième commandement ouvre la seconde table. Il indique l'ordre de la charité. Dieu a voulu qu'après Lui, nous honorions nos parents à qui nous devons la vie et qui nous ont transmis la connaissance de Dieu. Nous sommes tenus d'honorer et de respecter tous ceux que Dieu, pour notre bien, a revêtus de son autorité.

1897

2198 Ce précepte s'exprime sous la forme positive de devoirs à accomplir. Il annonce les commandements suivants qui concernent un respect particulier de la vie, du mariage, des biens terrestres, de la parole. Il constitue l'un des fondements de la doctrine sociale de l'Église.

2419

2199 Le quatrième commandement s'adresse expressément aux enfants dans leurs relations avec leurs père et mère, parce que cette relation est la plus universelle. Il concerne également les rapports de parenté avec les membres du groupe familial. Il demande de rendre honneur, affection et reconnaissance aux aïeux et aux ancêtres. Il s'étend enfin aux devoirs des élèves à l'égard du maître, des employés à l'égard des employeurs, des subordonnés à l'égard de leurs chefs, des citoyens à l'égard de leur patrie, de ceux qui l'administrent ou la gouvernent.

Ce commandement implique et sous-entend les devoirs des parents, tuteurs, maîtres, chefs, magistrats, gouvernants, de tous ceux qui exercent une autorité sur autrui ou sur une communauté de personnes.

---

1. Cf. Dt 5, 16.

2200 L'observation du quatrième commandement comporte sa récompense : « Honore ton père et ta mère afin d'avoir longue vie sur la terre que le Seigneur ton Dieu te donne » (Ex 20, 12; Dt 5, 16). Le respect de ce commandement pro-

2304   cure, avec les fruits spirituels, des fruits temporels de paix et de prospérité. Au contraire, l'inobservance de ce commandement entraîne de grands dommages pour les communautés et pour les personnes humaines.

I. La famille dans le plan de Dieu

Nature de la famille

2201 La communauté conjugale est établie sur le consentement des époux. Le

1625   mariage et la famille sont ordonnés au bien des époux et à la procréation et à l'éducation des enfants. L'amour des époux et la génération des enfants instituent entre les membres d'une même famille des relations personnelles et des responsabilités primordiales.

2202 Un homme et une femme unis en mariage forment avec leurs enfants une

1882   famille. Cette disposition précède toute reconnaissance par l'autorité publique; elle s'impose à elle. On la considérera comme la référence normale, en fonction de laquelle doivent être appréciées les diverses formes de parenté.

2203 En créant l'homme et la femme, Dieu a institué la famille humaine et l'a

369   dotée de sa constitution fondamentale. Ses membres sont des personnes égales en dignité. Pour le bien commun de ses membres et de la société, la famille implique une diversité de responsabilités, de droits et de devoirs.

1655-1658   ### La famille chrétienne

2204 « La famille chrétienne constitue une révélation et une réalisation spécifiques de la communion ecclésiale; pour cette raison, (...) elle doit être désignée comme

533   une *église domestique*[1]. » Elle est une communauté de foi, d'espérance et de charité; elle revêt dans l'Église une importance singulière comme il apparaît dans le Nouveau Testament[2].

2205 La famille chrétienne est une communion de personnes, trace et image de la

1702   communion du Père et du Fils dans l'Esprit Saint. Son activité procréatrice et éducative est le reflet de l'oeuvre créatrice du Père. Elle est appelée à partager la prière et le sacrifice du Christ. La prière quotidienne et la lecture de la Parole de Dieu fortifient en elle la charité. La famille chrétienne est évangélisatrice et missionnaire.

---

1. FC 21 ; cf. LG 11. - 2. Cf. Ep 5, 21-6, 4 ; Col 3, 18-21 ; 1 P 3, 1-7.

2206 Les relations au sein de la famille entraînent une affinité de sentiments, d'affections et d'intérêts, qui provient surtout du mutuel respect des personnes. La famille est une *communauté privilégiée* appelée à réaliser « une mise en commun des pensées entre les époux et aussi une attentive coopération des parents dans l'éducation des enfants [1] ».

II. La famille et la société

2207 La famille est la *cellule originelle de la vie sociale.* Elle est la société naturelle où l'homme et la femme sont appelés au don de soi dans l'amour et dans le don de la vie. L'autorité, la stabilité et la vie de relations au sein de la famille constituent les fondements de la liberté, de la sécurité, de la fraternité au sein de la société. La famille est la communauté dans laquelle, dès l'enfance, on peut apprendre les valeurs morales, commencer à honorer Dieu et bien user de la liberté. La vie de famille est initiation à la vie en société. *1880 372 1603*

2208 La famille doit vivre de façon que ses membres apprennent le souci et la prise en charge des jeunes et des anciens, des personnes malades ou handicapées et des pauvres. Nombreuses sont les familles qui, à certains moments, ne se trouvent pas en mesure de fournir cette aide. Il revient alors à d'autres personnes, à d'autres familles et, subsidiairement, à la société, de pourvoir à leurs besoins : « La dévotion pure et sans tache devant Dieu notre Père consiste en ceci : visiter orphelins et veuves dans leurs épreuves et se garder de toute souillure du monde » (Jc 1, 27).

2209 La famille doit être aidée et défendue par les mesures sociales appropriées. Là où les familles ne sont pas en mesure de remplir leurs fonctions, les autres corps sociaux ont le devoir de les aider et de soutenir l'institution familiale. Suivant le principe de subsidiarité, les communautés plus vastes se garderont d'usurper ses pouvoirs ou de s'immiscer dans sa vie. *1883*

2210 L'importance de la famille pour la vie et le bien-être de la société [2] entraîne une responsabilité particulière de celle-ci dans le soutien et l'affermissement du mariage et de la famille. Que le pouvoir civil considère comme un devoir grave de « reconnaître et de protéger la vraie nature du mariage et de la famille, de défendre la moralité publique et de favoriser la prospérité des foyers [3] ».

2211 La communauté politique a le devoir d'honorer la famille, de l'assister, de lui assurer notamment :
- la liberté de fonder un foyer, d'avoir des enfants et de les élever en accord avec ses propres convictions morales et religieuses;

---

1. GS. 52, § 1. - 2. Cf. GS 47, § 1. - 3. GS 52, § 2.

- la protection de la stabilité du lien conjugal et de l'institution familiale;
- la liberté de professer sa foi, de la transmettre, d'élever ses enfants en elle, avec les moyens et les institutions nécessaires;
- le droit à la propriété privée, la liberté d'entreprendre, d'obtenir un travail, un logement, le droit d'émigrer;
- selon les institutions des pays, le droit aux soins médicaux, à l'assistance pour les personnes âgées, aux allocations familiales;
- la protection de la sécurité et de la salubrité, notamment à l'égard des dangers comme la drogue, la pornographie, l'alcoolisme, etc.
- la liberté de former des associations avec d'autres familles et d'être ainsi représentées auprès des autorités civiles[1].

2212 Le quatrième commandement *éclaire les autres relations dans la société*. Dans nos frères et soeurs, nous voyons les enfants de nos parents; dans nos cousins, les descendants de nos aïeux; dans nos concitoyens, les fils de notre

225   patrie; dans les baptisés, les enfants de notre mère, l'Église; dans toute personne humaine, un fils ou une fille de Celui qui veut être appelé « notre Père ». Par là, nos relations avec notre prochain sont reconnues d'ordre personnel. Le prochain

1931   n'est pas un « individu » de la collectivité humaine; il est « quelqu'un » qui, par ses origines connues, mérite une attention et un respect singuliers.

2213 Les communautés humaines sont *composées de personnes*. Leur bon gouvernement ne se limite pas à la garantie des droits et à l'accomplissement des devoirs, ainsi qu'à la fidélité aux contrats. De justes relations entre employeurs et

1939   employés, gouvernants et citoyens, supposent la bienveillance naturelle conforme à la dignité des personnes humaines, soucieuses de justice et de fraternité.

III. Devoirs des membres de la famille

Devoirs des enfants

2214 La paternité divine est la source de la paternité humaine[2]; c'est elle qui fonde l'honneur des parents. Le respect des enfants, mineurs ou adultes, pour leurs

1858   père et mère[3] se nourrit de l'affection naturelle née du lien qui les unit. Il est demandé par le précepte divin[4].

2215 Le respect pour les parents (*piété filiale*) est fait de *reconnaissance* à l'égard de ceux qui, par le don de la vie, leur amour et leur travail, ont mis leurs enfants au monde et leur ont permis de grandir en taille, en sagesse et en grâce. « De tout ton coeur, glorifie ton père et n'oublie pas les douleurs de ta mère. Souviens-toi qu'ils t'ont donné le jour; comment leur rendras-tu ce qu'ils ont fait pour toi ? » (Si 7, 27-28.)

---

1. Cf. FC 46. - 2. Cf. Ep 3, 14. - 3. Cf. Pr 1, 8; Tb 4, 3-4. - 4. Cf. Ex 20, 12.

2216 Le respect filial se révèle par la docilité et l'*obéissance* véritables. « Garde, mon fils, le précepte de ton père, ne rejette pas l'enseignement de ta mère (...). Dans tes démarches, ils te guideront; dans ton repos, ils te garderont; à ton réveil, ils te parleront » (Pr 6, 20-22). « Un fils sage aime la remontrance, mais un moqueur n'écoute pas le reproche » (Pr 13, 1). *532*

2217 Aussi longtemps que l'enfant vit au domicile de ses parents, l'enfant doit obéir à toute demande des parents motivée par son bien ou par celui de la famille. « Enfants, obéissez en tout à vos parents, car cela est agréable au Seigneur » (Col 3, 20)[1]. Les enfants ont encore à obéir aux prescriptions raisonnables de leurs éducateurs et de tous ceux auxquels les parents les ont confiés. Mais si l'enfant est persuadé en conscience qu'il est moralement mauvais d'obéir à tel ordre, qu'il ne le suive pas.

En grandissant, les enfants continueront à respecter leurs parents. Ils préviendront leurs désirs, solliciteront volontiers leurs conseils et accepteront leurs admonestations justifiées. L'obéissance envers les parents cesse avec l'émancipation des enfants, mais non point le respect qui reste dû à jamais. Celui-ci trouve, en effet, sa racine dans la crainte de Dieu, un des dons du Saint-Esprit. *1831*

2218 Le quatrième commandement rappelle aux enfants, devenus grands, leurs *responsabilités envers les parents*. Autant qu'ils le peuvent, ils doivent leur donner l'aide matérielle et morale, dans les années de vieillesse, et durant le temps de maladie, de solitude ou de détresse. Jésus rappelle ce devoir de reconnaissance[2].

> Le Seigneur a glorifié le père devant les enfants et il a affermi le droit de la mère sur les fils. Qui honore son père expie ses péchés et qui glorifie sa mère amasse un trésor. Qui honore son père trouvera de la joie dans ses enfants et au jour de la prière il sera exaucé. Qui glorifie son père aura de longs jours et qui obéit au Seigneur donnera du repos à sa mère (Si 3, 2-6).

> Enfant, viens en aide à ton père dans sa vieillesse et ne l'attriste pas durant sa vie. Même si son esprit faiblit, sois indulgent, ne le méprise pas quand tu es en pleine force (...). Tel un blasphémateur, celui qui délaisse son père, un maudit du Seigneur celui qui rudoie sa mère (Si 3, 12-13, 16).

2219 Le respect filial favorise l'harmonie de toute la vie familiale, il concerne aussi les *relations entre frères et soeurs*. Le respect envers les parents irradie tout le milieu familial. « La couronne des vieillards, les enfants de leurs enfants » (Pr 17, 6). « Supportez-vous les uns les autres dans la charité, en toute humilité, douceur et patience » (Ep 4, 2).

2220 Pour les chrétiens, une spéciale gratitude est due à ceux dont ils ont reçu le don de la foi, la grâce du Baptême et la vie dans l'Église. Il peut s'agir des parents, d'autres membres de la famille, des grands-parents, des pasteurs, des catéchistes,

---

1. Cf. Ep 6, 1. - 2. Cf. Mc 7, 10-12.

d'autres maîtres ou amis. « J'évoque le souvenir de la foi sans feinte qui est en toi, celle qui habite d'abord en ta grand-mère Loïs et en ta mère, Eunice, et qui, j'en suis persuadé, est aussi en toi » (2 Tm 1, 5).

Devoirs des parents

2221 La fécondité de l'amour conjugal ne se réduit pas à la seule procréation des enfants, mais doit s'étendre à leur éducation morale et à leur formation spirituelle. *1653* « Le *rôle des parents dans l'éducation* est d'une telle importance qu'il est presque impossible de les remplacer[1]. » Le droit et le devoir d'éducation sont pour les parents primordiaux et inaliénables[2].

2222 Les parents doivent regarder leurs enfants comme des *enfants de Dieu* et les respecter comme des *personnes humaines*. Ils éduquent leurs enfants à accomplir *494* la Loi de Dieu, en se montrant eux-mêmes obéissants à la volonté du Père des cieux.

2223 Les parents sont les premiers responsables de l'éducation de leurs enfants. Ils témoignent de cette responsabilité d'abord par la *création d'un foyer*, où la tendresse, le pardon, le respect, la fidélité et le service désintéressé sont de règle. Le *1804* foyer est un lieu approprié à l'*éducation des vertus*. Celle-ci requiert l'apprentissage de l'abnégation, d'un sain jugement, de la maîtrise de soi, conditions de toute liberté véritable. Les parents enseigneront aux enfants à subordonner « les dimensions physiques et instinctives aux dimensions intérieures et spirituelles[3] ». C'est une grave responsabilité pour les parents de donner de bons exemples à leurs enfants. En sachant reconnaître devant eux leurs propres défauts, ils seront mieux à même de les guider et de les corriger :

> « Qui aime son fils lui prodigue des verges, qui corrige son fils en tirera profit » (Si 30, 1-2). « Et vous, pères, n'irritez pas vos enfants, élevez-les au contraire en les corrigeant et avertissant selon le Seigneur » (Ep 6, 4).

2224 Le foyer constitue un milieu naturel pour l'initiation de l'être humain à la *1939* solidarité et aux responsabilités communautaires. Les parents enseigneront aux enfants à se garder des compromissions et des dégradations qui menacent les sociétés humaines.

2225 Par la grâce du sacrement de mariage, les parents ont reçu la responsabilité *1656* et le privilège d'*évangéliser leurs enfants*. Ils les initieront dès le premier âge aux mystères de la foi dont ils sont pour leurs enfants les « premiers hérauts[4] ». Ils les associeront dès leur plus tendre enfance à la vie de l'Église. Les manières de vivre familiales peuvent nourrir les dispositions affectives qui durant la vie entière restent d'authentiques préambules et des soutiens d'une foi vivante.

---

1. GE 3. - 2. Cf. FC 36. - 3. CA 36. - 4. LG 11. 1. CIC, can. 1246, § 1.

2226 L'*éducation à la foi* par les parents doit commencer dès la plus tendre enfance. Elle se donne déjà quand les membres de la famille s'aident à grandir dans la foi par le témoignage d'une vie chrétienne en accord avec l'Évangile. La catéchèse familiale précède, accompagne et enrichit les autres formes d'enseignement de la foi. Les parents ont la mission d'apprendre à leurs enfants à prier et à découvrir leur vocation d'enfants de Dieu [1]. La paroisse est la communauté *2179* eucharistique et le coeur de la vie liturgique des familles chrétiennes; elle est un lieu privilégié de la catéchèse des enfants et des parents.

2227 Les enfants à leur tour contribuent à la *croissance* de leurs parents *dans la sainteté* [2]. Tous et chacun s'accorderont généreusement et sans se lasser les par- *2013* dons mutuels exigés par les offenses, les querelles, les injustices et les abandons. L'affection mutuelle le suggère. La charité du Christ le demande [3].

2228 Durant l'enfance, le respect et l'affection des parents se traduisent d'abord par le soin et par l'attention qu'ils consacrent à élever leurs enfants, à *pourvoir à leurs besoins physiques et spirituels.* Au cours de la croissance, le même respect et le même dévouement conduisent les parents à éduquer leurs enfants à user droitement de leur raison et de leur liberté.

2229 Premiers responsables de l'éducation de leurs enfants, les parents ont le droit de *choisir pour eux une école* qui correspond à leur propres convictions. Ce droit est fondamental. Les parents ont, autant que possible, le devoir de choisir les écoles qui les assisteront au mieux dans leur tâche d'éducateurs chrétiens [4]. Les pouvoirs publics ont le devoir de garantir ce droit des parents et d'assurer les conditions réelles de son exercice.

2230 En devenant adultes, les enfants ont le devoir et le droit de *choisir leur profession et leur état de vie.* Ils assumeront ces nouvelles responsabilités dans la relation confiante à leurs parents dont ils demanderont et recevront volontiers les avis et les conseils. Les parents veilleront à ne contraindre leurs enfants ni dans le choix *1625* d'une profession, ni dans celui d'un conjoint. Ce devoir de réserve ne leur interdit pas, bien au contraire, de les aider par des avis judicieux, particulièrement lorsque ceux-ci envisagent de fonder un foyer.

2231 Certains ne se marient pas en vue de prendre soin de leurs parents, ou de leurs frères et soeurs, de s'adonner plus exclusivement à une profession ou pour d'autres motifs honorables. Ils peuvent contribuer grandement au bien de la famille humaine.

IV. La famille et le Royaume

2232 Les liens familiaux, s'ils sont importants, ne sont pas absolus. De même que l'enfant grandit vers sa maturité et son autonomie humaines et spirituelles, de

---

1. Cf. LG 11. - 2. Cf. GS 48, § 4. - 3. Cf. Mt 18, 21-22; Lc 17, 4. - 4. Cf. GE 6.

même sa vocation singulière qui vient de Dieu s'affirme avec plus de clarté et de force. Les parents respecteront cet appel et favoriseront la réponse de leurs enfants

1618   à le suivre. Il faut se convaincre que la vocation première du chrétien est de *suivre Jésus*[1] : « Qui aime père et mère plus que Moi, n'est pas digne de Moi, et qui aime fils ou fille plus que Moi n'est pas digne de Moi » (Mt 10, 37).

2233   Devenir disciple de Jésus, c'est accepter l'invitation d'appartenir à la *famille*

542   *de Dieu*, de vivre en conformité avec sa manière de vivre : « Quiconque fait la volonté de mon Père qui est dans les cieux, celui-là est mon frère et ma soeur, et ma mère » (Mt 12, 49).

Les parents accueilleront et respecteront avec joie et action de grâce l'appel du Seigneur à un de leurs enfants de le suivre dans la virginité pour le Royaume, dans la vie consacrée ou dans le ministère sacerdotal.

V. Les autorités dans la société civile

2234   Le quatrième commandement de Dieu nous ordonne aussi d'honorer tous

1897   ceux qui, pour notre bien, ont reçu de Dieu une autorité dans la société. Il éclaire les devoirs de ceux qui exercent l'autorité comme de ceux à qui elle bénéficie.

Devoirs des autorités civiles

2235   Ceux qui exercent une autorité doivent l'exercer comme un service. « Celui qui voudra devenir grand parmi vous sera votre serviteur » (Mt 20, 26). L'exercice

1899   d'une autorité est moralement mesuré par son origine divine, sa nature raisonnable et son objet spécifique. Nul ne peut commander ou instituer ce qui est contraire à la dignité des personnes et à la loi naturelle.

2236   L'exercice de l'autorité vise à rendre manifeste une juste hiérarchie des valeurs afin de faciliter l'exercice de la liberté et de la responsabilité de tous. Les

2411   supérieurs exercent la justice distributive avec sagesse, tenant compte des besoins et de la contribution de chacun et en vue de la concorde et de la paix. Ils veillent à ce que les règles et dispositions qu'ils prennent n'induisent pas en tentation en opposant l'intérêt personnel à celui de la communauté[2].

2237   Les *pouvoirs politiques* sont tenus de respecter les droits fondamentaux de

357   la personne humaine. Ils rendront humainement la justice dans le respect du droit de chacun, notamment des familles et des déshérités.

Les droits politiques attachés à la citoyenneté peuvent et doivent être accordés selon les exigences du bien commun. Ils ne peuvent être suspendus par les pouvoirs publics sans motif légitime et proportionné. L'exercice des droits politiques est destiné au bien commun de la nation et de la communauté humaine.

---

1. Cf. Mt 16, 25. - 2. Cf. CA 25.

Devoirs des citoyens

2238 Ceux qui sont soumis à l'autorité regarderont leurs supérieurs comme représentants de Dieu qui les a institués ministres de ses dons[1] : « Soyez soumis, à cause du Seigneur, à toute institution humaine. (...) Agissez en hommes libres, non pas en hommes qui font de la liberté un voile sur leur malice, mais en serviteurs de Dieu » (1 P 2, 13. 16). Leur collaboration loyale comporte le droit, parfois le devoir d'exercer une juste remontrance sur ce qui leur paraîtrait nuisible à la dignité des personnes et au bien de la communauté.

1900

2239 Le *devoir des citoyens* est de contribuer avec les pouvoirs civils au bien de la société dans un esprit de vérité, de justice, de solidarité et de liberté. L'amour et le service de la *patrie* relèvent du devoir de reconnaissance et de l'ordre de la charité. La soumission aux autorités légitimes et le service du bien commun exigent des citoyens qu'ils accomplissent leur rôle dans la vie de la communauté politique.

1915
2310

2240 La soumission à l'autorité et la coresponsabilité du bien commun exigent moralement le paiement des impôts, l'exercice du droit de vote, la défense du pays :

2265

> Rendez à tous ce qui leur est dû : à qui l'impôt, l'impôt; à qui les taxes, les taxes; à qui la crainte, la crainte; à qui l'honneur, l'honneur (Rm 13, 7).

> Les chrétiens résident dans leur propre patrie, mais comme des étrangers domiciliés. Ils s'acquittent de tous leurs devoirs de citoyens et supportent toutes leurs charges comme des étrangers (...). Ils obéissent aux lois établies, et leur manière de vivre l'emporte sur les lois (...). Si noble est le poste que Dieu leur a assigné qu'il ne leur est pas permis de déserter[2].

> L'apôtre nous exhorte à faire des prières et des actions de grâce pour les rois et pour tous ceux qui exercent l'autorité, « afin que nous puissions mener une vie calme et paisible en toute piété et dignité » (1 Tm 2, 2).

1900

2241 Les nations mieux pourvues sont tenues d'accueillir autant que faire se peut l'*étranger* en quête de la sécurité et des ressources vitales qu'il ne peut trouver dans son pays d'origine. Les pouvoirs publics veilleront au respect du droit naturel qui place l'hôte sous la protection de ceux qui le reçoivent.

> Les autorités politiques peuvent en vue du bien commun dont elles ont la charge subordonner l'exercice du droit d'immigration à diverses conditions juridiques, notamment au respect des devoirs des migrants à l'égard du pays d'adoption. L'immigré est tenu de respecter avec reconnaissance le patrimoine matériel et spirituel de son pays d'accueil, d'obéir à ses lois et de contribuer à ses charges.

2242 Le citoyen est obligé en conscience de ne pas suivre les prescriptions des autorités civiles quand ces préceptes sont contraires aux exigences de l'ordre

1903

---

1. Cf. Rm 13, 1-2. - 2. Épître à Diognète 5, 5. 10; 6, 10.

2313
450
moral, aux droits fondamentaux des personnes ou aux enseignements de l'Évangile. Le *refus d'obéissance* aux autorités civiles, lorsque leurs exigences sont contraires à celles de la conscience droite, trouve sa justification dans la distinction entre le service de Dieu et le service de la communauté politique. « Rendez à César ce qui appartient à César, et à Dieu ce qui appartient à Dieu » (Mt 22, 21). « Il faut obéir à Dieu plutôt qu'aux hommes » (Ac 5, 29) :

1901
> Si l'autorité publique, débordant sa compétence, opprime les citoyens, que ceux-ci ne refusent pas ce qui est objectivement demandé par le bien commun. Il leur est cependant permis de défendre leurs droits et ceux de leurs concitoyens contre les abus du pouvoir, en respectant les limites tracées par la loi naturelle et la Loi évangélique[1].

2309
2243 La *résistance* à l'oppression du pouvoir politique ne recourra pas légitimement aux armes, sauf si se trouvent réunies les conditions suivantes : 1- en cas de violations certaines, graves et prolongées des droits fondamentaux; 2 - après avoir épuisé tous les autres recours; 3 - sans provoquer des désordres pires; 4 - qu'il y ait un espoir fondé de réussite; 5 - s'il est impossible de prévoir raisonnablement des solutions meilleures.

La communauté politique et l'Église

1910
1881
2109
2244 Toute institution s'inspire, même implicitement, d'une vision de l'homme et de sa destinée, d'où elle tire ses références de jugement, sa hiérarchie des valeurs, sa ligne de conduite. La plupart des sociétés ont référé leurs institutions à une certaine prééminence de l'homme sur les choses. Seule la Religion divinement révélée a clairement reconnu en Dieu, Créateur et Rédempteur, l'origine et la destinée de l'homme. L'Église invite les pouvoirs politiques à référer leurs jugements et leurs décisions à cette inspiration de la Vérité sur Dieu et sur l'homme :

> Les sociétés qui ignorent cette inspiration, ou la refusent au nom de leur indépendance par rapport à Dieu, sont amenées à chercher en elles-mêmes ou à emprunter à une idéologie leurs références et leur fin, et, n'admettant pas que l'on défende un critère objectif du bien et du mal, se donnent sur l'homme et sur sa destinée un pouvoir totalitaire, déclaré ou sournois, comme le montre l'histoire[2].

912
2245 L'Église qui, en raison de sa charge et de sa compétence, ne se confond d'aucune manière avec la communauté politique, est à la fois le signe et la sauvegarde du caractère transcendant de la personne humaine. « L'Église respecte et promeut la liberté politique et la responsabilité des citoyens[3]. »

2032
2246 Il appartient à la mission de l'Église de « porter un jugement moral, même en des matières qui touchent le domaine politique, quand les droits fondamentaux

---

1. GS 74, § 5. - 2. Cf. CA 45; 46. - 3. GS 76, § 3.

de la personne ou le salut des âmes l'exigent, en utilisant tous les moyens, et ceux- *2420*
là seulement, qui sont conformes à l'Évangile et en harmonie avec le bien de tous,
selon la diversité des temps et des situations[1] ».

EN BREF

2247 *« Honore ton père et ta mère » (Dt 5, 16; Mc 7, 10).*

2248 *Selon le quatrième commandement, Dieu a voulu qu'après Lui nous honorions nos parents et ceux qu'Il a, pour notre bien, revêtus d'autorité.*

2249 *La communauté conjugale est établie sur l'alliance et le consentement des époux. Le mariage et la famille sont ordonnés au bien des conjoints, à la procréation et à l'éducation des enfants.*

2250 *« Le bien humain et chrétien de la personne et de la société est étroitement lié à la bonne santé de la communauté conjugale et familiale[2]. »*

2251 *Les enfants doivent à leurs parents respect, gratitude, juste obéissance et aide. Le respect filial favorise l'harmonie de toute la vie familiale.*

2252 *Les parents sont les premiers responsables de l'éducation de leurs enfants à la foi, à la prière et à toutes les vertus. Ils ont le devoir de pourvoir dans toute la mesure du possible aux besoins physiques et spirituels de leurs enfants.*

2253 *Les parents doivent respecter et favoriser la vocation de leurs enfants. Ils se rappelleront et enseigneront que le premier appel du chrétien, c'est de suivre Jésus.*

2254 *L'autorité publique est tenue de respecter les droits fondamentaux de la personne humaine et les conditions d'exercice de sa liberté.*

2255 *Le devoir des citoyens est de travailler avec les pouvoirs civils à l'édification de la société dans un esprit de vérité, de justice, de solidarité et de liberté.*

2256 *Le citoyen est obligé en conscience de ne pas suivre les prescriptions des autorités civiles quand ces préceptes sont contraires aux exigences de l'ordre moral. « Il faut obéir à Dieu plutôt qu'aux hommes » (Ac 5, 29).*

---

1. GS 76, § 5. - 2. GS 47, § 1.

2257 *Toute société réfère ses jugements et sa conduite à une vision de l'homme et de sa destinée. Hors des lumières de l'Évangile sur Dieu et sur l'homme, les sociétés deviennent aisément totalitaires.*

ARTICLE 5

Le cinquième commandement

Tu ne commettras pas de meurtre (Ex 20, 13).

Vous avez appris qu'il a été dit aux anciens : « Tu ne tueras pas. Celui qui tuera sera passible du jugement. » Et Moi, je vous dis que quiconque se met en colère contre son frère sera passible du jugement (Mt 5, 21-22).

2258 *356* « *La vie humaine est sacrée* parce que, dès son origine, elle comporte l'action créatrice de Dieu et demeure pour toujours dans une relation spéciale avec le Créateur, son unique fin. Dieu seul est le maître de la vie de son commencement à son terme : personne en aucune circonstance ne peut revendiquer pour soi le droit de détruire directement un être humain innocent[1]. »

I. Le respect de la vie humaine

Le témoignage de l'Histoire Sainte

2259 *401* L'Écriture, dans le récit du meurtre d'Abel par son frère Caïn[2], révèle, dès les débuts de l'histoire humaine, la présence dans l'homme de la colère et de la convoitise, conséquences du péché originel. L'homme est devenu l'ennemi de son semblable. Dieu dit la scélératesse de ce fratricide : « Qu'as-tu fait ? La voix du sang de ton frère crie vers Moi. Maintenant donc maudit sois-tu de par le sol qui a ouvert sa bouche pour prendre de ta main le sang de ton frère » (Gn 4, 10-11).

2260 L'alliance de Dieu et de l'humanité est tissée des rappels du don divin de la vie humaine et de la violence meurtrière de l'homme :

Je demanderai compte du sang de chacun de vous (...). Qui verse le sang de l'homme, par l'homme aura son sang versé. Car à l'image de Dieu l'homme a été fait (Gn 9, 5-6).

L'Ancien Testament a toujours considéré le sang comme un signe sacré de la vie[3]. La nécessité de cet enseignement est de tous les temps.

---

1. CDF, instr. « Donum vitae » intr. 5. - 2. Cf. Gn 4, 8-12. - 3. Cf. Lv 17, 14.

2261 L'Écriture précise l'interdit du cinquième commandement : « Tu ne tueras pas l'innocent ni le juste » (Ex 23, 7). Le meurtre volontaire d'un innocent est gravement contraire à la dignité de l'être humain, à la règle d'or et à la sainteté du Créateur. La loi qui le proscrit est universellement valable : elle oblige tous et chacun, toujours et partout.

1756
1956

2262 Dans le sermon sur la Montagne, le Seigneur rappelle le précepte : « Tu ne tueras pas » (Mt 5, 21), il y ajoute la proscription de la colère, de la haine et de la vengeance. Davantage encore, le Christ demande à son disciple de tendre l'autre joue[1], d'aimer ses ennemis[2]. Lui-même ne s'est pas défendu et a dit à Pierre de laisser l'épée au fourreau[3].

2844

La légitime défense

2263 La défense légitime des personnes et des sociétés n'est pas une exception à l'interdit du meurtre de l'innocent que constitue l'homicide volontaire. « L'action de se défendre peut entraîner un double effet : l'un est la conservation de sa propre vie, l'autre la mort de l'agresseur. (...) L'un seulement est voulu; l'autre ne l'est pas[4]. »

1737

2264 L'amour envers soi-même demeure un principe fondamental de la moralité. Il est donc légitime de faire respecter son propre droit à la vie. Qui défend sa vie n'est pas coupable d'homicide même s'il est contraint de porter à son agresseur un coup mortel :

2196

> Si pour se défendre on exerce une violence plus grande qu'il ne faut, ce sera illicite. Mais si l'on repousse la violence de façon mesurée, ce sera licite (...). Et il n'est pas nécessaire au salut que l'on omette cet acte de protection mesurée pour éviter de tuer l'autre; car on est davantage tenu de veiller à sa propre vie qu'à celle d'autrui[5].

2265 La légitime défense peut être non seulement un droit, mais un devoir grave, pour celui qui est responsable de la vie d'autrui, du bien commun de la famille ou de la cité.

2240

2266 Préserver le bien commun de la société exige la mise hors d'état de nuire de l'agresseur. À ce titre l'enseignement traditionnel de l'Église a reconnu le bien-fondé du droit et du devoir de l'autorité publique légitime de sévir par des peines proportionnées à la gravité du délit, sans exclure dans des cas d'une extrême gravité la peine de mort. Pour des raisons analogues les détenteurs de l'autorité ont le droit de repousser par les armes les agresseurs de la cité dont ils ont la charge.

1897,1899

2308

La peine a pour premier effet de compenser le désordre introduit par la faute. Quand cette peine est volontairement acceptée par le coupable, elle a valeur

1449

---

1. Cf. Mt 5, 22-39. - 2. Cf. Mt 5, 44. - 3. Cf. Mt 26, 52. - 4. S. Thomas d'A., s. th. 2-2, 64, 7.
- 5. S. Thomas d'A., s. th. 2-2, 64, 7.

d'expiation. De plus, la peine a pour effet de préserver l'ordre public et la sécurité des personnes. Enfin, la peine a une valeur médicinale, elle doit, dans la mesure du possible, contribuer à l'amendement du coupable[1].

2267 Si les moyens non sanglants suffisent à défendre les vies humaines contre l'agresseur et à protéger l'ordre public et la sécurité des personnes, l'autorité s'en tiendra à ces moyens, parce que ceux-ci correspondent mieux aux conditions concrètes du bien commun et sont plus conformes à la dignité de la personne humaine.

2306

L'homicide volontaire

2268 Le cinquième commandement proscrit comme gravement peccamineux l'*homicide direct et volontaire*. Le meurtrier et ceux qui coopèrent volontairement au meurtre commettent un péché qui crie vengeance au ciel[2].

1867

L'infanticide[3], le fratricide, le parricide et le meurtre du conjoint sont des crimes spécialement graves en raison des liens naturels qu'il brisent. Des préoccupations d'eugénisme ou d'hygiène publique ne peuvent justifier aucun meurtre, fût-il commandé par les pouvoirs publics.

2269 Le cinquième commandement interdit de ne rien faire dans l'intention de provoquer *indirectement* la mort d'une personne. La loi morale défend d'exposer sans raison grave quelqu'un à un risque mortel ainsi que de refuser l'assistance à une personne en danger.

L'acceptation par la société humaine de famines meurtrières sans s'efforcer d'y porter remède est une scandaleuse injustice et une faute grave. Les trafiquants, dont les pratiques usurières et mercantiles provoquent la faim et la mort de leurs frères en humanité, commettent indirectement un homicide. Celui-ci leur est imputable[4].

2290

L'homicide *involontaire* n'est pas moralement imputable. Mais on n'est pas excusé d'une faute grave si, sans raisons proportionnées, on a agi de manière à entraîner la mort, même sans l'intention de la donner.

L'avortement

2270 La vie humaine doit être respectée et protégée de manière absolue depuis le moment de la conception. Dès le premier moment de son existence, l'être humain doit se voir reconnaître les droits de la personne, parmi lesquels le droit inviolable de tout être innocent à la vie[5].

1703

357

Avant d'être façonné dans le ventre maternel, je te connaissais. Avant ta sortie du sein, je t'ai consacré (Jr 1, 5).

Mes os n'étaient point cachés devant toi quand je fus fait dans le secret, brodé dans les profondeurs de la terre (Ps 139, 15).

---

1. Cf. Lc 23, 40-43. - 2. Cf. Gn 4, 10. - 3. Cf. GS 51, § 3. - 4. Cf. Am 8, 4-10. - 5. Cf. CDF, instr. « Donum vitae » 1, 1.

2271 Depuis le Ier siècle, l'Église a affirmé la malice morale de tout avortement provoqué. Cet enseignement n'a pas changé. Il demeure invariable. L'avortement direct, c'est-à-dire voulu comme une fin ou comme un moyen, est gravement contraire à la loi morale :

> Tu ne tueras pas l'embryon par l'avortement et tu ne feras pas périr le nouveau-né[1].

> Dieu, Maître de la vie, a confié aux hommes le noble ministère de la vie, et l'homme doit s'en acquitter d'une manière digne de Lui. La vie doit donc être sauvegardée avec soin extrême dès la conception : l'avortement et l'infanticide sont des crimes abominables[2].

2272 La coopération formelle à un avortement constitue une faute grave. L'Église sanctionne d'une peine canonique d'excommunication ce délit contre la vie humaine. « Qui procure un avortement, si l'effet s'ensuit, encourt l'excommunication *latae sententiae*[3] », « par le fait même de la commission du délit[4] » et aux conditions prévues par le Droit[5]. L'Église n'entend pas ainsi restreindre le champ de la miséricorde. Elle manifeste la gravité du crime commis, le dommage irréparable causé à l'innocent mis à mort, à ses parents et à toute la société. *1463*

2273 Le droit inaliénable à la vie de tout individu humain innocent constitue un *élément constitutif de la société civile et de sa législation* : *1930*

> « Les droits inaliénables de la personne devront être reconnus et respectés par la société civile et l'autorité politique. Les droits de l'homme ne dépendent ni des individus, ni des parents, et ne représentent pas même une concession de la société et de l'État; ils appartiennent à la nature humaine et sont inhérents à la personne en raison de l'acte créateur dont elle tire son origine. Parmi ces droits fondamentaux, il faut nommer le droit à la vie et à l'intégrité physique de tout être humain depuis la conception jusqu'à la mort[6]. »

> « Dans le moment où une loi positive prive une catégorie d'êtres humains de la protection que la législation civile doit leur accorder, l'État en vient à nier l'égalité de tous devant la loi. Quand l'État ne met pas sa force au service des droits de tous les citoyens, et en particulier des plus faibles, les fondements même d'un état de droit se trouvent menacés (...). Comme conséquence du respect et de la protection qui doivent être assurés à l'enfant dès le moment de sa conception, la loi devra prévoir des sanctions pénales appropriées pour toute violation délibérée de ses droits[7]. »

2274 Puisqu'il doit être traité comme une personne, dès la conception, l'embryon devra être défendu dans son intégrité, soigné et guéri, dans la mesure du possible comme tout autre être humain.

Le *diagnostic prénatal* est moralement licite, « s'il respecte la vie et l'intégrité de l'embryon et du fœtus humain, et s'il est orienté à sa sauvegarde ou à sa guérison individuelle

---

1. Didaché 2, 2; cf. Barnabé, ep. 19, 5; Épître à Diognète 5, 5; Tertullien, apol. 9. - 2. GS 51, § 3.
- 3. CIC, can. 1398. - 4. CIC, can. 1314. - 5. Cf. CIC, can. 1323-1324. - 6. CDF, instr. « Donum vitae » 3.
- 7. CDF, instr. « Donum vitae » 3.

(...). Il est gravement en opposition avec la loi morale, quand il prévoit, en fonction des résultats, l'éventualité de provoquer un avortement. Un diagnostic ne doit pas être l'équivalent d'une sentence de mort [1]. »

2275 « On doit considérer comme licites les interventions sur l'embryon humain, à condition qu'elles respectent la vie et l'intégrité de l'embryon et qu'elles ne comportent pas pour lui de risques disproportionnés, mais qu'elles visent à sa guérison, à l'amélioration de ses conditions de santé, ou à sa survie individuelle [2]. »

« Il est immoral de produire des embryons humains destinés à être exploités comme un matériau biologique disponible [3]. »

« Certaines tentatives d'*intervention sur le patrimoine chromosomique ou génétique* ne sont pas thérapeutiques, mais tendent à la production d'êtres humains sélectionnés selon le sexe ou d'autres qualités préétablies. Ces manipulations sont contraires à la dignité personnelle de l'être humain, à son intégrité et à son identité » unique, non réitérable [4].

L'euthanasie

1503

2276 Ceux dont la vie est diminuée où affaiblie réclament un respect spécial. Les personnes malades ou handicapées doivent être soutenues pour mener une vie aussi normale que possible.

2277 Quels qu'en soient les motifs et les moyens, l'euthanasie directe consiste à mettre fin à la vie de personnes handicapées, malades ou mourantes. Elle est moralement irrecevable.

Ainsi une action ou une omission qui, de soi ou dans l'intention, donne la mort afin de supprimer la douleur, constitue un meurtre gravement contraire à la dignité de la personne humaine et au respect du Dieu vivant, son Créateur. L'erreur de jugement dans laquelle on peut être tombé de bonne foi, ne change pas la nature de cet acte meurtrier, toujours à proscrire et à exclure.

1007

2278 La cessation de procédures médicales onéreuses, périlleuses, extraordinaires ou disproportionnées avec les résultats attendus, peut être légitime. C'est le refus de « l'acharnement thérapeutique ». On ne veut pas ainsi donner la mort; on accepte de ne pas pouvoir l'empêcher. Les décisions doivent être prises par le patient s'il en a la compétence et la capacité, ou sinon par les ayants droit légaux, en respectant toujours la volonté raisonnable et les intérêts légitimes du patient.

2279 Même si la mort est considérée comme imminente, les soins ordinairement dus à une personne malade ne peuvent être légitimement interrompus. L'usage des analgésiques pour alléger les souffrances du moribond, même au risque d'abréger ses jours, peut être moralement conforme à la dignité humaine si la mort n'est pas voulue, ni comme fin ni comme moyen, mais seulement prévue et tolérée comme inévitable. Les soins palliatifs constituent une forme privilégiée de la charité désintéressée. À ce titre ils doivent être encouragés.

---

1. CDF, instr. « Donum vitae » 1, 2. - 2. CDF, instr. « Donum vitae » 1, 3. - 3. CDF, instr. « Donum vitae » 1, 5. - 4. CDF, instr. « Donum vitae » 1, 6.

Le suicide

2280 Chacun est responsable de sa vie devant Dieu qui la lui a donnée. C'est Lui qui en reste le souverain Maître. Nous sommes tenus de la recevoir avec reconnaissance et de la préserver pour son honneur et le salut de nos âmes. Nous sommes les intendants et non les propriétaires de la vie que Dieu nous a confiée. Nous n'en disposons pas.   *2258*

2281 Le suicide contredit l'inclination naturelle de l'être humain à conserver et à perpétuer sa vie. Il est gravement contraire au juste amour de soi. Il offense également l'amour du prochain, parce qu'il brise injustement les liens de solidarité avec les sociétés familiale, nationale et humaine à l'égard desquelles nous demeurons   *2212* obligés. Le suicide est contraire à l'amour du Dieu vivant.

2282 S'il est commis dans l'intention de servir d'exemple, notamment pour les jeunes, le suicide prend encore la gravité d'un scandale. La coopération volontaire au suicide est contraire à la loi morale.

Des troubles psychiques graves, l'angoisse ou la crainte grave de l'épreuve, de la souffrance ou de la torture peuvent diminuer la responsabilité du suicidaire.   *1735*

2283 On ne doit pas désespérer du salut éternel des personnes qui se sont donné la mort. Dieu peut leur ménager, par les voies que Lui seul connaît, l'occasion d'une salutaire repentance. L'Église prie pour les personnes qui ont attenté à leur   *1037* vie.

II. Le respect de la dignité des personnes

Le respect de l'âme d'autrui : le scandale

2284 Le scandale est l'attitude ou le comportement qui portent autrui à faire le mal. Celui qui scandalise se fait le tentateur de son prochain. Il porte atteinte à la   *2847* vertu et à la droiture; il peut entraîner son frère dans la mort spirituelle. Le scandale constitue une faute grave si par action ou omission il entraîne délibérément autrui à une faute grave.

2285 Le scandale revêt une gravité particulière en vertu de l'autorité de ceux qui le causent ou de la faiblesse de ceux qui le subissent. Il a inspiré à notre Seigneur   *1903* cette malédiction : « Qui scandalise un de ces petits, il vaudrait mieux pour lui qu'on l'ait précipité dans la mer avec une pierre au cou » (Mt 18, 6)[1]. Le scandale

---

1. Cf. 1 Co 8, 10-13.

est grave lorsqu'il est porté par ceux qui, par nature ou par fonction, sont tenus d'enseigner et d'éduquer les autres. Jésus en fait le reproche aux scribes et aux Pharisiens : Il les compare à des loups déguisés en agneaux[1].

2286 Le scandale peut être provoqué par la loi ou par les institutions, par la mode ou par l'opinion.

1887   Ainsi se rendent coupables de scandale ceux qui instituent des lois ou des structures sociales menant à la dégradation des moeurs et à la corruption de la vie religieuse, ou à des « conditions sociales qui, volontairement ou non, rendent ardue et pratiquement impossible une conduite chrétienne conforme aux commandements[2] ». Il en va de même des chefs d'entreprise qui portent des règlements incitant à la fraude, des maîtres qui « exaspèrent » leurs enfants[3] ou de ceux qui, *2498*   manipulant l'opinion publique, la détournent des valeurs morales.

2287 Celui qui use de pouvoirs dont il dispose dans des conditions qui entraînent à mal faire, se rend coupable de scandale et responsable du mal qu'il a, directement ou indirectement, favorisé. « Il est impossible que les scandales n'arrivent pas, mais malheur à celui par qui ils arrivent » (Lc 17, 1).

Le respect de la santé

2288 La vie et la santé physique sont des biens précieux confiés par Dieu. Nous *1503* avons à en prendre soin raisonnablement en tenant compte des nécessités d'autrui et du bien commun.

1509   Le *soin de la santé* des citoyens requiert l'aide de la société pour obtenir les conditions d'existence qui permettent de grandir et d'atteindre la maturité : nourriture et vêtement, habitat, soins de santé, enseignement de base, emploi, assistance sociale.

2289 Si la morale appelle au respect de la vie corporelle, elle ne fait pas de celle-*364* ci une valeur absolue. Elle s'insurge contre une conception néo-païenne qui tend à *2113* promouvoir le *culte du corps*, à tout lui sacrifier, à idolâtrer la perfection physique et la réussite sportive. Par le choix sélectif qu'elle opère entre les forts et les faibles, une telle conception peut conduire à la perversion des rapports humains.

2290 La vertu de tempérance dispose à *éviter toutes les sortes d'excès*, l'abus de la *1809* table, de l'alcool, du tabac et des médicaments. Ceux qui en état d'ivresse ou par goût immodéré de la vitesse, mettent en danger la sécurité d'autrui et la leur propre sur les routes, en mer ou dans les airs, se rendent gravement coupables.

2291 L'*usage de la drogue* inflige de très graves destructions à la santé et à la vie humaine. En dehors d'indications strictement thérapeutiques, c'est une faute

---

1. Cf. Mt 7, 15. - 2. Pie XII, discours 1er juin 1941. - 3. Cf. Ep 6, 4; Col 3, 21.

grave. La production clandestine et le trafic de drogues sont des pratiques scandaleuses; ils constituent une coopération directe, puisqu'ils y incitent, à des pratiques gravement contraires à la loi morale.

Le respect de la personne et la recherche scientifique

2292 Les expérimentations scientifiques, médicales ou psychologiques, sur les personnes ou les groupes humains peuvent concourir à la guérison des malades et au progrès de la santé publique.

2293 La recherche scientifique de base comme la recherche appliquée constituent une expression significative de la seigneurie de l'homme sur la création. La science et la technique sont de précieuses ressources quand elles sont mises au service de l'homme et en promeuvent le développement intégral au bénéfice de tous; elles ne peuvent cependant indiquer à elles seules le sens de l'existence et du progrès humain. La science et la technique sont ordonnées à l'homme, dont elles tirent origine et accroissement; elles trouvent donc dans la personne et ses valeurs morales l'indication de leur finalité et la conscience de leurs limites. *159* *1703*

2294 Il est illusoire de revendiquer la neutralité morale de la recherche scientifique et de ses applications. D'autre part, les critères d'orientation ne peuvent être déduits ni de la simple efficacité technique, ni de l'utilité qui peut en découler pour les uns au détriment des autres, ni, pis encore, des idéologies dominantes. La science et la technique requièrent de par leur signification intrinsèque le respect inconditionné des critères fondamentaux de la moralité; elles doivent être au service de la personne humaine, de ses droits inaliénables, de son bien véritable et intégral, conformément au projet et à la volonté de Dieu. *2375*

2295 Les recherches ou expérimentations sur l'être humain ne peuvent légitimer des actes en eux-mêmes contraires à la dignité des personnes et à la loi morale. Le consentement éventuel des sujets ne justifie pas de tels actes. L'expérimentation sur l'être humain n'est pas moralement légitime si elle fait courir à la vie ou à l'intégrité physique et psychique du sujet des risques disproportionnés ou évitables. L'expérimentation sur les êtres humains n'est pas conforme à la dignité de la personne si de plus elle a lieu sans le consentement éclairé du sujet ou de ses ayants droits. *1753*

2296 La *transplantation d'organes* n'est pas moralement acceptable si le donneur ou ses ayants droit n'y ont pas donné leur consentement éclairé. La transplantation d'organes est conforme à la loi morale et peut être méritoire si les dangers et les risques physiques et psychiques encourus par le donneur sont proportionnés au bien recherché chez le destinataire. Il est moralement inadmissible de provoquer directement la mutilation invalidante ou la mort d'un être humain, fût-ce pour retarder le décès d'autres personnes.

Le respect de l'intégrité corporelle

2297 Les *enlèvements* et la *prise d'otages* font régner la terreur et, par la menace, exercent d'intolérables pressions sur les victimes. Ils sont moralement illégitimes. Le *terrorisme* qui menace, blesse et tue sans discrimination est gravement contraire à la justice et à la charité. La *torture* qui use de violence physique ou morale pour arracher des aveux, pour châtier des coupables, effrayer des opposants, satisfaire la haine est contraire au respect de la personne et de la dignité humaine. En dehors d'indications médicales d'ordre strictement thérapeutique, les *amputations, mutilations ou stérilisations* directement volontaires des personnes innocentes sont contraires à la loi morale[1].

2298 Dans les temps passés, des pratiques cruelles ont été communément pratiquées par des gouvernements légitimes pour maintenir la loi et l'ordre, souvent sans protestation des pasteurs de l'Église, qui ont eux-mêmes adopté dans leurs propres tribunaux les prescriptions du droit romain sur la torture. A côté de ces faits regrettables, l'Église a toujours enseigné le devoir de clémence et

2267 de miséricorde; elle a défendu aux clercs de verser le sang. Dans les temps récents, il est devenu évident que ces pratiques cruelles n'étaient ni nécessaires à l'ordre public, ni conformes aux droits légitimes de la personne humaine. Au contraire, ces pratiques conduisent aux pires dégradations. Il faut oeuvrer à leur abolition. Il faut prier pour les victimes et leurs bourreaux.

Le respect des morts

2299 L'attention et le soin seront accordés aux mourants pour les aider à vivre leurs derniers moments dans la dignité et la paix. Ils seront aidés par la prière de leurs proches. Ceux-ci veilleront à ce que les malades reçoivent en temps opportun

1525 les sacrements qui préparent à la rencontre du Dieu vivant.

2300 Les corps des défunts doivent être traités avec respect et charité dans la foi

1681-1690 et l'espérance de la résurrection. L'ensevelissement des morts est une oeuvre de miséricorde corporelle[2]; elle honore les enfants de Dieu, temples de l'Esprit Saint.

2301 L'autopsie des cadavres peut être moralement admise pour des motifs d'enquête légale ou de recherche scientifique. Le don gratuit d'organes après la mort est légitime et peut être méritoire.

L'Église permet l'incinération si celle-ci ne manifeste pas une mise en cause de la foi dans la résurrection des corps[3].

III. La sauvegarde de la paix

La paix

2302 En rappelant le précepte : « Tu ne tueras pas » (Mt 5, 21), notre Seigneur

1765 demande la paix du coeur et dénonce l'immoralité de la colère meurtrière et de la haine :

---

1. Cf. DS 3722. - 2. Cf. Tb 1, 16-18. - 3. Cf. CIC, can. 1176, § 3.

La *colère* est un désir de vengeance. « Désirer la vengeance pour le mal de celui qu'il faut punir est illicite »; mais il est louable d'imposer une réparation « pour la correction des vices et le maintien de la justice [1]. » Si la colère va jusqu'au désir délibéré de tuer le prochain ou de le blesser grièvement, elle va gravement contre la charité; elle est péché mortel. Le Seigneur dit : « Quiconque se met en colère contre son frère sera passible du jugement » (Mt 5, 22).

2303 La *haine* volontaire est contraire à la charité. La haine du prochain est un péché quand l'homme lui veut délibérément du mal. La haine du prochain est un péché grave quand on lui souhaite délibérément un tort grave. « Eh bien ! Moi Je vous dis : Aimez vos ennemis, priez pour vos persécuteurs; ainsi vous serez fils de votre Père qui est aux cieux... » (Mt 5, 44-45.)

2094, 1933

2304 Le respect et la croissance de la vie humaine demandent la *paix*. La paix n'est pas seulement absence de guerre et elle ne se borne pas à assurer l'équilibre des forces adverses. La paix ne peut s'obtenir sur terre sans la sauvegarde des biens des personnes, la libre communication entre les êtres humains, le respect de la dignité des personnes et des peuples, la pratique assidue de la fraternité. Elle est « tranquillité de l'ordre [2] ». Elle est oeuvre de la justice [3] et effet de la charité [4].

1909

1807

2305 La paix terrestre est image et fruit de la *paix du Christ*, le « Prince de la paix » messianique (Is 9, 5). Par le sang de sa Croix, Il a « tué la haine dans sa propre chair » (Ep 2, 16) [5], Il a réconcilié avec Dieu les hommes et fait de son Église le sacrement de l'unité du genre humain et de son union avec Dieu. « Il est notre paix » (Ep 2, 14). Il déclare « bienheureux les artisans de paix » (Mt 5, 9).

1468

2306 Ceux qui renoncent à l'action violente et sanglante, et recourent pour la sauvegarde des droits de l'homme à des moyens de défense à la portée des plus faibles rendent témoignage à la charité évangélique, pourvu que cela se fasse sans nuire aux droits et obligations des autres hommes et des sociétés. Ils attestent légitimement la gravité des risques physiques et moraux du recours à la violence avec ses ruines et ses morts [6].

2267

Éviter la guerre

2307 Le cinquième commandement interdit la destruction volontaire de la vie humaine. A cause des maux et des injustices qu'entraîne toute guerre, l'Église presse instamment chacun de prier et d'agir pour que la Bonté divine nous libère de l'antique servitude de la guerre [7].

2308 Chacun des citoyens et des gouvernants est tenu d'oeuvrer pour éviter les guerres.

---

1. S. Thomas d'A., s. th. 2-2, 158, 1, ad 3. - 2. S. Augustin, civ. 19, 13. - 3. Cf. Is 32, 17. - 4. Cf. GS 78, §§ 1-2. - 5. Cf. Col 1, 20-22. - 6. Cf. GS 78, § 5. - 7. Cf. GS 81, § 4.

2266

Aussi longtemps cependant « que le risque de guerre subsistera, qu'il n'y aura pas d'autorité internationale compétente et disposant de forces suffisantes, on ne saurait dénier aux gouvernements, une fois épuisées toutes les possibilités de règlements pacifiques, le droit de légitime défense [1] ».

2243

2309 Il faut considérer avec rigueur les strictes conditions d'une *légitime défense par la force militaire*. La gravité d'une telle décision la soumet à des conditions rigoureuses de légitimité morale. Il faut à la fois :

- que le dommage infligé par l'agresseur à la nation ou à la communauté des nations soit durable, grave et certain;
- que tous les autres moyens d'y mettre fin se soient révélés impraticables ou inefficaces;
- que soient réunies les conditions sérieuses de succès;
- que l'emploi des armes n'entraîne pas des maux et des désordres plus graves que le mal à éliminer. La puissance des moyens modernes de destruction pèse très lourdement dans l'appréciation de cette condition.

> Ce sont les éléments traditionnels énumérés dans la doctrine dite de la « guerre juste ».

1897

L'appréciation de ces conditions de légitimité morale appartient au jugement prudentiel de ceux qui ont la charge du bien commun.

2310 Les pouvoirs publics ont dans ce cas le droit et le devoir d'imposer aux citoyens les *obligations nécessaires à la défense nationale.*

2239
1909

Ceux qui se vouent au service de la patrie dans la vie militaire sont des serviteurs de la sécurité et de la liberté des peuples. S'ils s'acquittent correctement de leur tâche, ils concourent vraiment au bien commun de la nation et au maintien de la paix [2].

1782, 1790

2311 Les pouvoirs publics pourvoiront équitablement au cas de ceux qui, pour des motifs de conscience, refusent l'emploi des armes, tout en demeurant tenus de servir sous une autre forme la communauté humaine [3].

2312 L'Église et la raison humaine déclarent la validité permanente de la *loi morale durant les conflits armés.* « Ce n'est pas parce que la guerre est malheureusement engagée que tout devient par le fait même licite entre les parties adverses [4]. »

2313 Il faut respecter et traiter avec humanité les non-combattants, les soldats blessés et les prisonniers.

Les actions délibérément contraires au droit des gens et à ses principes universels, comme les ordres qui les commandent, sont des crimes. Une obéissance aveugle ne suffit pas à excuser ceux qui s'y soumettent.   Ainsi l'extermination d'un

---

1. GS 79, § 4. - 2. Cf. GS 79, § 5. - 3. Cf. GS 79, § 3. - 4. GS 79, § 4.

peuple, d'une nation ou d'une minorité ethnique doit être condamnée comme un péché mortel. On est moralement tenu de résister aux ordres qui commandent un génocide. *2242*

2314 « Tout acte de guerre qui tend indistinctement à la destruction de villes entières ou de vastes régions avec leurs habitants, est un crime contre Dieu et contre l'homme lui-même, qui doit être condamné fermement et sans hésitation [1]. » Un risque de la guerre moderne est de fournir l'occasion aux détenteurs des armes scientifiques, notamment atomiques, biologiques ou chimiques, de commettre de tels crimes.

2315 L'*accumulation des armes* apparaît à beaucoup comme une manière paradoxale de détourner de la guerre des adversaires éventuels. Ils y voient le plus efficace des moyens susceptibles d'assurer la paix entre les nations. Ce procédé de dissuasion appelle de sévères réserves morales. La *course aux armements* n'assure pas la paix. Loin d'éliminer les causes de guerre, elle risque de les aggraver. La dépense de richesses fabuleuses dans la préparation d'armes toujours nouvelles empêche de porter remède aux populations indigentes [2]; elle entrave le développement des peuples. Le *surarmement* multiplie les raisons de conflits et augmente le risque de la contagion.

2316 *La production et le commerce des armes* touchent le bien commun des nations et de la communauté internationale. Dès lors les autorités publiques ont le *1906* droit et le devoir de les réglementer. La recherche d'intérêts privés ou collectifs à court terme ne peut légitimer des entreprises qui attisent la violence et les conflits entre les nations, et qui compromettent l'ordre juridique international.

2317 Les injustices, les inégalités excessives d'ordre économique ou social, l'envie, la méfiance et l'orgueil qui sévissent entre les hommes et les nations, me- *1938, 2538* nacent sans cesse la paix et causent les guerres. Tout ce qui est fait pour vaincre ces désordres contribue à édifier la paix et à éviter la guerre : *1941*

> Dans la mesure où les hommes sont pécheurs, le danger de guerre menace, et il en sera ainsi jusqu'au retour du Christ. Mais, dans la mesure où, unis dans l'amour, les hommes surmontent le péché, ils surmontent aussi la violence jusqu'à l'accomplissement de cette parole : « Ils forgeront leurs glaives en socs et leurs lances en serpes. On ne lèvera pas le glaive nation contre nation et on n'apprendra plus la guerre » (Is 2, 4) [3].

EN BREF

2318 *« Dieu tient en son pouvoir l'âme de tout vivant et le souffle de toute chair d'homme » (Jb 12, 10).*

2319 *Toute vie humaine, dès le moment de la conception jusqu'à la mort, est sacrée parce que la personne humaine a été voulue pour elle-même à l'image et à la ressemblance du Dieu vivant et saint.*

---

1. GS 80, § 4. - 2. Cf. PP 53. - 3. GS 78, § 6.

2320 *Le meurtre d'un être humain est gravement contraire à la dignité de la personne et à la sainteté du Créateur.*

2321 *L'interdit du meurtre n'abroge pas le droit de mettre hors d'état de nuire un injuste agresseur. La légitime défense est un devoir grave pour qui est responsable de la vie d'autrui ou du bien commun.*

2322 *Dès sa conception, l'enfant a le droit à la vie. L'avortement direct, c'est-à-dire voulu comme une fin ou comme un moyen, est une « pratique infâme[1] » gravement contraire à la loi morale. L'Église sanctionne d'une peine canonique d'excommunication ce délit contre la vie humaine.*

2323 *Puisqu'il doit être traité comme une personne dès sa conception, l'embryon doit être défendu dans son intégrité, soigné et guéri comme tout autre être humain.*

2324 *L'euthanasie volontaire, quels qu'en soient les formes et les motifs, constitue un meurtre. Elle est gravement contraire à la dignité de la personne humaine et au respect du Dieu vivant, son Créateur.*

2325 *Le suicide est gravement contraire à la justice, à l'espérance et à la charité. Il est interdit par le cinquième commandement.*

2326 *Le scandale constitue une faute grave quand par action ou par omission il entraîne délibérément autrui à pécher.*

2327 *À cause des maux et des injustices qu'entraîne toute guerre nous devons faire tout ce qui est raisonnablement possible pour l'éviter. L'Église prie : « De la famine, de la peste et de la guerre délivre-nous, Seigneur. »*

2328 *L'Église et la raison humaine déclarent la validité permanente de la loi morale durant les conflits armés. Les pratiques délibérément contraires au droits des gens et à ses principes universels sont des crimes.*

2329 *« La course aux armements est une plaie extrêmement grave de l'humanité et lèse les pauvres d'une manière intolérable[2]. »*

2330 *« Heureux les artisans de paix, car ils seront appelés fils de Dieu » (Mt 5, 9).*

---

1. GS 27, § 3. - 2. GS 81, § 3.

ARTICLE 6

Le sixième commandement

Tu ne commettras pas d'adultère (Ex 20, 14; Dt 5, 17).

Vous avez entendu qu'il a été dit : « Tu ne commettras pas d'adultère. » Eh bien ! Moi Je vous dis : « Quiconque regarde une femme pour la désirer a déjà commis, dans son coeur, l'adultère avec elle » (Mt 5, 27-28).

I. « Homme et femme, Il les créa... »

369-373

2331 « Dieu est amour. Il vit en Lui-même un mystère de communion et d'amour. En créant l'humanité de l'homme et de la femme à son image (...) Dieu inscrit en elle la *vocation,* et donc la capacité et la responsabilité correspondantes, *à l'amour* et à la communion[1]. »

1604

« Dieu créa l'homme à son image (...) homme et femme, Il les créa » (Gn 1, 27); « Croissez et multipliez-vous » (Gn 1, 28); « Le jour où Dieu créa l'homme, à la ressemblance de Dieu Il le fit, homme et femme Il les créa : Il les bénit et les appela du nom d'homme le jour où ils furent créés » (Gn 5, 1-2).

2332 La *sexualité* affecte tous les aspects de la personne humaine, dans l'unité de son corps et de son âme. Elle concerne particulièrement l'affectivité, la capacité d'aimer et de procréer, et, d'une manière plus générale, l'aptitude à nouer des liens de communion avec autrui.

362

2333 Il revient à chacun, homme et femme, de reconnaître et d'accepter son *identité* sexuelle. La *différence* et la *complémentarité* physiques, morales et spirituelles sont orientées vers les biens du mariage et l'épanouissement de la vie familiale. L'harmonie du couple et de la société dépend en partie de la manière dont sont vécus entre les sexes la complémentarité, le besoin et l'appui mutuels.

1603

2334 « En créant l'être humain homme et femme, Dieu donne la dignité personnelle d'une manière égale à l'homme et à la femme[2]. » « L'homme est une personne et cela dans la même mesure pour l'homme et pour la femme, car tous les deux sont créés à l'image et à la ressemblance d'un Dieu personnel[3]. »

357

2335 Chacun des deux sexes est, avec une égale dignité, quoique de façon différente, image de la puissance et de la tendresse de Dieu. L'*union de l'homme et*

---

1. FC 11. - 2. FC 22; cf. GS 49, § 2. - 3. MD 6.

la femme dans le mariage est une manière d'imiter dans la chair la générosité et la
fécondité du Créateur : « L'homme quitte son père et sa mère afin de s'attacher à sa
femme; tous deux ne forment qu'une seule chair » (Gn 2, 24). De cette union
procèdent toutes les générations humaines[1].

2205

2336 Jésus est venu restaurer la création dans la pureté de ses origines. Dans le
sermon sur la Montagne, Il interprète de manière rigoureuse le dessein de Dieu :
« Vous avez entendu qu'il a été dit : "Tu ne commettras pas d'adultère." Eh bien !
Moi Je vous dis : "Quiconque regarde une femme pour la désirer a déjà commis,
dans son coeur, l'adultère avec elle." » (Mt 5, 27-28). L'homme ne doit pas séparer
ce que Dieu a uni[2].

1614

La Tradition de l'Église a entendu le sixième commandement comme
englobant l'ensemble de la sexualité humaine.

II. La vocation à la chasteté

2337 La chasteté signifie l'intégration réussie de la sexualité dans la personne et
par là l'unité intérieure de l'homme dans son être corporel et spirituel. La sexualité,
en laquelle s'exprime l'appartenance de l'homme au monde corporel et biologique,
devient personnelle et vraiment humaine lorsqu'elle est intégrée dans la relation de
personne à personne, dans le don mutuel entier et temporellement illimité de
l'homme et de la femme.

2520

La vertu de chasteté comporte donc l'intégrité de la personne et l'intégralité
du don.

L'intégrité de la personne

2338 La personne chaste maintient l'intégrité des forces de vie et d'amour
déposées en elle. Cette intégrité assure l'unité de la personne, elle s'oppose à tout
comportement qui la blesserait. Elle ne tolère ni la double vie, ni le double
langage[3].

2339 La chasteté comporte un *apprentissage de la maîtrise de soi*, qui est une
pédagogie de la liberté humaine. L'alternative est claire : ou l'homme commande à
ses passions et obtient la paix, ou il se laisse asservir par elles et devient malheureux[4]. « La dignité de l'homme exige de lui qu'il agisse selon un choix
conscient et libre, mû et déterminé par une conviction personnelle et non
sous le seul effet de poussées instinctives ou d'une contrainte extérieure. L'homme

---

1. Cf. Gn 4, 1-2. 25-26; 5, 1. - 2. Cf. Mt 19, 6. - 3. Cf. Mt 5, 37. - 4. Cf. Si 1, 22.

parvient à cette dignité lorsque, se délivrant de toute servitude des passions, par le *1767* choix libre du bien, il marche vers sa destinée et prend soin de s'en procurer réellement les moyens par son ingéniosité[1]. »

2340 Celui qui veut demeurer fidèle aux promesses de son Baptême et résister aux tentations veillera à en prendre les *moyens* : la connaissance de soi, la pratique d'une ascèse adaptée aux situations rencontrées, l'obéissance aux commandements *2015* divins, la mise en oeuvre des vertus morales et la fidélité à la prière. « La chasteté nous recompose; elle nous ramène à cette unité que nous avions perdue en nous éparpillant[2]. »

2341 La vertu de chasteté est placée sous la mouvance de la vertu cardinale de *tempérance,* qui vise à imprégner de raison les passions et les appétits de la sensi- *1809* bilité humaine.

2342 La maîtrise de soi est une *oeuvre de longue haleine.* Jamais on ne la consi- dérera comme acquise une fois pour toutes. Elle suppose un effort repris à tous les âges de la vie[3]. L'effort requis peut être plus intense à certaines époques, ainsi *407* lorsque se forme la personnalité, pendant l'enfance et l'adolescence.

2343 La chasteté connaît des *lois de croissance* qui passent par des degrés mar- qués par l'imperfection et trop souvent par le péché. « Jour après jour, l'homme *2223* vertueux et chaste se construit par des choix nombreux et libres. Ainsi, il connaît, aime et accomplit le bien moral en suivant les étapes d'une croissance[4]. »

2344 La chasteté représente une tâche éminemment personnelle, elle implique aussi un *effort culturel,* car il existe une « interdépendance entre l'essor de la per- *2525* sonne et le développement de la société elle-même[5] ». La chasteté suppose le respect des droits de la personne, en particulier celui de recevoir une information et une éducation qui respectent les dimensions morales et spirituelles de la vie humaine.

2345 La chasteté est une vertu morale. Elle est aussi un don de Dieu, une *grâce,* un fruit de l'oeuvre spirituelle[6]. Le Saint-Esprit donne d'imiter la pureté du Christ[7] à *1810* celui qu'a régénéré l'eau du Baptême.

L'intégralité du don de soi

2346 La charité est la forme de toutes les vertus. Sous son influence, la chasteté apparaît comme une école de don de la personne. La maîtrise de soi est ordonnée *1827* au don de soi. La chasteté conduit celui qui la pratique à devenir auprès du prochain un témoin de la fidélité et de la tendresse de Dieu. *210*

---

1. GS 17. - 2. S. Augustin, conf. 10, 29. - 3. Cf. Tt 2, 1-6. - 4. FC 34. - 5. GS 25, § 1. - 6. Cf. Ga 5, 22. - 7. Cf. 1 Jn 3, 3.

2347 La vertu de chasteté s'épanouit dans l'*amitié*. Elle indique au disciple comment suivre et imiter Celui qui nous a choisis comme ses propres amis[1], s'est donné totalement à nous et nous fait participer à sa condition divine. La chasteté est promesse d'immortalité.

374

La chasteté s'exprime notamment dans l'*amitié pour le prochain*. Développée entre personnes de même sexe ou de sexes différents, l'amitié représente un grand bien pour tous. Elle conduit à la communion spirituelle.

Les divers régimes de la chasteté

2348 Tout baptisé est appelé à la chasteté. Le chrétien a « revêtu le Christ » (Ga 3, 27), modèle de toute chasteté. Tous les fidèles du Christ sont appelés à mener une vie chaste selon leur état de vie particulier. Au moment de son Baptême, le chrétien s'est engagé à conduire dans la chasteté son affectivité.

1620

2349 « La chasteté doit qualifier les personnes suivant leurs différents états de vie : les unes dans la virginité ou le célibat consacré, manière éminente de se livrer plus facilement à Dieu d'un coeur sans partage; les autres, de la façon que détermine pour tous la loi morale et selon qu'elles sont mariées ou célibataires[2]. » Les personnes mariées sont appelées à vivre la chasteté conjugale; les autres pratiquent la chasteté dans la continence :

> Il existe trois formes de la vertu de chasteté : l'une des épouses, l'autre du veuvage, la troisième de la virginité. Nous ne louons pas l'une d'elles à l'exclusion des autres. C'est en quoi la discipline de l'Église est riche[3].

1632

2350 Les *fiancés* sont appelés à vivre la chasteté dans la continence. Ils verront dans cette mise à l'épreuve une découverte du respect mutuel, un apprentissage de la fidélité et de l'espérance de se recevoir l'un et l'autre de Dieu. Ils réserveront au temps du mariage les manifestations de tendresse spécifiques de l'amour conjugal. Ils s'aideront mutuellement à grandir dans la chasteté.

Les offenses à la chasteté

2351 La *luxure* est un désir désordonné ou une jouissance déréglée du plaisir vénérien. Le plaisir sexuel est moralement désordonné, quand il est recherché pour lui-même, isolé des finalités de procréation et d'union.

2352 Par la *masturbation,* il faut entendre l'excitation volontaire des organes génitaux, afin d'en retirer un plaisir vénérien. « Dans la ligne d'une tradition

---

1. Cf. Jn 15, 15. - 2. CDF, décl. « Persona humana » 11. - 3. S. Ambroise, vid. 23.

constante, tant le Magistère de l'Église que le sens moral des fidèles ont affirmé sans hésitation que la masturbation est un acte intrinsèquement et gravement désordonné. » « Quel qu'en soit le motif, l'usage délibéré de la faculté sexuelle en dehors des rapports conjugaux normaux en contredit la finalité. » La jouissance sexuelle y est recherchée en dehors de « la relation sexuelle requise par l'ordre moral, celle qui réalise, dans le contexte d'un amour vrai, le sens intégral de la donation mutuelle et de la procréation humaine[1] ».

Pour former un jugement équitable sur la responsabilité morale des sujets et pour orienter l'action pastorale, on tiendra compte de l'immaturité affective, de la force des habitudes contractées, de l'état d'angoisse ou des autres facteurs psychiques ou sociaux qui amoindrissent voire exténuent la culpabilité morale.   *1735*

2353 La *fornication* est l'union charnelle en dehors du mariage entre un homme et une femme libres. Elle est gravement contraire à la dignité des personnes et de la sexualité humaine naturellement ordonnée au bien des époux ainsi qu'à la génération et à l'éducation des enfants. En outre c'est un scandale grave quand il y a corruption des jeunes.

2354 La *pornographie* consiste à retirer les actes sexuels, réels ou simulés, de l'intimité des partenaires pour les exhiber à des tierces personnes de manière délibérée. Elle offense la chasteté parce qu'elle dénature l'acte conjugal, don intime des époux l'un à l'autre. Elle porte gravement atteinte à la dignité de ceux qui s'y livrent (acteurs, commerçants, public), puisque chacun devient pour l'autre l'objet d'un plaisir rudimentaire et d'un profit illicite. Elle plonge les uns et les autres dans l'illusion d'un monde factice. Elle est une faute grave. Les autorités civiles doivent empêcher la production et la distribution de matériaux pornographiques.   *2523*

2355 La *prostitution* porte atteinte à la dignité de la personne qui se prostitue, réduite au plaisir vénérien que l'on tire d'elle. Celui qui paie pèche gravement contre lui-même : il rompt la chasteté à laquelle l'engageait son Baptême et souille son corps, temple de l'Esprit Saint[2]. La prostitution constitue un fléau social. Il touche habituellement des femmes, mais aussi des hommes, des enfants ou des adolescents (dans ces deux derniers cas, le péché se double d'un scandale). S'il est toujours gravement peccamineux de se livrer à la prostitution, la misère, le chantage et la pression sociale peuvent atténuer l'imputabilité de la faute.   *1735*

2356 Le *viol* désigne l'entrée par effraction, avec violence, dans l'intimité sexuelle d'une personne. Il est atteinte à la justice et à la charité. Le viol blesse profondément le droit de chacun au respect, à la liberté, à l'intégrité physique et morale.   *2297*
Il crée un préjudice grave, qui peut marquer la victime sa vie durant. Il est toujours un acte intrinsèquement mauvais. Plus grave encore est le viol commis de   *1756*

---

1. CDF, décl. « Persona humana » 9. - 2. Cf. 1 Co 6, 15-20.

2388 la part des parents (cf. inceste) ou d'éducateurs envers les enfants qui leur sont confiés.

Chasteté et homosexualité

2357 L'homosexualité désigne les relations entre des hommes ou des femmes qui éprouvent une attirance sexuelle, exclusive ou prédominante, envers des personnes du même sexe. Elle revêt des formes très variables à travers les siècles et les cultures. Sa genèse psychique reste largement inexpliquée. S'appuyant sur la Sainte Écriture, qui les présente comme des dépravations graves[1], la Tradition a toujours déclaré que « les actes d'homosexualité sont intrinsèquement désordonnés[2] ». Ils sont contraires à la loi naturelle. Ils ferment l'acte sexuel au don de la vie. Ils ne
2333 procèdent pas d'une complémentarité affective et sexuelle véritable. Ils ne sauraient recevoir d'approbation en aucun cas.

2358 Un nombre non négligeable d'hommes et de femmes présentent des tendances homosexuelles foncières. Ils ne choisissent pas leur condition homosexuelle; elle constitue pour la plupart d'entre eux une épreuve. Ils doivent être accueillis avec respect, compassion et délicatesse. On évitera à leur égard toute marque de discrimination injuste. Ces personnes sont appelées à réaliser la volonté de Dieu dans leur vie, et si elles sont chrétiennes, à unir au sacrifice de la Croix du Seigneur les difficultés qu'elles peuvent rencontrer du fait de leur condition.

2359 Les personnes homosexuelles sont appelées à la chasteté. Par les vertus de maîtrise, éducatrices de la liberté intérieure, quelquefois par le soutien d'une amitié
2347 désintéressée, par la prière et la grâce sacramentelle, elles peuvent et doivent se rapprocher, graduellement et résolument, de la perfection chrétienne.

III. L'amour des époux

2360 La sexualité est ordonnée à l'amour conjugal de l'homme et de la femme.
1601 Dans le mariage l'intimité corporelle des époux devient un signe et un gage de communion spirituelle. Entre les baptisés, les liens du mariage sont sanctifiés par le sacrement.

2361 « La sexualité, par laquelle l'homme et la femme se donnent l'un à l'autre par les actes propres et exclusifs des époux, n'est pas quelque chose de purement
1643, 2332 biologique, mais concerne la personne humaine dans ce qu'elle a de plus intime. Elle ne se réalise de façon véritablement humaine que si elle est partie intégrante de l'amour dans lequel l'homme et la femme s'engagent entièrement l'un vis-à-vis de l'autre jusqu'à la mort[3] » :

---

1. Cf. Gn 19, 1-29; Rm 1, 24-27; 1 Co 6, 10; 1 Tm 1, 10. - 2. CDF, décl. « Persona humana » 8. - 3. FC 11.

Tobie se leva du lit, et dit à Sara : « Debout, ma soeur ! Il faut prier tous deux, et 1611 recourir à notre Seigneur, pour obtenir sa grâce et sa protection. » Elle se leva et ils se mirent à prier pour obtenir d'être protégés, et il commença ainsi : « Tu es béni, Dieu de nos pères (...). C'est toi qui a créé Adam, c'est toi qui a créé Ève sa femme, pour être son secours et son appui, et la race humaine est née de ces deux-là. C'est toi qui as dit : "Il ne faut pas que l'homme reste seul, faisons-lui une aide semblable à lui." Et maintenant, ce n'est pas le plaisir que je cherche en prenant ma soeur, mais je le fais d'un coeur sincère. Daigne avoir pitié d'elle et de moi et nous mener ensemble à la vieillesse ! » Et ils dirent de concert : « Amen, amen. » Et ils se couchèrent pour la nuit (Tb 8, 4-9).

2362 « Les actes qui réalisent l'union intime et chaste des époux sont des actes honnêtes et dignes. Vécus d'une manière vraiment humaine, ils signifient et favorisent le don réciproque par lequel les époux s'enrichissent tous les deux dans la joie et la reconnaissance[1]. » La sexualité est source de joie et de plaisir :

> Le Créateur lui-même (...) a établi que dans cette fonction [de génération] les époux éprouvent un plaisir et une satisfaction du corps et de l'esprit. Donc, les époux ne font rien de mal en recherchant ce plaisir et en en jouissant. Ils acceptent ce que le Créateur leur a destiné. Néanmoins, les époux doivent savoir se maintenir dans les limites d'une juste modération[2].

2363 Par l'union des époux se réalise la double fin du mariage : le bien des époux eux-mêmes et la transmission de la vie. On ne peut séparer ces deux significations ou valeurs du mariage sans altérer la vie spirituelle du couple ni compromettre les biens du mariage et l'avenir de la famille.

L'amour conjugal de l'homme et de la femme est ainsi placé sous la double exigence de la fidélité et de la fécondité.

La fidélité conjugale

1646-1648

2364 Le couple conjugal forme « une intime communauté de vie et d'amour fondée et dotée de ses lois propres par le Créateur. Elle est établie sur l'alliance des 1603 conjoints, c'est-à-dire sur leur consentement personnel et irrévocable[3]. » Tous deux se donnent définitivement et totalement l'un à l'autre. Ils ne sont plus deux, mais forment désormais une seule chair. L'alliance contractée librement par les époux leur impose l'obligation de la maintenir une et indissoluble[4]. « Ce que Dieu a uni, 1615 l'homme ne doit point le séparer » (Mc 10, 9)[5].

2365 La fidélité exprime la constance dans le maintien de la parole donnée. Dieu est fidèle. Le sacrement du Mariage fait entrer l'homme et la femme dans la fidélité du Christ pour son Église. Par la chasteté conjugale, ils rendent témoignage à ce 1640 mystère à la face du monde.

---

1. GS 49, § 2. - 2. Pie XII, discours 29 octobre 1951. - 3. GS 48, § 1. - 4. Cf. CIC, can. 1056. - 5. Cf. Mt 19, 1-12; 1 Co 7, 10-11.

S. Jean Chrysostome suggère aux jeunes mariés de tenir ce discours à leur épouse :
« Je t'ai prise dans mes bras, et je t'aime, et je te préfère à ma vie même. Car la vie
présente n'est rien, et mon rêve le plus ardent est de la passer avec toi, de telle
sorte que nous soyons assurés de n'être pas séparés dans celle qui nous est
réservée (...). Je mets ton amour au-dessus de tout, et rien ne me serait plus
pénible que de n'avoir pas les mêmes pensées que les tiennes[1]. »

1652-1653   La fécondité du mariage

2366 La fécondité est un don, une *fin du mariage*, car l'amour conjugal tend
naturellement à être fécond. L'enfant ne vient pas de l'extérieur s'ajouter à l'amour
mutuel des époux; il surgit au coeur même de ce don mutuel, dont il est un fruit et
un accomplissement. Aussi l'Église, qui « prend parti pour la vie[2] », enseigne-t-elle
que « tout acte matrimonial doit rester ouvert à la transmission de la vie[3] ». « Cette
doctrine, plusieurs fois exposée par le Magistère, est fondée sur le lien indissoluble
que Dieu a voulu et que l'homme ne peut rompre de son initiative entre les deux
significations de l'acte conjugal : union et procréation[4]. »

2367 Appelés à donner la vie, les époux participent à la puissance créatrice et à
2205 la paternité de Dieu[5]. « Dans le devoir qui leur incombe de transmettre la vie et
d'être des éducateurs (ce qu'il faut considérer comme leur mission propre), les
époux savent qu'ils sont les *coopérateurs du Dieu créateur* et comme ses inter-
prètes. Ils s'acquitteront donc de leur charge en toute responsabilité humaine et
chrétienne[6]. »

2368 Un aspect particulier de cette responsabilité concerne la *régulation des nais-*
sances. Pour de justes raisons, les époux peuvent vouloir espacer les naissances de
leurs enfants. Il leur revient de vérifier que leur désir ne relève pas de l'égoïsme
mais est conforme à la juste générosité d'une paternité responsable. En outre ils
régleront leur comportement suivant les critères objectifs de la moralité :

> Lorsqu'il s'agit de mettre en accord l'amour conjugal avec la transmission respon-
> sable de la vie, la moralité du comportement ne dépend pas de la seule sincérité
> de l'intention et de la seule appréciation des motifs; mais elle doit être déterminée
> selon des critères objectifs, tirés de la nature même de la personne et de ses actes,
> critères qui respectent, dans un contexte d'amour véritable, la signification totale
> d'une donation réciproque et d'une procréation à la mesure de l'homme; chose
> impossible si la vertu de chasteté conjugale n'est pas pratiquée d'un coeur loyal[7].

2369 « C'est en sauvegardant ces deux aspects essentiels, union et procréation,
que l'acte conjugal conserve intégralement le sens de mutuel et véritable amour et
son ordination à la très haute vocation de l'homme à la paternité[8]. »

---

1. Hom. in Eph. 20, 8. - 2. FC 30. - 3. HV 11. - 4. HV 12; cf. Pie XI, enc. « Casti connubii ». - 5. Cf. Ep
3, 14; Mt 23, 9. - 6. GS 50, § 2. - 7. GS 51, § 3. - 8. HV 12.

2370 La continence périodique, les méthodes de régulation des naissances fondées sur l'auto-observation et le recours aux périodes infécondes [1] sont conformes aux critères objectifs de la moralité. Ces méthodes respectent le corps des époux, encouragent la tendresse entre eux et favorisent l'éducation d'une liberté authentique. En revanche, est intrinsèquement mauvaise « toute action qui, soit en prévision de l'acte conjugal, soit dans son déroulement, soit dans le développement de ses conséquences naturelles, se proposerait comme but ou comme moyen de rendre impossible la procréation [2] » :

> Au langage qui exprime naturellement la donation réciproque et totale des époux, la contraception oppose un langage objectivement contradictoire selon lequel il ne s'agit plus de se donner totalement l'un à l'autre. Il en découle non seulement le refus positif de l'ouverture à la vie, mais aussi une falsification de la vérité interne de l'amour conjugal, appelé à être un don de la personne tout entière. Cette différence anthropologique et morale entre la contraception et le recours aux rythmes périodiques implique deux conceptions de la personne et de la sexualité humaine irréductibles l'une à l'autre [3].

2371 « Par ailleurs, que tous sachent bien que la vie humaine et la charge de la transmettre ne se limitent pas aux horizons de ce monde et n'y trouvent ni leur pleine dimension, ni leur plein sens, mais qu'elles sont toujours à mettre en référence avec *la destinée éternelle des hommes* [4]. »   *1703*

2372 L'État est responsable du bien-être des citoyens. À ce titre, il est légitime qu'il intervienne pour orienter la démographie de la population. Il peut le faire par voie d'une information objective et respectueuse, mais non point par voie autoritaire et contraignante. Il ne peut légitimement se substituer à l'initiative des époux, premiers responsables de la procréation et de l'éducation de leurs enfants [5]. Il n'est pas autorisé à favoriser des moyens de régulation démographique contraires à la morale.   *2209*

Le don de l'enfant

2373 La Sainte Écriture et la pratique traditionnelle de l'Église voient dans les *familles nombreuses* un signe de la bénédiction divine et de la générosité des parents [6].

2374 Grande est la souffrance des couples qui se découvrent stériles. « Que pourrais-tu me donner ? » demande Abram à Dieu. « Je m'en vais sans enfant... » (Gn 15, 2.) « Fais-moi avoir aussi des enfants ou je meurs ! » crie Rachel à son mari Jacob (Gn 30, 1).   *1654*

2375 Les recherches qui visent à réduire la stérilité humaine sont à encourager, à la condition qu'elles soient placées « au service de la personne humaine, de ses   *2293*

---

1. Cf. HV 16. - 2. HV 14. - 3. FC 32. - 4. GS 51, § 4. - 5. Cf. HV 23; PP 37. - 6. Cf. GS 50, § 2.

droits inaliénables, de son bien véritable et intégral, conformément au projet et à la volonté de Dieu [1] ».

2376 Les techniques qui provoquent une dissociation des parentés, par l'intervention d'une personne étrangère au couple (don de sperme ou d'ovocyte, prêt d'utérus) sont gravement déshonnêtes. Ces techniques (insémination et fécondation artificielles hétérologues) lèsent le droit de l'enfant à naître d'un père et d'une mère connus de lui et liés entre eux par le mariage. Elles trahissent « le droit exclusif à ne devenir père et mère que l'un par l'autre [2] ».

2377 Pratiquées au sein du couple, ces techniques (insémination et fécondation artificielles homologues) sont peut-être moins préjudiciables, mais elles restent moralement irrecevables. Elles dissocient l'acte sexuel de l'acte procréateur. L'acte fondateur de l'existence de l'enfant n'est plus un acte par lequel deux personnes se donnent l'une à l'autre, il « remet la vie et l'identité de l'embryon au pouvoir des médecins et des biologistes, et instaure une domination de la technique sur l'origine et la destinée de la personne humaine. Une telle relation de domination est de soi contraire à la dignité et à l'égalité qui doivent être communes aux parents et aux enfants [3] ». « La procréation est moralement privée de sa perfection propre quand elle n'est pas voulue comme le fruit de l'acte conjugal, c'est-à-dire du geste spécifique de l'union des époux. (...) Seul le respect du lien qui existe entre les significations de l'acte conjugal et le respect de l'unité de l'être humain permet une procréation conforme à la dignité de la personne [4]. »

2378 L'enfant n'est pas un *dû*, mais un *don*. Le « don le plus excellent du mariage » est une personne humaine. L'enfant ne peut être considéré comme un objet de propriété, ce à quoi conduirait la reconnaissance d'un prétendu « droit à l'enfant ». En ce domaine, seul l'enfant possède de véritables droits : celui « d'être le fruit de l'acte spécifique de l'amour conjugal de ses parents, et aussi le droit d'être respecté comme personne dès le moment de sa conception [5] ».

2379 L'Évangile montre que la stérilité physique n'est pas un mal absolu. Les époux qui, après avoir épuisé les recours légitimes à la médecine, souffrent d'infertilité s'associeront à la Croix du Seigneur, source de toute fécondité spirituelle. Ils peuvent marquer leur générosité en adoptant des enfants délaissés ou en remplissant des services exigeants à l'égard d'autrui.

IV. Les offenses à la dignité du mariage

2380 L'*adultère*. Ce mot désigne l'infidélité conjugale. Lorsque deux partenaires, dont l'un au moins est marié, nouent entre eux une relation sexuelle, même éphémère, ils commettent un adultère. Le Christ condamne l'adultère même de simple désir [6]. Le sixième commandement et le Nouveau Testament proscrivent absolument l'adultère [7]. Les prophètes en dénoncent la gravité. Ils voient dans l'adultère la figure du péché d'idolâtrie [8].

1611

---

1. CDF, instr. « Donum vitae » intr. 2. - 2. CDF, instr. « Donum vitae » 2, 1. - 3. Cf. CDF, instr. « Donum vitae » 2, 5. - 4. CDF, instr. « Donum vitae » 2, 4. - 5. CDF, instr. « Donum vitae » 2, 8. - 6. Cf. Mt 5, 27-28. - 7. Cf. Mt 5, 32; 19, 6; Mc 10, 11; 1 Co 6, 9-10. - 8. Cf. Os 2, 7; Jr 5, 7; 13, 27.

2381 L'adultère est une injustice. Celui qui le commet manque à ses engagements. Il blesse le signe de l'alliance qu'est le lien matrimonial, lèse le droit de l'autre conjoint et porte atteinte à l'institution du mariage, en violant le contrat qui le fonde. Il compromet le bien de la génération humaine et des enfants qui ont besoin de l'union stable des parents. *1640*

Le divorce

2382 Le Seigneur Jésus a insisté sur l'intention originelle du Créateur qui voulait un mariage indissoluble [1]. Il abroge les tolérances qui s'étaient glissées dans la Loi ancienne [2]. *1614*

Entre baptisés catholiques, « le mariage conclu et consommé ne peut être dissous par aucune puissance humaine ni pour aucune cause, sauf par la mort [3] ».

2383 La *séparation* des époux avec maintien du lien matrimonial peut être légitime en certains cas prévus par le Droit canonique [4]. *1649*

Si le divorce civil reste la seule manière possible d'assurer certains droits légitimes, le soin des enfants ou la défense du patrimoine, il peut être toléré sans constituer une faute morale.

2384 Le *divorce* est une offense grave à la loi naturelle. Il prétend briser le contrat librement consenti par les époux de vivre l'un avec l'autre jusqu'à la mort. Le divorce fait injure à l'alliance de salut dont le mariage sacramentel est le signe. Le fait de contracter une nouvelle union, fût-elle reconnue par la loi civile, ajoute à la gravité de la rupture : le conjoint remarié se trouve alors en situation d'adultère public et permanent : *1650*

Si le mari, après s'être séparé de sa femme, s'approche d'une autre femme, il est lui-même adultère, parce qu'il fait commettre un adultère à cette femme; et la femme qui habite avec lui est adultère, parce qu'elle a attiré à elle le mari d'une autre [5].

2385 Le divorce tient aussi son caractère immoral du désordre qu'il introduit dans la cellule familiale et dans la société. Ce désordre entraîne des préjudices graves : pour le conjoint, qui se trouve abandonné; pour les enfants, traumatisés par la séparation des parents, et souvent tiraillés entre eux; pour son effet de contagion, qui en fait une véritable plaie sociale.

2386 Il se peut que l'un des conjoints soit la victime innocente du divorce prononcé par la loi civile; il ne contrevient pas alors au précepte moral. Il existe une différence considérable entre le conjoint qui s'est efforcé avec sincérité d'être

---

1. Cf. Mt 5, 31-32; 19, 3-9; Mc 10, 9; Lc 16, 18; 1 Co 7, 10-11. - 2. Cf. Mt 19, 7-9. - 3. CIC, can. 1141. - 4. Cf. CIC, can. 1151-1155. - 5. S. Basile, moral. règle 73.

fidèle au sacrement du Mariage et se voit injustement abandonné, et celui qui, par
une faute grave de sa part, détruit un mariage canoniquement valide[1].

1640

Autres offenses à la dignité du mariage

2387 On comprend le drame de celui qui, désireux de se convertir à l'Évangile,
se voit obligé de répudier une ou plusieurs femmes avec lesquelles il a partagé des
années de vie conjugale. Cependant la *polygamie* ne s'accorde pas à la loi morale.
Elle « s'oppose radicalement à la communion conjugale : elle nie, en effet, de façon
directe le dessein de Dieu tel qu'il nous a été révélé au commencement; elle est
contraire à l'égale dignité personnelle de la femme et de l'homme, lesquels dans le
mariage se donnent dans un amour total qui, de ce fait même, est unique et
exclusif[2] ». Le chrétien ancien polygame est gravement tenu en justice d'honorer
les obligations contractées à l'égard de ses anciennes femmes et de ses enfants.

1610

2388 L'*inceste* désigne des relations intimes entre parents ou alliés, à un degré
qui interdit entre eux le mariage[3]. S. Paul stigmatise cette faute particulièrement
grave : « On n'entend parler que d'inconduite parmi vous (...). C'est au point que
l'un d'entre vous vit avec la femme de son père ! (...) Il faut qu'au nom du
Seigneur Jésus (...) nous livrions cet individu à Satan pour la perte de sa chair[4]... »
L'inceste corrompt les relations familiales et marque une régression vers l'animalité.

2356

2207

2389 On peut rattacher à l'inceste les abus sexuels perpétrés par des adultes sur
des enfants ou adolescents confiés à leur garde. La faute se double alors d'une
atteinte scandaleuse portée à l'intégrité physique et morale des jeunes, qui en resteront marqués leur vie durant, et d'une violation de la responsabilité éducative.

2285

2390 Il y a *union libre* lorsque l'homme et la femme refusent de donner une
forme juridique et publique à une liaison impliquant l'intimité sexuelle.

1631

> L'expression est fallacieuse : que peut signifier une union dans laquelle les personnes ne
> s'engagent pas l'une envers l'autre et témoignent ainsi d'un manque de confiance, en l'autre, en soi-
> même, ou en l'avenir ?

L'expression recouvre des situations différentes : concubinage, refus du
mariage en tant que tel, incapacité à se lier par des engagements à long terme[5].
Toutes ces situations offensent la dignité du mariage; elles détruisent l'idée même
de la famille; elles affaiblissent le sens de la fidélité. Elles sont contraires à la loi
morale : l'acte sexuel doit prendre place exclusivement dans le mariage; en dehors
de celui-ci, il constitue toujours un péché grave et exclut de la communion sacramentelle.

2353

1385

2391 Plusieurs réclament aujourd'hui une sorte de « *droit à l'essai* », là où il existe
une intention de se marier. Quelle que soit la fermeté du propos de ceux qui

---

1. Cf. FC 84. - 2. FC 19; cf. GS 47, § 2. - 3. Cf. Lv 18, 7-20. - 4. 1 Co 5, 1. 4-5. - 5. Cf. FC 81.

s'engagent dans des rapports sexuels prématurés, « ceux-ci ne permettent pas d'assurer dans sa sincérité et sa fidélité la relation interpersonnelle d'un homme et d'une femme, et notamment de les protéger contre les fantaisies et les caprices [1] ». L'union charnelle n'est moralement légitime que lorsque s'est instaurée une communauté de vie définitive entre l'homme et la femme. L'amour humain ne tolère pas l'« essai ». Il exige un don total et définitif des personnes entre elles [2].

2364

EN BREF

2392 *« L'amour est la vocation fondamentale et innée de tout être humain [3]. »*

2393 *En créant l'être humain homme et femme, Dieu donne la dignité personnelle d'une manière égale à l'un et à l'autre. Il revient à chacun, homme et femme, de reconnaître et d'accepter son identité sexuelle.*

2394 *Le Christ est le modèle de la chasteté. Tout baptisé est appelé à mener une vie chaste, chacun selon son propre état de vie.*

2395 *La chasteté signifie l'intégration de la sexualité dans la personne. Elle comporte l'apprentissage de la maîtrise personnelle.*

2396 *Parmi les péchés gravement contraires à la chasteté, il faut citer la masturbation, la fornication, la pornographie et les pratiques homosexuelles.*

2397 *L'alliance que les époux ont librement contractée implique un amour fidèle. Elle leur confère l'obligation de garder indissoluble leur mariage.*

2398 *La fécondité est un bien, un don, une fin du mariage. En donnant la vie, les époux participent à la paternité de Dieu.*

2399 *La régulation des naissances représente un des aspects de la paternité et de la maternité responsables. La légitimité des intentions des époux ne justifie pas le recours à des moyens moralement irrecevables (par exemple la stérilisation directe ou la contraception).*

2400 *L'adultère et le divorce, la polygamie et l'union libre sont des offenses graves à la dignité du mariage.*

ARTICLE 7
Le septième commandement

Tu ne commettras pas de vol (Ex 20, 15; Dt 5, 19).
Tu ne voleras pas (Mt 19, 18).

2401 Le septième commandement défend de prendre ou de retenir le bien du prochain injustement et de faire du tort au prochain en ses biens de quelque

---

1. CDF, décl. « Persona humana » 7. - 2. Cf. FC 80. - 3. FC 11.

1807 manière que ce soit. Il prescrit la justice et la charité dans la gestion des biens terrestres et des fruits du travail des hommes. Il demande en vue du bien commun le respect de la destination universelle des biens et du droit de propriété privée. La *952* vie chrétienne s'efforce d'ordonner à Dieu et à la charité fraternelle les biens de ce monde.

I. La destination universelle et la propriété privée des biens

2402 Au commencement, Dieu a confié la terre et ses ressources à la gérance commune de l'humanité pour qu'elle en prenne soin, la maîtrise par son travail et *226* jouisse de ses fruits[1]. Les biens de la création sont destinés à tout le genre humain. Cependant la terre est répartie entre les hommes pour assurer la sécurité de leur vie, exposée à la pénurie et menacée par la violence. L'appropriation des biens est légitime pour garantir la liberté et la dignité des personnes, pour aider chacun à subvenir à ses besoins fondamentaux et aux besoins de ceux dont il a la charge. *1939* Elle doit permettre que se manifeste une solidarité naturelle entre les hommes.

2403 Le *droit à la propriété privée*, acquise par le travail, ou reçue d'autrui par héritage, ou par don, n'abolit pas la donation originelle de la terre à l'ensemble de l'humanité. La *destination universelle des biens* demeure primordiale, même si la promotion du bien commun exige le respect de la propriété privée, de son droit et de son exercice.

2404 « L'homme, dans l'usage qu'il en fait, ne doit jamais tenir les choses qu'il possède légitimement comme n'appartenant qu'à lui, mais les regarder aussi comme communes : en ce sens qu'elles puissent profiter non seulement à lui, mais *307* aux autres[2]. » La propriété d'un bien fait de son détenteur un administrateur de la Providence pour le faire fructifier et en communiquer les bienfaits à autrui, et d'abord à ses proches.

2405 Les biens de production - matériels ou immatériels - comme des terres ou des usines, des compétences ou des arts, requièrent les soins de leurs possesseurs pour que leur fécondité profite au plus grand nombre. Les détenteurs des biens d'usage et de consommation doivent en user avec tempérance, réservant la meilleure part à l'hôte, au malade, au pauvre.

2406 L'*autorité politique* a le droit et le devoir de régler, en fonction du bien *1903* commun, l'exercice légitime du droit de propriété[3].

II. Le respect des personnes et de leurs biens

2407 En matière économique, le respect de la dignité humaine exige la pratique *1809* de la vertu de *tempérance,* pour modérer l'attachement aux biens de ce monde; de

---

1. Cf. Gn 1, 26-29. - 2. GS 69, § 1. - 3. Cf. GS 71, § 4; SRS 42; CA 40; 48.

la vertu de *justice,* pour préserver les droits du prochain et lui accorder ce qui lui *1807*
est dû; et de la *solidarité*, suivant la règle d'or et selon la libéralité du Seigneur qui *1839*
« de riche qu'il était s'est fait pauvre pour nous enrichir de sa pauvreté » (2 Co 8, 9).

Le respect des biens d'autrui

2408 Le septième commandement interdit le *vol,* c'est-à-dire l'usurpation du bien d'autrui contre la volonté raisonnable du propriétaire. Il n'y a pas de vol si le consentement peut être présumé ou si le refus est contraire à la raison et à la destination universelle des biens. C'est le cas de la nécessité urgente et évidente où le seul moyen de subvenir à des besoins immédiats et essentiels (nourriture, abri, vêtement...) est de disposer et d'user des biens d'autrui[1].

2409 Toute manière de prendre et de détenir injustement le bien d'autrui, même si elle ne contredit pas les dispositions de la loi civile, est contraire au septième commandement. Ainsi, retenir délibérément des biens prêtés ou des objets perdus; frauder dans le commerce[2]; payer d'injustes salaires[3]; hausser les prix en spéculant *1867* sur l'ignorance ou la détresse d'autrui[4].

Sont encore moralement illicites : la spéculation par laquelle on agit pour faire varier artificiellement l'estimation des biens, en vue d'en tirer un avantage au détriment d'autrui; la corruption par laquelle on détourne le jugement de ceux qui doivent prendre des décisions selon le droit; l'appropriation et l'usage privés des biens sociaux d'une entreprise; les travaux mal faits, la fraude fiscale, la contrefaçon des chèques et des factures, les dépenses excessives, le gaspillage. Infliger volontairement un dommage aux propriétés privées ou publiques est contraire à la loi morale et demande réparation.

2410 Les *promesses* doivent être tenues, et les *contrats* rigoureusement observés dans la mesure où l'engagement pris est moralement juste. Une part notable de la *2101* vie économique et sociale dépend de la valeur des contrats entre personnes physiques ou morales. Ainsi les contrats commerciaux de vente ou d'achat, les contrats de location ou de travail. Tout contrat doit être convenu et exécuté de bonne foi.

2411 Les contrats sont soumis à la *justice commutative* qui règle les échanges entre les personnes dans l'exact respect de leurs droits. La justice commutative *1807* oblige strictement; elle exige la sauvegarde des droits de propriété, le paiement des dettes et la prestation des obligations librement contractées. Sans la justice commutative, aucune autre forme de justice n'est possible.

On distingue la justice *commutative* de la justice *légale* qui concerne ce que le citoyen doit équitablement à la communauté, et de la justice *distributive* qui règle ce que la communauté doit aux citoyens proportionnellement à leurs contributions et à leurs besoins.

---

1. Cf. GS 69, § 1. - 2. Cf. Dt 25, 13-16. - 3. Cf. Dt 24, 14-15; Jc 5, 4. - 4. Cf. Am 8, 4-6.

2412 En vertu de la justice commutative, la *réparation de l'injustice* commise
1459 exige la restitution du bien dérobé à son propriétaire :

> Jésus bénit Zachée de son engagement : « Si j'ai fait du tort à quelqu'un, je lui rends le
> *2487* quadruple » (Lc 19, 8). Ceux qui, d'une manière directe ou indirecte, se sont emparés d'un bien
> d'autrui, sont tenus de le restituer, ou de rendre l'équivalent en nature ou en espèce, si la chose a
> disparu, ainsi que les fruits et avantages qu'en aurait légitimement obtenu son propriétaire. Sont
> également tenus de restituer à proportion de leur responsabilité et de leur profit tous ceux qui ont
> participé au vol en quelque manière, ou en ont profité en connaissance de cause; par exemple ceux
> qui l'auraient ordonné, ou aidé, ou recelé.

2413 Les *jeux de hasard* (jeu de cartes, etc.) ou les *paris* ne sont pas en eux-même contraires à la
justice. Ils deviennent moralement inacceptables lorsqu'ils privent la personne de ce qui lui est
nécessaire pour subvenir à ses besoins et à ceux d'autrui. La passion du jeu risque de devenir un
asservissement grave. Parier injustement ou tricher dans les jeux constitue une matière grave, à
moins que le dommage infligé soit si léger que celui qui le subit ne puisse raisonnablement le considérer comme significatif.

2414 Le septième commandement proscrit les actes ou entreprises qui, pour
2297 quelque raison que ce soit, égoïste ou idéologique, mercantile ou totalitaire, conduisent à *asservir des êtres humains*, à méconnaître leur dignité personnelle, à les
acheter, à les vendre et à les échanger comme des marchandises. C'est un péché
contre la dignité des personnes et leurs droits fondamentaux que de les réduire par
la violence à une valeur d'usage ou à une source de profit. S. Paul ordonnait à un
maître chrétien de traiter son esclave chrétien « non plus comme un esclave, mais
comme un frère (...), comme un homme, dans le Seigneur » (Phm 16).

Le respect de l'intégrité de la création

2415 Le septième commandement demande le respect de l'intégrité de la créa-
226, 358 tion. Les animaux, comme les plantes et les êtres inanimés, sont naturellement destinés au bien commun de l'humanité passée, présente et future [1]. L'usage des
ressources minérales, végétales et animales de l'univers, ne peut être détaché du
373 respect des exigences morales. La domination accordée par le Créateur à l'homme
sur les êtres inanimés et les autres vivants n'est pas absolue; elle est mesurée par le
souci de la qualité de la vie du prochain, y compris des générations à venir; elle
378 exige un respect religieux de l'intégrité de la création [2].

2416 Les *animaux* sont des créatures de Dieu. Celui-ci les entoure de sa solli-
tude providentielle [3]. Par leur simple existence, ils le bénissent et lui rendent gloire [4].
Aussi les hommes leur doivent-ils bienveillance. On se rappellera avec quelle déli-
344 catesse les saints, comme S. François d'Assise ou S. Philippe Neri, traitaient les animaux.

---

1. Cf. Gn 1, 28-31. - 2. Cf. CA 37-38. - 3. Cf. Mt 6, 26. - 4. Cf. Dn 3, 57-58.

2417 Dieu a confié les animaux à la gérance de celui qu'Il a créé à son image[1]. Il est donc légitime de se servir des animaux pour la nourriture et la confection des vêtements. On peut les domestiquer pour qu'ils assistent l'homme dans ses travaux et dans ses loisirs. Si elles restent dans des limites raisonnables, les expérimentations médicales et scientifiques sur les animaux sont des pratiques moralement recevables, puisqu'elles contribuent à soigner ou épargner des vies humaines. *2234*

2418 Il est contraire à la dignité humaine de faire souffrir inutilement les animaux et de gaspiller leurs vies. Il est également indigne de dépenser pour eux des sommes qui devraient en priorité soulager la misère des hommes. On peut aimer les animaux; on ne saurait détourner vers eux l'affection due aux seules personnes. *2446*

III. La doctrine sociale de l'Église

2419 « La révélation chrétienne conduit à une intelligence plus pénétrante des lois de la vie sociale[2]. » L'Église reçoit de l'Évangile la pleine révélation de la vérité de l'homme. Quand elle accomplit sa mission d'annoncer l'Évangile, elle atteste à l'homme, au nom du Christ, sa dignité propre et sa vocation à la communion des personnes; elle lui enseigne les exigences de la justice et de la paix, conformes à la sagesse divine. *1960* *359*

2420 L'Église porte un jugement moral, en matière économique et sociale, « quand les droits fondamentaux de la personne ou le salut des âmes l'exigent[3] ». Dans l'ordre de la moralité elle relève d'une mission distincte de celle des autorités politiques : l'Église se soucie des aspects temporels du bien commun en raison de leur ordination au souverain Bien, notre fin ultime. Elle s'efforce d'inspirer les attitudes justes dans le rapport aux biens terrestres et dans les relations socio-économiques. *2032* *2246*

2421 La doctrine sociale de l'Église s'est développée au XIXe siècle lors de la rencontre de l'Évangile avec la société industrielle moderne, ses nouvelles structures pour la production de biens de consommation, sa nouvelle conception de la société, de l'État et de l'autorité, ses nouvelles formes de travail et de propriété. Le développement de la doctrine de l'Église, en matière économique et sociale, atteste la valeur permanente de l'enseignement de l'Église, en même temps que le sens véritable de sa Tradition toujours vivante et active[4].

2422 L'enseignement social de l'Église comporte un corps de doctrine qui s'articule à mesure que l'Église interprète les événements au cours de l'histoire, à la lumière de l'ensemble de la parole révélée par le Christ Jésus avec l'assistance de l'Esprit Saint[5]. Cet enseignement devient d'autant plus acceptable pour les hommes de bonne volonté qu'il inspire davantage la conduite des fidèles. *2044*

2423 La doctrine sociale de l'Église propose des principes de réflexion; elle dégage des critères de jugement; elle donne des orientations pour l'action :

---

1. Cf. Gn 2, 19-20; 9, 1-4. - 2. GS 23, § 1. - 3. GS 76, § 5. - 4. Cf. CA 3. - 5. Cf. SRS 1; 41.

Tout système suivant lequel les rapports sociaux seraient entièrement déterminés par les facteurs économiques est contraire à la nature de la personne humaine et de ses actes[1].

2317

2424 Une théorie qui fait du profit la règle exclusive et la fin ultime de l'activité économique est moralement inacceptable. L'appétit désordonné de l'argent ne manque pas de produire ses effets pervers. Il est une des causes des nombreux conflits qui perturbent l'ordre social[2].

Un système qui « sacrifie les droits fondamentaux des personnes et des groupes à l'organisation collective de la production » est contraire à la dignité de l'homme[3]. Toute pratique qui réduit les personnes à n'être que de purs moyens en vue du profit, asservit l'homme, conduit à l'idolâtrie de l'argent et contribue à répandre l'athéisme. « Vous ne pouvez servir à la fois Dieu et Mammon » (Mt 6, 24; Lc 16, 13).

676

2425 L'Église a rejeté les idéologies totalitaires et athées associées, dans les temps modernes, au « communisme » ou au « socialisme ». Par ailleurs, elle a récusé dans la pratique du « capitalisme » l'individualisme et le primat absolu de la loi du marché sur le travail humain[4]. La régulation de l'économie par la seule planification centralisée pervertit à la base les liens sociaux; sa régulation par la seule loi du marché manque à la justice sociale « car il y a de nombreux besoins humains qui ne peuvent être satisfaits par le marché[5] ». Il faut préconiser une régulation raisonnable du marché et

1886 des initiatives économiques, selon une juste hiérarchie des valeurs et en vue du bien commun.

IV. L'activité économique et la justice sociale

2426 Le développement des activités économiques et la croissance de la production sont destinés à subvenir aux besoins des êtres humains. La vie économique ne vise pas seulement à multiplier les biens produits et à augmenter le profit ou la puissance; elle est d'abord ordonnée au service des personnes, de l'homme tout entier et de toute la communauté humaine. Conduite selon ses méthodes propres, l'activité économique doit s'exercer dans les limites de l'ordre moral, suivant la jus-

1928 tice sociale, afin de répondre au dessein de Dieu sur l'homme[6].

307
378

2427 Le *travail humain* procède immédiatement des personnes créées à l'image de Dieu, et appelées à prolonger, les unes avec et pour les autres, l'oeuvre de la création en dominant la terre[7]. Le travail est donc un devoir : « Si quelqu'un ne veut pas travailler, qu'il ne mange pas non plus » (2 Th 3, 10)[8]. Le travail honore les dons du Créateur et les talents reçus. Il peut aussi être rédempteur. En endurant

531 la peine[9] du travail en union avec Jésus, l'artisan de Nazareth et le crucifié du Calvaire, l'homme collabore d'une certaine façon avec le Fils de Dieu dans son Oeuvre rédemptrice. Il se montre disciple du Christ en portant la Croix, chaque jour, dans l'activité qu'il est appelé à accomplir[10]. Le travail peut être un moyen de sanctification et une animation des réalités terrestres dans l'Esprit du Christ.

2428 Dans le travail, la personne exerce et accomplit une part des capacités

2834 inscrites dans sa nature. La valeur primordiale du travail tient à l'homme même,

---

1. Cf. CA 24. - 2. Cf. GS 63, § 3; LE 7; CA 35. - 3. GS 65. - 4. Cf. CA 10; 13; 44. - 5. CA 34. - 6. Cf. GS 64. - 7. Cf. Gn 1, 28; GS 34; CA 31. - 8. Cf. 1 Th 4, 11. - 9. Cf. Gn 3, 14-19. - 10. Cf. LE 27.

qui en est l'auteur et le destinataire. Le travail est pour l'homme, et non l'homme pour le travail[1].

Chacun doit pouvoir puiser dans le travail les moyens de subvenir à sa vie et à celle des siens, et de rendre service à la communauté humaine.

2429 Chacun a le *droit d'initiative économique*, chacun usera légitimement de ses talents pour contribuer à une abondance profitable à tous, et pour recueillir les justes fruits de ses efforts. Il veillera à se conformer aux réglementations portées par les autorités légitimes en vue du bien commun[2].

2430 La *vie économique* met en cause des intérêts divers, souvent opposés entre eux. Ainsi s'explique l'émergence des conflits qui la caractérisent[3]. On s'efforcera de réduire ces derniers par la négociation qui respecte les droits et les devoirs de chaque partenaire social : les responsables des entreprises, les représentants des salariés, par exemple des organisations syndicales, et, éventuellement, les pouvoirs publics.

2431 La *responsabilité de l'État*. « L'activité économique, en particulier celle de l'économie de marché, ne peut se dérouler dans un vide institutionnel, juridique et politique. Elle suppose que soient assurées les garanties des libertés individuelles et de la propriété, sans compter une monnaie stable et des services publics efficaces. Le devoir essentiel de l'État est cependant d'assurer ces garanties, afin que ceux qui travaillent puissent jouir du fruit de leur travail et donc se sentir stimulés à l'accomplir avec efficacité et honnêteté. (...) L'État a le devoir de surveiller et de conduire l'application des droits humains dans le secteur économique; dans ce domaine toutefois, la première responsabilité ne revient pas à l'État mais aux institutions et aux différents groupes et associations qui composent la société[4]. »

2432 Les *responsables d'entreprise* portent devant la société la responsabilité économique et écologique de leurs opérations[5]. Ils sont tenus de considérer le bien des personnes et pas seulement l'augmentation des *profits*. Ceux-ci sont nécessaires cependant. Ils permettent de réaliser les investissements qui assurent l'avenir des entreprises. Ils garantissent l'emploi.

2433 L'*accès au travail* et à la profession doit être ouvert à tous sans discrimination injuste, hommes et femmes, bien portants et handicapés, autochtones et immigrés[6]. En fonction des circonstances, la société doit pour sa part aider les citoyens à se procurer un travail et un emploi[7].

2434 Le *juste salaire* est le fruit légitime du travail. Le refuser ou le retenir peut constituer une grave injustice[8]. Pour apprécier la rémunération équitable, il faut

2185

1908

1883

2415

1867

---

1. Cf. LE 6. - 2. Cf. CA 32; 34. - 3. Cf. LE 11. - 4. CA 48. - 5. Cf. CA 37. - 6. Cf. LE 19; 22-23. - 7. Cf. CA 48. - 8. Cf. Lv 19, 13; Dt 24, 14-15; Jc 5, 4.

tenir compte à la fois des besoins et des contributions de chacun. « Compte tenu des fonctions et de la productivité, de la situation de l'entreprise et du bien commun, la rémunération du travail doit assurer à l'homme et aux siens les ressources nécessaires à une vie digne sur le plan matériel, social, culturel et spirituel [1]. » L'accord des parties n'est pas suffisant pour justifier moralement le montant du salaire.

2435 La *grève* est moralement légitime quant elle se présente comme un recours inévitable, sinon nécessaire, en vue d'un bénéfice proportionné. Elle devient moralement inacceptable lorsqu'elle s'accompagne de violences ou encore si on lui assigne des objectifs non directement liés aux conditions de travail ou contraires au bien commun.

2436 Il est injuste de ne pas payer aux organismes de sécurité sociale les *cotisations* établies par les autorités légitimes.

La *privation d'emploi* à cause du chômage est presque toujours, pour celui qui en est victime, une atteinte à sa dignité et une menace pour l'équilibre de la vie. Outre le dommage personnellement subi, des risques nombreux en découlent pour son foyer [2].

V. Justice et solidarité entre les nations

1938 **2437** Au plan international, l'inégalité des ressources et des moyens économiques est telle qu'elle provoque entre les nations un véritable « fossé [3] ». Il y a d'un côté ceux qui détiennent et développent les moyens de la croissance et, de l'autre, ceux qui accumulent les dettes.

1911 **2438** Diverses causes, de nature religieuse, politique, économique et financière, confèrent aujourd'hui « à la question sociale une dimension mondiale [4] ». La solidarité est nécessaire entre les nations dont les politiques sont déjà interdépendantes. Elle est encore plus indispensable lorsqu'il s'agit d'enrayer les « mécanismes pervers » qui font obstacle au développement des pays moins avancés [5]. Il faut substituer à des systèmes financiers abusifs sinon usuraires [6], à des relations commer-*2315* ciales iniques entre les nations, à la course aux armements, un effort commun pour mobiliser les ressources vers des objectifs de développement moral, culturel et économique « en redéfinissant les priorités et les échelles des valeurs [7] ».

2439 Les *nations riches* ont une responsabilité morale grave à l'égard de celles qui ne peuvent par elles-mêmes assurer les moyens de leur développement ou en ont

1. GS 67, § 2. - 2. Cf. LE 18. - 3. SRS 14. - 4. SRS 9. - 5. Cf. SRS 17; 45. - 6. Cf. CA 35. - 7. CA 28.

été empêchées par de tragiques événements historiques. C'est un devoir de solidarité et de charité; c'est aussi une obligation de justice si le bien-être des nations riches provient de ressources qui n'ont pas été équitablement payées.

2440 L'*aide directe* constitue une réponse appropriée à des besoins immédiats, extraordinaires, causés par exemple par des catastrophes naturelles, des épidémies, etc. Mais elle ne suffit pas à réparer les graves dommages qui résultent des situations de dénuement ni à pourvoir durablement aux besoins. Il faut aussi *réformer les institutions* économiques et financières internationales pour qu'elles promeuvent mieux des rapports équitables avec les pays moins avancés [1]. Il faut soutenir l'effort des pays pauvres travaillant à leur croissance et à leur libération [2]. Cette doctrine demande à être appliquée d'une manière très particulière dans le domaine du travail agricole. Les paysans, surtout dans le tiers monde, forment la masse prépondérante des pauvres.

2441 Accroître le sens de Dieu et la connaissance de soi-même est à la base de tout *développement complet de la société humaine*. Celui-ci multiplie les biens matériels et les met au service de la personne et de sa liberté. Il diminue la misère et l'exploitation économiques. Il fait croître le respect des identités culturelles et l'ouverture à la transcendance [3]. *1908*

2442 Il n'appartient pas aux pasteurs de l'Église d'intervenir directement dans la construction politique et dans l'organisation de la vie sociale. Cette tâche fait partie de la vocation des *fidèles laïcs*, agissant de leur propre initiative avec leurs concitoyens. L'action sociale peut impliquer une pluralité de voies concrètes. Elle sera toujours en vue du bien commun et conforme au message évangélique et à l'enseignement de l'Église. Il revient aux fidèles laïcs « d'animer les réalités temporelles avec un zèle chrétien et de s'y conduire en artisans de paix et de justice [4] ». *899*

VI. L'amour des pauvres
2544-2547

2443 Dieu bénit ceux qui viennent en aide aux pauvres et réprouve ceux qui s'en détournent : « À qui te demande, donne; à qui veut t'emprunter, ne tourne pas le dos » (Mt 5, 42). « Vous avez reçu gratuitement, donnez gratuitement » (Mt 10, 8). C'est à ce qu'ils auront fait pour les pauvres que Jésus-Christ reconnaîtra ses élus [5]. Lorsque « la bonne nouvelle est annoncée aux pauvres » (Mt 11, 5) [6], c'est le signe de la présence du Christ. *786* *525, 544* *853*

2444 « L'amour de l'Église pour les pauvres (...) fait partie de sa tradition constante [7]. » Il s'inspire de l'Évangile des béatitudes [8], de la pauvreté de Jésus [9] et *1716*

---

1. Cf. SRS 16. - 2. Cf. CA 26. - 3. Cf. SRS 32; CA 51. - 4. SRS 47; cf. SRS 42. - 5. Cf. Mt 25, 31-36. - 6. Cf. Lc 4, 18. - 7. CA 57. - 8. Cf. Lc 6, 20-22. - 9. Cf. Mt 8, 20.

de son attention aux pauvres[1]. L'amour des pauvres est même un des motifs du devoir de travailler, afin de « pouvoir faire le bien en secourant les nécessiteux » (Ep 4, 28). Il ne s'étend pas seulement à la pauvreté matérielle, mais aussi aux nombreuses formes de pauvreté culturelle et religieuse[2].

2536

2445 L'amour des pauvres est incompatible avec l'amour immodéré des richesses ou leur usage égoïste :

2547

> Eh bien, maintenant, les riches ! Pleurez, hurlez sur les malheurs qui vont vous arriver. Votre richesse est pourrie, vos vêtements sont rongés par les vers. Votre or et votre argent sont souillés, et leur rouille témoignera contre vous : elle dévorera vos chairs; c'est un feu que vous avez thésaurisé dans les derniers jours ! Voyez : le salaire dont vous avez frustré les ouvriers qui ont fauché vos champs, crie, et les clameurs des moissonneurs sont parvenues aux oreilles du Seigneur des Armées. Vous avez vécu sur terre dans la mollesse et le luxe, vous vous êtes repus au jour du carnage. Vous avez condamné le juste, il ne vous résiste pas (Jc 5, 1-6).

2446 S. Jean Chrysostome le rappelle vigoureusement : « Ne pas faire participer les pauvres à ses propres biens, c'est les voler et leur enlever la vie. Ce ne sont pas nos biens que nous détenons, mais les leurs[3]. » « Il faut satisfaire d'abord aux exigences de la justice, de peur que l'on n'offre comme don de la charité ce qui est déjà dû en justice[4] » :

2402

> Quand nous donnons aux pauvres les choses indispensables, nous ne leur faisons point de largesses personnelles, mais leur rendons ce qui est à eux. Nous remplissons bien plus un devoir de justice que nous n'accomplissons un acte de charité[5].

2447 Les *oeuvres de miséricorde* sont les actions charitables par lesquelles nous venons en aide à notre prochain dans ses nécessités corporelles et spirituelles[6]. Instruire, conseiller, consoler, conforter sont des oeuvres de miséricorde spirituelle, comme pardonner et supporter avec patience. Les oeuvres de miséricorde corporelle consistent notamment à nourrir les affamés, loger les sans-logis, vêtir les déguenillés, visiter les malades et les prisonniers, ensevelir les morts[7]. Parmi ces gestes, l'aumône faite aux pauvres[8] est un des principaux témoignages de la charité fraternelle : elle est aussi une pratique de justice qui plaît à Dieu[9] :

1460

1038

1969

> Que celui qui a deux tuniques partage avec celui qui n'en a pas, et que celui qui a à manger fasse de même (Lc 3, 11). Donnez plutôt en aumône tout ce que vous avez, et tout sera pur pour vous (Lc 11, 41). Si un frère ou une soeur sont nus, s'ils manquent de leur nourriture quotidienne, et que l'un d'entre vous leur dise : « Allez en paix, chauffez-vous, rassasiez-vous », sans leur donner ce qui est nécessaire à leur corps, à quoi cela sert-il ? (Jc 2, 15-16[10].)

1004

---

1. Cf. Mc 12, 41-44. - 2. Cf. CA 57. - 3. Laz. 1, 6. - 4. AA 8. - 5. S. Grégoire le Grand, past. 3, 21. - 6. Cf. Is 58, 6-7; He 13, 3. - 7. Cf. Mt 25, 31-46. - 8. Cf. Tb 4, 5-11; Si 17, 22. - 9. Cf. Mt 6, 2-4. - 10. Cf. 1 Jn 3, 17.

2448 Sous ses multiples formes : dénuement matériel, oppression injuste, infirmités physiques et psychiques, et enfin la mort, *la misère humaine* est le signe manifeste de la condition native de faiblesse où l'homme se trouve depuis le premier péché et du besoin de salut. C'est pourquoi elle a attiré la compassion du Christ Sauveur qui a voulu la prendre sur Lui et S'identifier aux "plus petits d'entre ses frères". C'est pourquoi ceux qu'elle accable sont l'objet d'*un amour de préférence* de la part de l'Église qui, depuis les origines, en dépit des défaillances de beaucoup de ses membres, n'a cessé de travailler à les soulager, les défendre et les libérer. Elle l'a fait par d'innombrables oeuvres de bienfaisance qui restent toujours et partout indispensables[1]. »

386

1586

2449 Dès l'Ancien Testament, toutes sortes de mesures juridiques (année de rémission, interdiction du prêt à intérêt et de la conservation d'un gage, obligation de la dîme, paiement quotidien du journalier, droit de grapillage et de glanage) répondent à l'exhortation du Deutéronome : « Certes les pauvres ne disparaîtront point de ce pays; aussi Je te donne ce commandement : tu dois ouvrir ta main à ton frère, à celui qui est humilié et pauvre dans ton pays » (Dt 15, 11). Jésus fait sienne cette parole : « Les pauvres, en effet, vous les aurez toujours avec vous : mais Moi, vous ne M'aurez pas toujours » (Jn 12, 8). Par là il ne rend pas caduque la véhémence des oracles anciens : « Parce qu'ils vendent le juste à prix d'argent et le pauvre pour une paire de sandales... » (Am 8, 6), mais il nous invite à reconnaître sa présence dans les pauvres qui sont ses frères[2] :

1397

> Le jour où sa mère la reprit d'entretenir à la maison pauvres et infirmes, Ste Rose de Lima[3] lui dit : « Quand nous servons les pauvres et les malades, nous servons Jésus. Nous ne devons pas nous lasser d'aider notre prochain, parce qu'en eux c'est Jésus que nous servons. »

786

EN BREF

2450 *« Tu ne voleras pas » (Dt 5, 19). « Ni voleurs, ni cupides (...) ni rapaces n'hériteront du Royaume de Dieu » (1 Co 6, 10).*

2451 *Le septième commandement prescrit la pratique de la justice et de la charité dans la gestion des biens terrestres et des fruits du travail des hommes.*

2452 *Les biens de la création sont destinés au genre humain tout entier. Le droit à la propriété privée n'abolit pas la destination universelle des biens.*

2453 *Le septième commandement proscrit le vol. Le vol est l'usurpation du bien d'autrui, contre la volonté raisonnable du propriétaire.*

2454 *Toute manière de prendre et d'user injustement du bien d'autrui est contraire au septième commandement. L'injustice commise exige réparation. La justice commutative exige la restitution du bien dérobé.*

---

1. CDF, instr. « Libertatis conscientia » 68. - 2. Cf. Mt 25, 40. - 3. Vita.

2455 *La loi morale proscrit les actes qui, à des fins mercantiles ou totalitaires, conduisent à asservir des êtres humains, à les acheter, à les vendre et à les échanger comme des marchandises.*

2456 *La domination accordée par le Créateur sur les ressources minérales, végétales et animales de l'univers ne peut être séparée du respect des obligations morales, y compris envers les générations à venir.*

2457 *Les animaux sont confiés à la gérance de l'homme qui leur doit bienveillance. Ils peuvent servir à la juste satisfaction des besoins de l'homme.*

2458 *L'Église porte un jugement en matière économique et sociale quand les droits fondamentaux de la personne ou le salut des âmes l'exigent. Elle se soucie du bien commun temporel des hommes en raison de leur ordination au souverain Bien, notre fin ultime.*

2459 *L'homme est lui-même l'auteur, le centre et le but de toute la vie économique et sociale. Le point décisif de la question sociale est que les biens créés par Dieu pour tous arrivent en fait à tous, suivant la justice et avec l'aide de la charité.*

2460 *La valeur primordiale du travail tient à l'homme même, qui en est l'auteur et le destinataire. Moyennant son travail, l'homme participe à l'oeuvre de la création. Uni au Christ le travail peut être rédempteur.*

2461 *Le développement véritable est celui de l'homme tout entier. Il s'agit de faire croître la capacité de chaque personne de répondre à sa vocation, donc à l'appel de Dieu[1].*

2462 *L'aumône faite aux pauvres est un témoignage de charité fraternelle : elle est aussi une pratique de justice qui plaît à Dieu.*

2463 *Dans la multitude d'êtres humains sans pain, sans toit, sans lieu, comment ne pas reconnaître Lazare, mendiant affamé de la parabole[2] ? Comment ne pas entendre Jésus : « À Moi non plus vous ne L'avez pas fait » (Mt 25, 45) ?*

ARTICLE 8
Le huitième commandement

Tu ne témoigneras pas faussement contre ton prochain (Ex 20, 16). Il a été dit aux anciens : « Tu ne parjureras pas, mais tu t'acquitteras envers le Seigneur de tes serments » (Mt 5, 33).

2464 Le huitième commandement interdit de travestir la vérité dans les relations avec autrui. Cette prescription morale découle de la vocation du peuple saint à être

---

1. Cf. CA 29. - 2. Cf. Lc 17, 19-31.

témoin de son Dieu qui est et qui veut la vérité. Les offenses à la vérité expriment, par des paroles ou des actes, un refus de s'engager dans la rectitude morale : elles sont des infidélités foncières à Dieu et, en ce sens, sapent les bases de l'alliance.

I. Vivre dans la vérité

2465 L'Ancien Testament l'atteste : *Dieu est source de toute vérité*. Sa Parole est vérité[1]. Sa Loi est vérité[2]. « Sa fidélité demeure d'âge en âge » (Ps 119, 90[3]). Puisque Dieu est le « Véridique » (Rm 3, 4) les membres de son Peuple sont appelés à vivre dans la vérité[3].

215

2466 En Jésus-Christ, la vérité de Dieu s'est manifestée tout entière. « Plein de grâce et de vérité » (Jn 1, 14), Il est la « lumière du monde » (Jn 8, 12), Il *est la Vérité*[4]. « Quiconque croit en Lui, ne demeure pas dans les ténèbres » (Jn 12, 46). Le disciple de Jésus, « demeure dans sa parole » afin de connaître « la vérité qui rend libre » (Jn 8, 32) et qui sanctifie[5]. Suivre Jésus, c'est vivre de « l'Esprit de vérité » (Jn 14, 17) que le Père envoie en son nom[6] et qui conduit « à la vérité tout entière » (Jn 16, 13). À ses disciples Jésus enseigne l'amour inconditionnel de la vérité : « Que votre langage soit : "Oui ? oui", "Non ? non" » (Mt 5, 37).

2153

2467 L'homme se porte naturellement vers la vérité. Il est tenu de l'honorer et de l'attester : « En vertu de leur dignité, tous les hommes, parce qu'ils sont des personnes (...) sont pressés par leur nature même et tenus, par obligation morale, à chercher la vérité, celle tout d'abord qui concerne la religion. Ils sont tenus aussi à adhérer à la vérité dès qu'ils la connaissent et à régler toute leur vie selon les exigences de la vérité[7]. »

2104

2468 La vérité comme rectitude de l'agir et de la parole humaine a pour nom *véracité*, sincérité ou franchise. La vérité ou véracité est la vertu qui consiste à se montrer vrai en ses actes et à dire vrai en ses paroles, en se gardant de la duplicité, de la simulation et de l'hypocrisie.

1458

2469 « Les hommes ne pourraient pas vivre ensemble s'ils n'avaient pas de *confiance* réciproque, c'est-à-dire s'ils ne se manifestaient pas la vérité[8]. » La vertu de vérité rend justement à autrui son dû. La véracité observe un juste milieu entre ce qui doit être exprimé, et le secret qui doit être gardé : elle implique l'honnêteté et la discrétion. En justice, « un homme doit honnêtement à un autre la manifestation de la vérité[9] ».

1807

2470 Le disciple du Christ accepte de « vivre dans la vérité », c'est-à-dire dans la simplicité d'une vie conforme à l'exemple du Seigneur et demeurant dans sa

---

1. Cf. Pr 8, 7; 2 S 7, 28. - 2. Cf. Ps 119, 142. - 3. Cf. Lc 1, 50. - 4. Cf. Ps 119, 30. - 5. Cf. Jn 14, 6. - 6. Cf. Jn 17, 17. - 7. Cf. Jn 14, 26. - 8. DH 2. - 9. S. Thomas d'A., s. th. 2-2, 109, 3, ad 1. - 10. S. Thomas d' A., s. th. 2-2, 109, 3.

vérité. « Si nous disons que nous sommes en communion avec Lui, alors que nous marchons dans les ténèbres, nous mentons, nous n'agissons pas selon la vérité » (1 Jn 1, 6).

II. « Rendre témoignage à la vérité »

2471 Devant Pilate, le Christ proclame qu'Il est « venu dans le monde pour rendre témoignage à la vérité » (Jn 18, 37). Le chrétien n'a pas à « rougir de rendre *1816* témoignage au Seigneur » (2 Tm 1, 8). Dans les situations qui demandent l'attestation de la foi, le chrétien doit la professer sans équivoque, à l'exemple de S. Paul en face de ses juges. Il lui faut garder « une conscience irréprochable devant Dieu et devant les hommes » (Ac 24, 16).

2472 Le devoir des chrétiens de prendre part à la vie de l'Église les pousse à agir *863, 905* comme *témoins de l'Évangile* et des obligations qui en découlent. Ce témoignage *1807* est transmission de la foi en paroles et en actes. Le témoignage est un acte de justice qui établit ou fait connaître la vérité[1] :

> Tous les chrétiens, partout où ils vivent, sont tenus de manifester (...) par l'exemple de leur vie et le témoignage de leur parole, l'homme nouveau qu'ils ont revêtu par le Baptême, et la force du Saint-Esprit qui les a fortifiés au moyen de la confirmation[2].

2473 Le *martyre* est le suprême témoignage rendu à la vérité de la foi; il désigne *852* un témoignage qui va jusqu'à la mort. Le martyr rend témoignage au Christ, mort et ressuscité, auquel il est uni par la charité. Il rend témoignage à la vérité de la foi *1808* et de la doctrine chrétienne. Il supporte la mort par un acte de force. « Laissez-moi *1258* devenir la pâture des bêtes. C'est par elles qu'il me sera donné d'arriver à Dieu[3]. »

2474 Avec le plus grand soin, l'Église a recueilli les souvenirs de ceux qui sont allés jusqu'au bout pour attester leur foi. Ce sont les actes des Martyrs. Ils constituent les archives de la Vérité écrites en lettres de sang :

1011
> Rien ne me servira des charmes du monde ni des royaumes de ce siècle. Il est meilleur pour moi de mourir [pour m'unir] au Christ Jésus, que de régner sur les extrémités de la terre. C'est Lui que je cherche, qui est mort pour nous; Lui que je veux, qui est ressuscité pour nous. Mon enfantement approche[4]...

> Je Te bénis pour m'avoir jugé digne de ce jour et de cette heure, digne d'être compté au nombre de tes martyrs (...). Tu as gardé ta promesse, Dieu de la fidélité et de la vérité. Pour cette grâce et pour toute chose, je Te loue, je Te bénis, je Te glorifie par l'éternel et céleste Grand Prêtre, Jésus-Christ, ton enfant

---

1. Cf. Mt 18, 16. - 2. AG 11. - 3. Ignace d'Antioche, *Rom.* 4, 1. - 4. S. Ignace d'Antioche, *Rom.* 6, 1-2.

bien-aimé. Par Lui, qui est avec Toi et l'Esprit, gloire Te soit rendue, maintenant et dans les siècles à venir. Amen[1].

III. Les offenses à la vérité

2475 Les disciples du Christ ont « revêtu l'homme nouveau créé selon Dieu dans la justice et la sainteté qui viennent de la vérité » (Ep 4, 24). « Débarrassés du mensonge » (Ep 4, 25), ils ont à « rejeter toute méchanceté et toute ruse, toute forme d'hypocrisie, d'envie et de médisance » (1 P 2, 1).

2476 *Faux témoignage et parjure.* Quand il est émis publiquement, un propos contraire à la vérité revêt une particulière gravité. Devant un tribunal, il devient un *2152* faux témoignage[2]. Quand il est tenu sous serment, il s'agit d'un parjure. Ces manières d'agir contribuent, soit à condamner un innocent, soit à disculper un coupable ou à augmenter la sanction encourue par l'accusé[3]. Elles compromettent gravement l'exercice de la justice et l'équité de la sentence prononcée par les juges.

2477 Le *respect de la réputation* des personnes interdit toute attitude et toute parole susceptibles de leur causer un injuste dommage[4]. Se rend coupable :
- de *jugement téméraire* celui qui, même tacitement, admet comme vrai sans fondement suffisant un défaut moral chez le prochain;
- de *médisance* celui qui, sans raison objectivement valable, dévoile à des personnes qui l'ignorent les défauts et les fautes d'autrui[5];
- de *calomnie* celui qui, par des propos contraires à la vérité, nuit à la réputation des autres et donne occasion à de faux jugements à leur égard.

2478 Pour éviter le jugement téméraire, chacun veillera à interpréter autant que possible dans un sens favorable les pensées, paroles et actions de son prochain :

> Tout bon chrétien doit être plus prompt à sauver la proposition du prochain qu'à la condamner. Si l'on ne peut la sauver, qu'on lui demande comment il la comprend; et s'il la comprend mal, qu'on le corrige avec amour; et si cela ne suffit pas, qu'on cherche tous les moyens adaptés pour qu'en la comprenant bien il se sauve[6].

2479 Médisance et calomnie détruisent la *réputation* et l'*honneur du prochain*. Or l'honneur est le témoignage social rendu à la dignité humaine, et chacun jouit d'un droit naturel à l'honneur de son nom, à sa réputation et au respect. Ainsi, la médisance et la calomnie lèsent les vertus de justice et de charité. *1753*

2480 Est à proscrire toute parole ou attitude qui, par *flatterie, adulation ou complaisance*, encourage et confirme autrui dans la malice de ses actes et la

---

1. S. Polycarpe, mart. 14, 2-3. - 2. Cf. Pr 19, 9. - 3. Cf. Pr 18, 5. - 4. Cf. CIC, can. 220. - 5. Cf. Si 21, 28. - 6. S. Ignace, ex. spir. 22.

perversité de sa conduite. L'adulation est une faute grave si elle se fait complice de vices ou de péchés graves. Le désir de rendre service ou l'amitié ne justifient pas une duplicité du langage. L'adulation est un péché véniel quand elle désire seulement être agréable, éviter un mal, parer à une nécessité, obtenir des avantages légitimes.

2481 La *jactance* ou vantardise constitue une faute contre la vérité. Il en est de même de l'*ironie* qui vise à déprécier quelqu'un en caricaturant, de manière malveillante, tel ou tel aspect de son comportement.

2482 « Le *mensonge* consiste à dire le faux avec l'intention de tromper[1]. » Le Seigneur dénonce dans le mensonge une oeuvre diabolique : « Vous avez pour père le diable (...) il n'y a pas de vérité en lui : quand il dit ses mensonges, il les *392* tire de son propre fonds, parce qu'il est menteur et père du mensonge » (Jn 8, 44).

2483 Le mensonge est l'offense la plus directe à la vérité. Mentir, c'est parler ou agir contre la vérité pour induire en erreur celui qui a le droit de la connaître. En blessant la relation de l'homme à la vérité et au prochain, le mensonge offense la relation fondatrice de l'homme et de sa parole au Seigneur.

2484 La *gravité du mensonge* se mesure selon la nature de la vérité qu'il déforme, *1750* selon les circonstances, les intentions de celui qui le commet, les préjudices subis par ceux qui en sont victimes. Si le mensonge, en soi, ne constitue qu'un péché véniel, il devient mortel quand il lèse gravement les vertus de justice et de charité.

2485 Le mensonge est condamnable dans sa nature. Il est une profanation de la *1756* parole qui a pour tâche de communiquer à d'autres la vérité connue. Le propos délibéré d'induire le prochain en erreur par des propos contraires à la vérité constitue un manquement à la justice et à la charité. La culpabilité est plus grande quand l'intention de tromper risque d'avoir des suites funestes pour ceux qui sont détournés du vrai.

2486 Le mensonge (parce qu'il est une violation de la vertu de véracité), est une véritable violence faite à autrui. Il l'atteint dans sa capacité de connaître, qui est la *1607* condition de tout jugement et de toute décision. Il contient en germe la division des esprits et tous les maux qu'elle suscite. Le mensonge est funeste pour toute société; il sape la confiance entre les hommes et déchire le tissu des relations sociales.

2487 Toute faute commise à l'égard de la justice et de la vérité appelle le *devoir de* *1459* *réparation,* même si son auteur a été pardonné. Lorsqu'il est impossible de réparer un tort publiquement, il faut le faire en secret; si celui qui a subi un préjudice ne peut être directement dédommagé, il faut lui donner satisfaction moralement, au

---

1. S. Augustin, mend. 4, 5.

nom de la charité. Ce devoir de réparation concerne aussi bien les fautes commises à l'égard de la réputation d'autrui. Cette réparation, morale et parfois matérielle, doit s'apprécier à la mesure du dommage qui a été causé. Elle oblige en conscience. *2412*

IV. Le respect de la vérité

2488 Le *droit à la communication* de la vérité n'est pas inconditionnel. Chacun doit conformer sa vie au précepte évangélique de l'amour fraternel. Celui-ci demande, dans les situations concrètes, d'estimer s'il convient ou non de révéler la vérité à celui qui la demande. *1740*

2489 La charité et le respect de la vérité doivent dicter la réponse à toute *demande d'information ou de communication*. Le bien et la sécurité d'autrui, le respect de la vie privée, le bien commun sont des raisons suffisantes pour taire ce qui ne doit pas être connu, ou pour user d'un langage discret. Le devoir d'éviter le scandale commande souvent une stricte discrétion. Personne n'est tenu de révéler la vérité à qui n'a pas droit de la connaître[1]. *2284*

2490 Le *secret du sacrement de réconciliation* est sacré, et ne peut être trahi sous aucun prétexte. « Le secret sacramentel est inviolable; c'est pourquoi il est absolument interdit au confesseur de trahir en quoi que ce soit un pénitent, par des paroles ou d'une autre manière, et pour quelque cause que ce soit[2]. » *1467*

2491 Les *secrets professionnels* - détenus par exemple par des hommes politiques, des militaires, des médecins, des juristes - ou les confidences faites sous le sceau du secret, doivent être gardés, sauf dans les cas exceptionnels où la rétention du secret devrait causer à celui qui les confie, à celui qui les reçoit ou à un tiers des dommages très graves et seulement évitables par la divulgation de la vérité. Même si elles n'ont pas été confiées sous le sceau du secret, les informations privées préjudiciables à autrui n'ont pas à être divulguées sans une raison grave et proportionnée.

2492 Chacun doit garder la juste réserve à propos de la vie privée des gens. Les responsables de la communication doivent maintenir une juste proportion entre les exigences du bien commun et le respect des droits particuliers. L'ingérence de l'information dans la vie privée de personnes engagées dans une activité politique ou publique est condamnable dans la mesure où elle porte atteinte à leur intimité et à leur liberté. *2522*

V. L'usage des moyens de communication sociale

2493 Au sein de la société moderne, les moyens de communication sociale ont un rôle majeur dans l'information, la promotion culturelle et la formation. Ce rôle

---

1. Cf. Si 27, 16; Pr 25, 9-10. - 2. CIC, can. 983, § 1.

grandit, en raison des progrès techniques, de l'ampleur et de la diversité des nouvelles transmises, de l'influence exercée sur l'opinion publique.

2494 L'information médiatique est au service du bien commun[1]. La société a droit à une information fondée sur la vérité, la liberté, la justice, et la solidarité :

1906

> Le bon exercice de ce droit requiert que la communication soit, quant à l'objet, toujours véridique et – dans le respect des exigences de la justice et de la charité – complète; qu'elle soit, quant au mode, honnête et convenable, c'est-à-dire que dans l'acquisition et la diffusion des nouvelles, elle observe absolument les loi morales, les droits et la dignité de l'homme[2].

2495 « Il est nécessaire que tous les membres de la société remplissent dans ce domaine aussi leurs devoirs de justice et de vérité. Ils emploieront les moyens de communication sociale pour concourir à la formation et à la diffusion de saines opinions publiques[3]. » La solidarité apparaît comme une conséquence d'une communication vraie et juste, et la libre circulation des idées, qui favorisent la connaissance et le respect d'autrui.

906

2496 Les moyens de communication sociale (en particulier les mass media) peuvent engendrer une certaine passivité chez les usagers, faisant de ces derniers des consommateurs peu vigilants de messages ou de spectacles. Les usagers s'imposeront modération et discipline vis-à-vis des mass media. Ils voudront se former une conscience éclairée et droite afin de résister plus facilement aux influences moins honnêtes.

2525

2497 Au titre même de leur profession dans la presse, leurs responsables ont l'obligation, dans la diffusion de l'information, de servir la vérité et de ne pas offenser la charité. Ils s'efforceront de respecter, avec un égal souci, la nature des faits et les limites du jugement critique à l'égard des personnes. Ils doivent éviter de céder à la diffamation.

2498 « Des devoirs particuliers reviennent aux *autorités civiles* en raison du bien commun. Les pouvoirs publics ont à défendre et à protéger la vraie et juste liberté de l'information[4]. » En promulgant des lois et en veillant à leur application, les pouvoirs publics s'assureront que le mauvais usage des médias ne vienne pas « causer de graves préjudices aux moeurs publiques et aux progrès de la société[5] ». Ils sanctionneront la violation de droits de chacun à la réputation et au secret de la vie privée. Ils donneront à temps et honnêtement les informations qui concernent le bien général ou répondent aux inquiétudes fondées de la population. Rien ne peut justifier le recours aux fausses informations pour manipuler l'opinion publique par les médias. Ces interventions ne porteront pas atteinte à la liberté des individus et des groupes.

2237

2286

2499 La morale dénonce la plaie des états totalitaires qui falsifient systématiquement la vérité, exercent par les médias une domination politique de l'opinion, « manipulent » les accusés et les témoins de procès publics et imaginent assurer leur tyrannie en jugulant et en réprimant tout ce qu'ils considèrent comme « délits d'opinion ».

1903

VI. Vérité, beauté et art sacré

2500 La pratique du bien s'accompagne d'un plaisir spirituel gratuit et de la beauté morale. De même, la vérité comporte la joie et la splendeur de la beauté

1804

---

1. Cf. IM 11. - 2. IM 5. - 3. IM 8. - 4. IM 12. - 5. IM 12.

spirituelle. La vérité est belle par elle-même. La vérité de la parole, expression rationnelle de la connaissance de la réalité créée et incréée, est nécessaire à l'homme doué d'intelligence, mais la vérité peut aussi trouver d'autres formes d'expression humaine, complémentaires, surtout quand il s'agit d'évoquer ce qu'elle comporte d'indicible, les profondeurs du coeur humain, les élévations de l'âme, le mystère de Dieu. Avant même de se révéler à l'homme en paroles de vérité, Dieu se révèle à lui par le langage universel de la création, oeuvre de sa *341* Parole, de sa sagesse : l'ordre et l'harmonie du cosmos - que découvrent et l'enfant et l'homme de science - « la grandeur et la beauté des créatures font, par analogie, contempler leur Auteur » (Sg 13, 5), « car c'est la source même de la beauté qui les *2189* a créées » (Sg 13, 3).

> La sagesse est, en effet, un effluve de la puissance de Dieu, une émanation toute pure de la gloire du Tout-Puissant; aussi rien de souillé ne s'introduit en elle. Car elle est un reflet de la Lumière Éternelle, un miroir sans tache de l'activité de Dieu, une image de sa bonté (Sg 7, 25-26). La sagesse est, en effet, plus belle que le soleil, elle surpasse toutes les constellations, comparée à la lumière, elle l'emporte; car celle-ci fait place à la nuit, mais contre la sagesse le mal ne prévaut pas (Sg 7, 29-30). Je suis devenu amoureux de sa beauté (Sg 8, 2).

2501 « Créé à l'image de Dieu » (Gn 1, 26), l'homme exprime aussi la vérité de son rapport à Dieu Créateur par la beauté de ses oeuvres artistiques. L'*art*, en effet, est une forme d'expression proprement humaine; au-delà de la recherche des nécessités vitales commune à toutes les créatures vivantes, il est une surabondance gratuite de la richesse intérieure de l'être humain. Surgissant d'un talent donné par le Créateur et de l'effort de l'homme lui-même, l'art est une forme de sagesse pratique, unissant connaissance et savoir-faire [1] pour donner forme à la vérité d'une réalité dans le langage accessible à la vue ou à l'ouïe. L'art comporte ainsi une certaine similitude avec l'activité de Dieu dans le créé, dans la mesure où il s'inspire *339* de la vérité et de l'amour des êtres. Pas plus qu'aucune autre activité humaine, l'art n'a en lui-même sa fin absolue, mais il est ordonné et ennobli par la fin ultime de l'homme [2].

2502 L'*art sacré* est vrai et beau, quand il correspond par sa forme à sa vocation propre : évoquer et glorifier, dans la foi et l'adoration, le mystère transcendant de *1156-1162* Dieu, beauté suréminente invisible de vérité et d'amour, apparue dans le Christ, « resplendissement de sa gloire, effigie de sa substance » (He 1, 3), en qui « habite corporellement toute la plénitude de la divinité » (Col 2, 9), beauté spirituelle réfractée dans la Très Sainte Vierge Mère de Dieu, les anges et les Saints. L'art sacré véritable porte l'homme à l'adoration, à la prière et à l'amour de Dieu Créateur et Sauveur, Saint et Sanctificateur.

2503 C'est pourquoi les évêques doivent, par eux-mêmes ou par délégation, veiller à promouvoir l'art sacré, ancien et nouveau, sous toutes ses formes, et à écarter, avec le même soin

---

1. Cf. Sg 7, 17. - 2. Cf. Pie XII, discours 25 décembre 1955 et discours 3 septembre 1950.

religieux, de la liturgie et des édifices du culte, tout ce qui n'est pas conforme à la vérité de la foi et à l'authentique beauté de l'art *sacré*[1].

EN BREF

2504 *« Tu ne témoigneras pas faussement contre ton prochain » (Ex 20, 16). Les disciples du Christ ont « revêtu l'homme nouveau créé selon Dieu dans la justice et la sainteté qui viennent de la vérité » (Ep 4, 24).*

2505 *La vérité ou véracité est la vertu qui consiste à se montrer vrai en ses actes et à dire vrai en ses paroles, se gardant de la duplicité, de la simulation et de l'hypocrisie.*

2506 *Le chrétien n'a pas à « rougir de rendre témoignage au Seigneur » (2 Tm 1, 8) en acte et en parole. Le martyre est le suprême témoignage rendu à la vérité de la foi.*

2507 *Le respect de la réputation et de l'honneur des personnes interdit toute attitude ou toute parole de médisance ou de calomnie.*

2508 *Le mensonge consiste à dire le faux avec l'intention de tromper le prochain qui a droit à la vérité.*

2509 *Une faute commise à l'encontre de la vérité demande réparation.*

2510 *La règle d'or aide à discerner, dans les situations concrètes, s'il convient ou non de révéler la vérité à celui qui la demande.*

2511 *« Le secret sacramentel est inviolable*[2]. *» Les secrets professionnels doivent être gardés. Les confidences préjudiciables à autrui n'ont pas à être divulguées.*

2512 *La société a droit à une information fondée sur la vérité, la liberté, la justice. Il convient de s'imposer modération et discipline dans l'usage des moyens de communication sociale.*

2513 *Les beaux-arts, mais surtout l'art sacré « visent, par nature, à exprimer de quelque façon dans les oeuvres humaines la beauté infinie de Dieu, et ils se consacrent d'autant plus à accroître sa louange et sa gloire qu'ils n'ont pas d'autre propos que de contribuer le plus possible à tourner les âmes humaines vers Dieu*[3] *».*

ARTICLE 9
Le neuvième commandement

Tu ne convoiteras pas la maison de ton prochain. Tu ne convoiteras pas la femme de ton prochain, ni son serviteur, ni sa servante, ni son boeuf, ni son âne, rien de ce qui est à ton prochain (Ex 20, 17). Quiconque regarde une femme avec convoitise a déjà commis dans son coeur l'adultère avec elle (Mt 5, 28).

---

1. Cf. SC 122-127. - 2. CIC, can. 983, § 1. - 3. SC 122.

2514 S. Jean distingue trois espèces de convoitise ou de concupiscence : la con- voitise de la chair, la convoitise des yeux et l'orgueil de la vie[1]. Suivant la tradition catéchétique catholique, le neuvième commandement proscrit la concupiscence charnelle; le dixième interdit la convoitise du bien d'autrui.

377, 400

2515 Au sens étymologique, la « concupiscence » peut désigner toute forme véhé- mente de désir humain. La théologie chrétienne lui a donné le sens particulier du mouvement de l'appétit sensible qui contrarie l'oeuvre de la raison humaine. L'apôtre S. Paul l'identifie à la révolte que la « chair » mène contre l'« esprit[2] ». Elle vient de la désobéissance du premier péché (Gn 3, 11). Elle dérègle les facultés morales de l'homme et, sans être une faute en elle-même, incline ce dernier à commettre des péchés[3].

405

2516 Déjà dans l'homme, parce qu'il est un être *composé, esprit et corps,* il existe une certaine tension, il se déroule une certaine lutte de tendances entre l'« esprit » et la « chair ». Mais cette lutte, en fait, appartient à l'héritage du péché, elle en est une conséquence et, en même temps, une confirmation. Elle fait partie de l'expéri- ence quotidienne du combat spirituel :

362

407

> Pour l'apôtre, il ne s'agit pas de mépriser et de condamner le corps qui, avec l'âme spirituelle, constitue la nature de l'homme et sa personnalité de sujet; il traite, par contre, des oeuvres ou plutôt des dispositions stables - vertus et vices - moralement *bonnes ou mauvaises,* qui sont le fruit de la *soumission* (dans le premier cas) ou au contraire de la *résistance* (dans le second cas) *à l'action salvatrice de l'Esprit Saint.* C'est pourquoi l'apôtre écrit : « Puisque l'Esprit est notre vie, que l'Esprit nous fasse aussi agir » (Ga 5, 25)[4].

I. La purification du coeur

2517 Le coeur est le siège de la personnalité morale : « C'est du coeur que vien- nent intentions mauvaises, meurtres, adultères et inconduites » (Mt 15, 19). La lutte contre la convoitise charnelle passe par la purification du coeur et la pratique de la tempérance :

368

1809

> Maintiens-toi dans la simplicité, l'innocence, et tu seras comme les petits enfants qui ignorent le mal destructeur de la vie des hommes[5].

2518 La sixième béatitude proclame : « Bienheureux les coeurs purs, car ils verront Dieu » (Mt 5, 8). Les « coeurs purs » désignent ceux qui ont accordé leur intelligence et leur volonté aux exigences de la sainteté de Dieu, principalement en trois domaines : la charité[6], la chasteté ou rectitude sexuelle[7], l'amour de la vérité

---

1. Cf. 1 Jn 2, 16. - 2. Cf Ga 5, 16. 17. 24; Ep 2, 3. - 3. Cf. Cc. Trente : DS 1515. - 4. Jean Paul II, DeV 55. - 5. Hermas, mand. 2, 1. - 6. Cf. 1 Tm 4, 3-9; 2 Tm 2, 22. - 7. Cf. 1 Th 4, 7; Col 3, 5; Ep 4, 19.

et l'orthodoxie de la foi [1]. Il existe un lien entre la pureté du coeur, du corps et de
94   la foi :

> Les fidèles doivent croire les articles du Symbole, « afin qu'en croyant, ils obéissent
> à Dieu; qu'en obéissant, ils vivent bien; qu'en vivant bien, ils purifient leur coeur et
158   > qu'en purifiant leur coeur, ils comprennent ce qu'ils croient [2] ».

2519 Aux « coeurs purs » est promis de voir Dieu face à face et de Lui être sem-
2548   blables [3]. La pureté du coeur est le préalable à la vision. Dès aujourd'hui, elle nous
2819   donne de voir *selon* Dieu, de recevoir autrui comme un « prochain »; elle nous permet de percevoir le corps humain, le nôtre et celui du prochain, comme un temple
2501   de l'Esprit Saint, une manifestation de la beauté divine.

II. Le combat pour la pureté

2520 Le Baptême confère à celui qui le reçoit la grâce de la purification de tous
1264   les péchés. Mais le baptisé doit continuer à lutter contre la concupiscence de la
chair et les convoitises désordonnées. Avec la grâce de Dieu, il y parvient :
2337   - par la *vertu* et le *don de chasteté,* car la chasteté permet d'aimer d'un coeur droit
et sans partage;
1752   - par la *pureté d'intention* qui consiste à viser la fin véritable de l'homme : d'un
oeil simple, le baptisé cherche à trouver et à accomplir en toute chose la volonté
de Dieu [4];
1762   - par la *pureté du regard,* extérieur et intérieur; par la discipline des sentiments et
de l'imagination; par le refus de toute complaisance dans les pensées impures qui
inclinent à se détourner de la voie des commandements divins : « La vue éveille la
passion chez les insensés » (Sg 15, 5);
2846   - par la *prière :*

> Je croyais que la continence relevait de mes propres forces, (...) forces que je ne
> me connaissais pas. Et j'étais assez sot pour ne pas savoir que personne ne peut
> être continent, si tu ne le lui donnes. Et certes, tu l'aurais donné, si de mon
> gémissement intérieur, j'avais frappé à tes oreilles et si d'une foi solide, j'avais jeté
> en toi mon souci [5].

2521 La pureté demande la *pudeur.* Celle-ci est une partie intégrante de la tempérance. La pudeur préserve l'intimité de la personne. Elle désigne le refus de
dévoiler ce qui doit rester caché. Elle est ordonnée à la chasteté dont elle atteste la
délicatesse. Elle guide les regards et les gestes conformes à la dignité des personnes et de leur union.

2522 La pudeur protège le mystère des personnes et de leur amour. Elle invite à
2492   la patience et à la modération dans la relation amoureuse; elle demande que soient

---

1. Cf. Tt 1, 15; 1 Tm 1, 3-4; 2 Tm 2, 23-26. - 2. S. Augustin, fid. et symb. 10, 25. - 3. Cf. 1 Co 13, 12; 1
Jn 3, 2. - 4. Cf. Rm 12, 2; Col 1, 10. - 5. S. Augustin, conf. 6, 11, 20.

remplies les conditions du don et de l'engagement définitif de l'homme et de la femme entre eux. La pudeur est modestie. Elle inspire le choix du vêtement. Elle maintient le silence ou le réserve là où transparaît le risque d'une curiosité malsaine. Elle se fait discrétion.

2523 Il existe une pudeur des sentiments aussi bien que du corps. Elle proteste, par exemple, contre les explorations « voyeuristes » du corps humain dans certaines publicités, ou contre la sollicitation de certains médias à aller trop loin dans la révélation de confidences intimes. La pudeur inspire une manière de vivre qui permet de résister aux sollicitations de la mode et à la pression des idéologies dominantes. *2354*

2524 Les formes revêtues par la pudeur varient d'une culture à l'autre. Partout, cependant elle reste le pressentiment d'une dignité spirituelle propre à l'homme. Elle naît par l'éveil de la conscience du sujet. Enseigner la pudeur à des enfants et des adolescents, c'est éveiller au respect de la personne humaine.

2525 La pureté chrétienne demande une *purification du climat social.* Elle exige des moyens de communication sociale une information soucieuse de respect et de retenue. La pureté du coeur libère de l'érotisme diffus et écarte des spectacles qui favorisent le voyeurisme et l'illusion. *2344*

2526 Ce qui est appelé la *permissivité des moeurs* repose sur une conception erronée de la liberté humaine; pour s'édifier, cette dernière a besoin de se laisser éduquer au préalable par la loi morale. Il convient de demander aux responsables de l'éducation de dispenser à la jeunesse un enseignement respectueux de la vérité, des qualités du coeur et de la dignité morale et spirituelle de l'homme. *1740*

2527 « La Bonne Nouvelle du Christ rénove constamment la vie et la culture de l'homme déchu : elle combat et écarte les erreurs et les maux qui proviennent de la séduction permanente du péché. Elle ne cesse de purifier et d'élever la moralité des peuples. Par les richesses d'en haut, elle féconde comme de l'intérieur les qualités spirituelles et les dons propres à chaque peuple et à chaque âge. Elle les fortifie, les parfait et les restaure dans le Christ [1]. » *1204*

EN BREF

2528 *« Quiconque regarde une femme avec convoitise a déjà commis dans son coeur l'adultère avec elle » (Mt 5, 28).*

2529 *Le neuvième commandement met en garde contre la convoitise ou concupiscence charnelle.*

2530 *La lutte contre la convoitise charnelle passe par la purification du coeur et la pratique de la tempérance.*

---

1. GS 58, § 4.

2531 *La pureté du coeur nous donnera de voir Dieu : elle nous donne dès maintenant de voir toute chose selon Dieu.*

2532 *La purification du coeur exige la prière, la pratique de la chasteté, la pureté de l'intention et du regard.*

2533 *La pureté du coeur demande la pudeur qui est patience, modestie et discrétion. La pudeur préserve l'intimité de la personne.*

ARTICLE 10
Le dixième commandement

Tu ne convoiteras (...) rien de ce qui est à ton prochain (Ex 20, 17). Tu ne désireras ni sa maison, ni son champ, ni son serviteur ou sa servante, ni son boeuf ou son âne : rien de ce qui est à lui (Dt 5, 21).

Là où est ton trésor, là sera ton coeur (Mt 6, 21).

2534 Le dixième commandement dédouble et complète le neuvième, qui porte sur la concupiscence de la chair. Il interdit la convoitise du bien d'autrui, racine du vol, de la rapine et de la fraude, que proscrit le septième commandement. La « convoitise des yeux [1] » conduit à la violence et à l'injustice défendues par le cinquième précepte [2]. La cupidité trouve son origine, comme la fornication, dans *2112* l'idolâtrie prohibée dans les trois premières prescriptions de la loi [3]. Le dixième *2069* commandement porte sur l'intention du coeur; il résume, avec le neuvième, tous les préceptes de la loi.

I. Le désordre des convoitises

2535 L'appétit sensible nous porte à désirer les choses agréables que nous n'avons pas. Ainsi désirer manger quand on a faim, ou se chauffer quand on a froid. Ces désirs sont bons en eux-mêmes; mais souvent ils ne gardent pas la *1767* mesure de la raison et nous poussent à convoiter injustement ce qui ne nous revient pas et appartient, ou est dû, à autrui.

2536 Le dixième commandement proscrit l'*avidité* et le désir d'une appropriation *2445* sans mesure des biens terrestres; il défend la *cupidité* déréglée née de la passion

---

1. Cf. 1 Jn 2, 16. - 2. Cf. Mi 2, 2. - 3. Cf. Sg 14, 12.

immodérée des richesses et de leur puissance. Il interdit encore le désir de commettre une injustice par laquelle on nuirait au prochain dans ses biens temporels :

> Quand la Loi nous dit : « Vous ne convoiterez point » elle nous dit, en d'autres termes, d'éloigner nos désirs de tout ce qui ne nous appartient pas. Car la soif du bien du prochain est immense, infinie et jamais rassasiée, ainsi qu'il est écrit : « L'avare ne sera jamais rassasié d'argent » (Si 5, 9)[1].

2537 Ce n'est pas violer ce commandement que de désirer obtenir des choses qui appartiennent au prochain, pourvu que ce soit par de justes moyens. La catéchèse traditionnelle indique avec réalisme « ceux qui ont le plus à lutter contre leurs convoitises criminelles » et qu'il faut donc « le plus exhorter à observer ce précepte » :

> Ce sont (...) les marchands qui désirent la disette ou la cherté des marchandises, qui voient avec chagrin qu'ils ne sont pas les seuls pour acheter et pour vendre, ce qui leur permettrait de vendre plus cher et d'acheter à plus bas prix; ceux qui souhaitent que leurs semblables soient dans la misère, afin de réaliser du profit, soit en leur vendant, soit en leur achetant (...). Les médecins qui désirent des malades; les hommes de loi qui réclament des causes et des procès importants et nombreux[2]...

2538 Le dixième commandement exige de bannir l'*envie* du coeur humain. Lorsque le prophète Nathan voulut stimuler le repentir du roi David, il lui conta l'histoire du pauvre qui ne possédait qu'une brebis, traitée comme sa propre fille, et du riche qui, malgré la multitude de ses troupeaux, enviait le premier et finit par lui voler sa brebis[3]. L'envie peut conduire aux pires méfaits[4]. C'est par l'envie du diable que la mort est entrée dans le monde (Sg 2, 24) :   *2317*

391

> Nous nous combattons mutuellement, et c'est l'envie qui nous arme les uns contre les autres (...). Si tous s'acharnent ainsi à ébranler le corps du Christ, où en arriverons-nous ? Nous sommes en train d'énerver le corps du Christ (...). Nous nous déclarons les membres d'un même organisme et nous nous dévorons comme le feraient des fauves[5].

2539 L'envie est un vice capital. Elle désigne la tristesse éprouvée devant le bien d'autrui et le désir immodéré de se l'approprier, fût-ce indûment. Quand elle souhaite un mal grave au prochain, elle est un péché mortel :   *1866*

> S. Augustin voyait dans l'envie « le péché diabolique par excellence[6] ». « De l'envie naissent la haine, la médisance, la calomnie, la joie causée par le malheur du prochain et le déplaisir causé par sa prospérité[7]. »

2540 L'envie représente une des formes de la tristesse et donc un refus de la charité; le baptisé luttera contre elle par la bienveillance. L'envie vient souvent de l'orgueil; le baptisé s'entraînera à vivre dans l'humilité :   *1829*

---

1. Catech. R. 3, 37. - 2. Catech. R. 3, 37. - 3. Cf. 2 S 12, 1-4. - 4. Cf. Gn 4, 3-7; 1 R 21, 1-29. - 5. S. Jean Chrysostome, hom. in 2 Cor. 28, 3-4. - 6. Catech. 4, 8. - 7. S. Grégoire le Grand, mor. 31, 45.

C'est par vous que vous voudriez voir Dieu glorifié ? Eh bien, réjouissez-vous des progrès de votre frère, et, du coup, c'est par vous que Dieu sera glorifié. Dieu sera loué, dira-t-on, de ce que son serviteur a su vaincre l'envie en mettant sa joie dans les mérites des autres[1].

II. Les désirs de l'Esprit

1718
2764
2541 L'économie de la loi et de la grâce détourne le coeur des hommes de la cupidité et de l'envie : elle l'initie au désir du Souverain Bien; elle l'instruit des désirs de l'Esprit Saint qui rassasie le coeur de l'homme.

397
Le Dieu des promesses a depuis toujours mis l'homme en garde contre la séduction de ce qui, depuis les origines, apparaît « bon à manger, agréable aux yeux, plaisant à contempler » (Gn 3, 6).

1963
2542 La loi confiée à Israël n'a jamais suffi à justifier ceux qui lui étaient soumis; elle est même devenue l'instrument de la « convoitise[2] ». L'inadéquation entre le vouloir et le faire[3] indique le conflit entre la Loi de Dieu qui est la « loi de la raison » et une autre loi « qui m'enchaîne à la loi du péché qui est dans mes membres » (Rm 7, 23).

1992
2543 « Maintenant, sans la loi, la justice de Dieu s'est manifestée, attestée par la Loi et les Prophètes, justice de Dieu par la foi en Jésus-Christ à l'adresse de tous ceux qui croient » (Rm 3, 21-22). Dès lors les fidèles du Christ « ont crucifié la chair avec ses passions et ses convoitises » (Ga 5, 24); ils sont conduits par l'Esprit[4] et suivent les désirs de l'Esprit[5].

2443-2449
III. La pauvreté de coeur

2544 Jésus enjoint à ses disciples de Le préférer à tout et à tous et leur propose de donner « congé à tous leurs biens » (Lc 14, 33) à cause de Lui et de l'Évangile[6]. Peu avant sa passion Il leur a donné en exemple la pauvre veuve de Jérusalem qui, de son indigence, a donné tout ce qu'elle avait pour vivre[7]. Le précepte du
544
détachement des richesses est obligatoire pour entrer dans le Royaume des cieux.

2545 Tous les fidèles du Christ ont « à régler comme il faut leurs affections pour que l'usage des choses du monde et un attachement aux richesses contraire à l'esprit de pauvreté évangélique ne les détourne pas de poursuivre la perfection de
2013
la charité[8] ».

---

1. S. Jean Chrysostome, hom. in Rom. 7, 3. - 2. Cf. Rm 7, 7. - 3. Cf. Rm 7, 10. - 4. Cf. Rm 8, 14. - 5. Cf. Rm 8, 27. - 6. Cf. Mc 8, 35. - 7. Cf. Lc 21, 4. - 8. LG 42.

2546 « Bienheureux les pauvres en esprit » (Mt 5, 3). Les béatitudes révèlent un ordre de félicité et de grâce, de beauté et de paix. Jésus célèbre la joie des pau- *1716* vres, à qui est déjà le Royaume[1] :

> Le Verbe appelle « pauvreté dans l'esprit » l'humilité volontaire d'un esprit humain et son renoncement; et l'apôtre nous donne en exemple la pauvreté de Dieu quand il dit : « Il s'est fait pauvre pour nous » (2 Co 8, 9)[2].

2547 Le Seigneur se lamente sur les riches, parce qu'ils trouvent dans la profusion des biens leur consolation (Lc 6, 24). « L'orgueilleux cherche la puissance terrestre, tandis que le pauvre en esprit recherche le Royaume des Cieux[3]. » L'abandon à la Providence du Père du Ciel libère de l'inquiétude du lendemain[4]. La con- *305* fiance en Dieu dispose à la béatitude des pauvres. Ils verront Dieu.

IV. « Je veux voir Dieu »

2548 Le désir du bonheur véritable dégage l'homme de l'attachement immodéré aux biens de ce monde, pour s'accomplir dans la vision et la béatitude de Dieu. *2519* « La promesse de voir Dieu dépasse toute béatitude. Dans l'Écriture, voir c'est posséder. Celui qui voit Dieu a obtenu tous les biens que l'on peut concevoir[5]. »

2549 Il reste au peuple saint à lutter, avec la grâce d'en haut, pour obtenir les biens que Dieu promet. Pour posséder et contempler Dieu, les fidèles du Christ mortifient leur convoitises et ils l'emportent, avec la grâce de Dieu, sur les séduc- *2015* tions de la jouissance et de la puissance.

2550 Sur ce chemin de la perfection, l'Esprit et l'Épouse appellent qui les entend[6] à la communion parfaite avec Dieu :

> Là sera la véritable gloire; personne n'y sera loué par erreur ou par flatterie; les vrais honneurs ne seront ni refusés à ceux qui les méritent, ni accordés aux indignes; d'ailleurs nul indigne n'y prétendra, là où ne seront admis que ceux qui sont dignes. Là régnera la véritable paix où nul n'éprouvera d'opposition ni de soi-même ni des autres. De la vertu, Dieu Lui-même sera la récompense, Lui qui a donné la vertu et S'est promis Lui-même à elle comme la récompense la meilleure et la plus grande qui puisse exister : « Je serai leur Dieu et ils seront mon peuple » (Lv 26, 12)... C'est aussi le sens des mots de l'apôtre : « Pour que Dieu soit tout en tous » (1 Co 15, 28). Il sera Lui-même la fin de nos désirs, Lui que nous contem- *314* plerons sans fin, aimerons sans satiété, louerons sans lassitude. Et ce don, cette affection, cette occupation seront assurément, comme la vie éternelle, communs à tous[7].

EN BREF

2551 « Là où est ton trésor, là sera ton coeur » (Mt 6, 21).

2552 *Le dixième commandement défend la cupidité déréglée, née de la passion immodérée des richesses et de leur puissance.*

---

1. Cf. Lc 6, 20. - 2. S. Grégoire de Nysse, beat. 1. - 3. S. Augustin, serm. Dom. 1, 1, 3. - 4. Cf. Mt 6, 25-34. - 5. S. Grégoire de Nysse, beat. 6. - 6. Cf. Ap 22, 17. - 7. S. Augustin, civ. 22, 30.

2553 *L'envie est la tristesse éprouvée devant le bien d'autrui et le désir immodéré de se l'approprier. Elle est un vice capital.*

2554 *Le baptisé combat l'envie par la bienveillance, l'humilité et l'abandon à la providence de Dieu.*

2555 *Les fidèles du Christ « ont crucifié la chair avec ses passions et ses convoitises » (Ga 5, 24); ils sont conduits par l'Esprit et suivent ses désirs.*

2556 *Le détachement des richesses est nécessaire pour entrer dans le Royaume des Cieux. « Bienheureux les pauvres de coeur. »*

2557 *L'homme de désir dit : « Je veux voir Dieu. » La soif de Dieu est étanchée par l'eau de la vie éternelle* [1].

---

1. Cf. Jn 4, 14.

Quatrième partie
La prière chrétienne

Miniature du Monastère de Dionysiou, sur le mont Athos (codex 587), peint à Constantinople vers l'an 1059.

Le Christ se tourne en prière vers le Père (cf. § 2599). Il prie seul, dans un lieu désert. Ses disciples le regardent d'une respectueuse distance. S. Pierre, le chef des apôtres, se tourne vers les autres et leur indique Celui qui est le Maître et le Chemin de la prière chrétienne (cf. § 2607) : « Seigneur, apprends-nous à prier » (Lc 11, 1).

PREMIÈRE SECTION
La prière dans la vie chrétienne

2558 « Il est grand le mystère de la foi. » L'Église le professe dans le Symbole des apôtres *(première partie)* et elle le célèbre dans la liturgie sacramentelle *(deuxième partie)*, afin que la vie des fidèles soit conformée au Christ dans l'Esprit Saint à la Gloire de Dieu le Père *(troisième partie)*. Ce mystère exige donc que les fidèles y croient, le célèbrent et en vivent dans une relation vivante et personnelle avec le Dieu vivant et vrai. Cette relation est la prière.

Qu'est-ce que la prière ?

> Pour moi, la *prière* c'est un élan du coeur, c'est un simple regard jeté vers le ciel, c'est un cri de reconnaissance et d'amour au sein de l'épreuve comme au sein de la joie[1].

La prière comme don de Dieu

2559 « La prière est l'élévation de l'âme vers Dieu ou la demande à Dieu des biens convenables[2]. » D'où parlons-nous en priant ? De la hauteur de notre orgueil et de notre volonté propre, ou des « profondeurs » (Ps 130, 14) d'un coeur humble et contrit ? C'est celui qui s'abaisse qui est élevé[3]. L'*humilité* est le fondement de la prière. « Nous ne savons que demander pour prier comme il faut » (Rm 8, 26). L'humilité est la disposition pour recevoir gratuitement le don de la prière : L'homme est un mendiant de Dieu[4]. *2613* *1736*

2560 « Si tu savais le don de Dieu ! » (Jn 4, 10.) La merveille de la prière se révèle justement là, au bord des puits où nous venons chercher notre eau : là, le Christ vient à la rencontre de tout être humain, Il est le premier à nous chercher et c'est Lui qui demande à boire. Jésus a soif, sa demande vient des profondeurs de Dieu qui nous désire. La prière, que nous le sachions ou non, est la rencontre de la soif de Dieu et de la nôtre. Dieu a soif que nous ayons soif de Lui[5].

---

1. Ste Thérèse de l'Enfant-Jésus, ms. autob. C 25r. - 2. S. Jean Damascène, f. o. 3, 24. - 3. Cf. Lc 18, 9-14. - 4. Cf. S. Augustin, serm. 56, 6, 9. - 5. Cf. S. Augustin, quaest. 64, 4.

2561 « C'est toi qui L'en aurais prié et Il t'aurait donné de l'eau vive » (Jn 4, 10). Notre prière de demande est paradoxalement une réponse. Réponse à la plainte du Dieu vivant : « Ils m'ont abandonné, moi la Source d'eau vive, pour se creuser des citernes lézardées ! » (Jr 2, 13), réponse de foi à la promesse gratuite du salut[1], réponse d'amour à la soif du Fils unique[2].

La prière comme alliance

2562 D'où vient la prière de l'homme ? Quel que soit le langage de la prière (gestes et paroles), c'est tout l'homme qui prie. Mais pour désigner le lieu d'où jaillit la prière, les Écritures parlent parfois de l'âme ou de l'esprit, le plus souvent du coeur (plus de mille fois). C'est le *coeur* qui prie. S'il est loin de Dieu, l'expression de la prière est vaine.

368

2699

1696

2563 Le coeur est la demeure où je suis, où j'habite (selon l'expression sémitique ou biblique : où je « descends »). Il est notre centre caché, insaisissable par notre raison et par autrui; seul l'Esprit de Dieu peut le sonder et le connaître. Il est le lieu de la décision, au plus profond de nos tendances psychiques. Il est le lieu de la vérité, là où nous choisissons la vie ou la mort. Il est le lieu de la rencontre, puisque à l'image de Dieu, nous vivons en relation : il est le lieu de l'alliance.

2564 La prière chrétienne est une relation d'alliance entre Dieu et l'homme dans le Christ. Elle est action de Dieu et de l'homme; elle jaillit de l'Esprit Saint et de nous, toute dirigée vers le Père, en union avec la volonté humaine du Fils de Dieu fait homme.

La prière comme communion

260

792

2565 Dans la Nouvelle Alliance, la prière est la relation vivante des enfants de Dieu avec leur Père infiniment bon, avec son Fils Jésus-Christ et avec l'Esprit Saint. La grâce du Royaume est « l'union de la Sainte Trinité tout entière avec l'esprit tout entier[3] ». La vie de prière est ainsi d'être habituellement en présence du Dieu trois fois Saint et en communion avec Lui. Cette communion de vie est toujours possible parce que, par le Baptême, nous sommes devenus un même être avec le Christ[4]. La prière est *chrétienne* en tant qu'elle est communion au Christ et se dilate dans l'Église qui est son Corps. Ses dimensions sont celles de l'Amour du Christ[5].

---

1. Cf. Jn 7, 37-39; Is 12, 3; 51, 1. - 2. Cf. Jn 19, 28; Za 12, 10; 13, 1. - 3. S. Grégoire de Naz., or. 16, 9. - 4. Cf. Rm 6, 5. - 5. Cf. Ep 3, 18-21.

CHAPITRE PREMIER
La révélation de la prière
L'appel universel à la prière

2566 *L'homme est en quête de Dieu.* Par la création Dieu appelle tout être du néant à l'existence. « Couronné de gloire et de splendeur » (Ps 8, 6), l'homme est, après les anges, capable de reconnaître « qu'il est grand le nom du Seigneur par toute la terre » (Ps 8, 2). Même après avoir perdu la ressemblance avec Dieu par son péché, l'homme reste à l'image de son Créateur. Il garde le désir de Celui qui l'appelle à l'existence. Toutes les religions témoignent de cette quête essentielle des hommes [1].

296

355

28

2567 *Dieu, le premier, appelle l'homme.* Que l'homme oublie son Créateur ou se cache loin de sa Face, qu'il coure après ses idoles ou accuse la divinité de l'avoir abandonné, le Dieu vivant et vrai appelle inlassablement chaque personne à la rencontre mystérieuse de la prière. Cette démarche d'amour du Dieu fidèle est toujours première dans la prière, la démarche de l'homme est toujours une réponse. Au fur et à mesure que Dieu se révèle et révèle l'homme à lui-même, la prière apparaît comme un appel réciproque, un drame d'alliance. À travers des paroles et des actes, ce drame engage le coeur. Il se dévoile à travers toute l'histoire du salut.

30

142

ARTICLE 1
Dans l'Ancien Testament

2568 La révélation de la prière dans l'Ancien Testament s'inscrit entre la chute et le relèvement de l'homme, entre l'appel douloureux de Dieu à ses premiers enfants : « Où es-tu ? (...) Qu'as-tu fait ? » (Gn 3, 9. 13) et la réponse du Fils unique entrant dans le monde (« Voici, je viens pour faire, ô Dieu, ta volonté » : He 10, 5-7). La prière est ainsi liée à l'histoire des hommes, elle est la relation à Dieu dans les événements de l'histoire.

410

1736

2738

La création – source de la prière

2569 C'est d'abord à partir des réalités de la *création* que se vit la prière. Les neuf premiers chapitres de la Genèse décrivent cette relation à Dieu comme offrande

288

---

1. Cf. Ac 17, 27.

des premiers-nés du troupeau par Abel [1], comme invocation du nom divin par
58 Enosh [2], comme « marche avec Dieu » (Gn 5, 24). L'offrande de Noé est « agréable »
à Dieu qui le bénit, et à travers lui, bénit toute la création [3], parce que son coeur
est juste et intègre : lui aussi « marche avec Dieu » (Gn 6, 9). Cette qualité de la
prière est vécue par une multitude de justes dans toutes les religions.

Dans son alliance indéfectible avec les êtres vivants [4] Dieu appelle toujours
59 les hommes à Le prier. Mais c'est surtout à partir de notre père Abraham qu'est
révélée la prière dans l'Ancien Testament.

La promesse et la prière de la foi

2570 Dès que Dieu l'appelle, Abraham part « comme le lui avait dit le Seigneur »
145 (Gn 12, 4) : son coeur est tout « soumis à la Parole », il obéit. L'écoute du coeur qui
se décide selon Dieu est essentielle à la prière, les paroles lui sont relatives. Mais la
prière d'Abraham s'exprime d'abord par des actes : homme de silence, il construit,
à chaque étape, un autel au Seigneur. Plus tard seulement apparaît sa première
prière en paroles : une plainte voilée qui rappelle à Dieu ses promesses qui ne
semblent pas se réaliser [5]. Dès le début apparaît ainsi l'un des aspects du drame de
la prière : l'épreuve de la foi en la fidélité de Dieu.

2571 Ayant cru en Dieu [6], marchant en sa présence et en alliance avec Lui [7], le
patriarche est prêt à accueillir sous sa tente son Hôte mystérieux : c'est l'admirable
494 hospitalité de Mambré, prélude à l'Annonciation du vrai Fils de la promesse [8]. Dès
lors, Dieu lui ayant confié son dessein, le coeur d'Abraham est accordé à la com-
2635 passion de son Seigneur pour les hommes et il ose intercéder pour eux avec une
confiance audacieuse [9].

2572 Ultime purification de sa foi, il est demandé au « dépositaire des promesses » (He 11, 17) de sacrifier le fils que Dieu lui a donné. Sa foi ne faiblit pas :
« C'est Dieu qui pourvoira à l'agneau pour l'holocauste » (Gn 22, 8), « car Dieu,
pensait-il, est capable même de ressusciter les morts » (He 11, 19). Ainsi le père des
croyants est-il conformé à la ressemblance du Père qui n'épargnera pas son propre
603 Fils mais Le livrera pour nous tous [10]. La prière restaure l'homme à la ressemblance
de Dieu et le fait participer à la puissance de l'amour de Dieu qui sauve la multitude [11].

2573 Dieu renouvelle sa promesse à Jacob, l'ancêtre des douze tribus d'Israël [12].
Avant d'affronter son frère Esaü, il lutte toute une nuit avec « quelqu'un » de mystérieux qui refuse de révéler son nom mais le bénit avant de le quitter à

---

1. Cf. Gn 4, 4. - 2. Cf. Gn 4, 26. - 3. Cf. Gn 8, 20-9, 17. - 4. Cf. Gn 9, 8-16. - 5. Cf. Gn 15, 2-3. - 6. Cf.
Gn 15, 6. - 7. Cf. Gn 17, 1-2. - 8. Cf. Gn 18, 1-15; Lc 1, 26-38. - 9. Cf. Gn 18, 16-33. - 10. Cf. Rm 8, 32.
- 11. Cf. Rm 4, 16-21. - 12. Cf. Gn 28, 10-22.

l'aurore. La tradition spirituelle de l'Église a retenu de ce récit le symbole de la prière comme combat de la foi et victoire de la persévérance[1].

162

Moïse et la prière du médiateur

2574 Lorsque commence à se réaliser la promesse (la Pâque, l'Exode, le don de la Loi et la conclusion de l'alliance), la prière de Moïse est la figure saisissante de la prière d'intercession qui s'accomplira dans « l'unique Médiateur entre Dieu et les hommes, le Christ Jésus » (1 Tm 2, 5).

62

2575 Ici encore, Dieu vient, le premier. Il appelle Moïse du milieu du Buisson ardent[2]. Cet événement restera l'une des figures primordiales de la prière dans la tradition spirituelle juive et chrétienne. En effet, si « le Dieu d'Abraham, d'Isaac et de Jacob » appelle son serviteur Moïse, c'est qu'Il est le Dieu Vivant qui veut la vie des hommes. Il se révèle pour les sauver, mais pas tout seul ni malgré eux : Il appelle Moïse pour l'envoyer, pour l'associer à sa compassion, à son oeuvre de salut. Il y a comme une imploration divine dans cette mission et Moïse, après un long débat, ajustera sa volonté à celle du Dieu Sauveur. Mais dans ce dialogue où Dieu se confie, Moïse apprend aussi à prier : il se dérobe, il objecte, surtout il demande, et c'est en réponse à sa demande que le Seigneur lui confie son nom indicible qui se révélera dans ses hauts faits.

205

2576 Or, « Dieu parlait à Moïse face à face, comme un homme parle à son ami » (Ex 33, 11). La prière de Moïse est typique de la prière contemplative grâce à laquelle le serviteur de Dieu est fidèle à sa mission. Moïse « s'entretient » souvent et longuement avec le Seigneur, gravissant la montagne pour L'écouter et L'implorer, descendant vers le peuple pour lui redire les paroles de son Dieu et le guider. « Il est à demeure dans ma maison, je Lui parle bouche à bouche, dans l'évidence » (Nb 12, 7-8), car « Moïse était un homme très humble, l'homme le plus humble que la terre ait porté » (Nb 12, 3).

555

2577 Dans cette intimité avec le Dieu fidèle, lent à la colère et plein d'amour[3], Moïse a puisé la force et la ténacité de son intercession. Il ne prie pas pour lui mais pour le peuple que Dieu s'est acquis. Déjà durant le combat avec les Amalécites[4] ou pour obtenir la guérison de Myriam[5], Moïse intercède. Mais c'est surtout après l'apostasie du peuple qu'il « se tient sur la brèche » devant Dieu (Ps 106, 23) pour sauver le peuple[6]. Les arguments de sa prière (l'intercession est aussi un combat mystérieux) inspireront l'audace des grands priants du peuple juif comme de l'Église : Dieu est amour, Il est donc juste et fidèle; Il ne peut se contredire, Il doit se souvenir de ses actions merveilleuses, sa Gloire est en jeu, Il ne peut abandonner ce peuple qui porte son nom.

210

2635

214

---

1. Cf. Gn 32, 25-31; Lc 18, 1-8 - 2. Cf. Ex 3, 1-10. - 3. Cf. Ex 34, 6. - 4. Cf. Ex 17, 8-13. - 5. Cf. Nb 12, 13-14. - 6. Cf. Ex 32, 1-34, 9.

David et la prière du roi

2578 La prière du Peuple de Dieu va s'épanouir à l'ombre de la demeure de Dieu, l'arche d'alliance et plus tard le Temple. Ce sont d'abord les guides du peuple - les pasteurs et les prophètes - qui lui apprendront à prier. Samuel enfant a dû apprendre de sa mère Anne comment « se tenir devant le Seigneur [1] » et du prêtre Éli comment écouter sa Parole : « Parle, Seigneur, car ton serviteur écoute » (1 S 3, 9-10). Plus tard, lui aussi connaîtra le prix et le poids de l'intercession : « Pour ma part, que je me garde de pécher contre le Seigneur en cessant de prier pour vous et de vous enseigner le bon et droit chemin » (1 S 12, 23).

709
436

2579 David est par excellence le roi « selon le coeur de Dieu », le pasteur qui prie pour son peuple et en son nom, celui dont la soumission à la volonté de Dieu, la louange et le repentir seront le modèle de la prière du peuple. Oint de Dieu, sa prière est adhésion fidèle à la promesse divine [2], confiance aimante et joyeuse en Celui qui est le seul Roi et Seigneur. Dans les Psaumes, David, inspiré par l'Esprit Saint, est le premier prophète de la prière juive et chrétienne. La prière du Christ, véritable Messie et Fils de David, révélera et accomplira le sens de cette prière.

583

2580 Le Temple de Jérusalem, la maison de prière que David voulait construire, sera l'oeuvre de son fils, Salomon. La prière de la Dédicace du Temple [3] s'appuie sur la promesse de Dieu et son alliance, la présence agissante de son nom parmi son Peuple et le rappel des hauts faits de l'Exode. Le roi élève alors les mains vers le ciel et supplie le Seigneur pour lui, pour tout le peuple, pour les générations à venir, pour le pardon de leurs péchés et leurs besoins de chaque jour, afin que toutes les nations sachent qu'Il est le seul Dieu et que le coeur de son peuple soit tout entier à Lui.

Élie, les prophètes et la conversion du coeur

1150

2581 Le Temple devait être pour le Peuple de Dieu le lieu de son éducation à la prière : les pèlerinages, les fêtes, les sacrifices, l'offrande du soir, l'encens, les pains de « proposition », tous ces signes de la Sainteté et de la Gloire du Dieu Très Haut et tout Proche, étaient des appels et des chemins de la prière. Mais le ritualisme entraînait souvent le peuple vers un culte trop extérieur. Il y fallait l'éducation de la foi, la conversion du coeur. Ce fut la mission des prophètes, avant et après l'Exil.

2582 Élie est le père des prophètes, « de la race de ceux qui cherchent Dieu, qui poursuivent sa Face » (Ps 24, 6). Son nom, « Le Seigneur est mon Dieu », annonce le cri du peuple en réponse à sa prière sur le mont Carmel [4]. Jacques renvoie à lui pour nous inciter à la prière : « La supplication ardente du juste a beaucoup de puissance » (Jc 5, 16b-18).

---

1. Cf. 1 S 1, 9-18. - 2. Cf. 2 S 7, 18-29. - 3. Cf. 1 R 8, 10-61. - 4. Cf. 1 R 18, 39. S.

2583 Après avoir appris la miséricorde dans sa retraite au torrent de Kérit, il apprend à la veuve de Sarepta la foi en la parole de Dieu, foi qu'il confirme par sa prière instante : Dieu fait revenir à la vie l'enfant de la veuve[1].

Lors du sacrifice sur le mont Carmel, épreuve décisive pour la foi du Peuple de Dieu, c'est à sa supplication que le feu du Seigneur consume l'holocauste, « à l'heure où l'on présente l'offrande du soir » : « Réponds-moi, Seigneur, réponds-moi ! » ce sont les paroles mêmes d'Élie que les liturgies orientales reprennent dans l'épiclèse eucharistique[2]. *696*

Enfin, reprenant le chemin du désert vers le lieu où le Dieu vivant et vrai s'est révélé à son peuple, Élie se blottit, comme Moïse, « au creux du rocher » jusqu'à ce que « passe » la Présence mystérieuse de Dieu[3]. Mais c'est seulement sur la montagne de la Transfiguration que se dévoilera Celui dont ils poursuivent la Face[4] : la connaissance de la Gloire de Dieu est sur la face du Christ crucifié et ressuscité[5]. *555*

2584 Dans le « seul à seul avec Dieu » les prophètes puisent lumière et force pour leur mission. Leur prière n'est pas une fuite du monde infidèle mais une écoute de la Parole de Dieu, parfois un débat ou une plainte, toujours une intercession qui attend et prépare l'intervention du Dieu Sauveur, Seigneur de l'histoire[6]. *2709*

Les Psaumes, prière de l'assemblée

2585 Depuis David jusqu'à la venue du Messie, les livres saints contiennent des textes de prière qui témoignent de l'approfondissement de la prière, pour soi-même et pour les autres[7]. Les psaumes ont été peu à peu rassemblés en un recueil de cinq livres : les Psaumes (ou « Louanges »), chef-d'oeuvre de la prière dans l'Ancien Testament. *1093*

2586 Les Psaumes nourrissent et expriment la prière du Peuple de Dieu comme assemblée, lors des grandes fêtes à Jérusalem et chaque sabbat dans les synagogues. Cette prière est inséparablement personnelle et communautaire; elle concerne ceux qui prient et tous les hommes; elle monte de la Terre sainte et des communautés de la Diaspora mais elle embrasse toute la création; elle rappelle les événements sauveurs du passé et s'étend jusqu'à la consommation de l'histoire; elle fait mémoire des promesses de Dieu déjà réalisées et elle attend le Messie qui les accomplira définitivement. Priés et accomplis dans le Christ, les Psaumes demeurent essentiels à la prière de son Église[8]. *1177*

2587 Le Psautier est le livre où la Parole de Dieu devient prière de l'homme. Dans les autres livres de l'Ancien Testament « les paroles proclament les oeuvres (de

---

1. Cf. 1 R 17, 7-24. - 2. Cf. 1 R 18, 20-39. - 3. Cf. 1 R 19, 1-14; Ex 33, 19-23. - 4. Cf. Lc 9, 30-35. - 5. Cf. 2 Co 4, 6. - 6. Cf. Am 7, 2. 5; Is 6, 5. 8. 11; Jr 1, 6; 15, 15-18; 20, 7-18. - 7. Cf. Esd 9, 6-15; Ne 1, 4-11; Jon 2, 3-10; Tb 3, 11-16; Jdt 9, 2-14. - 8. Cf. IGLH 100-109.

2641

Dieu pour les hommes) « et font découvrir le mystère qui s'y trouve contenu[1] ». Dans le Psautier, les paroles du psalmiste expriment, en les chantant pour Dieu, ses oeuvres de salut. Le même Esprit inspire l'oeuvre de Dieu et la réponse de l'homme. Le Christ unira l'une et l'autre. En Lui, les psaumes ne cessent de nous apprendre à prier.

2588 Les expressions multiformes de la prière des Psaumes prennent forme à la fois dans la liturgie du Temple et dans le coeur de l'homme. Qu'il s'agisse d'hymne, de prière de détresse ou d'action de grâce, de supplication individuelle ou communautaire, de chant royal ou de pèlerinage, de méditation sapientielle, les psaumes sont le miroir des merveilles de Dieu dans l'histoire de son peuple et des situations humaines vécues par le psalmiste. Un psaume peut refléter un événement du passé, mais il est d'une sobriété telle qu'il peut être prié en vérité par les hommes de toute condition et de tout temps.

2589 Des traits constants traversent les Psaumes : la simplicité et la spontanéité de la prière, le désir de Dieu Lui-même à travers et avec tout ce qui est bon dans sa création, la situation inconfortable du croyant qui, dans son amour de préférence pour le Seigneur, est en butte à une foule d'ennemis et de tentations, et, dans l'attente de ce que fera le Dieu fidèle, la certitude de son amour et la remise à

304

sa volonté. La prière des psaumes est toujours portée par la louange et c'est pourquoi le titre de ce recueil convient bien à ce qu'il nous livre : « les Louanges ». Recueilli pour le culte de l'Assemblée, il fait entendre l'appel à la prière et en chante la réponse : *« Hallelou-Ya ! »* (Alleluia), « Louez le Seigneur ! ».

> Qu'y a-t-il de meilleur qu'un psaume ? C'est pourquoi David dit très bien : « Louez le Seigneur, car le Psaume est une bonne chose : à notre Dieu, louange douce et belle ! » Et c'est vrai. Car le psaume est bénédiction prononcée par le peuple, louange de Dieu par l'assemblée, applaudissement par tous, parole dite par l'univers, voix de l'Église, mélodieuse profession de foi[2]...

EN BREF

2590 *« La prière est l'élévation de l'âme vers Dieu ou la demande à Dieu des biens convenables[3]. »*

2591 *Dieu appelle inlassablement chaque personne à la rencontre mystérieuse avec Lui. La prière accompagne toute l'histoire du salut comme un appel réciproque entre Dieu et l'homme.*

2592 *La prière d'Abraham et de Jacob se présente comme un combat de la foi dans la confiance en la fidélité de Dieu et dans la certitude de la victoire promise à la persévérance.*

2593 *La prière de Moïse répond à l'initiative du Dieu vivant pour le salut de son peuple. Elle préfigure la prière d'intercession de l'unique médiateur, le Christ Jésus.*

---

1. DV 2. - 2. S. Ambroise, Psal. 1, 9. - 3. S. Jean Damascène, f. o. 3, 24.

2594 *La prière du Peuple de Dieu s'épanouit à l'ombre de la demeure de Dieu, l'arche d'alliance et le Temple, sous la conduite des pasteurs, le roi David notamment, et des prophètes.*

2595 *Les prophètes appellent à la conversion du coeur et, tout en recherchant ardemment la face de Dieu, tel Élie, ils intercèdent pour le peuple.*

2596 *Les Psaumes constituent le chef-d'oeuvre de la prière dans l'Ancien Testament. Ils présentent deux composantes inséparables : personnelle et communautaire. Ils s'étendent à toutes les dimensions de l'histoire, commémorant les promesses de Dieu déjà accomplies et espérant la venue du Messie.*

2597 *Priés et accomplis dans le Christ, les Psaumes sont un élément essentiel et permanent de la prière de son Église. Ils sont adaptés aux hommes de toute condition et de tout temps.*

ARTICLE 2
Dans la plénitude du temps

2598 Le drame de la prière nous est pleinement révélé dans le Verbe qui s'est fait chair et qui demeure parmi nous. Chercher à comprendre sa prière, à travers ce que ses témoins nous en annoncent dans l'Évangile, c'est nous approcher du Saint Seigneur Jésus comme du Buisson ardent : d'abord Le contempler Lui-même en prière, puis écouter comment Il nous enseigne à prier, pour connaître enfin comment Il exauce notre prière.

Jésus prie

2599 Le Fils de Dieu devenu Fils de la Vierge a appris à prier selon son coeur d'homme. Il l'apprend de sa mère qui conservait toutes les « grandes choses » du Tout-Puissant et les méditait en son coeur[1]. Il l'apprend dans les mots et les rythmes de la prière de son peuple, à la synagogue de Nazareth et au Temple. Mais sa prière jaillit d'une source autrement secrète, comme Il le laisse pressentir à l'âge de douze ans : « Je Me dois aux affaires de mon Père » (Lc 2, 49). Ici commence à se révéler la nouveauté de la prière dans la plénitude des temps : la *prière filiale*, que le Père attendait de ses enfants va enfin être vécue par le Fils unique Lui-même dans son Humanité, avec et pour les hommes.

470

584

534

---

1. Cf. Lc 1, 49; 2, 19; 2, 51.

2600 L'Évangile selon S. Luc souligne l'action de l'Esprit Saint et le sens de la prière dans le ministère du Christ. Jésus prie *avant* les moments décisifs de sa mission : avant que le Père témoigne de Lui lors de son Baptême [1] et de sa Transfiguration [2], et avant d'accomplir par sa passion le dessein d'amour du Père [3]. Il prie aussi avant les moments décisifs qui vont engager la mission de ses apôtres : avant de choisir et d'appeler les Douze [4], avant que Pierre Le confesse comme « Christ de Dieu [5] » et afin que la foi du chef des apôtres ne défaille pas dans la tentation [6]. La prière de Jésus avant les événements du salut que le Père Lui demande d'accomplir est une remise, humble et confiante, de sa volonté humaine à la volonté aimante du Père.

535
554, 612

858, 443

2601 « Un jour, quelque part, Jésus priait. Quand Il eut fini, un de ses disciples Lui demanda : Seigneur, apprends-nous à prier » (Lc 11, 1). N'est-ce-pas d'abord en contemplant son Maître prier que le disciple du Christ désire prier ? Il peut alors l'apprendre du Maître de la prière. C'est en *contemplant* et en écoutant le Fils que les enfants apprennent à prier le Père.

2765

2602 Jésus se retire souvent à l'écart, *dans la solitude*, sur la montagne, de préférence de nuit, pour prier [7]. *Il porte les hommes* dans sa prière, puisque aussi bien Il assume l'humanité en son Incarnation, et Il les offre au Père en S'offrant Lui-même. Lui, le Verbe qui a « assumé la chair », participe dans sa prière humaine à tout ce que vivent « ses frères » (He 2, 12); Il compatit à leurs faiblesses pour les en délivrer [8]. C'est pour cela que le Père L'a envoyé. Ses paroles et ses oeuvres apparaissent alors comme la manifestation visible de sa prière « dans le secret ».

616

2603 Du Christ, durant son ministère, les évangélistes ont retenu deux prières plus explicites. Or elles commencent chacune par l'action de grâces. Dans la première [9], Jésus confesse le Père, Le reconnaît et Le bénit parce qu'Il a caché les mystères du Royaume à ceux qui se croient doctes et l'a révélé aux « tout-petits » (les pauvres des béatitudes). Son tressaillement « Oui, Père ! » exprime le fond de son coeur, son adhésion au « bon plaisir » du Père, en écho au *« Fiat »* de sa Mère lors de sa conception et en prélude à celui qu'Il dira au Père dans son agonie. Toute la prière de Jésus est dans cette adhésion aimante de son coeur d'homme au « mystère de la volonté » du Père (Ep 1, 9).

2637

2546
494

2604 La seconde prière est rapportée par S. Jean [10] avant la résurrection de Lazare. L'action de grâces précède l'événement : « Père, Je Te rends grâces de M'avoir exaucé », ce qui implique que le Père écoute toujours sa demande; et Jésus ajoute aussitôt : « Je savais bien que Tu M'exauces toujours », ce qui implique que, de son côté, Jésus *demande* d'une façon constante. Ainsi, portée par

---

1. Cf. Lc 3, 21. - 2. Cf. Lc 9, 28. - 3. Cf. Lc 22, 41-44. - 4. Cf. Lc 6, 12. - 5. Cf. Lc 9, 18-20. - 6. Cf. Lc 22, 32. - 7. Cf. Mc 1, 35; 6, 46; Lc 5, 16. - 8. Cf. He 2, 15; 4, 15. - 9. Cf. Mt 11, 25-27 et Lc 10, 21-2. - 10. Cf. Jn 11, 41-42.

l'action de grâce, la prière de Jésus nous révèle comment demander : *avant* que le don soit donné, Jésus adhère à Celui qui donne et Se donne dans ses dons. Le Donateur est plus précieux que le don accordé, Il est le « Trésor », et c'est en Lui qu'est le coeur de son Fils; le don est donné « par surcroît [1] ».

478

La prière « sacerdotale » de Jésus [2] tient une place unique dans l'économie du salut. Elle sera méditée en finale de la première section. Elle révèle en effet la prière toujours actuelle de notre Grand Prêtre, et, en même temps, elle contient ce qu'Il nous enseigne dans notre prière à notre Père, laquelle sera développée dans la deuxième section.

2746

2605 Quand l'Heure est venue où Il accomplit le dessein d'amour du Père, Jésus laisse entrevoir la profondeur insondable de sa prière filiale, non seulement avant de Se livrer librement (« *Abba*... non pas ma volonté, mais la tienne » : Lc 22, 42), mais jusque dans *ses dernières paroles* sur la Croix, là où prier et se donner ne font qu'un : « Mon Père, pardonne-leur, ils ne savent pas ce qu'ils font » (Lc 23, 34); « En vérité, Je Te le dis, dès aujourd'hui Tu seras avec Moi dans le Paradis » (Lc 24, 43); « Femme, voici ton fils (...). Voici ta mère » (Jn 19, 26-27); « J'ai soif ! » (Jn 19, 28); « Mon Dieu, pourquoi M'as-Tu abandonné ? » (Mc 15, 34) [3]; « Tout est achevé » (Jn 19, 30); « Père, Je remets mon esprit entre tes mains » (Lc 23, 46), jusqu'à ce « grand cri » où Il expire en livrant l'esprit [4].

614

2606 Toutes les détresses de l'humanité de tous les temps, esclave du péché et de la mort, toutes les demandes et les intercessions de l'histoire du salut sont recueillies dans ce Cri du Verbe incarné. Voici que le Père les accueille et, au-delà de toute espérance, les exauce en ressuscitant son Fils. Ainsi s'accomplit et se consomme le drame de la prière dans l'économie de la création et du salut. Le Psautier nous en livre la clef dans le Christ. C'est dans l'Aujourd'hui de la Résurrection que le Père dit : « Tu es mon Fils, Moi, aujourd'hui Je T'ai engendré. *Demande*, et Je Te *donne* les nations pour héritage, pour domaine les extrémités de la terre ! » (Ps 2, 7-8 [5].)

403

653

2587

L'Épître aux Hébreux exprime en des termes dramatiques comment la prière de Jésus opère la victoire du salut : « C'est Lui qui aux jours de sa chair, ayant présenté, avec une violente clameur et des larmes, des implorations et des supplications à Celui qui pouvait Le sauver de la mort, et ayant été exaucé en raison de sa piété, tout Fils qu'Il était, Il apprit, de ce qu'Il souffrit, l'obéissance; après avoir été rendu parfait, Il est devenu pour tous ceux qui Lui obéissent principe de salut éternel » (He 5, 7-9).

Jésus enseigne à prier

2607 Quand Jésus prie, Il nous apprend déjà à prier. Le chemin théologal de notre prière est sa prière à son Père. Mais l'Évangile nous livre un enseignement

520

---

1. Cf. Mt 6, 21. 33. - 2. Cf. Jn 17. - 3. Cf. Ps 22, 2. - 4. Cf. Mc 15, 37; Jn 19, 30b. - 5. Cf. Ac 13, 33.

explicite de Jésus sur la prière. En pédagogue Il nous prend là où nous sommes et, progressivement, nous conduit vers le Père. S'adressant aux foules qui Le suivent, Jésus part de ce qu'elles connaissent déjà de la prière selon l'Ancienne Alliance et les ouvre à la nouveauté du Royaume qui vient. Puis Il leur révèle en paraboles cette nouveauté. Enfin, à ses disciples qui devront être des pédagogues de la prière dans son Église, Il parlera ouvertement du Père et de l'Esprit Saint.

541, 1430

2608 Dès le *sermon sur la Montagne*, Jésus insiste sur la *conversion du coeur* : la réconciliation avec le frère avant de présenter une offrande sur l'autel[1], l'amour des ennemis et la prière pour les persécuteurs[2], prier le Père « dans le secret » (Mt 6, 6), ne pas rabâcher de multiples paroles[3], pardonner du fond du coeur dans la prière[4], la pureté du coeur et la recherche du Royaume[5]. Cette conversion est toute polarisée vers le Père, elle est filiale.

153, 1814

2609 Le coeur, ainsi décidé à se convertir, apprend à prier dans la *foi*. La foi est une adhésion filiale à Dieu, au-delà de ce que nous sentons et comprenons. Elle est devenue possible parce que le Fils bien-aimé nous ouvre l'accès auprès du Père. Il peut nous demander de « chercher » et de « frapper », puisqu'Il est Lui-même la porte et le chemin[6].

165

2610 De même que Jésus prie le Père et rend grâces avant de recevoir ses dons, Il nous apprend cette *audace filiale* : « Tout ce que vous demandez en priant, croyez que vous l'avez déjà reçu » (Mc 11, 24). Telle est la force de la prière, « tout est possible à celui qui croit » (Mc 9, 23), d'une foi « qui n'hésite pas » (Mt 21, 22). Autant Jésus est attristé par le « manque de foi » de ses proches (Mc 6, 6) et le « peu de foi » de ses disciples (Mt 8, 26), autant Il est saisi d'admiration devant la « grande foi » du centurion romain (Mt 8, 10) et de la Cananéenne (Mt 15, 28).

2827

2611 La prière de foi ne consiste pas seulement à dire « Seigneur, Seigneur », mais à accorder le coeur à faire la *volonté du Père* (Mt 7, 21). Ce souci de coopérer au dessein divin, Jésus appelle ses disciples à le porter dans la prière[7].

672

2612 En Jésus « le Royaume de Dieu est tout proche », Il appelle à la conversion et à la foi mais aussi à la *vigilance*. Dans la prière, le disciple veille attentif à Celui qui Est et qui Vient dans la mémoire de sa première Venue dans l'humilité de la chair et dans l'espérance de son second Avènement dans la Gloire[8]. En communion avec leur Maître, la prière des disciples est un combat, et c'est en veillant dans la prière que l'on n'entre pas en tentation[9].

2725

546

2613 Trois *paraboles* principales sur la prière nous sont transmises par S. Luc :

La première, « l'ami importun[10] », invite à une prière instante : « Frappez, et l'on vous ouvrira. » À celui qui prie ainsi, le Père du ciel « donnera tout ce dont il a besoin », et surtout l'Esprit Saint qui contient tous les dons.

---

1. Cf. Mt 5, 23-24. - 2. Cf. Mt 5, 44-45. - 3. Cf. Mt 6, 7. - 4. Cf. Mt 6, 14-15. - 5. Cf. Mt 6, 21. 25. 33. - 6. Cf. Mt 7, 7-11. 13-14. - 7. Cf. Mt 9, 38; Lc 10, 2; Jn 4, 34. - 8. Cf. Mc 13; Lc 21, 34-36. - 9. Cf. Lc 22, 40. 46. - 10. Cf. Lc 11, 5-13.

La deuxième, « la veuve importune [1] », est centrée sur l'une des qualités de la prière : il faut toujours prier sans se lasser avec la *patience* de la foi. « Mais le Fils de l'Homme, quand Il viendra, trouvera-t-Il la foi sur la terre ? »

La troisième parabole, « le Pharisien et le publicain [2] », concerne l'*humilité* du coeur qui prie. « Mon Dieu, aie pitié du pécheur que je suis. » Cette prière, l'Église ne cesse de la faire sienne : « *Kyrie eleison !* »   *2559*

2614 Quand Jésus confie ouvertement à ses disciples le mystère de la prière au Père, Il leur dévoile ce que devra être leur prière, et la nôtre, lorsqu'Il sera retourné, dans son Humanité glorifiée, auprès du Père. Ce qui est *nouveau* maintenant est de « demander *en son nom* » (Jn 14, 13). La foi en Lui introduit les disciples dans la connaissance du Père, parce que Jésus est « le Chemin, la Vérité et la Vie » (Jn 14, 6). La foi porte son fruit dans l'amour : garder sa Parole, ses commandements, demeurer avec Lui dans le Père qui en Lui nous aime jusqu'à demeurer en nous. Dans cette alliance nouvelle, la certitude d'être exaucés dans nos demandes est fondée sur la prière de Jésus [3].   *434*

2615 Plus encore, ce que le Père nous donne lorsque notre prière est unie à celle de Jésus, c'est « l'autre Paraclet, pour être avec vous à jamais, l'Esprit de Vérité » (Jn 14, 16-17). Cette nouveauté de la prière et de ses conditions apparaît à travers le discours d'Adieu [4]. Dans l'Esprit Saint, la prière chrétienne est communion d'amour avec le Père, non seulement par le Christ, mais aussi *en Lui* : « Jusqu'ici vous n'avez rien demandé en mon nom. Demandez et vous recevrez, et votre joie sera parfaite » (Jn 16, 24).   *728*

Jésus exauce la prière

2616 La prière *à Jésus* est déjà exaucée par Lui durant son ministère, à travers des signes qui anticipent la puissance de sa mort et de sa Résurrection : Jésus exauce la prière de foi, exprimée en paroles (le lépreux [5]; Jaïre [6]; la Cananéenne [7]; le bon larron [8]) ou en silence (les porteurs du paralytique [9]; l'hémoroïsse qui touche son vêtement [10]; les larmes et le parfum de la pécheresse [11]). La demande pressante des aveugles : « Aie pitié de nous, Fils de David » (Mt 9, 27) ou « Fils de David, Jésus, aie pitié de moi » (Mc 10, 48) a été reprise dans la tradition de la *Prière à Jésus* : « Jésus, Christ, Fils de Dieu, Seigneur, aie pitié de moi, pécheur ! » Guérison des infirmités ou rémission des péchés, Jésus répond toujours à la prière qui L'implore avec foi : « Va en paix, ta foi t'a sauvé ! »   *548   2667*

> S. Augustin résume admirablement les trois dimensions de la prière de Jésus : « Il prie pour nous en tant que notre prêtre, il prie en nous en tant que notre tête, il est prié par nous en tant que notre Dieu. Reconnaissons donc en Lui nos voix et sa voix en nous [12]. »

---

1. Cf. Lc 18, 1-8. - 2. Cf. Lc 18, 9-14. - 3. Cf. Jn 14, 13-14. - 4. Cf. Jn 14, 23-26; 15, 7. 16; 16, 13-15; 16, 23-27 - 5. Cf. Mc 1, 40-41. - 6. Cf. Mc 5, 36. - 7. Cf. Mc 7, 29. - 8. Cf. Lc 23, 39-43. - 9. Cf. Mc 2, 5. - 10. Cf. Mc 5, 28. - 11. Cf. Lc 7, 37-38. - 12. Psal. 85, 1; cf. IGLH 7.

La prière de la Vierge Marie

2617 La prière de Marie nous est révélée à l'aurore de la plénitude des temps.
148   Avant l'Incarnation du Fils de Dieu et avant l'effusion de l'Esprit Saint, sa prière
coopère d'une manière unique au dessein bienveillant du Père, lors de
494   l'Annonciation pour la conception du Christ[1], lors de la Pentecôte pour la formation de l'Église, Corps du Christ[2]. Dans la foi de son humble servante le Don de
Dieu trouve l'accueil qu'Il attendait depuis le commencement des temps. Celle que
490   le Tout-Puissant a faite « pleine de grâce » répond par l'offrande de tout son être :
« Voici la servante du Seigneur, qu'il m'advienne selon ta parole ». *« Fiat »*, c'est la
prière chrétienne : être tout à Lui puisqu'Il est tout à nous.

2618 L'Évangile nous révèle comment Marie prie et intercède dans la foi : à
2674 Cana[3], la Mère de Jésus prie son Fils pour les besoins d'un repas de noces, signe
d'un autre Repas, celui des noces de l'Agneau donnant son Corps et son Sang à la
demande de l'Église, son Épouse. Et c'est à l'heure de la Nouvelle Alliance, au pied
726   de la Croix[4], que Marie est exaucée comme la Femme, la nouvelle Ève, la véritable
« Mère des vivants ».

2619 C'est pourquoi le cantique de Marie[5]; le *« Magnificat »* latin, le *Mégalinaire*
byzantin, est à la fois le cantique de la Mère de Dieu et celui de l'Église, cantique
de la Fille de Sion et du nouveau Peuple de Dieu, cantique d'action de grâces pour
724   la plénitude de grâces répandues dans l'économie du salut, cantique des « pauvres » dont l'espérance est comblée par l'accomplissement des promesses faites à
nos pères « en faveur d'Abraham et de sa descendance, à jamais ».

EN BREF

2620 *Dans le Nouveau Testament le modèle parfait de la prière réside
dans la prière filiale de Jésus. Faite souvent dans la solitude, dans le secret,
la prière de Jésus comporte une adhésion aimante à la volonté du Père
jusqu'à la Croix et une absolue confiance d'être exaucée.*

2621 *Dans son enseignement, Jésus apprend à ses disciples à prier avec un
coeur purifié, une foi vive et persévérante, une audace filiale. Il les appelle à
la vigilance et les invite à présenter à Dieu leurs demandes en son nom.
Jésus-Christ exauce Lui-même les prières qui Lui sont adressées.*

2622 *La prière de la Vierge Marie, en son « Fiat » et en son Magnificat, se
caractérise par l'offrande généreuse de tout son être dans la foi.*

---

1. Cf. Lc 1, 38. - 2. Cf. Ac 1, 14. - 3. Cf. Jn 2, 1-12. - 4. Cf. Jn 19, 25-27. - 5. Cf. Lc 1, 46-55.

ARTICLE 3
Dans le temps de l'Église

2623 Le jour de la Pentecôte, l'Esprit de la promesse a été répandu sur les disciples, « assemblés en un même lieu » (Ac 2, 1), l'attendant « tous d'un même coeur, assidus à la prière » (Ac 1, 14). L'Esprit, qui enseigne l'Église et lui rappelle tout ce que Jésus a dit[1], va aussi la former à la vie de prière.

731

2624 Dans la première communauté de Jérusalem, les croyants « se montraient assidus à l'enseignement des apôtres, fidèles à la communion fraternelle, à la fraction du pain et aux prières » (Ac 2, 42). La séquence est typique de la prière de l'Église : fondée sur la foi apostolique et authentifiée par la charité, elle est nourrie dans l'Eucharistie.

1342

2625 Ces prières sont d'abord celles que les fidèles écoutent et lisent dans les Écritures, mais ils les actualisent, celles des Psaumes en particulier, à partir de leur accomplissement dans le Christ[2]. L'Esprit Saint, qui rappelle ainsi le Christ à son Église orante, la conduit aussi vers la Vérité tout entière et suscite des formulations nouvelles qui exprimeront l'insondable mystère du Christ à l'oeuvre dans la vie, les sacrements et la mission de son Église. Ces formulations se développeront dans les grandes traditions liturgiques et spirituelles. Les *formes de la prière*, telles que les révèlent les Écritures apostoliques canoniques, resteront normatives de la prière chrétienne.

1092

1200

I. La bénédiction et l'adoration

2626 La *bénédiction* exprime le mouvement de fond de la prière chrétienne : elle est rencontre de Dieu et de l'homme; en elle le Don de Dieu et l'accueil de l'homme s'appellent et s'unissent. La prière de bénédiction est la réponse de l'homme aux dons de Dieu : parce que Dieu bénit, le coeur de l'homme peut bénir en retour Celui qui est la source de toute bénédiction.

1078

2627 Deux formes fondamentales expriment ce mouvement : tantôt, elle monte, portée dans l'Esprit Saint, par le Christ vers le Père (nous Le bénissons de nous avoir bénis[3]); tantôt, elle implore la grâce de l'Esprit Saint qui, par le Christ, descend d'auprès du Père (c'est Lui qui nous bénit[4]).

1083

2628 L'*adoration* est la première attitude de l'homme qui se reconnaît créature devant son Créateur. Elle exalte la grandeur du Seigneur qui nous a faits[5] et la

2096-2097

---

1. Cf. Jn 14, 26. - 2. Cf. Lc 24, 27. 44. - 3. Cf. Ep 1, 3-14; 2 Co 1, 3-7; 1 P 1, 3-9. - 4. Cf. 2 Co 13, 13; Rm 15, 5-6. 13; Ep 6, 23-24. - 5. Cf. Ps 95, 1-6.

Toute-Puissance du Sauveur qui nous libère du mal. Elle est le prosternement de l'esprit devant le « Roi de gloire » (Ps 24, 9-10) et le silence respectueux face au Dieu « toujours plus grand[1] ». L'adoration du Dieu trois fois saint et souverainement aimable confond d'humilité et donne assurance à nos supplications.

2559

II. La prière de demande

2629 Le vocabulaire de la supplication est riche en nuances dans le Nouveau Testament : demander, réclamer, appeler avec insistance, invoquer, clamer, crier, et même « lutter dans la prière[2] ». Mais sa forme la plus habituelle, parce que la plus spontanée, est la demande. C'est par la prière de demande que nous traduisons la conscience de notre relation à Dieu : créatures, nous ne sommes ni notre origine, ni maîtres des adversités, ni notre fin ultime, mais aussi, pécheurs, nous savons, comme chrétiens, que nous nous détournons de notre Père. La demande est déjà un retour vers Lui.

396

2630 Le Nouveau Testament ne contient guère de prières de lamentation, fréquentes dans l'Ancien Testament. Désormais dans le Christ ressuscité la demande de l'Église est portée par l'espérance, même si nous sommes encore dans l'attente et que nous ayons chaque jour à nous convertir. C'est d'une autre profondeur que jaillit la demande chrétienne, celle que S. Paul appelle le *gémissement* : celui de la création « en travail d'enfantement » (Rm 8, 22), le nôtre aussi « dans l'attente de la rédemption de notre corps, car notre salut est objet d'espérance » (Rm 8, 23-24), enfin « les gémissements ineffables » de l'Esprit Saint Lui-même qui « vient au secours de notre faiblesse, car nous ne savons que demander pour prier comme il faut » (Rm 8, 26).

2090

2631 La *demande du pardon* est le premier mouvement de la prière de demande (cf. le publicain : « Aie pitié du pécheur que je suis », Lc 18, 13). Elle est le préalable d'une prière juste et pure. L'humilité confiante nous remet dans la lumière de la communion avec le Père et son Fils Jésus-Christ, et les uns avec les autres[3] : alors, « quoi que nous Lui demandions, nous le recevrons de Lui » (1 Jn 3, 22). La demande du pardon est le préalable de la liturgie eucharistique, comme de la prière personnelle.

2838

2632 La demande chrétienne est centrée sur le désir et la *recherche du Royaume* qui vient, conformément à l'enseignement de Jésus[4]. Il y a une hiérarchie dans les demandes : d'abord le Royaume, ensuite ce qui est nécessaire pour l'accueillir et pour coopérer à sa venue. Cette coopération à la mission du Christ et de l'Esprit Saint, qui est maintenant celle de l'Église, est l'objet de la prière de la communauté apostolique[5]. C'est la prière de Paul, l'apôtre par excellence, qui nous révèle comment le souci divin de toutes les Églises doit animer la prière chrétienne[6]. Par la prière, tout baptisé travaille à la Venue du Royaume.

2816
1942

2854

---

1. S. Augustin, Psal. 62, 16. - 2. Cf. Rm 15, 30; Col 4, 12. - 3. Cf. 1 Jn 1, 7-2, 2. - 4. Cf. Mt 6, 10. 33, Lc 11, 2. 13. - 5. Cf. Ac 6, 6; 13, 3. - 6. Cf. Rm 10, 1; Ep 1, 16-23; Ph 1, 9-11; Col 1, 3-6; 4, 3-4. 12.

2633 Quand on participe ainsi à l'amour sauveur de Dieu, on comprend que *tout besoin* puisse devenir objet de demande. Le Christ qui a tout assumé afin de tout racheter est glorifié par les demandes que nous offrons au Père en son Nom[1]. C'est dans cette assurance que Jacques[2] et Paul nous exhortent à prier *en toute occasion*[3].

2830

III. La prière d'intercession

2634 L'intercession est une prière de demande qui nous conforme de près à la prière de Jésus. C'est Lui l'unique Intercesseur auprès du Père en faveur de tous les hommes, des pécheurs en particulier[4]. Il est « capable de sauver de façon définitive ceux qui par Lui s'avancent vers Dieu, étant toujours vivant pour intercéder en leur faveur » (He 7, 25). L'Esprit Saint Lui-même « intercède pour nous (...) et son intercession pour les saints correspond aux vues de Dieu » (Rm 8, 26-27).

432

2635 Intercéder, demander en faveur d'un autre, est, depuis Abraham, le propre d'un coeur accordé à la miséricorde de Dieu. Dans le temps de l'Église, l'intercession chrétienne participe à celle du Christ : elle est l'expression de la communion des saints. Dans l'intercession, celui qui prie ne « recherche pas ses propres intérêts, mais songe plutôt à ceux des autres » (Ph 2, 4), jusqu'à prier pour ceux qui lui font du mal[5].

2571

2577

2636 Les premières communautés chrétiennes ont vécu intensément cette forme de partage[6]. L'apôtre Paul les fait participer ainsi à son ministère de l'Évangile[7], mais il intercède aussi pour elles[8]. L'intercession des chrétiens ne connaît pas de frontières : « pour tous les hommes, pour les dépositaires de l'autorité » (1 Tm 2, 1), pour ceux qui persécutent[9], pour le salut de ceux qui repoussent l'Évangile[10].

1900

1037

IV. La prière d'action de grâces

2637 L'action de grâces caractérise la prière de l'Église qui, en célébrant l'Eucharistie, manifeste et devient davantage ce qu'elle est. En effet, dans l'oeuvre du salut, le Christ libère la création du péché et de la mort pour la consacrer de nouveau et la faire retourner au Père, pour sa Gloire. L'action de grâces des membres du Corps participe à celle de leur Chef.

224, 1328

2603

2638 Comme dans la prière de demande, tout événement et tout besoin peuvent devenir offrande d'action de grâces. Les lettres de S. Paul commencent et se

---

1. Cf. Jn 14, 13. - 2. Cf. Jc 1, 5-8. - 3. Cf. Ep 5, 20; Ph 4, 6-7; Col 3, 16-17; 1 Th 5, 17-18. - 4. Cf. Rm 8, 34, 1 Jn 2, 1; 1 Tm 2, 5-8. - 5. Cf. Étienne priant pour ses bourreaux, comme Jésus : cf. Ac 7, 60; Lc 23, 28. 34. - 6. Cf. Ac 12, 5; 20, 36; 21, 5; 2 Co 9, 14. - 7. Cf. Ep 6, 18-20; Col 4, 3-4; 1 Th 5, 25. - 8. Cf. 2 Th 1, 11; Col 1, 3; Ph 1, 3-4. - 9. Cf. Rm 12, 14. - 10. Cf. Rm 10, 1.

terminent souvent par une action de grâces, et le Seigneur Jésus y est toujours présent. « En toute condition, soyez dans l'action de grâces. C'est la volonté de Dieu sur vous dans le Christ Jésus » (1 Th 5, 18). « Soyez assidus à la prière; qu'elle vous tienne vigilants dans l'action de grâces » (Col 4, 2).

V. La prière de louange

2639 La louange est la forme de prière qui reconnaît le plus immédiatement que Dieu est Dieu. Elle Le chante pour Lui-même, elle Lui rend gloire, au-delà de ce *213* qu'Il fait, parce qu'IL EST. Elle participe à la béatitude des coeurs purs qui L'aiment dans la foi avant de Le voir dans la Gloire. Par elle, l'Esprit se joint à notre esprit pour témoigner que nous sommes enfants de Dieu [1], il rend témoignage au Fils unique en qui nous sommes adoptés et par qui nous glorifions le Père. La louange intègre les autres formes de prière et les porte vers Celui qui en est la source et le terme : « Le seul Dieu, le Père, de qui tout vient et pour qui nous sommes faits » (1 Co 8, 6).

2640 S. Luc mentionne souvent dans son Évangile l'émerveillement et la louange devant les merveilles du Christ, les souligne aussi pour les actions de l'Esprit Saint que sont les Actes des apôtres : la communauté de Jérusalem [2], l'impotent guéri par Pierre et Jean [3], la foule qui en glorifie Dieu [4] les païens de Pisidie qui, « tout joyeux, glorifient la Parole du Seigneur » (Ac 13, 48).

2641 « Récitez entre vous des psaumes, des hymnes et des cantiques inspirés; chantez et célébrez le Seigneur de tout votre coeur » (Ep 5, 19; Col 3, 16). Comme les écrivains inspirés du Nouveau Testament, les premières communautés chrétiennes relisent le livre des Psaumes en y chantant le *2587* mystère du Christ. Dans la nouveauté de l'Esprit, elles composent aussi des hymnes et des cantiques à partir de l'Événement inouï que Dieu a accompli en son Fils : son Incarnation, sa mort victorieuse de la mort, sa Résurrection et son Ascension à sa droite [5]. C'est de cette « merveille » de toute l'économie du salut que monte la doxologie, la louange de Dieu [6].

2642 La Révélation « de ce qui doit arriver bientôt », l'Apocalypse, est portée par les cantiques de *1137* la liturgie céleste [7], mais aussi par l'intercession des « témoins » (martyrs : Ap 6, 10). Les prophètes et les saints, tous ceux qui furent égorgés sur la terre pour le témoignage de Jésus [8], foule immense de ceux qui, venus de la grande tribulation, nous ont précédés dans le Royaume, chantent la louange de gloire de Celui qui siège sur le Trône et de l'Agneau [9]. En communion avec eux, l'Église de la terre chante aussi ces cantiques, dans la foi et l'épreuve. La foi, dans la demande et l'intercession, espère contre toute espérance et rend grâce au « Père des lumières de qui descend tout don excellent » (Jc 1, 17). La foi est ainsi une pure louange.

2643 L'Eucharistie contient et exprime toutes les formes de prière : elle est « l'offrande pure » de tout le Corps du Christ « à la gloire de son nom [10] »; elle est, *1330* selon les traditions d'Orient et d'Occident, « le sacrifice de louange ».

---

1. Cf. Rm 8, 16. - 2. Cf. Ac 2, 47. - 3. Cf. Ac 3, 9. - 4. Cf. Ac 4, 21. - 5. Cf. Ph 2, 6-11; Col 1, 15-20; Ep 5, 14; 1 Tm 3, 16; 6, 15-16; 2 Tm 2, 11-13. - 6. Cf. Ep 1, 3-14; Rm 16, 25-27 ; Ep 3, 20-21 ; Jude 24-25. - 7. Cf. Ap 4, 8-11; 5, 9-14 ; 7, 10-12. - 8. Cf. Ap 18, 24. - 9. Cf. Ap 19, 1-8. - 10. Cf. Ml 1, 11.

En bref

2644 *L'Esprit Saint, qui enseigne l'Église et lui rappelle tout ce que Jésus a dit, l'éduque aussi à la vie de prière, en suscitant des expressions qui se renouvellent au sein de formes permanentes : bénédiction, demande, intercession, action de grâce et louange.*

2645 *C'est parce que Dieu le bénit que le coeur de l'homme peut bénir en retour Celui qui est la source de toute bénédiction.*

2646 *La prière de demande a pour objet le pardon, la recherche du Royaume ainsi que tout vrai besoin.*

2647 *La prière d'intercession consiste en une demande en faveur d'un autre. Elle ne connaît pas de frontière et s'étend jusqu'aux ennemis.*

2648 *Toute joie et toute peine, tout événement et tout besoin peuvent être la matière de l'action de grâce qui, participant à celle du Christ, doit emplir toute la vie : « En toute condition, soyez dans l'action de grâce » (1 Th 5, 18).*

2649 *La prière de louange, toute désintéressée, se porte vers Dieu; elle Le chante pour Lui, elle Lui rend gloire, au-delà de ce qu'Il fait, parce qu'IL EST.*

Chapitre deuxième
La tradition de la prière

2650 La prière ne se réduit pas au jaillissement spontané d'une impulsion intérieure : pour prier, il faut le vouloir. Il ne suffit pas non plus de savoir ce que les Écritures révèlent sur la prière : il faut aussi apprendre à prier. Or, c'est par une transmission vivante (la sainte Tradition) que l'Esprit Saint, dans « l'Église croyante et priante[1] », apprend à prier aux enfants de Dieu.   *75*

2651 La tradition de la prière chrétienne est l'une des formes de croissance de la Tradition de la foi, en particulier par la contemplation et l'étude des croyants qui gardent en leur coeur les événements et les paroles de l'économie du salut, et par la pénétration profonde des réalités spirituelles dont ils font l'expérience[2].   *94*

---

1. DV 8. - 2. Cf. DV 8.

ARTICLE 1
Aux sources de la prière

2652 L'Esprit Saint est « l'eau vive » qui, dans le coeur priant, « jaillit en Vie éter-
694 nelle » (Jn 4, 14). C'est Lui qui nous apprend à L'accueillir à la Source même : le
Christ. Or, il y a dans la vie chrétienne des points de source où le Christ nous
attend pour nous abreuver de l'Esprit Saint :

La Parole de Dieu

2653 L'Église « exhorte avec force et de façon spéciale tous les chrétiens (...) à
133 acquérir par une lecture fréquente des divines Écritures "la science éminente de
1100 Jésus-Christ". (...) Mais la prière doit accompagner la lecture de la Sainte Écriture
pour que se noue un dialogue entre Dieu et l'homme, car "c'est à Lui que nous
nous adressons quand nous prions, c'est Lui que nous écoutons quand nous lisons
les oracles divins[1]". »

2654 Les Pères spirituels, paraphrasant Mt 7, 7, résument ainsi les dispositions du
coeur nourri par la Parole de Dieu dans la prière : « Cherchez en lisant, et vous
trouverez en méditant; frappez en priant, et il vous sera ouvert par la contemplation[2]. »

La liturgie de l'Église

2655 La mission du Christ et de l'Esprit Saint qui, dans la liturgie sacramentelle de
1073 l'Église, annonce, actualise et communique le mystère du salut, se poursuit dans le
368 coeur qui prie. Les Pères spirituels comparent parfois le coeur à un autel. La prière
intériorise et assimile la liturgie pendant et après sa célébration. Même lorsqu'elle
est vécue « dans le secret » (Mt 6, 6), la prière est toujours prière *de l'Église*, elle est
communion avec la Trinité Sainte[3].

1812-1829 ### Les vertus théologales

2656 On entre en prière comme on entre en liturgie : par la porte étroite de la
foi. À travers les signes de sa Présence, c'est la Face du Seigneur que nous cherchons et désirons, c'est sa Parole que nous voulons écouter et garder.

2657 L'Esprit Saint, qui nous apprend à célébrer la liturgie dans l'attente du retour
du Christ, nous éduque à prier dans l'*espérance*. Inversement, la prière de

---

1. S. Ambroise, off. 1, 88, cité par DV 25. - 2. Cf. Guigue le Chartreux, scala. - 3. Cf. IGLH 9.

l'Église et la prière personnelle nourrissent en nous l'espérance. Les psaumes tout particulièrement, avec leur langage concret et varié, nous apprennent à fixer notre espérance en Dieu : « J'espérais le Seigneur d'un grand espoir, Il s'est penché vers moi, Il écouta mon cri » (Ps 40, 2). « Que le Dieu de l'espérance vous donne en plénitude dans votre acte de foi la joie et la paix afin que l'espérance surabonde en nous par la puissance de l'Esprit Saint » (Rm 15, 13).

2658 « L'espérance ne peut décevoir, puisque l'*amour* de Dieu est répandu dans nos coeurs par le Saint-Esprit qui nous fut donné » (Rm 5, 5). La prière, formée par la vie liturgique, puise tout dans l'Amour dont nous sommes aimés dans le Christ et qui nous donne d'y répondre en aimant comme Lui nous a aimés. L'Amour est *826* *la* source de la prière; qui y puise, atteint le sommet de la prière :

> Je vous aime, ô mon Dieu, et mon seul désir est de Vous aimer jusqu'au dernier soupir de ma vie. Je Vous aime, ô mon Dieu infiniment aimable, et j'aime mieux mourir en Vous aimant, que de vivre sans Vous aimer. Je Vous aime, Seigneur, et la seule grâce que je Vous demande, c'est de Vous aimer éternellement. (...) Mon Dieu, si ma langue ne peut dire à tous moments que je Vous aime, je veux que mon coeur Vous le répète autant de fois que je respire[1].

« Aujourd'hui »

2659 Nous apprenons à prier à certains moments en écoutant la Parole du Seigneur et en participant à son mystère Pascal, mais c'est en tout temps, dans les *1165* événements de *chaque jour*, que son Esprit nous est offert pour faire jaillir la prière. L'enseignement de Jésus sur la prière à notre Père est dans la même ligne que celui sur la Providence[2] : le temps est entre les mains du Père; c'est dans le *305* présent que nous le rencontrons, ni hier ni demain, mais aujourd'hui : *2837* « Aujourd'hui, puissiez-vous écouter sa voix; n'endurcissez pas vos coeurs » (Ps 95, 7-8).

2660 Prier dans les événements de chaque jour et de chaque instant est l'un des secrets du Royaume révélés aux « tout-petits », aux serviteurs du Christ, aux pauvres des béatitudes. Il est juste et bon de prier pour que la venue du Royaume de *2546, 2632* justice et de paix influence la marche de l'histoire, mais il est aussi important de pétrir par la prière la pâte des humbles situations quotidiennes. Toutes les formes de prière peuvent être ce levain auquel le Seigneur compare le Royaume[3].

EN BREF

2661 *C'est par une transmission vivante, la Tradition, que, dans l'Église, l'Esprit Saint apprend à prier aux enfants de Dieu.*

2662 *La Parole de Dieu, la liturgie de l'Église, les vertus de foi, d'espérance et de charité sont des sources de la prière.*

---

1. S. Jean-Marie Baptiste Vianney, prière. - 2. Cf. Mt 6, 11. 34. - 3. Cf. Lc 13, 20-21.

ARTICLE 2
Le chemin de la prière

1201
2663 Dans la tradition vivante de la prière, chaque Église propose à ses fidèles, selon le contexte historique, social et culturel, le langage de leur prière : paroles, mélodies, gestes, iconographie. Il appartient au Magistère[1] de discerner la fidélité de ces chemins de prière à la tradition de la foi apostolique, et il revient aux pasteurs et aux catéchètes d'en expliquer le sens, toujours relatif à Jésus-Christ.

La prière au Père

2780
2664 Il n'est pas d'autre chemin de la prière chrétienne que le Christ. Que notre prière soit communautaire ou personnelle, vocale ou intérieure, elle n'a accès au Père que si nous prions « dans le nom » de Jésus. La sainte Humanité de Jésus est donc le chemin par lequel l'Esprit Saint nous apprend à prier Dieu notre Père.

La prière à Jésus

451
2665 La prière de l'Église, nourrie par la Parole de Dieu et la célébration de la liturgie, nous apprend à prier le Seigneur Jésus. Même si elle est surtout adressée au Père, elle comporte, dans toutes les traditions liturgiques, des formes de prière adressées au Christ. Certains psaumes, selon leur actualisation dans la Prière de l'Église, et le Nouveau Testament mettent sur nos lèvres et gravent dans nos coeurs les invocations de cette prière au Christ : Fils de Dieu, Verbe de Dieu, Seigneur, Sauveur, Agneau de Dieu, Roi, Fils bien-aimé, Fils de la Vierge, Bon Berger, notre Vie, notre Lumière, notre Espérance, notre Résurrection, Ami des hommes...

432
435
2666 Mais le nom qui contient tout est celui que le Fils de Dieu reçoit dans son Incarnation : JÉSUS. Le nom divin est indicible par les lèvres humaines[2], mais en assumant notre humanité le Verbe de Dieu nous le livre et nous pouvons l'invoquer : « Jésus », « YHWH sauve[3] ». Le nom de Jésus contient tout : Dieu et l'homme et toute l'économie de la création et du salut. Prier « Jésus », c'est L'invoquer, L'appeler en nous. Son nom est le seul qui contient la Présence qu'Il signifie. Jésus est Ressuscité, et quiconque invoque son nom accueille le Fils de Dieu qui L'a aimé et S'est livré pour Lui[4].

2667 Cette invocation de foi toute simple a été développée dans la tradition de la prière sous maintes formes en Orient et en Occident. La formulation la plus habituelle, transmise par les

---

1. Cf. DV 10. - 2. Cf. Ex 3, 14; 33, 19-23. - 3. Cf. Mt 1, 21. - 4. Cf. Rm 10, 13; Ac 2, 21; 3, 15-16; Ga 2, 20.

spirituels du Sinaï, de Syrie et de l'Athos est l'invocation : « Jésus, Christ, Fils de Dieu, Seigneur, aie *2616* pitié de nous, pécheurs ! » Elle conjugue l'hymne christologique de Ph 2, 6-11 avec l'appel du publicain et des mendiants de la lumière [1]. Par elle, le coeur est accordé à la misère des hommes et à la Miséricorde de leur Sauveur.

2668 L'invocation du saint nom de Jésus est le chemin le plus simple de la prière continuelle. Souvent répétée par un coeur humblement attentif, elle ne se disperse pas dans un « flot de paroles » *435* (Mt 6, 7), mais « garde la Parole et produit du fruit par la constance [2] ». Elle est possible « en tout temps », car elle n'est pas une occupation à côté d'une autre mais l'unique occupation, celle d'aimer Dieu, qui anime et transfigure toute action dans le Christ Jésus.

2669 La prière de l'Église vénère et honore le *Coeur de Jésus*, comme elle invoque son très saint nom. Elle adore le Verbe incarné et son Coeur qui, par amour des hommes, s'est laissé transpercer *478* par nos péchés. La prière chrétienne aime suivre le *chemin de la Croix* à la suite du Sauveur. Les *1674* stations du Prétoire au Golgotha et au Tombeau scandent la marche de Jésus qui a racheté le monde par sa sainte Croix.

« Viens, Esprit Saint »

2670 « Nul ne peut dire : "Jésus est Seigneur", que sous l'action de l'Esprit Saint » (1 Co 12, 3). Chaque fois que nous commençons à prier Jésus, c'est l'Esprit Saint *683* qui, par sa grâce prévenante, nous attire sur le chemin de la prière. Puisqu'Il nous *2001* apprend à prier en nous rappelant le Christ, comment ne pas le prier Lui-même ? C'est pourquoi l'Église nous invite à implorer chaque jour le Saint-Esprit, spécialement au commencement et au terme de toute action importante. *1310*

> Si l'Esprit ne doit pas être adoré, comment me divinise-t-Il par le Baptême ? Et s'Il doit être adoré, ne doit-Il pas être l'objet d'un culte particulier [3] ?

2671 La forme traditionnelle de la demande de l'Esprit est d'invoquer le Père par le Christ notre Seigneur pour qu'Il nous donne l'Esprit Consolateur [4]. Jésus insiste sur cette demande en son nom au moment même où Il promet le don de l'Esprit de Vérité [5]. Mais la prière la plus simple et la plus directe est aussi traditionnelle : « Viens, Esprit Saint », et chaque tradition liturgique l'a développée dans des antiennes et des hymnes :

> Viens, Esprit Saint, emplis les coeurs de tes fidèles, et allume en eux le feu de ton amour [6].

> Roi céleste, Esprit Consolateur, Esprit de Vérité, partout présent et emplissant tout, trésor de tout bien et source de la Vie, viens, habite en nous, purifie-nous et sauve-nous, ô Toi qui es Bon [7] !

2672 L'Esprit Saint, dont l'onction imprègne tout notre être, est le Maître intérieur de la prière chrétienne. Il est l'artisan de la tradition vivante de la prière. *695*

---

1. Cf. Mc 10, 46-52; Lc 18, 13. - 2. Cf. Lc 8, 15. - 3. S. Grégoire de Naz., or. theol. 5, 28. - 4. Cf. Lc 11, 13. - 5. Cf. Jn 14, 17; 15, 26; 16, 13. - 6. Cf. la Séquence de Pentecôte. - 7. Liturgie byzantine, Tropaire des vêpres de Pentecôte.

Certes, il y a autant de cheminements dans la prière que de priants, mais c'est le même Esprit qui agit en tous et avec tous. C'est dans la communion de l'Esprit Saint que la prière chrétienne est prière dans l'Église.

En communion avec la sainte Mère de Dieu

2673 Dans la prière, l'Esprit Saint nous unit à la Personne du Fils unique, en son
689 Humanité glorifiée. C'est par elle et en elle que notre prière filiale communie dans l'Église avec la Mère de Jésus[1].

2674 Depuis le consentement apporté dans la foi à l'Annonciation et maintenu
494 sans hésitation sous la Croix, la maternité de Marie s'étend désormais aux frères et aux soeurs de son Fils « qui sont encore des pèlerins et qui sont en butte aux dangers et aux misères[2] ». Jésus, l'unique Médiateur, est le chemin de notre prière; Marie, sa Mère et notre Mère, Lui est toute transparente : elle « montre le chemin » *(Hodoghitria)*, elle en est « le Signe », selon l'iconographie traditionnelle en Orient et en Occident.

2675 C'est à partir de cette coopération singulière de Marie à l'action de l'Esprit
970 Saint que les Églises ont développé la prière à la sainte Mère de Dieu, en la cen-
512 trant sur la Personne du Christ manifestée dans ses mystères. Dans les innombrables hymnes et antiennes qui expriment cette prière, deux mouvements alter-
2619 nent habituellement : l'un « magnifie » le Seigneur pour les « grandes choses » qu'Il a faites pour son humble servante, et par elle, pour tous les humains[3]; l'autre confie à la Mère de Jésus les supplications et les louanges des enfants de Dieu, puisqu'elle connaît maintenant l'humanité qui en elle est épousée par le Fils de Dieu.

2676 Ce double mouvement de la prière à Marie a trouvé une expression privilégiée dans la prière de l'« Ave Maria » :

722   « *Je vous salue, Marie (Réjouis-toi, Marie).* » La salutation de l'Ange Gabriel ouvre la prière de l'Ave. C'est Dieu Lui-même qui, par l'entremise de son ange, salue Marie. Notre prière ose reprendre la salutation de Marie avec le regard que Dieu a jeté sur son humble servante[4] et se réjouir de la joie qu'Il trouve en elle[5].

490   « *Pleine de grâce, le Seigneur est avec toi* » : Les deux paroles de la salutation de l'ange s'éclairent mutuellement. Marie est pleine de grâce parce que le Seigneur est avec elle. La grâce dont elle est comblée, c'est la présence de Celui qui est la source de toute grâce. « Réjouis-toi (...) fille de Jérusalem (...) le Seigneur est au milieu de toi » (So 3, 14. 17a). Marie, en qui vient habiter le Seigneur Lui-même, est en personne la fille de Sion, l'arche de l'alliance, le lieu où réside la gloire du Seigneur : elle est « la demeure de Dieu parmi les hommes » (Ap 21, 3). « Pleine de grâce », elle est toute donnée à Celui qui vient habiter en elle et qu'elle va donner au monde.

---

1. Cf. Ac 1, 14. - 2. LG 62. - 3. Cf. Lc 1, 46-55. - 4. Cf. Lc 1, 48. - 5. Cf. So 3, 17b.

« Tu es bénie entre toutes les femmes et Jésus, le fruit de tes entrailles, est béni. » Après la salu-   *435*
tation de l'ange, nous faisons nôtre celle d'Élisabeth. « Remplie de l'Esprit Saint » (Lc 1, 41), Élisabeth
est la première dans la longue suite des générations qui déclarent Marie bienheureuse [1] :
« Bienheureuse celle qui a cru... » (Lc 1, 45); Marie est « bénie entre toutes les femmes » parce qu'elle
a cru en l'accomplissement de la parole du Seigneur. Abraham, par sa foi, est devenu une bénédic-   *146*
tion pour « toutes les nations de la terre » (Gn 12, 3). Par sa foi, Marie est devenue la mère des
croyants grâce à laquelle toutes les nations de la terre reçoivent Celui qui est la bénédiction même
de Dieu : « Jésus, le fruit béni de tes entrailles. »

2677 *« Sainte Marie, Mère de Dieu, prie pour nous... »* Avec Élisabeth nous nous émerveillons :
« Comment m'est-il donné que vienne à moi la Mère de mon Seigneur ? » (Lc 1, 43.) Parce qu'elle   *495*
nous donne Jésus son fils, Marie est la Mère de Dieu et notre mère; nous pouvons lui confier tous
nos soucis et nos demandes : elle prie pour nous comme elle a prié pour elle-même : « Qu'il me soit
fait selon ta parole » (Lc 1, 38). En nous confiant à sa prière nous nous abandonnons avec elle à la
volonté de Dieu : « Que ta volonté soit faite. »

« Prie pour nous, pauvres pécheurs, maintenant et à l'heure de notre mort. » En demandant à
Marie de prier pour nous, nous nous reconnaissons pauvres pécheurs et nous nous adressons à la
« Mère de la miséricorde », à la Toute Sainte. Nous nous remettons à elle « maintenant », dans
l'aujourd'hui de nos vies. Et notre confiance s'élargit pour lui abandonner dès maintenant « l'heure
de notre mort ». Qu'elle y soit présente comme à la mort en Croix de son Fils et qu'à l'heure de   *1020*
notre passage elle nous accueille comme notre mère [2] pour nous conduire à son Fils Jésus, en
Paradis.

2678 La piété médiévale de l'Occident a développé la prière du Rosaire, en substitut populaire de
la Prière des Heures. En Orient, la forme litanique de l'Acathiste et de la Paraclisis est restée plus   *971, 1674*
proche de l'office choral dans les Églises byzantines, tandis que les traditions arménienne, copte et
syriaque, ont préféré les hymnes et les cantiques populaires à la Mère de Dieu. Mais dans l'Ave
Maria, les théotokia, les hymnes de S. Ephrem ou de S. Grégoire de Narek, la tradition de la prière
est ici fondamentalement la même.

2679 Marie est l'Orante parfaite, figure de l'Église. Quand nous la prions, nous
adhérons avec elle au dessein du Père, qui envoie son Fils pour sauver tous les   *967*
hommes. Comme le disciple bien-aimé, nous accueillons chez nous [3] la Mère de
Jésus, devenue la mère de tous les vivants. Nous pouvons prier avec elle et la
prier. La prière de l'Église est comme portée par la prière de Marie. Elle lui est unie
dans l'espérance [4].   *972*

EN BREF

2680 *La prière est principalement adressée au Père; de même, elle se porte
vers Jésus, notamment par l'invocation de son saint nom : « Jésus, Christ,
Fils de Dieu, Seigneur, aie pitié de nous, pécheurs ! »*

2681 *« Nul ne peut dire : "Jésus est le Seigneur", sinon sous l'action de
l'Esprit Saint » (1 Co 12, 3). L'Église nous invite à invoquer le Saint-Esprit
comme le Maître intérieur de la prière chrétienne.*

---

1. Cf. Lc 1, 48. - 2. Cf. Jn 19, 27. - 3. Cf. Jn 19, 27. - 4. Cf. LG 68-69.

2682 *En vertu de sa coopération singulière à l'action de l'Esprit Saint, l'Église aime à prier en communion avec la Vierge Marie, pour magnifier avec elle les grandes choses que Dieu a réalisées en elle et pour lui confier supplications et louanges.*

ARTICLE 3
Des guides pour la prière

Une nuée de témoins

2683 Les témoins qui nous ont précédés dans le Royaume [1], spécialement ceux que l'Église reconnaît comme « saints », participent à la tradition vivante de la
956 prière, par le modèle de leur vie, par la transmission de leurs écrits et par leur prière aujourd'hui. Ils contemplent Dieu, ils Le louent et ne cessent pas de prendre soin de ceux qu'ils ont laissés sur la terre. En entrant « dans la joie » de leur Maître, ils ont été « établis sur beaucoup [2]. » Leur intercession est leur plus haut service du dessein de Dieu. Nous pouvons et devons les prier d'intercéder pour nous et pour le monde entier.

2684 Dans la communion des saints se sont développées tout au long de l'his-
917 toire des Églises diverses *spiritualités*. Le charisme personnel d'un témoin de l'amour de Dieu pour les hommes a pu être transmis, tel « l'esprit » d'Élie à Élisée [3]
919 et à Jean-Baptiste [4], pour que des disciples aient part à cet esprit [5]. Une spiritualité est aussi au confluent d'autres courants, liturgiques et théologiques, et témoigne de
1202 l'inculturation de la foi dans un milieu humain et son histoire. Les spiritualités chrétiennes participent à la tradition vivante de la prière et sont des guides indispensables pour les fidèles. Elles réfractent, dans leur riche diversité, la pure et unique lumière de l'Esprit Saint.

> « L'Esprit est vraiment le lieu des saints, et le saint est pour l'Esprit un lieu propre, puisqu'il s'offre à habiter avec Dieu et est appelé son Temple [6]. »

Serviteurs de la prière

2685 La *famille chrétienne* est le premier lieu de l'éducation à la prière. Fondée
1657 sur le sacrement de Mariage, elle est « l'Église domestique » où les enfants de Dieu apprennent à prier « en Église » et à persévérer dans la prière. Pour les jeunes enfants en particulier, la prière familiale quotidienne est le premier témoin de la mémoire vivante de l'Église éveillée patiemment par l'Esprit Saint.

---

1. Cf. He 12, 1. - 2. Cf. Mt 25, 21. - 3. Cf. 2 R 2, 9. - 4. Cf. Lc 1, 17. - 5. Cf. PC 2. - 6. S. Basile, Spir. 26, 62.

2686 Les *ministres ordonnés* sont aussi responsables de la formation à la prière de leurs frères et soeurs dans le Christ. Serviteurs du Bon Pasteur, ils sont ordonnés pour guider le Peuple de Dieu aux sources vives de la prière : la Parole de Dieu, la liturgie, la vie théologale, l'Aujourd'hui de Dieu dans les situations concrètes[1].

1547

2687 De nombreux *religieux* ont consacré toute leur vie à la prière. Depuis le désert d'Égypte, des ermites, des moines et des moniales ont donné leur temps à la louange de Dieu et à l'intercession pour son peuple. La vie consacrée ne se maintient et ne se propage pas sans la prière; elle est une des sources vives de la contemplation et de la vie spirituelle dans l'Église.

916

2688 La *catéchèse* des enfants, des jeunes et des adultes, vise à ce que la Parole de Dieu soit méditée dans la prière personnelle, actualisée dans la prière liturgique, et intériorisée en tout temps afin de porter son fruit dans une vie nouvelle. La catéchèse est aussi le moment où la piété populaire peut être discernée et éduquée[2]. La mémorisation des prières fondamentales offre un support indispensable à la vie de la prière, mais il est important d'en faire goûter le sens[3].

1674

2689 Des *groupes de prière*, voire des « écoles de prière », sont aujourd'hui l'un des signes et l'un des ressorts du renouveau de la prière dans l'Église, à condition de s'abreuver aux sources authentiques de la prière chrétienne. Le souci de la communion est signe de la véritable prière dans l'Église.

2690 L'Esprit Saint donne à certains fidèles des dons de sagesse, de foi et de discernement en vue de ce bien commun qu'est la prière *(direction spirituelle)*. Ceux et celles qui en sont dotés sont de véritables serviteurs de la Tradition vivante de la prière :

> C'est pour cela que l'âme qui veut avancer dans la perfection doit, selon le conseil de S. Jean de la Croix, « bien considérer entre quelles mains elle se remet, car tel sera le maître, tel sera le disciple; tel sera le père, tel sera le fils ». Et encore : « Non seulement le directeur doit être savant et prudent, mais encore expérimenté (...). Si le guide spirituel n'a pas l'expérience de la vie spirituelle, il est incapable d'y conduire les âmes que Dieu pourtant appelle, et il ne les comprendra même pas[4]. »

Des lieux favorables à la prière

2691 L'église, maison de Dieu, est le lieu propre de la prière liturgique pour la communauté paroissiale. Elle est aussi le lieu privilégié de l'adoration de la présence réelle du Christ dans le Saint Sacrement. Le choix d'un lieu favorable n'est pas indifférent à la vérité de la prière :

1181, 2197
1379

---

1. Cf. PO 4-6. - 2. Cf. CT 54. - 3. Cf. CT 55. - 4. Llama strophe 3.

- pour la prière personnelle, ce peut être un « coin de prière », avec les Saintes Écritures et des icônes, afin d'être « là, dans le secret » devant notre Père [1]. Dans une famille chrétienne, ce genre de petit oratoire favorise la prière en commun;

1175 - dans les régions où il existe des monastères, la vocation de ces communautés est de favoriser le partage de la prière des Heures avec les fidèles et de permettre la solitude nécessaire à une prière personnelle plus intense [2];

1674 - les pèlerinages évoquent notre marche sur terre vers le ciel. Ils sont traditionnellement des temps forts de renouveau de la prière. Les sanctuaires sont, pour les pèlerins en quête de leurs sources vives, des lieux exceptionnels pour vivre « en Église » les formes de la prière chrétienne.

EN BREF

2692 *Dans sa prière, l'Église pérégrinante est associée à celle des saints dont elle sollicite l'intercession.*

2693 *Les différentes spiritualités chrétiennes participent à la tradition vivante de la prière et sont des guides précieux pour la vie spirituelle.*

2694 *La famille chrétienne est le premier lieu de l'éducation à la prière.*

2695 *Les ministres ordonnés, la vie consacrée, la catéchèse, les groupes de prière, la « direction spirituelle » assurent dans l'Église une aide pour la prière.*

2696 *Les lieux les plus favorables pour la prière sont l'oratoire personnel ou familial, les monastères, les sanctuaires de pèlerinage et, surtout, l'église qui est le lieu propre de la prière liturgique pour la communauté paroissiale et le lieu privilégié de l'adoration eucharistique.*

CHAPITRE TROISIÈME
La vie de prière

2697 La prière est la vie du coeur nouveau. Elle doit nous animer à tout moment. Or nous oublions Celui qui est notre Vie et notre Tout. C'est pourquoi les Pères spirituels, dans la tradition du Deutéronome et des prophètes, insistent sur la prière *1099* comme « souvenir de Dieu », réveil fréquent de la « mémoire du coeur » : « Il faut se souvenir de Dieu plus souvent qu'on ne respire [3]. » Mais on ne peut pas prier « en tout temps » si l'on ne prie pas à certains moments, en le voulant : ce sont les temps forts de la prière chrétienne, en intensité et en durée.

---

1. Cf. Mt 6, 6. - 2. Cf. PC 7. - 3. S. Grégoire de Naz., or. theol. 1, 4.

2698 La Tradition de l'Église propose aux fidèles des rythmes de prière destinés à nourrir la prière continuelle. Certains sont quotidiens : la prière du matin et du soir, avant et après les repas, la Liturgie des Heures. Le dimanche, centré sur l'Eucharistie, est sanctifié principalement par la prière. Le cycle de l'année liturgique et ses grandes fêtes sont les rythmes fondamentaux de la vie de prière des chrétiens.

1168

1174

2177

2699 Le Seigneur conduit chaque personne par les chemins et de la manière qui Lui plaisent. Chaque fidèle Lui répond aussi selon la détermination de son coeur et les expressions personnelles de sa prière. Cependant la tradition chrétienne a retenu trois expressions majeures de la vie de prière : la prière vocale, la méditation, l'oraison. Un trait fondamental leur est commun : le recueillement du coeur. Cette vigilance à garder la Parole et à demeurer en présence de Dieu fait de ces trois expressions des temps forts de la vie de prière.

2563

ARTICLE 1
Les expressions de la prière

I. La prière vocale

2700 Par sa Parole, Dieu parle à l'homme. C'est par des paroles, mentales ou vocales, que notre prière prend corps. Mais le plus important est la présence du coeur à Celui à qui nous parlons dans la prière. « Que notre prière soit entendue dépend, non de la quantité des paroles, mais de la ferveur de nos âmes[1]. »

1176

2701 La prière vocale est une donnée indispensable de la vie chrétienne. Aux disciples, attirés par la prière silencieuse de leur Maître, Celui-ci enseigne une prière vocale : le Notre Père. Jésus n'a pas seulement prié les prières liturgiques de la synagogue, les Évangiles nous Le montrent élever la voix pour exprimer sa prière personnelle, de la bénédiction exultante du Père[2] jusqu'à la détresse de Gethsémani[3].

2603

612

2702 Ce besoin d'associer les sens à la prière intérieure répond à une exigence de notre nature humaine. Nous sommes corps et esprit, et nous éprouvons le besoin de traduire extérieurement nos sentiments. Il faut prier avec tout notre être pour donner à notre supplication toute la puissance possible.

1146

2703 Ce besoin répond aussi à une exigence divine. Dieu cherche des adorateurs en Esprit et en Vérité, et par conséquent la prière qui monte vivante des

---

1. S. Jean Chrysostome, ecl. 2. - 2. Cf. Mt 11, 25-26. - 3. Cf. Mc 14, 36.

2097 profondeurs de l'âme. Il veut aussi l'expression extérieure qui associe le corps à la prière intérieure, car elle Lui apporte cet hommage parfait de tout ce à quoi Il a droit.

2704 Parce qu'extérieure et si pleinement humaine, la prière vocale est par excellence la prière des foules. Mais aussi la prière la plus intérieure ne saurait négliger la prière vocale. La prière devient intérieure dans la mesure où nous prenons conscience de Celui « à qui nous parlons [1] ». Alors la prière vocale devient une première forme de la prière contemplative.

II. La méditation

158 **2705** La méditation est surtout une recherche. L'esprit cherche à comprendre le pourquoi et le comment de la vie chrétienne, afin d'adhérer et de répondre à ce que le Seigneur demande. Il y faut une attention difficile à discipliner. Habituellement, on s'aide d'un livre, et les chrétiens n'en manquent pas : les *127* saintes Écritures, l'Évangile singulièrement, les saintes icônes, les textes liturgiques du jour ou du temps, les écrits des Pères spirituels, les ouvrages de spiritualité, le grand livre de la création et celui de l'histoire, la page de « l'Aujourd'hui » de Dieu.

2706 Méditer ce qu'on lit conduit à se l'approprier en le confrontant avec soi-même. Ici, un autre livre est ouvert : celui de la vie. On passe des pensées à la réalité. À la mesure de l'humilité et de la foi, on y découvre les mouvements qui agitent le coeur et on peut les discerner. Il s'agit de faire la vérité pour venir à la Lumière : « Seigneur, que veux-tu que je fasse ? »

2690 **2707** Les méthodes de méditation sont aussi diverses que les maîtres spirituels. Un chrétien se doit de vouloir méditer régulièrement, sinon il ressemble aux trois premiers terrains de la parabole du semeur [2]. Mais une méthode n'est qu'un guide; l'important est d'avancer, avec l'Esprit Saint, sur l'unique chemin de la prière : le *2664* Christ Jésus.

2708 La méditation met en oeuvre la pensée, l'imagination, l'émotion et le désir. Cette mobilisation est nécessaire pour approfondir les convictions de foi, susciter la conversion du coeur et fortifier la volonté de suivre le Christ. La prière chrétienne s'applique de préférence à méditer « les mystères du Christ », comme dans la *lectio* *516, 2678* *divina* ou le Rosaire. Cette forme de réflexion priante est de grande valeur, mais la prière chrétienne doit tendre plus loin : à la connaissance d'amour du Seigneur Jésus, à l'union avec Lui.

III. L'oraison

2562-2564 **2709** Qu'est-ce que l'oraison ? Ste Thérèse répond : « L'oraison mentale n'est, à mon avis, qu'un commerce intime d'amitié où l'on s'entretient souvent seul à seul avec ce Dieu dont on se sait aimé [3]. »

---

1. Ste Thérèse de Jésus, cam. 26. - 2. Cf. Mc 4, 4-7. 15-19. - 3. Vida 8.

L'oraison cherche « Celui que mon coeur aime » (Ct 1, 7)[1]. C'est Jésus, et en Lui, le Père. Il est cherché, parce que Le désirer est toujours le commencement de l'amour, et Il est cherché dans la foi pure, cette foi qui nous fait naître de Lui et vivre en Lui. On peut méditer encore dans l'oraison, toutefois le regard porte sur le Seigneur.

2710 Le choix *du temps et de la durée de l'oraison* relève d'une volonté déterminée, révélatrice des secrets du coeur. On ne fait pas oraison quand on a le temps : on prend le temps d'être pour le Seigneur, avec la ferme détermination de *2726* ne pas le Lui reprendre en cours de route, quelles que soient les épreuves et la sécheresse de la rencontre. On ne peut pas toujours méditer, on peut toujours entrer en oraison, indépendamment des conditions de santé, de travail ou d'affectivité. Le coeur est le lieu de la recherche et de la rencontre, dans la pauvreté et dans la foi.

2711 L'*entrée en oraison* est analogue à celle de la liturgie eucharistique : « rassembler » le coeur, recueillir tout notre être sous la mouvance de l'Esprit Saint, *1348* habiter la demeure du Seigneur que nous sommes, éveiller la foi pour entrer en la Présence de Celui qui nous attend, faire tomber nos masques et retourner notre coeur vers le Seigneur qui nous aime afin de nous remettre à Lui comme une offrande à purifier et à transformer. *2100*

2712 L'oraison est la prière de l'enfant de Dieu, du pécheur pardonné qui consent à accueillir l'amour dont il est aimé et qui veut y répondre en aimant plus encore[2]. Mais il sait que son amour en retour est celui que l'Esprit répand dans son coeur, car tout est grâce de la part de Dieu. L'oraison est la remise humble et pauvre à la volonté aimante du Père en union de plus en plus profonde à son Fils *2822* bien-aimé.

2713 Ainsi l'oraison est l'expression la plus simple du mystère de la prière. L'oraison est un *don;* une grâce; elle ne peut être accueillie que dans l'humilité et la *2259* pauvreté. L'oraison est une relation d'*alliance* établie par Dieu au fond de notre être[3]. L'oraison est *communion* : la Trinité Sainte y conforme l'homme, image de Dieu, « à sa ressemblance ».

2714 L'oraison est aussi le *temps fort* par excellence de la prière. Dans l'oraison, le Père nous « arme de puissance par son Esprit pour que se fortifie en nous l'homme intérieur, que le Christ habite en nos coeurs par la foi et que nous soyons enracinés, fondés dans l'amour » (Ep 3, 16-17).

2715 La contemplation est *regard* de foi, fixé sur Jésus. « Je L'avise et Il m'avise », disait à son saint curé le paysan d'Ars en prière devant le Tabernacle. Cette atten- *1380* tion à Lui est renoncement au « moi ». Son regard purifie le coeur. La lumière

---

1. Cf. Ct 3, 1-4. - 2. Cf. Lc 7, 36-50; 19, 1-10. - 3. Cf. Jr 31, 33.

521 du regard de Jésus illumine les yeux de notre coeur; elle nous apprend à tout voir dans la lumière de sa vérité et de sa compassion pour tous les hommes. La contemplation porte aussi son regard sur les mystères de la vie du Christ. Elle apprend ainsi « la connaissance intérieure du Seigneur » pour L'aimer et Le suivre davantage [1].

494 **2716** L'oraison est *écoute* de la Parole de Dieu. Loin d'être passive, cette écoute est l'obéissance de la foi, accueil inconditionnel du serviteur et adhésion aimante de l'enfant. Elle participe au « Oui » du Fils devenu Serviteur et au *« Fiat »* de son humble servante.

533 **2717** L'oraison est *silence*, ce « symbole du monde qui vient [2] » ou « silencieux amour [3] ». Les paroles dans l'oraison ne sont pas des discours mais des brindilles *498* qui alimentent le feu de l'amour. C'est dans ce silence, insupportable à l'homme « extérieur », que le Père nous dit son Verbe incarné, souffrant, mort et ressuscité, et que l'Esprit filial nous fait participer à la prière de Jésus.

2718 L'oraison est union à la prière du Christ dans la mesure où elle fait participer à son mystère. Le mystère du Christ est célébré par l'Église dans l'Eucharistie, et l'Esprit Saint le fait vivre dans l'oraison, afin qu'il soit manifesté par la charité en acte.

165 **2719** L'oraison est une communion d'amour porteuse de Vie pour la multitude, dans la mesure où elle est consentement à demeurer dans la nuit de la foi. La Nuit Pascale de la Résurrection passe par celle de l'agonie et du tombeau. Ce sont ces trois temps forts de l'Heure de Jésus que son Esprit (et non la « chair qui est fai*2730* ble ») fait vivre dans l'oraison. Il faut consentir à « veiller une heure avec Lui [4] ».

EN BREF

2720 *L'Église invite les fidèles à une prière régulière : prières quotidiennes, Liturgie des Heures, Eucharistie dominicale, fêtes de l'année liturgique.*

2721 *La tradition chrétienne comprend trois expressions majeures de la vie de prière : la prière vocale, la méditation et l'oraison. Elles ont en commun le recueillement du coeur.*

2722 *La prière vocale, fondée sur l'union du corps et de l'esprit dans la nature humaine, associe le corps à la prière intérieure du coeur, à l'exemple du Christ priant son Père et enseignant le Notre Père à ses disciples.*

2723 *La méditation est une recherche priante qui met en oeuvre la pensée, l'imagination, l'émotion, le désir. Elle a pour but l'appropriation croyante du sujet considéré, confronté avec la réalité de notre vie.*

---

1. Cf. S. Ignace, ex. spir. 104. - 2. S. Isaac de Ninive, tract. myst. 66. - 3. S. Jean de la Croix. - 4. Cf. Mt 26, 40.

2724 *L'oraison mentale est l'expression simple du mystère de la prière. Elle est un regard de foi fixé sur Jésus, une écoute de la Parole de Dieu, un silencieux amour. Elle réalise l'union à la prière du Christ dans la mesure où elle nous fait participer à son mystère.*

ARTICLE 2
Le combat de la prière

2725 La prière est un don de la grâce et une réponse décidée de notre part. Elle suppose toujours un effort. Les grands priants de l'Ancienne Alliance avant le Christ, comme la Mère de Dieu et les saints avec Lui nous l'apprennent : la prière est un combat. Contre qui ? Contre nous-mêmes et contre les ruses du Tentateur *2612, 409* qui fait tout pour détourner l'homme de la prière, de l'union à son Dieu. On prie comme on vit, parce qu'on vit comme on prie. Si l'on ne veut pas habituellement agir selon l'Esprit du Christ, on ne peut pas non plus habituellement prier en son nom. Le « combat spirituel » de la vie nouvelle du chrétien est inséparable du com- *2015* bat de la prière.

I. Les objections à la prière

2726 Dans le combat de la prière, nous avons à faire face, en nous-mêmes et autour de nous, à des *conceptions erronées de la prière*. Certaines y voient une simple opération psychologique, d'autres un effort de concentration pour arriver au vide mental. Telles la codifient dans des attitudes et des paroles rituelles. Dans l'inconscient de beaucoup de chrétiens, prier est une occupation incompatible avec tout ce qu'ils ont à faire : ils n'ont pas le temps. Ceux qui cherchent Dieu par la *2710* prière se découragent vite parce qu'ils ignorent que la prière vient aussi de l'Esprit Saint et non pas d'eux seuls.

2727 Nous avons aussi à faire face à des *mentalités* de « ce monde-ci »; elles nous pénètrent si nous ne sommes pas vigilants, par exemple : le vrai serait seulement ce qui est vérifié par la raison et la science (or prier est un mystère qui déborde *37* notre conscience et notre inconscient); les valeurs de production et de rendement (la prière, improductive, est donc inutile); le sensualisme et le confort, critères du vrai, du bien et du beau (or la prière, « amour de la Beauté » [philocalie], est éprise *2500* de la Gloire du Dieu vivant et vrai); en réaction contre l'activisme, voici la prière présentée comme fuite du monde (or la prière chrétienne n'est pas une sortie de l'histoire ni un divorce avec la vie).

2728 Enfin, notre combat doit faire face à ce que nous ressentons comme *nos échecs dans la prière* : découragement devant nos sécheresses, tristesse de ne pas tout donner au Seigneur, car nous avons « de grands biens[1] », déception de ne pas être exaucés selon notre volonté propre, blessure de notre orgueil qui se durcit sur notre indignité de pécheur, allergie à la gratuité de la prière, etc. La conclusion est toujours la même : à quoi bon prier ? Pour vaincre ces obstacles, il faut combattre pour l'humilité, la confiance et la persévérance.

II. L'humble vigilance du coeur

Face aux difficultés de la prière

2729 La difficulté habituelle de notre prière est la *distraction*. Elle peut porter sur les mots et leur sens, dans la prière vocale; elle peut porter, plus profondément, sur Celui que nous prions, dans la prière vocale (liturgique ou personnelle), dans la méditation et dans l'oraison. Partir à la chasse des distractions serait tomber dans *2711* leurs pièges, alors qu'il suffit de revenir à notre coeur : une distraction nous révèle ce à quoi nous sommes attachés et cette prise de conscience humble devant le Seigneur doit réveiller notre amour de préférence pour Lui, en Lui offrant résolument notre coeur pour qu'Il le purifie. Là se situe le combat, le choix du Maître à servir[2].

2730 Positivement, le combat contre notre moi possessif et dominateur est la *vigilance*, la sobriété du coeur. Quand Jésus insiste sur la vigilance, elle est toujours *2659* relative à Lui, à sa Venue, au dernier jour et chaque jour : « aujourd'hui ». L'Époux vient au milieu de la nuit; la lumière qui ne doit pas s'éteindre est celle de la foi : « De Toi mon coeur a dit : "Cherche sa Face" » (Ps 27, 8).

2731 Une autre difficulté, spécialement pour ceux qui veulent sincèrement prier, est la *sécheresse*. Elle fait partie de l'oraison où le coeur est sevré, sans goût pour les pensées, souvenirs et sentiments, même spirituels. C'est le moment de la foi pure qui se tient fidèlement avec Jésus dans l'agonie et au tombeau. « Le grain de blé, s'il meurt, porte beaucoup de fruit » (Jn 12, 24). Si la sécheresse est due au manque de racine, parce que la Parole est tombée sur du roc, le combat relève de *1426* la conversion[3].

Face aux tentations dans la prière

2732 La tentation la plus courante, la plus cachée, est notre *manque de foi*. Elle *2609, 2089* s'exprime moins par une incrédulité déclarée que par une préférence de fait. Quand nous commençons à prier, mille travaux ou soucis, estimés urgents, se

---

1. Cf. Mc 10, 22. - 2. Cf. Mt 6, 21. 24. - 3. Cf. Lc 8, 6. 13.

présentent comme prioritaires; de nouveau, c'est le moment de la vérité du coeur et de son amour de préférence. Tantôt nous nous tournons vers le Seigneur comme le dernier recours : mais y croit-on vraiment ? Tantôt nous prenons le Seigneur comme allié, mais le coeur est encore dans la présomption. Dans tous les cas, notre manque de foi révèle que nous ne sommes pas encore dans la disposition du coeur humble : « Hors de Moi, vous ne pouvez *rien* faire » (Jn 15, 5). *2092* *2074*

2733 Une autre tentation, à laquelle la présomption ouvre la porte, est l'*acédie*. Les Pères spirituels entendent par là une forme de dépression due au relâchement de l'ascèse, à la baisse de la vigilance, à la négligence du coeur. « L'esprit est ardent, mais la chair est faible » (Mt 26, 41). Plus on tombe de haut, plus on se fait mal. Le découragement, douloureux, est l'envers de la présomption. Qui est humble ne s'étonne pas de sa misère, elle le porte à plus de confiance, à tenir ferme dans la constance. *2094* *2559*

III. La confiance filiale

2734 La confiance filiale est éprouvée - elle se prouve - dans la tribulation[1]. La difficulté principale concerne la *prière de demande*, pour soi ou pour les autres dans l'intercession. Certains cessent même de prier parce que, pensent-ils, leur demande n'est pas exaucée. Ici deux questions se posent : Pourquoi pensons-nous que notre demande n'a pas été exaucée ? Comment notre prière est-elle exaucée, « efficace » ? *2629*

Pourquoi nous plaindre de ne pas être exaucés ?

2735 Une constatation devrait d'abord nous étonner. Quand nous louons Dieu ou Lui rendons grâces pour ses bienfaits en général, nous ne sommes guère inquiets de savoir si notre prière Lui est agréable. En revanche, nous exigeons de voir le résultat de notre demande. Quelle est donc l'image de Dieu qui motive notre prière : un moyen à utiliser ou le Père de notre Seigneur Jésus-Christ ? *2779*

2736 Sommes-nous convaincus que « nous ne savons que demander pour prier comme il faut » (Rm 8, 26) ? Demandons-nous à Dieu « les biens convenables » ? Notre Père sait bien ce qu'il nous faut, avant que nous le Lui demandions[2], mais Il attend notre demande parce que la dignité de ses enfants est dans leur liberté. Or il faut prier avec son Esprit de liberté, pour pouvoir connaître en vérité son désir[3]. *2559* *1730*

2737 « Vous ne possédez pas parce que vous ne demandez pas. Vous demandez et ne recevez pas parce que vous demandez mal, afin de dépenser pour vos

---

1. Cf. Rm 5, 3-5. - 2. Cf Mt 6, 8. - 3. Cf. Rm 8, 27.

passions » (Jc 4, 2-3)[1]. Si nous demandons avec un coeur partagé, « adultère » (Jc 4, 4), Dieu ne peut nous exaucer, car Il veut notre bien, notre vie. « Pensez-vous que l'Écriture dise en vain : Il désire avec jalousie l'Esprit qu'Il a mis en vous ? » (Jc 4, 5.) Notre Dieu est « jaloux » de nous, ce qui est le signe de la vérité de son amour. Entrons dans le désir de son Esprit et nous serons exaucés :

> Ne t'afflige pas si tu ne reçois pas immédiatement de Dieu ce que tu Lui demandes; c'est qu'Il veut te faire plus de bien encore par ta persévérance à demeurer avec Lui dans la prière[2]. Il veut que notre désir s'éprouve dans la prière. Ainsi, Il nous dispose à recevoir ce qu'Il est prêt à nous donner[3].

Comment notre prière est-elle efficace ?

2568
307
2738 La révélation de la prière dans l'économie du salut nous apprend que la foi s'appuie sur l'action de Dieu dans l'histoire. La confiance filiale est suscitée par son action par excellence : la passion et la Résurrection de son Fils. La prière chrétienne est coopération à sa Providence, à son dessein d'amour pour les hommes.

2778
2739 Chez S. Paul, cette confiance est audacieuse[4], fondée sur la prière de l'Esprit en nous et sur l'amour fidèle du Père qui nous a donné son Fils unique[5]. La transformation du coeur qui prie est la première réponse à notre demande.

2604
2740 La prière de Jésus fait de la prière chrétienne une demande efficace. Il en est le modèle, Il prie en nous et avec nous. Puisque le coeur du Fils ne cherche que ce qui plaît au Père, comment celui des enfants d'adoption s'attacherait-il aux dons plutôt qu'au Donateur ?

2606
2614
2741 Jésus prie aussi pour nous, à notre place et en notre faveur. Toutes nos demandes ont été recueillies une fois pour toutes dans son Cri sur la Croix et exaucées par le Père dans sa Résurrection, et c'est pourquoi Il ne cesse d'intercéder pour nous auprès du Père[6]. Si notre prière est résolument unie à celle de Jésus, dans la confiance et l'audace filiale, nous obtenons tout ce que nous demandons en son nom, bien davantage que ceci ou cela : l'Esprit Saint Lui-même, qui contient tous les dons.

IV. Persévérer dans l'amour

2098
2742 « Priez sans cesse » (1 Th 5, 17), « en tout temps et à tout propos, rendez grâces à Dieu le Père au nom de notre Seigneur Jésus-Christ » (Ep 5, 20), « vivez

---

1. Cf. tout le contexte Jc 4, 1-10; 1, 5-8; 5, 16. - 2. Evagre, or. 34. - 3. S. Augustin, ep. 130, 8, 17. - 4. Cf. Rm 10, 12-13. - 5. Cf. Rm 8, 26-39. - 6. Cf. He 5, 7; 7, 25; 9, 24.

dans la prière et les supplications; priez en tout temps dans l'Esprit, apportez-y une vigilance inlassable et intercédez pour tous les saints » (Ep 6, 18). « Il ne nous a pas été prescrit de travailler, de veiller et de jeûner constamment, tandis que c'est pour nous une loi de prier sans cesse [1]. » Cette ardeur inlassable ne peut venir que de l'amour. Contre notre pesanteur et notre paresse le combat de la prière est celui de l'*amour* humble, confiant et persévérant. Cet amour ouvre nos coeurs sur trois évidences de foi, lumineuses et vivifiantes :

162

2743 Prier est *toujours possible* : le temps du chrétien est celui du Christ ressuscité qui est « avec nous, tous les jours » (Mt 28, 20), quelles que soient les tempêtes [2]. Notre temps est dans la main de Dieu :

> Il est possible, même au marché ou dans une promenade solitaire, de faire une fréquente et fervente prière. Assis dans votre boutique, soit en train d'acheter ou de vendre, ou même de faire la cuisine [3].

2744 Prier est une *nécessité vitale*. La preuve par le contraire n'est pas moins convaincante : si nous ne nous laissons pas mener par l'Esprit, nous retombons sous l'esclavage du péché [4]. Comment l'Esprit Saint peut-Il être « notre Vie » si notre coeur est loin de Lui ?

> Rien ne vaut la prière; elle rend possible ce qui est impossible, facile ce qui est difficile. Il est impossible que l'homme qui prie puisse pécher [5].

> Qui prie, se sauve certainement; qui ne prie pas se damne certainement [6].

2745 Prière et *vie chrétiennes* sont *inséparables* car il s'agit du même amour et du même renoncement qui procède de l'amour. La même conformité filiale et aimante au dessein d'amour du Père. La même union transformante dans l'Esprit Saint qui nous conforme toujours plus au Christ Jésus. Le même amour pour tous les hommes, de cet amour dont Jésus nous a aimés. « Tout ce que vous demanderez au Père en mon nom, Il vous l'accordera. Ce que je vous commande, c'est de vous aimer les uns les autres » (Jn 15, 16-17).

2660

> Celui-là prie sans cesse qui unit la prière aux oeuvres et les oeuvres à la prière. Ainsi seulement nous pouvons considérer comme réalisable le principe de prier sans cesse [7].

La prière de l'Heure de Jésus

2746 Quand son Heure est venue, Jésus prie le Père [8]. Sa prière, la plus longue transmise par l'Évangile, embrasse toute l'économie de la création et du salut, comme sa mort et sa Résurrection. La prière de l'Heure de Jésus demeure toujours la sienne, de même que sa Pâque, advenue « une fois pour toutes », demeure présente dans la liturgie de son Église.

1085

---

1. Evagre, cap. pract. 49. - 2. Cf. Lc 8, 24. - 3. S. Jean Chrysostome, ecl. 2. - 4. Cf. Ga 5, 16-25. - 5. S. Jean Chrysostome, Anna 4, 5. - 6. S. Alphonse de Liguori, mez. - 7. Origène, or. 12. - 8. Cf. Jn 17.

2747 La tradition chrétienne l'appelle à juste titre la prière « sacerdotale » de Jésus. Elle est celle de notre Grand Prêtre, elle est inséparable de son Sacrifice, de son « passage » (Pâque) vers le Père où Il est « consacré » tout entier au Père[1].

2748 Dans cette prière Pascale, sacrificielle, tout est « récapitulé » en Lui[2] : Dieu et le monde, le Verbe et la chair, la vie éternelle et le temps, l'amour qui se livre et le péché qui le trahit, les disciples présents et ceux qui croiront en Lui par leur parole, l'abaissement et la gloire. Elle est la prière de l'Unité.

518

820

2749 Jésus a tout accompli de l'oeuvre du Père et sa prière, comme son Sacrifice, s'étend jusqu'à la consommation du temps. La prière de l'Heure emplit les derniers temps et les porte vers leur consommation. Jésus, le Fils à qui le Père a tout donné, est tout remis au Père, et, en même temps, Il S'exprime avec une liberté souveraine[3] de par le pouvoir que le Père Lui a donné sur toute chair. Le Fils, qui S'est fait Serviteur, est le Seigneur, le *Pantocratôr*. Notre Grand Prêtre qui prie pour nous est aussi Celui qui prie en nous et le Dieu qui nous exauce.

2616

2750 C'est en entrant dans le saint nom du Seigneur Jésus que nous pouvons accueillir, du dedans, la prière qu'Il nous apprend : « Notre Père ! » Sa prière sacerdotale inspire, du dedans, les grandes demandes du Pater : le souci du nom du Père[4], la passion de son Règne (la gloire[5]), l'accomplissement de la volonté du Père, de son dessein de salut[6] et la libération du mal[7].

2815

2751 Enfin, c'est dans cette prière que Jésus nous révèle et nous donne la « connaissance » indissociable du Père et du Fils[8] qui est le mystère même de la Vie de prière.

240

EN BREF

2752 *La prière suppose un effort et une lutte contre nous-mêmes et contre les ruses du Tentateur. Le combat de la prière est inséparable du « combat spirituel » nécessaire pour agir habituellement selon l'Esprit du Christ : on prie comme on vit, parce qu'on vit comme on prie.*

2753 *Dans le combat de la prière nous devons faire face à des conceptions erronées, à divers courants de mentalité, à l'expérience de nos échecs. À ces tentations qui jettent le doute sur l'utilité ou la possibilité même de la prière il convient de répondre par l'humilité, la confiance et la persévérance.*

2754 *Les difficultés principales dans l'exercice de la prière sont la distraction et la sécheresse. Le remède est dans la foi, la conversion et la vigilance du coeur.*

2755 *Deux tentations fréquentes menacent la prière : le manque de foi et l'acédie qui est une forme de dépression due au relâchement de l'ascèse et portant au découragement.*

---

1. Cf. Jn 17, 11. 13. 19. - 2. Cf. Ep 1, 10. - 3. Cf. Jn 17, 11. 13. 19. 24. - 4. Cf. Jn 17, 6. 11. 12. 26. - 5. Cf. Jn 17, 1. 5. 10. 24. 23-26. - 6. Cf. Jn 17, 2. 4. 6. 9. 11. 12. 24. - 7. Cf. Jn 17, 15. - 8. Cf. Jn 17, 3. 6-10. 25.

2756 La confiance filiale est mise à l'épreuve quand nous avons le sentiment de n'être pas toujours exaucés. L'Évangile nous invite à nous interroger sur la conformité de notre prière au désir de l'Esprit.

2757 « Priez sans cesse » (1 Th 5, 17). Prier est toujours possible. C'est même une nécessité vitale. Prière et vie chrétienne sont inséparables.

2758 La prière de l'Heure de Jésus, appelée à juste titre « prière sacerdotale[1] », récapitule toute l'économie de la création et du salut. Elle inspire les grandes demandes du Notre Père.

---

1. Cf. Jn 17.

Deuxième section

La Prière du Seigneur :
« Notre Père ! »

2759 « Un jour, quelque part, Jésus priait. Quand Il eut fini, l'un de ses disciples Lui demanda : "Seigneur, apprends-nous à prier, comme Jean l'a appris à ses disciples" » (Lc 11, 1). C'est en réponse à cette demande que le Seigneur confie à ses disciples et à son Église la prière chrétienne fondamentale. S. Luc en donne un texte bref (de cinq demandes [1]), S. Matthieu une version plus développée (de sept demandes [2]). C'est le texte de S. Matthieu que la tradition liturgique de l'Église a retenu : (Mt 6, 9-13).

> Notre Père qui es aux cieux,
> que ton nom soit sanctifié,
> que ton Règne vienne,
> que ta Volonté soit faite sur la terre comme au ciel.
> Donne-nous aujourd'hui notre pain de ce jour,
> pardonne-nous nos offenses comme nous pardonnons aussi à ceux
> qui nous ont offensés,
> et ne nous soumets pas à la tentation,
> mais délivre-nous du Mal.

2760 Très tôt, l'usage liturgique a conclu la Prière du Seigneur par une doxologie. Dans la Didaché (8, 2) : « Car c'est à Toi qu'appartiennent la puissance et la gloire dans les siècles. » Les constitutions apostoliques (7, 24, 1) ajoutent en commençant : « le règne », et c'est la formule retenue de nos jours dans la prière œcuménique. La tradition byzantine ajoute après la gloire « Père, Fils et Saint-Esprit ». Le missel romain développe la dernière demande [3] dans la perspective explicite de « l'attente de la bienheureuse espérance » (Tt 2, 13) et de l'Avènement de Jésus-Christ notre Seigneur, puis vient l'acclamation de l'assemblée ou la reprise de la doxologie des constitutions apostoliques. *2855* *2854*

---

1. Cf. Lc 11, 2-4. - 2. Cf. Mt 6, 9-13. - 3. Cf. Embolisme.

ARTICLE 1
« Le résumé de tout l'Évangile »

2761 « L'Oraison dominicale est vraiment le résumé de tout l'Évangile [1]. » « Quand le Seigneur nous eut légué cette formule de prière, il ajouta : "Demandez et vous recevrez" (Lc 11, 9). Chacun peut donc adresser au ciel diverses prières selon ses besoins, mais en commençant toujours par la Prière du Seigneur qui demeure la prière fondamentale [2]. »

I. Au centre des Écritures

2762 Après avoir montré comment les Psaumes sont l'aliment principal de la prière chrétienne et confluent dans les demandes du Notre Père, S. Augustin conclut :

> Parcourez toutes les prières qui sont dans les Écritures, et je ne crois pas que vous puissiez y trouver quelque chose qui ne soit pas compris dans l'Oraison dominicale [3].

102   **2763** Toutes les Écritures (la Loi, les Prophètes et les Psaumes) sont accomplies dans le Christ [4]. L'Évangile est cette « Bonne Nouvelle ». Sa première annonce est résumée par S. Matthieu dans le sermon sur la Montagne [5]. Or la prière à Notre Père est au centre de cette annonce. C'est dans ce contexte que s'éclaire chaque demande de la prière léguée par le Seigneur :

2541
> L'Oraison dominicale est la plus parfaite des prières (...). En elle non seulement nous demandons tout ce que nous pouvons désirer avec rectitude, mais encore selon l'ordre où il convient de le désirer. De sorte que cette prière non seulement nous enseigne à demander, mais elle forme aussi toute notre affectivité [6].

1965   **2764** Le sermon sur la Montagne est doctrine de vie, l'Oraison dominicale est prière, mais dans l'un et l'autre l'Esprit du Seigneur donne forme nouvelle à nos désirs, ces mouvements intérieurs qui animent notre vie. Jésus nous enseigne cette
1969   vie nouvelle par ses paroles et Il nous apprend à la demander par la prière. De la rectitude de notre prière dépendra celle de notre vie en Lui.

II. « La prière du Seigneur »

2765 L'expression traditionnelle « Oraison dominicale » (c'est-à-dire « prière du Seigneur ») signifie que la prière à Notre Père nous est enseignée et donnée par le

---

1. Tertullien, or. 1. - 2. Tertullien, or. 10. - 3. Ep. 130, 12, 22. - 4. Cf. Lc 24, 44. - 5. Cf. Mt 5-7. - 6. S. Thomas d'A., s. th. 2-2, 83, 9.

Seigneur Jésus. Cette prière qui nous vient de Jésus est véritablement unique : elle est « du Seigneur ». D'une part, en effet, par les paroles de cette prière, le Fils unique nous donne les paroles que le Père Lui a données [1] : Il est le Maître de notre prière. D'autre part, Verbe incarné, Il connaît dans son coeur d'homme les besoins de ses frères et soeurs humains, et Il nous les révèle : Il est le Modèle de notre prière.

2701

2766 Mais Jésus ne nous laisse pas une formule à répéter machinalement [2]. Comme pour toute prière vocale, c'est par la Parole de Dieu que l'Esprit Saint apprend aux enfants de Dieu à prier leur Père. Jésus nous donne non seulement les paroles de notre prière filiale, Il nous donne en même temps l'Esprit par qui elles deviennent en nous « esprit et vie » (Jn 6, 63). Plus encore : la preuve et la possibilité de notre prière filiale c'est que le Père « a envoyé dans nos coeurs l'Esprit de son Fils qui crie : *"Abba*, Père!" » (Ga 4, 6). Puisque notre prière interprète nos désirs auprès de Dieu, c'est encore « Celui qui sonde les coeurs », le Père, qui « sait le désir de l'Esprit et que son intercession pour les saints correspond aux vues de Dieu » (Rm 8, 27). La prière à Notre Père s'insère dans la mission mystérieuse du Fils et de l'Esprit.

690

III. La prière de l'Église

2767 Ce don indissociable des paroles du Seigneur et de l'Esprit Saint qui leur donne vie dans le coeur des croyants a été reçu et vécu par l'Église dès les origines. Les premières communautés prient la Prière du Seigneur « trois fois par jour [3] », à la place des « Dix-huit bénédictions » en usage dans la piété juive.

2768 Selon la Tradition apostolique, la Prière du Seigneur est essentiellement enracinée dans la prière liturgique.

> Le Seigneur nous apprend à faire nos prières en commun pour tous nos frères. Car Il ne dit pas « mon Père » qui es dans les cieux, mais « notre » Père, afin que notre prière soit, d'une seule âme, pour tout le Corps de l'Église [4].

Dans toutes les traditions liturgiques, la Prière du Seigneur est une partie intégrante des grandes heures de l'Office divin. Mais c'est surtout dans les trois sacrements de l'initiation chrétienne que son caractère ecclésial apparaît à l'évidence :

2769 Dans le *Baptême* et la *Confirmation,* la remise *(traditio)* de la Prière du Seigneur signifie la nouvelle naissance à la vie divine. Puisque la prière chrétienne est de parler à Dieu avec la Parole même de Dieu, ceux qui sont « engendrés de

1243

---

1. Cf. Jn 17, 7. - 2. Cf. Mt 6, 7; 1 R 18, 26-29. - 3. Didaché 8, 3. - 4. S. Jean Chrysostome, hom. in Mt. 19, 4.

nouveau par la Parole du Dieu vivant » (1 P 1, 23) nous apprennent à invoquer leur Père par la seule Parole qu'Il exauce toujours. Et ils le peuvent désormais, car le Sceau de l'onction de l'Esprit Saint est posé, indélébile, sur leur coeur, leurs oreilles, leurs lèvres, sur tout leur être filial. C'est pourquoi la plupart des commentaires patristiques du Notre Père sont adressés aux catéchumènes et aux néophytes. Quand l'Église prie la Prière du Seigneur, c'est toujours le peuple des « nouveau-nés » qui prie et obtient miséricorde[1].

1350   **2770** Dans la *liturgie eucharistique* la Prière du Seigneur apparaît comme la prière de toute l'Église. Là se révèle son sens plénier et son efficacité. Située entre l'Anaphore (prière eucharistique) et la liturgie de la communion, elle récapitule d'une part toutes les demandes et intercessions exprimées dans le mouvement de l'épiclèse, et, d'autre part, elle frappe à la porte du Festin du Royaume que la communion sacramentelle va anticiper.

1403   **2771** Dans l'Eucharistie, la Prière du Seigneur manifeste aussi le caractère *eschatologique* de ses demandes. Elle est la prière propre aux « derniers temps », aux temps du salut qui ont commencé avec l'effusion de l'Esprit Saint et qui s'achèveront avec le Retour du Seigneur. Les demandes à Notre Père, à la différence des prières de l'Ancienne Alliance, s'appuient sur le mystère du salut déjà réalisé, une fois pour toutes, dans le Christ crucifié et ressuscité.

1820   **2772** De cette foi inébranlable jaillit l'espérance qui soulève chacune des sept demandes. Celles-ci expriment les gémissements du temps présent, ce temps de la patience et de l'attente durant lequel « ce que nous serons n'est pas encore manifesté » (1 Jn 3, 2)[2]. L'Eucharistie et le Pater sont tendus vers la venue du Seigneur, « jusqu'à ce qu'Il vienne ! » (1 Co 11, 26).

EN BREF

2773 *En réponse à la demande de ses disciples (« Seigneur, apprends-nous à prier » : Lc 11, 1), Jésus leur confie la prière chrétienne fondamentale du Notre Père.*

2774 *« L'Oraison dominicale est vraiment le résumé de tout l'Évangile[3] », « la plus parfaite des prières[4] ». Elle est au centre des Écritures.*

2775 *Elle est appelée « Oraison dominicale » parce qu'elle nous vient du Seigneur Jésus, Maître et Modèle de notre prière.*

2776 *L'Oraison dominicale est la prière de l'Église par excellence. Elle fait partie intégrante des grandes heures de l'Office divin et des sacrements de l'initiation chrétienne : Baptême, Confirmation et Eucharistie. Intégrée à l'Eucharistie elle manifeste le caractère « eschatologique » de ses demandes, dans l'espérance du Seigneur, « jusqu'à ce qu'Il vienne » (1 Co 11, 26).*

---

1. Cf. 1 P 2, 1-10. - 2. Cf. Col 3, 4. - 3. Tertullien, or. 1. - 4. S. Thomas d'A., s. th. 2-2, 83, 9.

ARTICLE 2
« Notre Père qui es aux cieux »

I. « Oser nous approcher en toute confiance »

2777 Dans la liturgie romaine, l'assemblée eucharistique est invitée à prier Notre Père avec une audace filiale; les liturgies orientales utilisent et développent des expressions analogues : « Oser en toute assurance », « Rends-nous dignes de ». Devant le Buisson ardent, il fut dit à Moïse : « N'approche pas. Ôte tes sandales » (Ex 3, 5). Ce seuil de la Sainteté divine, Jésus seul pouvait le franchir, Lui qui, « ayant accompli la purification des péchés » (He 1, 3), nous introduit devant la Face du Père : « Nous voici, Moi et mes enfants que Tu M'as donnés » (He 2, 13) :

> La conscience que nous avons de notre situation d'esclaves nous ferait rentrer sous terre, notre condition terrestre se fondrait en poussière, si l'autorité de notre Père Lui-même et l'Esprit de son Fils ne nous poussaient à proférer ce cri : « *Abba*, Père ! » (Rm 8, 15). (...) Quand la faiblesse d'un mortel oserait-elle appeler Dieu son Père, sinon seulement lorsque l'intime de l'homme est animé par la Puissance d'en haut [1] ?

270

2778 Cette puissance de l'Esprit qui nous introduit à la Prière du Seigneur est exprimée dans les liturgies d'Orient et d'Occident par la belle expression typiquement chrétienne : *parrhésia*, simplicité sans détour, confiance filiale, joyeuse assurance, humble audace, certitude d'être aimé [2].

2828

II. « Père ! »

2779 Avant de faire nôtre ce premier élan de la Prière du Seigneur, il n'est pas inutile de purifier humblement notre coeur de certaines fausses images de « ce monde-ci ». L'*humilité* nous fait reconnaître que « nul ne connaît le Père, si ce n'est le Fils, et celui à qui le Fils veut bien Le révéler », c'est-à-dire « aux tout-petits » (Mt 11, 25-27). La *purification* du coeur concerne les images paternelles ou maternelles, issues de notre histoire personnelle et culturelle, et qui influencent notre relation à Dieu. Dieu notre Père transcende les catégories du monde créé. Transposer sur Lui, ou contre Lui, nos idées en ce domaine serait fabriquer des idoles, à adorer ou à abattre. Prier le Père c'est entrer dans son mystère, tel qu'Il est, et tel que le Fils nous L'a révélé :

239

> L'expression Dieu le Père n'avait jamais été révélée à personne. Lorsque Moïse lui-même demanda à Dieu qui Il était, il entendit un autre nom. À nous ce nom a été révélé dans le Fils, car ce nom implique le nom nouveau de Père [3].

---

1. S. Pierre Chrysologue, serm. 71. - 2. Cf. Ep 3, 12; He 3, 6; 4, 16; 10, 19; 1 Jn 2, 28; 3, 21; 5, 14. - 3. Tertullien, or. 3.

2780 Nous pouvons invoquer Dieu comme « Père » parce qu'*Il nous est révélé* par
240 son Fils devenu homme et que son Esprit nous Le fait connaître. Ce que l'homme
ne peut concevoir ni les puissances angéliques entrevoir, la relation personnelle du
Fils vers le Père [1], voici que l'Esprit du Fils nous y fait participer, nous qui croyons
que Jésus est le Christ et que nous sommes nés de Dieu [2].

2781 Quand nous prions le Père, nous sommes *en communion avec Lui* et avec
2665 son Fils, Jésus-Christ [3]. C'est alors que nous Le connaissons et Le reconnaissons
dans un émerveillement toujours nouveau. La première parole de la Prière du
Seigneur est une bénédiction d'adoration, avant d'être une imploration. Car c'est la
Gloire de Dieu que nous le reconnaissions comme « Père », Dieu véritable. Nous
Lui rendons grâce de nous avoir révélé son nom, de nous avoir donné d'y croire et
d'être habités par sa Présence.

2782 Nous pouvons adorer le Père parce qu'Il nous a fait renaître à sa Vie en
1267 nous *adoptant* comme ses enfants dans son Fils unique : par le Baptême, Il nous
incorpore au Corps de son Christ, et, par l'onction de son Esprit qui s'épanche de
la Tête dans les membres, Il fait de nous des « christs » :

> Dieu, en effet, qui nous a prédestinés à l'adoption de fils, nous a rendus conformes
> au Corps glorieux du Christ. Désormais donc, participants du Christ, vous êtes à
> juste titre appelés « christs [4] ».

> L'homme nouveau, qui est rené et rendu à son Dieu par la grâce, dit d'abord
> « Père ! », parce qu'il est devenu fils [5].

2783 C'est ainsi que, par la Prière du Seigneur, nous sommes *révélés à nous-*
1701 *mêmes* en même temps que le Père nous est révélé [6] :

> Ô homme, tu n'osais pas lever ton visage vers le ciel, tu baissais les yeux vers la
> terre, et soudain tu as reçu la grâce du Christ : tous tes péchés t'ont été remis. De
> méchant serviteur tu es devenu un bon fils.(…) Lève donc les yeux vers le Père qui
> t'a racheté par son Fils et dis : Notre Père (…). Mais ne te réclame d'aucun pri-
> vilège. Il n'est le Père, d'une manière spéciale, que du Christ seul, tandis que nous,
> Il nous a créés. Dis donc toi aussi par grâce : Notre Père, pour mériter d'être son
> fils [7].

2784 Ce don gratuit de l'adoption exige de notre part une conversion continuelle
1428 et une *vie nouvelle*. Prier notre Père doit développer en nous deux dispositions
fondamentales :

Le *désir et la volonté de Lui ressembler*. Créés à son image, c'est par grâce
1997 que la ressemblance nous est rendue et nous avons à y répondre.

---

1. Cf. Jn 1, 1. - 2. Cf. 1 Jn 5, 1. - 3. Cf. 1 Jn 1, 3. - 4. S. Cyrille de Jérusalem, catech. myst. 3, 1. - 5. S.
Cyprien, Dom. orat. 9. - 6. Cf. GS 22, § 1. - 7. S. Ambroise, sacr. 5, 19.

Il faut nous souvenir, quand nous nommons Dieu « notre Père » que nous devons nous comporter en fils de Dieu[1].

Vous ne pouvez appeler votre Père le Dieu de toute bonté si vous gardez un coeur cruel et inhumain; car dans ce cas vous n'avez plus en vous la marque de la bonté du Père céleste[2].

Il faut contempler sans cesse la beauté du Père et en imprégner notre âme[3].

2785 Un *coeur humble et confiant* qui nous fait « retourner à l'état des enfants » (Mt 18, 3) : car c'est aux « tout-petits » que le Père se révèle (Mt 11, 25) :

2562

C'est un regard sur Dieu seul, un grand feu d'amour. L'âme s'y fond et s'abîme en la sainte dilection, et s'entretient avec Dieu comme avec son propre Père, très familièrement, dans une tendresse de piété toute particulière[4].

Notre Père : ce nom suscite en nous, tout à la fois, l'amour, l'affection dans la prière, (...) et aussi l'espérance d'obtenir ce que nous allons demander (...). Que peut-Il en effet refuser à la prière de ses enfants, quand Il leur a déjà préalablement permis d'être ses enfants[5] ?

III. « Notre » Père

2786 « Notre » Père concerne Dieu. Cet adjectif, de notre part, n'exprime pas une possession, mais une relation toute nouvelle à Dieu.

443

2787 Quand nous disons « notre » Père, nous reconnaissons d'abord que toutes ses promesses d'amour annoncées par les Prophètes sont accomplies dans la *nouvelle et éternelle alliance* en son Christ : nous sommes devenus « son » Peuple et Il est désormais « notre » Dieu. Cette relation nouvelle est une appartenance mutuelle donnée gratuitement : c'est par l'amour et la fidélité[6] que nous avons à répondre à « la grâce et à la vérité » qui nous sont données en Jésus-Christ (Jn 1, 17).

782

2788 Puisque la Prière du Seigneur est celle de son Peuple dans les « derniers temps », ce « notre » exprime aussi la certitude de notre espérance en l'ultime promesse de Dieu : dans la Jérusalem nouvelle Il dira au vainqueur : « Je serai son Dieu et lui sera mon fils » (Ap 21, 7).

2789 En priant « notre » Père, c'est au Père de notre Seigneur Jésus-Christ que nous nous adressons personnellement. Nous ne divisons pas la divinité, puisque le Père en est « la source et l'origine », mais nous confessons par là qu'éternellement

245

---

1. S. Cyprien, Dom. orat. 11. - 2. S. Jean Chrysostome, hom. in Mt. 7, 14. - 3. S. Grégoire de Nysse, or. dom. 2. - 4. S. Jean Cassien, coll. 9, 18. - 5. S. Augustin, serm. Dom. 2, 4, 16. - 6. Cf. Os 2, 21-22; 6, 1-6.

le Fils est engendré par Lui et que de Lui procède l'Esprit Saint. Nous ne confondons pas non plus les Personnes, puisque nous confessons que notre communion est avec le Père et son Fils, Jésus-Christ, dans leur unique Esprit Saint. La *Trinité Sainte* est consubstantielle et indivisible. Quand nous prions le Père, nous L'adorons et Le glorifions avec le Fils et le Saint-Esprit.

253

2790 Grammaticalement, « notre » qualifie une réalité commune à plusieurs. Il n'y a qu'un seul Dieu et Il est reconnu Père par ceux qui, par la foi à son Fils unique, sont renés de Lui par l'eau et par l'Esprit[1]. L'*Église* est cette nouvelle communion de Dieu et des hommes : unie au Fils unique devenu « l'aîné d'une multitude de frères » (Rm 8, 29), elle est en communion avec un seul et même Père, dans un seul et même Esprit Saint[2]. En priant « notre » Père, chaque baptisé prie dans cette communion : « La multitude des croyants n'avait qu'un seul coeur et qu'une seule âme » (Ac 4, 32).

787

2791 C'est pourquoi, malgré les divisions des chrétiens, la prière à « notre » Père demeure le bien commun et un appel urgent pour tous les baptisés. En communion par la foi au Christ et par le Baptême, ils doivent participer à la prière de Jésus pour l'unité de ses disciples[3].

821

2792 Enfin, si nous prions en vérité « Notre Père », nous sortons de l'individualisme, car l'amour que nous accueillons nous en libère. Le « notre » du début de la Prière du Seigneur, comme le « nous » des quatre dernières demandes, n'est exclusif de personne. Pour qu'il soit dit en vérité[4], nos divisions et nos oppositions doivent être surmontées.

2793 Les baptisés ne peuvent prier « notre » Père sans porter auprès de Lui tous ceux pour qui Il a donné son Fils bien-aimé. L'amour de Dieu est sans frontière, notre prière doit l'être aussi[5]. Prier « notre » Père nous ouvre aux dimensions de son amour manifesté dans le Christ : prier avec et pour tous les hommes qui ne Le connaissent pas encore, afin qu'ils soient « rassemblés dans l'unité » (Jn 11, 52). Ce souci divin de tous les hommes et de toute la création a animé tous les grands priants : il doit dilater notre prière en largeur d'amour lorsque nous osons dire « notre » Père.

604

IV. « Qui es aux cieux »

2794 Cette expression biblique ne signifie pas un lieu (« l'espace »), mais une manière d'être; non pas l'éloignement de Dieu mais sa majesté. Notre Père n'est pas « ailleurs », Il est « au-delà de tout » ce que nous pouvons concevoir de sa Sainteté. C'est parce qu'Il est trois fois Saint, qu'Il est tout proche du coeur humble et contrit :

326

---

1. Cf. 1 Jn 5, 1; Jn 3, 5. - 2. Cf. Ep 4, 4-6. - 3. Cf. UR 8; 22. - 4. Cf. Mt 5, 23-24; 6, 14-16. - 5. Cf. NA 5.

C'est avec raison que ces paroles « Notre Père qui es aux cieux » s'entendent du cœur des justes, où Dieu habite comme dans son temple. Par là aussi celui qui prie désirera voir résider en lui Celui qu'il invoque [1].

Les « cieux » pourraient bien être aussi ceux qui portent l'image du monde céleste, et en qui Dieu habite et se promène [2].

2795 Le symbole des cieux nous renvoie au mystère de l'alliance que nous vivons lorsque nous prions notre Père. Il est aux cieux, c'est sa Demeure, la Maison du Père est donc notre « patrie ». C'est de la terre de l'alliance que le péché nous a exilés [3] et c'est vers le Père, vers le ciel que la conversion du cœur nous fait revenir [4]. Or c'est dans le Christ que le ciel et la terre sont réconciliés [5], car le Fils « est descendu du ciel », seul, et Il nous y fait remonter avec Lui, par sa Croix, sa Résurrection et son Ascension [6].

1024

2796 Quand l'Église prie « notre Père qui es aux cieux », elle professe que nous sommes le Peuple de Dieu déjà « assis aux cieux dans le Christ Jésus » (Ep 2, 6), « cachés avec le Christ en Dieu » (Col 3, 3), et, en même temps, « gémissant dans cet état, ardemment désireux de revêtir, par-dessus l'autre notre habitation céleste » (2 Co 5, 2) [7] :

1003

Les chrétiens sont dans la chair, mais ne vivent pas selon la chair. Ils passent leur vie sur terre, mais sont citoyens du ciel [8].

EN BREF

2797 *La confiance simple et fidèle, l'assurance humble et joyeuse sont les dispositions qui conviennent à celui qui prie le Notre Père.*

2798 *Nous pouvons invoquer Dieu comme « Père » parce que le Fils de Dieu fait homme nous L'a révélé, en qui, par le Baptême, nous sommes incorporés et adoptés en fils de Dieu.*

2799 *La prière du Seigneur nous met en communion avec le Père et avec son Fils, Jésus-Christ. Elle nous révèle en même temps à nous-mêmes [9].*

2800 *Prier notre Père doit développer en nous la volonté de Lui ressembler, ainsi qu'un cœur humble et confiant.*

2801 *En disant « Notre » Père, nous invoquons la Nouvelle Alliance en Jésus-Christ, la communion avec la Sainte Trinité et la charité divine qui s'étend par l'Église aux dimensions du monde.*

2802 *« Qui es aux cieux » ne désigne pas un lieu mais la majesté de Dieu et sa présence dans le cœur des justes. Le ciel, la Maison du Père, constitue la vraie patrie où nous tendons et à laquelle, déjà, nous appartenons.*

---

1. S. Augustin, serm. Dom. 2, 5, 17. - 2. S. Cyrille de Jérusalem, catech. myst. 5, 11. - 3. Cf. Gn 3. - 4. Cf. Jr 3, 19-4, 1a; Lc 15, 18. 21. - 5. Cf. Is 45, 8; Ps 85, 12. - 6. Cf. Jn 12, 32; 14, 2-3; 16, 28; 20, 17; Ep 4, 9-10; He 1, 3; 2, 13. - 7. Cf. Ph 3, 20; He 13, 14. - 8. Épître à Diognète 5, 8-9. - 9. Cf. GS 22, § 1.

ARTICLE 3
Les sept demandes

2803 Après nous avoir mis en présence de Dieu notre Père pour L'adorer, L'aimer et Le bénir, l'Esprit filial fait monter de nos coeurs sept demandes, sept bénédic-tions. Les trois premières, plus théologales, nous attirent vers la Gloire du Père, les quatre dernières, comme des chemins vers Lui, offrent notre misère à sa Grâce. « L'abîme appelle l'abîme » (Ps 42, 8).

2627

2804 La première vague nous porte vers Lui, pour Lui : *ton* Nom, *ton* Règne, *ta* Volonté ! C'est le propre de l'amour que de penser d'abord à Celui que nous aimons. En chacune de ces trois demandes, nous ne « nous » nommons pas, mais c'est « le désir ardent », « l'angoisse » même, du Fils bien-aimé pour la Gloire de son Père, qui nous saisit[1] : « Que soit sanctifié (...). Que vienne (...). Que soit faite... » : ces trois supplications sont déjà exaucées dans le Sacrifice du Christ Sauveur, mais elles sont tournées désormais, dans l'espérance, vers leur accomplissement final, tant que Dieu n'est pas encore tout en tous[2].

2805 La seconde vague de demandes se déroule dans le mouvement de certaines épiclèses eucharistiques : elle est offrande de nos attentes et attire le regard du Père des miséricordes. Elle monte de nous et nous concerne dès maintenant, en ce monde-ci : « Donne-*nous* (...) pardonne-*nous* (...) ne *nous* laisse pas (...) délivre-*nous*. » La quatrième et la cinquième demande concernent notre vie, comme telle, soit pour la nourrir, soit pour la guérir du péché; les deux dernières concernent notre combat pour la victoire de la Vie, le combat même de la prière.

1105

2806 Par les trois premières demandes, nous sommes affermis dans la foi, emplis d'espérance et embrasés par la charité. Créatures et encore pécheurs, nous devons demander pour nous, ce « nous » aux mesures du monde et de l'histoire, que nous offrons à l'amour sans mesure de notre Dieu. Car c'est par le nom de son Christ et le Règne de son Esprit Saint que notre Père accomplit son dessein de salut, pour nous et pour le monde entier.

2656-2658

I. « Que ton nom soit sanctifié »

2142-2159

2807 Le terme « sanctifier » doit s'entendre ici, non d'abord dans son sens causatif (Dieu seul sanctifie, rend saint) mais surtout dans un sens estimatif : reconnaître comme saint, traiter d'une manière sainte. C'est ainsi que, dans

---

1. Cf. Lc 22, 14; 12, 50. - 2. Cf. 1 Co 15, 28.

l'adoration, cette invocation est parfois comprise comme une louange et une action de grâces [1]. Mais cette demande nous est enseignée par Jésus comme un optatif : une demande, un désir et une attente où Dieu et l'homme sont engagés. Dès la première demande à notre Père, nous sommes plongés dans le mystère intime de sa Divinité et dans le drame du salut de notre humanité. Lui demander que son nom soit sanctifié nous implique dans « le dessein bienveillant qu'Il avait formé par avance » pour que « nous soyons saints et immaculés en sa présence, dans l'amour [2] ».

2097

2808 Aux moments décisifs de son économie, Dieu révèle son nom, mais Il le révèle en accomplissant son oeuvre. Or cette oeuvre ne se réalise pour nous et en nous que si son nom est sanctifié par nous et en nous.

203, 432

2809 La Sainteté de Dieu est le foyer inaccessible de son mystère éternel. Ce qui en est manifesté dans la création et l'histoire, l'Écriture l'appelle la *Gloire*, le rayonnement de sa Majesté [3]. En faisant l'homme « à son image et à sa ressemblance » (Gn 1, 26), Dieu « le couronne de gloire » (Ps 8, 6), mais en péchant l'homme est « privé de la Gloire de Dieu » (Rm 3, 23). Dès lors, Dieu va manifester sa Sainteté en révélant et en donnant son nom, afin de restaurer l'homme « à l'image de son Créateur » (Col 3, 10).

293

705

2810 Dans la promesse faite à Abraham, et le serment qui l'accompagne [4], Dieu s'engage Lui-même mais sans dévoiler son nom. C'est à Moïse qu'Il commence à le révéler [5], et Il le manifeste aux yeux de tout le peuple en le sauvant des Égyptiens : « Il s'est couvert de Gloire » (Ex 15, 1). Depuis l'alliance du Sinaï, ce peuple est « sien » et il doit être une « nation sainte » (ou consacrée, c'est le même mot en hébreu [6]) parce que le nom de Dieu habite en lui.

63

2811 Or, malgré la Loi sainte que lui donne et redonne le Dieu Saint [7], et bien que le Seigneur, « eu égard à son nom », use de patience, le peuple se détourne du Saint d'Israël et « profane son nom parmi les nations [8] ». C'est pourquoi les justes de l'Ancienne Alliance, les pauvres revenus d'exil et les prophètes ont été brûlés par la passion du nom.

2143

2812 Finalement, c'est en Jésus que le nom du Dieu Saint nous est révélé et donné, dans la chair, comme Sauveur [9] : révélé par ce qu'Il Est, par sa Parole et par son Sacrifice [10]. C'est le coeur de sa prière sacerdotale : « Père Saint (...) pour eux je me consacre moi-même, afin qu'ils soient eux aussi consacrés en vérité » (Jn 17, 19). C'est parce qu'Il « sanctifie » Lui-même son nom [11] que Jésus nous « manifeste » le nom du Père (Jn 17, 6). Au terme de sa Pâque, le Père Lui donne alors le nom qui est au-dessus de tout nom : Jésus est Seigneur à la Gloire de Dieu le Père [12].

434

---

1. Cf. Ps 111, 9; Lc 1, 49. - 2. Cf. Ep 1, 9. 4. - 3. Cf. Ps 8; Is 6, 3. - 4. Cf. He 6, 13. - 5. Cf. Ex 3, 14. - 6. Cf. Ex 19, 5-6. - 7. Cf. Lv 19, 2 : « Soyez saints, car Moi, votre Dieu, Je suis Saint ». - 8. Cf. Ez 20; 36. - 9 Cf. Mt 1, 21; Lc 1, 31. - 10. Cf. Jn 8, 28; 17, 8; 17, 17-19. - 11. Cf. Ez 20, 39; 36, 20-21. - 12. Cf. Ph 2, 9-11.

2813 Dans l'eau du Baptême, nous avons été « lavés, sanctifiés, justifiés par le nom du Seigneur Jésus-Christ et par l'Esprit de notre Dieu » (1 Co 6, 11). En toute notre vie, notre Père « nous appelle à la sanctification » (1 Th 4, 7), et, puisque c'est « par Lui que nous sommes dans le Christ Jésus, qui est devenu pour nous sanctification » (1 Co 1, 30), il y va de sa gloire et de notre vie que son nom soit sanctifié en nous et par nous. Telle est l'urgence de notre première demande.

2013

> Qui pourrait sanctifier Dieu, puisque Lui-même sanctifie ? Mais nous inspirant de cette parole « Soyez saints, parce que Moi Je suis Saint » (Lv 20, 26), nous demandons que, sanctifiés par le Baptême, nous persévérions dans ce que nous avons commencé à être. Et cela nous le demandons tous les jours, car nous fautons quotidiennement et nous devons purifier nos péchés par une sanctification sans cesse reprise (...). Nous recourrons donc à la prière pour que cette sainteté demeure en nous [1].

2814 Il dépend inséparablement de notre *vie* et de notre *prière* que son nom soit sanctifié parmi les nations :

2045

> Nous demandons à Dieu de sanctifier son nom, car c'est par la sainteté qu'Il sauve et sanctifie toute la création (...). Il s'agit du nom qui donne le salut au monde perdu, mais nous demandons que ce nom de Dieu soit sanctifié en nous *par notre vie*. Car si nous vivons bien, le nom divin est béni; mais si nous vivons mal, il est blasphémé, selon la parole de l'apôtre : « Le nom de Dieu est blasphémé à cause de vous parmi les nations » (Rm 2, 24; Ez 36, 20-22). Nous prions donc pour mériter d'avoir en nos âmes autant de sainteté qu'est saint le nom de notre Dieu [2].

> Quand nous disons « Que ton nom soit sanctifié », nous demandons qu'il soit sanctifié en nous, qui sommes en lui, mais aussi dans les autres que la grâce de Dieu attend encore, afin de nous conformer au précepte qui nous oblige de *prier pour tous*, même pour nos ennemis. Voilà pourquoi nous ne disons pas expressément : Que ton nom soit sanctifié « en nous », car nous demandons qu'il le soit dans tous les hommes [3].

2815 Cette demande, qui les contient toutes, est exaucée par la *prière du Christ*, comme les six autres demandes qui suivent. La prière à notre Père est notre prière si elle est priée *« dans le nom »* de Jésus [4]. Jésus demande dans sa prière sacerdotale : « Père saint, garde en ton nom ceux que tu m'as donnés » (Jn 17, 11).

2750

II. « Que ton Règne vienne »

2816 Dans le Nouveau Testament, le même mot *Basileia* peut se traduire par « royauté » (nom abstrait), « royaume » (nom concret) ou « règne » (nom

541

---

1. S. Cyprien, Dom. orat. 12. - 2. S. Pierre Chrysologue, serm. 71. - 3. Tertullien, or. 3. - 4. Cf. Jn 14, 13; 15, 16; 16, 24. 26.

d'action). Le Royaume de Dieu est avant nous. Il s'est approché dans le Verbe *2632*
incarné, il est annoncé à travers tout l'Évangile, il est venu dans la mort et la
Résurrection du Christ. Le Royaume de Dieu vient dès la sainte Cène et dans *560*
l'Eucharistie, il est au milieu de nous. Le Royaume viendra dans la gloire lorsque le *1107*
Christ le remettra à son Père :

> Il se peut même que le Règne de Dieu signifie le Christ en personne, Lui que nous
> appelons de nos voeux tous les jours, et dont nous voulons hâter l'avènement par
> notre attente. Comme Il est notre Résurrection, car en Lui nous ressuscitons, et peut
> être aussi le Règne de Dieu, car en Lui nous régnerons[1].

2817 Cette demande, c'est le *« Marana tha »*, le cri de l'Esprit et de l'Épouse :
« Viens, Seigneur Jésus » :
451, 2632, 671

> Quand bien même cette prière ne nous aurait pas fait un devoir de demander
> l'avènement de ce Règne, nous aurions de nous-mêmes poussé ce cri, en nous
> hâtant d'aller étreindre nos espérances. Les âmes des martyrs, sous l'autel, invoquent
> le Seigneur à grands cris : « Jusques à quand, Seigneur, tarderas-Tu à demander
> compte de notre sang aux habitants de la terre ? » (Ap 6, 10.) Ils doivent en effet
> obtenir justice, à la fin des temps. Seigneur, hâte donc la venue de ton règne[2] !

2818 Dans la prière du Seigneur, il s'agit principalement de la venue finale du
Règne de Dieu par le retour du Christ[3]. Mais ce désir ne distrait pas l'Église de sa *769*
mission dans ce monde-ci, il l'y engage plutôt. Car depuis la Pentecôte, la venue
du Règne est l'oeuvre de l'Esprit du Seigneur « qui poursuit son oeuvre dans le
monde et achève toute sanctification[4] ».

2819 « Le Règne de Dieu est justice, paix et joie dans l'Esprit Saint » (Rm 14, 17).
Les derniers temps où nous sommes sont ceux de l'effusion de l'Esprit Saint. Dès *2046*
lors est engagé un combat décisif entre « la chair » et l'Esprit[5] : *2516*

> Seul un coeur pur peut dire avec assurance : « Que ton Règne vienne. » Il faut avoir *2519*
> été à l'école de Paul pour dire : « Que le péché ne règne donc plus dans notre
> corps mortel » (Rm 6, 12). Celui qui se garde pur dans ses actions, ses pensées et
> ses paroles, peut dire à Dieu : « Que ton Règne vienne[6] ! »

2820 Dans un discernement selon l'Esprit, les chrétiens doivent distinguer entre la
croissance du Règne de Dieu et le progrès de la culture et de la société où ils sont *1049*
engagés. Cette distinction n'est pas une séparation. La vocation de l'homme à la vie
éternelle ne supprime pas mais renforce son devoir de mettre en pratique les énergies et les moyens reçus du Créateur pour servir en ce monde la justice et la paix[7].

2821 Cette demande est portée et exaucée dans la prière *de* Jésus[8], présente et
efficace dans l'Eucharistie; elle porte son fruit dans la vie nouvelle selon les *2746*
béatitudes[9].

---

1. S. Cyprien, Dom. orat. 13. - 2. Tertullien, or. 5. - 3. Cf. Tt 2, 13. - 4. MR, prière eucharistique IV.
- 5. Cf. Ga 5, 16-25. - 6. S. Cyrille de Jérusalem, catech. myst. 5, 13. - 7. Cf. GS 22; 32; 39; 45; EN 31.
- 8. Cf. Jn 17, 17-20. - 9. Cf. Mt 5, 13-16; 6, 24; 7, 12-13.

III. « Que ta Volonté soit faite sur la terre comme au ciel »

2822 C'est la Volonté de notre Père « que tous les hommes soient sauvés et par-
851 viennent à la connaissance de la vérité » (1 Tm 2, 3-4). Il « use de patience, voulant
2196 que personne ne périsse » (2 P 3, 9)[1]. Son commandement, qui résume tous les
autres, et qui nous dit toute sa volonté, c'est que « nous nous aimions les uns les
autres, comme Il nous a aimés » (Jn 13, 34)[2].

2823 « Il nous a fait connaître le mystère de sa Volonté, ce dessein bienveillant
59 qu'Il avait formé par avance (...) ramener toutes choses sous un seul Chef, le Christ
(...). C'est en Lui que nous avons été mis à part, selon le plan préétabli de Celui
qui mène toutes choses au gré de sa Volonté » (Ep 1, 9-11). Nous demandons
instamment que se réalise pleinement ce dessein bienveillant, sur la terre comme il
l'est déjà dans le ciel.

2824 C'est dans le Christ, et par sa volonté humaine, que la Volonté du Père a été
475 parfaitement et une fois pour toutes accomplie. Jésus a dit en entrant dans ce
monde : « Voici, je viens faire, ô Dieu, ta volonté » (He 10, 7; Ps 40, 7). Jésus seul
peut dire : « Je fais toujours ce qui Lui plaît » (Jn 8, 29). Dans la prière de son ago-
612 nie, Il consent totalement à cette Volonté : « Que ce ne soit pas ma volonté qui se
fasse, mais la tienne ! » (Lc 22, 42)[3]. Voilà pourquoi Jésus « s'est livré pour nos
péchés selon la volonté de Dieu » (Ga 1, 4). « C'est en vertu de cette volonté que
nous sommes sanctifiés par l'oblation du Corps de Jésus-Christ » (He 10, 10).

2825 Jésus, « tout Fils qu'Il était, apprit, de ce qu'Il souffrit, l'obéissance » (He 5,
8). À combien plus forte raison, nous, créatures et pécheurs, devenus en Lui
615 enfants d'adoption. Nous demandons à notre Père d'unir notre volonté à celle de
son Fils pour accomplir sa Volonté, son dessein de salut pour la vie du monde.
Nous en sommes radicalement impuissants, mais unis à Jésus et avec la puissance
de son Esprit Saint, nous pouvons Lui remettre notre volonté et décider de choisir
ce que son Fils a toujours choisi : faire ce qui plaît au Père[4] :

> En adhérant au Christ, nous pouvons devenir un seul esprit avec Lui, et par là
> accomplir sa volonté; de la sorte, elle sera parfaite sur la terre comme au ciel[5].

> Considérez comment Jésus-Christ nous apprend à être humbles, en nous faisant
> voir que notre vertu ne dépend pas de notre seul travail mais de la grâce de Dieu.
> Il ordonne ici à chaque fidèle qui prie de le faire universellement pour toute la
> terre. Car il ne dit pas « Que ta volonté soit faite » en Moi ou en vous mais, « sur
> toute la terre » : afin que l'erreur en soit bannie, que la vérité y règne, que le vice y
> soit détruit, que la vertu y refleurisse, et que la terre ne soit plus différente du ciel[6].

2826 C'est par la prière que nous pouvons « discerner quelle est la volonté de
Dieu » (Rm 12, 2; Ep 5, 17) et obtenir « la constance pour l'accomplir » (He 10,

---

1. Cf. Mt 18, 14. - 2. Cf. 1 Jn 3; 4; Lc 10, 25-37. - 3. Cf. Jn 4, 34; 5, 30; 6, 38. - 4. Cf. Jn 8, 29.
- 5. Origène, or. 26. - 6. S. Jean Chrysostome, hom. in Mt. 19, 5.

36). Jésus nous apprend que l'on entre dans le Royaume des cieux, non par des paroles, mais « en faisant la volonté de mon Père qui est dans les cieux » (Mt 7, 21).

2827　« Si quelqu'un fait la volonté de Dieu, celui-là Dieu l'exauce » (Jn 9, 31) [1]. Telle est la puissance de la prière de l'Église dans le nom de son Seigneur, surtout dans l'Eucharistie; elle est communion d'intercession avec la Toute Sainte Mère de Dieu [2] et de tous les saints qui ont été « agréables » au Seigneur pour n'avoir voulu que sa Volonté :

2611

> Nous pouvons encore, sans blesser la vérité, traduire ces paroles : « Que ta volonté soit faite sur la terre comme au ciel » par celles-ci : dans l'Église comme dans notre Seigneur Jésus-Christ; dans l'Épouse qui Lui a été fiancée, comme dans l'Époux qui a accompli la volonté du Père [3].

796

IV. « Donne-nous aujourd'hui notre pain de ce jour »

2828　*« Donne-nous »* : elle est belle la confiance des enfants qui attendent tout de leur Père. « Il fait lever son soleil sur les méchants et sur les bons et tomber la pluie sur les justes et sur les injustes » (Mt 5, 45) et Il donne à tous les vivants « en son temps leur nourriture » (Ps 104, 27). Jésus nous apprend cette demande : elle glorifie en effet notre Père parce qu'elle reconnaît combien Il est Bon au-delà de toute bonté.

2778

2829　« Donne-nous » est encore l'expression de l'alliance : nous sommes à Lui et Il est à nous, pour nous. Mais ce « nous » Le reconnaît aussi comme le Père de tous les hommes et nous Le prions pour eux tous, en solidarité avec leurs besoins et leurs souffrances.

1939

2830　*« Notre pain. »* Le Père, qui nous donne la vie, ne peut pas ne pas nous donner la nourriture nécessaire à la vie, tous les biens « convenables », matériels et spirituels. Dans le sermon sur la Montagne, Jésus insiste sur cette confiance filiale qui coopère à la Providence de notre Père [4]. Il ne nous engage à aucune passivité [5] mais veut nous libérer de toute inquiétude entretenue et de toute préoccupation. Tel est l'abandon filial des enfants de Dieu :

2633

> À ceux qui cherchent le Royaume et la justice de Dieu, Il promet de donner tout par surcroît. Tout en effet appartient à Dieu : à celui qui possède Dieu, rien ne manque, si lui-même ne manque pas à Dieu [6].

227

2831　Mais la présence de ceux qui ont faim par manque de pain révèle une autre profondeur de cette demande. Le drame de la faim dans le monde appelle les

---

1. Cf. 1 Jn 5, 14. - 2. Cf. Lc 1, 38. 49. - 3. S. Augustin, serm. Dom. 2, 6, 24. - 4. Cf. Mt 6, 25-34. - 5. Cf. 2 Th 3, 6-13. - 6. S. Cyprien, Dom. orat. 21.

chrétiens qui prient en vérité à une responsabilité effective envers leurs frères, tant dans leurs comportements personnels que dans leur solidarité avec la famille humaine. Cette demande de la Prière du Seigneur ne peut être isolée des paraboles du pauvre Lazare[1] et du Jugement dernier[2].

1038

2832 Comme le levain dans la pâte, la nouveauté du Royaume doit soulever la terre par l'Esprit du Christ[3]. Elle doit se manifester par l'instauration de la justice dans les relations personnelles et sociales, économiques et internationales, sans jamais oublier qu'il n'y a pas de structure juste sans des humains qui veulent être justes.

1928

2833 Il s'agit de « notre » pain, « un » pour « plusieurs ». La pauvreté des béatitudes est la vertu du partage : elle appelle à communiquer et à partager les biens matériels et spirituels, non par contrainte mais par amour, pour que l'abondance des uns remédie aux besoins des autres[4].

2790, 2546

2834 « Prie et travaille[5]. » « Priez comme si tout dépendait de Dieu et travaillez comme si tout dépendait de vous[5 bis]. » Ayant fait notre travail, la nourriture reste un don de notre Père; il est bon de la Lui demander en Lui rendant grâces. C'est le sens de la bénédiction de la table dans une famille chrétienne.

2428

2835 Cette demande, et la responsabilité qu'elle engage, valent encore pour une autre faim dont les hommes dépérissent : « L'homme ne vit pas seulement de pain mais de tout ce qui sort de la bouche de Dieu » (Dt 8, 3; Mt 4, 4), c'est-à-dire sa Parole et son Souffle. Les chrétiens doivent mobiliser tous leurs efforts pour « annoncer l'Évangile aux pauvres ». Il y a une faim sur la terre, « non pas une faim de pain ni une soif d'eau, mais d'entendre la Parole de Dieu » (Am 8, 11). C'est pourquoi le sens spécifiquement chrétien de cette quatrième demande concerne le Pain de Vie : la Parole de Dieu à accueillir dans la foi, le Corps du Christ reçu dans l'Eucharistie[6].

2443

1384

2836 « *Aujourd'hui* » est aussi une expression de confiance. Le Seigneur nous l'apprend[7]; notre présomption ne pouvait l'inventer. Puisqu'il s'agit surtout de sa Parole et du Corps de son Fils, cet « aujourd'hui » n'est pas seulement celui de notre temps mortel : il est l'Aujourd'hui de Dieu :

1165

> Si tu reçois le pain chaque jour, chaque jour pour toi c'est aujourd'hui. Si le Christ est à toi aujourd'hui, tous les jours Il ressuscite pour toi. Comment cela ? « Tu es mon Fils, Moi, aujourd'hui Je T'engendre » (Ps 2, 7). Aujourd'hui, c'est-à-dire : quand le Christ ressuscite[8].

2837 « *De ce jour.* » Ce mot, *épiousios*, n'a pas d'autre emploi dans le Nouveau Testament. Pris dans un sens temporel, il est une reprise pédagogique de

2659

---

1. Cf. Lc 16, 19-31. - 2. Cf. Mt 25, 31-46. - 3. Cf. AA 5. - 4. Cf. 2 Co 8, 1-15. - 5. Cf. S. Benoît, reg. 20; 48. - 5 bis. attribué à S. Ignace de Loyola, cité in E. BIANCO, Dizionario di pensieri citabili, LDC, Torino, 1990, 26. - 6. Cf. Jn 6, 26-58. - 7. Cf. Mt 6, 34; Ex 16, 19. - 8. S. Ambroise, sacr. 5, 26.

« aujourd'hui [1] » pour nous confirmer dans une confiance « sans réserve ». Pris au sens qualitatif, il signifie le nécessaire à la vie, et plus largement tout bien suffisant pour la subsistance [2]. Pris à la lettre (*épiousios* : « sur-essentiel »), il désigne directement le Pain de Vie, le Corps du Christ, « remède d'immortalité [3] » sans lequel nous n'avons pas la Vie en nous [4]. Enfin, lié au précédent, le sens céleste est évident : « ce Jour » est celui du Seigneur, celui du Festin du Royaume, anticipé dans l'Eucharistie qui est déjà l'avant-goût du Royaume qui vient. C'est pourquoi il convient que la liturgie eucharistique soit célébrée « chaque jour ».

2633

1405

1166

1389

> L'Eucharistie est notre pain quotidien. La vertu propre à ce divin aliment est une force d'union : elle nous unit au Corps du Sauveur et fait de nous ses membres afin que nous devenions ce que nous recevons (...). Ce pain quotidien est encore dans les lectures que vous entendez chaque jour à l'Église, dans les hymnes que l'on chante et que vous chantez. Tout cela est nécessaire à notre pèlerinage [5].

> Le Père du ciel nous exhorte à demander comme des enfants du ciel, le Pain du ciel [6]. Le Christ « Lui-même est le pain qui, semé dans la Vierge, levé dans la chair, pétri dans la passion, cuit dans la fournaise du sépulcre, mis en réserve dans l'Église, apporté aux autels, fournit chaque jour aux fidèles une nourriture céleste [7] ».

V. « Pardonne-nous nos offenses, comme nous pardonnons aussi à ceux qui nous ont offensés »

2838 Cette demande est étonnante. Si elle ne comportait que le premier membre de phrase - « Pardonne-nous nos offenses » - elle pourrait être incluse, implicitement, dans les trois premières demandes de la Prière du Seigneur, puisque le Sacrifice du Christ est « pour la rémission des péchés ». Mais, selon un second membre de phrase, notre demande ne sera exaucée que si nous avons d'abord répondu à une exigence. Notre demande est tournée vers le futur, notre réponse doit l'avoir précédée; un mot les relie : « comme ».

1425

1933

2631

« Pardonne-nous nos offenses »...

2839 Dans une confiance audacieuse, nous avons commencé à prier notre Père. En Le suppliant que son nom soit sanctifié, nous Lui avons demandé d'être toujours plus sanctifiés. Mais, bien que revêtus de la robe baptismale, nous ne cessons de pécher, de nous détourner de Dieu. Maintenant, dans cette nouvelle demande, nous revenons à Lui, comme l'enfant prodigue [8], et nous nous reconnaissons pécheurs, devant Lui, comme le publicain [9]. Notre demande commence par

1425

1439

---

1. Cf. Ex 16, 19-21. - 2. Cf. 1 Tm 6, 8. - 3. S. Ignace d'Antioche, Epistola ad Ephesios, 20, 2 : PG 5, 661. - 4. Cf. Jn 6, 53-56. - 5. S. Augustin, serm. 57, 7, 7. - 6. Cf. Jn 6, 51. - 7. S. Pierre Chrysologue, serm. 71. - 8. Cf. Lc 15, 11-32. - 9. Cf. Lc 18, 13.

une « confession » où nous confessons en même temps notre misère et sa Miséricorde. Notre espérance est ferme, puisque, dans son Fils, "nous avons la rédemption, la rémission de nos péchés" (Col 1, 14; Ep 1, 7). Le signe efficace et indubitable de son pardon, nous le trouvons dans les sacrements de son Église[1].

1422

2840 Or, et c'est redoutable, ce flot de miséricorde ne peut pénétrer notre coeur tant que nous n'avons pas pardonné à ceux qui nous ont offensés. L'amour, comme le Corps du Christ, est indivisible : nous ne pouvons pas aimer le Dieu que nous ne voyons pas si nous n'aimons pas le frère, la soeur, que nous voyons[2]. Dans le refus de pardonner à nos frères et soeurs, notre coeur se referme, sa dureté le rend imperméable à l'amour miséricordieux du Père; dans la confession de notre péché, notre coeur est ouvert à sa grâce.

1864

2841 Cette demande est si importante qu'elle est la seule sur laquelle le Seigneur revient et qu'Il développe dans le sermon sur la Montagne[3]. Cette exigence cruciale du mystère de l'alliance est impossible pour l'homme. Mais « tout est possible à Dieu ».

... « comme nous pardonnons à ceux qui nous ont offensés »

2842 Ce « comme » n'est pas unique dans l'enseignement de Jésus : « Vous serez parfaits "comme" votre Père céleste est parfait » (Mt 5, 48); « Montrez-vous miséricordieux "comme" votre Père est miséricordieux » (Lc 6, 36); « Je vous donne un commandement nouveau : aimez-vous les uns les autres "comme" je vous ai aimés » (Jn 13, 34). Observer le commandement du Seigneur est impossible s'il s'agit d'imiter de l'extérieur le modèle divin. Il s'agit d'une participation vitale et venant « du fond du coeur », à la Sainteté, à la Miséricorde, à l'Amour de notre Dieu. Seul l'Esprit qui est « notre Vie » (Ga 5, 25) peut faire « nôtres » les mêmes sentiments qui furent dans le Christ Jésus[4]. Alors l'unité du pardon devient possible, « nous pardonnant mutuellement "comme" Dieu nous a pardonné dans le Christ » (Ep 4, 32).

521

2843 Ainsi prennent vie les paroles du Seigneur sur le pardon, cet amour qui aime jusqu'à l'extrême de l'amour[5]. La parabole du serviteur impitoyable, qui couronne l'enseignement du Seigneur sur la communion ecclésiale[6], s'achève sur cette parole : « C'est ainsi que vous traitera mon Père céleste, si chacun de vous ne pardonne pas à son frère du fond du coeur. » C'est là, en effet, « au fond du *coeur* » que tout se noue et se dénoue. Il n'est pas en notre pouvoir de ne plus sentir et d'oublier l'offense; mais le coeur qui s'offre à l'Esprit Saint retourne la blessure en compassion et purifie la mémoire en transformant l'offense en intercession.

368

2844 La prière chrétienne va jusqu'au *pardon des ennemis*[7]. Elle transfigure le disciple en le configurant à son Maître. Le pardon est un sommet de la prière

2262

---

1. Cf. Mt 26, 28 ; Jn 20, 23. - 2. Cf. 1 Jn 4, 20. - 3. Cf. Mt 6, 14-15; 5, 23-24; Mc 11, 25. - 4. Cf. Ph 2, 1. 5. - 5. Cf. Jn 13, 1. - 6. Cf. Mt 18, 23-35. - 7. Cf. Mt 5, 43-44.

chrétienne; le don de la prière ne peut être reçu que dans un coeur accordé à la compassion divine. Le pardon témoigne aussi que, dans notre monde, l'amour est plus fort que le péché. Les martyrs, d'hier et d'aujourd'hui, portent ce témoignage de Jésus. Le pardon est la condition fondamentale de la Réconciliation [1], des enfants de Dieu avec leur Père et des hommes entre eux [2].

2845 Il n'y a ni limite ni mesure à ce pardon essentiellement divin [3]. S'il s'agit d'offenses (de « péchés » selon Lc 11, 4 ou de « dettes » selon Mt 6, 12), en fait nous sommes toujours débiteurs : « N'ayez de dettes envers personne, sinon celle de l'amour mutuel » (Rm 13, 8). La communion de la Trinité Sainte est la source et le critère de la vérité de toute relation [4]. Elle est vécue dans la prière, surtout dans l'Eucharistie [5] :

Dieu n'accepte pas le sacrifice des fauteurs de désunion, Il les renvoie de l'autel pour que d'abord ils se réconcilient avec leurs frères : Dieu veut être pacifié avec des prières de paix. La plus belle obligation pour Dieu est notre paix, notre concorde, l'unité dans le Père, le Fils et le Saint-Esprit de tout le peuple fidèle [6].

1441

VI. « Ne nous soumets pas à la tentation »

2846 Cette demande atteint la racine de la précédente, car nos péchés sont les fruits du consentement à la tentation. Nous demandons à notre Père de ne pas nous y « soumettre ». Traduire en un seul mot le terme grec est difficile : il signifie « ne permets pas d'entrer dans [7] », « ne nous laisse pas succomber à la tentation ». « Dieu n'éprouve pas le mal, Il n'éprouve non plus personne » (Jc 1, 13), Il veut au contraire nous en libérer. Nous Lui demandons de ne pas nous laisser prendre le chemin qui conduit au péché. Nous sommes engagés dans le combat « entre la chair et l'Esprit ». Cette demande implore l'Esprit de discernement et de force.

164

2516

2847 L'Esprit Saint nous fait *discerner* entre l'épreuve, nécessaire à la croissance de l'homme intérieur [8] en vue d'une « vertu éprouvée » (Rm 5, 3-5), et la tentation, qui conduit au péché et à la mort [9]. Nous devons aussi discerner entre « être tenté » et « consentir » à la tentation. Enfin, le discernement démasque le mensonge de la tentation : apparemment, son objet est « bon, séduisant à voir, désirable » (Gn 3, 6), alors que, en réalité, son fruit est la mort.

2284

Dieu ne veut pas imposer le bien, il veut des être libres (...). À quelque chose tentation est bonne. Tous, sauf Dieu, ignorent ce que notre âme a reçu de Dieu, même nous. Mais la tentation le manifeste, pour nous apprendre à nous connaître, et par là, nous découvrir notre misère, et nous obliger à rendre grâce pour les biens que la tentation nous a manifestés [10].

---

1. Cf. 2 Co 5, 18-21. - 2. Cf. Jean Paul II, DM 14. - 3. Cf. Mt 18, 21-22; Lc 17, 3-4. - 4. Cf. 1 Jn 3, 19-24. - 5. Cf. Mt 5, 23-24. - 6. S. Cyprien, Dom. orat. 23. - 7. Cf. Mt 26, 41. - 8. Cf. Lc 8, 13-15; Ac 14, 22; 2 Tm 3, 12. - 9. Cf. Jc 1, 14-15. - 10. Origène, or. 29.

2848 « Ne pas entrer dans la tentation » implique une *décision du coeur* : « Là où est ton trésor, là aussi sera ton coeur (...). Nul ne peut servir deux maîtres » (Mt 6, 21. 24). « Puisque l'Esprit est notre vie, que l'Esprit nous fasse aussi agir » (Ga 5, 25). Dans ce « consentement » à l'Esprit Saint le Père nous donne la force. « Aucune tentation ne vous est survenue, qui passât la mesure humaine. Dieu est fidèle; Il ne permettra pas que vous soyez tentés au-delà de vos forces. Avec la tentation, Il vous donnera le moyen d'en sortir et la force de la supporter » (1 Co 10, 13).

1808

2849 Or un tel combat et une telle victoire ne sont possibles que dans la prière. C'est par sa prière que Jésus est vainqueur du Tentateur, dès le début[1] et dans l'ultime combat de son agonie[2]. C'est à son combat et à son agonie que le Christ nous unit dans cette demande à notre Père. La *vigilance* du coeur est rappelée avec insistance[3] en communion à la sienne. La vigilance est « garde du coeur » et Jésus demande au Père de « nous garder en son nom » (Jn 17, 11). L'Esprit Saint cherche à nous éveiller sans cesse à cette vigilance[4]. Cette demande prend tout son sens dramatique par rapport à la tentation finale de notre combat sur terre; elle demande la *persévérance finale*. « Je viens comme un voleur : heureux celui qui veille ! » (Ap 16, 15.)

540, 612
2612

162

VII. « Mais délivre-nous du Mal »

2850 La dernière demande à notre Père est aussi portée dans la prière de Jésus : « Je ne Te prie pas de les retirer du monde mais de les garder du Mauvais » (Jn 17, 15). Elle nous concerne, chacun personnellement, mais c'est toujours « nous » qui prions, en communion avec toute l'Église et pour la délivrance de toute la famille humaine. La Prière du Seigneur ne cesse pas de nous ouvrir aux dimensions de l'économie du salut. Notre interdépendance dans le drame du péché et de la mort est retournée en solidarité dans le Corps du Christ, en « communion des saints[5] ».

309

2851 Dans cette demande, le Mal n'est pas une abstraction, mais il désigne une personne, Satan, le Mauvais, l'ange qui s'oppose à Dieu. Le « diable » *(dia-bolos)* est celui qui « se jette en travers » du dessein de Dieu et de son « oeuvre de salut » accomplie dans le Christ.

391

2852 « Homicide dès l'origine, menteur et père du mensonge » (Jn 8, 44), « le Satan, le séducteur du monde entier » (Ap 12, 9), c'est par lui que le péché et la mort sont entrés dans le monde et c'est par sa défaite définitive que la création toute entière sera « libérée du péché et de la mort[6] ». « Nous savons que quiconque est né de Dieu ne pèche pas, mais l'Engendré de Dieu le garde et le

---

1. Cf. Mt 4, 1-11. - 2. Cf. Mt 26, 36-44. - 3. Cf. Mc 13, 9. 23. 33-37; 14, 38; Lc 12, 35-40. - 4. Cf. 1 Co 16, 13; Col 4, 2; 1 Th 5, 6; 1 P 5, 8. - 5. Cf. RP 16. - 6. MR, prière eucharistique IV.

Mauvais n'a pas prise sur lui. Nous savons que nous sommes de Dieu et que le monde entier gît au pouvoir du Mauvais » (1 Jn 5, 18-19) :

> Le Seigneur qui a enlevé votre péché et pardonné vos fautes est à même de vous protéger et de vous garder contre les ruses du Diable qui vous combat, afin que l'ennemi, qui a l'habitude d'engendrer la faute, ne vous surprenne pas. Qui se confie en Dieu ne redoute pas le Démon. « Si Dieu est pour nous, qui sera contre nous ? » (Rm 8, 31 [1]).

2853 La victoire sur le « prince de ce monde » (Jn 14, 30) est acquise, une fois pour toutes, à l'Heure où Jésus se livre librement à la mort pour nous donner sa Vie. C'est le jugement de ce monde et le prince de ce monde est « jeté bas » (Jn 12, 31; Ap 12, 11). « Il se lance à la poursuite de la Femme [2] » mais il n'a pas de prise sur elle : la nouvelle Ève, « pleine de grâce » de l'Esprit Saint, est libérée du péché et de la corruption de la mort (Conception immaculée et Assomption de la très sainte Mère de Dieu, Marie, toujours vierge). « Alors, furieux de dépit contre la Femme, il s'en va guerroyer contre le reste de ses enfants » (Ap 12, 17). C'est pourquoi l'Esprit et l'Église prient : « Viens, Seigneur Jésus » (Ap 22, 17. 20) puisque sa Venue nous délivrera du Mauvais.

677

490

972

2854 En demandant d'être délivrés du Mauvais, nous prions également pour être libérés de tous les maux, présents, passés et futurs, dont il est l'auteur ou l'instigateur. Dans cette ultime demande, l'Église porte toute la détresse du monde devant le Père. Avec la délivrance des maux qui accablent l'humanité elle implore le don précieux de la paix et la grâce de l'attente persévérante du retour du Christ. En priant ainsi, elle anticipe dans l'humilité de la foi la récapitulation de tous et de tout en Celui qui « détient la clef de la Mort et de l'Hadès » (Ap 1, 18), « le Maître de tout, Il est, Il était et Il vient » (Ap 1, 8) [3] :

2632

> Délivre nous de tout mal, Seigneur, et donne la paix à notre temps; par ta miséricorde, libère-nous du péché, rassure-nous devant les épreuves en cette vie où nous espérons le bonheur que Tu promets et l'avènement de Jésus-Christ, notre Sauveur [4].

1041

La doxologie finale

2855 La doxologie finale « Car c'est à Toi qu'appartient le règne, la gloire et la puissance » reprend, par inclusion, les trois premières demandes à notre Père : la glorification de son nom, la venue de son Règne et la puissance de sa Volonté salvifique. Mais cette reprise est alors sous forme d'adoration et d'action de grâces,

2760

---

1. S. Ambroise, sacr. 5, 30. - 2. Cf. Ap 12, 13-16. - 3. Cf. Ap 1, 4. - 4. MR, Embolisme.

comme dans la liturgie céleste [1]. Le prince de ce monde s'était attribué mensongèrement ces trois titres de royauté, de puissance et de gloire [2]; le Christ, le Seigneur, les restitue à son Père et notre Père, jusqu'à ce qu'Il Lui remette le Royaume quand sera définitivement consommé le mystère du salut et que Dieu sera tout en tous [3].

2856 « Puis, la prière achevée, Tu dis : *Amen*, contresignant par cet Amen, qui signifie "Que cela se fasse [4]" ce que contient la prière que Dieu nous a enseignée [5]. »

1061-1065

EN BREF

2857 *Dans le Notre Père, les trois premières demandes ont pour objet la Gloire du Père : la sanctification du nom, l'avènement du Règne et l'accomplissement de la volonté divine. Les quatre autres lui présentent nos désirs : ces demandes concernent notre vie pour la nourrir ou pour la guérir du péché et elles se rapportent à notre combat pour la victoire du Bien sur le Mal.*

2858 *En demandant : « Que ton nom soit sanctifié » nous entrons dans le dessein de Dieu, la sanctification de son nom - révélé à Moïse, puis en Jésus - par nous et en nous, de même qu'en toute nation et en chaque homme.*

2859 *Par la deuxième demande, l'Église a principalement en vue le retour du Christ et la venue finale du Règne de Dieu. Elle prie aussi pour la croissance du Royaume de Dieu dans l'« aujourd'hui » de nos vies.*

2860 *Dans la troisième demande, nous prions notre Père d'unir notre volonté à celle de son Fils pour accomplir son dessein de salut dans la vie du monde.*

2861 *Dans la quatrième demande, en disant « Donne-nous », nous exprimons, en communion avec nos frères, notre confiance filiale envers notre Père des cieux. « Notre pain » désigne la nourriture terrestre nécessaire à notre subsistance à tous et signifie aussi le Pain de Vie : Parole de Dieu et Corps du Christ. Il est reçu dans l'« Aujourd'hui » de Dieu, comme la nourriture indispensable, (sur-)essentielle du Festin du Royaume qu'anticipe l'Eucharistie.*

2862 *La cinquième demande implore pour nos offenses la miséricorde de Dieu, laquelle ne peut pénétrer dans notre coeur que si nous avons su pardonner à nos ennemis, à l'exemple et avec l'aide du Christ.*

2863 *En disant « Ne nous soumets pas à la tentation » nous demandons à Dieu qu'Il ne nous permette pas d'emprunter le chemin qui conduit au péché. Cette*

---

1. Cf. Ap 1, 6; 4, 11; 5, 13. - 2. Cf. Lc 4, 5-6. - 3. Cf. 1 Co 15, 24-28. - 4. Cf. Lc 1, 38. - 5. S. Cyrille de Jérusalem, catech. myst. 5, 18.

demande implore l'Esprit de discernement et de force; elle sollicite la grâce de la vigilance et la persévérance finale.

2864 Dans la dernière demande, « Mais délivre nous du Mal », le chrétien prie Dieu avec l'Église de manifester la victoire, déjà acquise par le Christ, sur le « Prince de ce monde », sur Satan, l'ange qui s'oppose personnellement à Dieu et à son dessein de salut.

2865 Par l'« Amen » final nous exprimons notre « Fiat » concernant les sept demandes : « Qu'il en soit ainsi... »

Index des citations

Les renvois se font aux numéros des paragraphes du Catéchisme.
Les numéros de paragraphes suivis d'un astérisque indiquent que le texte référencé
ne fait pas l'objet d'une citation littérale mais d'un confer

Écriture Sainte

Ancien Testament

Genèse

1	1-2, 4	337
1	1	268*, 279, 280, 290
1	2-3	292*
1	2	243*, 703*, 1218*
1	3	298*
1	4	299
1	10	299
1	12	299
1	14	347*
1	18	299
1	21	299
1	26-29	2402*
1	26-28	307*
1	26-27	1602*
1	26	36*, 225, 299*, 343*, 2501, 2809
1	27	355, 383, 1604*, 2331
1	28-31	2415*
1	28	372, 373, 1604, 1607*, 1652, 2331, 2427*
1	31	299, 1604*
2	1-3	345
2	2	314*, 2184
2	7	362, 369*, 703*
2	8	378*
2	15	378
2	17	376*, 396, 396, 400*, 1006*, 1008*
2	18-25	1605*
2	18	371, 1652
2	19-20	371, 2417*
2	22	369*, 1607*
2	23	371
2	24	372, 1627*, 1644*, 2335
2	25	376*
3		390*, 2795*
3	1-5	391*
3	1-11	397*
3	3	1008*
3	5	392, 398*, 399*, 1850
3	6	2541, 2847
3	7	400*
3	8-10	29*
3	9-10	399*
3	9	410*, 2568
3	11-13	400*
3	11	2515
3	12	1607*
3	13	1736, 2568
3	14-19	2427*
3	15	70*, 410*, 489*
3	16-19	1607*
3	16	376*, 400*, 1609
3	16b	1607*
3	17-19	378*
3	17	400*
3	19	376*, 400, 400*, 1008*, 1609
3	20	489*
3	21	1608*
3	24	332*
4	1-2	2335*
4	3-15	401*
4	3-7	2538*
4	4	2569*
4	8-12	2259*
4	10-11	2259
4	10	1736*, 1867*, 2268*
4	26	2569*
5	1-2	2331
5	1	2335*
5	24	2569
6	3	990*
6	5	401*
6	9	2569

Exode

Job

Psaumes

Nouveau Testament

Évangile selon S. Matthieu

Évangile selon S. Marc

Évangile selon S. Luc

Actes des Apôtres

Épître aux Romains

Première Épître aux Corinthiens

Deuxième Épître aux Corinthiens

Épître aux Galates

Épître aux Éphésiens

Épître aux Philippiens

Épître de S. Jacques

Première Épître de S. Pierre

Symboles
de la Foi

(cités selon DS)

Conciles
œcuméniques

(cités selon DS, à l'exception du Cc. Vatican II)

Cc. Nicée I

Cc. Vatican II

Sacrosanctum concilium

Inter mirifica

Lumen gentium

Orientalium ecclesiarum

Unitatis redintegratio

Conciles et synodes

(cités selon DS)

Documents
pontificaux

Documents ecclésiaux

Catechismus Romanus

Congrégations

Congrégation pour la doctrine de la foi

Congrégation du clergé

Corpus Canonum Ecclesiarum Orientalium

Liturgie

Rite latin

Missel Romain

Institutio generalis

Offertoire

Préface

« Sanctus »

Canon romain

Prière eucharistique

Embolisme

Collecte

Liturgie du Vendredi-Saint

Vigile pascale

Séquence

Rituel Romain

Ordo initiationis christianae adultorum

Ordo baptismi parvulorum

Ordo baptismi adultorum

Ordo confirmationis

Ordo poenitentiae

Écrivains ecclésiastiques

Index Thématique

A

Abaissement : 272, 472, 520, 2748.

Abandon : 305, 1851;

Abandonner : 2115, 2577, 2677.

Abba : 683, 742, 1303, 2605, 2766, 2777.

Abel : 58, 401, 769.

Abraham : 59 *sq.*, 63, 144 *sq.*, 165, 332, 422, 527, 590, 633, 705 *sq.*, 762, 841, 1080, 1221, 1222, 1541, 1716, 1819, 2569 *sq.*, 2635, 2676, 2810.

Absolution : 1020, 1415, 1424, 1442, 1449, 1453, 1457, 1459, 1463, 1480 *sq.*

Acclamation : 559, 1154, 1345, 2760.

Accomplissement : 130, 148 *sq.*, 306, 351, 484, 497, 561, 580, 591, 624, 634, 652 *sq.*, 664, 670, 715, 729, 1088 *sq.*, 1093, 1138, 1168, 1285, 1335, 1403, 1494, 1544, 1562, 1627, 1886, 2053, 2068, 2102, 2175, 2213, 2317, 2366, 2619, 2625, 2676, 2750, 2804, 2857.

Accueil : 505, 678, 722, 1021, 1098, 1229, 1247, 1439, 1687, 1847, 1911, 1991, 2001, 2626.

Accueillir: 3, 35 *sq.*, 53, 67, 89, 108, 148, 197, 440, 502, 528, 538, 543 *sq.*, 559, 686, 689, 702, 764, 800, 858, 1033, 1080, 1107, 1185, 1336, 1349, 1381, 1445, 1465, 1630, 1637 *sq.*, 1719, 1777, 1868, 1967, 1989, 2030, 2088, 2233, 2241, 2358, 2571, 2606, 2617, 2632, 2652, 2666, 2677 *sq.*, 2712 *sq.*, 2750, 2792, 2835.

Acédie : 1866, 2098, 2733.

Acte humain : 154, 1627, 1640, 1751, 1853.

Action : 37, 302, 307, 395, 407, 771, 798, 900, 905, 1014, 1146, 1148, 1285, 1303, 1345, 1431, 1471, 1694, 1717, 1731 *sq.*, 1750 *sq.*, 1853, 1883, 1974, 2006, 2010, 2099, 2118, 2157, 2263, 2277, 2288, 2306, 2313, 2352, 2370, 2423, 2442, 2447, 2478, 2668, 2816, 2819;

– **de Dieu, de Jésus, de l'Esprit, créatrice :** 53, 95, 128, 152, 175, 260, 291 *sq.*, 304, 648, 695 *sq.*, 805, 981, 988, 1083, 1088, 1115 *sq.*, 1148, 1164, 1309, 1325, 1353, 1375, 1448, 1813, 2008, 2084, 2171, 2258, 2516, 2568, 2577, 2600, 2640, 2670, 2679, 2738;

– **de grâces :** 224, 722, 1078, 1081, 1103, 1328, 1345 *sq.*, 1356 *sq.*, 1453, 1480 *sq.*, 1657, 2062, 2098, 2233, 2240, 2588, 2603 *sq.*, 2619, 2636 *sq.*, 2807, 2855;

– **liturgique :** 15, 1070 *sq.*, 1083, 1088, 1097, 1101 *sq.*, 1120, 1136, 1140, 1153 *sq.*, 1480, 1519, 2120.

Adam : 359, 375, 388, 399 *sq.*, 504 *sq.*, 518, 532, 536 *sq.*, 635, 655, 766, 769, 1167, 1263, 1736, 2361.

Adhésion : 88, 150, 967, 1098, 2579, 2603, 2609, 2716.

Adoption : 1, 257, 270, 422, 465, 505, 654, 690, 693, 736, 839, 1110, 1129, 1709, 2009, 2241, 2740, 2782, 2784, 2825.

Adoration : 245, 333, 347, 448, 528, 901, 971, 1078, 1083, 1178, 1185, 1378 *sq.*, 2096 *sq.*, 2143 *sq.*, 2502, 2626 *sq.*, 2691, 2781, 2807, 2855.

Adultère : 1447, 1650, 1736, 1756, 1853 *sq.*, 2052 *sq.*, 2196, 2330, 2336, 2380 *sq.*, 2388, 2513, 2517, 2737.

Agir : 16, 76, 117, 162, 236, 282, 301, 306, 308, 407, 548, 576, 736, 764, 798, 826, 847, 875, 1072, 1120, 1142, 1266, 1442, 1548, 1563, 1575, 1581, 1588, 1695, 1697, 1709, 1731, 1752, 1755, 1763, 1782, 1809, 1813, 1902, 1907, 1972, 1999, 2008, 2031, 2061, 2074, 2085, 2089, 2103, 2106, 2157, 2172, 2468, 2472, 2483, 2516, 2725, 2848.

Agneau : 523, 536, 602, 608 *sq.*, 719, 757, 796, 865, 1045, 1137 *sq.*, 1244, 1329, 1602, 1612, 1618, 1642, 2572, 2618, 2642, 2665.

Agnosticisme : 2127 *sq.*

Agonie : 333, 478, 612, 1769, 2603, 2719, 2731, 2828, 2849.

Y

Z

Table des matières

229
Deuxième partie
La célébration
du mystère chrétien

515 Quatrième partie
La prière chrétienne

IMPRIMÉ AU CANADA